SCHATZHAUS KÄRNTENS

Landesausstellung St. Paul 1991
900 Jahre Benediktinerstift

II
BEITRÄGE

Herausgegeben vom Ausstellungskuratorium
Redigiert von Johannes Grabmayer

Schriftleitung: Günther Hödl

I KATALOG
ISBN 3-85378-376-7

II BEITRÄGE
ISBN 3-85378-377-5

Universitätsverlag Carinthia Klagenfurt

Gestaltung: Art & Design Atelier Egon Waltl, Graz
Gesamtherstellung: Graphischer Betrieb Carinthia, Klagenfurt

Vorwort

Ein Ziel des die 1. Kärntner Landesausstellung „Schatzhaus Kärntens. 900 Jahre Benediktinerstift St. Paul im Lavanttal“ vorbereitenden Teams war es, die Geschichte und Bedeutung des Stiftes St. Paul, sein geistiges, kulturelles und wirtschaftliches, aber auch politisches Wirken im Laufe von 900 Jahren möglichst umfassend, aber in Form von Einzelbeiträgen zu dokumentieren. Es sollte dies durch eine ganze Reihe von fachlich zuständigen Autoren geschehen, denen die Aufgabe gestellt war, zu ihrem Thema den jeweils aktuellen Stand wissenschaftlicher Erkenntnis auszubreiten, ihn gegebenenfalls durch eigene Forschungen zu ergänzen und dabei auch die Beziehung zum inhaltlichen Konzept der Ausstellung nicht zu vernachlässigen, indem sie gebeten waren, auch am Katalog mitzuwirken. Das Ergebnis dieser Bemühung liegt nunmehr in Form einer wissenschaftlichen Anthologie zur Gesamtgeschichte St. Pauls und seines Umfeldes vor, die in mehr als 60 Beiträgen eine komplementäre Ergänzung zum Katalog der Ausstellung bildet. Alle darin behandelten geschichtlichen Epochen und Ereignisse, vor allem aber auch die Leistungen des Stifts für Religion, Kunst und Kultur bis hin zu Reflexionen über den heutigen Stellenwert des Klosters, korrespondieren mit einzelnen Teilen der Ausstellung selbst.

Die 14 Abschnitte, in die die Beiträge gegliedert wurden – auf einen chronologisch-historischen Teil (Kapitel 1 bis 5) folgen die Kapitel über „Das Wirken des Stiftes in seinem Umland“, in dem auch Beiträge über das Lavanttal in urgeschichtlicher und römischer Zeit, über die geologischen Gegebenheiten, über den Markt St. Paul und das Schulwesen enthalten sind, und jene über die kulturellen und künstlerischen Leistungen St. Pauls bis hin zu Biographischem –, werden umrahmt von grundlegenden geistlichen Erwägungen des derzeitigen Abtes, die den stets aktuellen Geist dieser benediktinischen Gemeinschaft verdeutlichen (Prolog und Epilog). Die Anthologie gründet sich auf ein inhaltliches Konzept, das zunächst von Friedrich LEITNER, der auch einen ersten Entwurf für die Ausstellungsabfolge entwickelt hat, und von mir erarbeitet und im Zuge des Einlangens der Manuskripte und der Drucklegung gemeinsam mit dem Redakteur in die vorliegende Gestalt gebracht wurde. Die Kärrnerarbeit der Redaktion und die Erstellung einer umfassenden Bibliographie besorgte Johannes GRABMAYER, der dem Projekt mit unermüdlichem Fleiß diente. Die Koordination zur Ausstellung und die Erstellung des Katalogs besorgte das Organisationsteam unter Leitung des tatkräftigen und umsichtigen Hartwig PUCKER. Mit diesem Team wurde auch jenes Konzept erarbeitet, das der ersten Kärntner Landesausstellung zugrunde liegt. Der „Carinthia“ sei herzlich gedankt für die sorgfältige Drucklegung, allen Autoren aber für ihren selbstlosen Einsatz und ihre Mühe, das große Jubiläum des Schatzhauses Kärntens, des einzigen noch aktiven Benediktinerklosters im Lande, mit wissenschaftlichem Engagement mitzugestalten.

Günther Hödl, Schriftleiter

Verzeichnis der Autoren

Dr. Richard BÄK
Amt der Kärntner Landesregierung

Mag. Dr. Wilhelm BAUM
Klagenfurt

Dr. Ulrike BAUMGARTNER-WALTEN
Feldkirchen

Univ.-Doz. Dr. Gottfried BIEDERMANN
Landesmuseum Joanneum, Graz

Univ.-Prof. Dr. Alois BRANDSTETTER
Institut für Germanistik, Universität Klagenfurt

Mag. Ulfried BURZ
Institut für Geschichte, Universität Klagenfurt

Dr. Wilhelm DEUER
Kärntner Landesarchiv, Klagenfurt

Univ.-Prof. Dr. Heinz DOPSCH
Institut für Geschichte, Universität Salzburg

Univ.-Ass. Mag. Dr. Werner DROBESCH
Institut für Geschichte, Universität Klagenfurt

Univ.-Prof. DDr. P. Ulrich FAUST OSB
Internationales Forschungszentrum für Grundfragen der Wissenschaften, Salzburg

Dr. Barbara FELSNER
Klagenfurt

Univ.-Prof. Dr. Hermann FILLITZ
Institut für Kunstgeschichte, Universität Wien

Univ.-Prof. Dr. Rudolf FLOTZINGER
Institut für Musikwissenschaft, Universität Graz

Univ.-Ass. Mag. Dr. Johannes GRABMAYER
Institut für Geschichte, Universität Klagenfurt

Univ.-Doz. Dr. Hans GRÖCHENIG
Institut für Germanistik, Universität Klagenfurt

Dr. Johannes GUT
Karlsruhe

Dipl.-Ing. Dr. Ulrich HARB
Bundesdenkmalamt, Klagenfurt

Dr. Dora HEINZ
Wien

Univ.-Prof. Dr. Günther HEINZ
Institut für Kunstgeschichte, Universität Wien

Univ.-Prof. Dr. Günther HÖDL
Institut für Geschichte, Universität Klagenfurt

Univ.-Prof. Dr. Janez HÖFLER
Universität Laibach

Univ.-Prof. Dr. Kurt HOLTER
Wels

Dr. Manfred JELONEK
Klagenfurt

Dr. Barbara KIENZL
Bundesdenkmalamt Klagenfurt

Mag. Engelbert KIRCHHEIM
Klagenfurt

Dipl.-Ing. Ludwig KRAMER,
St. Paul

Dr. Waltraud KRASSNIG
Internationales Forschungszentrum für Grundfragen der Wissenschaften, Salzburg

Dr. Hans KRAWARIK
Wien

Dr. Konrad KRIMM
Generallandesarchiv, Karlsruhe

Dr. Georg Jakob LADSTÄTTER
Wien

Dr. Gabriele LAZANSKY
Völkermarkt

Dr. Friedrich LEITNER
Landesmuseum für Kärnten, Klagenfurt

Univ.-Doz. Dr. Hubert LENGAUER
Institut für Germanistik, Universität Klagenfurt

Univ.-Doz. Dr. Gernot PICCOTTINI
Landesmuseum für Kärnten, Klagenfurt

Mag. Hartwig PUCKER
St. Paul

Prälat Mag. Bruno RADER OSB
Abt des Benediktinerstiftes St. Paul

Mag. Josef RÖCK
Pustritz

Univ.-Prof. Dr. Helmut RUMPLER
Institut für Geschichte, Universität Klagenfurt

Fr. Gerfried M. SITAR
Benediktinerstift St. Paul

Univ.-Doz. Dr. Wolfgang SZAIVERT
Institut für Numismatik, Universität Wien

Mag. Werner THELIAN
Bad St. Leonhard

Dr. Peter TROPPER
Diözesanarchiv, Klagenfurt

Mag. Dr. Evelyne WEBERNIG
Kärntner Landesarchiv, Klagenfurt

Univ.-Ass. Dr. Markus WENNINGER
Institut für Geschichte, Universität Klagenfurt

Dr. Barbara WILD
Wien

Abkürzungsverzeichnis

A., Anm.	Anmerkung
Abb.	Abbildung(en)
Abt.	Abteilung
Aufl.	Auflage
AÖG	Archiv für österreichische Geschichte (bis Bd. 33 AKÖG = Archiv für Kunde österreichischer Geschichtsquellen)
Apg	Apostelgeschichte
AVGT	Archiv für vaterländische Geschichte und Topographie
Bd., Bde.	Band, Bände
BDA	Bundesdenkmalamt
Bearb., bearb.	Bearbeiter, bearbeitet
Beil.	Beilage
bes.	besonders
Bl., Bll.	Blatt, Blätter
Br.	Breisgau
Car. I	Carinthia I (bis Bd. 80 Car. = Carinthia)
Cod.	Kodex
DA	Deutsches Archiv für Erforschung des Mittelalters
Den, d	Pfennig (Denar)
Ders., Dies.	Derselbe, Dieselbe
Diss.	Dissertation
Dt. Chron.	Deutsche Chroniken
E.	Entwurf
ebd.	ebenda
Ed., ed.	Editor, ediert
Erg.-Bd.	Ergänzungsband
F.	Folge
Fasc., Fasz.	Faszikel
FG	Festgabe
fl	Gulden
fl RH	Gulden, rheinisch
fol.	Folio
FRA	Fontes Rerum Austriacarum
FS	Festschrift
H.	Heft
Habil. Schrift	Habilitationsschrift
HHSTA	Haus-, Hof- und Staatsarchiv Wien
HS, HSS	Handschrift, Handschriften
HZ	Historische Zeitschrift
Ink.	Inkunabel
Ioh.	Johannesevangelium
Jb.	Jahrbuch, Jahrbücher
JbSP	Jahresberichte des Stiftsgymnasiums St. Paul
KLA	Kärntner Landesarchiv
Kor.	Korintherbrief
kr	Kreuzer
K.Z.	Kärntnerische Zeitschrift
LM	Kärntner Landsmannschaft
MC	Monumenta historica ducatus Carinthiae
MG	Monumenta Germaniae Historica
Mk	Markusevangelium
MÖSTA	Mitteilungen des österreichischen Staatsarchives
Mt	Matthäusevangelium
Nd.	Nachdruck, Neudruck
Necr.	Nekrolog
NF	Neue Folge
Nr., Nrn.	Nummer, Nummern
NS	Nova Series
ÖKT	Österreichische Kunsttopographie (die Beiträge von Karl Ginhart im Bd. 37 werden in der Bibliographie gesondert angeführt, jedoch nicht in den einzelnen Beiträgen, dort ÖKT 37)
ÖNB	Österreichische Nationalbibliothek Wien
o. J.	ohne Jahr
o. O.	ohne Ort
o. S.	ohne Seite
P	Pack, Paket
pag.	Pagina
RB	Regula Benedicti
Red., red.	Redakteur, redigiert
Sd.	Sonderdruck
Sp.	Spalte
SS	Scriptores
STA	Stiftsarchiv St. Paul
StLA	Steiermärkisches Landesarchiv
SUB	Salzburger Urkundenbuch
Tl., Tle.	Teil, Teile
TNRB	Thesaurus Nummorum Romanorum et Byzantinorum
UB St. Paul	Urkundenbuch St. Paul
UK	Urkunde
vgl.	vergleiche
vol.	volumen (Band)
zit.	zitiert
ZS	Zeitschrift

Inhalt

Prolog

Abb. 1, auf Vorderseite:
Benediktusstatue von D. F. Carlone, 1720/24, Holz, Graz, Joanneum, Alte Galerie.

Leben nach der Regel des heiligen Benedikt in der Welt von heute

BRUNO RADER OSB

I. Einleitende Bemerkung

Eine Definition benediktinischen Lebens erscheint – bedingt auch durch den Leitspruch *Ora et labora* – auf den ersten Blick ein nicht allzu schwieriges Unterfangen. Bei dem Versuch, die Eigenart benediktinischen Lebens genau beschreiben zu wollen, ergibt sich aber, daß es – wie alles in unserem Leben – aus dem Glauben nicht eigentlich definiert werden kann.

Man kann natürlich versuchen, einige Kriterien für Menschen zu nennen, die zu uns ins Kloster kommen und warum sie die Prüfung des Noviziats auf sich nehmen. Festzuhalten ist jedoch, daß das 58. Kapitel der Regel des heiligen Benedikt auch heute durchaus seine Bedeutung hat. In diesem Kapitel werden Kriterien für den Eintritt ins Kloster aufgezählt. Über allem steht die aufrichtige, konsequente Gottsuche, die sich konkretisiert im Eifer für den Gottesdienst und der Kraft, den Widerwärtigkeiten des Lebens mit Ausdauer zu begegnen. Dazu kommt die Fähigkeit, sich etwas sagen zu lassen, eben die Regel des hl. Benedikt anzunehmen.

Heute würden wir die Frage nach der Gemeinschaftsfähigkeit noch hinzufügen. Sie wird im 58. Kapitel nicht erwähnt, weil sie für die Regel des hl. Benedikt – so scheint es – überhaupt nicht problematisch war. Die Frage nach der Gemeinschaftsfähigkeit ist aber für den verunsicherten und zum Teil ratlosen Menschen des ausgehenden 20. Jahrhunderts sehr wohl aktuell.

II. Das benediktinische Leben gibt es nicht

Ein Blick auf die Mannigfaltigkeit seiner Formen genügt, um diese Feststellung zu bestätigen. Benediktinisches Mönchtum kann man nicht nach dem definieren, was getan wird. Man muß also weitgehend auf die Regel des hl. Benedikt zurückgreifen, damit sich Sinn und Aufgaben des benediktinischen Mönchtums konkretisieren.

Allzu schnell stößt man jedoch auf die Tatsache, daß auch die Regel Benedikts auf unsere Frage nur bedingt Auskunft geben kann. Sie formuliert vieles so allgemein, daß das spezifisch Monastische nur angedeutet wird; sie steht zudem in einem Geflecht von mehr oder weniger abhängigen Mönchsregeln, auf die sie zum Teil selbst hinweist. So heißt es etwa im 73. Kapitel: „Wer den Gipfel der Tugend und Lehre erreichen will, der muß sich nicht nur an die heilige Schrift halten“, sondern auch an „(...) die Unterredung der Väter“, an ihre Einrichtungen und Lebensbeschreibungen sowie an die Regel des hl. Vaters Basilius.‘[1]

Zu diesen seinen Vorgängern schaut Benedikt auf, ihnen fühlt er sich weit unterlegen. Dies treibt ihn aber dazu, die Ansichten der Vorgänger in den Dialog für diejenigen einzubinden, für die er seine Regel geschrieben hat.

Benedikt ist tatsächlich nicht zu trennen von verschiedenen Autoren vor und neben ihm.

Benedikt fügt sich ein in die Überlieferung, er ist in sie eingebettet, ohne sie ungesehen oder gar blind und sklavisch zu übernehmen. Auf der anderen Seite aber bleibt die Regel eigentümlich indifferent: „Im gleichen Atemzug nennt Benedikt die Werke Kassians und die Regel des hl. Basilius, deren Einstellung zum Einsiedlertum sich kaum verträgt, und seine Wertschätzung der *Collationes* Kassians hält ihn nicht davon ab, in seine Darstellung des gemeinsamen Lebens augustinisches Gedankengut einzubringen", schreibt A. de Vogüé.[2]

Was ist der Grund für diese Toleranz? Wohl vor allem die Tatsache, daß die Regel vornehmlich auf die Praxis ausgerichtet ist, auf das zu lebende Leben. Das kirchliche Mönchtum wird sozusagen unbefragt übernommen. Benedikts Anliegen ist es, eine klösterliche Lebensform für „Anfänger" aufzustellen, zu denen er sich selbst zählt. Menschen unterschiedlicher Herkunft, Begabung und Bildung soll im Kontext der Tradition die Möglichkeit gegeben werden, auf dem Wege der *conversatio morum*, im klösterlichen Alltag also, zur vollen Gemeinschaft mit Gott zu kommen.

III. Die Eigenart benediktinischen Lebens

Die Eigenart benediktinischen Lebens scheint darin zu bestehen, daß sich wenig Eigenarten im Sinn des Besonderen abzeichnen. Benediktinisches Leben soll nach der Regel von den unaufgebbaren und allgemein anerkannten Maximen des asketischen Lebens gekennzeichnet sein, wobei diese Vorgegebenheiten klug und flexibel angewandt werden sollen. Man kann sagen: Benediktinisches Leben hat nichts Elitäres. Es besagt in einem guten Sinn die Gewöhnlichkeit des Mönchslebens, die auch der durchschnittliche und schwache Mensch auf sich nehmen kann. Benediktinisches Leben kann je nach Zeit und Notwendigkeit mit allem Möglichen vereinbart werden, sowohl was die Art der Arbeit als auch den Lebensstil angeht. Voraussetzung ist, daß dies alles innerhalb der fundamentalen Zielsetzung der Regel und ihrer asketisch-spirituellen Hauptlinien bleibt. Die geschichtliche Erfahrung zeigt sehr deutlich, daß man die Regel weiter entfalten kann und darf. Die Regel selbst, die sich als Interpretin der Tradition für ihre Zeit versteht, legt eine solche Dynamik denen nahe, die nach ihr leben. Der Auftrag der Auslegung ist verstanden worden und muß auch heute verstanden werden als eine ständige Bewegung.

IV. Die Aktualität des benediktinischen Lebens

Aktualität kann ein Mehrfaches bedeuten: Zum einen kann etwas vielleicht schon lange Bestehendes heute wie von selbst wieder Bedeutung gewinnen. Aktuell in diesem Sinn ist in einer pluralistischen und in sich zerrissenen Gesellschaft eine disziplinierte Lebensweise, Askese im Sinne einer inneren Ordnung, verbunden mit bestimmten freiwilligen Verzichten. Weiters aktuell im oben genannten Sinne ist für die Menschen unserer Zeit, der ihr stolzer Fortschritt zur Katastrophe auszuarten droht, die Suche nach einer neuen Dimension. Aktuell ist ein Dasein, das nicht den Effekt, den Profit, den Nutzwert zum Götzen macht, sondern dem Unnötigen, der Muße, der Liebe, dem Geheimnis Raum läßt; eine Grundeinstellung, die uns in mancherlei Hinsicht auf eine harte Probe stellt, wenn man z. B. die große Anzahl von Drogensüchtigen, von verwahrlosten Jugendlichen und apathisch-abgestumpften Menschen vor Augen hat.

Das Mönchtum ist unabdingbar der Askese, der Suche nach der „anderen Dimension“, der Zwecküberlegenheit zugeordnet und hat so mit Aktualität in diesem ersten Sinne zu tun.

Aktualität kann aber auch besagen, daß eine Gruppe, eine Lebensform, eine Kirche zu ihrem Anfangsimpuls, zum Geist des Ursprungs, zurückkehrt und ihn zugleich den Erfordernissen der jeweiligen Zeit entsprechend zu gestalten sucht. Es geht um jene Aktualität, die im Ordensdekret des Konzils *accomodata renovatio* heißt. Sie ist tief verwurzelt in der Tradition und gleichzeitig kreativ im geschichtlichen Augenblick. Bei dieser Art von Aktualität wird versucht, im unterscheidenden Hinhören und unter Auswertung der zeitgenössischen Erfahrungswissenschaften, nicht zuletzt entsprechend den Leitlinien und Orientierungsmarken der Kirche unseres Jahrhunderts, die zur Rede stehenden Werte schöpferisch zur Geltung zu bringen.

V. Zwei Positionen

Nach diesen hier dargelegten Gedanken müßte sich benediktinisches Leben auch und gerade durch diese zweite Art von Aktualität herausgefordert wissen. In der Praxis werden in unseren Benediktinerklöstern zur Frage der Aktualität zwei Positionen bezogen. Die eine deckt sich ziemlich genau mit der erstgenannten Bedeutung von Aktualität: Man beruft sich auf die bleibende Gültigkeit der für benediktinisches Leben maßgebenden Werte und Haltungen. Daneben verweist man auf die Priorität des Gottesdienstes im Sinne des liturgischen *Opus Dei*. Man führt die Ausrichtung der persönlichen wie der gemeinsamen Existenz in den Raum des Schweigens, die im Gehorsam, in der Demut und in der Geduld das klösterliche Leben prägt; oder man verweist auf das Verhältnis zur Arbeit und die Erhaltung des Daseins für andere, vor allem innerhalb, aber auch außerhalb der Klausur und der klösterlichen Gemeinschaft. Was ist in der Tat so aktuell wie der Lobpreis des Schöpfers, die Danksagung einer auf das Endgültige sich ausrichtenden kirchlichen Gemeinschaft gegenüber einer Welt voller Unzufriedenheit, Angst und Gleichgültigkeit? Was wird von suchenden Menschen mehr entbehrt als der unabgelenkte Blick auf Gott in innerer und äußerer Stille?

Wie entscheidend ist gerade für junge Menschen ein sinnvolles Verhältnis zur Arbeit, wie wichtig sind die angesprochenen Aspekte zwischenmenschlicher Begegnung, das gemeinsame Dasein für andere! In dieser Weise könnte man vieles aufzählen und in einer besinnlichen Meditation benediktinischen Lebens versucht sein, die Fragen Fragen sein zu lassen und im Frieden miteinander zu beten und zu arbeiten und darauf zu setzen, daß unser Mönchtum gerade so, in gelassener Absichtslosigkeit und Stellvertretung, fruchtbar ist und mit jedem Tag an Aktualität gewinnt.

Dies ist keine verkehrte Ansicht! In gewissem Sinne müßte tatsächlich jeder Benediktiner zu solcher Gelassenheit kommen, müßte sich getragen wissen und sich tragen lassen von der zeitlosen Größe einer Berufung, die unentbehrlich und in der Tiefe auch zeitgemäßer erscheint als die Durchführung vieler zusätzlich angestrengter Programme und Aktivitäten.

Nach unruhigen Jahren selbstkritischen Hinterfragens und Experimentierens sieht es so aus, als bewege sich die Gesamtströmung, zumindest in den Benediktinerklöstern des deutschsprachigen Gebietes, eher wieder in solchen „friedvollen“ Bahnen.

Zweifellos gibt es aber auch bei uns

noch eine andere Aktualitätsposition. A. de Vogüé geht davon aus, daß wir allesamt und von selbst Menschen unserer Zeit und Glieder unserer zeitgenössischen Kirche sind.[3] Dadurch aber geraten wir Mönche in eine unvermeidliche Spannung. Denn zuerst sind und bleiben wir an die patristische Zeit gebunden, d. h. unser Mönchsein besteht in einem möglichst unablässigen Gebet, im ständigen Aufmerken zu Gott, im Warten auf das kommende ewige Leben – kurz in dem, was man das „kontemplative Leben" nennt. Damit verbunden sind die Askese, die Buße, das gemeinsame Leben, der Gehorsam, die Arbeit und andere Aspekte und Gegebenheiten der klösterlichen Lebensweise. An dieser monastischen Interpretation und Lebensart müssen wir festhalten. Diese Grundhaltungen gehören nach A. de Vogüé zu den unverlierbaren Schätzen der Kirche.[4]

Nicht aus dem Gefühl der Überlegenheit heraus, sondern in Demut und gerade, weil wir unsere Zeit lieben, müssen wir der Tradition treu bleiben. Es geht dabei nicht um ein Bewahrenwollen um jeden Preis. Treue zur Tradition muß mit Intelligenz und Liebe verwirklicht werden. So sehr sie um einen Rest von Undurchschaubarkeit in aller echten Überlieferung weiß, so verlangt sie bisweilen Neuprägungen und Veränderungen.

VI. Lässt sich benediktinisches Leben ins Heute aktualisieren?

Wenn man die ungeheuren Wandlungen registriert, die im westlichen, speziell im deutschsprachigen Raum, aber auch im Osten Europas und in den Ländern der Dritten Welt vor sich gehen, tauchen gewisse Zweifel auf: Von welchem Fixpunkt aus geschieht hier die Unterscheidung zwischen dem, was benediktinisch ist und was nicht; nur von innermonastischen Aspekten aus oder auch von den Anforderungen und Bereicherungen her, die eine sich explosiv vergrößernde Bevölkerung mit nicht abendländischer Kultur beim Versuch, das Evangelium zu leben, bietet?

Zwingt das nicht zu einer Suche, die noch tiefer ansetzt als bei den neuen Ausdrucksformen der traditionellen Werte unter den veränderten Zeitbedingungen? Geht es nicht insgesamt um eine Neubesinnung auf unser monastisches Selbstverständnis?

So sehr wir im Kern dem treu bleiben, was benediktinische Mönche seit eh und je getan haben und gewesen sind, so kommen wir nicht um die Frage herum, ob wir heute nicht anders leben müssen, gerade weil sich der Kern selbst uns anders zeigt und erschließt. Kann jene epochale Neubesinnung vom Evangelium her, die beim heiligen Benedikt nicht zu finden ist, die aber vom II. Vaticanum offiziell aufgegriffen wurde, unser monastisches Selbstverständnis unberührt lassen?

Trifft es nicht zentral unser monastisches Konzept, wenn wir an die Neuentdeckung der Spannungseinheit von Kontemplation und Aktion, die „Zwei-Einheit" von Gottes- und Nächstenliebe denken? Damit ist doch aufs engste verbunden die Bejahung der irdischen Werte mit ihrer sehr realen Konsequenz der Verantwortung für ihre Gestaltung nicht abseits, sondern innerhalb der Suche nach Gott! Die Regel steht einer solchen, auch inhaltlichen Weiterentwicklung nicht im Wege. Die von ihr gewiesene Gottsuche erschließt sich nicht nur im Vollzug. Sie muß auch im Raum der Geschichte immer neu vernommen werden, soll der Weg gangbar bleiben.

Ein wesentliches Kriterium für die vertiefende Erschließung dieses Weges wäre, daß die Weiterentfaltung wirklich vom Evangelium her ihren Ausgang nimmt und nicht von irgendwelchen modischen Spielereien.

VII. Drei Fragen

1. Welche grundsätzlichen Überlegungen zum klösterlichen Leben stellt man sich bei uns?

Hat man z. B. das überkommene Vokabular überprüft, welches praktisch 1500 Jahre unverändert geblieben ist, das aber mit monastischen Grundhaltungen und Observanzen aufs engste zu tun hat? Wie interpretieren wir altmonastische Begriffe wie „vollkommene Kontemplation", „engelgleiches Leben", „himmlische Daseinsweise"? Ist die „Wüste" noch so unbedingt der bevorzugte Ort der Gottesbegegnung? Steht für uns nicht daneben noch die Gemeinschaft, die Liturgie, das reale Leben mit seinen Höhen und Tiefen? Oder: Wie steht es mit dem so wichtigen Begriff des „Auszugs aus der Welt"? Können wir die Formulierung noch so beibehalten? Wird man die Mönche – nicht nur theologisch, sondern auch asketisch – noch so motivieren können, wie man es ehedem, vor allem im Spätmittelalter, getan hat?

2. Was unternimmt man bei uns, um ein positives Problembewußtsein zu wecken?

Gibt es für junge Mönche ein Sichbewußtmachen des Prozesses für die gezielte Begegnung mit der Zeit, eine Hinführung zu der Verantwortung aller und für alle Christen? Läßt man sich wirklich auf die Fragen der Ausweglosigkeit einer weithin ratlosen Jugend, der Not so vieler Ehen, Eltern und Familien, der Situation kranker, isolierter, gescheiterter und alter Menschen ein?

Läßt man sich aber auch berühren oder sogar beschämen von der manchmal umwerfenden Gläubigkeit und Anständigkeit vieler, die sich oft nicht „gläubig" zu nennen wagen? Es ist wohl in unseren Klöstern inzwischen zur Selbstverständlichkeit geworden, „Welt"-Christen Gelegenheit zu geben, an unserer Liturgie teilzunehmen, ihnen Meditationen und Glaubensgespräche anzubieten, Einkehr im Kloster und dergleichen zu ermöglichen. Aber gelingt es uns, ihnen mit unserer eigenen Erfahrung zu helfen, die Gottbezogenheit in allem und jedem, eben die kontemplative Dimension christlichen Lebens, in ihre Situation einzubringen und zu verwirklichen?

3. Welche konkreten Schritte müßten unternommen werden, damit benediktinisches Leben schöpferische Inkarnation bzw. Inkulturation wird? Wie kann benediktinisches Leben die Nähe Gottes und seines Reiches in einer säkularisierten oder von Christus angenommenen und schon erlösten Welt erfahrbar und einladend machen? Würde man hier eine summarische Antwort zu geben versuchen, käme dieser Versuch einer utopischen Träumerei gleich, wodurch womöglich der Pluralität unseres Lebens Gewalt angetan wird. Ich verweise hier nur auf die fast in allen Klöstern unternommene Erneuerung des Stundengebetes wie überhaupt einer Liturgie, bei der man auch Suchende und vor allem junge Menschen möglichst vieler Schichten mit im Auge hat. Dazu kommen die Formen erweiterter Gastlichkeit, die sich seit etlichen Jahren je nach dem Stil der betreffenden Gemeinschaft entwickelt haben. Niemand von uns wird bezweifeln, daß sowohl im liturgischen Miteinanderfeiern als auch im gastlichen Miteinanderumgehen die privilegierten Formen monastischen Apostolates geübt werden. (Daß man auch aus dem Erziehungsdienst etwas machen kann, zeigt gerade auch unser Stift mit seiner langen Bildungstradition.) Hand in Hand mit solchem Apostolat geht sicher im Prinzip die Zusammenarbeit mit der Ortskirche, die gleichfalls intensiviert wurde. Das alles sind konkrete Schritte im Sinn der gestellten Frage und es mag sein, daß so mancher von uns unter der Last der mehr anfallenden Arbeit zu sagen geneigt ist: Damit haben wir unsere Schuldigkeit getan. Mögen auch einige Experimente fehlgeschlagen haben, an Innovationen für das weitergehende Leben soll es nicht mangeln. Es geht vor allem auch, wie schon er-

wähnt, in der Dritten Welt unaufhaltsam weiter, wo sich ein neuer Typ benediktinischen Mönchtums herauszubilden scheint. In den jungen monastischen Gemeinschaften der Dritten Welt zeichnet sich mehr ab als nur eine prinzipielle Öffnung zur Welt. Vieles weist hin auf eine Aktualität monastischen Lebens mitten unter den Menschen, ohne künstliche Barrieren, dafür mit einer vertieften Entschlossenheit, Gottes Ruf hier und heute zu entsprechen. Wie immer das auch aussehen mag, es kann nicht nur Sache der Klöster in der Dritten Welt sein! Wie sehr sind auch wir von Armen aller Art umringt, denen wir unsere Kräfte, unsere Erfahrungen, unsere Freundschaft widmen, denen wir Christus bringen sollen!

Die Welt, für die wir verantwortlich sind, endet nicht in der eigenen Klostergemeinde oder gar beim eigenen Ich! Was not tut, ist zweifellos unser aller Bemühen um Formen, die auch Außenstehenden verdeutlichen, was wir heute sollen und wollen, und dies nicht nur gleichsam im Symbol, sondern so, daß wir an unserem Ort und nach unseren Kräften Kirche mitaufbauen.

VIII. Aufmerksamkeit

Gelassenheit gehört zum benediktinischen Leben. Man kann aber auch sündigen durch Gelassenheit; dann nämlich, wenn wir sie verwechseln mit Gleichgültigkeit, Resignation, Sichtaub-Stellen oder mit der billigen Überlassung an die Gewöhnung. Vielleicht sollten wir daher besser von Aufmerksamkeit sprechen, von jener gesammelten Aufmerksamkeit, die nun wirklich zur Eigenart des klösterlichen Lebens gehört und die in der Regel Benedikts ihren zentralen Platz hat. In dieser Haltung hörender und tatwilliger Offenheit schirmen wir uns nicht ab, sondern prüfen alles und lernen zu entscheiden, was richtig ist. In dieser Haltung sind wir fähig, auch ohne Rückversicherung an einen Kodex mit Paragraphen und Einzelvorschriften in der Tiefe unseres Glaubens sicherer und zuversichtlicher zu werden. In der gesammelten Aufmerksamkeit, die auch die Anstrengung der grundsätzlichen theologischen Reflexion nicht scheut, lassen wir nicht einfach über uns ergehen, was nicht veränderbar scheint. Wir rechnen es uns selbst und anderen nicht als Inkonsequenz oder gar Verrat an unserer eigentlichen Berufung an, wenn wir uns dem legitimen Wandel öffnen. Nicht zuletzt kommen wir damit in einer höchst aktuellen „Mühsal des Gehorsams" dem Ur-Ruf der Regel nach: „Heute, wenn ihr seine Stimme hört, verhärtet eure Herzen nicht!" (Prolog, 10)

Im Schallraum unserer Gemeinschaften, in den Ereignissen des Lebens, im geschichtlichen – auch theologischen – Prozeß ergeht der Ruf des Geistes an uns. Das glauben wir, und das können wir erfahren. Diesem Ruf antworten in der Verantwortung, was immer das *in actu* bedeutet, das ist heute „benediktinisch".

Anmerkungen

1. G. Holzherr, Die Benediktsregel. Eine Anleitung zum christlichen Leben (^{2}1982), S. 330.
2. A. de Vogüé, La Regle de S. Benoit (1971 – 1977), Bd. 7, S. 433.
3. Ebd.
4. A. de Vogüé, Notre sitnat wude moines et de moniales au XXe siecle, Collectanea Cisterciensia 33 (1971), S. 171–178.

Die Gründung des Stifts und die Anfänge der Stiftsgeschichte

Kärnten und der Südostalpenraum am Ende des 11. Jahrhunderts

GÜNTHER HÖDL

1. Das Herzogtum Kärnten im 11. Jahrhundert – Daten und Fakten

Um das Jahr 1000 erleben Kärnten und der Südostalpenraum eine Zeitspanne der Konsolidierung der zentralen politischen Kräfte, vor allem des Kaisertums und damit des Deutschen Reiches. Nach dem am Beginn des 10. Jahrhunderts eingeleiteten „Zusammenbruch der karolingischen Marken im Ungarnsturm“[1] und der mit der Rückeroberung der Marken seit 960 begonnenen Wiedererrichtung eines neuen Markensystems im Osten und Südosten des ottonischen Reichs erstand noch einmal das alte große Karantanien (bis 1002), das im Westen und Nordwesten an Baiern anschloß und im Norden bis über die oberösterreichisch-niederösterreichischen Kalkalpen hinausgereicht haben könnte[2] und auf dessen Boden seit dem 7. Jahrhundert ein polyethnisches Fürstentum entstanden war, ein Vorgang, der die „älteste frühmittelalterliche Stammesbildung“ darstellt, „die sich im Ostalpenraum aus Zuwanderern und Einheimischen vollzog und dabei einen bodenständigen Namen erhielt“, und der als „karantanische Ethnogenese“ ein „eindeutig slawisch bestimmtes Volk betraf, das auch Kroaten, Dudlěben und – in nicht näher bestimmbarer Weise – Bulgaren umfaßte“.[3]

In der Zeitspanne seit der Schlacht bei Preßburg (907), in der ein bairisches Heer eine vernichtende Niederlage gegen die Ungarn erlitten hatte, die für den Ostalpenraum das Ende der Karolingerzeit besiegelte, bis etwa 960 war für die nicht von den Ungarnstürmen zerstörten politischen Einheiten wieder, wie schon im 9. Jahrhundert, die Union mit Baiern kennzeichnend, was für Karantanien und ab 952 vorübergehend auch für die Marken Verona, Friaul und Istrien galt. Das neuerliche Markensystem seit 960 wurde um zwei Kerne gebildet, um das alte Karantanien mit der den Ungarn wieder abgenommenen Mittelsteiermark (karantanische Mark) und mit dem im Osten und Süden vorgelagerten Markengürtel (die Untersteiermark als Mark hinter dem Drauwald/Pettau, Saunien als Mark im Sanntal, Krain als windische Mark sowie die Marken Istrien, Friaul und Verona), der von 989 bis 1002 mit Karantanien verbunden war, und um Baiern mit der Ostmark. Diese beiden Kerne waren politisch durch Personalunion verbunden und ergaben eine starke, das Königtum im Reich gefährdende Machtgrundlage. Sie wurde daher von 976 bis 989 und endgültig 1002 aufgelöst. Seit 976 werden die Ostmark als Markgrafschaft und Kärnten als Herzogtum reichsunmittelbare und damit eigenständige politische Einheiten. Um das Jahr 1000 lockert sich die Bindung der karantanischen Mark bis hin zur Trennung unter Markgraf Adalbero von

Donau- und Südostalpenraum im 11. und 12. Jahrhundert

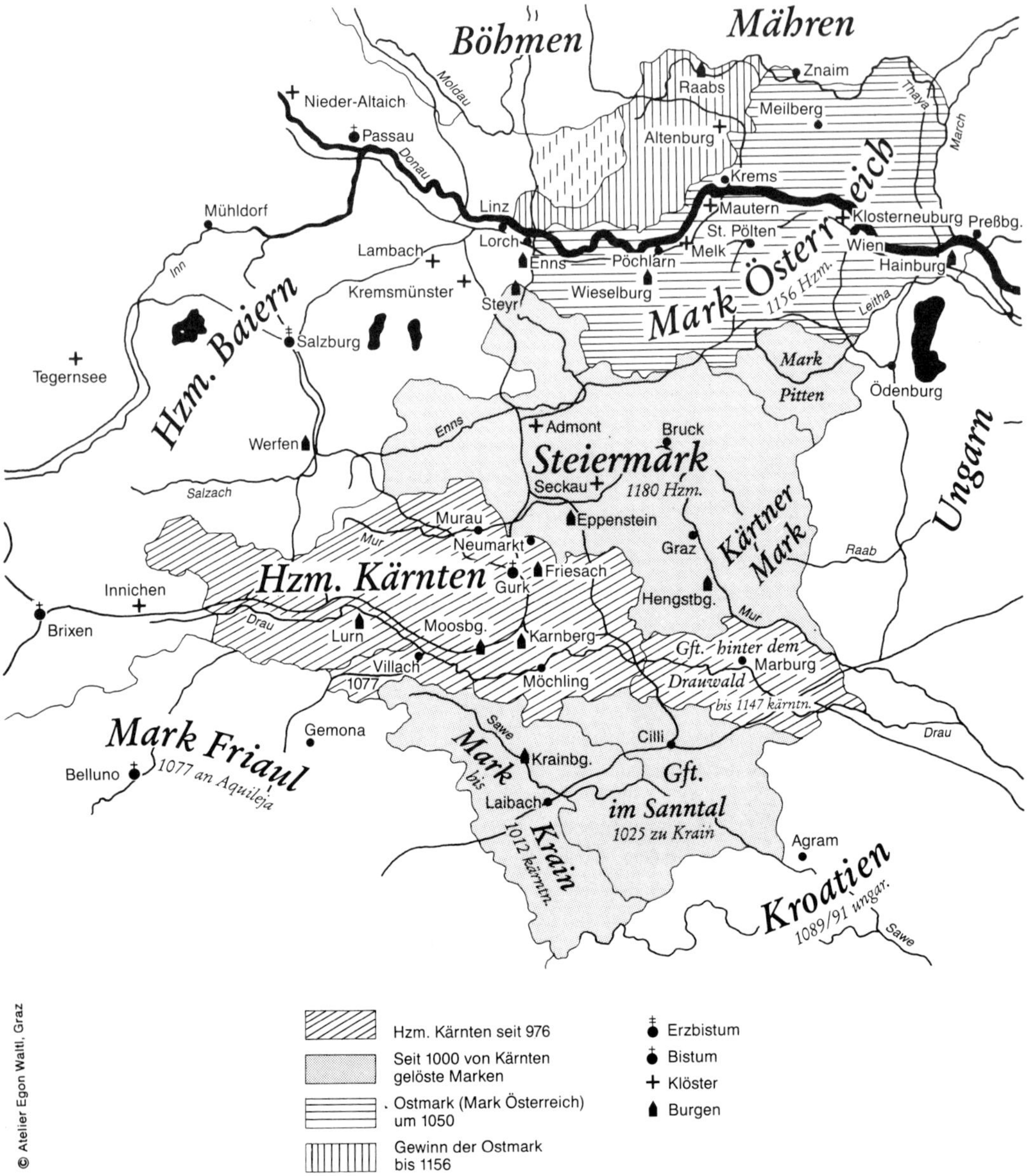

Eppenstein. So wurde das neue Herzogtum Kärnten zu Beginn des 11. Jahrhunderts im wesentlichen auf das heutige Territorium des Bundeslandes beschränkt, auf dem sich aber die Herzogsmacht nur teilweise durchsetzen konnte. Im Westen schloß das Herzogtum darüberhinaus ungefähr das heutige Osttirol mit ein, im Norden das heute steirische obere Murtal und den nunmehr zu Salzburg gehörenden Lungau und im Osten die frühere Untersteiermark um Windisch-Graz. Es bestand damals im wesentlichen aus vier Grafschaften: Lurn im Westen, Friesach im Norden, Jaun (später Heunburg) im Osten und die ihrem Namen nach unbekannte Grafschaft des „Gewaltboten" in der Mitte. Dazu kam schließlich der vormals friaulische Anteil im Süden (das Kanaltal).

Kärntens machtpolitischer Stellung und dem gezielten Ausbau der Herzogsmacht schadeten im 11. Jahrhundert der häufige Wechsel im Herzogsamt und das Fehlen einer erblichen Dynastie. 1035 wurde der mächtige Eppensteiner Adalbero, der 1012 Herzog geworden war, wegen politischer und familiärer Zwistigkeiten zwischen ihm und den ihm verschwägerten Saliern durch Kaiser Konrad II. gestürzt. Das Herzogtum Kärnten kam danach in rascher Folge in die Hand der Salier oder einzelner ihrer Verwandten (1036 bis 1039 in die des Saliers Konrad II., danach Vakanz von 1039 bis 1047, 1047 bis 1055 in die Hand des Welfen Wolf, 1056 bis 1061 in die des Franken Konrad III. und von 1061 bis 1077 in die Hand Bertholds von Zähringen), die zum Teil das Land nie betreten haben. Der Parteiwechsel Herzog Bertholds im Investiturstreit veranlaßte König Heinrich IV. 1077 den ihm treu ergebenen Enkel Adalberos Luitpold von Eppenstein, der dem König den Rückweg von Canossa über die Alpen (im Winter 1077) freigehalten hatte, mit dem Herzogtum Kärnten und der Mark Verona zu belehnen. Bis zum Aussterben der Eppensteiner 1122 blieb das Herzogtum (mit einer Vakanz 1090 bis 1093) in der Hand dieser einheimischen Dynastie, der danach bis 1269/1279 die ebenfalls heimisch gewordene der rheinfränkischen Spanheimer folgte.

1077 war ein Jahr der Umgestaltung im Südostalpenraum, denn König Heinrich IV. hat damals auch den auf seiner Seite stehenden Patriarchen Sigehard von Aquileia noch fester an sich gebunden, indem er ihm die Marken Krain und Istrien sowie die schon zur Grafschaft gewordene Mark Friaul verlieh und damit die Machtstellung des Eppensteiners als Markgraf von Verona, als der er traditionellerweise auch über Friaul hätte gebieten können, beträchtlich einschränkte. Die karantanische Mark in der Steiermark verblieb damals in der Verwaltung der Otakare von Steyr, die dort 1122 den reichsten Grundherrn des auch als Mark an der Mur bezeichneten Territoriums, den letzten Eppensteiner, Herzog Heinrich III. von Kärnten, beerbten und damit die „Geburtsstunde" der Steiermark einleiteten. „Mit dem Übergang des eppensteinischen Besitzes an die Otakare wurden auch die letzten Bindungen der Mark an das Herzogtum Kärnten gelöst".[4]

Im letzten Lebensjahr des kinderlosen Luitpold dürfte es zu Spannungen mit Kaiser Heinrich IV. gekommen sein, denn Luitpolds Bruder Heinrich konnte 1090 das Herzogsamt nicht ohne weiteres übernehmen, vielmehr scheint es der Kaiser bis 1093 selbst in der Hand behalten zu haben, ehe er es wegen seiner durch den Abfall seines Sohnes Konrad sehr schwierig gewordenen politischen Lage dem mächtigen Eppensteiner am 12. Mai 1093 verlieh. Über die seit 1079 wegen der vorübergehend papstfreundlichen Haltung des Nachfolgers Sigehards dem Patriarchen von Aquileia entzogenen und an Heinrich von Eppenstein übertragenen Marken Krain und Istrien wurde ebenfalls neu verfügt: Krain kam am 12. Mai 1093 wieder an Aquileia, für Istrien ist seit Dezember des Jahres ein neuer Markgraf genannt, Poppo von Weimar-Orlamünde,

Schwiegersohn Graf Engelberts von Spanheim, des Gründers von St. Paul. Die Politik Heinrichs IV. 1093 ähnelt der des Jahres 1077, und in beiden Jahren erreichten die Eppensteiner das Herzogsamt nur durch eine kompromißbereite Politik. „Es war die tatsächliche Machtstellung der Eppensteiner, die in besonders schwierigen Zeiten des Königtums ihre Ernennung zu Herzögen von Kärnten mit sich brachte. Die Erblichkeit des Herzogtums hatten sie noch nicht durchgesetzt".[5] 1088 nahm die damals bereits nach den Eppensteinern bedeutendste und nun päpstlich gesinnte Kärntner Familie, die der Spanheimer, die Partei Heinrichs IV., weil sich in diesem Jahr ihr prominentestes Mitglied, Erzbischof Hartwig von Magdeburg, mit dem Kaiser ausgesöhnt hatte.

Die politische Geschichte Kärntens ist zu Ende des 11. Jahrhunderts fast ebenso bewegt und unübersichtlich wie um die Jahrtausendwende, die Herzogsmacht keineswegs konsolidiert. Von großer Bedeutung war für päpstliche wie kaiserliche Politik im Zeitalter der großen Auseinandersetzung zwischen den beiden Hauptkräften des hochmittelalterlichen Europa, zwischen Kaisertum und Papsttum, die strategische Lage Kärntens mit den ihm verbundenen Marken. Sie hatte schon hundert Jahre zuvor die Politik des ottonischen Kaiserhauses im Südostalpenraum bestimmt. 976 hatte sich Kaiser Otto II. wegen eines neuerlichen Aufstandes des Baiernherzogs Heinrich des Zänkers veranlaßt gesehen, „Karantanien mit den Marken Friaul, Istrien, Krain und der karantanischen Mark an der Mur (der späteren Steiermark) aus dem allzu großen und mächtigen bairischen Herzogtum zu lösen und daraus ein neues Herzogtum Kärnten zu schaffen. Die viele Jahrzehnte währende Verbindung mit der Mark Verona, die zum Königreich Italien gehörte, aber vom Kärntner Herzog in Personalunion verwaltet wurde, unterstreicht die besondere strategische und verkehrsgeographische Bedeutung des neuen Herzogtums. Das Jahr 976 bedeutet daher staatsrechtlich die Trennung Kärntens von Baiern und seine Gleichstellung mit den vier alten sogenannten Stammesherzogtümern des römisch-deutschen Reiches".[6] Dieses neue Herzogtum war noch größer als das einstige slawische Fürstentum Karantanien und ein Vielfaches des späteren Landes Kärnten, ja es hatte den größten Umfang in seiner langen Geschichte erreicht, war allerdings von der Landeseinheit weit entfernt. Sie sollte erst im 16. Jahrhundert auf einem sehr viel kleineren Territorium gelingen, als es jenes des politischen Gebildes war, das 976 als Herzogtum Kärnten galt. Bis zur Mitte des 11. Jahrhunderts war das Königsgut im heutigen Kärnten fast vollständig vergabt, und zwar an den verläßlichsten Partner des Königtums seit karolingischen Zeiten, an die Reichskirche (zuletzt 1060 an das Bistum Bamberg). Sie hatte die Schlüsselpositionen in Kärnten inne, so daß dem Kärntner Herzog wenig Möglichkeiten verblieben, seine Machtbasis zu vergrößern. Der unmittelbare Einfluß des Königtums sollte wegen der strategischen Bedeutung des Amtsherzogtums in jedem Falle erhalten bleiben. Erst den Eppensteinern, die zeitweise auch über die Marken Verona, Istrien, Krain, Friaul und über die Vogtei des Patriarchats Aquileia geboten, schien es möglich, „der Herzogsmacht in Kärnten zum Durchbruch zu verhelfen".[7] Der letzte eppensteinische Herzog Heinrich III. scheiterte aber, politisch gedemütigt, am Widerstand des Erzbischofs von Salzburg (der greise Herzog mußte sich barfuß und nur mit einem Leinenhemd bekleidet vor den versammelten Truppen des Erzbischofs um die Lösung vom Kirchenbann bemühen, als er versucht hatte, die Bedrängnis Salzburgs im Investiturstreit auszunützen), und auch die Spanheimer sind in ihrem Bemühen um eine geschlossene Durchsetzung der herzoglichen Landeshoheit, wie sie den Babenbergern für Österreich und den Otakaren für die Steiermark noch im

Hochmittelalter gelungen ist, an ihren großen Widersachern im Lande, vor allem an der Kirche gescheitert.

Wie im 11. Jahrhundert bauen Kirche und Adel auch im 12. Jahrhundert ihre Positionen in Kärnten machtvoll aus. Schon wenige Jahre nach Herzog Heinrich III. von Eppenstein erleidet der Spanheimer Herzog Engelbert dasselbe Schicksal: „Auch er muß sich, als er den Kampf um das (salzburgische) Friesach aufnimmt, dem Erzbischof Konrad I. von Salzburg und dessen Suffragan Hiltebold von Gurk geschlagen geben".[8]

Das Kärntner Amtsherzogtum war im ersten Jahrhundert seines Bestehens noch keine Position mit eigenem Stellenwert. Wem es zufiel, lag im Ermessen des Königs. Die Politik mit Kärnten ist im 11. Jahrhundert davon bestimmt und spiegelt die jeweiligen Beziehungen zwischen Königtum und den führenden Adelsfamilien wider. Zwischen dem eindrucksvollen politischen Potential des Herzogtums 976 und dem zersplitterten Land des späteren Mittelalters besteht ein krasser Unterschied, der von der Dominanz von Adel und Kirche im Land geschaffen wurde. Deren Macht war schon viel früher begründet worden. Sie konnte von den Herzögen, denen es an einer entsprechenden Machtbasis im Land selbst mangelte, und die sich daher darüber hinaus im gesamten Südostalpenraum betätigen mußten, im ganzen Mittelalter nicht so gebrochen werden, daß ein einheitliches Land Kärnten entstanden wäre, wie in Österreich oder in der Steiermark.

2. Zur Reichspolitik in Kärnten

Die Maßnahmen des Jahres 976, die sich gegen die potentielle Machtkumulierung Baierns wandten, waren von kaiserlichen Interessen bestimmt und nicht von solchen, die aus dem Lande selbst kamen. Mit der Einsetzung Heinrichs als Herzog von Kärnten wurde eine der mächtigsten, miteinander rivalisierenden Adelsfamilien, die der Liutpoldinger, vorübergehend ruhiggestellt. Dieses Motiv war auch bei der Belehnung der aus dem Wormsgau stammenden Angehörigen des späteren salischen Königshauses maßgeblich. Es entspricht der Maxime kaiserlicher Politik dieser Zeit, daß die Kärntner Herzogswürde mit der Mark Verona verbunden wurde. Sie diente den damals intensiv gewahrten italienischen Interessen der Kaiser. Zeitweilig lag darin die hauptsächliche Bedeutung des Herzogtums Kärnten. Der Herzog von Kärnten wird kaum für die Wahrung der Reichsinteressen im Südosten herangezogen. Vielmehr bediente sich das Kaisertum gerade dort im besonderen Maß der geistlichen Reichsfürsten als Machtträger, wofür etwa die zeitlich begrenzte Verleihung Villachs an Brixen unter Kaiser Otto II. und dann die dauernde Schenkung der Stadt an das Bistum Bamberg durch Kaiser Heinrich II. die hervorragendsten Beispiele sind. Aber auch im Bereich der Mark Verona begünstigte die Reichsgewalt den Ausbau der weltlichen Herrschaftsrechte der Patriarchen von Aquileia in wachsendem Ausmaß.

Die Kärntner Herzogswürde war daher im ersten Jahrhundert ihres Bestehens bis zum Ausbruch des Investiturstreits keine politische Position mit einem Stellenwert sui generis. Wem dieser Rang zufiel, lag rechtlich im Ermessen des Königs bzw. Kaisers. Die Einsetzung eigener Herzöge hat daher auch die Verhältnisse im Land nicht grundlegend gewandelt. Auch die davor und danach erfolgten, oft großzügigen königlichen Landschenkungen an geistliche und weltliche Große, die weitgehend mit dem Siedlungsausbau Hand in Hand gingen, bezweckten nicht die Schaffung umfangreicher territorialer Machtkomplexe oder gar die Fundierung einer herzoglichen Gewalt im Lande. Vielmehr geschahen sie zum Teil im Interesse konkurrierender Adelsgeschlechter, vor allem aber dienten sie den Zielen der Reichskirchenpolitik, die die geistlichen Fürsten als verläßlichste Stützen des kaiserlichen Machtausbaues besonders bevorzugte. Die Leitlinien der kaiserlichen Politik werden im sogenannten Investiturstreit besonders seit 1076 deutlich sichtbar, als es nach der Bannung König Heinrichs IV. zum offenen Bruch zwischen Kaisertum und Papsttum gekommen und jedermann zu einer klaren Stellungnahme gezwungen war. Die kaiserliche Zusammenarbeit mit den Bistümern Bamberg und Salzburg hat im Rahmen des ottonisch-salischen Reichskirchensystems bis dahin klaglos funktioniert. Die Bistümer fungierten in Kärnten gleichsam als Statthalter des Königtums. Mit dem Bruch zwischen Papst Gregor VII. und König Heinrich IV. kam es allerdings zu einer völligen Umkehr der Verhältnisse. Während das Erzbistum Salzburg zum Zentum der päpstlichen Partei in Süddeutschland und im Ostalpenraum wurde, konnte sich der König, wie erwähnt, auf die Eppensteiner stützen, die in des Königs Diensten politisch reüssierten, und ihren Einfluß in Kärnten zu festigen versuchten. Dies und die Förderung des Patriarchen von Aquileia seit 1077 bot Heinrich IV. die wohldurchdachte Möglichkeit, sich im Südosten des Reichs Rückendeckung zu schaffen, die ihm dann in der Tat in den schweren Krisen der 90er Jahre manch guten Dienst leistete.

Auch die im Herzogsamt den Eppensteinern nachfolgende Familie der Spanheimer hat seit 1088 die kaiserliche Partei unterstützt. Hatte Graf Engelbert I. von Spanheim zunächst noch als Vogt der Salzburger Kirche (1075–1096) und als der wichtigste Mann im Erzstift Salzburg während des Exils Erzbischof Gebhards (1077–1086) und Hauptgegner des 1085 von Heinrich IV. als Erzbischof von Salzburg eingesetzten Berthold von Moosburg „die päpstliche Partei in Kärnten verkörpert“,[9] so schwenkte die ganze Familie zu dem 1084 zum Kaiser gekrönten Heinrich IV. über, als dieser sich mit ihrem prominentesten Mitglied, dem Erzbischof Hartwig von Magdeburg, dem Haupt des sächsischen Widerstands gegen Heinrich IV., ausgesöhnt hatte. Um 1090 hat Heinrich IV. allem Anschein nach dem Grafen Engelbert die Errichtung des Marktes Völkermarkt erlaubt.[10] Es war dies ein Schritt weltlichen Herrschaftsausbaus gegen die Dominanz kirchlichen Besitzes und kirchlicher Gerechtsame, denen die Spanheimer als Herzöge von Kärnten seit 1122 weitere folgen zu lassen versuchten – bekanntlich mit wenig Erfolg.

3. Die Auflösung des Markensystems und die Entstehung der Steiermark

Bei ihrem Amtsantritt als Herzöge von Kärnten war auch das zum Herzogtum seit 976 zugehörige Markensystem – immerhin ein ansehnliches politisches Kapital, in wessen Hand auch immer – weitgehend aufgelöst: Krain ist seit Ende des 10. Jahrhunderts, die Mark an der Sann seit 1025, Istrien in der Mitte des 11. Jahrhunderts und Friaul seit 1077 eigenständig geworden. Nur die Mark hinter dem Drauwald (Pettauer Mark) war vorerst noch bis 1147 bei Kärnten, gehörte aber besitzmäßig längst dem Erzstift Salzburg, weshalb damals auch die Nennung als Mark abkam. Den Mittelpunkt spanheimischen Besitzes dort bildete die Marburg. Die Markgrafschaft Verona ist noch bis 1151 in Personalunion vom Kärntner Herzog verwaltet worden. Istrien wird im 12. Jahrhundert durch einen Spanheimer beherrscht,[11] was jedoch nichts mit der alten Pertinenz der Mark zu tun hat.

Daß es den Herzögen von Kärnten in der Epoche ständigen dynastischen Wechsels im 11. Jahrhundert nicht möglich war, in den Kärnten vorgelagerten und dem Herzogtum zugeordneten Marken größeren politischen, militärischen oder jurisdiktionellen Einfluß zu gewinnen, verwundert weiter nicht. Die Zeit, in der die Eppensteiner gleichzeitig Herzöge von Kärnten, Markgrafen von Verona und der karantanischen Mark (Mittelsteiermark) waren, blieb Episode. Sie vermochten diese machtvolle Position nicht zu behaupten. Bei zunehmendem Landesausbau setzten sich in den Kärnten vorgelagerten Gebieten immer stärker die vielfach aus Baiern stammenden Adelsgeschlechter so durch, daß die Zugehörigkeit der südöstlichen Marken zu Karantanien bald nur mehr nominellen Charakter trug und schließlich überhaupt in Vergessenheit geriet.

Diese Entwicklung läßt sich am besten am Beispiel der Entstehung des Landes Steiermark verfolgen. Sie geschah unter Aufgliederung des karantanischen Herzogtums, denn die sich seit 1000 allmählich von Kärnten lösenden östlichen Marken und Grafschaften wurden 1180 zum Herzogtum Steiermark zusammengefaßt. Als besonders entscheidend erwies sich dabei das Erbe nach dem letzten Eppensteiner Herzog Heinrich III. von Kärnten, denn dadurch wurde die Familie der Markgrafen von Steyr (Otakare) zum reichsten Grundherrn in der karantanischen Mark, wo sie vorher nur wenig begütert war. Otakar II. bzw. sein Sohn Leopold (1122–1129) bekamen damals Güter zwischen Friesach und dem oberen Murtal mit Dürnstein und Neumarkt, außerdem den fast geschlossenen Besitz der Eppensteiner um Judenburg mit der Burg Eppenstein (Grafschaft Judenburg), Güter im Mürztal und im mittleren Murtal, wahrscheinlich auch in der Weststeiermark um Voitsberg, Besitz in Friaul und die Erbvogtei über St. Lambrecht. Durch dieses Erbe ist die Vereinigung der obersteirischen Grafschaften mit der karantanischen Mark an der Mur erreicht worden. Leopold der Starke verlegte das Zentrum seiner Herrschaft von Steyr in die Mark. In der Folge stieg Graz zum Herrschaftsmittelpunkt auf. 1129 gründete er in der Mark Rein das älteste Zisterzienserkloster im Ostalpenraum. Mit dem Übergang des eppensteinischen Besitzes an die Otakare wurden auch die letzten Bindungen der Mark an das Herzogtum Kärnten gelöst. Die steirische Geschichtsforschung hat deshalb das Jahr 1122 als die Geburtsstunde der Steiermark bezeichnet. Kärnten erhielt damals im wesentlichen seine heutigen Grenzen gegenüber der Steiermark.

4. Landesausbau im 11. Jahrhundert

Wie anderswo in den Alpenländern setzte auch in Kärnten um 1100 eine besonders intensive Rodungsphase ein. Seither wurde bis ins 15. Jahrhundert hinein in Kärnten Land neu kultiviert. Einher geht ein starkes Bevölkerungswachstum, das erst durch die Pestwellen seit der Mitte des 14. Jahrhunderts mit Einbrüchen bis zu 30 Prozent wie in Kärnten so in ganz Mitteleuropa begrenzt wurde. Die für mittelalterliche Verhältnisse in großem Stil aufgenommene Kolonisation wurde von den Ministerialen der Kirche und des Adels organisiert. Sie übernahmen für ihre jeweiligen Herren militärische Aufgaben und die Verwaltung der Güter und Herrschaften. Als Krieger wurden sie bestens ausgerüstet und versahen ritterlichen Dienst zu Pferde. Im Landesausbau wurden sie als spezialisierte „Unternehmer" eingesetzt und sorgten für die Kultivierung der durch Rodung gewonnenen „Neubrüche". Sie begegnen im 12. Jahrhundert auch in Kärnten als vollausgebildete soziale Schicht, geordnet nach den Lehenshöfen der in Kärnten maßgeblichen Grundherren wie des Erzbischofs von Salzburg, der Bischöfe von Bamberg, Gurk und Brixen, des

Patriarchen von Aquileia, der Eppensteiner, Spanheimer, Görzer, Heunburger, Ortenburger und Otakare etc. „Die Phase der intensiven Landnahme und die Entstehung der Ministerialität bedingten einander. Die vielschichtigere Verwaltung der sich bildenden Territorien bedurfte einer neuen, kräftigen, zahlenmäßig starken Führungsschicht. Die kleine Gruppe der sogenannten Dynasten, der Grafen und Edelfreien, denen ursprünglich Königsgut als Lehen oder als Schenkung gegeben bzw. die Grafengewalt überantwortet worden war, konnte diese neuen Aufgaben nicht bewältigen. Die meisten der Edelfreien starben in der Folge aus oder begaben sich in die Ministerialität".[12]

Mit der Siedlungsentwicklung zwischen 1100 und 1300 bildeten sich im wesentlichen auch jene Gebiete heraus, in denen die beiden Kärntner Volksgruppen heute noch leben. Zwar wurden um 1300 im Mölltal und auf den Hängen der Kor- und Saualpe Neubrüche noch selbständig von Slowenen benannt, doch kam die slowenische Siedlungstätigkeit im Hochmittelalter im wesentlichen zum Stillstand, vielmehr wurde die große Rodungswelle des 12. Jahrhunderts vorwiegend von deutschen Siedlern getragen. Auf die Kolonisation durch St. Paul weist aus dieser Zeit der Ort Abtei hin, die Sommerresidenz der Äbte (Stiftsamt Möchling). Im Landesausbau selbst gab es zum Zeitpunkt der Gründung St. Pauls noch viel zu tun. Die Erschließung des bereits christlichen Gebietes war zu Ende des 11. Jahrhunderts erst im Fluß. Bis zum Beginn des 13. Jahrhunderts haben die Mönche von St. Paul aber den Aufbau funktionstüchtiger Grundherrschaften in den ihnen übergebenen Gebieten zu vollenden gewußt.

Die slowenische Bevölkerung setzte sich vornehmlich im Süden und Südosten fest, so daß um 1200 beinahe die Sprachgrenzen von 1900 erreicht waren. Wo die deutsche Bevölkerung in der Mehrheit war, kam es zur Vermischung. Die alten Ortsnamen wurden aber beibehalten. „Als Ortsnamen slawischen Ursprungs hat man 35 Prozent für den deutschsprachigen, 43 Prozent für den gemischtsprachigen Landesteil errechnet, wobei der heute deutschsprachige Bezirk Obervellach mit 57 Prozent slawischer Ortsnamen an der Spitze steht, während das heute gemischtsprachige Gebiet von St. Paul im Lavanttal mit 22 Prozent Ortsnamen slawischen Ursprungs das Ende der erstellten Statistik einnimmt. Der Adel, die Geistlichkeit und das Bürgertum in den Märkten und Städten waren von Anfang an größtenteils deutsch. Die Rodungsgebiete des 14. und 15. Jahrhunderts, besonders im nördlichen Mittelkärnten, weisen fast ausschließlich deutsche Benennungen auf. Das Zusammenleben der Deutschen und der Slawen scheint sich ohne Probleme gestaltet zu haben".[13]

Grundlage des intensiven hochmittelalterlichen Landesausbaus waren die bis um 1100 konsolidierten geistlichen und weltlichen Herrschaften, die sich durch die bis dahin zur Gänze erfolgte Vergabe des Königsgutes als immune grundherrschaftliche Bezirke gebildet hatten. Sie haben die Amtsgrafschaften der älteren Zeit abgelöst, die sie in Landgerichte mit hoher und Burgfriede mit niederer Gerichtsbarkeit unterteilt hatten. Unter den seit karolingischer Zeit mit Königsgut ausgestatteten geistlichen Herren ragen das Patriarchat Aquileia, das Erzbistum Salzburg, die Bistümer Freising, Brixen und vor allem Bamberg hervor. Salzburg und Bamberg entwickelten große geschlossene Herrschaftsenklaven innerhalb des Herzogtums Kärnten. Seit 1072 tritt dazu allmählich auch das von Salzburg gegründete Bistum Gurk, das aber erst sehr spät eine selbständige Stellung (auch als Landesbistum) errang. Schließlich vermochten auch die seit dem 11. Jahrhundert gegründeten Kärntner Klöster Zug um Zug Grundherrschaften auszubilden. Unter den weltlichen Grundherren erscheinen schon im 9. Jahrhundert Vorfahren der heiligen Hemma und ihres Gatten, des Grafen Wilhelm von Zeltschach-Friesach, im 10. Jahrhundert die bairischen Aribonen, die Eppensteiner, die Grafen von Lurn, späterhin deren Nachfolger, die Grafen von Görz, ferner die Grafen von Heunburg, Malta, Treffen, Sternberg, Spanheim, von Ortenburg, die Grafen von Tirol und andere Adelige. Wie sehr auch dadurch die herzogliche Macht eingeschränkt war, so ist doch gerade der kolonisatorischen Tätigkeit der Grundherrschaften die Kulturlandschaft Kärntens zu danken, die durch die zum Teil etwa um 1200 abgeschlossenen Rodungen im Gebirge, besonders Oberkärntens mit ihren Einzelhöfen und Schwaigen im wesentlichen das heutige Aussehen erhielt.

Herzog Hermann von Kärnten (1161 – 1181) förderte wie damals die Babenberger in Österreich und die Otakare in der Steiermark recht erfolgreich den Landesausbau. Er legte St. Veit an der Glan als Marktsiedlung an, die alsbald zur Hauptstadt des Landes Kärnten aufblühte, und er ist auch der eigentliche Gründer von Klagenfurt. Die Spanheimer blieben im 12. Jahrhundert große Förderer kirchlicher Institutionen und nützten ihre engen Familienbeziehungen zum Westen des Reichs und ihre Verwandtschaft mit dem französischen Königshaus. Graf Bernhard, der Bruder Herzog Engelberts, berief 1142 lothringische Zisterzienser aus Weiler-Bettnach (Villars) in seine Stiftung Viktring. Die Voraussetzung dazu hatte die geistliche Laufbahn des Herzogssohnes Heinrich gegeben, der Abt des lothringischen Stiftes und nachher Bischof von Troyes geworden war.

Über die ältesten geistlichen Rechte in Kärnten verfügte das Patriarchat Aquileia, dessen Metropolitanverband Karantanien schon in der Spätantike zugeteilt worden war. Da diese Rechte bei der Zuteilung Kärntens zum Salzburger Missionsgebiet im 8. Jahrhundert übergangen worden waren, erneuerte Patriarch Ursus die Ansprüche seiner Kirche. Karl der Große teilte daher 811 die geistlichen Rechte über Karantanien, indem er die Drau als Grenze zwischen den beiden Diözesen festlegte. Als Grundherren sind die Patriarchen in Kärnten kaum in Erscheinung getreten, obgleich sie im Land über die Eigenklöster Ossiach und Eberndorf verfügten. Politischen Einfluß konnten sie als Lehensherren des Kärntner Adels, vor allem der Grafen von Görz, und bisweilen durch Verwandtschaftsbeziehungen geltend machen.

Auch Salzburg war von jeher in Kärnten begütert. Den größten Besitzkomplex des Erzstiftes bildete das Gebiet um Friesach und jenes auf dem Krappfeld mit Althofen sowie Hüttenberg. Während Friesach selbst schon durch die Schenkung König Ludwigs des Deutschen 860 an Salzburg gekommen war, übergab König Otto I. 953 das Krappfeld an das Erzbistum. Wahrscheinlich gehörte dem Erzstift im Frühmittelalter auch das gesamte Görtschitztal, doch ging ein wesentlicher Teil dieser Güter mit Eberstein und Klein St. Paul an die Sieghardinger und deren Erben, die Grafen von Görz, verloren. An der Gurk und an der Metnitz verfügten die Grafen von Zeltschach-Friesach über bedeutenden Besitz, mit dem die Gräfin Hemma das von ihr gestiftete Nonnenkloster Gurk ausstattete. Damit wurde das Salzburger Eigenbistum Gurk, auf das die reichen Güter des Nonnenklosters übergingen, zum Besitznachbarn des Erzstifts in diesem Gebiet. Die Verwaltung des Salzburger Besitzes erfolgte durch die drei Ämter Friesach, Althofen und Hüttenberg. Bis zum Ende des Hochmittelalters war Friesach die bedeutendste Stadt in Kärnten. Um ihren Besitz mußten die Erzbischöfe von Salzburg langwierige Fehden führen. Während die im Jahre 1077 errichtete Burg am Petersberg, vor dem das schon 860 an Salzburg geschenkte Gut lag, stets zu Salzburg gehörte, stand der älteste Markt am linken Ufer der Metnitz auf dem Grund und Boden des Bistums Gurk. Erzbischof Konrad I. hat seinen Suffragan Hiltepold von Gurk nach dem Sieg über Herzog Engelbert von Kärnten bewegen können, diesen Markt

Friesach abzureißen und am rechten Ufer der Metnitz im Schutze der erzbischöflichen Burg auf Salzburger Boden neu anzulegen. Bis weit ins 13. Jahrhundert blieben die Hoheitsrechte der Stadt Friesach aber zwischen Salzburg und Gurk geteilt. Neben dem erzbischöflichen Stadtrichter amtierte ein Stadtrichter des Bischofs von Gurk. Wahrscheinlich schon seit dem frühen Mittelalter wurde in der Umgebung von Friesach Bergbau auf Silber und Eisen betrieben. Viel bedeutender war das große Bergbaurevier von Hüttenberg, dem die beiden erzbischöflichen Märkte Althofen und Hüttenberg ihren Aufstieg verdankten. Die Siedlung Althofen, der Mittelpunkt des Krappfeldes, wird 1050 erstmals genannt. Seit der Mitte des 12. Jahrhunderts sind eigene Richter von Althofen bezeugt. Dem Erzstift Salzburg verblieb im 11. Jahrhundert auch ein Güterkomplex um Maria Saal als Rest einst viel größerer Besitzungen, die König Ludwig der Deutsche 860 geschenkt hatte. Die schon 767 geweihte Kirche war eines der drei ältesten Missionszentren in Kärnten. Zu diesen Besitzresten in Mittelkärnten traten schließlich auch die Oberkärntner Herrschaften Rauchenkatsch, Gmünd und Windisch-Matrei und andere, durch die Salzburg seit dem 13. Jahrhundert in heftigen Gegensatz zu den Grafen von Görz geriet.

Schon 769 war durch Initiative des Baiernherzogs Tassilo III. zu Innichen im Pustertal für die Slawenmission ein Kloster gegründet worden, das bald danach an das Bistum Freising kam. Damit schaltete sich auch dieses bairische Bistum in die Mission ein und erhielt Besitz in Karantanien. Auf einer Insel im Wörthersee wurde im 9. Jahrhundert die Kirche Maria Wörth erbaut und dort unter Bischof Otto um 1150 ein Kollegiatsstift gegründet. Mittelpunkt des Freisinger Besitzes in Oberkärnten war die alte Kirche St. Peter im Holz im Zentrum des Lurnfeldes. Das Bistum hat allerdings seine Streubesitzungen in Kärnten nicht so behaupten können wie seine großen Herrschaften in Krain. Schon im Hochmittelalter ist ein Großteil der Freisinger Besitzungen in Oberkärnten an die Grafen von Görz, vor allem aber an die Vögte des Hochstifts gekommen. Als solche erscheinen zunächst die Grafen von Lurn, die die gleichnamige Grafschaft in Oberkärnten verwalteten. Sie erloschen 1159 mit Bischof Altmann von Trient, der den Hauptbesitz der Familie im Drau- und Mölltal, aber auch das Gebiet von Gmünd dem Erzbistum Salzburg vermachte. Weitere Besitzungen des Bistums Freising sind an die Grafen von Görz gelangt und haben zu deren Landesherrschaft in Oberkärnten beigetragen.

Eine zweite Familie, die seit 1072 die Vogtei über die Freisinger Güter in Kärnten innehatte, erbaute westlich von Spittal an der Drau eine Burg, nach der sie sich seit 1141 Grafen von Ortenburg nannte. Ihren Hauptbesitz, der später in Krain lag, sowie einen Teil der Oberkärntner Güter haben die Grafen vom Bistum Freising erworben oder sich gewaltsam angeeignet. Das Herrschaftsgebiet der Ortenburger schloß an den Görzer Machtbereich im Osten an und umfaßte vor allem das Drautal von Möllbrücke bis Rennstein ob Villach. Zum Mittelpunkt wurde das von den Grafen gegründete Spittal an der Drau, das im Jahre 1991 sein 800-Jahr-Jubiläum begeht. So wie das Bistum Freising konnten auch die Bischöfe von Brixen, die seit dem Ende des 10. Jahrhunderts Besitz in Oberkärnten und im Jauntal erwarben, diese Güter nicht lange behaupten.

Nach der Mitte des 12. Jahrhunderts verfügten sie in Oberkärnten nur noch über das Amt Lieserhofen.

Ganz entscheidend hat hingegen das 1007 gegründete fränkische Bistum Bamberg in die Territorialgeschichte Kärntens eingegriffen. Sein Stifter, Kaiser Heinrich II., hat das Bistum 1060 mit reichem Besitz von Villach über Arnoldstein bis ins Kanaltal und im oberen Lavanttal mit den späteren Zentren Wolfsberg und St. Leonhard ausgestattet. Auch das Gebiet von St. Veit könnte schon durch den Gründer an Bamberg übertragen worden sein. Im 12. Jahrhundert gelang es dem fränkischen Bistum außerdem, die wichtige Burg Griffen und Feldkirchen mit den Burgen Dietrichstein und Prägrad zu erwerben. Sie bildeten Stationen zwischen den beiden großen bambergischen Besitzkomplexen. Um die Bedeutung des Bamberger Besitzes in Kärnten wirklich erfassen zu können, muß man dessen wirtschaftliche, strategische und verkehrsgeographische Position bedenken. Villach war und ist bis heute der bedeutendste Verkehrsknotenpunkt des Südostalpenraumes. Bamberg beherrschte damit den sogenannten schrägen Durchgang über das Kanaltal nach Italien, die Verbindung vom Rosental ins obere Drautal und ins Gailtal sowie über den Wurzenpaß ins Tal der oberen Save. Wie Salzburg in Friesach prägte Bamberg in Villach und Griffen Münzen nach dem Friesacher Vorbild. Nach der mehrfachen Zerstörung Friesachs übernahm das bambergische Villach auf viele Jahrhunderte die Führung unter den Städten Kärntens.

Die Grafen von Görz, wegen des immer wiederkehrenden Namens des Erstgeborenen auch Meinhardiner genannt, sind aufgrund verwandtschaftlicher Beziehungen zu den Aribonen deren Erben in Kärnten geworden. Durch ihre Verwandtschaft mit dem Patriarchen Sigehard von Aquileia (1068 – 1078) wieder, der vom König Heinrich IV. die Grafschaft Friaul und die Markgrafschaften Istrien und Krain bekommen hatte, erhielten die Görzer Eigengüter und Lehen in Friaul. Daraus ergab sich dann auch die Vogtei über das Patriarchat Aquileia. Von Friaul löste sich wahrscheinlich noch im 11. Jahrhundert die Grafschaft Görz ab. Anfang des 12. Jahrhunderts begegnen die Meinhardiner als Herren von Görz und als Vögte von Aquileia. Um 1130 erwarben sie nach dem Aussterben der Lurner Grafen die Grafenrechte in deren Grafschaft. Die Görzer beherrschten in Kärnten alternierend mit Salzburg das obere Drautal, das Iseltal, das Mölltal, das Gailtal und somit die zweite Verbindung nach Italien über den Plöckenpaß. Die Herrschaft Greifenburg war zeitweise der einzige herzogliche Stützpunkt in diesem Gebiet. Sie wechselte jedoch mehrfach den Besitzer und wurde bisweilen auch an die Görzer verpfändet. Die Grafen von Görz dehnten schließlich ihre Herrschaft fast über ganz Oberkärnten aus, stiegen zu Reichsfürsten auf und schufen aus dem Kärntner Besitz einschließlich des Pustertals (der „vorderen“ Grafschaft) und der „inneren“ Grafschaft Görz im Patriarchat Aquileia ein fürstliches Territorium.

1043 hatte die Gräfin Hemma von Zeltschach-Friesach in Gurk ein Nonnenkloster gegründet und es mit überaus reichem Besitz in Kärnten, Krain und in der Mark im Sanntal dotiert, so daß es alle anderen geistlichen Stiftungen in jener Zeit weit übertraf. Das Dotationsgut der Stiftung, die mit Zustimmung des Salzburger Erzbischofs geschah, durfte bei Erlöschen des klösterlichen Lebens nicht für weltliche Zwecke eingesetzt werden. Erzbischof Gebhard von Salzburg hat dies zum Anlaß genommen, das Kloster kaum drei Jahrzehnte nach seiner Gründung aufzuheben und die überreiche Ausstattung zur Errichtung seines Eigenbistums Gurk zu verwenden[14]. Da Gebhard von den zahlreichen Streitigkeiten der einstigen karantanischen Chorbischöfe mit ihren Metropoliten wußte, verschaffte er sich von Papst und König Privilegien, die den neuen Bischof in geistlichen und weltlichen Belangen vollkommen von ihm abhängig machten. Es bedeutete damals ein einzigartiges Vorrecht innerhalb der abendländischen Kirche, daß der Erzbischof seinen Suffragan selbst ernennen, einsetzen, weihen und mit den Regalien, die sonst vom König verliehen wurden, investieren konnte. Gebhard billigte dem Bischof von Gurk zunächst keine Diözese, kein Domkapitel und keine Zehente zu, was streng seinem Konzept entsprach und die geistliche Herrschaft des Erzbischofs von Salzburg, der selbst zur Ausstattung des neuen Bistums nur ein relativ bescheidenes Gut im Gurktal beitrug, bleibend sicherte. Insgesamt hat das Erzstift Salzburg in dreifacher Hinsicht aus dem Erbe der heiligen Hemma Gewinn gezogen. Einmal war von der Gräfin selbst reicher Besitz an der Save, die späteren Herrschaften Reichenburg, Lichtenwald, Rann und Pischätz an Salzburg geschenkt worden. Zum anderen wurden von Erzbischof Gebhard mit Gütern der heiligen Hemma in Gurk und Admont ein Bistum und ein Kloster nach altem Eigenkirchenrecht errichtet, was keineswegs den Intentionen der großen Kirchenreform des 11. Jahrhunderts entsprach. Das Gurker Bistum konnte erst im 12. Jahrhundert seinen Status als reines Hilfsbistum Salzburgs überwinden, indem es das Ziel verfolgte, die Gleichsetzung mit den alten Suffraganbistümern von Salzburg, nämlich mit Regensburg, Passau, Brixen und Freising, mit Reichsunmittelbarkeit und freier Bischofswahl zu erreichen. Erleichtert wurden diese Bestrebungen dadurch, daß die Hoheitsrechte des Salzburger Erzbischofs, den Gurker Bischof zu ernennen, zu weihen und ihm die Regalien zu erteilen, innerhalb der Reichskirche so einmalig waren, daß man sie trotz der eindeutigen Privilegien immer wieder anzweifelte. Die Bemühungen Gurks hatten 1131 Erfolg; damals wurde dem Bistum eine Diözese eingeräumt, die acht bzw. neun Urpfarren umfaßte und sich im wesentlichen über das Gurktal bis zu den Höhen der Flattnitz, über das Gebiet der alten Urpfarren Metnitz und Feistritz ob Grades und über die Sonnseite des oberen Glantales erstreckte.

Seit der Jahrtausendwende griffen, wie zu sehen ist, Kirche und Adel nicht nur in die Politik und das geistliche Leben, sondern auch in Wirtschaft und Handel, in Siedlung und Kultur, letztlich also in alle Bereiche des Landes und seiner Bevölkerung gestaltend ein. Kirche und Adel haben für die Vollendung des hochmittelalterlichen Landesausbaus gesorgt, sie waren darin erfolgreicher als die Herzöge selbst, die ihre Macht territorial kaum erweitern konnten.

5. Die südlichen Nachbarn Kärntens im 11. Jahrhundert

Alles Gebiet südlich der Drau gehörte seit der Grenzziehung Karls des Großen 811 geistlich zum Patriarchat Aquileia, das seit seiner Gründung als Bistum (seit 314 ist es als Bischofssitz nachweisbar) und als Metropole der friulanischen und istrischen Bistümer zuerst Ausgangspunkt und späterhin steter Beförderer der Christianisierung des Ostalpenraums gewesen ist. Wie es den Metropoliten von Aquileia, die sich Mitte des 6. Jahrhunderts den Patriarchentitel zulegten, trotz ihrer durch Salzburg und Grado und seit dem 12. Jahrhundert durch Venedig beengten Stellung gelang, ihre territoriale Macht bis zum Patriarchenstaat (im 13. Jahrhundert die *patria Friulana*) hin auszubauen, ist ein überaus interessantes Kapitel der Geschichte Norditaliens wie der Ostalpenländer.

Der Patriarchenstaat ist eine Schöpfung des Kaisertums und war in seinen Daseinsbedingungen an dieses gebunden. Seine innere Entwicklung und seine äußeren Schicksale zeigen dies deutlich. Schon durch Karl den Großen hat das Patriarchat starke Förderung erfahren. Als einer der wichtigsten Stützpunkte in der Awaren- und Ungarnabwehr war es von der allgemeinen ottonischen Kirchenpolitik begünstigt worden und seither mit gutem Erfolg bemüht, feste Stützpunkte im Land zu erwerben, und seinen Besitz zu vergrößern. Durch Immunität und Königsschutz und schließlich durch den Erwerb der Regalien in immer größerem Umfang, vermochte es seine Herrschaft zu festigen und nach außen zu sichern. Ihren vorläufigen Abschluß fand diese Politik in der Übertragung der Grafschaft mit herzoglichen Befugnissen für ganz Friaul im Jahre 1077, womit ein erster Höhepunkt erreicht war. Das Hauptstreben der Patriarchen war nun darauf gerichtet, das Erworbene zu behaupten und auszubauen. Das gleichzeitig damals mit Friaul dem Patriarchen übertragene Istrien sollte diesem zunächst nur kurze Zeit verbleiben, während ihm die ebenfalls verliehene Mark Krain (Unterkrain) durch ihre besonderen Verhältnisse von vornherein verloren war.

Für die deutschen Kaiser war das Patriarchat die Brücke nach Italien. Der Notlage Heinrichs IV. im Investiturstreit verdankte es seinen Aufstieg im Hochmittelalter, der nach einigen Irrwegen im 12. Jahrhundert zu Beginn des 13. Jahrhunderts durch die neuerliche Belehnung mit Istrien und Krain und die reichsrechtliche Zusicherung der Landeshoheit zu seinem Höhepunkt gelangte, was wiederum der Verbindung mit dem Kaisertum zuzuschreiben war, ehe bald danach diese Verbindung abriß, der Territorialbesitz abzubröckeln begann und schließlich, wie in Istrien, auch in Friaul Venedig obsiegte.

Die volle hoheitliche Gewalt über Friaul besaß der Patriarch seit der Belehnung von 1077. Sämtliche Regalien und die hohe Gerichtsbarkeit standen ihm nun zu Gebote. Wenn auch der größte Teil der Grafschaft schon vorher in seinen Händen war, so erfolgte doch jetzt eine rechtliche Bindung der am Land verstreut liegenden Komplexe, was wieder die Voraussetzung war für die Bildung eines Territoriums und damit für die Entwicklung einer Landesherrschaft. Es handelt sich dabei nicht um ein Herzogtum, sondern um die Grafschaft Friaul mit allen Rechten, die bisher der Herzog von Kärnten geübt, aber für die unmittelbaren Besitzungen der Kirche von Aquileia schon 1027 verloren hatte. Nicht nur die bisher dem Grafen zustehenden Befugnisse wurden damals verliehen, sondern auch die darauf haftenden herzoglichen Rechte, zu denen, wenn sie auch nicht ausdrücklich genannt sind, die Wahrung des Landfriedens, die Blutgerichtsbarkeit, die oberste Heerführung in der Provinz, das Hoftagsrecht und das königliche Heimfallrecht zählten. Man muß allerdings dabei bedenken, daß damit das Herzogtum und die Landesherrschaft nicht schon effektiv gegeben sein mußten. Wie so oft bei mittelalterlichen Privilegien kam es darauf an, was die Privilegierten aus ihnen zu machen imstande waren. Im Falle Friauls verstanden dies die Privilegierten.

Schon gegen die Mitte des 12. Jahrhunderts konstituiert sich Friaul politisch und administrativ als Territorium, und nicht von ungefähr findet man seit dieser Zeit den Ausdruck *patria* für das werdende Land mit eigenem Recht und Bewußtsein, das aber auf die Dauer der Umklammerung Venedigs nicht entkommen konnte. Venedig hatte um das Jahrtausend mit der Eroberung des Golfs den ersten Abschnitt seiner Ausdehnung vollendet. Seit diesem Zeitpunkt blieb es unabhängig. In der Folge verstärkten die Venezianer ihre Stützpunkte in Grado, um die von Aquileia drohende Gefahr einer Eroberung des Hafens abzuwenden und bauten immer enger werdende Beziehungen aller Art zu Friaul auf. Sie waren die Grundlage für den allmählichen Übergang Friauls in die venezianische Herrschaft seit dem Ende des 13. Jahrhunderts.

Besonders eng verbunden mit dem Patriarchat ist seit dem ersten Drittel des 11. Jahrhunderts das Benediktinerkloster Ossiach gewesen. Stifter des Klosters waren vor 1028 die Eltern des bedeutenden Patriarchen Poppo (1019–1042), der die Gründung vollendete und organisierte und die Abtei seiner Kirche unterstellte, womit er die Grenzziehung Karls des Großen mißachtete und für Mißstimmung mit Salzburg sorgte.

Erst die Belehnung des Patriarchen mit Friaul (1077) modifizierte die stete Verbindung des Kärntner Herzogamtes mit der Markgrafschaft Verona. Zuvor war diese Vereinigung zweier Reichsämter in einer Hand im Zusammenhalt mit der Grafschaft Friaul für die Italienpolitik des Reichs von herausragender Bedeutung, als ihre Inhaber Angehörige des salischen Hauses waren. Auf diese Weise hatte sich das Schwergewicht des politischen Wirkens der Herzöge von Kärnten zeitweilig sehr stark in das östliche Oberitalien verlagert. In dieser Zeit war der Kärntner Herzog gleichzeitig auch Graf von Istrien, das sich aber bald der Mark Krain annäherte. Einer der ersten Markgrafen von Krain, Ulrich von Weimar-Orlamünde (1058–1070), war zugleich mit der Verwaltung Istriens betraut. Nach seinem Tod zog der König Istrien ein und verlieh es 1077 wie Friaul und Krain an den Patriarchen Sigehard von Aquileia. Nach einigem Hin und Her kommt es 1107 an die Spanheimer. Bis dahin waren aber die istrischen Küstenbistümer bereits in der Hand des Patriarchen. Den Kärntner Herzögen verblieb das Hinterland.

Krain begegnet als Mark in einer Urkunde Ottos II. von 973. Sie verdankte ihre Begründung gleich Österreich der ottonisch-bairischen Offensive gegen die Magyaren und bestand aus der Grafschaft Krain im engeren Sinn (Altkrain oder Oberkrain) und der Mark Saunien (benannt nach dem Fluß Sann, Mark im Sanntal). Der südlich der Save gelegene Teil Saunien kam nach 1036 hinzu. 989, 1002 und 1004 erscheint ein gewisser Waltilo als Graf von Krain, zwischen 1004 und 1011 der Baier Ulrich von Sempt-Ebersberg. Ab 1040 ist als erster ausdrücklicher Krainer Markgraf ein gewisser Eberhard bezeugt, was den Bestrebungen Kaiser Heinrich III. entsprach, die bisher dem Herzog von Kärnten untergeordneten Grenzmarken selbständiger zu gestalten. Seit 1058 begegnet Ulrich von Weimar-Orlamünde als Krainer Markgraf in Alt- und Unterkrain, der sowohl in Krain selbst als auch in Istrien über Eigengüter verfügte, und der die Marken zu festen Grenzgebieten ausbauen wollte, die auch im Inneren straff organisiert sein sollten. Für die Sicherheit der Gebiete spricht, daß die Bistümer Brixen und Freising, die seit jeher in Krain reich begütert waren, in dieser Zeit zahlreiche weitere Erwerbungen tätigten. Freisings Tätigkeit erstreckte sich damals bis nach Istrien. Ulrich nahm in den ersten Regierungsjahren Heinrichs IV. im Süden des Reichs eine hervorragende Stellung ein. Nach seinem Tod 1070 erscheint die Mark in der Hand des Königs, ehe sie 1077 und abermals 1093 an den Patriarchen von Aquileia verliehen wird und dort beinahe ein Jahrhundert verblieb. Die Grafschaft Krain (Oberkrain) verblieb seit 1077 beim Herzogtum Kärnten.

In den Zeiten Ulrichs hatte sich mit wohlwollender Förderung des Reichs auf Kosten Kärntens mit den Marken Krain, Saunien und Istrien ein machtvolles Gebiet eines einzigen Dynasten gebildet, das die wichtigen Übergänge von Italien nach Ungarn und den Balkan beherrschte und auch imstande schien, die Offensive gegen das unter König Peter Krešimir (1058–1074) einen letzten mittelalterlichen Höhepunkt erlebende Königreich Kroatien in die Wege zu leiten. Anders als in Kärnten kommt es in Krain erst im 12. Jahrhundert zu ersten Klostergründungen. 1126 schlug ein Brixener Versuch in Oberkrain fehl, 1136 gelang die Gründung der Zisterze Sittich (westlich Cilli) auf der Grundlage einer Schenkung dreier Edelleute an die Kirche von Aquileia (1132), die mit der Bitte verknüpft war, dort ein Mönchskloster zu errichten. Mönche aus der steirischen Zisterze Rein leisteten die Aufbauarbeit.

Der hier gebotene Überblick mag gezeigt haben, welche hauptsächlichen Merkmale für die Charakterisierung der Geschichte Kärntens und des Südostalpenraumes gegen Ende des 11. Jahrhunderts herangezogen werden müssen:

1. Adel und Kirche sind die gestaltenden politischen Kräfte auf der Grundlage des ihnen seit dem 9. Jahrhundert vergabten Königsgutes.

2. Sie und nicht in erster Linie die Herzöge von Kärnten bestimmten den Landesausbau und alle Lebensbereiche einer Bevölkerung, die am Beginn einer rasanten demographischen Entwicklung steht.
3. Die Herrschafts- und Besitzverhältnisse in Kärnten verhindern die Schaffung eines politisch einheitlichen Landes, die anderswo im 12. Jahrhundert begonnen werden konnte (wie in Österreich und in der Steiermark).
4. Für die Reichspolitik stehen Kärnten und seine Nachbarn vornehmlich unter einem militärisch-strategischen Kalkül, das der Beförderung kaiserlicher Italienpolitik gegen das Papsttum diente.
5. Die Wechselfälle des Investiturstreits sorgen für politische Diskontinuität und komplizierte dynastische Verflechtungen bei der Vergabe von Privilegien und der Entwicklung regionaler Herrschaftsgebilde.

Diese Merkmale blieben auch nicht ohne Einfluß auf die Frühgeschichte des Stiftes St. Paul.

ANMERKUNGEN

1. So E. ZÖLLNER, Geschichte Österreichs ([2]1959), S. 59.
2. Zu den Grenzen siehe H. WOLFRAM, Die Geburt Mitteleuropas. Geschichte Österreichs vor seiner Entstehung (1987), S. 346.
3. EBD., S. 341 und 342.
4. Siehe H. DOPSCH, Die steirischen Otakare. Zu ihrer Herkunft und ihren dynastischen Verbindungen, in: Das Werden der Steiermark. Die Zeit der Traungauer (1980), S. 120. Vgl. auch C. FRÄSS-EHRFELD, Geschichte Kärntens. Bd. 1: Das Mittelalter (1984), S. 183.
5. So FRÄSS-EHRFELD, Geschichte Kärntens (wie Anm. 4), S. 146.
6. Siehe H. DOPSCH, Adel und Kirche als gestaltende Kräfte in der frühen Geschichte des Südostalpenraumes. Car. I 166 (1976 = 1000 Jahre Kärnten 976 – 1976). S. 26.
7. EBD., S. 44.
8. EBD., S. 46.
9. FRÄSS-EHRFELD, Geschichte Kärntens (wie Anm. 4), S. 168.
10. Ein königliches Marktprivileg existiert allerdings nicht. Vgl. dazu FRÄSS-EHRFELD, Geschichte Kärntens (wie Anm. 4), S. 171.
11. Engelbert III. (1123 – 1173), Sohn Hzg. Engelberts von Kärnten (1124 – 1135). Die Markgrafschaft kommt danach an die Andechser.
12. FRÄSS-EHRFELD, Geschichte Kärntens (wie Anm. 4), S. 174.
13. EBD., S. 179f.
14. Zur Entstehung Gurks vgl. G. HÖDL, Vom Kloster zum Salzburger „Eigenbistum" – Die Gründung des Bistums Gurk 1072, in: Hemma von Gurk. Katalog der Ausstellung auf Schloß Straßburg/ Kärnten (1988), S. 39 – 48.

Die Klosterlandschaft Kärntens

ULRICH FAUST

Wenn wir die Klosterlandschaft Kärntens behandeln, so grenzen wir den geographischen Raum auf das heutige Bundesland Kärnten und die jetzige Diözese Gurk-Klagenfurt ein. Aber auch die Klosterlandschaft in diesem Gebiet soll sich auf die Stifte beschränken, von denen St. Paul als einziges nach dem josephinischen Klostersturm wieder erstanden ist. Von den Stiften sind die Kollegiatstifte auszuschließen, weil sie keine Klöster waren. Es sind in die Betrachtung deshalb nur die Stifte der Benediktiner, Zisterzienser, Augustiner-Chorherren und Prämonstratenser mit ihren weiblichen Zweigen einzubeziehen. J. Angerer sagt in seinem prächtigen Band „Klösterreich"[1]: „Stift ist jene Einrichtung, die in einer lebendigen Tradition bis zum eigenen Stiftungstag zurückführt und, soweit nicht durch Ungunst der Zeitverhältnisse, durch Krieg oder Feuersbrunst zerstört, das Kulturgut aller Epochen in unsere Tage gerettet hat. Stift besagt mehr als Kloster, weil die Verankerung einer klösterlichen Gemeinschaft in einem konkreten Aufgabenbereich, der mit einem bestimmten Land und seinen Leuten ident ist, den Lebensraum und Aktionsradius der Klosterfamilie selbst erweitert. Und es zeigt sich, daß die Beeinflussung nicht nur vom Stift ins Land und in die Bevölkerung geht, sondern daß ein Rückstrom hinter den Klostermauern ebenfalls jenes Leben zeugt und nährt, das nicht einseitig, weltfremd oder selbstherrlich ausgerichtet ist, sondern zu allen Zeiten in der Diesseitsbezogenheit das Kampffeld für jenes Mühen um Vollendung gefunden hat, das einer jenseitigen Herrlichkeit wert ist."

Kärntens einziges noch bestehendes Stift wurde vor 900 Jahren durch das Reformkloster Hirsau im Schwarzwald besiedelt. Dort war 1071 der aus dem Kloster St. Emmeram zu Regensburg stammende Mönch Wilhelm zum Abt berufen worden. Unter Rücksichtnahme auf die Eigenart der Deutschen übernahm er viele Bräuche des Reformzentrums Cluny, ohne selbst einen zentralisierten Klosterverband aufzubauen. Aber auch ohne eine Kongregation zu bilden, war Wilhelms Einfluß auf die von ihm gegründeten oder reformierten Klöster beträchtlich. In der Lebensbeschreibung des seligen Abtes Wilhelm von Hirsau heißt es[2]: „Er war nämlich der eifervollste Gründer neuer Klöster und der Wiederbeleber alter Stifte. Sieben Klöster erbaute er selbst oder seine Schüler von Grund auf neu (...), das siebente in Kärnten (...). Bei deren Leitung hatte er in täglicher Sorge keine geringe Schwierigkeit, aus der Zahl seiner Brüder solche zu finden, die zur Gewinnung von Seelen geeignet waren. Nach dem Herrenwort ist ja die Ernte groß und der Arbeiter sind wenige, weil diejenigen, die anderen vorstehen sollen, in Wort und Tat erprobt und dazu nicht minder in der weltlichen wie geistlichen Wissenschaft gebildet sein müssen. Es gibt aber nur wenige, die beides können, die Mehrzahl besitzt nur eines ohne das andere, entweder ein gutes Leben ohne Wissenschaft und beredter Lehrgabe oder das Wort der Lehre ohne ein frommes Leben (...)". Im Jahre 1991 blicken wir zurück auf die Hirsauer Anfänge des Benediktinerstiftes St. Paul im Lavanttal. Vor 900 Jahren kamen die ersten Hirsauer Mönche nach Kärnten, aber St. Paul ist nicht das älteste Kloster des Landes gewesen. Vor und nach dem Jahre 1091 sind eine ganze Reihe von Klostergründungen zu beachten, die die Landschaft Kärntens in religiöser und kultureller Hinsicht bereichert und geprägt haben.

Während E. Klebel aufgrund des Patroziniums von St. Salvator bei Friesach dort eine irische Mönchzelle aus der Zeit Virgils von Salzburg vermutet[3], ist in jüngster Zeit durch Ausgrabungen die dem hl. Tiburtius geweihte Klostergründung von Molzbichl als ältestes Kloster in Kärnten nachgewiesen worden[4]. Neue archäologische Funde erweisen Molzbichl als bayerisches Missionszentrum des 8. Jahrhunderts. Zu geschichtlicher Bedeutung ist allerdings das Kloster des hl. Tiburtius nie aufgestiegen.

Nach gescheiterten Versuchen in Lieding[5] und Pörtschach am Ulrichsberg[6] gelang Gräfin Wichburg die Gründung des Klosters St. Georgen am Längsee[7], das als Frauenkloster bis 1783 Bestand haben sollte. Die Stifterin war die Tochter des mächtigen Pfalzgrafen Hartwig I. Seit 991 war ihr Bruder Hartwig Erzbischof von Salzburg. Adeliges Eigenkirchenwesen und bischöfliches Interesse wurden durch diese verwandtschaftlichen Beziehungen in Einklang gebracht. Das Kloster wurde dem Schutz des Salzburger Erzbischofs unterstellt, d. h. das Recht der freien Äbtissinnen- und Vogtwahl blieb an die Zustimmung des Erzbischofs gebunden. Die Pfarrechte der Klosterkirche konnten nur mit Zustimmung des zuständigen Ordinarius ausgeübt werden. Mit der Weihe von Wichburgs Tochter Hildburg aus dem Kloster Nonnberg zur ersten Äbtissin und der Ausstellung der Gründungsurkunde (1002–1018)[8] wurde der Stiftungsvorgang durch Erzbischof Hartwig abgeschlossen.

Die alte Georgskirche auf Wichburgs Gut Längsee wurde erneuert und ein provisorisches Kloster gebaut. Besitzungen im Jauntal und in der Gegend von St. Veit[9] wurden dem Kloster übertragen. Auf die Stifterin geht wohl auch der Besitz in der Gegend von Bleiburg zurück[10]. So wie das Gründungskloster Nonnberg zwischen kanonikaler und monastischer Lebensform schwankte, ging die Entwicklung in St. Georgen von einem Benediktinerinnenkloster zu einem Kanonissenstift. Salzburgs bedeutender Erzbischof Konrad I. (1106–1147) führte auch in St. Georgen eine Umkehr herbei, indem er 1122 Abt Wolfhold (1122–1137) von Admont mit der Reform des Stiftes beauftragte. Die Äbtissin wurde abgesetzt und die Stiftsdamen durch Nonnen aus dem Frauenkloster Admont ersetzt. Die Rückkehr zu einem regeltreuen klösterlichen Leben wurde angestrebt.

Die eigentliche Leitung des Klosters lag von nun an für lange Zeit in der Hand von Prioren aus Admont. Die Aufsicht über die Verwaltung der Güter sowie die Zustimmung bei der Novizinnenaufnahme und Äbtissinnenwahl beanspruchte Admont ebenfalls[11]. Die Nonnen wollten sich von dieser Vorherrschaft Admonts befreien und legten in Rom eine gefälschte Urkunde vor, die ihnen angeblich freie Äbtissinnenwahl und Exemtion vom Salzburger Erzbischof gewährte[12]. 1174 anerkannte Papst Alexander III. (1159–1181) diese angeblichen Privilegien des Klosters und nahm es unter den Schutz des hl. Petrus[13]. Der Einfluß von Admont wurde hinfort zurückgedrängt. Bald dominierte wieder der Adel im Kärntner Stift.

Im 14. und 15. Jahrhundert ist nicht nur ein wirtschaftlicher Rückgang, sondern auch ein Verfall der Disziplin zu beobachten. Melker Reformbestrebungen richteten wenig aus. Als der Salzburger Erzbischof 1496 das Stift durch den Abt von St. Peter visitieren ließ, legte die Äbtissin Magdalena ihr Amt nieder.

Ihre Nachfolgerin wurde Barbara Lembsitzer aus dem Stift Göß, die bis zu ihrem Tod 1516 die Wirtschaft des Klosters, aber nicht das geistliche Leben bessern konnte. Klausur und Stillschweigen wurden auch in der Zukunft kaum eingehalten. Im 17. und 18. Jahrhundert lag die geistliche Betreuung des Klosters bei den Patres aus der St. Peterer Propstei Wieting. Das führte zu einem Aufschwung des klösterlichen Lebens, so daß 1742 32 Chorfrauen und 19 Laienschwestern den Konvent bildeten. Das Stift wurde 1783 aufgehoben und sein Besitz bis 1788 vom staatlichen Religionsfonds verwaltet.

Weil es keine Stiftungsurkunde gibt, liegen die Anfänge des Benediktinerklosters Ossiach[14] im dunkeln. Es gilt aber als sicher, daß die Gründung des Stiftes Ossiach auf einer Schenkung des Kärntner Gewaltboten Graf Ozi und seiner Gemahlin Irenburg beruht[15]. Der Patriarch Poppo von Aquileia war der Sohn des Stifterehepaares. Ossiach liegt nördlich der Drau und lag deshalb im Gebiet der Erzdiözese Salzburg. Mit Zustimmung des Kaisers wurde das Stift aber 1028 dem Patriarchat von Aquileia als Eigenkloster zugesprochen[16]. Zum Zeichen der Abhängigkeit von Aquileia mußte es dem Patriarchen jedes Jahr am Fest des hl. Hermagoras zwölf Münzstücke übergeben. Dem Patriarchen blieb auch die Weihe des Abtes vorbehalten.

Über die Dotation des Stiftes kann nichts Genaues gesagt werden. Wahrscheinlich lag der Besitz am Ossiacher See, bei Feldkirchen und im Rosental. C. Fräss-Ehrfeld[17] nimmt eine Besiedelung des Klosters durch Mönche aus der bayerischen Abtei Niederaltaich an. Allerdings wird dies aus der Tatsache geschlossen, daß der erste urkundlich erwähnte Abt von Ossiach, Wolfram, mehr als drei Jahrzehnte nach der Gründung aus Niederaltaich kam. Das reicht aber kaum aus, um die Herkunft der ersten Mönche aus dem bayerischen Donaukloster zu behaupten. Die Vogtei ging 1138 von der Stifterfamilie auf die steirischen Ottokare, dann auf die Babenberger und schließlich auf die Habsburger über. Diese setzten Untervögte ein.

Abt Wolfram von Ossiach wurde 1065 zum Bischof von Treviso erhoben. Unter Abt Teuzo soll 1079 König Boleslaus II., nachdem er den Erzbischof Stanislaus von Krakau ermordet hatte, auf einer Romreise in Ossiach eingekehrt sein und schließlich als stummer Büßer dort bis zu seinem Tod gelebt haben. Der Legende nach hat er sich erst auf dem Totenbett dem Abt zu erkennen gegeben. Dort, wo heute das Grab des Königs gezeigt wird, befand sich mit Sicherheit einst das Grab der Stifterin Irenburg. Im 12. Jahrhundert wurde die Unterstellung des Klosters unter den Patriarchen von Aquileia sowohl durch Papst Innozenz II. 1132[18] als auch durch den deutschen König Konrad III. 1149[19] bestätigt. Gemäß dem *Libellus decimationis* zahlte Ossiach zur Durchführung eines Kreuzzuges 1285 einen Betrag von 103 Mark Friesacher Denaren[20]. Für die Wahl des Abtes Wernher suchte der Konvent 1307 zum ersten Mal um Bestätigung beim Erzbischof von Salzburg nach[21]. Dies zeigt den Versuch, sich aus der Abhängigkeit von Aquileia zu befreien. 1299 verbrüderte sich Ossiach mit St. Peter in Salzburg, 1311 mit Oberburg und 1323 mit Millstatt. 1401 erhielt der Abt von Ossiach das Recht der Pontifikalien. Um die Mitte des 15. Jahrhunderts wird der Abt in der Liste des Kärntner Prälatenstandes an neunter Stelle genannt[22].

Wie weit bei einer Visitation 1436 in Ossiach die Einführung der Melker Reform gelang, ist schwer zu beurteilen. Während Millstatt zugunsten des St.-Georgs-Ritterordens aufgehoben wurde, entging Ossiach dank des Salzburger Schutzes diesem Schicksal. Abt Zacharias Gröblacher (1587–1593) verfaßte die *Annales Ossiacenses*[23] und regte das Ossiacher Äbtebuch an[24].

Auf die Reformation, deren Auswirkungen in Ossiach nicht eindeutig festzustellen sind, folgten klösterliche Reformen zu Beginn des 16. Jahrhunderts. 1615 visitierte eine Kommission des Salzburger Erzbischofs das Kloster. Es befanden sich außer dem Abt nur zwei „Mönche“ im Kloster, deren Lebenswandel beklagenswert war. Mit den Äbten Alexius Gerer (1617–1621) aus Ochsenhausen, Johannes Gaisser (1621–1622) aus St. Lambrecht und Georg Wilhelm Schweitzer (1622–1628) aus Wiblingen wurde klösterliche Disziplin in Ossiach eingeführt. Bei der Visitation durch den St. Peterer Abt Albert Keuslin (1626–1657) bot das Stift ein erfreuliches Bild monastischen Lebens und geordneter Wirtschaftsführung. Der Salzburger Benediktinerkongregation gehörte Ossiach seit deren Gründung 1641 an. Das angeblich ungesunde Klima führte zur Übersiedlung des Konventes nach Schloß Wernberg, während der Abt in Ossiach residierte. Abt Edmund Ibelpacher (1682–1725) erneuerte die Ossiacher Kirche. Auch sein Nachfolger Virgil Gleißenberger (1725–1737) hinterließ ein fast schuldenfreies Kloster. Bei der Aufhebung 1783 aber war Ossiach ein überschuldetes Stift.

In einer Urkunde Kaiser Ottos II. vom 11. Juni 975[25] heißt es, daß im Orte Lieding im Gau Gurktal die Witwe Imma ein Kloster zu Ehren der Gottesmutter Maria und der hll. Martin und Gregor zu bauen begonnen hatte. Zu geschichtlicher Bedeutung dürfte diese kurzlebige Gründung der Großmutter Hemmas von Gurk[26] aber nicht gelangt sein.

Nach dem Tod ihres Gemahls und ihrer Söhne war die Witwe Hemma dank ihres weit verbreiteten Besitzes eine der mächtigsten Frauen ihrer Zeit. Die umfangreichen Besitzungen aus ihrer und ihres Gatten Familie erstreckten sich von der Obersteiermark bis nach Friaul. Ihre Güter im Ennstal hatte sie zur Gründung eines Klosters dem Erzbischof Balduin von Salzburg übergeben. Erst 1074 gelang mit der Gründung Admonts dieses Vorhaben. Die Gründung des Frauenklosters Gurk kam zu Lebzeiten Hemmas 1043 zustande, nachdem die notwendigen Verträge zur Ablösung des Zehents mit dem Salzburger Erzbischof geschlossen waren[27]. Gurk wurde vom Frauenkloster Nonnberg, das ein adeliges Stift war, besiedelt. Die erste Äbtissin hieß Ita. Ob sich nun das Leben der Nonnen in Gurk nach dem *ordo monasticus* oder mehr nach dem *ordo canonicus* ausrichtete, ist nicht eindeutig zu entscheiden, weil der Nonnberg zwar mehr einem Kanonissenstift glich, aber doch immer wieder benediktinische Reformversuche zu beobachten sind. Auf der Lateransynode von 1059 heißt es von den Kanonissen, daß es sie nur in einem kleinen Teil Deutschlands gäbe[28]. 1066 wurde das Kloster von König Heinrich IV. beschenkt[29], und zwar wegen der treuen Dienste seiner Äbtissin Himzila. Nach der Legende starb die Stifterin von Gurk 1045, sicher aber an einem 29. Juni. Das Gurker Nonnenkloster war von der hl. Hemma mit reichem Besitz im Gurktal, im Metnitztal und in der Grafschaft Friesach dotiert worden. Aus dem Erbe ihres verstorbenen Gatten Markgraf Wilhelm war noch großer Besitz in der Untersteiermark hinzugekommen. Die verschwenderische Ausstattung wurde dem Kloster zum Verhängnis. Unter dem Vorwand eines regelwidrigen Lebens[30] wurde das Kloster 1072 aufgehoben und sein Besitz zur Dotation des Salzburger Eigenbistums Gurk durch Erzbischof Gebhard verwendet. Schon 1070 hatte Gebhard von Papst Alexander II. die Genehmigung erhalten, ein Bistum in seiner Diözese zu gründen. Den Bischof konnte er selbst auswählen und weihen[31]. Die Gründung des Bistums bedeutete das Ende des Klosters.

1889 richtete Äbtissin M. Magdalena Klotz vom Nonnberg ein Gesuch an das Gurker Domkapitel, in den Gebäuden beim Dom ein Benediktinerinnenkloster errichten zu dürfen. Am 12. September 1890 zogen die ersten Nonnen in das Priorat St. Hemma ein. 1898 konnten sie das Gurker Domstiftsgebäude mit einigen Wiesen, Äckern und Wald kaufen. Patres von St. Peter, später von Seckau, übernahmen die geistliche Betreuung der Nonnen und die Leitung der Pfarrei. Nach 30jährigem Bestehen wurde auch dieses Kloster zwar nicht aufgehoben, aber nach Kellenried bei Ravensburg transferiert[32].

„Ganz allgemein aber war die *amoenitas*, der fruchtbar-schöne Ort als ein von der Umgebung ausgezeichneter Platz charakterisiert (...). Dieser Platz war die rechte Stätte des auf die Wirklichkeit des Paradieses ausgerichteten Mönchslebens", sagt D. v. d. Nahmer[33]. Das darf auf Kärntens dritte Klostergründung an einem See bezogen werden, nämlich auf Millstatt[34].

Die Zehentablösung des Edlen Aribo bei Erzbischof Gebhard (1060 – 88) von Salzburg für seine Kirchen, darunter zwei in Millstatt, ermöglichte die Gründung des Eigenklosters der Aribonen. Für dieses Rechtsgeschäft kommt am ehesten die Zeit zwischen 1070 und 1077 in Frage. Da es keine Gründungsurkunde gibt, ist das Dotationsgut um den Millstätter See, in Friaul, im Salzburggau und im Pinzgau nur zu vermuten bzw. aus späteren Urkunden zu erschließen. Der erste namentlich bekannte Abt kam über St. Paul aus dem Reformkloster Hirsau: Abt Gaudentius (1091 – 1105).

Millstatts große Zeit war das 12. Jahrhundert. Gemäß der Hirsauer Forderung nach der *libertas Romana* wurde das Eigenkloster des Grafen von Görz 1122 dem Apostolischen Stuhl bei jährlicher Zahlung eines Goldstückes übergeben. Im Schutzbrief des Papstes Calixt II.[35] heißt es, daß der Abt von den Mönchen gewählt und vom Salzburger Erzbischof geweiht wird. Nur mit Zustimmung von Abt und Konvent können die Grafen von Görz als Vögte Güter des Klosters als Lehen ausgeben. Papst Alexander III. billigt Millstatt 1177 die freie Vogtwahl zu[36]. Ab 1385 besaßen die Grafen von Ortenburg, ab 1418 die Grafen von Cilli und nach 1456 Kaiser Friedrich III. die Vogtei von Millstatt.

Das Kloster mit seinem großen Grundbesitz entwickelte sich zu einem geistigen und geistlichen Zentrum Oberkärntens. Der Abt übte Patronatsrechte über die dem Kloster gehörenden Kirchen und Kapellen aus. Vom geistigen Leben zeugen die Reste der Bibliothek: aus dem 11. und 12. Jahrhundert sind 38, aus dem 13. Jahrhundert 32 Handschriften erhalten. Zu den größten Kostbarkeiten des Kärntner Landesmuseums gehört die berühmte Millstätter Handschrift aus der Zeit nach 1200[37]. Auf eine Übersetzung der Genesis in Reimen folgt der Physiologus, ein zoologisches Lehrgedicht. Die farbigen Federzeichnungen lassen den Einfluß der Salzburger Malschule erkennen. Die Sammelhandschrift enthält neben einer Bearbeitung des Exodus auch noch weitere Versdichtungen („Sündenklage" und „Das himmlische Jerusalem").

Seit dem Ende des 12. Jahrhunderts hat es in Millstatt auch ein Nonnenkloster gegeben, das ab 1441 urkundlich nicht mehr nachweisbar ist. Kirche und Kreuzgang des Mönchsklosters aus der zweiten Hälfte des 12. Jahrhunderts gehören zu den schönsten Zeugnissen der Romanik in Kärnten. Gegen den Verfall der Disziplin richtete die bischöfliche Visitation von 1429 ebensowenig aus wie Melker Reformversuche. Gegen Salzburger Widerstand erlangte Kaiser Friedrich III. 1469 die Stiftung des St.-Georg-Ritterordens und die gleichzeitige Aufhebung des Benediktinerklosters von Papst Paul II.[38]

Einmalig ist die Klosteranlage von Arnoldstein auf einem Felsblock, wie sie auf einer Zeichnung von Markus Pernhart (um 1855) zu sehen ist. Die Klosterburg ist 1883 durch einen Brand zerstört worden, gut 100 Jahre nach der Aufhebung des Benediktinerstiftes durch Kaiser Joseph II. Arnoldstein, das auf Bamberger Besitz lag, hatte Bischof Otto (1102 – 1139) als Burg schleifen lassen, um die Straße nach Italien zu sichern. Mit Zustimmung des Patriarchen von Aquileia, des zuständigen Diözesanbischofs, errichtete der Bamberger Bischof auf der früheren Burg ein Kloster zu Ehren des hl. Georg und der Gottesmutter Maria. Der Überlieferung nach kamen die ersten Mönche 1106 aus dem Kloster Michelsberg bei Bamberg. 1126 ist der erste Abt definitiv belegt[39]. Die Gründungsausstattung bestand aus 155 Huben. Die Vogtei hatten die Eppensteiner bis zu ihrem Aussterben 1122 inne, dann ging sie an Markgraf Engelbert von Istrien über. Eine Eigenkirche der Eppensteiner wurde zur Pfarrkirche. Eine Klosterkirche wird erst 1316 urkundlich erwähnt[40]. Ungünstig wirkten sich die Fehden zwischen Bamberg und anderen Kärntner Herrschaften für die Entwicklung des Klosters aus. Am 25. Jänner 1348 richtete ein furchtbares Erdbeben große Schäden am Kloster an. Wirtschaftliche Schwierigkeiten wurden durch die Folgen der Pest vergrößert. Türkeneinfälle und Reformation erschwerten eine Erneuerung des Stiftes. 1600 konnte die schon verfügte Übergabe der Abtei an die Jesuiten verhindert werden. Feuersbrünste 1695 und 1725 beeinträchtigten die wirtschaftliche Sanierung. Auf den Tod des letzten Abtes Otto von Größing im Juni 1782 folgte alsbald die kaiserliche Aufhebung des Stiftes.

Im Zusammenhang mit der Gregorianischen Reform sind auch Bemühungen um die Erneuerung des kanonikalen Lebens zu beobachten. In Kärnten kamen dafür die bereits bestehenden Kollegiatstifte und das Gurker Domkapitel in Frage. Besonderer Wert wurde auf das Gemeinschaftsleben nach dem Beispiel der Urkirche (Apg 4,32) gelegt. Die Lateransynode 1059 wies die Kanoniker auf das Vorbild des mönchischen Lebens hin und forderte von ihnen – abweichend von der Aachener Regel – Verzicht auf Privateigentum. Neben der Grundregel Apg 4,32 wurde die sogenannte Augustinusregel (*Praeceptum* und *Ordo monasterii*) für die Augustiner-Chorherren maßgebend[41].

Der Aribone Graf Chazelin († vor 1106) vermachte seine Eigenkirche in Eberndorf und seinen Besitz im Jauntal der Kirche von Aquileia, um dort ein Kollegiatstift zu errichten. Eberndorf wurde 1154 von der Reform erfaßt und blieb bis zur Übergabe an die Jesuiten 1604 ein Augustiner-Chorherrenstift[42]. Nach der Aufhebung des Jesuitenordens wurde Eberndorf dem wiedererrichteten Stift St. Paul übergeben. Die anderen Dom- und Kollegiatstifte Gurk, Maria Saal und St. Andrä[43] wurden in unterschiedlicher Weise von der Reform erfaßt. Sie dürften das gemäßigte *Praeceptum* dem radikalen *Ordo monasterii* vorgezogen haben.

Kärntens einziges Zisterzienserkloster Viktring[44] wurde 1142 von Graf Bernhard von Spanheim gestiftet. Die ersten zwölf Mönche kamen aus dem lothringischen Kloster Villars (Weiler-Bettnach), das wiederum eine Tochter Morimonds war. Villars Gründung geht auf die Initiative von Bernhards Neffen Heinrich von Spanheim zurück.

1143 übernahm Eberhard als erster Abt von Viktring die Leitung der Zisterze. In diesem Jahr stellt Erzbischof Konrad I. das Kloster unter den Schutz der Salzburger Kirche[45], „schenkt den Mönchen für immer allen durch eigene Arbeit gewonnenen Zehent, verbietet, daß ein Laie sich die Vogtei über das Kloster anmaße, und bestätigt diesem die Besitzungen".

Zwischen 1265 und 1276 waren die Nonnen von Greith bei Neumarkt nach Friesach übersiedelt. Sie wurden als Zisterzienserinnen der Jurisdiktion des Abtes von Viktring unterstellt, von dem sie als Vaterabt visitiert wurden[46]. Viktring durfte nur von Zisterziensern visitiert werden. Der Reformorden der Zisterzienser legte besonderen Wert auf die Handarbeit (RB 48,1), die seine Kolonisationsarbeit erst ermöglichte. Zum ursprünglichen Stiftungsgut um Viktring, bei St. Veit und am Zollfeld kamen Schenkungen des Adels. So konnte Viktring immer mehr zu einer großen Grundherrschaft ausgebaut werden. Die Klosterkirche wurde nach burgundischen Vorbildern errichtet und 1202 eingeweiht. Die berühmten Viktringer Scheiben (Glasfenster) stammen aus der Zeit um 1400.

Abt Johannes von Viktring (1312–1345/47) gehört mit seinem *Liber certarum historiarum*, das die Zeit zwischen 1231 und 1341 behandelt, zu den wichtigsten Kärntner Chronisten. Das hohe Niveau der Chronik setzt eine reichhaltige Bibliothek im Kloster voraus. 1501 war Viktring zur Kommende des späteren Erzbischofs Matthäus Lang herabgesunken. Das Stift, das von seinen Novizen „windische Sprachkunde" forderte, bot durch seine wirtschaftliche Gesundung keinen Grund zur Beanstandung. Als letzter Abt wurde 1780 Konstantin Rabitsch gewählt. Die Aufhebung erfolgte 1786, nachdem das Zisterzienserinnenkloster in Friesach schon zu Beginn des 17. Jahrhunderts erloschen war.

1126 war die strenge Augustinusregel (*Ordo monasterii*) als Regel der Prämonstratenser vom Papst bestätigt worden. „Sie sahen die Armut nur gewährleistet, wenn sie Handarbeit und wirtschaftliche Autarkie zur Grundlage hatte. Als Prediger waren die Chorherren vom *Ordo Novus* unerbittlich"[47]. Bischof Eckbert von Bamberg stiftete am 5. April 1236 Griffen als Kärntens einziges Prämonstratenserstift[48]. Papst Gregor IX. bestätigte die Errichtung des Klosters am 5. Juli 1273[49]. Das Kloster wurde mit 26 Huben, drei Weingärten bei Wolfsberg samt zwei Gärten, einem Wald beim Kloster und einer Schwaige an der Saualpe dotiert. Griffen war ein Tochterkloster des fränkischen Stiftes Vessra. Nach der Säkularisierung von Vessra 1533 übte der Abt von Oberzell die Funktion des Vaterabtes aus, zwischen 1616 und 1738 der Abt von Steingaden. Visitation und Leitung der Abtwahl zählte zu den Aufgaben des Vaterabtes. Bis 1738 gehörte Griffen zur bayerischen Zikarie. Auf Wunsch Kaiser Karls VI. wurde Griffen dann der böhmisch-österreichischen Zikarie zugeordnet. Der Abt des Stiftes Klosterbruck galt als Vaterabt[50].

Der Vorsteher des Klosters Griffen hieß zunächst Propst. 1475 erhielt er das Recht der Pontifikalien. Erst 1738 wurde der Titel des Propstes durch den eines Abtes ersetzt. Als zweiter Stifter wurde Graf Ulrich von Heunburg samt seiner Gemahlin Agnes verehrt, weil er 1284 das Kloster mit Vogtei und Patronat über die reiche Pfarrei Haimburg beschenkt hatte.

Die Prämonstratenser verbanden klösterliches Leben und Pfarrseelsorge miteinander. Stift Griffen waren folgende Pfarreien inkorporiert: Maria Hasslach (seit der Gründung), Wölfnitz (vor 1451), Weissenegg (vor 1521), Haimburg 1284, Greutschach 1238 und Markt Griffen 1696. Stift Griffen hat keine große kirchenpolitische Rolle gespielt, sondern mehr im Verborgenen gewirkt. Trotz eifriger Seelsorgetätigkeit und einem aktiven Barvermögen von 238.411 Gulden wurde das Stift am 19. Mai 1786 aufgehoben. Die Güter wurden zunächst dem Religionsfonds zugeteilt und später verkauft.

Von der religiösen Kultur all dieser untergegangenen Stifte zeugt noch manche schöne Kirche. Doch kein Ort in der Klosterlandschaft Kärntens ist so reich an Kunstschätzen von europäischem Format wie das 1809 durch Benediktiner von St. Blasien neu besiedelte Stift St. Paul im Lavanttale. Auch 900 Jahre nach seiner Gründung wird es den Geist der Regel des hl. Benedikt in die Landschaft Kärntens ausstrahlen.

ANMERKUNGEN

1. J. ANGERER, Klösterreich. Die Stifte und Klöster in Bayern, Österreich und der Schweiz (1978), S. 221f.
2. Übersetzung bei J. BÜHLER, Klosterleben im Mittelalter (1989), S. 164.
3. E. KLEBEL, Zur Geschichte der Pfarren und Kirchen Kärntens, Car. I 117 (1927), S. 119.
4. F. GLASER, K. KARPF, Ein karolingisches Kloster. Baierisches Missionszentrum in Kärnten (1989); F. GLASER, Das Münster in Molzbichl, das älteste Kloster Kärntens, Car. I 179 (1989), S. 99–124; K. KARPF, Das Kloster Molzbichl - ein Missionszentrum des 8. Jahrhunderts in Karantanien, Car. I 179 (1989), S. 125–140. Irrtümlich hält Karpf die *stabilitas loci* für eine Forderung der Benediktinerregel, ebd., S. 140.
5. MC 1, Nr. 8.
6. MC 3, Nr. 156.
7. M. WETTER, Geschichte des Benediktinerinnenklosters St. Georgen am Längsee in Kärnten (Diss. Wien, 1954); C. TROPPER, St. Georgen am Längsee – geschichtlicher Überblick (Carinthia-Kultur-Begleiter 2, 1988), S. 19–31; DIES., demnächst in Austria Benedictina.
8. MC 3, Nr. 205.
9. EBD., Nr. 205, II.
10. EBD., Nr. 204, VI.
11. EBD., Nrn. 1150, 1151.
12. Vgl. C. FRÄSS-EHRFELD, Geschichte Kärntens, Bd. 1 (1984), S. 148f.
13. MC 3, Nr. 1182.
14. I. BODO, Geschichte des Benediktinerstiftes Ossiach in Kärnten von 1028–1783 (Diss. Wien, 1966); P. TROPPER, demnächst in Austria Benedictina.
15. H. DOPSCH, Die steirischen Otakare. Zu ihrer Herkunft und ihren dynastischen Verbindungen. Das Werden der Steiermark: Die Zeit der Traungauer, in: FS zur 800. Wiederkehr der Erhebung zum Herzogtum, hrsg. von G. PFERSCHY (1980), S. 75–139, hier S. 94ff.
16. MC 3, Nr. 243a.
17. FRÄSS-EHRFELD, Geschichte Kärntens (wie Anm. 12), S. 149.
18. MC 3, Nr. 644.
19. EBD., Nr. 876.
20. MC 5, Nr. 611.
21. MC 7, Nr. 382.
22. MC 9, Nr. 230.
23. KLA, HS Geschichtsverein 2/32, Anm. 141.
24. EBD., Anm. 142.
25. MC 1, Nr. 8.
26. H. DOPSCH, Die Stifterfamilie des Klosters Gurk und ihre Verwandtschaft, Car. I 161 (1971), S. 95–123.
27. MC 1, Nrn. 16–19.
28. Vgl. A. WERMINGHOFF, Die Beschlüsse des Aachener Konzils im Jahre 816, Neues Archiv der Gesellschaft für ältere deutsche Geschichtskunde 27 (1902), S. 673.
29. MC 1, Nr. 26.
30. MG SS XI, S. 64f. (*Vita Chuonradi archiep. Salisb.*).
31. MC 1, Nr. 27.
32. Vgl. W. KRASSNIG, Notizen zur Geschichte des Benediktinerklosters St. Hemma in Gurk, in: Hemma von Gurk. Ausstellungskatalog (1988), S. 70f.
33. Über Ideallandschaften und Klostergründungsorte, Studien und Mitteilungen zur Geschichte des Benediktinerordens und seiner Zweige 84 (1973), S. 265.
34. Vgl. E. WEINZIERL-FISCHER, Geschichte des Benediktinerklosters Millstatt in Kärnten, AVGT 33 (1951); W. DEUER demnächst in Austria Benedictina.
35. MC 3, Nr. 570.
36. EBD., Nr. 1216.
37. A. KRACHER (Hrsg.), Faksimile-Ausgabe der Millstätter Genesis und Physiologus-Handschrift (1967).
38. HHStA, UK 1469 II.
39. J. GRABMAYER, demnächst in Austria Benedictina.
40. MC 8, Nr. 335.
41. S. WEINFURTER, Salzburger Bistumsreform und Bischofspolitik im 12. Jahrhundert. Der Erzbischof Konrad I. von Salzburg (1106–1147) und die Regularkanoniker (1975).
42. B. SCHROLL (Bearb.), Urkunden-Regesten des Augustiner-Chorherren-Stiftes Eberndorf im Jaunthale (1879); A. KREUZER, Die Stifte und Klöster Kärntens (1971), S. 88–96.
43. M. PAGITZ-ROSCHER, Das Augustiner-Chorherrenstift St. Andrä im Lavanttal, Car. I 157 (1967), S. 296ff.
44. M. ROSCHER, Geschichte der Cistercienserabtei Viktring in Kärnten in der Zeit von 1142–1534 (Diss. Wien, 1953); W. KRALLERT, Die Bedeutung des Klosters Viktring für den Zisterzienserorden während des Mittelalters, Studien und Mitteilungen zur Geschichte des Benediktinerordens und seiner Zweige 52 (1934), S. 221–235.
45. MC 3, Nr. 754.
46. M. PAGITZ-ROSCHER, Das Kloster der Zisterzienserinnen im Sack zu Friesach, Car. I 160 (1970), S. 719ff.
47. N. BACKMUND, Geschichte des Prämonstratenserordens (1986), S. 18.
48. MC 4, Nr. 2123.
49. EBD., Nr. 2144.
50. J. WIDRICH, Seelgerätstiftungen beim Kloster Stift Griffen in Unterkärnten (Diss. Graz, 1963), S. 6.

Die Gründer kamen vom Rhein
Die Spanheimer als Stifter von St. Paul*

HEINZ DOPSCH

„Der Geburtsort Siegfrieds war die Burg Spanheim", berichtet das Traditionsbuch von St. Paul über den Vater des Klostergründers Engelbert von Spanheim.[1] Etwa 10 km westlich von Bad Kreuznach liegt der Ort Sponheim (diese Form hat sich seit dem 15. Jahrhundert anstelle des älteren Spanheim durchgesetzt), der heute in Sponheim und Burgsponheim geteilt ist. Über dem Tal des Ellerbachs, der bei Bad Kreuznach in die Nahe mündet, steht dort in beherrschender Lage der 22 Meter hohe, aus Buckelquadern gemauerte Bergfried der Burg Sponheim. Sonst hat sich außer bescheidenen Resten eines Rundturms kein aufgehendes Mauerwerk der einst mächtigen Burganlage erhalten. Da Graf Siegfried um 1010–1015 auf Burg Sponheim geboren wurde, ist die Entstehungszeit der Burg wohl um die Jahrtausendwende oder noch früher anzusetzen, obwohl die ersten gesicherten Nennungen nach Spanheim in der rheinischen und der Kärntner Linie des Geschlechts erst um 1075 überliefert sind.[2]

In Sichtweite ihrer Burg haben die Grafen von Spanheim 1124 die Abtei Sponheim als Hauskloster gegründet. Beteiligt daran waren auch Angehörige der Kärntner Linie, die sich schon über drei Jahrzehnte vorher mit der Stiftung des Klosters St. Paul im Lavanttal ihren eigenen geistlichen Mittelpunkt geschaffen hatten. Von der aufgehobenen Abtei Sponheim steht noch die im Stil der Frühgotik erbaute Kloster-

Abb. 2:
Bergfried der Burg Sponheim.

* Herrn Univ.-Prof. Dr. FRIEDRICH HAUSMANN (Graz), dem Verfasser der grundlegenden Arbeit über die frühe Genealogie der Spanheimer in Kärnten und im Rheinland, möchte ich an dieser Stelle für Rat und Hilfe sowie für die freundliche Überlassung von persönlichen Aufzeichnungen herzlich danken. Ein Dank gilt auch Frau Dr. ANNELIESE NAUMANN-HUMBECK (Köln), die eine Dissertation über die rheinischen Sponheimer verfaßt und Fotos von Burg und Kloster Sponheim zur Verfügung gestellt hat. Für Burg, Ort und Kloster, die (zumindest in Resten) noch bestehen, wird im folgenden die heute übliche Form SPONHEIM verwendet, für die Grafen hingegen der in den zeitgenössischen Quellen übliche Name SPANHEIMER.

Abb. 3: Ehemalige Klosterkirche Sponheim, Ansicht von Südwesten.

kirche, ursprünglich der Gottesmutter Maria und dem hl. Martin geweiht, die heute als katholische Pfarrkirche St. Martin dient.[3]

Bergfried und Kirche erinnern an ein Hochadelsgeschlecht, das in der deutschen Geschichte des Hochmittelalters in mehrfacher Hinsicht eine Sonderstellung einnimmt: Keine andere Familie hatte unter der Herrschaft der Salier und der Hohenstaufen gleichzeitig so viele Ämter und Positionen inne wie die Spanheimer. Vom Niederrhein bis nach Kärnten, von Magdeburg bis nach Istrien stellten sie Erzbischöfe, Bischöfe und Äbte, Herzoge, Markgrafen, Pfalzgrafen und Grafen. Die rheinische und die Kärntner Linie haben sich mehrfach geteilt. Aus beiden sind Geschlechter hervorgegangen, die heute noch blühen: die Grafen und Fürsten von Sayn und Wittgenstein, die auf Graf Gottfried IV. und die von ihm 1247–1265 begründete Linie Spanheim-Sayn zurückgehen, und die Grafen von Ortenburg (ursprünglich Ortenberg) bei Passau, die heute auf Schloß Tambach in Franken residieren und von Graf Rapoto I. († 1186), einem Enkel des St. Pauler Klostergründers, abstammen.[4] Während in Kärnten kaum bekannt ist, daß es noch Nachkommen der alten Herzogsfamilie gibt, waren und sind sich die Grafen von Ortenburg ihrer Ausnahmestellung sehr wohl bewußt. Im gesamten bayerisch-österreichischen Raum sind sie neben den Wittelsbachern das einzige Geschlecht, das seine edelfreie Abkunft eindeutig nachweisen und stets behaupten konnte. Deshalb haben sie im 19. Jahrhundert auch die Erhebung in den Fürstenrang, die ihnen von den Wittelsbachern angeboten wurde, entschieden abgelehnt. Waren doch die Spanheimer als ihre Vorfahren in Kärnten ein halbes Jahrhundert früher zur Herzogswürde gelangt als die Wittelsbacher in Bayern!

Obwohl die gemeinsame Abstammung der Spanheimer im Rheinland und in Kärnten der Forschung seit Jahrhunderten bewußt war, sind eine Klärung der wesentlichen Zusammenhänge und die Erstellung einer halbwegs gesicherten Genealogie erst in den letzten Jahren und Jahrzehnten gelungen. Allzu eifrige Genealogen haben schon vor vielen Generationen Lücken in der urkundlichen Überlieferung einfach durch die Anfertigung von Fälschungen geschlossen und damit spätere Forscher irregeführt. Das gilt vor allem für die Chronik des Klosters Sponheim (*Chronicon Spanheimense*) des Johannes Trithemius († 1516), der 1483–1505 selbst Abt dieses Klosters war[5], aber auch für das Totenbuch von St. Paul, das Abt Hieronymus Marchstaller im frühen 17. Jahrhundert einfach „nacherfunden“ hat. Da die Forschungsgeschichte der Spanheimer-Genealogie bereits geschrieben wurde[6], soll der folgende Überblick Wirksamkeit und Bedeutung der Spanheimer für die hochmittelalterliche Reichsgeschichte, besonders aber für die Geschichte Kärntens, in knapper Form veranschaulichen.

Im Gefolge der Salier – das Rätsel um den Markgrafen Siegfried und die Anfänge der Spanheimer in Kärnten

Für die Epoche des Frühmittelalters, in der sich der Adel noch nicht nach Burgen und Herrschaftssitzen nannte, sondern mit der Führung von einem Namen begnügte, ist es kaum möglich, gesicherte „Stammtafeln“ für einzelne Familien zu erstellen. Damals gab es auch noch keine Adelsgeschlechter, in denen sich das Traditionsbewußtsein in männlicher Linie vom Vater auf den Sohn vererbte, sondern es dominierten die „kognatischen“ Sippenbeziehungen innerhalb einer Generation. Durch vorteilhafte Heiraten und die damit vollzogene Anbindung an eine mächtige Sippe konnten sich gesellschaftlicher Rang und Selbstbewußtsein einer Familie rasch und gründlich ändern. Besondere Aufstiegschancen bot stets ein Naheverhältnis zum regierenden Königshaus.[7]

Auch die Genealogie der Spanheimer läßt sich im Detail nicht vor die Jahrtausendwende zurückverfolgen. Aus Namengebung und Besitz ist jedoch zu erschließen, daß sie zu den bedeutendsten Adelsfamilien an Mittelrhein, Nahe und Mosel in verwandtschaftlichen Beziehungen standen: den Walahonen, die um 900 mindestens sieben Grafschaften am Mittelrhein verwalteten, den Konradinern, den Egisheimern und vor allem den Saliern, die ab 978 wiederholt die Herzoge von Kärnten stellten und ein Jahrhundert hindurch (1024–1125) als Könige und Kaiser das Römisch-Deutsche Reich regierten.[8] Im Gefolge der Salier hat sich im 11. Jahrhundert der Aufstieg der Spanheimer im Rheinland und besonders in Kärnten, wo sie 1122 zur Herzogswürde gelangten, vollzogen.

Das Geschlecht der Salier, das über reichen Besitz am Rhein mit Worms als Zentrum verfügte, war in enger Anlehnung an die Ottonen zum Königtum aufgestiegen. Nachdem Otto, der Sohn Konrads des Roten, zweimal mit dem Herzogtum Kärnten belehnt worden war (978–985 und 995–1004), folgte ihm sein Sohn Konrad (1004–1011) als Herzog. Der Gegensatz zu Kaiser Heinrich II. brachte zwar 1011 den Verlust Kärntens, das der Kaiser an Adalbero von Eppenstein (1011–1035) verlieh. Nach dem Tode Heinrichs II., der die Dynastie der Ottonen beschloß, wurde aber 1024 mit Konrad II. („dem Älteren“) ein Salier zum deutschen König gewählt. Nachdem er 1027 zum Kaiser gekrönt worden war, ging Konrad II. gezielt daran, seine Macht im Reich zu festigen und seine Gegenspieler zu beseitigen. Im Mai 1035 erfolgte unter spektakulären Umständen der Sturz des Kärntner Herzogs Adalbero von Eppenstein, der sich vergeblich durch ein Versprechen des Kaisersohnes Heinrich (III.) zu sichern versucht hatte. Im Frühjahr 1036 verlieh der Kaiser dann Kärnten an seinen Vetter, den Salier Konrad den Jüngeren, der 1011 bei der Ernennung Adalberos übergangen worden war.[9]

Kärnten war 976 von Bayern getrennt und als „Amtsherzogtum“ eingerichtet worden. Der Herzog, der zugleich auch die Mark Verona verwaltete, sollte in dieser Doppelstellung den Zugang nach Italien sichern und durch einen Gürtel vorgelagerter Marken, zu denen auch Istrien, Krain und die karantanische Mark an der Mur als Vorläuferin der späteren Steiermark zählten, für den Schutz der Reichsgrenze im Südosten sorgen. Zu diesem ausgedehnten Herrschaftsgebiet, das an Größe das heutige Land Kärnten um ein Vielfaches übertraf, stand jedoch die schwache Position des Herzogs in krassem Gegensatz. Als „Amtsherzoge“ wurden Angehörige aus verschiedenen landfremden Geschlechtern eingesetzt, die im Lande weder Besitz noch verwandtschaftlichen

I. DIE KÄRNTNER SPANHEIMER ALS ERBEN DER SIGHARDINGER

Sighard IV.
963-980 Graf im Chiemgau
+ 26.IX. ca. 980
⚭
Willa
Tochter des Bernhard

Engelbert II.
ca. 987-1000

Friedrich
Erzbischof von Salzburg
958-991
+ 1.V. 991

Hartwig I.
Pfalzgraf von Bayern
Waltbote in Kärnten
953-ca.985
⚭
Wichburg
(Luitpoldingerin)

Sighard V. (Sizo)
ca. 1010/1020 Graf
+ 6.V. um 1020
⚭
Zloubrana

Pilgrim
Bischof von Passau
971-991

noch zwei
Söhne

Engelbert III.
Graf im Chiemgau ⚭
ca. 965-1020

Adala
ca. 970-nach 1020
(1.⚭ Pfalzgraf Aribo I.)

Hartwig
Erzbischof von Salzburg
991-1023
+ 5.XII. 1023

SIGHARDINGER
Grafen von Tengling,
Burghausen, Schala, Peilstein
Mörle und Kleeberg

Sighard VII. (Sizo)
ca. 1010-1044 Graf im Chiemgau
+ 5.VII. 1044 (bei Menfö)
⚭
Judith (Tuta)
Tochter des Grafen
Ulrich von Ebersberg

Hartwig
Bischof von Brixen
1023-1039
+ 31.I. 1039

Engelbert IV.
Graf im Inntal, Norital,
Pustertal, Vogt von Salzburg
+ 15.III. nach 1040
⚭
Liutgard

Engelbert V.
1048-1078 Graf im Chiemgau
Vogt von Salzburg
+ 7.VIII. 1078
⚭
Irmgard

Sighard VIII.
ca. 1048-1080 Graf im
Campriche und im Chiemgau
+ 21.VII. nach 1080

Markwart
"von Marquartstein"
Graf im Chiem- und Isengau
+ 5.XII. um 1085
⚭
Adelheid
von Lechsgemünd
+ 24.II. 1102/05

Meginhard
ca. 1048-1060
Graf im Pinzgau

RICHGARD
"von Lavant"
+ 9.VII. 1072
⚭
SIEGFRIED I.
* Burg Sponheim ca. 1010/15
1045 Markgraf der Ungarnmark
1048 Graf im Pustertal
+ 5.VII. 1065 in Bulgarien

ENGELBERT I.
1057 Graf im Kraichgau
1070-1091 Graf im Pustertal
ca. 1077 Graf von Spanheim
ca. 1085 Vogt von Salzburg
STIFTER VON ST. PAUL
+ 1.IV. 1096

HARTWIG
1056 Domherr in Mainz
Propst in Erfurt
1079-1102 Erzbischof von Magdeburg
Verwandter Ebs. Hermann III. von Köln
MITSTIFTER VON ST. PAUL
+ 17.VI. 1102

?
Siegfried
Graf + 1070
bestattet in
Sinsheim

Hermann
Burggraf und Vogt
von Magdeburg 1091/98-1118
+ 22.VII. 1118

SPANHEIMER
Herzoge von Kärnten
Markgrafen von Istrien und Tuszien
Grafen von Lebenau
Grafen von Kraiburg und Ortenberg
Pfalzgrafen von Bayern

Richgard
1124-1151
Mitstifterin von
Kloster Sponheim
+ 1151
⚭
Rudolf
Graf von Stade, Markgraf
der sächsischen Nordmark
+ 6.XII. 1124

Grafen von Stade

Rückhalt hatten. Manche von ihnen haben Kärnten gar nicht betreten, sondern nur den Herzogstitel geführt. Damit wollte sich das Königtum die unmittelbare Kontrolle über dieses strategisch wichtige Fürstentum selbst vorbehalten.[10]

Kaiser Konrad II., dem die Situation in Kärnten durchaus bewußt war, hat nach dem Sturz Adalberos von Eppenstein konsequent an diese Politik angeknüpft. Statt die Stellung seines Vetters Konrad des Jüngeren, der schon 1039 starb, als Herzog von Kärnten zu stärken, hat er einen engen Vertrauten aus dem Kreis der weiteren Verwandtschaft mit der unmittelbaren Wahrnehmung seiner Interessen im Südosten betraut. Die Ehe des um 1010–1015 geborenen Siegfried von Spanheim mit Richgard, der reichen Erbtochter des Grafen Engelbert aus der Sippe der Sighardinger, dürfte gerade in jene Zeit fallen, als Kärnten wieder an die Salier kam. Es ist anzunehmen, daß Kaiser Konrad II. oder sein Sohn Heinrich III., der nach 1039 in Kärnten keinen Herzog mehr einsetzte und das Land unter seiner Herrschaft behielt, dabei die Hand im Spiel hatten.[11] Siegfrieds Schwiegervater Engelbert verfügte im Südosten des Reiches über Positionen, die weit über das Herzogtum Kärnten hinausgingen. In den Jahren 1028–1040 erscheint er als Graf im Inntal, im Norital (Eisacktal) und im Pustertal, aber auch als Vogt des Erzbistums Salzburg und des Bistums Brixen.[12] Nach dem Tode Engelberts, der keine männlichen Erben hatte, ist ihm Siegfried als Graf im Pustertal gefolgt und hat auch den reichen Eigenbesitz Engelberts in Kärnten und den Marken übernommen. Dieser Besitz bot in den folgenden Jahrzehnten die Grundlage für die machtvolle Position Siegfrieds in Kärnten, wo er wohl im Auftrag Heinrichs III. eine Funktion als „Statthalter“ der kaiserlichen Interessen wahrnahm.[13]

Welche Bedeutung der Heirat Siegfrieds mit Richgard für das Traditionsbewußtsein und das Selbstverständnis des Geschlechts zukam, zeigt die Namengebung in den folgenden Generationen. Engelbert und Hartwig, neben Sigehard die Leitnamen der Sighardinger, wurden zu den bevorzugten Namen der Kärntner Spanheimer, die den rheinfränkischen Namen Siegfried, den der Stammvater führte, an die dritte Position verdrängten. Damit rückten die Spanheimer nicht nur in wichtige Machtstellungen und Besitzungen der mächtigen Sighardinger Sippe in Kärnten, dessen Marken, in Bayern und im Erzstift Salzburg nach, sondern gaben deutlich zu verstehen, daß sie ganz bewußt die Tradition der Sighardinger fortsetzen wollten.[14]

Von Siegfrieds Gattin Richgard berichtet das Traditionsbuch von St. Paul, daß sie aus dem Kärntner Lavanttal stammte.[15] Sie ist wohl in jener Burg über dem Ufer der Lavant aufgewachsen, in der sie gemeinsam mit ihrem Gatten Siegfried eine Kirche zu Ehren des Apostels Paulus errichtete. Von ihrem Sohn Engelbert, dem Gründer des Klosters St. Paul, heißt es, daß er „von seinem Vater Siegfried her ein Franke war, durch seine Mutter Richgard (Richkarda) aber der erste unter den Großen Kärntens“.[16] Siegfried folgte zunächst seinem Schwiegervater Engelbert, der nach 1040 nicht mehr in den Urkunden erscheint, als Graf im Pustertal. Die weit über Kärnten hinausreichenden Verbindungen der Sighardinger, die auch im heutigen Niederösterreich über großen Besitz und einflußreiche Positionen verfügten, waren vielleicht auch dafür ausschlaggebend, daß Siegfried schon bald mit einer neuen, verantwortungsvollen Aufgabe in einem bedrohten Grenzgebiet des Reiches betraut wurde.

Durch zwei siegreiche Feldzüge gegen Ungarn hatte König Heinrich III. 1043/44 jenes Gebiet im Osten der Mark Österreich, das 1031 verlorengegangen war, zurückerobert. Er richtete dort eine eigene Mark ein und übertrug die Leitung dieser „Ungarnmark“ (in der älteren Forschung wurde sie meist als

II. DIE ANFÄNGE DER SPANHEIMER IN KÄRNTEN UND IM RHEINLAND

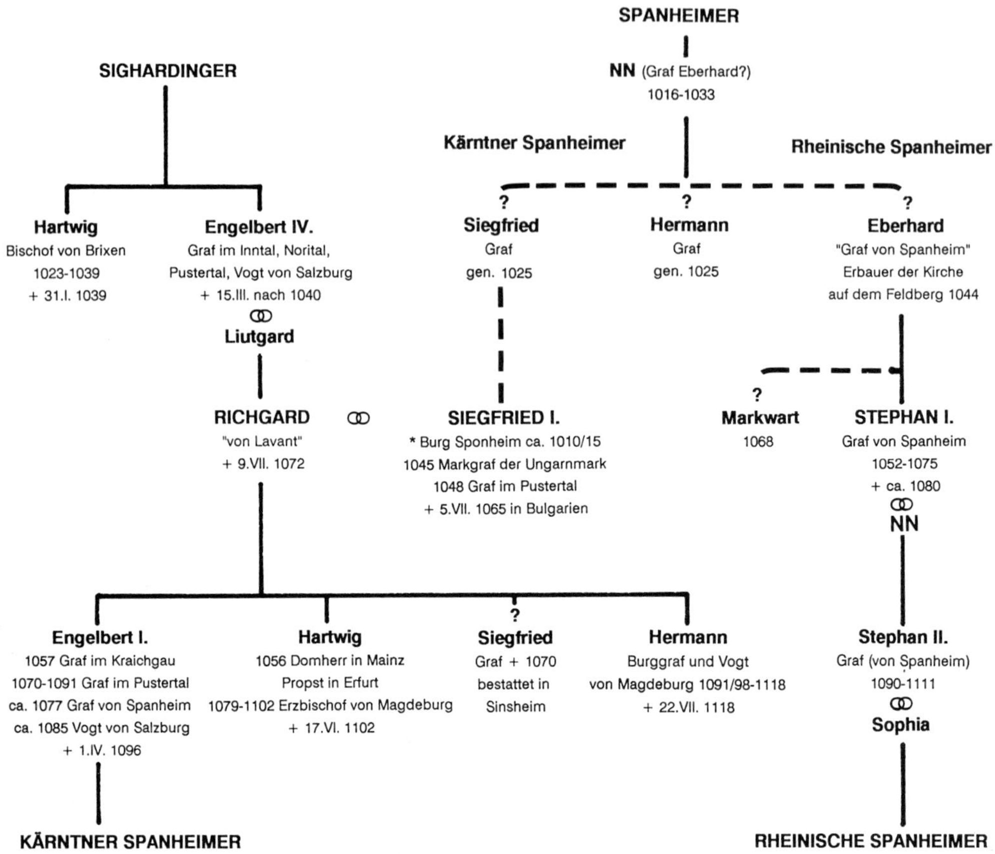

„Neumark" bezeichnet) dem Babenberger Luitpold, Sohn des Markgrafen Adalbert von Österreich.[17] Nach dem frühen Tode des Babenbergers erscheint nun im Jahre 1045 in vier Urkunden Heinrichs III. ein Markgraf Siegfried, dem der König insgesamt 380 Königshuben in der Ungarnmark überließ.[18] Dieser ungeheure Grundbesitz sollte offenbar die materielle Basis für die Amtsführung des landfremden Markgrafen bilden, aber Siegfried scheint diesen Besitz gar nicht übernommen zu haben. Schon im Herbst 1046, als erneut Grenzkämpfe mit Ungarn ausbrachen, erscheint nämlich nicht Markgraf Siegfried, sondern Bischof Gebhard von Regensburg, der Onkel Heinrichs III., in führender Position. Spätestens 1048 war die Ungarnmark in der Mark Österreich aufgegangen, und die Babenberger besaßen sowohl die 1045 an Siegfried geschenkten Güter als auch die darüber ausgestellten Königsurkunden.[19]

Generationen von Forschern haben sich über die Identität des Markgrafen Siegfried und seinen im Südosten des Reiches geradezu exotischen Namen den Kopf zerbrochen. Bisweilen wurden eine Verschreibung für Sigehard und die Zugehörigkeit des Markgrafen zur Sippe der Sighardinger angenommen. Als sicher galt es, daß er vor 1048 starb, da er im ungarischen Grenzraum nicht mehr genannt wird und die Babenberger in seine Position nachrückten.[20] Gerade der außergewöhnliche Name Siegfried, der zeitliche Ablauf und der politische

Werdegang sichern jedoch die Identität des Markgrafen mit Siegfried, dem Stammvater der Kärntner Spanheimer. Die Gründe für sein rasches Scheiden aus der Ungarnmark sind unbekannt. Vielleicht hielt Heinrich III., der 1046 zur Kaiserkrönung nach Rom zog, die Anwesenheit Siegfrieds in seiner Grafschaft im Pustertal für notwendig, um die strategisch wichtigen Alpenpässe zu sichern.[21] Vielleicht hatten auch energische Proteste der in ihren Interessen beeinträchtigten Babenberger den König zur Abberufung des Spanheimers bewogen.

Nach dem Intermezzo seiner Markgrafschaft erscheint Siegfried 1048 als Graf im Pustertal[22], tritt aber später nicht mehr in Urkunden auf.[23] Aus dem Traditionsbuch von St. Paul erfahren wir, daß er in der Stammburg seiner Frau Richgard im Lavanttal mit dem Bau einer St.-Pauls-Kirche begann, die als Vorstufe zu einer Klostergründung gedacht war.[24] Noch vor deren Fertigstellung beteiligte sich Siegfried gegen Ende des Jahres 1064 an jenem Pilgerzug, den sein Verwandter, Erzbischof Siegfried I. von Mainz, nach Jerusalem führte. Auf dem Heimweg ist er am 5. Juli 1065 in Bulgarien gestorben und dort beigesetzt worden. Als Witwe hat Richgard die Kirche in St. Paul vollendet und den Leichnam ihres Gatten Siegfried dorthin überführen lassen. Auch sie hat eine Pilgerreise nach Santiago de Compostela unternommen – vielleicht gemeinsam mit Erzbischof Siegfried I. von Mainz 1072 – und dabei den Tod gefunden.[25] Ihre Beisetzung in Sponheim deutet nicht nur auf die engen Verbindungen zur Familie ihres Gatten hin, sondern wohl auch darauf, daß sie an einer „Familienkonferenz" teilgenommen hat, in der über das Erbe nach ihrem verstorbenen Gatten verhandelt wurde. Deshalb wählte sie den Umweg über Sponheim.

Während sich die Genealogie von Richgards Vorfahren, der Sighardinger, weiter zurückverfolgen läßt[26], ist der Vater Siegfrieds unbekannt. Jener Siegfried, der 1040–1057 als Graf im rheinfränkischen Königssondergau erscheint, ist nicht der Kärntner Spanheimer, sondern der Vater des Erzbischofs Siegfried I. von Mainz.[27] Trithemius berichtet in seiner Spanheimer Chronik, daß ein „Graf Eberhard von Spanheim" 1044 die Kirche auf dem Feldberg (*mons Campi*) als Vorgängerin des Klosters Sponheim errichtet habe. Obwohl in einigen Urkunden des frühen 11. Jahrhunderts ein Graf Eberhard auftritt, der offenbar nicht mit dem bekannten Grafen Eberhard von Nellenburg identisch ist, kann er doch keineswegs als gesicherter Ahnherr der Spanheimer gelten.[28] Dagegen spricht vor allem, daß der Name Eberhard in späteren Generationen weder bei den rheinischen noch bei den Kärntner Spanheimern üblich war. An der Spitze der rheinischen Linie steht Graf Stephan I. von Spanheim, der zwischen 1052 und 1075 in zahlreichen Urkunden erscheint und wohl derselben Generation wie Siegfried I., der Stammvater der Kärntner Linie, angehörte.[29] Die Verwandtschaft zwischen den beiden muß angesichts der Tatsache, daß Siegfried auf Burg Sponheim geboren wurde und seine Nachkommen wesentliche Anteile an der Burg und den Gütern in unmittelbarer Umgebung hatten, sehr eng gewesen sein. Da die Leitnamen Siegfried nur bei der Kärntner Linie und Stephan nur bei den rheinischen Spanheimern üblich waren, sind die beiden ersten Spanheimer wohl nicht als Brüder, sondern eher als Vettern anzusehen.[30]

Graf Engelbert I. und die Gründung des Klosters St. Paul im Lavanttal

Der Ehe von Siegfried und Richgard entsprossen vier Söhne. An ihrer Karriere ist deutlich abzulesen, wie eng die Bindungen an das Rheinland und die rheinische Verwandtschaft auch in dieser Generation noch waren. Engelbert I., der älteste Sohn, begann seine Laufbahn 1057 als Graf im fränkischen Kraichgau.[31] Er folgte dort unmittelbar auf einen nahen Verwandten, den 1056 verstorbenen Grafen Wolfram aus der Zeizolf-Wolfram-Sippe, die durch Generationen die Grafschaften im Speyergau, Kraichgau, Wormsgau und Elsenzgau verwaltete. Durch die Spanheimer wurde – wie noch zu zeigen ist – der typische Leitname Zeizolf auch nach Kärnten verpflanzt. Engelbert I., der um 1070 einmal ausdrücklich als Graf von Spanheim tituliert wird[32], ist noch stärker als sein Vater Siegfried in die Positionen seines mütterlichen Großvaters, des Sighardingers Engelbert, nach dem er auch benannt wurde, nachgerückt. Er erscheint ab 1070 als Graf im Pustertal, seit 1085 übte er als Vormund seiner mütterlichen Verwandten auch die bei den Sighardingern erbliche Vogtei über das Erzbistum Salzburg aus.[33] In dieser Stellung hat er während der bewegten Zeit des Investiturstreits eine ganz entscheidende Rolle gespielt. Dabei kam es zu einer völligen Umkehr der politischen Parteinahme.

Als Parteigänger der Salier waren die Spanheimer nach Kärnten berufen worden, um dort ein Gegengewicht gegen die Eppensteiner, die über reichen Besitz und Anhang im Land verfügten, zu bilden. Nach dem Canossagang Heinrichs IV. 1077 ergriff Graf Engelbert I. jedoch ganz entschieden für Erzbischof Gebhard (1060–1088), der ins Exil nach Schwaben und Sachsen flüchten mußte, Partei und wurde damit zu einem entschiedenen Gegner des Königs. Die eppensteinischen Brüder Liutold, Heinrich und Ulrich nutzten hingegen die Gunst der Stunde, stellten sich auf die Seite Heinrichs IV. und wurden dafür reich belohnt. Nachdem sich der Kärntner Herzog Berthold von Zähringen an der Wahl des Gegenkönigs Rudolf von Rheinfelden beteiligt hatte, übertrug Heinrich IV. im Frühjahr 1077 das Herzogtum Kärnten an Liutold von Eppenstein.[34] Nach Liutolds Tod 1090 folgte ihm sein Bruder Heinrich als Herzog. Dieser hatte, noch bevor mit dem Investiturstreit der Gegensatz zwischen Eppensteinern und Spanheimern voll aufbrach, um 1075 den jüngsten Sohn Engelberts aus der Taufe gehoben, der nach seinem Paten den Namen Heinrich erhielt.[35] Trotz der langwierigen Kämpfe, die gerade Graf Engelbert I. dann gegen die Eppensteiner führte, sollte diese Patenschaft schließlich zum Übergang des Herzogtums Kärnten an die Spanheimer führen.

Über welche Macht die Spanheimer damals verfügten, geht daraus hervor, daß sich Graf Engelbert gegen alle Angriffe der kaiserlichen Parteigänger, auch den Salzburger Gegenerzbischof Berthold von Moosburg, zu behaupten vermochte. Von Heinrich IV. gegen große Zusagen zur Teilnahme am Zug gegen die Sachsen gewonnen, spielte er dort eine entscheidende Rolle, als er auf Betreiben seines Bruders, des Erzbischofs Hartwig von Magdeburg, zu den Sachsen überging. Im Jahre 1086 konnte er Erzbischof Gebhard im Triumph zurück nach Salzburg geleiten.[36] Sein Naheverhältnis zur Kirchenreform wird besonders bei der Gründung der Benediktinerabtei St. Paul im Lavanttal deutlich. In der Burg seiner Mutter setzte er das von seinen Eltern begonnene Werk fort, errichtete die Klostergebäude und holte den ersten Abt Wezilo aus dem Reformkloster Hirsau im Schwarzwald.[37] Engelbert hatte zu diesem Kloster wohl schon aus seiner Grafenzeit im Kraichgau enge Beziehungen. Mit der Übergabe der Ausstattungsgüter des Klosters über den Reliquien um den 1. Mai 1091 kam die Gründung zum Abschluß.[38] Engelbert hat St. Paul in erster Linie als „Hauskloster" gegründet, das zunächst im Besitz seiner Familie blieb und als Grablege der Kärntner Spanheimer diente. Der Stifter selbst ist kurz vor seinem Tod Mönch in St. Paul geworden und dort am 1. April 1096 gestorben.[39] Die Übergabe an den päpstlichen Stuhl und die Privilegierung

III. DIE SPANHEIMER ALS STIFTER VON ST. PAUL

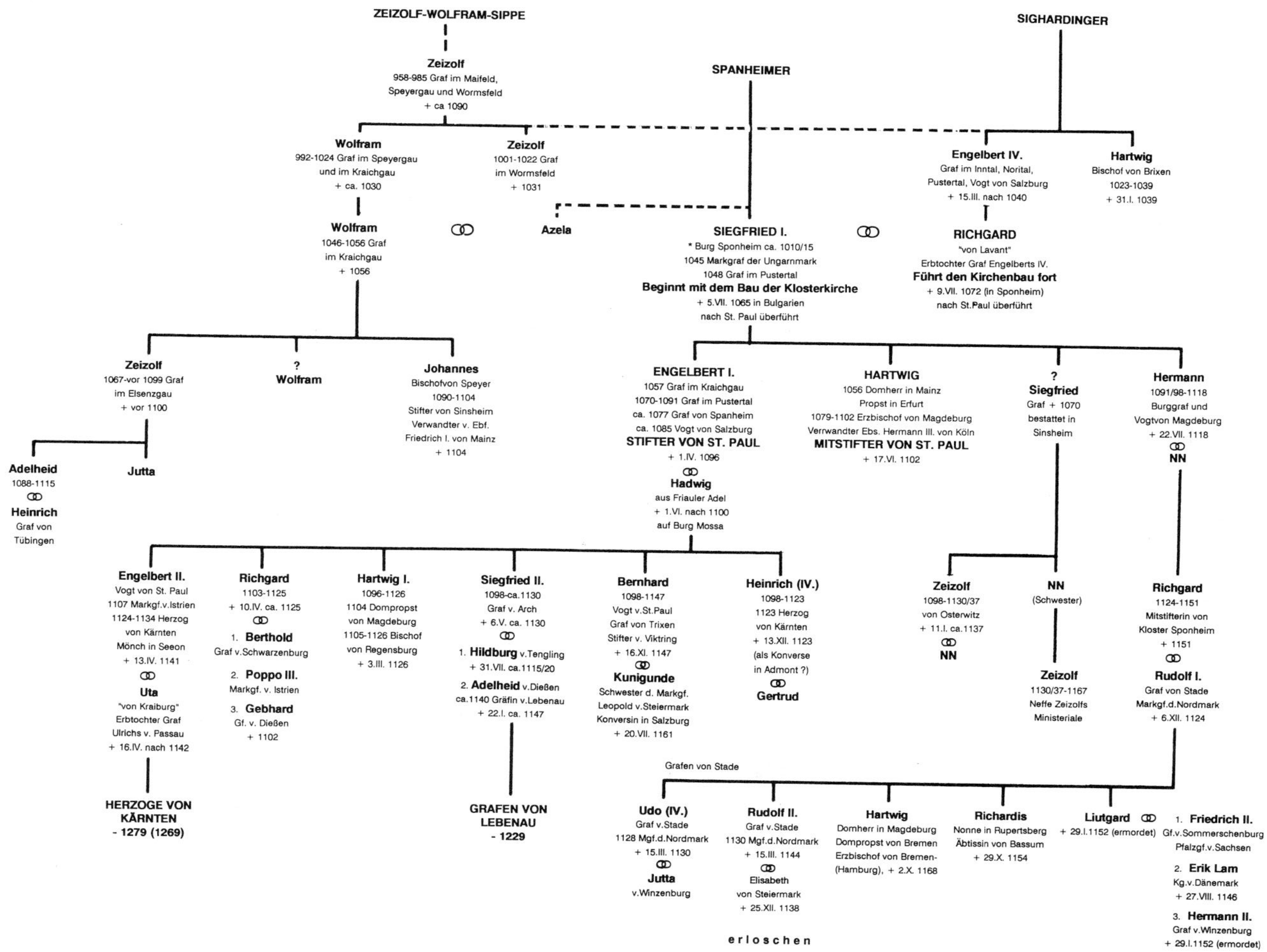

durch Papst Urban II., die St. Paul zu einem ausgesprochenen Reformkloster machte, ist erst nach dem Tode Engelberts 1099 erfolgt und wohl dem Einfluß von Engelberts Bruder, Erzbischof Hartwig von Magdeburg, zuzuschreiben.[40]

Hadwig, die Gattin Engelberts I., wird erst gegen Ende des 11. Jahrhunderts genannt. Als Witwe machte sie bald nach 1100 auf ihrer Burg zu Mossa (westlich von Görz) auf dem Totenbett in Gegenwart ihrer Söhne Engelbert (II.), Bernhard und Heinrich eine Schenkung an St. Paul.[41] Hadwig war weder eine Eppensteinerin noch die Tochter des Herzogs von Sachsen, wie bisher vermutet wurde[42], sondern entstammte wohl einem der führenden Adelsgeschlechter Friauls. Aus ihrer Familie wurde der Name Bernhard übernommen, der dann bei den Spanheimern in einigen Generationen geführt wurde. Auf Hadwig geht aber auch die enge Verbindung der Spanheimer zur Benediktinerabtei Rosazzo in Friaul zurück. An der im Detail nicht geklärten Gründung als Chorherrenstift um 1070 war neben dem Pfalzgrafen Aribo II. von Bayern, dem Stifter von Millstatt, und den Eppensteinern auch die Familie Hadwigs beteiligt. Patriarch Ulrich I. von Aquileia aus dem Hause der Eppensteiner hat Rosazzo um 1090 aus einem Chorherrenstift in ein Benediktinerkloster umgewandelt.[43]

Die Spanheimer schenkten später Besitz in Friaul und am Karst, der offenbar aus dem Erbe Hadwigs stammte, an Rosazzo. Abt Wilhelm von Hirsau hatte Wezilo, den er 1091 als Abt nach St. Paul im Lavanttal sandte, die Mönche Sigewin und Gaudentius als Begleiter mitgegeben. Diese übernahmen jedoch ohne Zustimmung Wilhelms Abteien, deren Leitung ihnen angetragen wurde.[44] Da Sigewin Abt von Rosazzo wurde, geht diese Aktion vielleicht auf eine gemeinsame Initiative von Graf Engelbert I. und seiner Gattin Hadwig zurück, die nicht nur in St. Paul, sondern auch für Rosazzo einen Abt aus dem Reformkloster Hirsau wollten. Rosazzo wurde in den folgenden Jahrzehnten neben St. Paul zum zweiten „Hauskloster" der Spanheimer. Für Hadwig wurde 1120 durch den Abt Gaudentius in Rosazzo ein Grabmal errichtet, ihr Enkel, Herzog Ulrich I. von Kärnten, wurde 1144, dessen Sohn, Herzog Heinrich V., 1161 im Kloster beigesetzt. Kein anderes Totenbuch überliefert die Todestage der Kärntner Spanheimer so genau und ausführlich wie jenes von Rosazzo.[45]

So wie sein Großonkel Hartwig, der Bischof von Brixen aus der Sippe der Sighardinger, war auch Hartwig von Spanheim, der zweite Sohn des Grafen Siegfried, für den geistlichen Stand bestimmt. Als Domherr in Mainz konnte er sich der Protektion seines Verwandten, des Erzbischofs Siegfried I., der aus der Familie der Grafen im Königssondergau stammte, erfreuen. Über die Positionen des Kämmerers in Mainz und des Propstes in Erfurt avancierte Hartwig mit Unterstützung von Papst Gregor VII. 1079 zum Erzbischof von Magdeburg.[46] Von einem zeitgenössischen Chronisten als einer der vornehmsten Fürsten der Franken charakterisiert[47], war Hartwig einer der schärfsten Gegner Kaiser Heinrichs IV. und ein entschiedener Anhänger der Kirchenreform.

Trotz der großen Entfernung hat sich Erzbischof Hartwig besonders um das Hauskloster St. Paul in Kärnten bemüht. Im Sommer 1098 ließ er den Leichnam seiner Mutter Richgard von Sponheim nach St. Paul überführen und schenkte bei dieser Gelegenheit der Abtei im Lavanttal Güter und wertvolle Pretiosen.[48] Die Übergabe von St. Paul an den Hl. Stuhl erfolgte zwar im gemeinsamen Auftrag der Söhne des verstorbenen Klostergründers Engelbert[49], aber schon im Traditionsbuch von St. Paul werden die Fortsetzung und Vollendung der Klostergründung dem Erzbischof Hartwig von Magdeburg zugeschrieben. Ihm war offenbar auch daran gelegen, daß die Familienstiftung, die noch den Charakter eines adeligen Eigenklosters hatte, durch die Übertragung an den Papst aus allen Streitigkeiten herausgehalten und vor Ansprüchen und Zugriffen der Familienmitglieder und naher Verwandter geschützt werden konnte. Papst Urban II. nennt in seinem Privileg vom 26. März 1099, mit dem er St. Paul den päpstlichen Schutz verlieh, den Besitz des Klosters bestätigte und die Erbvogtei an Graf Engelbert II. von Spanheim übertrug, Erzbischof Hartwig von Magdeburg an erster Stelle[50], noch vor dem eigentlichen Klostergründer, Graf Engelbert I.

Erzbischof Hartwig hat seinen Bruder Hermann nach Sachsen geholt und ihm dort nach 1080 das einflußreiche Amt des Burggrafen von Magdeburg und zugleich die Vogtei des Erzbistums übertragen. Hermann hat diese Funktion auch nach dem Tode seines erzbischöflichen Bruders (1102) bis zu seinem Lebensende (1118) ausgeübt.[51] Seinen reichen Anteil am rheinfränkischen Familienbesitz vererbte er seiner einzigen Tochter, die nach ihrer Großmutter Richgard benannt wurde. Diese vermählte sich um 1100–1105 mit Graf Rudolf II. von Stade, Markgraf der sächsischen Nordmark, und wird als „Richardis aus Franken, (. . .) mit einer großen Erbschaft" charakterisiert.[52] Das fränkische Erbe verband sie eng mit den rheinischen Spanheimern, so daß sie an der Stiftung des Hausklosters Sponheim wesentlichen Anteil hatte.

Ein vierter Sohn des Grafen Siegfried I. wird in Kärntner Quellen überhaupt nicht genannt, hat aber trotzdem Spuren im Land hinterlassen. Es wurde bereits auf die engen Verwandtschaftsbeziehungen zwischen den Spanheimern und der um Worms und Speyer begüterten Wolfram-Zeizolf-Sippe hingewiesen.[53] Vertreter dieser Familie waren schon Jahrzehnte vorher im Gefolge der Salier in den Südosten gekommen und haben vielleicht geholfen, für die Spanheimer den Boden zu bereiten. An einer Gerichtssitzung, die der Salier Otto von Worms, Herzog von Kärnten, im Jahre 1001 als Markgraf von Verona abhielt, nahmen die gräflichen Brüder Wolfram und Zeizolf teil, die ihn vom Mittelrhein hierher begleitet hatten.[54] Der Stifter von St. Paul, Graf Engelbert I., ist dem 1056 verstorbenen Grafen Wolfram als Graf im Kraichgau gefolgt. Vielleicht war Azela, die Gattin Wolframs, eine Schwester Siegfrieds I. und damit die Tante von Engelbert.[55] Der Sohn des Grafen Wolfram, Bischof Johannes von Speyer (1090–1104), gründete vor 1099 die Benediktinerabtei Sinsheim (südöstlich von Heidelberg).[56] Dort wurde neben den unmittelbaren Familienangehörigen des Bischofs auch ein nicht näher bezeichneter Graf Siegfried (*Sifridus comes*) bestattet.[57] Das Totenbuch des Klosters Prüm in der Eifel, das als einziges den Tod Siegfrieds I. von Spanheim zum Jahr 1065 verzeichnet, erwähnt 1070 den Tod eines Grafen Siegfried. Es liegt nahe, in ihm einen Sohn Graf Siegfrieds I. zu erblicken, der nach seinem frühen Tod in Sinsheim beigesetzt wurde.[58]

Vielleicht war es eine Mesalliance, die dazu führte, daß man in Kärnten den Namen Siegfrieds überhaupt verschwieg. Er hinterließ nämlich einen Sohn, der den in der Stifterfamilie von Sinsheim üblichen Leitnamen Zeizolf führte und bei seinen Verwandten in Kärnten lebte. Obwohl er über ansehnlichen Besitz in Kärnten verfügte und sich danach auch „von Osterwitz" nannte[59], wurde er von den übrigen Spanheimern offenbar nicht als ebenbürtig betrachtet. Schon bei der Ausstattung von St. Paul durch Erzbischof Hartwig von Magdeburg wird er mit deutlichem Abstand von den anderen Familienmitgliedern als Zeuge genannt.[60] Als er um 1130/1137 sein Testament aufsetzte und darin vor allem der Abtei St. Paul ansehnliche Güter vermachte, wird er im Traditionsbuch einfach als „Zeizolf, der Brudersohn des älteren Engelbert" bezeichnet und damit der Name des Vaters bewußt verschwiegen. Auch die Verwandtschaft zu seinem Vetter Bernhard von Spanheim-Trixen, der in dieser Urkunde als

Abb. 4: Alte Gesamtansicht des Burghügels von Sponheim.

Klostervogt von St. Paul auftritt, wird nicht erwähnt.[61] Der soziale Abstieg hat sich in der folgenden Generation noch fortgesetzt. Ein gleichnamiger Neffe des Zeizolf, der das Testament des Onkels an untergeordneter Stelle bezeugt, erscheint nämlich bis 1167 nur noch als Bürger von Friesach und Dienstmann seines Verwandten, des Grafen Bernhard von Spanheim-Trixen.[62]

Die Verwandten am Rhein und in Sachsen – Kloster Sponheim als Familienstiftung

Die Kärntner Linie der Spanheimer blieb mit dem rheinischen „Stammhaus" noch durch einige Generationen eng verbunden. In der Burg Sponheim folgte auf Graf Stephan I., der sich 1075 erstmals „von Spanheim" nannte, wohl dessen gleichnamiger Sohn, für den Trithemius 1118 als Todesjahr nennt.[63] Der Ehe von Stephan II. mit einer Sophia entstammten die Söhne Meginhard und Hugo und eine Tochter Jutta. Diese lebte seit 1110 als Inklusin zu Disibodenberg und wurde dann zur Äbtissin eines Konvents, der sich um sie gebildet hatte. Bedeutung hat Jutta von Spanheim vor allem als Lehrmeisterin der hl. Hildegard von Bingen erlangt.[64] Auch ihr Bruder Hugo war dem geistlichen Stand gewidmet. Er wirkte seit 1227 als Domherr und Domdekan in Köln, war seit 1129 Propst des Marienstiftes in Aachen und avancierte 1137 sogar zum Erzbischof von Köln, starb aber schon wenige Wochen nach seiner Erhebung in Italien an Malaria.[65] Er gründete auf seinem Eigengut am Niederrhein um 1130 das Prämonstratenserstift Knechtsteden (nördlich von Köln)[66] und wurde dabei von dem verwandten Erzbischof Friedrich I. von Köln († 1131)[67], einem Sohn der Richgard von Spanheim-Lavant und Enkel des St. Pauler Klostergründers Engelbert I., tatkräftig unterstützt. Die Vogtei über Knechtsteden wurde, wohl auf Initiative Hugos, den nahe verwandten Edlen bzw. Grafen von Hochstaden übertragen, deren Familie Erzbischof Hermann III. von Köln († 1099) entstammte.[68] Für die Vollendung und Ausgestaltung des Klosters Knechtsteden hat dann Hugos Neffe Albert (Adalbert) von Spanheim († 1159), Domdekan von Köln und Propst in Aachen, gesorgt, der unter Friedrich Barbarossa zu den einflußreichsten Mitgliedern der Reichskanzlei zählte.[69]

Meginhard von Spanheim, der ältere Bruder von Jutta und Hugo, trug vor allem durch seine Heirat mit Mathilde, der Erbtochter des schwäbischen Grafen Adalbert von Mörsberg[70], zum weiteren Aufstieg seines Geschlechts bei. Graf Adalbert war durch seine Mutter, die der mächtigen Sippe der Grafen von Nellenburg entstammte[71], zum Haupterben des reichen Nellenburger Besitzes geworden und hatte zudem

IV. DIE RHEINISCHEN SPANHEIMER BIS ZUR TEILUNG DER SAYNER ERBSCHAFT

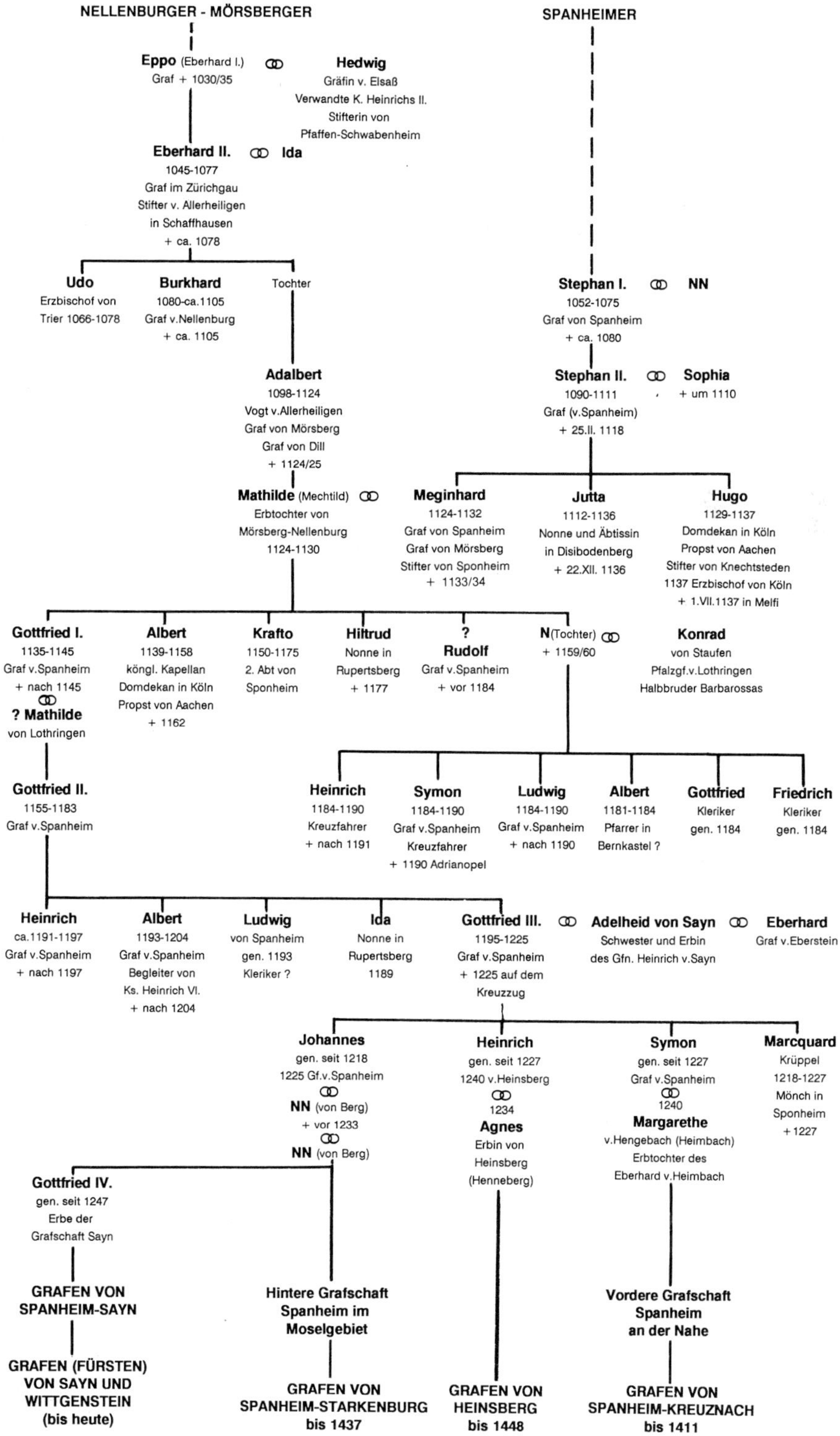

Abb. 5:
Ehemalige Klosterkirche Sponheim, Inneres.

von seiner Gattin, einer geborenen Gräfin von Bar-Mömpelgard (Montbeliàrd), ausgedehnte Güter in Lothringen als Mitgift erhalten. Als Haupterbe Adalberts nannte sich Meginhard von Spanheim, als er sich 1125 mit Abt Suger von St. Denis um Güter bei Metz einigte, selbst „von Gottes Gnaden Graf von Mörsberg"[72], später aber durchwegs Graf von Spanheim. Den Grafentitel, den in den folgenden Generationen jeweils nur der älteste Sohn als Familienoberhaupt trug, stützte er ausdrücklich auf das vom Schwiegervater übernommene Erbe.[73] Zu diesem Erbgut zählten neben reichem Besitz am Mittelrhein, mit dem die Grafschaft Spanheim gebildet wurde, auch die Vogteien über die Nellenburger Klostergründungen Pfaffen-Schwabenheim (östlich von Bad Kreuznach), die mit dem Besitz der Burg Dill im Hunsrück verbunden war, und Allerheiligen bei Schaffhausen.[74] Graf Meginhard selbst vollendete die Gründung des Klosters Sponheim nahe seiner Stammburg, mit der bereits sein Vater, Stephan II., begonnen hatte. Die Abtei wurde 1124 geweiht und mit Priestern und Konversen aus St. Alban, darunter auch der erste Abt Bernhelm, und St. Jakob in Mainz besiedelt.[75]

Als Gründer des Klosters Sponheim werden neben Meginhard und seiner Gattin Mechthild auch Graf Rudolf und dessen Gattin Richgard genannt. Richgard war die bereits erwähnte Tochter von Hermann, Burggraf und Vogt von Magdeburg († 1118), aus der Kärntner Linie der Spanheimer und damit eine Nichte des St. Pauler Klostergründers Engelbert I. Ihrer Ehe mit dem Grafen Rudolf von Stade, Markgrafen der sächsischen Nordmark († 1124), entstammten drei Söhne[76], darunter der Erzbischof Hartwig von Hamburg-Bremen († 1168). Von den Töchtern wurde Richgard (Richardis) Nonne in Rupertsberg und die engste Vertraute der hl. Hildegard von Bingen, die als Nachfolgerin der Jutta von Spanheim das Kloster Disibodenberg auf den Rupertsberg verlegt hatte. Dabei war Hildegard durch die Markgräfin Richgard von Stade tatkräftig unterstützt worden.[77] Ist die Rolle der Richgard und ihres Gatten Rudolf von Stade als Mitstifter des Klosters Sponheim[78] auf den Anteil der Kärntner Linie am gemeinsamen Familienbesitz zurückzuführen, so wird die enge Verbindung zwischen den beiden Spanheimer Linien noch an einem weiteren Detail sichtbar.

In der Stiftsbibliothek von St. Paul im Lavanttal befindet sich das Widmungsblatt eines Evangeliars, das aus dem Kloster Sponheim stammt. Die lavierte Federzeichnung zeigt Christus in der Mandorla, flankiert von zwei Heiligen, und in den Ecken die vier Evangelistensymbole. Am unteren Bildrand, zu Füßen von Christus, ist der schlafende Prophet Ezechiel dargestellt, dem ein Engel eine Botschaft übermittelt. Vom Betrachter aus gesehen links, im Zwickel zwischen Christus und dem Markuslöwen, ist Bernhelm, der erste Abt des Klosters Sponheim, als alter Mann mit dem Abtstab zu sehen. Ihm gegenüber kniet, zu Christus aufblickend, der Klo-

Abb. 6: Widmungsblatt eines im Kloster Sponheim geschriebenen Evangeliars (12. Jh.) mit Darstellung des Grafen Meginhard von Spanheim (rechts unten) und Bernhelm, dem ersten Abt von Sponheim (links unten), STA, Cod. 2/8.

stergründer Graf Meginhard von Spanheim. Er trägt ein goldfarbenes Gewand und einen roten Umhang. Die Kopfbedeckung auf seinem ergrauten Haar ist wohl als Grafenhut zu deuten. Beide Personen sind durch die Inschrift am unteren Bildrand eindeutig bezeichnet, als Entstehungszeit ist das Jahr 1129 angegeben. Das verlorene Evangeliar, dem dieses Widmungsblatt entstammt, ist sicher in der Schreibstube der Abtei Sponheim entstanden und wohl noch im 12. Jahrhundert als ein Geschenk der rheinischen Sponheimer an ihre Kärntner Verwandten nach St. Paul gelangt.[79]

Zu den ungeklärten Details in der Frühgeschichte der rheinischen Spanheimer zählt die Einreihung jenes Gerhard von Spanheim, der als Herr auf Burg Clerf (Clervaux) gemeinsam mit seiner Gattin Adelaide um 1106 das adelige Damenstift Hosingen im heutigen Großherzogtum Luxemburg gründete. Sara von Spanheim, die Tochter des Stifterpaares, wurde die erste Äbtissin. Die Zugehörigkeit zu den rheinischen Spanheimern wird jedenfalls dadurch sichergestellt, daß diese bis 1255 über Besitz in Clervaux, zu dem vielleicht auch die Burg gehörte, verfügten.[80]

Von den Söhnen des Grafen Meginhard von Spanheim und seiner Gattin Mechtild von Mörsberg wurde Krafto der zweite Abt des Klosters Spanheim, während Albert als königlicher Kaplan und Notar unter Konrad III. und Friedrich Barbarossa Karriere machte.[81] Der älteste Sohn Gottfried setzte die Hauptlinie des Geschlechts fort, in der durch drei Generationen der Name Gottfried dominierte. Graf Gottfried III., der 1225 auf dem Kreuzzug den Tod fand, heiratete Adelheid, die Schwester des Grafen Heinrich von Sayn (am Rhein nördlich von Koblenz). Als dieser 1246 starb, ohne Kinder zu hinterlassen, fiel der Großteil seines umfangreichen Besitzes mit zahlreichen Städten und Burgen, Grafschaften und Vogteien an seine Neffen, die Söhne des Grafen Gottfried III. von Spanheim.[82] Mit der Übernahme des Sayner Erbes wurden die Weichen für die weitere Entwicklung des Geschlechts und die Aufspaltung in insgesamt vier Linien gestellt. Graf Johannes und sein Bruder Symon vereinbarten 1234 die Teilung ihrer Güter, wodurch nach 1247 unter Einbeziehung von Sayner Erbgut die Vordere Grafschaft Sponheim an der Nahe mit der Kauzenburg in Kreuznach als Zentrum und die Hintere Grafschaft Sponheim im Moselgebiet mit dem Hauptsitz Starkenburg entstanden. Die Burgen Sponheim und Dill blieben im gemeinsamen Familienbesitz.[83] Die beiden Linien der Grafen von Sponheim-Kreuznach und Sponheim-Starkenburg sind 1411 und 1437 erloschen. Heinrich, ein weiterer Sohn Gottfrieds III. von Spanheim, bildete aus dem Erbgut seiner Gattin Agnes von Heinsberg sowie Spanheimer und Sayner Gütern die Herrschaft (Grafschaft) Heinsberg (nördlich von Aachen).[84] Auf ihn gehen die Grafen von Heinsberg zurück, die bis 1448 blühten. Gottfried IV., ein Sohn des Grafen Johannes von Spanheim, übernahm nach 1247 die in ihrem Güterbestand verringerte Grafschaft Sayn. Er begründete die Linie der Grafen von Sponheim-Sayn, von der die heute noch blühenden Grafen und Fürsten von Sayn und Wittgenstein abstammen.[85]

Im Gegensatz zu ihren Kärntner Verwandten sind die rheinischen Spanheimer nicht bis in den Reichsfürstenstand aufgestiegen. Sie zählten aber zu den angesehensten Familien an Rhein und Mosel, die Klöster gründeten, Kirchenfürsten stellten und mit Saliern, Staufern und Habsburgern zumindest weitläufig versippt waren. Es gelang ihnen, im 12. und 13. Jahrhundert eine erfolgreiche Territorialpolitik zu entfalten, die durch vorteilhafte Heiraten und reiches Erbgut gefördert wurde. Auch die Aufteilung in vier Linien verhinderte nicht, daß vor allem in der Vorderen und Hinteren Grafschaft Sponheim echte Ansätze zur Bildung einer Landesherrschaft an Nahe, Mosel und im Hunsrück gelangen.[86] Anstelle der Familiengründung Sponheim wurde die Zisterzienserabtei Himmerod im Salmtal zur neuen Grablege der Spanheimer, vornehmlich der Starkenburger Linie.[87] Die Verbindungen nach Kärnten waren damals allerdings längst in Vergessenheit geraten.

Die Spanheimer als Herzoge von Kärnten – Aufstieg, Krise und Ende

Der Gegensatz zu den Saliern, in deren Gefolge die Spanheimer nach Kärnten gekommen waren, vermochte den weiteren Aufstieg des Geschlechts nicht zu bremsen. Die fünf Söhne von Engelbert und Hadwig haben alle Karriere gemacht, die einzige bekannte Tochter, Richgard, schloß drei Ehen mit Vertretern führender Adelsgeschlechter.[88] Graf Engelbert II., den Papst Urban II. als den erstgeborenen Sohn des Klostergründers zum Vogt von St. Paul bestellt hatte, avancierte 1108 zum Markgrafen von Istrien. Seine Gattin Uta, das einzige Kind des „vielreichen" Grafen Ulrich von Passau und der Adelheid von Frontenhausen-Lechsgemünd[89], brachte ihm reichen Besitz in der weiteren Umgebung von Passau und im Chiemgau zu. Engelbert selbst und sein gleichnamiger Sohn nannten sich nach diesen Herrschaften und Burgen auch „Markgraf von Kraiburg" und „Markgraf von Markwartstein"[90], Engelberts Witwe Uta erscheint sogar als „Herzogin von Kraiburg".[91] Ämter im Dienste des Reiches wurden in diesen Fällen bereits als Titel mit Eigenherrschaften im Besitz des Geschlechts kombiniert.

Den entscheidenden Aufstieg in der Hierarchie des Reiches verdankte Markgraf Engelbert II. aber seinem jüngsten Bruder Heinrich, dem Patenkind des letzten Eppensteiners, Herzog Heinrich III. von Kärnten. Die schmachvolle Niederlage im Kampf gegen Bischof Hiltebold von Gurk und dessen Metropoliten, Erzbischof Konrad I. von Salzburg, dem der greise Herzog im Büßergewand Abbitte leisten mußte[92], hatten Heinrich von Eppenstein zutiefst getroffen. Als er 1122 starb, folgte ihm sein Patenkind Heinrich von Spanheim als Herzog.[93] Obwohl dieser im besten Mannesalter stand, sollte er sich seiner neuen Würde nicht lange erfreuen. Fast genau ein Jahr nach dem Eppensteiner starb am 13. Dezember 1123 auch Herzog Heinrich von Spanheim, nachdem er angesichts des nahen Todes noch Mönch in Admont geworden war.[94] Die Herzogswürde aber ging auf seinen ältesten Bruder, Markgraf Engelbert II. von Istrien, über und vererbte sich durch eineinhalb Jahrhunderte, bis zum Ende des Geschlechts 1269, im Besitz der Spanheimer.[95]

Engelbert und seine Nachfolger mußten aber bald feststellen, daß für sie das Herzogtum Kärnten weniger eine Würde als eine Last bedeutete. Herzog Heinrich von Eppenstein hatte seine reichen Besitzungen um Judenburg und im Ennstal teils zur großzügigen Ausstattung des Klosters St. Lambrecht in der Steiermark verwendet[96], teils den verwandten Otakaren von Steyr, Markgrafen der Karantanischen Mark, vermacht.[97] Während die Otakare durch dieses Erbe die materielle Grundlage zur Bildung der Steiermark erhielten, hatten die Spanheimer mit dem Herzogsamt nur Titel und Aufgabe, aber keinen nennenswerten Besitz übernommen. Ihre eher schmale Machtbasis in Kärnten wurde durch divergierende Familieninteressen noch verringert.

Graf Bernhard, der vierte unter den Spanheimer Brüdern, der nach und neben seinem Bruder Engelbert II. auch die Vogtei über St. Paul ausübte, gründete 1142 die Zisterzienserabtei Viktring.[98] Sein Neffe Heinrich, der Gründer und Abt von Villars (Weiler-Bettnach), sandte die ersten Mönche aus seinem Konvent nach Viktring.[99] Bern-

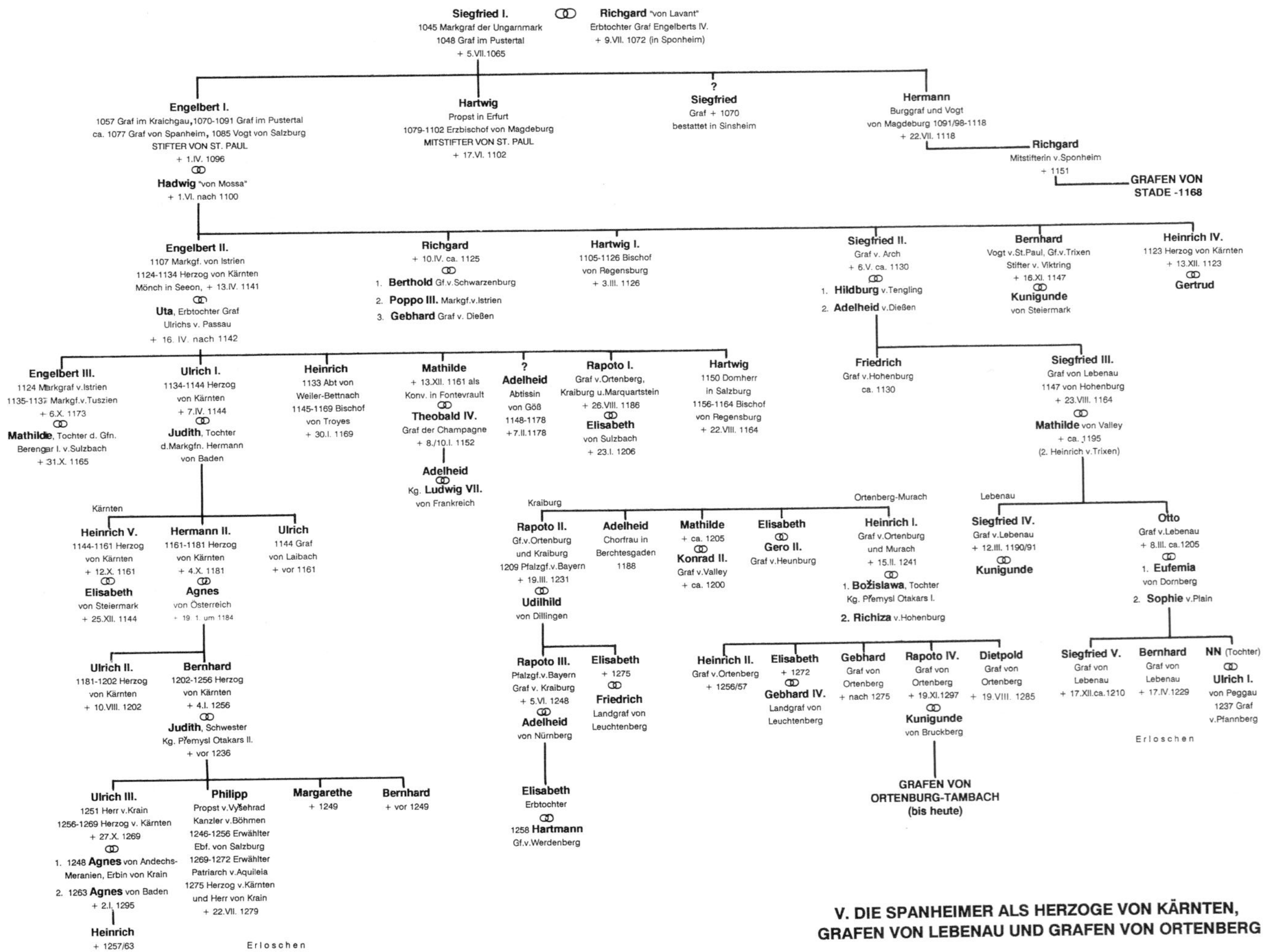

V. DIE SPANHEIMER ALS HERZOGE VON KÄRNTEN,
GRAFEN VON LEBENAU UND GRAFEN VON ORTENBERG

hard, der sich auch Graf von Trixen nannte, war mit Kunigunde, der Schwester des steirischen Markgrafen Leopold des Starken, vermählt. Als er sich 1147 auf den Kreuzzug begab, setzte er seinen Neffen, Markgraf Ottokar III. von Steyr, für den er zeitweise die vormundschaftliche Regierung geführt hatte, zum Universalerben ein.[100] Damit fielen nicht nur die großen Besitzungen Bernhards in der Mark hinter dem Drauwald (später Untersteiermark) mit dem Zentrum Marburg an die steirischen Otakare, sondern auch alle Eigengüter und Dienstmannen, die Graf Bernhard in Kärnten selbst besessen hatte. Zu ihnen zählten so bedeutende Familien wie die Trixener, Liebenberger und Hollenburger.[101]

Ein weiterer Bruder, Graf Siegfried, der sich zunächst nach Arch an der Save (heute Raka in Slowenien) nannte, erbte durch seine Gattin Hildburg, die Tochter des Grafen Friedrich II. von Tengling aus der Sippe der Sighardinger, reichen Besitz im nördlichen (unteren) Salzburggau. Dort errichtete er am linken Ufer der Salzach nördlich von Laufen die Burg Lebenau, nach der sich seine Nachkommen, die den Leitnamen Siegfried führten, Grafen von Lebenau nannten. Die anfangs noch sehr intensiven Verbindungen zu den Kärntner Spanheimern haben sich in den folgenden Jahrzehnten immer stärker gelockert. Als das Geschlecht der Lebenauer 1229 mit dem Grafen Bernhard erlosch, haben sich die Salzburger Erzbischöfe und die Herzoge von Bayern das Erbe geteilt, während die Kärntner Spanheimer fast völlig leer ausgingen.[102]

Der fünfte Bruder Hartwig, der für den geistlichen Stand bestimmt war, konnte sich zunächst der tatkräftigen Unterstützung seines Onkels, des Erzbischofs Hartwig von Magdeburg, erfreuen. Er wurde Domherr und 1104 Dompropst in Magdeburg und avancierte 1105 zum Bischof von Regensburg. Auch in der nächsten Generation ist ein Hartwig von Spanheim, der Neffe des Vorgenannten, Bischof von Regensburg (1165–1164) geworden.[103] Mit Heinrich, dem bereits genannten Abt von Weiler-Bettnach, der 1145 Bischof von Troyes wurde, ist ein weiterer Kirchenfürst aus dieser Generation der Spanheimer hervorgegangen.[104]

Als Herzog Engelbert II. 1134 der Regierung entsagte und in der Abtei Seeon nördlich des Chiemsees Mönch wurde[105], tat er dies in der Überzeugung, sein Haus gut bestellt zu haben. Auf einem Reichstag in Bamberg belehnte Kaiser Lothar im März 1135 des Herzogs ältesten Sohn, Engelbert III., der dem Vater bereits 1124 als Markgraf von Istrien gefolgt war, mit der Markgrafschaft Tuszien und bestellte Ulrich, den Zweitgeborenen, zum Herzog von Kärnten.[106] Bald aber sollte sich zeigen, auf welch schwankendem Boden diese eindrucksvolle Stellung der Spanheimer gegründet war. Engelbert vermochte sich in der Mark Tuszien nicht zu behaupten[107], und auch Istrien ging den Spanheimern verloren. Obwohl Herzog Ulrich I. (1135–1144) und sein Sohn und Nachfolger Heinrich V. (1144–1161) eine durchaus kaisertreue Politik verfolgten, wurde auf einem Reichstag in Regensburg 1151 auch die Mark Verona, die seit der Errichtung des Herzogtums Kärnten 976 stets vom Herzog in Personalunion verwaltet worden war, den Spanheimern abgesprochen und an den Markgrafen Hermann von Baden verliehen.[108] Damit war das Herrschaftsgebiet der Spanheimer binnen weniger Jahrzehnte auf ein sehr bescheidenes Herzogtum, kaum größer als das heutige Land Kärnten, beschränkt worden, in dem sie als Herzoge nur über geringen Besitz verfügten.

Die materielle Basis der Spanheimer wurde im 12. Jahrhundert durch die Abspaltung eines neuen Zweiges weiter verringert. Ein Bruder von Markgraf Engelbert III. und Herzog Ulrich I., der den bei den Vorfahren seiner Mutter Uta üblichen Leitnamen Ratpoto trug, nannte sich seit 1130 nach dem mütterlichen Erbgut Graf von Ortenberg (südlich von Passau), aber auch von Kraiburg und Markwartstein.[109] Auf ihn gehen die beiden Linien der Grafen von Kraiburg und von Ortenberg-Murach zurück. Die Grafen von Kraiburg, die nach der Absetzung und Tötung des Pfalzgrafen Otto VIII. von Wittelsbach 1209 zu Pfalzgrafen von Bayern avancierten, sind 1248 mit Rapoto III. erloschen. Die Grafen von Ortenberg, die heute noch blühen, vermochten zwar in Bayern eine führende Stellung zu behaupten, gingen aber beim Ende der Kärntner Spanheimer leer aus.[110] Auch ihre Bemühungen, sich das Erbe der 1418 erloschenen Grafen von Ortenburg in Kärnten mit der gleichnamigen Grafschaft zu sichern, blieben letztlich vergebens. Um die Ansprüche zu bekräftigen, wurde damals sogar der Name des bayerischen Ortenberg und damit auch das Prädikat des Geschlechts in die bis heute übliche Form Ortenburg geändert.

Die Kärntner Spanheimer sind bisweilen als „Herzoge ohne politisches Glück und Geschick" bezeichnet worden.[111] Mit den Erzbischöfen von Salzburg, den Bischöfen von Bamberg, den Grafen von Görz, von Ortenburg und von Heunburg sahen sie sich in Kärnten mit einer Reihe übermächtiger Gegner konfrontiert, denen sie vor allem an Besitz deutlich unterlegen waren. Herzog Bernhard (1202–1256) gelang es zwar im Laufe seiner langen Regierung, das herzogliche Städtedreieck St. Veit – Klagenfurt – Völkermarkt zu bilden, wobei gerade der Ausbau von Völkermarkt auf Kosten des alten Spanheimer Marktes im Besitz des noch immer vom Herzog bevogteten Klosters St. Paul erfolgte.[112] Auch der Aufbau einer starken Dienstmannschaft und die Förderung von Handel und Verkehr zählen zu seinen Erfolgen. Der stolze Titel „Landesfürst" (*princeps terrae*), dessen sich Bernhard 1247 bediente, war jedoch übertrieben.[113] Im Gegensatz zur benachbarten Steiermark war und blieb Kärnten ein in sich zerrissenes Fürstentum, in dessen Herrschaft sich geistliche und weltliche Große mit dem Herzog teilten. Erst Jahrhunderte nach dem Ende der Spanheimer konnte die stets bedrohte Landeseinheit mit dem Ende der Grafen von Cilli (1456), von Görz (1500) und durch die Verträge mit Salzburg und Bamberg (1535/36) gesichert werden.[114]

Symptomatisch für die äußerlich eindrucksvolle, letztlich aber schwache Stellung der Spanheimer in Kärnten war auch das Ende des Geschlechts. Herzog Ulrich III. (1256–1269), der als älterer Sohn seinem Vater Bernhard in der Herrschaft gefolgt war, verfügte nur über bescheidene Fähigkeiten. Sein jüngerer Bruder Philipp hingegen, ein ebenso talentierter wie maßloser Mann, wollte sich nie damit abfinden, für den geistlichen Stand bestimmt zu sein.[115] Als erwählter Erzbischof von Salzburg hat er beharrlich den Empfang der höheren Weihen verweigert, um sich weiterhin die Möglichkeit einer Nachfolge in Kärnten offenzuhalten. Nach dem glänzenden Sieg, den er an der Spitze einer Schar von Soldrittern 1252 bei Greifenburg über die Grafen von Tirol und Görz errungen hatte, soll er sich nach dem Bericht Johanns von Viktring absichtlich die Hände mit dem Blut der Erschlagenen befleckt haben, um für die höheren Weihen untauglich zu sein. Als er nach acht Jahren erfolgreicher Regierung in Salzburg wegen der beharrlichen Verweigerung der Weihen vom Papst 1257 abgesetzt und dann noch gebannt wurde, vermochte er sich, gestützt auf Truppen und mit Hilfe seines Vetters, des Königs Přemysl Otakar II. von Böhmen, noch bis 1263 in Salzburg zu behaupten.[116]

Obwohl sich Philipp noch zu Lebzeiten seines Bruders Ulrich 1267 Herr von Kärnten und Krain nannte, ist er letztlich an den Intrigen König Otakars gescheitert. Dieser sicherte sich 1268 im „Podiebrader Vermächtnis", das er mit Herzog Ulrich schloß[117], die Nachfolge in Kärnten und vertrieb seinen Vetter Philipp auch aus Aquileia, wo er 1269 zum Patriarchen gewählt, aber vom

Papst nicht anerkannt worden war. Vergeblich stellte sich Philipp auf die Seite König Rudolfs von Habsburg, der sein Erbrecht bestätigte und ihn 1275 auf dem Reichstag von Nürnberg formell mit Kärnten und Krain belehnte. Auch als König Otakar II. in der Schlacht bei Dürnkrut 1278 den Tod gefunden hatte, blieb Philipp der Antritt der Herrschaft über Kärnten, den er zeitlebens ersehnt hatte, verwehrt. Dem Titel nach als „Herzog von Kärnten und Herr von Krain", tatsächlich aber als Pensionär der Habsburger, ist dieser unruhige Geist am 22. Juli 1279 in Krems gestorben. Dort erinnert in der Kirche des Dominikanerklosters, in dem er seine späten Lebensjahre verbracht hat, noch heute ein gemaltes Epitaph an den letzten Kärntner Spanheimer[118], der zu so großen Leistungen befähigt schien, dem trotzdem aber der entscheidende Erfolg versagt blieb. Sein Schicksal erscheint in manchem symbolisch für die lange, letztlich aber glücklose Herrschaft der Spanheimer in Kärnten.

Anmerkungen

1. Codex Traditionum C. VII, UB St. Paul, S. 11; MC 3, Nr. 499: *Sigfridi natale solum Spânheimmense fuerat castrum.*
2. A. Naumann-Humbeck, Studien zur Geschichte des Grafen von Sponheim vom 11. bis 13. Jahrhundert (Diss. Köln, 1981), Heimatkundliche Schriftenreihe des Landkreises Bad Kreuznach 14, S. 501 ff.
3. W. Zimmermann, Die Kunstdenkmäler des Kreises Kreuznach (1935), S. 381 ff.; R. Dölling, Sponheim, Rheinische Kunststätten, H. 3 (1973); Naumann-Humbeck, Sponheim (wie Anm. 2), S. 294 ff.
4. Zur Entstehung der Linie Spanheim-Sayn vgl. den Erbteilungsvertrag von 1265, mit dem Burg und Grafschaft Sayn an Gottfried von Spanheim-Sayn kamen, Mittelrheinische Regesten, ed. A. Goerz, Bd. 3 (1882), S. 458 f., Nr. 2040. Einen Überblick bietet A. Graf von Hachenburg, Saynsche Chronik (1929). Zu den Grafen von Ortenberg vgl. E. Graf zu Ortenburg-Tambach, Geschichte des reichsständischen, herzoglichen und gräflichen Gesamthauses Ortenburg, Bd. I (1931), der jedoch nur „das herzogliche Haus in Kärnten" behandelt. Zu seiner verfehlten Darstellung der Frühzeit des Geschlechts siehe F. Hausmann, Siegfried, Markgraf der „Ungarnmark", und die Anfänge der Spanheimer in Kärnten und im Rheinland, Jb. für Landeskunde von Niederösterreich NF 43 (1977), S. 115–168, bes. S. 116 und S. 136; F. Tyroller, Genealogie des altbayerischen Adels im Hochmittelalter, in: Genealogische Tafeln zur mitteleuropäischen Geschichte, hrsg. von W. Wegener (1962–1969), S. 263 ff. mit Tafel 20.
5. *Chronicon Sponheimense, Johannis Trithemii abbatis Sponheimensis Opera Historica* II, S. 236 ff., ed. M. Freher (1601); vgl. dazu K. Arnold, Johannes Trithemius, Quellen und Forschungen zur Geschichte des Bistums und Hochstifts Würzburg 23 (1971); Hausmann, Spanheimer (wie Anm. 4), S. 128 f., der auch die spezielle Literatur anführt.
6. Hausmann, Spanheimer (wie Anm. 4), S. 115–139.
7. K. Schmid, Zur Problematik von Familie, Sippe und Geschlecht, Haus und Dynastie beim mittelalterlichen Adel, ZS für Geschichte des Oberrheins NF 66 (1957), S. 1–62; Ders., Über die Struktur des Adels im früheren Mittelalter, Jb. für fränkische Landesforschung 19 (1959), S. 1–24.
8. Zusammenfassend Naumann-Humbeck, Sponheim (wie Anm. 2), S. 149–179; durch diese Arbeit und Hausmann, Spanheimer (wie Anm. 4), S. 161 ff., ist H. Witte, Über die älteren Grafen von Spanheim und verwandte Geschlechter, ZS für Geschichte des Oberrheins NF 11 (1896), S. 161 ff., überholt.
9. Vgl. dazu allgemein E. Boshof, Die Salier (1987), S. 7 ff.; zu den Saliern in Kärnten C. Fräss-Ehrfeld, Geschichte Kärntens, Bd. I: Das Mittelalter (1984), S. 112 ff. K.-E. Klaar, Die Herrschaft der Eppensteiner in Kärnten, AVGT 61 (1966), S. 83 ff.
10. Fräss-Ehrfeld, Kärnten I (wie Anm. 9), S. 109 ff.; H. Dopsch, Adel und Kirche als gestaltende Kräfte in der frühen Geschichte des Südostalpenraumes, Car. I 166 (1976), S. 21 ff.
11. Hausmann, Spanheimer (wie Anm. 4), S. 147 ff.; Boshof, Salier (wie Anm. 9), S. 62; Fräss-Ehrfeld, Kärnten I (wie Anm. 9), S. 135.
12. Zu Engelbert vgl. Tyroller, Genealogie (wie Anm. 4), S. 93, Nr. 19 mit Stammtafel 5/I (Sieghardinger). Tyroller reiht Engelbert zwar richtig in die Sippe der Sieghardinger ein, stellt jedoch über dessen Gattin Liutgard eine Verbindung zu den Aribonen her, die in dieser Form nicht zutrifft. Vgl. dazu H. Dopsch, Der bayerische Adel und die Besetzung des Erzbistums Salzburg im 10. und 11. Jahrhundert, Mitteilungen d. Gesellschaft f. Salzburger Landeskunde 110/111 (1970/71), S. 134 ff. mit Stammtafel S. 143.
13. So interpretiert Hausmann, Spanheimer (wie Anm. 4), S. 148, die Stellung Siegfrieds.
14. Vgl. dazu die Stammtafeln 5, 1–2 (Sieghardinger), und 20 (Spanheimer) bei Tyroller, Genealogie (wie Anm. 4).
15. UB St. Paul, S. 11; MC 3, Nr. 499: *Richkart Laventinis oriunda extitit oris.*
16. UB St. Paul, S. 4; MC 3, Nr. 488: *Comes Engelbertus ex patre Sigfrido Francorum civis, ex matre Rihkarda maiorum Karinthie primus* (. . .).
17. K. Lechner, Die Babenberger, Markgrafen und Herzoge von Österreich 976–1246, Veröffentlichun-

gen des Institutes für Österreichische Geschichtsforschung XXIII (1976), S. 76 ff.; P. CSENDES, *Regio finibus Ungarorum gladio ab hostibus adquisita.* Überlegungen zur Geschichte der Ungarnmark in Österreich, in: Babenberger-Forschungen, red. von M. WELTIN, Jb. für Landeskunde von Niederösterreich NF 42 (1976), S. 38–51; HAUSMANN, Spanheimer (wie Anm. 4), S. 146 ff.

18. MG DH III 133, 136, 137, 141; dazu LECHNER, Babenberger (wie Anm. 17), S. 76 f.; K. BEDNAR, Zur ältesten Besitzgeschichte des Neumarkgebietes, Jb. für Landeskunde von Niederösterreich 21/2 (1928), S. 49–76; DERS., Das Schenkungsgut der ersten Königsschenkung für den Markgrafen Siegfried vom 7. März 1045, ebd. 22 (1929), S. 402–430.

19. Drei Königshuben, die an der Schwarza und damit in der Ungarnmark lagen, werden anläßlich der Schenkung an das Kloster Niederaltaich durch Heinrich III. am 8. April 1048 (MG DH III, 212), als *in orientali pago*, d. h. in der (bayerischen) Ostmark gelegen, bezeichnet. Daraus schlossen LECHNER, Babenberger (wie Anm. 17), S. 77, und H. MITSCHA-MÄRHEIM, Probleme um den Ungarnmarkgrafen Siegfried, die Herren von Weikersdorf und von Liechtenstein, Jb. „Adler" 1 (1947/49), S. 181 (Stammtafel), daß Siegfried vor diesem Datum verstorben war.

20. Vgl. dazu die Übersicht bei HAUSMANN (wie Anm. 4), S. 116–143, mit umfassenden Literaturnachweisen. Als erster hat TYROLLER, Genealogie (wie Anm. 4), S. 263 f., Nr. 1, die Identität des Markgrafen mit dem Ahnherrn der Kärntner Spanheimer erkannt und diesen an die Spitze seiner Stammtafel (Nr. 20) gestellt. Seine Ergebnisse wurden durch die detaillierten Nachweise von HAUSMANN, Spanheimer (wie Anm. 4), auch gegen die Einwände von CSENDES, Regio (wie Anm. 17), entsprechend abgesichert.

21. Das vermutet HAUSMANN, Spanheimer (wie Anm. 4), S. 148.

22. MG DH III 209.

23. NAUMANN-HUMBECK, Sponheim (wie Anm. 2), S. 56, Regesten Nr. 14 und 16, will zwei Nennungen eines Grafen Siegfried in den Jahren 1052 (als Zeuge für Erzbischof Eberhard von Trier, unmittelbar hinter dem Grafen Stephan I., dem Stammvater der rheinischen Spanheimer) und 1057 (Zeuge für Heinrich IV. in Worms, MG DH IV, 7) auf den Grafen Siegfried, Stammvater der Kärntner Spanheimer, beziehen. Ausstellungsorte der Urkunden, Zeugenreihen und die Reihung Siegfrieds nach dem offenbar jüngeren Grafen Stephan I. von Spanheim ohne Nennung der Verwandtschaft lassen es jedoch als sicher erscheinen, daß diese Nennungen auf Siegfried, Graf im Königssondergau (1040–1057) und Vogt von Mainz, den Vater des Erzbischofs Siegfried I. von Mainz, zu beziehen sind. Siehe dazu auch die Stammtafel bei HAUSMANN, Spanheimer (wie Anm. 4), S. 168.

24. UB ST. PAUL, S. 5; MC 3, Nr. 488.

25. UB ST. PAUL, S. 10 f.; MC 3, Nr. 499; Zur Rolle des Erzbischofs Siegfried I. von Mainz und seiner Verwandtschaft mit den Spanheimern vgl. HAUSMANN, Spanheimer (wie Anm. 4), S. 149, und NAUMANN-HUMBECK, Sponheim (wie Anm. 2), S. 168 f.

26. Die beste Übersicht bietet TYROLLER, Genealogie (wie Anm. 4), S. 89–107, mit Stammtafel 5, 1–2.

27. NAUMANN-HUMBECK, Sponheim (wie Anm. 2), S. 163, setzt den Spanheimer Siegfried mit dem gleichnamigen Grafen im Königssondergau gleich und hält es für möglich, daß er bereits seit 1025 urkundlich bezeugt ist. Vgl. dagegen HAUSMANN, Spanheimer (wie Anm. 4), S. 141.

28. NAUMANN-HUMBECK, Sponheim (wie Anm. 2), S. 53 ff. Regesten Nr. 2, 5, 7, 10, 12, 13, 18 und 19 hat alle Nennungen, die sich auf einen Grafen Eberhard als Stammvater der Spanheimer beziehen könnten, zusammengestellt. Sie schenkt der Nachricht des Trithemius Glauben und setzt Eberhard an die Spitze ihrer Spanheimer-Genealogie, S. 152 ff. und Stammtafel I. HAUSMANN, Spanheimer (wie Anm. 4), S. 165, nimmt eine Verwechslung mit dem Grafen Eberhard (Eppo) von Nellenburg an und erklärt Trithemius in diesem Punkt für unglaubwürdig.

29. Die Quellenbelege bieten NAUMANN-HUMBECK, Sponheim (wie Anm. 2), S. 56 ff. (Regesten) und S. 149 ff.; HAUSMANN, Spanheimer (wie Anm. 4), S. 161 ff.

30. HAUSMANN, Spanheimer (wie Anm. 4), schiebt in seiner Stammtafel zwischen dem gemeinsamen Stammvater der rheinischen und Kärntner Spanheimer und den ersten urkundlich bezeugten Vertretern der Familie noch eine Generation ein, so daß Siegfried und Stephan zu Vettern werden. NAUMANN-HUMBECK, Sponheimer (wie Anm. 2), S. 149 ff. und Stammtafel I, macht Siegfried und Stephan zu Brüdern und Söhnen eines Grafen Eberhard.

31. MG DH IV 12; vgl. dazu HAUSMANN, Spanheimer (wie Anm. 4), S. 149 f., S. 157 f. und die Stammtafel.

32. Traditionen von St. Peter Nr. 71, ed. W. HAUTHALER, SUB I (1910), S. 287.

33. HAUSMANN, Spanheimer (wie Anm. 4), S. 150; DERS., Die Vogtei des Klosters Admont und die Babenberger, in: Babenberger-Forschungen (wie Anm. 17), S. 108 f.; TYROLLER, Genealogie (wie Anm. 4), S. 264 f., Nr. 2; zur Rolle Gebhards in Salzburg vgl. H. DOPSCH, Salzburg im Hochmittelalter, in: ders. (Hrsg.), Geschichte Salzburgs – Stadt und Land, Bd. I (1984), S. 247 ff.

34. KLAAR, Eppensteiner (wie Anm. 9), S. 44 f., Nr. 55–60, und S. 108 ff.

35. MC 3, Nr. 571; KLAAR, Eppensteiner (wie Anm. 9), S. 51 f., Nr. 69, und S. 120.

36. DOPSCH, Salzburg I (wie Anm. 33), S. 249 f.

37. UB ST. PAUL, S. 4 f.; MC 3, Nr. 488, 489.

38. UB ST. PAUL, S. 5 f.; MC 3, Nr. 496.

39. UB ST. PAUL, S. 10; MC 3, Nr. 499. Zu dem in den Nekrologen von Rosazzo, St. Lambrecht, Seckau und St. Emmeram in Regensburg überlieferten Todestag vgl. HAUSMANN, Spanheimer (wie Anm. 4), S. 150, Anm. 239.

40. P. H. PASCHER, Die Privilegierung der Reformklöster Hirsau, St. Blasien und St. Paul durch Papst Urban II. (Diss. Salzburg, 1980), S. 178 ff.

41. UB ST. PAUL, S. 12; MC 3, Nr. 547/I (fälschlich zu ca. 1112 statt bald nach 1100).

42. Die Einstufung als Eppensteinerin und Schwester des Herzogs Heinrich III. von Kärnten ging darauf zurück, daß statt *patrinus* (Taufpate des Heinrich von Spanheim) fälschlich *patruus* (Onkel) gelesen wurde. Zur Widerlegung der von TYROLLER, Genealogie (wie Anm. 4), S. 264 f., Nr. 2, vertretenen Einstufung Hadwigs als Tochter Herzog Bernhards von Sachsen vgl. HAUSMANN, Spanheimer (wie Anm. 4), S. 150 f. Für eine Zuordnung Hadwigs zum Friauler Hochadel hatte sich bereits E. KLEBEL, Die Ahnen der Herzoge von Kärnten aus dem Hause der Spanheimer, AVGT 24/25 (1936), S. 61 ff., ausgesprochen.

43. A. v. JAKSCH, Die Gründung des Benediktinerklosters Rosazzo in Friaul, Studien und Mitteilungen zur Geschichte des Benediktinerordens NF 32

(1911), S. 229–240; W. BAUM, Die Gründung des Klosters Rosazzo und die Anfänge der Grafen von Görz, in: Symposium zur Geschichte von Millstatt und Kärnten 1986, S. 77–99 (mit Literatur).

44. *Codex Hirsaugiensis* fol. 18 a; MC 3, Nr. 489; vgl. dazu H. JAKOBS, Die Hirsauer. Ihre Ausbreitung und Rechtsstellung im Zeitalter des Investiturstreites (Kölner Historische Abhandlungen 4, 1961), S. 45 f. und S. 121 f.
45. *Necrologium Rosacensis monasterii*, ed. V. JOPPI, AVGT 19 (1900), S. 3–23; zum Denkmal für Hadwig und zur Grablege der Spanheimer vgl. MC 3, Nr. 780 u. Nr. 1030; BAUM, Rosazzo (wie Anm. 43), S. 81 f. Baum erklärt jedoch die Bindung der Spanheimer an Rosazzo, die schon seit 1091 nachzuweisen ist, irrtümlich mit der Nachfolge nach den Eppensteinern im Herzogsamt, die erst 1122 erfolgte.
46. MC 3, Nr. 458; die Belege im einzelnen bei TYROLLER, Genealogie (wie Anm. 4), S. 265, Nr. 4; Erzbischof Siegfried I. von Mainz bezeichnet 1072 in einer Urkunde für das Stift St. Viktor in Mainz, MAINZER UB 1, S. 229, Nr. 334, Hartwig als seinen „besonders geliebten Verwandten" (*dilectissimus consanguineus noster*).
47. *Gesta archiepiscoporum Magdeburgensium,* MG SS XIV, S. 403 f.
48. UB ST. PAUL, S. 10 f.; MC 3, Nr. 499; vgl. auch PASCHER, Privilegierung (wie Anm. 40), S. 178 ff.
49. UB ST. PAUL, S. 3 f.; MC 3, Nr. 506.
50. UB ST. PAUL, S. 79 f., Nr. 1; MC 3, Nr. 508; auch Papst Innozenz II. bezeichnet 1140 Erzbischof Hartwig als Gründer von St. Paul: MC 3, Nr. 732. Mit dem Privileg Urbans II. hat sich PASCHER, Privilegierung (wie Anm. 40), S. 182 ff., ausführlich befaßt, der auch eine sorgfältige Edition bietet.
51. MC 4/2, Nr. 3029. Die weiteren Quellenbelege sind bei TYROLLER, Genealogie (wie Anm. 4), S. 265, Nr. 3 und 4, und bei HAUSMANN, Spanheimer (wie Anm. 4), S. 154, Anm. 262 f., zusammengestellt.
52. MG SS 16, S. 326; zu den Grafen von Stade vgl. R. G. HUCKE, Die Grafen von Stade 900–1144. Genealogie, politische Stellung, Comitat und Allodialbesitz der sächsischen Udonen, Einzelschriften des Stader Geschichts- und Heimatvereins 8 (1956), bes. S. 32 ff. Durch die Grafen von Stade wurden auch die verwandtschaftlichen Beziehungen des Erzbischofs Hartwig von Magdeburg zur russischen Prinzessin Eupraxia-Adelheid hergestellt, die in erster Ehe mit Graf Heinrich von Stade vermählt war, nach dessen Tod Kaiser Heinrich IV. heiratete und statt von Erzbischof Hermann III. von Köln 1089 von Erzbischof Hartwig „wegen der nahen Verwandtschaft" gekrönt wurde. Vgl. dazu die Übersicht bei HAUSMANN, Spanheimer (wie Anm. 4), S. 153 mit Anm. 258.
53. Dazu NAUMANN-HUMBECK, Sponheim (wie Anm. 2), S. 162 ff.; HAUSMANN, Spanheimer (wie Anm. 4), S. 156 ff.
54. Urkunden- und Regestenbuch des Herzogtums Krain, ed. F. SCHUMI, Bd. I (1882/83), S. 18, Nr. 12 a; MC 3, Nr. 203.
55. Das vermutete WITTE, Spanheim (wie Anm. 8), S. 221; vgl. dazu HAUSMANN, Spanheimer (wie Anm. 4), S. 158. Eine weitläufige Verwandtschaft, die über Kaiser Heinrich IV. und die Salier läuft, würde weder die Nachfolge Engelberts I. in der Grafschaft im Kraichgau noch die Übernahme des Leitnamens Zeizolf durch die Spanheimer erklären.
56. J. SEMMLER, Sinsheim, ein Reformkloster der Siegburger Observanz im alten Bistum Speyer, Archiv für mittelrheinische Kirchengeschichte 8 (1956), S. 33 ff.
57. MG SS XVII, S. 83.
58. Necrolog von Prüm, MG SS XIII, S. 221, Zl. 33 und Zl. 56; vgl. dazu HAUSMANN, Spanheimer (wie Anm. 4), S. 160.
59. MC 3, Nr. 527.
60. MC 3, Nr. 499; vgl. auch Nr. 528.
61. UB ST. PAUL, S. 15 f.; MC 3, Nr. 572; unrichtig ist es, wenn NAUMANN-HUMBECK, Sponheim (wie Anm. 2), S. 167, Zeizolf als Grafen bezeichnet. Dieser Titel wird ihm nur im Nekrolog von St. Paul gegeben, das keinerlei Quellenwert besitzt, aber nie in einer Urkunde oder Traditionsnotiz.
62. SUB II, S. 531, Nr. 384; MC 3, Nr. 572, Nr. 605/IV u. Nr. 1377/I; vgl. HAUSMANN, Spanheimer (wie Anm. 4), S. 155 f.
63. Eine genaue Abgrenzung zwischen den Grafen Stephan I. und Stephan II. ist nicht möglich. Da jedoch zwischen 1075 und 1090 kein Graf dieses Namens erscheint, wird der Generationswechsel von HAUSMANN, Spanheimer (wie Anm. 4), S. 161, und NAUMANN-HUMBECK, Sponheim (wie Anm. 2), S. 59 ff. und S. 152, übereinstimmend in diesen Zeitraum gesetzt. Vielleicht ist auch das Gedächtnis für einen Grafen Stephan im Nekrolog der Abtei Prüm, MG SS XIII, S. 221, Zl. 56, zum Jahr 1070 auf Stephan I. von Spanheim zu beziehen.
64. MAINZER UB I, S. 461 ff., Nr. 553; vgl. dazu HAUSMANN, Spanheimer (wie Anm. 4), S. 165 f.; NAUMANN-HUMBECK, Sponheim (wie Anm. 2), S. 181 f.; H. BÜTTNER, Studien zur Geschichte von Disibodenberg, Studien und Mitteilungen zur Geschichte des Benediktinerordens 52 (1934), S. 1 ff.
65. Die Quellen im Detail bei HAUSMANN, Spanheimer (wie Anm. 4), S. 166, und NAUMANN-HUMBECK (wie Anm. 2), S. 324 ff.; E. MEUTHEN, Die Aachener Pröpste bis zum Ende der Stauferzeit, ZS des Aachener Geschichtsvereines 78 (1967), S. 28 f.
66. F. EHLEN, Die Prämonstratenser-Abtei Knechtsteden. Geschichte und Urkundenbuch (1904); H. KISSEL, Die ehemalige Prämonstratenser-Abtei Knechtsteden, Analecta Praemonstratensia V (1929); P. W. GOSSES, Knechtsteden und der deutsche Adel (Diss. Köln, 1941), Teildruck in: Analecta Praemonstratensia XXIV (1948), Fasc. 1–2.
67. E. KLEBEL, Erzbischof Friedrich I. von Köln, seine Sippe und deren politische Bedeutung, Annalen des Historischen Vereines für den Niederrhein 157 (1955), S. 41 ff.; F. TYROLLER, Erzbischof Friedrich I. von Köln und der bayerische Pfalzgraf Engelbert, ebd. 160 (1958), S. 72 ff.; G. WUNDER, Die Verwandtschaft des Erzbischofs Friedrich I. von Köln, ebd. 166 (1964), S. 24 ff. Eine Stammtafel bei TYROLLER, Genealogie (wie Anm. 4), S. 234 ff., Tafel 17 mit Nr. 13.
68. Zu den Verwandtschaftsbeziehungen zwischen den Spanheimern, den Grafen von Hochstaden und der Zeizolf-Wolfram-Sippe vgl. NAUMANN-HUMBECK, Sponheim (wie Anm. 2), S. 164 ff.; HAUSMANN, Spanheimer (wie Anm. 4), S. 186 ff. und S. 166.
69. R. M. HERKENRATH, Zur Lebensgeschichte des frühstaufischen Notars Albert, DA 20 (1964), S. 562 ff.; DERS., Der frühstaufische Notar Albert von Sponheim, ZS des Aachener Geschichtsvereines 80 (1970), S. 73 ff.; Meuthen, Aachener Pröpste (wie Anm. 65), S. 32 ff.
70. Adalbert nannte sich zunächst nach Burg Mörsberg (heute Mörsburg) bei Winterthur im Kanton Zürich, die später jedoch (vielleicht durch eine zweite Ehe seiner Tochter Mechtild) von den Span-

heimern an die Grafen von Kyburg fiel. Als neuen Sitz errichtete er auf dem lothringischen Erbgut seiner Gattin wahrscheinlich Mörsberg (heute Marimont) bei Dieuze im Département Moselle. Vgl. dazu P. KLÄUI, Hochmittelalterliche Adelsherrschaften im Zürichgau, Mitteilungen der Antiquarischen Gesellschaft in Zürich 40 (1960), S. 49 ff., bes. S. 59 f.; NAUMANN-HUMBECK, Sponheim (wie Anm. 2), S. 458 f.; HAUSMANN, Spanheimer (wie Anm. 4), S. 163 f.

71. K. HILS, Die Grafen von Nellenburg im 11. Jahrhundert, ihre Stellung zum Adel, zum Reich und zur Kirche (Forschungen zur oberrheinischen Landesgeschichte 19, 1967), S. 12 ff.

72. L. VIELLARD (Hrsg.), Documents et mémoire pour servir à l'histoire du territoire de Belfort (1884), S. 205 ff., Nr. 153; ein Regest bei NAUMANN-HUMBECK, Sponheim (wie Anm. 2), S. 66 f., Nr. 51.

73. HAUSMANN, Spanheimer (wie Anm. 4), S. 162 ff.; NAUMANN-HUMBECK, Sponheim (wie Anm. 2), S. 62 ff. Regesten Nr. 38–71, S. 181 ff. u. S. 455 ff. (Nellenburger und Mörsberger Erbschaft). Über den Grafentitel Meginhards ebd., S. 214 ff.

74. NAUMANN-HUMBECK, Sponheim (wie Anm. 2), S. 334 ff. (Pfaffen-Schwabenheim) und S. 347 ff. (Allerheiligen).

75. H. BÜTTNER, Abt Trithemius und das Privileg Honorius II. für Sponheim, ZS für Geschichte des Oberrheins NF 68 (1958), S. 496 ff.; NAUMANN-HUMBECK, Sponheim (wie Anm. 2), S. 294–321; während HAUSMANN, Spanheimer (wie Anm. 4), S. 162 f., sowie die gesamte bisherige Literatur einen Grafen Goswin als ersten Vogt des Klosters Sponheim und – entsprechend den Vogteibestimmungen des Papstprivilegs – als ältesten Vertreter der Spanheimer-Sippe ansehen, der allerdings genealogisch nicht einzuordnen ist, spricht NAUMANN-HUMBECK, S. 300, wohl richtig Goswin als Mainzer (Unter-)Vogt an, der zur Sippe der Emichonen gehört und die Schenkung Meginhards als Vertreter des Erzbischofs entgegennimmt (*suscepta est autem hec donacio per manum advocati comitis Goswini*). Damit entfällt auch die Zuordnung Goswins zu den Spanheimern.

76. TYROLLER, Genealogie (wie Anm. 4), Tafel 20, hat Richgard nicht aufgenommen. Vgl. dazu HUCKE, Grafen von Stade (wie Anm. 52); HAUSMANN, Spanheimer (wie Anm. 4), S. 154 f., S. 162 f. u. Stammtafel; NAUMANN-HUMBECK (wie Anm. 2), S. 297 ff.

77. *Annales s. Disibodi*, MG SS XVII, S. 25 f.; *Vita Hildegardis* II, ed. MIGNE, *Patrologia Latina* 197, C. 106; H. BÜTTNER, Die Beziehungen der hl. Hildegard von Bingen zu Kurie, Erzbischof und Kaiser, in: Universitas, FS f. Bischof A. Stohr (1960), Bd. II, S. 61 ff.; NAUMANN-HUMBECK, Sponheim (wie Anm. 2), S. 367 ff.; Richardis, die Nonne in Rupertsberg, wurde zur Äbtissin von Bassum gewählt, hat wegen des Widerstandes der hl. Hildegard aber die Leitung dieses Klosters bis zu ihrem frühen Tod (um 1152) nicht mehr übernommen.

78. In der Urkunde vom 7. Juni 1124, mit der Erzbischof Adalbert von Mainz die Stiftung des Klosters Sponheim bestätigte, MAINZER UB 1, S. 427 ff., Nr. 522, werden nach den vom Grafen Meginhard übertragenen Gütern und den ursprünglichen Ausstattungsgütern der Kirche auf dem Feldberg als dritte Gruppe die Schenkungen der Gräfin Richgard (Richgardis) aufgezählt, die altes sponheimisches Hausgut im Nahegebiet umfaßten. Für Richgard ist außerdem Besitz zu Mainz, Sporkenheim und Ockenheim bezeugt, während ihr Sohn, Udo IV. von Stade, Güter in Bockenau und Gensingen an das Kloster Sponheim übertrug. NAUMANN-HUMBECK, Sponheim (wie Anm. 2), S. 298 ff. u. S. 420 f., nimmt deshalb eine Teilung der Spanheimischen Stammgüter um 1020 an. Vgl. auch ihre Karte auf S. 514, auf der die Schenkungsgüter Richgards und ihres Sohnes Udo IV. an Sponheim besonders ausgewiesen sind.

79. Stiftsbibliothek St. Paul im Lavanttal Nr. 8860/ (alte Signatur: XXIX 2,5). Vgl. dazu ausführlich NAUMANN-HUMBECK, Sponheim (wie Anm. 2), S. 505 ff.

80. NAUMANN-HUMBECK, Sponheim (wie Anm. 2), S. 322 f., S. 380 u. S. 511, Stammtafel II.

81. Vgl. die in Anm. 69 genannte Literatur. Zu Alberts Stellung in der Hofkapelle siehe auch F. HAUSMANN, Reichskanzlei und Hofkapelle unter Heinrich V. und Konrad III., Schriften der MG 14 (1956), S. 279 ff. u. S. 293; K. ZEILLINGER, Die Notare der Reichskanzlei in den ersten Jahren Friedrich Barbarossas, DA 22 (1966), S. 498 ff.; MEUTHEN, Aachener Pröpste (wie Anm. 65), S. 32 ff.

82. Dazu ausführlich NAUMANN-HUMBECK, Sponheim (wie Anm. 2), S. 139 ff. Regesten Nr. 301–306, S. 195 ff. u. S. 463 ff.

83. EBD., S. 471 ff.; einen Überblick über die beiden Linien bietet die an sich veraltete Arbeit von J. G. LEHMANN, Die Grafschaft und die Grafen von Sponheim der beiden Linien Kreuznach und Starkenburg bis zu ihrem Erlöschen im 15. Jahrhundert, Teil 1: Die Kreuznacher Linie, Teil 2: Die Starkenburger Linie (1869); W. VOGT, Untersuchungen zur Geschichte der Stadt Kreuznach und der benachbarten Territorien im frühen und hohen Mittelalter (Diss. Mainz, 1955), S. 251–305.

84. NAUMANN-HUMBECK, Sponheim (wie Anm. 2), S. 145 f. Regest Nr. 315, S. 471 ff. u. S. 513, Stammtafel IV.

85. Vgl. Anm. 4 und NAUMANN-HUMBECK, Sponheim (wie Anm. 2), S. 474 f.

86. H. BÜTTNER, W. VOGT, Das Nahegebiet im Früh- und Hochmittelalter, Mitteilungen zur Landesgeschichte und Volkskunde in den Reg.-Bez. Trier und Koblenz 4 (1959), S. 67 ff.; H. BÜTTNER, Die Anfänge der Stadt Kreuznach und die Grafen von Sponheim, ZS für Geschichte des Oberrheins NF 61 (1952), S. 433 ff.; VOGT, Kreuznach (wie Anm. 83); NAUMANN-HUMBECK, Sponheim (wie Anm. 2), S. 373 ff., S. 416 ff. u. S. 470 ff.

87. A. SCHNEIDER, Cistercienserabtei Himmerod 1138–1938 (1938); NAUMANN-HUMBECK, Sponheim (wie Anm. 2), S. 353 ff.

88. MC 3, Nr. 528; TYROLLER, Genealogie (wie Anm. 4), S. 269, Nr. 6.

89. MC 3, Nr. 507.

90. TYROLLER, Genealogie (wie Anm. 4), S. 265 ff., Nr. 5 u. Nr. 12; Tyroller irrt jedoch, wenn er Markgraf Engelbert II. als ,,für den Chiemgau zuständigen Grafen'' anspricht.

91. MC 3, Nr. 654 u. Nr. 655.

92. MC 3, Nr. 563; KLAAR, Eppensteiner (wie Anm. 9), S. 69, Nr. 93.

93. MC 3, Nr. 571; KLAAR, Eppensteiner (wie Anm. 9), S. 69 ff., Nr. 96–98.

94. MC 3, Nr. 581; während mehrfach von einem unvorhergesehenen Tod des Herzogs berichtet wird und das Necrologium von Rosazzo den Tod Heinrichs zum 13. XII. setzt, AVGT 19, S. 19, nennt ihn das Totenbuch von Admont zum 14. XII. als *ex duce monachus*, MG Necr. II, S. 308.

95. Zur weiteren Geschichte als Herzoge von Kärnten vgl. FRÄSS-EHRFELD (wie Anm. 9), S. 180–324.

96. KLAAR, Eppensteiner (wie Anm. 9), S. 57 ff., Nr. 76 u. Nr. 82, S. 118 ff. Als Korrektur zur Interpretation

von Klaar vgl. H. DOPSCH, Herzog Heinrich „von Eppenstein" und die Dotierung von St. Lambrecht, Blätter für Heimatkunde 46/4 (1972), S. 122–131.

97. Landbuch von Österreich und Steier, MG Dt. Chron. III (1900), S. 706 f.; KLAAR, Eppensteiner (wie Anm. 9), S. 69 f., Nr. 96; zur Bedeutung dieser Erbschaft für die Otakare vgl. F. HAUSMANN, Die steirischen Otakare, Kärnten und Friaul, in: Das Werden der Steiermark, hrsg. v. G. PFERSCHY, Veröffentlichungen d. Steiermärkischen Landesarchivs 10 (1980), S. 227 ff.; H. DOPSCH, Die steirischen Otakare, ebd., S. 115 ff.
98. MC 3, Nr. 749; M. ROSCHER, Geschichte der Cistercienserabtei Viktring in Kärnten in der Zeit von 1142–1534 (Diss. Wien, 1953).
99. Zur Person Heinrichs, der 1145 Bischof von Troyes wurde, vgl. die Nachweise bei TYROLLER, Genealogie (wie Anm. 4), S. 272, Nr. 14; L. GRILL, Der hl. Bernhard von Clairvaux und Morimond, die Mutterabtei der österreichischen Cistercienserklöster, in: FS zum 800-Jahr-Gedächtnis des Todes Bernhards von Clairvaux (1953), S. 31 ff.
100. MC 3, Nr. 838, Nr. 839, Nr. 849 u. Nr. 858; TYROLLER, Genealogie (wie Anm. 4), S. 270 f., Nr. 10. Mit Recht verweist HAUSMANN, Otakare (wie Anm. 97), S. 227 ff., darauf, daß sich Bernhard zu Lebzeiten nie Graf von Marburg nannte, das – wenn überhaupt – erst in seinen letzten Lebensjahren errichtet wurde, sondern nur das Prädikat „Graf von Trixen" führte. Die Trixner Burgen waren den Spanheimern vom Gurker Gegenbischof, Berthold von Zeltschach, übertragen worden.
101. Vgl. HAUSMANN, Otakare (wie Anm. 97), S. 227 ff., der den diesbezüglichen Bericht des Landbuchs von Österreich und Steier (wie Anm. 97) überprüft und korrigiert.
102. TYROLLER, Genealogie (wie Anm. 4), S. 270 ff., Nr. 9, Nr. 22, Nr. 28, Nr. 29, Nr. 39 u. Nr. 40; H. DOPSCH, Die Grafen von Lebenau, Das Salzfaß NF 4/2 (1970), S. 33–59.
103. TYROLLER, Genealogie (wie Anm. 4), S. 269 f., Nr. 8 u. S. 273, Nr. 20.
104. Vgl. Anm. 99.
105. MC 3, Nr. 651; Engelbert dankte 1134 und nicht erst 1135 ab, da am 2. Dezember dieses Jahres bereits sein Sohn Ulrich als Herzog erscheint, SUB II, S. 241 f., Nr. 161 (eine Fälschung nach echter Vorlage); das Necrologium von Seeon gedenkt Engelberts zum 13. IV. als *ex duce monachus nostre congregationis*, MG Necr. II, S. 223.
106. MC 3, Nr. 652.
107. MC 3, Nr. 657, Nr. 658, Nr. 661, Nr. 666, Nr. 674 u. Nr. 687.
108. Markgraf Hermann von Baden, der Onkel Herzog Heinrichs V., erscheint im Juni 1151 in Regensburg erstmals als Markgraf von Verona, MG DK III, 255. Ob seine Belehnung mit Zustimmung oder gar auf Verlangen Herzog Heinrichs V. von Kärnten erfolgte, ist nicht bekannt.
109. TYROLLER, Genealogie (wie Anm. 4), S. 272 f., Nr. 19.
110. Vgl. die Übersicht bei TYROLLER, Genealogie (wie Anm. 4), S. 272 ff. mit Stammtafel 20.
111. FRÄSS-EHRFELD (wie Anm. 9), S. 180.
112. K. DINKLAGE, Völkermarkt zwischen Abt und Herzog. Ein Beitrag zur Gründungsgeschichte mittelalterlicher Städte, MIÖG 67 (1959), S. 278 ff.; DERS., Kärntner Städtegründungen unter Herzog Bernhard (1202–1256), MIÖG 69 (1961), S. 85 ff.
113. MC 4/1, Nr. 2352. Vgl. dazu und zur Wirksamkeit Bernhards FRÄSS-EHRFELD (wie Anm. 9), S. 226–305.
114. Eine Übersicht bei DOPSCH, Adel und Kirche (wie Anm. 10), S. 45 ff.
115. FRÄSS-EHRFELD, Geschichte Kärntens I (wie Anm. 4), S. 315–332; A. v. JAKSCH, Geschichte Kärntens bis 1335, Bd. II (1929), S. 1–59.
116. H. DOPSCH, Přemysl Ottokar II. und das Erzstift Salzburg, in: Ottokar-Forschungen, red. v. M. WELTIN, Jb. für Landeskunde von Niederösterreich NF 44/45 (1978/79), S. 476 ff.
117. Zum Podiebrader Vermächtnis und der undurchsichtigen Rolle Philipps von Spanheim vgl. A. OGRIS, Der Kampf König Ottokars II. von Böhmen um das Herzogtum Kärnten, in: Ottokar-Forschungen (wie Anm. 115), S. 92–116.
118. Das Testament Philipps vom 19. Juli 1279 in MC 5, Nr. 392; zu seiner Beurteilung vgl. DOPSCH, Ottokar (wie Anm. 115), S. 487 ff. Zu seinem Epitaph in Krems W. STELZER, Zum gemalten Epitaph Herzog Philipps von Kärnten in Krems, Unsere Heimat 44 (1973), S. 44–55.

Date, et dabitur vobis
Zur Gründung des Stiftes St. Paul in Kärnten

JOHANNES GRABMAYER

VORGESCHICHTE

Als erster Spanheimer war Siegfried, vielleicht schon von Kaiser Konrad II. (1024 – 1039) dazu beauftragt, aus Rheinfranken nach Kärnten gekommen. Hier hatte er die reich begüterte Erbin Richgard aus der Sippe der Sighardinger geheiratet und damit seinem Geschlecht, das die Geschicke des Landes im 12. und 13. Jahrhundert entscheidend mitgestalten sollte, ausgedehnten Besitz zugeführt.

Zur neuen Heimat des Spanheimers wurde das Lavanttal, wo er sich auf einer Burg auf einem Felsen ober der Lavant niederließ, die er gemeinsam mit seiner Gattin errichten hatte lassen.

1064 beteiligte er sich an einer Pilgerfahrt ins Heilige Land unter der Führung des gleichnamigen Erzbischofs von Mainz und verstarb im folgenden Jahr auf der Rückreise in Bulgarien.[1] Seine Gattin ließ daraufhin den Leichnam gegen Geld auslösen und in der von Siegfried und ihr gestifteten Paulskirche *super ripam Lauendi fluminis in castro suo* beisetzen.[2] Sie selbst verschied auf der Rückreise von einer Wallfahrt nach Santiago de Compostela auf Spanheim, der Stammburg des Grafengeschlechts unweit von Bad Kreuznach in der Rheinpfalz, und fand vorerst dort auch ihr Grab. Die Mönche des Klosters St. Paul sollten, wenn man dem St. Pauler Nekrolog von 1618 glauben darf, mittels eines *anniversariums,* eines Jahrtages, der am 7. Februar gehalten wurde, der Eltern des Stifters gedenken.[3]

Das christliche Wallfahrtswesen hatte sich bereits in frühester Zeit aus Märtyrerkulten entwickelt und erreichte im Spätmittelalter einen Höhepunkt. Wallfahrten wurden von Angehörigen aller sozialen Schichten unternommen. Nach Ludwig Schmugge ging sogar jeder zumindest einmal in seinem Leben auf Pilgerfahrt.[4] Der Vermögende pilgerte nach Rom, Jerusalem, Aachen oder wie Richgard nach Santiago de Compostela, während sich der Ärmere einen Wallfahrtsort in seiner unmittelbaren Umgebung aussuchen mußte. Wallfahrten galten den Menschen des Mittelalters als sicherer Weg, des Heiles teilhaftig zu werden, die höllische Pein – und daß die Menschen in der Hölle furchtbare körperliche Qualen auszustehen hätten, war Gewißheit – zu vermeiden oder wenigstens zu mindern.

Zwei der Söhne des Siegfried von Spanheim und der Richgard beteiligten sich in führenden Positionen auf päpstlicher Seite am sogenannten Investiturstreit, Hartwig von Spanheim und sein Bruder Engelbert I., der in den ältesten Nachrichten *de Lavanda* genannt wird.

Hartwig wurde 1079, nachdem er zuvor ein Geistlicher der Mainzer Kirche gewesen war, Erzbischof von Magdeburg und in dieser Funktion zu einem der Führer der antikaiserlichen Partei in deren deutschem Zentrum Sachsen. Engelbert wiederum tritt als Vogt und nach der Bannung des propäpstlichen

Salzburger Erzbischofs Gebhard 1085 durch eine Reichsversammlung unter dem Vorsitz Kaiser Heinrichs IV. als Führer der „Gregorianer“ im Erzstift Salzburg und auch in Kärnten in Erscheinung. Engelberts pekuniärer Rückhalt vor allem durch sein mütterliches Erbe sowie seine Familienbande nach Franken, Baiern und Sachsen ermöglichten es dem Spanheimer, sich gegen alle Angriffe der Kaisertreuen zu behaupten. Der von Heinrich eingesetzte Gegenerzbischof Berthold aus dem bairischen Geschlecht der Grafen von Moosburg vermochte es trotz tatkräftiger Unterstützung vor allem auch des Kärntner Herzogs Luitpold von Eppenstein (1077–1090), wodurch der Krieg nach Kärnten getragen wurde[5], nicht, Engelbert aus Salzburg zu verdrängen. Vielmehr wurde er selbst im Frühling 1085 im Zuge der kriegerischen Auseinandersetzungen, denen auch sein Bruder zum Opfer fiel, von Engelbert gefangengesetzt und mußte vom Kaiser freigekauft werden.

Nach wechselvollen Kämpfen konnte Erzbischof Gebhard im Sommer 1086, von Engelbert von Spanheim geleitet, wieder in Salzburg einziehen. Der Gegenerzbischof Berthold hatte das Feld vorübergehend geräumt.

Für zwei Jahre, bis zu seinem Tode am 15. Juli 1088, blieb Gebhard nun das Haupt der deutschen päpstlichen Partei, und der Nachfolger Gregors VII. auf dem Papststuhl, der ehemalige Bischof Otto von Ostia, zeigte ihm nunmehr als Urban II. als erstem seine Wahl zum Oberhaupt der katholischen Kirche an.

Nach dem Tode des Salzburger Erzbischofs versöhnten sich Kaiser Heinrich IV. und Erzbischof Hartwig von Magdeburg und damit auch dessen Familie. In Kärnten kehrte wieder Ruhe ein. Sowohl die Eppensteiner, die 1122 mit Heinrich III. (1093–1122) aussterben sollten, als auch die Spanheimer verhielten sich nun dem Kaiser gegenüber weitgehend loyal. Dennoch traten die Spanheimer auch weiterhin für das päpstliche Reformprogramm ein. Das wird daran klar erkennbar, daß Engelbert I. zur Gründung des von ihm gestifteten Klosters St. Paul im Jahre 1090 Mönche aus dem schwäbischen Reformzentrum Hirsau erbittet. Die meisten Stifter der Hirsauer Reformklöster waren Anhänger der päpstlichen Reformpartei.

Die Gründung des Stiftes

Aus der Frühzeit des Klosters St. Paul ist lediglich eine Urkunde erhalten geblieben, das Privileg Urbans II. von 1099, das als Verfassungsurkunde des Stiftes gilt. Weiters existiert ein Traditionsbuch, das unter anderem von der Gründungsgeschichte der Abtei und vom Gründergeschlecht, den Spanheimern, handelt. Dieses wichtige Buch entstammt dem 13. Jahrhundert und wurde vom Priestermönch Wernhard, dem letzten Schreiber des St. Pauler Abtes Ulrich (1192–1222), nach 1237 verfaßt.[7] Auch fanden einige Aufzeichnungen über Gütererwerbungen und die Gründung des Klosters aus dem 12. Jahrhundert in redigierter Form Eingang ins Traditionsbuch. Da diese hervorragende Quelle (Jörg Kastner hat in besonderem Maße auf den historischen Wert der Traditionsbücher hingewiesen[8]) in den letzten Jahrzehnten mehrfach analysiert wurde, bedarf es hier keiner weiteren Erörterung.[9]

Der *fundatio* ist zu entnehmen, daß Graf Engelbert I. von Spanheim, eines Tages von Gewissensbissen über seine Sünden gepeinigt, auf einen Wink Gottes hin, denn *date et dabitur vobis*, beschlossen habe, ein Kloster zu gründen.[10]

1090, nachdem die politischen Wirren in Kärnten durch den Ausgleich zwischen Erzbischof Hartwig von Magdeburg und Kaiser Heinrich IV. ein Ende gefunden hatten, schickte er seinen gleichnamigen Sohn ins Schwarzwaldkloster Hirsau zu Abt Wilhelm, um Benediktinermönche aus dem schwäbischen Reformzentrum zur Gründung eines Klosters bei der Burg, wo Richgard ihren Gatten Siegfried bei der Kirche des heiligen Paulus hatte beisetzen lassen, zu erbitten.

Wilhelm war 1069 aus St. Emmeram in Regensburg als Abt nach Hirsau erbeten und 1071 dort investiert worden. Unter ihm wurde das Stift zum Reformzentrum in Deutschland schlechthin. Die Strenge, mit der der klösterliche Alltag durch Vorschriften und Regeln festgelegt wurde, fand weithin Beachtung, und die von Wilhelm verfaßten *Constitutiones Hirsaugiensis* wurden oftmals kopiert.

Abt Wilhelm entsprach der Bitte des Spanheimers und entsandte Wezilo als Abt für das neu zu gründende Kloster *ad novum coenobium in ducatu Carinthiorum constructum, quod Laven appellatur.*[11] Ob der Vorgang der Abtbestimmung durch Wilhelm genau dem in seinen *constitutiones* festgelegten Ritus entsprach, ob sich nun Wilhelm tatsächlich mit den ältesten Mitbrüdern besprach, wen er zu erwählen habe, und ob Wezilo tatsächlich zuerst ablehnte und dann annahm, wie es ihm der klösterliche Gehorsam vorschrieb, und den Sitz zur Linken des Abtes einnahm[12], ist nicht mehr feststellbar. Fest steht aber, daß Wezilo auch als Abt von St. Paul Profeßbruder von Hirsau blieb. Unbeantwortet muß auch die Frage bleiben, ob Wezilo mit jenem Prior des Marienklosters Zwiefalten identisch sei, der 1089 von Abt Wilhelm mit zwölf Mönchen und fünf Konversen dorthin gesandt und 1091 durch Abt Notker ersetzt worden war.[13] Ebenso unsicher ist die Nachricht, daß *beatissimus P. Wilhelmus de suo conventu Hirsaug. monachos XII optimos misit.*[14] Die Behauptung, daß Klöster bei der Gründung in Nachfolge der Apostel meist von zwölf Mönchen besiedelt wurden, ist ein vielverwendeter Topos mittelalterlicher *fundationes.* Namentlich sind lediglich Gaudentius und Sigewin bekannt, derer im St. Pauler Nekrolog im Monat Januar gedacht wird.[15]

Abt Trithemius erzählt in seiner Hirsauer Chronik, daß unter der Führung des Wezilo, der ein gelehrter Mann mit vielen Tugenden gewesen sei, mehrere Mönche nach St. Paul gekommen seien.[16]

Einer von ihnen, Gaudentius, ging etwas später ohne Zustimmung des Hirsauer Abtes als Abt ins Kloster Millstatt in Kärnten, woraufhin er von Abt Gebhard (1091 – 1105) aus der Liste der Hirsauer Kongregationsäbte gestrichen wurde. Nach Erika Weinzierl wurde Gaudentius zwischen 1091 und 1105 zum Abt von Millstatt gewählt.[17] Dennoch bestanden auch weiterhin Kontakte zwischen Millstatt und Hirsau, wie das zwischen 1185 und 1194 geschriebene Nekrolog Millstatts bezeugt, worin ein *Willehalmus abb. de Hirsowe* erwähnt wird.[18]

Wie Gaudentius ließ sich auch Sigewin, neben Wezilo und Gaudentius der dritte namentlich bekannte Hirsauer in St. Paul, ohne Erlaubnis des Hirsauer Abtes zum Abt eines Klosters wählen. Er nahm das ihm angebotene Eppensteinerstift Rosazzo in Friaul an, kehrte jedoch reumütig nach Hirsau zurück, um *abbatiam Rosazi in manus Gebhardi abbatis (...) resignans*[19] und geläutert von Abt Gebhard als von Hirsau anerkannter Abt nach Rosazzo zurückgeschickt zu werden.[20]

Daß auch der spätere Abt des Benediktinerklosters Arnoldstein im Gailtal, Ingram, bereits 1090/91 mit Wezilo und anderen Hirsauern nach St. Paul gekommen und 1107 Arnoldsteiner Abt geworden sei, muß bezweifelt werden.

1107 hatte Bischof Otto I. von Bamberg die Arnoldsteiner Burg, die zwischen 1085 und 1090 erstmals urkundlich erwähnt wird[21], schleifen und hier ein Kloster errichten lassen. Der Tradition gemäß wurde es von Mönchen aus dem Benediktinerstift auf dem Michaelsberg bei Bamberg und nicht von St. Paul aus[22] besiedelt und vorerst von einem Prior verwaltet, um mit Ingram, der aus dem Reformkloster St. Paul gerufen worden war, den ersten Abt zu erhalten. Ingram scheint in den frühen 20er Jahren des 12. Jahrhunderts erstmals als der Arnoldsteiner Mönchsgemeinschaft angehörig auf, vielleicht auch schon als Abt[23], bekleidet dieses Amt definitiv 1126[24] und stirbt um 1169, nachdem er 43 Jahre dem Kloster als Abt vorgestanden sein soll[25].

Wenn Ingram tatsächlich schon mit Wezilo 1090/91 aus Hirsau nach Kärnten gekommen wäre, müßte er an die 100 Jahre alt geworden sein. Außerdem wird im St. Pauler Nekrolog des Ingram als *Dominus Ingramus Abb. N. Conf.* am 26. Februar gedacht[26], während bei Gaudentius und Sigewin deren Hirsauer Herkunft ausdrücklich vermerkt wird.

Die Traditionsnotiz III des St. Pauler Traditionsbuches kann als „Gründungsurkunde“ der Abtei gelten. Ihr zufolge schenkt Graf Engelbert I. von Spanheim mit Zustimmung seiner Angehörigen Ende April oder anfangs Mai 1091 (*circa kal. mai*)[27] vor 30 namentlich angeführten Zeugen dem ersten Abt Wezilo Güter in Kärnten, der Untersteiermark (heute in Jugoslawien gelegen) und Friaul, offensichtlich Teile der mütterlichen Erbschaft, zum Unterhalt der Mönche daselbst sowie die Einsiedelei Radl, das spätere St. Lorenzen in der Wüste südlich der Drau in der Untersteiermark, wo er ebenfalls Mönche einsetzt, die für den Frieden und den Bestand der Gesamtkirche beten sollen.[28]

Engelbert nahm die Reliquien der Heiligen *que tunc ibi fuere* in Empfang nebst der Kirche und *omnia ad ipsam pertinentia*. Danach übergab er alles dem allmächtigen Gott, dem Apostel Paulus und *omnibus Dei sanctis*, allen Heiligen Gottes. Schließlich schenkte er über den Reliquien in die Hand des Abtes Wezilo, *qui primus eius loci fuit abbas*, etliche Güter zum Unterhalt der Mönche des neuen Klosters.

Heilige, über deren Reliquien und auf deren Altar geschworen wurde, waren selbst Rechtssubjekt. Sie waren „rechtsfähig im Sinne des Zivilrechts“[29]. In Rom schenkte oder verpflichtete sich ein Herrscher dem heiligen Petrus und nicht dem Papst, wobei Petrus die Schenkung oder das Versprechen an seinen irdischen Vikar weiterleitete.[30] Wilhelm von Hirsau forderte in seinem Formular von 1075 die Rückgabe von Klostergut an die Heiligen in *potestatem et proprietatem*[31], wobei der Abt Vermögensverwalter wird. Auch in Kärnten war dieser Rechtsbrauch offenbar gut bekannt. So schenkt etwa 902/903 der Edle Georgius der Freisinger Kirche in Maria Wörth am Wörthersee über den Reliquien der Heiligen Primus und Felizian umfangreichen Besitz.[32] Man glaubte, daß das Land unter dem Schutz des Heiligen stünde, daß er dem Donator gewogen sein müßte und die an ihn geschenkten Güter beschützte.

Die Gründungsausstattung und die Anfänge des Stiftes

Abt Wezilo bekam vom Spanheimer den Hof *in territorio Lauentino (...) que dicitur ad sanctum Paulum* zu St. Paul mit dem Örtchen *(villula)* „brugga“ geschenkt. Der Name dieses offensichtlich noch sehr kleinen Ortes oder Weilers weist darauf hin, daß er sich bei einer Brücke, die wohl über die Lavant führte, befunden hat.[33] Das „brugga“ von 1091 ist möglicherweise ein Vorläufer des Marktes St. Paul oder lag zumindest in dessen unmittelbarer Umgebung. 1184 wird in einer Bestätigung des Klosterbesitzes durch Papst Lucius III. (1181–1185) erstmals ein Markt erwähnt (*villam, quod forum dicitur*).[34] Die Lage des Marktes wird von Herzog Bernhard von Spanheim (1202–1256) in einer Urkunde von 1255 als *sub eodem*, unter dem Kloster gelegen, beschrieben.[35] Das Klosterurbar aus dem Jahre 1289 schließlich nennt erstmals definitiv den Markt St. Paul *in foro sancti Pauli*[36], wenn auch schon im Urbanprivileg von 1099 der Ort als *loco qui vulgariter dicitur ad Sanctum Paulum*[37] genannt wurde. Schon in dieser Zeit hieß demnach der Ort im Volksmund nach dem Kirchenheiligen.

Die Schenkung Engelberts von 1091 schloß alles Zubehör wie Äcker, Wiesen, Weiden, Gewässer bis hin zur Fischerei mit ein. Ausgenommen sollte lediglich die Biberzucht sein, was darauf schließen läßt, daß deren Pelze den Spanheimern vorbehalten bleiben sollten.

Weiters schenkte Engelbert dem Abt die Kirche St. Lambert auf dem Berg südlich des Klosters mit ihren Äckern und Neubrüchen, die sich von Loschental bis „Rotenstein" erstreckten. Während Loschental, von Kranzmayer als „Tal des Loško" bezeichnet[38], als auf dem heutigen Josefsberg bei St. Paul liegend lokalisiert werden kann und vielleicht nicht als „Tal des Loško", sondern als „verstecktes, verborgenes Tal"[39] gedeutet werden muß, ist Rotenstein nicht mehr zu lokalisieren. Schroll meinte, es mit „Rötelstein", einem Bauernhaus südöstlich von St. Paul, gefunden zu haben[40], doch fehlt hierzu jeglicher Beleg.

Jenseits der Lavant erhielt das Stift den Wirtschaftshof (*stabularia curtis*) „Entrichsdorf", Andersdorf nordöstlich von St. Paul am Fuße der Koralpe (den Hof eines Mannes namens Enterich[41]) sowie Raglach in der Pfarre Rojach nordöstlich von Maria Rojach, wo es offenbar zahlreiche Krebse gegeben hat, worauf der Name „Reculach" hinweist.[42] Götzendorf, das „Dorf des kleinen Gebhard"[43], nordöstlich von St. Paul gehörte ebenso zur Schenkung wie Rainz im Osten St. Pauls, Möllbach südöstlich von St. Paul am Fuße der Koralpe und der Wirtschaftshof Lavamünd, nach Fresacher auf der linken Seite der Lavant bei der alten Kirche Lavamünd[44], *ultra montem*. In der Ebene zwischen den St. Pauler Bergen und der Drau kam Zeil, heute in der Gemeinde Lavamünd gelegen, ans Kloster, weiters die Kirche St. Radegund bei Gorentschach südöstlich von Ruden samt dem Wirtschaftshof mit Weingärten und Unfreien, ein Wirtschaftshof in Griffen, wo die beiden Griffener Bäche ineinandermündeten, und einer am Haberberg, wo Hafer angebaut wurde[45], samt seinen Unfreien, der sich bis zur Alm (*ad alpem*) ausdehnte. Hinzu kamen noch „Skiltaren", dessen Lage ungewiß ist[46], das neu erschlossene Land bei Pustritz, Ströglach bei Poggersdorf unweit von Klagenfurt mit Weingärten und allen Zehenten, *in monte ferrario* zwei Mansen, wobei die Lage dieses „Eisenberges" unbekannt ist[47], sowie Besitzungen in Friaul und in der Untersteiermark. In Friaul fielen der Besitz Lippa östlich von Gradisca (bei Görz), wo sich ausgedehnte Lindenwälder befunden haben müssen[48], und eine Manse unter der Burg „Retin" (Artegna nordöstlich von Udine), die bald wieder verlorenging, ans Kloster. Weite Teile Oberitaliens waren mit Lindenwäldern bedeckt, etwa die Tiefebene bei Verona bis hin nach Mantua im Westen und Vicenza im Osten, wie Ortsnamen und später auch andere Quellen belegen.[49] Die europäische Landschaft war ja bis ins 11. Jahrhundert weitgehend von Vegetation verschiedenster Ausformung bedeckt, von Heideflächen, Wäldern, Dickicht und Mooren.

In der Mark hinter dem Drauwalde in der Untersteiermark – der riesige Drauwald gehörte ursprünglich zum Hausgut der Spanheimer – wurden dem Kloster zwei Weingärten, die in der Schenkungsurkunde nicht näher lokalisiert werden, über der Drau „Ruobstat" bei St. Lorenzen am Bachern, wo anscheinend Rüben angebaut wurden, sowie die schon genannte Einsiedelei Radl, wohin Engelbert Fratres entsandte, übergeben. Hier, an der Nordseite des Bacherngebirges, schuf sich das Kloster durch intensive Rodungen eine wichtige ökonomische Grundlage.[50]

Engelbert I. von Spanheim hatte das neu gegründete Benediktinerkloster – nach Ossiach und Millstatt das dritte dieses Ordens in Kärnten – ausreichend, wenn auch nicht zu reichlich, dotiert.

Es fällt dabei aber auf, daß die Güterstiftung, obschon sich nahezu das gesamte, ehemals als Königsgut geltende[51] untere Lavanttal im Besitz der Spanheimer befand, ziemlich aufgesplittert war und keinen großen Umfang hatte. In seiner unmittelbaren Nähe verfügte die Abtei nur über Besitzungen von etwa 100 ha, der übrige Besitz war weit verstreut und oft in großer Entfernung zum Kloster gelegen und kam ihm daher nicht unmittelbar zugute. Lediglich die Ländereien am Außenrand der St. Pauler Berge zeigen relative Geschlossenheit in Richtung Saualpe. Sie sollten auch zur Ernährungsbasis der Klosterinsassen im Mittelalter werden.

Zur Zeit der Gründung dürften die der Abtei zugefallenen Güter *territoriis cultis,* weitgehend erschlossene und auch schon christianisierte Gegenden gewesen sein.[52] Nur zweimal wird in der Schenkungsurkunde von 1091 Neuland erwähnt. Bezeichnenderweise fehlt auch bei der formelhaften Aufzählung des Zugehörs zum Hof bei St. Paul die Nennung von Wäldern. Hingegen ist mehrfach von Wirtschaftshöfen, von Weingärten und ähnlichem die Rede. Mehrmals werden auch Gehöfte erwähnt, die mit Kolonisierungsaktivitäten verschiedener Personen in Zusammenhang stehen (Entrichsdorf, Götzendorf, Ströglach) und schon durchgeführte Rodungen belegen. Dennoch wird man davon ausgehen können, daß es sich hierbei vorwiegend um bebaute Lichtungen inmitten ausgedehnter Wälder gehandelt hat. Vor allem an den Südhängen der Saualpe, im Griffener Raum und besonders in der Untersteiermark hatten die St. Pauler Mönche noch viel zu roden.

Der Traditionsnotiz IV nach soll der Salzburger Erzbischof Thiemo (1090–1101) im Dezember 1092 oder 1093 [*anno dehinc secundo, Decembris mensis inicio, templi dedicatione sollempniter peracta* (...)[53]] eine neu errichtete Klosterkirche, die dem heiligen Paulus geweiht war, konsekriert haben.[54] Ob damals schon eine zweite Kirche, die dem heiligen Ägidius geweiht war, existiert hat, ist nicht sicher, doch kann man davon ausgehen, daß sich auf dem Burghügel schon zur Zeit Siegfrieds und der Richgard zumindest eine Kapelle befunden haben wird.

Anläßlich der Kirchweihe bedachte Thiemo das Kloster St. Paul mit dem dritten Teil des Zehents der Besitzungen Gorentschach, Griffen und Andersdorf sowie mit den Zehenten von Neubrüchen in seiner Diözese, deren Anzahl und Lage nicht tradiert sind. Weiters verlieh der Erzbischof der Klosterkirche pfarrliche Rechte und das einträgliche Begräbnisrecht.

Thiemo pflegte, wie auch schon sein Vorgänger Gebhard, enge Beziehungen zum Kloster Hirsau. So ließ er 1090 den ehemaligen Hirsauer Mönch Giselbert die Hirsauer Reform ins Kloster Admont einführen, das dann im 12. Jahrhundert zum alpenländischen Reformzentrum schlechthin avancierte.[55] Auch kannte er aus seiner Zeit als Abt von St. Peter in Salzburg den damaligen Vogt Engelbert I. Thiemo selbst hatte größte Probleme, sich gegen den nach Gebhards Tod wieder aktiven Gegenerzbischof Berthold[56] zu behaupten. Da sich die Spanheimer 1088 mit dem Kaiser ausgesöhnt hatten und nunmehr auf antikaiserliche Interventionen im Erzbistum Salzburg verzichteten, war es Thiemo, der nach dem Ausgleich der Welfen mit dem Kaiser (1096) nun weitestgehend auf sich alleine gestellt war, unmöglich, sich gegen seinen Kontrahenten Berthold durchzusetzen. Das zeigt sich auch in Kärnten, wo nach dem Tode des Gurker Bischofs Gunther (16. Juni 1090) Berthold von Zeltschach (1090–1106) vom Gegenerzbischof berufen wurde, sich zur Zeit Thiemos, wenn auch als *intrusus*,[57] auf dem Gurker Bischofsstuhl halten konnte und besonders durch Güterverschleuderungen in Erscheinung trat.

Nach einer schweren Niederlage gegen Erzbischof Berthold 1097 bei Saaldorf floh Thiemo in völliger Verkennung der politischen Verhältnisse nach Kärnten, wo er von Parteigängern des

Gurker Bischofs gefangen, malträtiert und eingekerkert wurde. Wohl gelang ihm die Flucht, doch hatte er nunmehr jeglichen Einfluß im Erzbistum verspielt. 1101 nahm er gemeinsam mit dem von ihm aus Hirsau nach Admont gerufenen Abt Giselbert, der sich in Admont nicht hatte halten können, sowie mit Bischof Ulrich von Passau, Welf von Bayern und der Markgräfin Ita von Österreich das Kreuz und soll am 28. Dezember 1101 den Märtyrertod erlitten haben.[58]

Aber auch Thiemos Gegenspieler Berthold von Moosburg sollte sich nicht mehr lange im Amte halten können. Nachdem sich 1105 Heinrich V. (1106 – 1125) gegen seinen Vater erhoben hatte, war auch Bertholds Ende als Erzbischof von Salzburg gekommen. Am 7. Jänner 1106 wurde Konrad von Abensberg als Konrad I. (1106 – 1147) zum neuen Erzbischof gewählt und von Heinrich V. sogleich investiert. Dadurch war Berthold gezwungen, sich auf seinen Stammsitz nach Moosburg in Bayern zurückzuziehen, wo er um 1115 verstarb.[59]

Mit dem Niedergang Bertholds war auch das Schicksal des Gurker Bischofs Berthold von Zeltschach besiegelt. Erzbischof Konrad enthob ihn auf Befehl des Papstes Paschalis II. (1099 – 1118), der gegen den Gurker Bischof sogar den Kirchenbann schleuderte, seines Amtes und kürte noch 1106 seinen bisherigen Kaplan Hiltepold zum neuen Bischof von Gurk (1106 – 1131).[60] Berthold blieb keine andere Wahl, als sich mit Bewilligung des Papstes zur Läuterung ins Reformkloster St. Paul zurückzuziehen, wo er bis zu seinem Tode auch blieb. Das *Chronicon Gurcense* berichtet dazu: *Qui Perhtoldus licentia domini pape secessit in monasterium sancti Pauli in Lavent et ibi mansit usque ad obitum suum.*[61] Dort schenkte er dem Stift das Gut Glödnitz westlich von Gurk, das später Ursache für ernste Zwistigkeiten zwischen dem ersten St. Pauler Abt und seinem Konvent wurde.[62]

Abt Wezilo tauschte nämlich dieses Gut mit Markgraf Engelbert II. gegen dessen Besitzungen in der Pettauer Mark. Da die Güter aber durch die damaligen Ungarneinfälle in einem desolaten Zustand waren und auch weit verstreut lagen, geriet der Abt mit seinen Mitbrüdern in einen ernsten Konflikt und wurde von ihnen, vielleicht auch ob seiner Strenge[63], letztendlich vertrieben. Dies wird ihnen vom Salzburger Erzbischof Konrad I. in einem Schreiben vorgehalten, worin er moniert, daß Wezilo *irregulariter eiectus sit et qualiter dominus Bruno non per ostium sed aliunde subintraverit*[64] widerrechtlich vertrieben worden sei und sich sein Nachfolger Bruno eingeschlichen habe. Um 1115 urkundet Bruno bereits als *Pruno abbas Lauentensis.*[65]

Neben Thiemo schenkten auch einige Edle der Abtei anläßlich der Kirchweihe Güter, allen voran Markgraf Poppo von Istrien, der dem Kloster einen Hof in Aquileia nebst Gärten gab, Weriant de Grez (Windischgraz) schenkte dem Stift zwei Mansen in der Mark hinter dem Drauwalde bei Zellnitz, einer „Ansiedlung“[66] ober Marburg, und ein gewisser Ludwig zwei Huben und den vierten Teil der Steuern in Feistritz westlich von Marburg sowie das Weide-, Jagd- und Rodungsrecht im Bergland zwischen dem Tschermenitzen- (ehemals Wurmat) und Gamsgraben westlich von Marburg. Ausgehend von Ludwigs Schenkung wurde vom Stift das Berg- und Waldland vom Drautal aus nordwärts bis zur Wasserscheide gerodet und besiedelt.[67]

Die Edlen Arnolt und Sitzo schließlich stifteten dem Kloster für das Seelenheil ihres Neffen Berthold zwei Huben in Plestätten südöstlich von St. Paul.[68]

Im April 1095 oder 1096[69] stirbt Engelbert I. von Spanheim angeblich im Ordenskleid der Benediktiner. Er soll, so die Traditionsnotiz VI des St. Pauler Traditionsbuches, am Sterbebett in den Orden aufgenommen worden sein und *vitam gloriosam termino gloriosiore conclusit.*[70] „In dem entscheidenden Moment, wenn ein sündiger Mensch vor

Gottes Gericht trat, brauchte er Helfer, und er fand sie, wenn er ein Mönch war."[71]

Im Nekrolog des Stiftes heißt es zum 5. April: *obiit Engelbertus comes de Spanheim Dux Carinthiae Fundator Monast. S. Pauli, in quo sepelitur; habet Anniversarium solenne.*[72]

Schon Abt Hieronymus Marchstaller hält dazu 1638 fest, daß „der stüffter aber ist nit würcklich herzog in Khärndten gewest".[73]

Nach dem Tode des Stifters tritt besonders sein jüngerer Bruder Hartwig, der Erzbischof von Magdeburg, als Förderer des Klosters in Erscheinung. Er läßt 1098 die Gebeine seiner Mutter, die auf Spanheim verstorben war, exhumieren, nach St. Paul überführen und in der Stiftskirche an der Seite ihres Gatten Siegfried beisetzen. Das zeigt deutlich die Intention der Spanheimer für die Stiftung eines Klosters im Lavanttal auf. Das Stift war in erster Linie als dynastisches Kloster, als Begräbniskloster der Familie der Spanheimer, vorgesehen. Das Grafengeschlecht errichtete sich eine Stätte, wo es des Segens, der guten Taten und frommen Verrichtungen, die hier geschähen, teilhaftig würde. Klosterboden hielt man für geheiligten Boden, hier glaubten sich die Stifter – und als solche galten neben den Gründern auch ihre Erben – der Heiligkeit näher als sonstwo. Auch dürften archaische Motive zur Gründung eines solchen Klosters beigetragen haben, etwa der Glaube, daß das Heil eines Geschlechtes an das Ahnengrab desselben gebunden sei.[74] Man meinte auch, daß der Ahnengeist die Kraft und Macht des Geschlechtes verbürge. Und wie in vorchristlicher Zeit die Sitte die Bestattung des Toten im Haus, im Gehöft verlangte, so gründeten die Adelsgeschlechter im Mittelalter Klöster, um ihrer Sippe im Jenseits einen dem Diesseits vergleichbaren Rang zu gewährleisten. Natürlich sollte das Kloster auch als geistiges wie politisches Zentrum des Grafengeschlechtes dienlich sein.

Anläßlich der Überführung der Leiche der Richgard verfügte Erzbischof Hartwig eine Reihe von Schenkungen an das Kloster. Er schenkte der Abtei 20 Mansen, nämlich den Wirtschaftshof Stadling nordwestlich von St. Paul sowie einen „Almosenhof" (*curtis elemosinarum*) samt Unfreien und Zugehör, den Weiler Pichling im Norden von St. Paul und schließlich den Berg Weinberg mit Unfreien und allem, was sonst dazugehörte. Als Zeugen der Schenkung fungierten neben *allii multi* der Bruder des Erzbischofs, Hermann, sowie seine Neffen Engelbert II., Siegfried, Bernhard und Heinrich.[75] Neben der Güterschenkung übergab der Erzbischof dem Kloster auch kirchliche Geräte und ein Buch, das von Jaksch fälschlich für ein Traditionsbuch St. Pauls gehalten wurde.[76] Hartwigs Buch war viel eher eines für den liturgischen Gebrauch, vielleicht sogar die von Flotzinger in London gefundene *Vita Gregorii* von 1090[77], worin auf einer freien Seite für das Kloster wichtige Traditionen und Urkunden eingetragen wurden, wie das etwa auch beim *Codex Millenarius* von Kremsmünster der Fall war.

Zwischen 1095 und 1105 erfolgten größere Schenkungen der Söhne Engelberts I. an ihr Begräbniskloster auf Todfall (*post ipsorum vite*). Hartwig schenkte dem Stift den Hof und die Kirche in Gams in der Mark hinter dem Drauwalde, wo die Spanheimer umfangreiches Eigengut besaßen, mit sämtlichem Zugehör einschließlich von Weingärten, Siegfried übergab den Mönchen den Wirtschaftshof Allersdorf, das „Dorf des Adalhart"[78] im Norden von St. Paul, wo später eine Römersiedlung ausgegraben wurde, mit Zugehör, ausgenommen die dort angesiedelten unfreien Weberinnen (*exceptis solis textrine muliercu-lis*) – hier könnte es sich um Ansätze einer Spinnmanufaktur gehandelt haben – sowie in der Mark die beiden befestigten Dörfer (*oppida*) Täubling und Lendorf südöstlich von Marburg. Bernhard übergab in die Hand des Abtes Wezilo und seines Vogtes, des Markgrafen Engelbert II., das Gut Ober- und

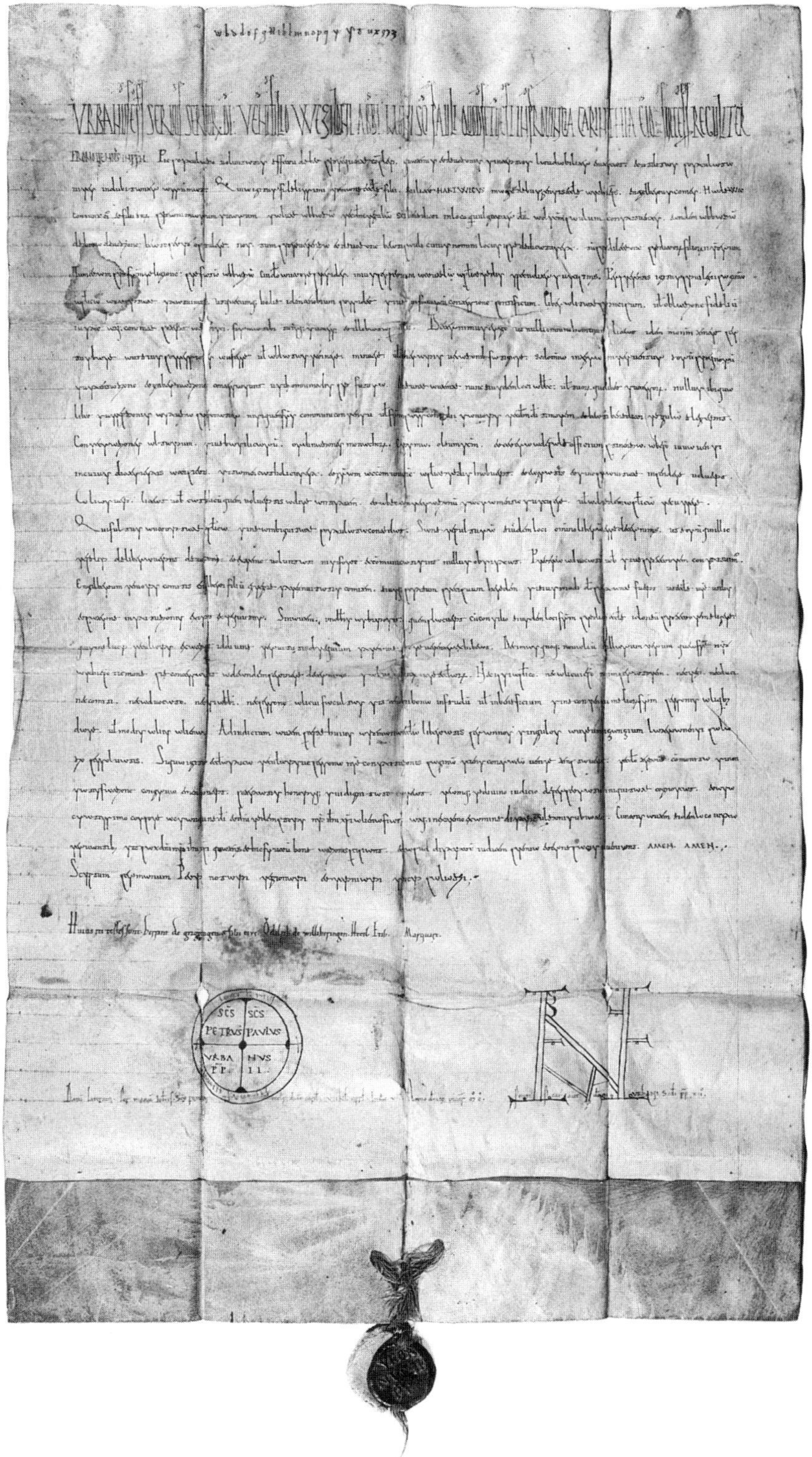

Abb. 7: Privileg Papst Urbans II. für St. Paul vom 26. März 1099, Lateran; STA, UK 1.

Unterroswein südlich sowie den Weiler Hennersdorf südwestlich von Marburg. Außerdem übergab er das Dorf Rothwein und den Weiler Brunndorf südlich bzw. nordwestlich von Marburg. Heinrich schenkte den Hof, die Kirche und das Dorf Saggau mit weiteren vier Örtchen bei Leibnitz. Außerdem schenkte ein Lehensmann des Grafen Bernhard, Benicho, zwei Huben von seinem Gut bei Rabenstein auf Todfall, und der Edle Gunthart schenkte auf Betreiben Bernhards, seines Herrn, der Abtei seine Güter bei St. Philippen an der Gurk nordöstlich von Völkermarkt ebenfalls auf Todfall.[79]

Das Privileg Papst Urbans II. vom 26. März 1099 und weitere Privilegien im 12. Jahrhundert

1098 übergeben, wohl auf Anraten Hartwigs, die Söhne Engelberts I., Engelbert II., Siegfried, Bernhard und Heinrich, zur rechtlichen Sicherstellung des Klosters dasselbe an den Apostolischen Stuhl. Sie verzichten für sich und ihre Erben auf jegliches Erb- und Eigentumsrecht am Stift und beschließen, die Abtei Rom zu unterstellen. Die Leitung des Klosters solle ab nun dem Abt obliegen. Drei Salmänner, Weriand, Meingoz und Friedrich, wurden beauftragt, die Stiftung dem Heiligen Stuhl zu übergeben und dafür ein päpstliches Privileg zu erwirken.[80] Dieses Privileg erhielt das Kloster am 26. März 1099. Zur selben Zeit wird auch dem Johanniskloster Berge bei Magdeburg durch seinen bischöflichen Eigenklosterherrn Hartwig von Magdeburg der Hirsauer Hildebold als Abt zugeführt[81], und am selben Tag wurde von Urban II. auch das Schwarzwaldkloster St. Blasien privilegiert, von wo aus das Stift St. Paul über die Zwischenstation Spital am Pyhrn 1809 (nach der Klosteraufhebung 1787) wiederbesiedelt werden sollte. Allerdings fehlt in dieser St. Blasier Urkunde der wichtige Vogteipassus.[82]

Das Urbanprivileg für St. Paul, das Papst Urban II. am 26. März 1099 im Lateran von seinem Scriniar Petrus verfassen ließ, ist die älteste erhalten gebliebene Urkunde, die das Stift St. Paul betrifft. Sie ist mit einer noch heute ausgezeichnet erhaltenen Bleibulle versehen. Dieses Privileg, das für St. Paul die Verfassungsurkunde ist, ist im Zusammenhang mit der Ausbreitung der Hirsauer Reformideen im Salzburger Kirchensprengel zu sehen.

Schon 1075 versuchte Abt Wilhelm von Hirsau zwischen seinem Kloster und seinem Stifter die Rechtsverhältnisse durch das sogenannte Hirsauer Formular zu bestimmen, wobei es ihm vorrangig um die *abdicatio*, die Verzichtserklärung des Eigenklosterherrn, ging. Den Hirsauer Mönchen sollte die Freiheit der Abtwahl zugestanden werden, die Investitur des neuen Abtes sollte der Dekan vornehmen und die Ordination nach kanonischem Recht dem Diözesanbischof zustehen. Auch wenn dieses Formular von Papst Gregor VII. nie anerkannt wurde, wird die spätere Hirsauer Linie schon hier klar erkennbar, und genau diese Hirsauer Richtlinien – Selbstinvestitur des Abtes in klösterlicher Freiheit – fließen auch ins St. Pauler Urbanprivileg von 1099 ein.

Der sehr wichtige Vogteipassus wurde aus dem sogenannten Rottenbucher Formular entlehnt, dem Privileg Papst Urbans II. von 1090 für das vom Bayernherzog Welf gegründete oberbayerische Kloster Rottenbuch. In diesem Formular wird bestimmt, daß die Vogtei in den Händen der Stifter und deren Söhne bleiben solle, d. h. de facto, daß die Vogtei zwar erblich sein sollte, aber vom Papst bestimmt bzw. bestätigt werden mußte.[83]

1095 wurde die Rottenbucher Vogteiformel ins Urbanprivileg für das Kloster Hirsau übernommen und fand auch 1099 Eingang ins Privileg für die Abtei St. Paul. Hier wird jedoch die Stifterfamilie namentlich angeführt. Engelbert II. sollte Vogt sein und nach ihm sein Erbe, wenn er das Amt gut verwalte. Ansonsten könne der Abt den Vogt mit Rat der Brüder absetzen und sich einen geeigneteren wählen. Die übliche Vogtwahlformel wurde beigegeben. Es läßt sich dennoch erkennen, daß Urban II. in diesem sensiblen Bereich wesentlich vorsichtiger agierte, als dies sein Vorgänger Gregor VII. mit der Forderung *abbas autem advocatum quem voluerit eligat* getan hatte.

Das Kloster war nun kein Eigenkloster im üblichen Sinne mehr. Die Position des Eigenklosterherrn wurde vom Vogt aus der Familie der Stifter eingenommen, und dieser Vogt konnte theoretisch abberufen werden.

Vom Haus- und Begräbniskloster der Grafen von Spanheim hatte sich das Stift St. Paul nach dem Willen der Stifterfamilie zum Reformkloster Hirsauer Prägung gewandelt. Diese Form der *libertas Romana* beraubte das Stiftergeschlecht nicht seiner vogteilichen Rechte, und die Spanheimer, die wußten, daß die eigenklösterlichen Rechte seit Gregor VII. nur mehr sehr schwer zu behaupten waren, vermieden durch diese Art des „Verzichtes" eine Stärkung der Reichskirche. Nicht von ungefähr ist es gerade der Laienadel, der die päpstliche Reform unterstützte, zu einer gesellschaftlichen Basis der Hirsauer Reformbewegung wurde[84] und so entscheidend zum „Wall römischer Klöster nördlich der Alpen" (F. Prinz) beitrug.

Begräbniskloster für die Spanheimer blieb St. Paul auch weiterhin. Das wurde ihnen im Privileg schriftlich zugesichert, außer ein Mitglied der Familie verfiele der Exkommunikation. Der letzte Spanheimer, der hier sein Grab finden sollte, war Herzog Bernhard (gest. 1256), wohl der bedeutendste Kärntner Herzog überhaupt. Auch wurde im Privileg die Thiemoschenkung von 1092/93 bestätigt und bestimmt, daß zum Zeichen der Freiheit jährlich ein goldener Byzantiner von den Mönchen an den Heiligen Stuhl zu bezahlen sei.

Durch das Urbanprivileg war St. Paul nun rechtlich abgesichert. Weder Salzburg noch die Spanheimer, die mit der Vogtei bedeutende Rechts- und vor allem Machtmittel beibehielten, stellten sich gegen das Kloster, das sich nun gut entfalten konnte. Zahlreiche Schenkungen durch Angehörige des Stiftergeschlechtes und deren *familia* trugen dazu entscheidend bei.[85] Neben der ökonomischen Absicherung und Besitzentwicklung erhielt die Abtei im 12. Jahrhundert ein kaiserliches Privileg und weitere päpstliche, die der gedeihlichen Entwicklung des Klosters St. Paul im Lavanttal zuträglich waren und die Position St. Pauls als Vorposten der päpstlich-hirsauischen Reform im Südosten festigten.

1170 erwirkte Abt Pilgrim von St. Paul (1150–1192) mit Hilfe des Herzogs Hermann von Kärnten und des Grafen Berthold von Andechs ein Diplom, worin die Privilegien des Klosters nunmehr auch vom Kaiser bestätigt wurden. Kaiser Friedrich Barbarossa (um 1122–1190) nahm das Kloster in seinen Schutz und untersagte auf Grund eines einhellig gefällten Spruches des kaiserlichen Hofgerichtes, Klostergut als Lehen zu vergeben.

„Insbesondere spricht er dem Abt und Konvent von St. Paul den alleinigen Besitz Völkermarkts samt allen Markteinnahmen zu. Die Klostervogtei darf sich niemand gewaltsam anmaßen. Der Konvent hat das Recht, sich aus der Gründerfamilie einen Vogt zu wählen. Sollte er sich als unnütz erweisen, dann darf er abgesetzt und ein Angehöriger eines anderen Geschlechtes an seiner Stelle berufen werden. Der Vogt hat sein Amt unentgeltlich gegen himmlischen Lohn auszuüben."[86]

Das Verbot, Lehensgut zu vergeben, entspricht den gleichlautenden Bestimmungen in den Papstprivilegien Urbans II., Innozenz' II., Alexanders III. und Lucius' III.

Als einzigem Kloster der Salzburger Kirchenprovinz wurde für St. Paul die Exemtion durch die Kurie in der ersten

Hälfte des 12. Jahrhunderts definitiv ausgesprochen.[87] Zuerst erhielt die Abtei von Papst Innozenz II. in einem Privileg (23. November 1140)[88] die Bestimmung der Abtsbenediktion, die Synodalfreiheit und das Verbot der bischöflichen Jurisdiktion, d. h. das Kloster war der Gerichtsbarkeit des Bischofs entzogen, der Abt hatte die Strafgewalt im klösterlichen Einflußbereich inne. Alleiniger Richter für das exemte Kloster war der Papst bzw. ein päpstlicher Legat. Außerdem wurden in diesem Privileg der päpstliche Schutz, der klösterliche Besitz und die freie Vogtwahl bestätigt. Auch gewährte Innozenz dem Stift das Präsentationsrecht, das Recht, Vorschläge für die Besetzung der dem Kloster einverleibten Kirchen zu unterbreiten. Das schon von Urban II. erlassene Lehensverbot wurde erneuert, wobei jedoch nun als einziger der Papst von diesem Verbot ausgenommen wurde, wohl deshalb, „weil man es an der Kurie vermeiden wollte, selbst eine die Verfügungsgewalt des Apostolischen Stuhles einschränkende Bestimmung zu erlassen".[89] Weiters sprach Innozenz das Interdiktverbot zugunsten des Klosters St. Paul aus.

Im Privileg Papst Alexanders III. vom 6. April 1177 scheint die Formel *salva sedis apostolicae auctoritate*, der päpstliche Rechtsvorbehalt zur Sicherung des obersten Gesetzgebungsrechts, auf. Diese bedeutsame Formel war um die Mitte des 12. Jahrhunderts entstanden und sollte als „Ausfluß der sich verstärkenden Idee vom päpstlichen Jurisdiktionsprimat den Schutz und die Geltung des subjektiven und objektiven päpstlichen Rechts gegenüber den erteilten Ausnahmen sicherstellen"[90]. In die Privilegien nicht exemter Klöster floß der bischöfliche Vorbehalt (*salva episcopi reverentia*) zugleich mit dem päpstlichen ein.

Am 4. Juni gestattete Alexander dem jeweiligen St. Pauler Abt das Tragen der Mitra (*usum mitre concessimus personaliter*)[91], des bei Äbten so begehrten Pontifikalinsigniums. Er erneuerte den päpstlichen Schutz abermals, ebenso das Präsentationsrecht, bestätigte den Klosterbesitz und bestimmte darüber hinaus, daß seit 40 Jahren abgabenfreie Stiftsgüter zehentfrei bleiben sollten.

Am 13. September 1184 wurden St. Pauls Rechte von Papst Lucius III. ebenfalls bestätigt[92] und am 21. September desselben Jahres seine Besitzungen, wobei in dieser Urkunde erstmals für St. Paul die Formel *quod utique beati Petri iuris existit* aufscheint.

Papst Coelestin III. verlieh 1195 dem jeweiligen Abt des Klosters St. Paul das Recht, neben der Mitra den Ring zu tragen und liturgische Gewänder zu weihen.[93]

Das ehemalige spanheimische Eigenkloster hatte sich zu einem exemten Kloster gewandelt. Nach dem Verzicht der Stifter war St. Paul nun auch der Strafgewalt seines bischöflichen Ordinarius, des Erzbischofs von Salzburg, entzogen worden und unterstand ausschließlich der päpstlichen Gewalt.

ANMERKUNGEN

1. MC 3, Nr. 345.
2. MC 3, Nr. 488.
3. B. SCHROLL, Necrologium des Benedictinerstiftes St. Paul im Lavantthale, in: AVGT 10 (1866), S. 46.
4. Vgl. L. SCHMUGGE, Die Pilger, ZS für Historische Forschung, Beiheft 1 (1985), S. 17–47.
5. Zu den Auswirkungen des Investiturstreites auf Kärnten vgl. zuletzt C. FRÄSS-EHRFELD, Geschichte Kärntens, Bd. 1 (1984), S. 167ff.
6. H. HIRSCH, Die Klosterimmunität seit dem Investiturstreit (1913), S. 47.
7. F. PAGITZ, Die Urkundenschreiber der St. Pauler Klosterschule bis zum Jahre 1335, Car. I 149 (1959), S. 77–132; H. FICHTENAU, Das Urkundenwesen in Österreich vom 8. bis zum frühen 13. Jahrhundert, MIÖG, Erg.-Bd. 23 (1971), S. 191.
8. J. KASTNER, *Historiae fundationum monasteriorum.* Frühformen monastischer Institutionsgeschichtsschreibung im Mittelalter (Münchner Beiträge zu Mediävistik und Renaissance-Forschung 18, 1974), S. 6ff.
9. Siehe PAGITZ, Urkundenschreiber (wie Anm. 7); FICHTENAU, Urkundenwesen (wie Anm. 7); P. H. PASCHER, Die Privilegierung der Reformklöster Hirsau, St. Blasien und St. Paul durch Papst Urban II. (Diss. Salzburg, 1980).
10. MG SS XV, 2, S. 1058.
11. MG SS XII, S. 218f.
12. H. JAKOBS, Die Hirsauer (Kölner Historische Abhandlungen 4, 1961), S. 106.
13. MG SS X, S. 78f.
14. T. NEUGART, *Historia Monasterii Ord. S. Benedicti ad S. Paulum in valle inferioris Carinthiae Lavantina,* Tl. II (1848), S. 2.
15. *Fr. Segewinus, qui cum Wezilone Abbate ex Hirsaugia ad s. Paulum venit; F. Gaudentius a S. Wilhelmo Hirsaugiensi ad S. Paulum missus,* siehe SCHROLL, Nekrolog (wie Anm. 3), S. 42.
16. J. TRITHEMIUS, *Chronicon insignis monasterii Hirsaugiensis ordinis sancti Benedicti* (1559), S. 82.
17. E. WEINZIERL-FISCHER, Geschichte des Benediktinerklosters Millstatt in Kärnten (AVGT 33, 1951), S. 34.
18. MG, Necrol. II, S. 461.
19. NEUGART, Historia (wie Anm. 14), S. 4.
20. JAKOBS, Hirsauer (wie Anm. 12), S. 46.
21. MC 3, Nr. 467.
22. Wie NEUGART fälschlich annahm, siehe Historia (wie Anm. 14), S. 5.
23. MG SS XII, S. 837.
24. MC 3, Nr. 617.
25. GERMANIA SACRA, S. 1655ff., J. H. AINETHER, Beschreibung des Klosters Arnoldstein nach Urkunden und Handschriften des Stiftes, wohl auch Chroniken (KLA, Geschichtsverein HS 2/33).
26. SCHROLL, Nekrolog (wie Anm. 3), S. 49.
27. MG SS XV, 2, S. 1058.
28. EBD., S. 1058f.
29. H. HATTENHAUER, Das Recht der Heiligen (1976), S. 69.
30. H. FICHTENAU, Lebensordnungen des 10. Jahrhunderts, 2 Bde. (Monographien zur Geschichte des Mittelalters 30, 1984), S. 428.
31. JAKOBS, Hirsauer (wie Anm. 12), S. 18.
32. J. GRABMAYER, Freising in Kärnten, in: Hochstift Freising. Beiträge zur Besitzgeschichte, hrsg. von H. GLASER, München 1990, S. 325.
33. Zur Frage, ob die Brücke über den Granitzbach oder die Lavant führte, vgl. auch W. FRESACHER, Hof, Burgfried, Hofgericht und Markt St. Paul, Car. I 149 (1959), S. 359–402, hier S. 362.
34. MC 3, Nr. 1308.
35. MC 4/1, Nr. 2605.
36. STA, HS 284.
37. MC 3, Nr. 508.
38. E. KRANZMAYER, Ortsnamenbuch von Kärnten, Bd. 2 (AVGT 51, 1958), S. 147.
39. Nach dem mittelhochdeutschen „loschen", vgl. M. LEXER, Mittelhochdeutsches Taschenwörterbuch ([34]1974), S. 129.
40. UB ST. PAUL, S. 7.
41. KRANZMAYER, Ortsnamenbuch (wie Anm. 38), S. 18.
42. Reculach (Raglach) bedeutet nach KRANZMAYER „bei denen in der krebsreichen Gegend" und kommt aus dem Slowenischen, siehe KRANZMAYER, Ortsnamenbuch (wie Anm. 38), S. 171.
43. EBD., S. 89.
44. W. FRESACHER (Hrsg.), Die mittelalterlichen Urbare des Benediktinerstiftes St. Paul in Kärnten 1289/90 und 1371/72 (Die mittelalterlichen Stiftsurbare Kärntens 2, 1968), S. XXII.
45. EBD., S. 97.
46. SCHROLL (UB St. Paul, S. 7) sieht darin „Schultern" im Amte Weinberg, JAKSCH „Schildberg" im Granitztal, MC 3, Nr. 496, KRANZMAYER „Schilting" im Lavanttal, siehe Ortsnamenbuch (wie Anm. 38), S. 198, und FRESACHER vermutet es nach der Reihung der Orte in der Urkunde von 1091 „in der Gegend von Pustritz", vgl. W. FRESACHER, Der Besitz des Klosters St. Paul in Kärnten, Car. I 149 (1959), S. 337–378, S. 340, Anm. 14. In seiner Abhandlung zu den mittelalterlichen Urbaren des Stiftes St. Paul (wie Anm. 44), S. 183 wiederum schließt er sich Jaksch an und identifiziert Schiltaren mit „Schildberg".
47. SCHROLL und JAKSCH halten ihn für „Eis" bei Lavamünd, siehe UB St. Paul, S. 8, bzw. A. v. JAKSCH, Geschichte Kärntens bis 1335, Bd. 2 (1929), S. 193; KRANZMAYER, Ortsnamenbuch (wie Anm. 38), S. 61, vermutet ihn bei Ruden.
48. Lippa leitet KRANZMAYER vom slowenischen Lipje, Podlipo (= unter der Linde), her, siehe Ortsnamenbuch (wie Anm. 38), S. 144.
49. Dazu vgl. V. FUMAGALLI, Der lebende Stein. Stadt und Natur im Mittelalter (1989), S. 54f.
50. O. LAMPRECHT, Der mittelalterliche Besitz des Stiftes St. Paul i. L. auf dem Remschnik, Car. I 147 (1957), S. 334–381, S. 334.
51. 860 schenkt König Ludwig der Deutsche (843–876) dem Salzburger Erzbischof Adalwin Höfe und Kirchen, unter anderem einen Hof *ad Lavantam* (MC 3, Nr. 27), 888 König Arnulf (887–899) einem Priester Adalolt königliches Eigengut im Lavanttal (MC 3, Nr. 58) und am 19. März desselben Jahres einem anderen Geistlichen, Sigipold, eine Hube (MC 3, Nr. 55).
52. Zu frühen Kirchen im Lavanttal vgl. W. FRESACHER, Die ältesten Kirchen im Lavanttale, Car. I 149 (1959), S. 476–491.
53. MG SS XV, 2, S. 1059. Der Verfasser der Traditionsnotiz bezieht sich hier auf die Schenkung Engelberts I. von 1091.
54. Den *Annales Rudperti Salisburgensis* zufolge soll diese Kirchweihe erst 1101, den *Auct. Garstense* nach gar 1102, das hieße nach Thiemos Tod, stattgefunden haben, vgl. MG SS IX, S. 777 bzw. S. 568.
55. W. SCHÜTZ, Die kirchenrechtliche Stellung des Klosters St. Paul nach den Papsturkunden aus der Zeit von 1099 bis 1195, JbSP (1953/54), S. 3.
56. MC 3, Nr. 486.

57. Mc 1, Nr. 39.
58. Mc 3, Nr. 511; zum Streit zwischen Thiemo und Berthold vgl. bes. H. Dopsch (Hrsg.), Geschichte Salzburgs. Stadt und Land, Bd. I/1 (1981), S. 252f; Fräss-Ehrfeld, Kärnten (wie Anm. 5), S. 170.
59. Dopsch, Salzburg (wie Anm. 58), S. 254ff.
60. Vgl. J. Obersteiner, Die Bischöfe von Gurk (Aus Forschung und Kunst 5, 1969), S. 17f.
61. Mg SS XXIII, S. 9.
62. Mc 1, Nr. 40.
63. B. Rader, Die Geschichte der Äbte von St. Paul, JbSP (1980/81), S. 16.
64. Mc 3, Nr. 583.
65. StA, Pack 544; P. Lindner, *Monasticon Metropolis Salzburgenzis antiquae*. Verzeichnisse aller Aebte und Pröpste der Klöster der alten Kirchenprovinz Salzburg (1908), S. 63.
66. Kranzmayer, Ortsnamenbuch (wie Anm. 38), S. 256.
67. O. Lamprecht, Der Besitz des Stiftes St. Paul i. L. in der Mark hinter dem Drauwalde, Car. I 151 (1961), S. 523.
68. Mc 3, Nr. 498.
69. Unter Bezugnahme auf die Thiemoschenkung vom Dezember 1092 oder 1093 heißt es in der St. Pauler Traditionsnotiz: *Duo dehinc anni et quattuor menses effluxerant* (...), was den April 1095 ebenso als Sterbemonat Engelberts meinen kann wie den April 1096, vgl. Anm. 53.
70. Ub St. Paul, S. 10.
71. Fichtenau, Lebensordnungen, Bd. 2 (wie Anm. 30), S. 351.
72. Schroll, Nekrolog (wie Anm. 3), S. 53.
73. Ebd., S. 118f.
74. Vgl. Fresacher, Besitz (wie Anm. 46), S. 38f.
75. Mc 3, Nr. 499.
76. Mc 3, S. XXV, vgl. dazu bes. die Richtigstellungen bei Pascher, Privilegierung (wie Anm. 9), S. 164ff.
77. Siehe den Beitrag hier S. 733–742.
78. Kranzmayer, Ortsnamenbuch (wie Anm. 38), S. 17.
79. Mc 3, Nr. 500.
80. Ebd., Nr. 506.
81. Mg SS VI, S. 732.
82. Zum Privileg für St. Blasien 1099 vgl. Pascher, Privilegierung (wie Anm. 9), S. 130ff.
83. Am selben Tag wurde auch ein Schutzprivileg für das Kloster Schaffhausen ausgestellt, das jenem von Rottenbuch weitgehend bis ins Detail entspricht, worin aber der Vogteipassus fehlt, d. h. der Stifter verzichtet auf die Vogtei.
Ebd., S. 182ff.
84. Dazu vgl. Jakobs, Hirsauer (wie Anm. 12), S. 191.
85. Vgl. etwa Mc 3, Nr. 500.
86. H. Appelt, Das Diplom Friedrich Barbarossas für St. Paul im Lavanttal, Car. I 151 (1961), S. 478.
87. Schütz, Kirchenrechtliche Stellung (wie Anm. 55), S. 10.
88. Mc 3, Nr. 732.
89. Appelt, Diplom (wie Anm. 87), S. 481.
90. W. M. Plöchl, Geschichte des Kirchenrechts, Bd. 2 (^{2}1962), S. 78.
91. Mc 3, Nr. 1220.
92. Mc 3, Nr. 1306.
93. Mc 3, Nr. 1453.

Hochmittelalterliche Blüte
und
spätmittelalterliche Krise

Die benediktinische Reformbewegung um 1100
St. Paul als Reformkloster

GÜNTHER HÖDL

Bis um das Jahr 1100 war das abendländische Mönchtum auf der Grundlage der von Benedikt von Nursia (geb. 480) geschaffenen, das gemeinschaftliche Leben regelnden Ordnung durch den schon lange währenden großen Zuspruch, den diese ursprünglich von evangelischen Idealen bestimmte Lebensform bei den Menschen aller sozialen Schichten gefunden hatte, zu einem bedeutenden Faktor in allen Lebensbereichen geworden. Die Mönche des Früh- und des beginnenden Hochmittelalters waren die Träger von christlicher Bildung, Wissenschaft und Kultur. Sie verbreiteten wirtschaftliche und technische Kenntnisse, sie schufen ganze Kulturlandschaften und zivilisierten die *gentes* des archaischen Europa. Klöster in allen Ausprägungen waren im einzelnen wie auch als spirituell geprägte Verbände zu kultur- und machtpolitischen Instrumenten ersten Ranges geworden. Die Konsolidierungsphase weiter Teile Europas nach den Unruhen des 10. Jahrhunderts und der dadurch mögliche und daher verstärkt betriebene Landesausbau, aber auch die damit einhergehenden religiösen Bedürfnisse der diese Zivilisationsarbeit tragenden Menschen führten seit dem Ende des 10. Jahrhunderts zu zahlreichen Klostergründungen, die man durchaus als eine zweite „Gründerzeit" des abendländischen Mönchtums bezeichnen kann. Diese Gründerzeit war bestimmt vom Gedanken der Reform, ausgehend von Erneuerungstendenzen, die, vom bisher erreichten Entwicklungsstand enttäuscht, die *renovatio* der ursprünglichen mönchischen Lebensideale erstrebten und die Wiederherstellung eines wahrhaft weltabgewandten asketischen und vor Gott verdienstlichen Lebens in einer Gemeinschaft, die deswegen als solche nicht auf politisches, wirtschaftliches, kulturelles und soziales Wirken verzichten wollte. Auf dem Umweg über sein Wissen und Können für die Bewältigung des Alltags und die Durchführung des Landesausbaus, aber auch über die konkrete Seelsorge und Bildungsarbeit vertiefte das Reformmönchtum in weiten Teilen Europas christliche Lebensformen und trug wesentlich zur Verchristlichung aller Lebensbereiche bei. Es vollendete im 11. Jahrhundert das Zeitalter der Mission und schuf die Grundlage für die neuen Orden des 12. Jahrhunderts, die die Geschichte des europäischen Hochmittelalters entscheidend mitgestalteten.

Das Reformmönchtum des 10. und 11. Jahrhunderts wirkte sehr stark ein auf die Mentalität der politischen Führung und entfaltete dadurch konkrete politische Wirksamkeit. Dieser Einfluß war durch das seit Kaiser Otto I. ausgebildete Reichskirchensystem und das im sogenannten Investiturstreit mit Erfolg bekämpfte Eigenkirchenwesen stets möglich: Könige, Fürsten und Bischöfe waren von der mönchischen Religiosität im 10. und 11. Jahrhundert tief beeindruckt. Die politische Führung trug sehr zur fortschreitenden Verchristlichung bei, die nunmehr auch vom Weltklerus mit umso größerer Energie bewirkt werden konnte. Die Mönche weckten in der Tat durch ihren Frömmigkeitsstil allerorten die Sorge um das Seelenheil und führten viele Menschen zu bußfertigerem Lebenswandel. Damit einher gingen eine wachsende Verehrung der kirchlichen Gnadenmittel und ein oft fanatischer Eifer, um alles, was die Wirksamkeit der Sakramente schwächen konnte, abzuwehren. Dieser Eifer ist die Ursache für den sogenannten Investiturstreit gewesen. Seit dem Beginn des 11. Jahrhunderts werden die Forderungen nach Abstellung des Kaufs und Verkaufs geistlicher Ämter (Simonie), des sittenlosen Lebenswandels vieler Priester (Zölibatsgebot), des kirchenfeindlichen Verhaltens von Laien und nach getreuer Einhaltung der kanonischen Regeln immer intensiver und energischer vertreten. Äußeres Anzeichen dafür ist der damals aufflammende Disput, ob die Sakramente, die von simonistischen oder in Ehe lebenden Geistlichen gespendet würden, auch Gültigkeit hätten. „Bleibt das Sakrament in erhabener Heiligkeit unberührt von der Würdigkeit oder Unwürdigkeit des Spenders, ist es nur *opus operatum,* nur Gottes Alleinwirksamkeit?“[1]

Im Reich hat Kaiser Heinrich III., der seinen Vetter Brun von Dagsburg-Egisheim zum Papst Leo IX. machte und damit das Reformpapsttum in den Sattel hob, all diese Forderungen erkannt, aufgegriffen und politisch wirksam zu machen versucht, solcherart als *rex et sacerdos* mit seinem priesterlichen Königtum das herrschende System destabilisierend. Es war dies eine sozusagen fromme Auffassung von Machtausübung, die ihn für die Reform eintreten ließ, sicher aber auch das Kalkül, daß unverheiratete Fürstbischöfe gegen die Ämtererblichkeit der Laienfürsten ein sicheres Gegengewicht darstellen würden. Hier war staatspolitisches Interesse der Reformforderung des Zölibats dienlich.

In Kaiser Heinrich III. war die zeitgenössische Religiosität am wirkungsvollsten. Aus tiefem Ernst um die Reform und gleichzeitig aus lebendiger Frömmigkeit fühlte er sich zum Herrscher berufen und handelte danach und streng nach den christlichen Geboten, wie er sie verstand, und im starken Bewußtsein, „daß dem eigenen göttlich erleuchteten Willen und Befehl willfährigster Gehorsam gebühre“.[2] Der Kaiser ist das hervorragendste Beispiel für das Wirken des Reformmönchtums in der Gestaltung der großen Politik. Mit den großen Mönchen seiner Zeit wie Odo und Hugo von Cluny, Poppo von Stablo, Halinard von Dijon, Guido von Pomposa und Petrus Damiani von Fonte-Avellana verkehrte er häufig und hielt sie hoch in Ehren. Die Führer der Mönche wollten eine Elitetruppe des Christentums und seiner Kirche im Streit für Christus und gegen alles Böse sein, sie sorgten als geistliche Berater in der Tat für eine starke religiöse Erneuerung, man hörte auf sie und folgte allerorten ihren Reformideen.

Das Reformmönchtum, das durch geschickte Politik auch die materiellen Grundlagen seiner vielen klösterlichen Kongregationen zu festigen und zu sichern wußte, betrieb zielbewußte religiöse Bildungsarbeit in die Welt hinein und im Verkehr mit den Großen der Zeit Öffentlichkeitsarbeit für seine Ideen, wie wir heute sagen würden. Die Äbte des Reformmittelpunkts Cluny sind stets im Umkreis der Kaiser und Könige, der Päpste und Bischöfe, der Fürsten und Großen des 10. und 11. Jahrhunderts zu finden. Man denke nur an die innige Freundschaft, die Maiolus von Cluny (Abt, ca. 954 – 994) mit den Ottonen verband, wie er es bewirkte, Kaiser Otto II. mit seiner Mutter Adelheid auszusöhnen, wie er als wirkungsvoller Vermittler galt für jeden, der vom Kaiser etwas wollte, und wie er nur mit Mühe den Kaiser davon abbrachte, ihn zum Papst zu machen. „Berühmt ist der Einfluß, den große Asketen wie Nilus und Romuald auf das sensible Gemüt des jungen Otto III. besaßen, berühmt die innige Freundschaft, welche diesen mit dem schwärmerischen Märtyrer Adalbert von Prag verband. Odilo, des Maiolus Nachfolger (994 – 1049), war der hochgeehrte Vertraute bei mehreren Königen seiner Zeit, so bei Heinrich II., Konrad II. und Heinrich III., und beim französischen König Robert, bei dem auch Abt Abbo von Fleury in hohem Ansehen stand. Hugo von Cluny (1049 – 1109) wurde von Heinrich III. zum Paten seines Sohnes gemacht und war im Investiturstreit der Vertraute beider Parteien, Heinrichs IV. und Gregors VII., der Kaiserin Agnes und der Markgräfin von Canossa. Außerdem verbanden ihn innige Beziehungen mit Kaiser Alphons VI. von Kastilien."[3] Die von Benediktinern getragene Reformbewegung geriet damit ins Zentrum damaliger Weltpolitik, gestaltete das Reformpapsttum (1046 – 1130) mit und akzentuierte bis um 1100 in verschiedenen Prägungen die Erneuerung klösterlichen Lebens durch Reinigung. Sie versteht sich dabei als konservative, das Wesen christlicher Religiosität bewahrende Anstrengung. Wie war die Entwicklung dahin verlaufen?

Nach dem Zerfall des karolingischen Imperiums entstehen am Beginn des 10. Jahrhunderts zwei auf Benedikt von Aniane, den Organisator des eigentlichen benediktinischen Mönchtums (um 750 – 821), zurückgehende Reformzentren: Gorze und Cluny.

In der in Lothringen, südlich von Metz gelegenen Abtei Gorze (gegr. 757 von Bischof Chrodegang von Metz) begann die Entwicklung zum Reformzentrum, als Bischof Adalbero I. dort einer Gruppe von Klerikern die Schaffung einer monastischen Gemeinschaft ermöglichte. Diese neuen Mönche von Gorze waren inspiriert von der *regula sancti Benedicti* und der *collectio capitularis* des Benedikt von Aniane und übten bald große Anziehungskraft aus, auch auf die Mönche anderer Abteien, die begierig waren, die besten monastischen Gewohnheiten (*consuetudines*) kennenzulernen. Die Gorzer Reformbewegung, die sich im Gegensatz zu Cluny an das Königtum anlehnte und im Reichsverband eingebettet erscheint mit dem Ziel, klösterliche Immunität zu erlangen oder zu bewahren, ohne gegenüber dem Ortsbischof feindselig sein zu müssen, vereinigte in ihrer Blütezeit an die 150 Klöster unter ihrer Observanz in einem Geist engen Zusammenwirkens, doch ohne die Herausbildung von Abhängigkeiten, wie sie das Kennzeichen des Cluniazensertums wurden, und entwickelte sich parallel zu derjenigen von St-Èvre de Toul, St. Maximin in Trier und St-Felix de Metz. Nach 1050 setzte Gorze seine Ausstrahlung im deutschen Bereich fort (besonders auf Köln, Mainz, Trier und Halberstadt) und stellte auch den Metzer Abteien zahlreiche Äbte, während seine Tochterklöster die monastischen Traditionen Gorzes, den *ordo Gorziensis,* verbreiten halfen. Die Abtei war zugleich eine wichtige Bildungsstätte mit einer für das 11. Jahrhundert sehr bedeutenden Bibliothek. Gorze kann über 150 Jahre, von 1050 bis zum Beginn des 13. Jahrhunderts, als eines der Hauptzentren der sogenannten lothringischen Reform und als Zentrum der Bildung und Formung von Mönchen und Äbten im Sinne vollendeter benediktinischer Lebensformen gelten, wobei hervorzuheben ist, daß die Äbte, mit einer Ausnahme, stets die Übernahme mehrerer Abteien ablehnten und Gorze nie an der Spitze eines organisierten Klosterverbandes stand.

Eine andere Entwicklung nahm Cluny. Am 11. September 910 schenkte Herzog Wilhelm III. von Aquitanien seinen Besitz in Cluny (Burgund, heute im Departement Saône-et-Loire) dem Abt Benno von Baume zur Gründung eines Benediktinerklosters mit den Titelheiligen Peter und Paul. Im Gründungsprivileg verzichtete er auf alle Rechte gegenüber Cluny, verlieh der Abtei das Recht der freien Abtwahl und unterstellte sie zur Sicherung gegen weltliche und geistliche Übergriffe dem Schutz des Heiligen Stuhls. Diese Rechtsstellung sollte zum Kennzeichen aller künftigen cluniazensischen Klöster werden. Cluny verstand sich im Laufe seiner Entwicklung immer mehr als geistliches Kampfzentrum gegen jeden Niedergang der kirchlichen Disziplin und für die Erringung der Freiheit von aller weltlichen und geistlichen Gewalt und wurde zum Haupt eines sich über ganz Europa erstreckenden Klosterverbandes, geeinigt durch die spezifische Ausformung eines Totengedächtniswesens, das gleichzeitig für das stete Bewußtsein der Reformideale im die damalige Welt umspannenden, gemeinsamen monastischen Gebet der cluniazensischen Professen sorgte.

Cluny versuchte alle Forderungen zu erfüllen, die das 10. Jahrhundert an ein Kloster stellte: vollendete monastische Ordnung von Tag zu Tag, würdevolle, ja glanzvolle Liturgie und asketische Lebensweise des einzelnen Mönchs, dessen Lebensführung gleichwohl elitär war, denn er leistete keine körperliche Arbeit im Sinne der Regel, sondern verbrachte einen Großteil seiner Zeit in der Kirche und im Skriptorium. Schon um die Mitte des 11. Jahrhunderts wurde Kritik an dieser inneren Lebensform Clunys selbst laut und die stärkere Betonung der Komponente des *Labora!* gefordert. Unter Abt Odo (927 – 942) begann die Ausdehnung der Reform, indem ein Konvent nach dem anderen die cluniazensischen *consuetudines* annahm. Unter der Führung Clunys entstand hier nicht, wie im Falle Gorzes, ein loser Zusammenschluß, sondern ein hierarchisierter Verband: Die abhängigen Klöster waren nur mehr Priorate (1132 angeblich 200), deren Oberer der Abt von Cluny war. Abt Odilo (994 – 1049) führte Cluny auf dieser Grundlage zu universaler Bedeutung. Er galt den Zeitgenossen als Inbegriff asketischen Mönchtums, „das die ganze Welt reformieren und ein neues Verhältnis zwischen Kirche und Welt begründen wollte".[4] Der auf Odilo folgende Abt Hugo (1049 – 1109) wieder ist zu den bedeutendsten politischen Köpfen des Mittelalters zu zählen, der den abgestuften cluniazensischen Verband von abhängigen Abteien, Prioraten und Zellen zu einem Ordenssystem machte und einige der von Cluny erneuerten Konvente zu Reformzentren. Hugo versuchte seit 1077 die Wirksamkeit Clunys auch im Reich behutsam zu stärken. Unter anderem wollte er beispielsweise veranlassen, Hirsau direkt von Cluny abhängig zu machen.

Die Verbreitung cluniazensischer Lebensformen im Reich geschah aber letztlich ohne direkte Bindung an die *ecclesia Cluniacensis* durch bloße Ableger Clunys, vielmehr übernahmen 1070/80 drei Klöster neue cluniazensische Gewohnheiten: Siegburg, St. Blasien im Schwarzwald (in der Ausrichtung, wie sie in Fruttuaria herrschte) und Hirsau aus direktem Kontakt mit Cluny.[5]

Clunys Erfolge waren bedingt durch die wesentlichen Anstöße, die es seit seiner Gründung zu Neuordnung und geistiger Erneuerung des abendländischen Mönchtums immer wieder gegeben hatte. Vor allem Papst Urban II. (1088 – 1099), ein überzeugter Cluniazenser, gab der Reformidee und dem *libertas*-Programm Clunys neue Impulse, indem er in seinen Privilegien die freie Abt- und Vogtwahl und die Zinszahlung nicht mehr, wie noch Papst Gregor VII., mit dem Vorbild Cluny in Zusammenhang brachte, sondern sie den Klöstern als solche erteilte und die Klöster direkt Rom unterstellte. Er stellte sich damit über Cluny und verhinderte im Falle Hirsaus eine organisatorische Entwicklung, wie es jene Clunys gewesen war. Papst Urban II. dachte noch zentralistischer als seine Vorgänger, weswegen Hirsau nie die Bedeutung Clunys erreichen konnte, und ordnete die Reformklöster dem Papsttum direkt unter. Seit dem ausgehenden 11. Jahrhundert gibt es daher eine ganze Reihe von reformierten „Papstklöstern" mit einzigartiger Rechtsstellung. Auch St. Paul zählt zu dieser Klostergruppe.

Cluny war der Ausgangspunkt einer einmaligen monastischen Reformbewegung, die alle politischen Grenzen überwand und die sich die Rechtsfigur eines organisierten Klosterverbandes schuf, gestützt auf eine eigene nekrologische Dokumentation und eine über Jahrhunderte kontinuierliche Überlieferung der *consuetudines*. Die Bewegung verfügte über eine tiefe Frömmigkeit als sie bestimmendes Element, der man durchaus wirtschaftliche Opfer brachte[6] und die im Vertrauen auf die Wirksamkeit des Mönchsgebetes sehr tief in die Laienwelt zu wirken vermochte. Cluniazensische Klöster wurden beliebte Aufbewahrungsorte von Reliquien und sehr geschätzte Begräbnisstätten, weil man in der Nähe von Menschen begraben sein wollte, die den Anspruch hatten, daß Gott am Jüngsten Tag ihrer Fürbitte Gehör gäbe. Aus einer tiefernst gelebten Religiosität erfloß der Glaube, daß durch gute, gottgefällige Werke des Mönchs auch Verdienste für andere erworben werden können, ein entscheidender Gedanke für die religionsgeschichtliche Rolle des abendländischen Mönchtums. An der Spitze cluniazensischer Frömmigkeit steht die entsprechend gestaltete Meßfeier, gefolgt von der liturgischen Obsorge um das Totengedächtnis[7] auf der Grundlage der sorgsamst geführten Nekrologe und abgerundet durch einen umfassenden Gebetsdienst. Mit dem Totengedenken und der Sorge um das Seelenheil der eigenen Professen aus der „Buchführung der Necrologien“[8] waren umfangreiche soziale Leistungen verbunden bis hin zu einer extensiven Armenfürsorge.[9] Den Zeugnissen des Totengedenkens kam aber auch auf vielfältige Weise Rechtskraft zu, denn die rechtlich verbindliche Profeß des cluniazensischen Mönchs gab Anrecht auf einen bestimmten Totenbucheintrag und die daran geknüpften liturgischen und sozial-karitativen Leistungen.

Mit Cluny war das benediktinische Mönchtum in die Phase seiner religiösen wie geistigen Reife getreten und hatte eine ganz Europa umspannende Lebensform gefunden, auf deren Grundlage der führende Reformorden des 12. Jahrhunderts, die Zisterzienser, entstehen konnte, womit das Mönchtum in seine hochmittelalterliche Phase der Selbstbestimmung eintrat. Die alten Mönche bezeichneten sich danach gegenüber den neuen, weiß gekleideten als *nos Cluniacenses* und verteidigten nunmehr ihre 200jährige Tradition gegen die Neuerer von Cîteaux.[10] Diese wieder trugen in großem Ausmaß die „Renaissance des 12. Jahrhunderts“ (Ch. H. Haskins), die die frühere Reform ablöste oder überdeckte, aber auch den intensivierten hochmittelalterlichen Landesausbau mit vielen zivilisatorischen und technischen Neuerungen sowie den kulturellen Aufschwung des 12. und 13. Jahrhunderts.

Für das Reich wurde seit dem Ende des 10. Jahrhunderts zunächst nicht die cluniazensische Reform bestimmend, sondern eine eigenständige Bewegung, die man als Reichsklosterreform bezeichnen kann.[11] Zwar liegen ihre Wurzeln in cluniazensischen und gorzischen Einflüssen, sie war aber keine einheitliche und schon gar nicht straff durchorganisierte Reformbewegung, wie sie von Cluny ausgegangen war. Ihr Zentrum war St. Maximin in Trier, wo es etwa gleichzeitig wie in Gorze, aber unabhängig davon, zu einer inneren Erneuerung kam. Maßgeblichen Anteil daran hatte König Heinrich I., der St. Maximin 934 zum Reichskloster erhob und dem Konvent das Recht der freien Abtwahl verlieh. Einzelne Filiationsgruppen der Reichsklöster waren durch Gebetsverbrüderung, Totenbund und eigene Gewohnheiten enger verbunden, doch hielten die Klöster an ihren älteren Privilegien fest und verblieben unter Tolerierung des Eigenkirchenrechts im Diözesanverband. „Freilich lehnte auch diese Reformbewegung eine allzu große Verweltlichung und Dienstbarkeit gegenüber dem Adel ab und trat für die Beseitigung der Laienäbte und des Kommendewesens ein. Neben dem Festhalten an der Dekanie, der von Benedikt von Aniane eingeführten Tracht (anianische Skapulierkukulle) und den Laienbrüdern (Konversen) in ihrer älteren Form ist besonders die kulturelle Aufgeschlossenheit der Reichsreform hervorzuheben. Die von ihr erneuerten Klöster wurden Träger der Reichskultur und vollbrachten Hochleistungen auf dem Gebiet der Literatur, der Buchmalerei und der bildenden Kunst. Zu Zentren von weitgehend eigenständigen Reformbewegungen im Reich wurden die Klöster Siegburg bei Köln und St. Blasien im Schwarzwald, wo man um 1072 die Gewohnheiten des italienischen Reformklosters Fruttuaria übernahm. Im Ostalpenraum waren St. Lambrecht und Göttweig Mittelpunkte der sanblasianischen Reform."[12]

Die von Cluny ausgehende Bewegung hatte auf direktem Weg im bairisch-süddeutschen Gebiet kaum Fuß fassen können. Erst über das Kloster Hirsau (bei Calw im Schwarzwald) hat die cluniazensische Reform größeren Einfluß im Reich erlangt. Dort hatte sich Abt Wilhelm (1069–1091), der aus dem bairischen Reformzentrum St. Emmeram kam, 1079 dem Vorbild Clunys angenähert und gemeinsam mit Ulrich von Zell die cluniazensischen *consuetudines Hirsaugienses* verfaßt. Unter Einfluß Papst Gregors VII. wird hier im Gegensatz zu Cluny die *libertas Romana* betont, die durch die *traditio Romana* das reformierte Kloster Rom unterstellte. Es entsteht durch das Wirken Hirsaus ein loser Verband römisch orientierter Klöster nördlich der Alpen, der während des sogenannten Investiturstreits auch eine bedeutende politische Rolle spielte. Dabei war Hirsau als eine nicht dem Reich oder einem Hochstift übertragene dynastische Eigengründung dem rechtlichen Ausgangspunkt Clunys sehr nahe gekommen, was seinen stärksten Ausdruck in der Urkunde König Heinrichs IV. 1075 fand, in der der königliche Oberherr auf alle Rechte gegenüber dem Kloster verzichtete. Hirsau wurde zum Grundstein eines „Walls römischer Klöster nördlich der Alpen" (F. Prinz), bestehend aus älteren oder neueren Gründungen durch den Adel. Ihre Freiheit beruhte auf der *traditio Romana* und richtete sich gegen die direkt oder indirekt am Reich partizipierenden Abteien, deren Freiheit auf der bis dahin unbestrittenen öffentlich-rechtlichen Stellung des Königtums in der Kirche gründete, auf die König Heinrich IV. für Hirsau ausdrücklich verzichtet hatte.

Der monastische Alltag der westlichen Klosterwelt wurde über Vermittlung Hirsaus in diesen Klöstern im wesentlichen übernommen. Die hirsauische monastische Bewegung, die das neue cluniazensische, auf eine breitere Wirkung abzielende Konverseninstitut (Laienbrüder) übernahm, wirkte nachweislich auf breite Schichten des Volkes, nicht nur auf den dynastischen Hochadel, dem Hirsaus Reformwerk allerdings vorwiegend galt. Seine Reformklöster, die auch unter der Bezeichnung „Schwäbische Klosterreform" zusammengefaßt werden, sind allesamt *abbatiae liberae*, wenn man will: päpstliche Eigenklöster oder Papstklöster, die im Prinzip unbedingte Freiheit gegenüber jedermann, Gott allein ausgenommen, und Unabhängigkeit von allen geistlichen und weltlichen Eigentümern beanspruchten und sich für die Formulierung dieses Anspruchs der Stiftungsurkunde von Cluny bedienten. Dabei konnte es zu unterschiedlichen Ausprägungen der Reformaspekte kommen, wie zu sehen war – hier Gorze dort Cluny, da die reformierten Reichsklöster – doch ist es trotz vieler Gegensätze nirgends zu den von Kassius Hallinger propagierten prinzipiellen und angeblich militant ausgetragenen Richtungskämpfen gekommen.[13]

Träger der seit dem Ende des 10. Jahrhunderts unter den Auspizien der Klosterreform einsetzenden Neugründungen war im Bereich der Erzdiözese Salzburg der verschiedenen Reformkreisen zuneigende Hochadel und nicht das Königshaus oder die Baiernherzöge. Die vor allem in Baiern und Kärnten mächtige Dynastie der Aribonen gründete Seeon (999 Reichskloster), Göß (ab 1000 als Nonnenkloster) und Millstatt (zwischen 1070 und 1077). Mit den Aribonen verwandt waren die Stifter des Nonnenklosters St. Georgen am Längsee (1002/1023). Der Kärntner Gewaltbote Ozi und seine Gemahlin Irenburg gründeten um 1024 das Kloster Ossiach. Nach dem Tod ihres Gemahls, des Markgrafen Wilhelm vom Sanntal, und ihrer Söhne stiftete die Gräfin Hemma 1043 in Gurk ein Nonnenkloster, das sie mit ungewöhnlich reichem Besitz dotierte. Auch das von Erzbischof Gebhard 1074 gegründete Admont hat sie indirekt ausgestattet. Das von St. Peter in Salzburg besiedelte Kloster wurde unter Abt Wolfhold 1115 endgültig für die Hirsauer Reform gewonnen und damit selbst zum bedeutendsten alpinen Reformzentrum. Schon um 1077 hatte Graf Markwart von Eppenstein mit der Errichtung von St. Lambrecht in der Steiermark begonnen, das in seinen Anfängen der Reichsklosterreform nahestand, ab 1103 aber für die St. Blasier Reformrichtung gewonnen werden konnte. Und 1091 gründete Graf Engelbert I. von Spanheim St. Paul im Lavanttal, dessen erster Abt Wezilo mit seinen Mönchen direkt aus Hirsau erbeten wurde. Wie mit dem Papstkloster Millstatt hatte der Salzburger Erzbischof mit St. Paul nur in seinen geistlichen Funktionen zu tun.

Die Ideale der Klosterreformer trafen sich bei diesen Gründungen mit den Wünschen ihrer adeligen Stifter, die ihren Klöstern außerhalb der traditionellen Bahnen des Reichsmönchtums eine neue *libertas* zu geben versuchten. Seit ca. 1050 stand dieser Stifteradel in Opposition zum ottonisch-salischen Reichskirchensystem, wonach nur der König oder ein Bischof ein Kloster vergeben konnte. Der *ordo Gorziensis* mit seinen reichsmönchischen Traditionen konnte dabei der Tendenz, die Adelsstifte vom reichskirchlichen Verband zu emanzipieren, weniger genügen als die von Cluny beeinflußten Klöster, die die *libertas Romana* vertraten und sich an der hirsauischen Rechtsstellung orientierten. In dieser Übereinstimmung liegt einer der Gründe für den Aufstieg des Adels wie des Mönchtums seit der Mitte des 11. Jahrhunderts. Der adelige Verzicht auf Eigenkirchenherrschaft sicherte eine ruhige Entwicklung der Klöster als Gebets- und Begräbnisstätten für die Stifterfamilie und ihre Nachkommen. Die ältere Rechtsstellung der Klöster als Eigenkirchen wurde durch königliche Immunitätsprivilegien aufgeweicht, diese wieder waren Grundlage des Reichskirchensystems, gegen das das Papsttum Gregors VII. seinen Kampfruf von der *libertas ecclesiae* erhob. Die Reformbewegung versuchte die ältere Position, die viele Abhängigkeiten schuf, gegen die die Immunitätsprivilegien immer wirkungsvoller wurden, durch das schon in der Regel des hl. Benedikt begründete Recht auf freie Abtwahl, die Selbstbestimmung des Vogts und den direkten päpstlichen Schutz zu überwinden. Die *traditio Romana* erfolgte niemals durch das Reformkloster selbst, sondern durch den Stifter, der das Kloster ohne sachenrechtliche oder persönliche Vorbehalte übergibt, ausgenommen die Vogtei, deren Erblichkeit entgegen den ursprünglichen monastischen Wünschen ausdrücklich festgesetzt wird. Als Gegenleistung werden das Begräbnisrecht der Stifterfamilie und (als Kapitalanlage) eben der Behalt der Vogtei eingeräumt. Der päpstliche Schutz garantierte den in der *traditio Romana* erfolgten Verzicht des Stifters. Die *abbatia libera* wird Eigentum des päpstlichen Schutzherrn und muß dafür einen symbolischen Zins zahlen. Es war nach den Ansätzen unter Papst Leo IX. und Gregor VII. Papst Urban II., der das Privilegienformular der Reformklöster von seiner Kanzlei erarbeiten ließ – es wurde zur Verfassungsurkunde der Papstklöster. Die Vogtei war darin durchwegs als erblich festgesetzt, so daß der adelige Klosterstifter im Genuß eines Teils der Rechte verblieb, die früher sein Eigenkirchenrecht ausgemacht hatten. Im Verhältnis zu ihrem (Erb-)Vogt beruhte in der Folge Stärke oder Schwäche der Reformklöster. Die Papstprivilegien übernahmen seit Urban II. die Funktion der früheren kaiserlichen Immunitätsprivilegien, die die im Investiturstreit gegründeten Klöster zu diesen Zeiten nicht erhalten konnten. De facto hatte das Kloster aber seine Immunität, für die nun das Papstprivileg sorgte, von des Vogtes und nicht von Kaisers oder Papstes Gnaden. Dieser Rechtszustand war das Ergebnis des Zusammenwirkens zwischen Papsttum und Gründeradel, der sich auf diese Weise besonders im Südwesten und Südosten des Reichs vom Königtum abwandte. Die Verfassung der Reformklöster beruhte real auf der Macht, die der Gründer und Vogt entfalten, und auf dem Schutz, den er bieten konnte. „Der Vogt mußte zwar stark sein, um dem Reformkloster den für ein reibungsloses monastisches Leben notwendigen Schutz geben zu können, doch konnte sich diese Stärke auch gegen das Kloster selbst richten.“[14] St. Paul erhielt seine Verfassungsurkunde als Papstkloster 1099. Darin ist die Erbvogtei für die Stifterfamilie festgeschrieben.[15]

Noch heute vermitteln uns die Schätze St. Pauls, die bei der Wiederbesiedelung von St. Blasien im Schwarzwald dorthin kamen, aber auch jene, die aus der originären „Schatzkammer“ des Stifts stammen, einen Eindruck von der geistigen Kraft und dem geistlichen Wollen eines hochmittelalterlichen Klosters. In Kärnten war St. Paul die erste Familienstiftung in der Art der Reformklöster, die dem Papst unterstellt wurden und keine Bestätigung durch den König erhielten. *Monasterium videlicet hoc cum omnibus eis appendiciis tribus viris his, Weriando scilicet, Meingozoni ac Friderico tradiderunt, ab eisdem denuo Romae subdendum cum huiusmodi dumtaxat vectigali,* heißt es in der ersten Notiz des Traditionsbuches.[16] Diese rechtmäßig erfolgte Übergabe durch die Söhne des 1096 verstorbenen Gründers Engelbert II., Siegfried, Bernhard und Heinrich, vorgenommen von eigens für die Kommendation bestimmten Salmännern, wird bezeugt in der Verfassungsurkunde, die Papst Urban II. am 26. März 1099 für das Stift ausstellte.[17] Der Abtwahlpassus dieser an den ersten Abt Wezilo gerichteten Urkunde enthält die für die Reformklöster übliche Formel, wonach der Konvent sich jenen als Abt erwählen solle, der *communi consensu* oder aber vom kleineren, doch besseren Teil bestimmt werde. Das Wirken des Erzbischofs von Salzburg wird auf ausschließlich geistliche Belange beschränkt, wie Weihe der Kirche und ihrer Altäre, die Priesterweihen (von Mönchen), die Weihe der heiligen Öle, und die übrigen dem Bischof zustehenden Belange. Unerwähnt bleibt die Abtweihe. Sollte der Bischof nicht rechtmäßig sein – damals war gerade der kaiserliche Gegenerzbischof Berthold von Moosburg Erzbischof von Salzburg, da Thiemo 1098 das Amt resigniert hatte – oder diese Obliegenheiten nicht umsonst machen, darf das Kloster jeden anderen Bischof darum bitten oder den Heiligen Stuhl selbst. Ausdrücklich wird das Begräbnisrecht festgelegt. Die Stifterfamilie hat davon bis ins 13. Jahrhundert Gebrauch gemacht. Die Eltern des Gründers, Siegfried und Richgard – beide auf Pilgerreisen umgekommen –, wurden nach St. Paul überführt und im Kloster beigesetzt.

Die Vogteibestimmung besagt, daß Graf Engelbert II. Vogt sein sollte und nach ihm sein Erbe, sofern er sein Amt gut verwaltet. Tue er dies nicht, dann könne ihn der Abt mit Rat seiner Brüder absetzen und sich einen geeigneten Vogt erwählen. Praktisch bedeutete dies die Erbvogtei, doch wurde der erste Vogt von Papst Urban II. als Beamter eingesetzt (*advocatum vobis sive protectorem constituimus Engilbertum*). Der Papst hat mit dem Zugeständnis der erblichen Vogtei innerhalb der Stifterfamilie wohl deren streng gregorianische Gesinnung im sogenannten Investiturstreit honoriert[18], andererseits aber auch ganz deutlich gemacht, daß er den Vogt als einen Beamten dieses römischen Klosters sieht, ein Anspruch, den er formell aufgegeben hätte, wäre die königliche Bannleihe zugestanden worden – sie fehlt daher folgerichtig beim Papstkloster St. Paul. Für die Erteilung des päpstlichen Schutzes und in Anerkennung der empfangenen Freiheiten muß das Stift jährlich einen goldenen Byzantiner reichen. Schließlich bestätigt der Papst dem Kloster jene Zehente, die es von Erzbischof Thiemo von Salzburg anläßlich der Kirchenweihe (1093) erhalten hatte.

Das Privileg entsprach in jedem den Motiven der hirsauischen Reformbewegung: der Freiheit vom Eigenkirchenrecht ebenso wie der Sicherung gegenüber Eingriffen der Bischöfe, gleichzeitig war die Gewähr für eine freie Entfaltung der klösterlichen Gemeinschaft ohne allzu große Einflußnahme der Stifterfamilie gewährleistet und damit die Entwicklung reformierten Benediktinertums.

Vor 1090, vielleicht schon 1083, hatte Graf Engelbert I. von Spanheim seinen Sohn Engelbert II. zu Abt Wilhelm von Hirsau entsandt, damit er von ihm *pauperes Christi sub regula Benedicti* erbitte, die in seiner von seinen Eltern erbauten Burg *super ripam Lauandi fluminis* eine *congregatio monachorum* bilden sollten.[19] Wilhelm entsprach diesen Bitten und entsandte namentlich Wezilo[20], Gaudentius und Sigewin. Wezilo wurde der erste Abt des neuen Klosters. Gaudentius und Sigewin ließen sich in der Folge ohne Rücksprache mit ihrem Mutterkloster Hirsau zu Äbten von Millstatt (zwischen 1091 und 1105)[21] und Rosazzo wählen, die damit ebenfalls in die Nähe des Hirsauer Reformkreises kamen. Der Hirsauer Kodex berichtet sehr präzis, daß Wezilo als Abt nach St. Paul in Kärnten geschickt wurde.[22] Gaudentius und Sigewin waren zur Unterstützung im Aufbau der klösterlichen Gemeinschaft vorgesehen, über dessen Einzelheiten und Personal wir nicht unterrichtet sind. Wohl Anfang Dezember 1093 weihte Erzbischof Thiemo von Salzburg die erste Stiftskirche, eine von zwei Kirchen, die es innerhalb der spanheimischen Burg bereits gab.[23] Auch die Gründungsgeschichte (*Fundatio monasterii sancti Pauli*[24]) gibt keinen Aufschluß über die Aufbauarbeiten und die innere Entwicklung des Konvents im ausgehenden 11. Jahrhundert. Sie ist aus einer älteren Handschrift, die der Bruder des Gründers und um den Aufbau des Stifts bemühte Erzbischof Hartwig von Magdeburg (1079 – 1102) dem Stift geschenkt hat, in das um 1120 angelegte erste Traditionsbuch übernommen worden, nicht als regelrechte historiographische Darstellung, sondern bloß als eine Sammlung der Notizen über Güterschenkungen und -erwerbungen und über die Entstehung des Klosters, das der Gründer aber ganz gut ausgestattet hatte, wenngleich es auch noch viel zu roden gab. Von Graf Engelbert I. von Spanheim soll das Kloster auch einen kostbaren Abendmahlskelch bekommen haben, den Abt Hieronymus Marchstaller noch 1619 als im Stift befindlich erwähnt und in seiner Gründungsgeschichte beschreibt.[25]

Nach allem, was vermutet werden darf, hat St. Paul aber seine Position als einer der Vorposten der hirsauischen Klosterreform im Südostalpenraum beibehalten. Die Nekrologeintragungen der Nachfolger Abt Wezilos, Bruno (1115 – 1138) und Wernher (1139 – 1150)[26], lassen den Schluß zu, daß St. Paul im Kreise der Reformklöster verblieb, wovon auch seine unveränderte Rechtsstellung Zeugnis ablegt. Es entsandte Ingram als ersten Abt in das von Bischof Otto I. von Bamberg (1102 – 1139) gegründete Benediktinerkloster Arnoldstein, und schon 1106 zog sich der von Erzbischof Konrad I. von Salzburg als *intrusus* abgesetzte Gurker Bischof Berthold von Zeltschach (1090 – 1106) mit päpstlicher Erlaubnis nach St. Paul zurück. Auch wirtschaftlich behielt St. Paul allem Anschein nach seine möglichst autonome Reformposition bei. Zwar mußte es aus finanzieller Not oder aus Gründen konkreten Schutzes mitunter ein Stück Land verleihen[27], hatte aber bis 1222 keine Hofämter, wodurch äußere Abhängigkeiten hintangehalten wurden. Hintangehalten wurde auch die mögliche Beeinträchtigung des Klosterlebens durch Ministeriale, von denen St. Paul nur wenig hatte, wenngleich natürlich ein gewisses Ausmaß an weltlicher Dienerschaft erforderlich war.

So scheint das Kloster seit seiner Gründung viele Jahrzehnte den von der Hirsauer Reform angestrebten Weg, von äußerer weltlicher oder geistlicher Einwirkung unbehelligt benediktinisches Leben in seiner reformierten Form verwirklichen zu können, gegangen zu sein. Dieser Weg war, sofern es zu keinen Übergriffen kam (Nachrichten darüber fehlen), ab 1122 besonders gewährleistet, als die im Besitz der Erbvogtei befindlichen Spanheimer auch Herzöge von Kärnten geworden waren. Nicht zuletzt auf dieser Grundlage entwickelte sich das benediktinische Reformkloster St. Paul im Lavanttal vor den älteren Klöstern Ossiach und Millstatt zum bedeutendsten Stift in Kärnten.

ANMERKUNGEN

1. Siehe A. DEMPF, Sacrum imperium. Geschichts- und Staatsphilosophie des Mittelalters (⁴1973), S. 172.
2. Siehe G. TELLENBACH, Libertas. Kirche und Weltordnung im Zeitalter des Investiturstreites (Forschungen zur Kirchen- und Geistesgeschichte 7, 1936), S. 105.
3. EBD., S. 102 f.
4. Siehe P. H. PASCHER, Die Privilegierung der Reformklöster Hirsau, St. Blasien und St. Paul durch Papst Urban II. (Diss. Salzburg, 1980), S. 14.
5. K. HALLINGER, Gorze – Kluny. Studien zu den monastischen Lebensformen und Gegensätzen im Hochmittelalter. Bde. 1–2 (Studia Anselmiana. Fasc. 22-25, 1950/51), verwendet dafür die nicht unumstrittene Bezeichnung „jungcluniazensische Observanz".
6. Diese Rechtsstellung bedingte den Entfall von Einnahmen wie Zehenten oder Sporteln, die bei Eigenkirchen üblich waren.
7. Es ist bezeichnend, daß Abt Odilo für Cluny 1046 den Allerseelentag einführte, der sich bald in der ganzen Kirche verbreitete.
8. Siehe J. WOLLASCH, Neue Methoden der Erforschung des Mönchtums im Mittelalter, HZ 225 (1977), S. 565.
9. In Cluny und in seinen Klöstern ist Totengedenken mit Armenspeisung mit einzigartiger Intensität, Extensität und Konsequenz geübt worden. Vgl. dazu WOLLASCH, Mönchtum (wie Anm. 8), S. 562 ff., der diesen Zusammenhang eindrucksvoll klarlegt und fragt: „Wie aber konnte ein Priorat die Last Zehntausender von Armenspeisungen tragen, die sich aus den Zehntausenden früher verstorbener Cluniacenserprofessen ergaben?"
10. EBD., S. 571.
11. Vgl. dazu und zum folgenden H. DOPSCH, Die Salzburger Kirche. Klöster und Stifte, in: Geschichte Salzburgs. Stadt und Land. Bd. I/2 (1983), S. 1031 ff.
12. EBD., S. 1032.
13. Vgl. dazu die Monographie HALLINGERS, Gorze – Kluny (wie Anm. 5). Vgl. dazu jetzt auch N. BULST im Lexikon des Mittelalters, Bd. II (1983), Sp. 2173 f.
14. Siehe PASCHER, Privilegierung (wie Anm. 4), S. 48.
15. *Preterea advocatum vobis sive protectorem constituimus Engilbertum senioris comitis Engilberti filium egregie strenuitatis comitem eiusque post eum precipuum heredem* (siehe MC 3, Nr. 508).
16. Siehe MG SS XV, 2, S. 1058, Zeile 16 f. Vgl. dazu auch hier S. 78.
17. Erzbischof Hartwig von Magdeburg, Graf Engelbert und seine Gemahlin Hedwig sowie deren Söhne *constituentes eandem abbatiam debita devotione beato Petro optulere* (siehe MC 3, Nr. 508).
18. Engelbert I. von Spanheim übte anstelle der Sighardinger von 1075 bis 1096 als entschiedenster Vertreter der päpstlichen Partei auch die salzburgische Hochstiftsvogtei aus. Die Stiftsvogtei verblieb auch nach dem Aussterben der Spanheimer im Besitz der Kärntner Herzöge.
19. Siehe MC 3, Nr. 488.
20. Vielleicht der 1091 aus Zwiefalten nach Hirsau zurückberufene Prior und damit für neue Aufgaben verfügbar, siehe H. JAKOBS, Die Hirsauer. Ihre Ausbreitung und Rechtsstellung im Zeitalter des Investiturstreites (Kölner historische Abhandlungen 4, 1961), S. 45.
21. Vgl. dazu E. WEINZIERL-FISCHER, Geschichte des Benediktinerklosters Millstatt in Kärnten (AVGT 33, 1951), S. 33 f., und JAKOBS, Hirsauer (wie Anm. 20), S. 46.
22. Siehe JAKOBS, Hirsauer (wie Anm. 20), S. 121 f. Weitere Abtentsendungen wurden nach Paulinzelle in Thüringen (um 1100), nach Michelberg in Bamberg (1112, Wolfram), nach Prüfening (1114, Erminold), nach Erfurt (1127, Werner) und nach Lorsch (1167, Sigehard) vorgenommen.
23. Siehe dazu MC 3, Nr. 498, und W. FRESACHER, Regesten zur Bau- und Kunstgeschichte des Stiftes, in: ÖKT 37 (1969), S. 480. Nach anderen Quellen erfolgte die Weihe erst 1101 (*Annales s. Rudberti Salisburgenses*) bzw. 1102 (*Auctuarium Garstense*). – Zu den beiden Kirchen vgl. ÖKT 37 (1969), S. 44.
24. MG SS XV, 2, S. 1058 f. Vgl. dazu auch J. KASTNER, *Historia fundationum monasteriorum*. Frühformen monastischer Institutionengeschichtsschreibung im Mittelalter (Münchner Beiträge zur Mediävistik und Renaissance-Forschung 18, 1974), S. 59 f.
25. Siehe FRESACHER, Regesten (wie Anm. 24), S. 480 (vor 1096).
26. Siehe P. LINDNER, *Monasticon Metropolis Salizburgensis antiquae* (1908), S. 63.
27. Eine um 1200 anzusetzende Liste des Abtes Ulrich I. (1192–1221) spricht von Lehen, die der Abt nicht mehr zurückbekommen könne. Allmählich entstand in St. Paul auch ein Lehenshof.

Zur Rechtsstellung des Stiftes St. Paul im Mittelalter bis zur Landstandschaft

ULRICH FAUST

Noch zu Lebzeiten des großen Reformabtes Wilhelm († 4. Juli 1091) wurden die ersten Mönche aus dem Kloster Hirsau im Schwarzwald nach Kärnten gesandt, und um den 1. Mai 1091 trat der erste Abt von St. Paul, Wezilo, sein Amt an. Dieser enge Zusammenhang mit der Hirsauer Reformbewegung macht es erforderlich, zunächst nach Voraussetzungen in Hirsau zu fragen. Was war an der Rechtsstellung des Schwarzwaldklosters neu? Konnte Abt Wilhelm seine Vorstellungen verwirklichen, und wurden diese auch bei der Gründung St. Pauls berücksichtigt?

1. Die Rechtsstellung Hirsaus unter Abt Wilhelm

Abt Wilhelm war nicht nur ein frommer, sondern auch ein gebildeter Mann. Übereinstimmend rühmen Othloh von St. Emmeram, Bernold von St. Blasien und der Autor der *Vita Wilhelmi* seine Kenntnisse im Bereich des Quadriviums. Wilhelms Interesse an Musik und Astronomie fand seinen Niederschlag in seinen Schriften. Aber damit ist noch nicht alles über seine Persönlichkeit gesagt. Vollkommene Freiheit (*integra libertas*) wollte er für sein Kloster erlangen, und das Bemühen um diesen Rechtszustand verfolgte er mit bewundernswerter Hartnäckigkeit. Es gelang ihm, sein Kloster von der Eigenkirchenherrschaft der Grafen von Calw zu befreien. 1071 ließ er sich am Himmelfahrtstag zum Abt weihen. Das „Hirsauer Formular" von 1075, das die Spannung zwischen adeliger Herrschaftssicherung und geistlicher Bestimmung des Klosters lösen sollte, wurde bahnbrechend für das Hirsauer Mönchtum. Das Reformdokument erhellt die Wechselbeziehungen zwischen Aufbruch des Adels und Reformmönchtum am Ende des 11. Jahrhunderts. Ohne die Unterstützung der herrschenden Adelsgesellschaft konnten die Mönche ihre Reformen nicht durchführen. Um sich in der Gebetsgemeinschaft eines Klosters Sicherheit für ihr ewiges Heil zu verschaffen, gründeten Adelige Klöster. Neben den geistlichen Zielen verfolgten sie aber auch Herrschaftsinteressen. Die Vogteien der Reformklöster ließen sich ökonomisch nutzen zum Aufbau unabhängiger Herrschaften. So trafen sich Adel und Mönchtum im Streben nach Unabhängigkeit von der königlichen Gewalt.

Das Hirsauer Diplom von 1075[1], das heute als echt anerkannt wird, möchte sowohl den monastischen Reformvorstellungen als auch den Interessen des Grafen von Calw gerecht werden. Eine neue rechtliche Grundlage sollte an die Stelle der alten eigenklösterlichen Vorstellungen treten. Als Kompromiß ist die Regelung der Vogteifrage zu sehen, durch die der Handlungsbereich des Klosters Hirsau beträchtlich erweitert werden konnte.

Die systematische Folge des Inhalts des Hirsauer Formulars stellt K. Hallinger wie folgt dar:[2]

„1. Die *abdicatio* des Laienkirchenherrn; genau wie dieses Rechtsmoment im Stiftungsbrief von Kluny vorgebildet ist, folgen auch hier die Erklärung der Aufgabe persönlicher wie erblicher Besitzrechte und Ansprüche.
2. Motivation der Besitzaufgabe, die ebenfalls an Kluny 910 anklingt und weit ausgebaut ist.
3. *Traditio* an Rom mit Bestimmung des zu zahlenden Zinses.
4. Feststellung der *Libertas monasterii* in Formeln, die ebenfalls im Stiftungsbrief Klunys ihr Vorbild haben.
5. Festlegung der Freiwahl.
6. Selbstinvestitur des Elekten.
7. Die Ausschließung jeglicher übergeordneter Gewalten.
8. Verlehnungsverbot für den Abt mit Sanktion der Amtsentsetzung im Übertretungsfall.
9. Weitausgebautes Vogteistatut mit Darlegung der Ansichten über Wesen und Aufgaben der Vogtei.
10. Ministerialenrecht.
11. Als Abschluß die Fluchformeln Klunys gegen die Rechtsbrecher."

Der Einfluß cluniazensischer Rechtsvorstellungen spiegelt sich in den Bestimmungen des Hirsauer Formulars, obgleich Abt Wilhelm das Vorbild Clunys nicht uneingeschränkt nachahmen wollte. Im Vorwort zu den Hirsauer Konstitutionen legt Wilhelm von Hirsau Rechenschaft darüber ab, wie die Verbindung zwischen Cluny und Hirsau zustande kam. Von Abt Bernhard von St. Victor in Marseille, einem entschiedenen Cluniazenser, der 1077/78 als päpstlicher Legat Deutschland bereiste, hatte sich Wilhelm für Cluny gewinnen lassen. Der Mönch Ulrich, ursprünglich zu St. Emmeram in Regensburg gehörig und 1061 nach Cluny übergetreten, spielte eine Vermittlerrolle. Dreimal hielten sich Hirsauer Mönche in Cluny auf, um die dortigen Lebensgewohnheiten kennenzulernen. Als Abt Wilhelm sich zur Übernahme dieser Gebräuche entschied, paßte er sie den örtlichen und klimatischen Verhältnissen im Schwarzwald an[3]. Die Bindung an die Regel Benedikts und die hauseigenen Konstitutionen war außerordentlich streng, ja man kann von einer perfekten Kontrolle des einzelnen Mönches sprechen. „Abt Wilhelm mühte sich in seinen Verordnungen auf Schritt und Tritt, die Bräuche Klunys mit pedantischer Gründlichkeit zu kommentieren, wenn er sich gelegentlich auch die Freiheit einer Neuregelung zu wahren versteht", sagt K. Hallinger[4].

Kehren wir zu den rechtlichen Voraussetzungen zurück, auf denen sich das innerklösterliche Leben entfalten konnte. Hirsau war älter als die Hirsauer Reform. 830 war dort ein Kloster zu Ehren des hl. Aurelius begründet worden. Der Anspruch der Grafen von Calw auf das Kloster als erbliches Besitztum und die Verdrängung der Mönche durch sittenlos lebende Kanoniker soll in gleicher Weise den Niedergang Hirsaus herbeigeführt haben.

In der zweiten Hälfte des 11. Jahrhunderts hatte Graf Adalbert von Calw Hirsau neu begründet. Papst Leo IX. hatte bei seinem Besuch Hirsaus 1049 den Anstoß zur Restauration des Mönchsklosters gegeben. 1065 kamen Mönche aus Einsiedeln, deren Abt Friedrich Graf Adalbert 1069 bereits absetzte. Nachfolger wurde der Mönch Wilhelm aus St. Emmeram, der als Abt Hirsau zu einem Mittelpunkt monastischer Erneuerung machte. Die Klosterreform nahm für den Papst Partei, und Hirsau wurde zu einem Zufluchtsort der Gregorianer.

Zu vollem Eigen des hl. Aurelius und zur freien Verfügung des Abtes Wilhelm gab Graf Adalbert von Calw dem Kloster die von seiner Familie entfremdeten Güter zurück. Im Hinblick auf sein und seiner Familie Seelenheil verzichtete er auf die Eigentumsrechte des Klosters, das er mit dem Recht uneingeschränkter

Freiheit (*totius libertatis iure*) ausstattete. Der Konvent erhielt die *libera potestas*, sich einen Abt zu wählen und einzusetzen gemäß der Regel des hl. Benedikt. Nach der Wahl sollte in Gegenwart des Klerus, des Vogtes und des Volkes im Chor der Kirche die Einsetzung stattfinden. Der Prior durfte den Abtstab vom Altar des hl. Aurelius nehmen und ihn dem erwählten Abt in die Hand geben. Damit wurde die Ablehnung der Laieninvestitur zum Ausdruck gebracht. Der Abt sollte in freier Vollmacht (*libera potestas*), über die Angelegenheiten seines Klosters im Namen Christi entscheiden.

Dem Kloster wurde die freie Vogtwahl grundsätzlich zugestanden, aber die Anweisung über die Vogtei bedeutete eine Eingrenzung der klösterlichen Handlungsfreiheit. Der Graf von Calw verzichtete auf die Eigenklosterherrschaft, die Mönche wurden aber verpflichtet, den Vogt aus der Stifterfamilie zu wählen. Nur wenn die Nachkommen der Calwer nicht mehr fähig wären, die Freiheit des Klosters zu verteidigen, sollten die Erbansprüche der Familie erlöschen. Sollte der Vogt die vereinbarten Rechte verletzen oder das Eigentum des Klosters entfremden, so durfte ihn der Abt mit dem Rat der Brüder absetzen. Auf Bitten des Abtes sollte der Vogt seine rechtmäßige Vollmacht (*legitimus bannus*) vom König erhalten. So wurde das frühere Eigenkloster der Calwer in eine Rechtsbeziehung zum König gebracht. Die Unabhängigkeit des Klosters wurde dadurch gestärkt, daß der Vogt als Beauftragter des Königs Recht sprechen sollte.

Garant der klösterlichen Rechtsordnung sollte kraft seiner Autorität der Papst sein. Durch geistliche Zensuren sollte er Übergriffe des Königs, des Bischofs oder des Klostervogts abwenden. Dafür mußte Hirsau jährlich einen Gold-Byzantiner auf den Altar des hl. Petrus in Rom legen. Papst Gregor VII. bestätigte die Freiheitsrechte Hirsaus unter der Bedingung, daß sie mit den kanonischen Satzungen übereinstimmten.[5]

Vorbehalte hatte Gregor VII. gegenüber der von den Calwer Grafen beanspruchten Vogtei. Im Hirsauer Formular waren Wahl, Investitur und Weihe des Abtes getrennte Vorgänge. Wenn die Weihe *canonice* erfolgen sollte, bedeutete dies, daß der Diözesanbischof dafür zuständig war. Die Selbstinvestitur des Abtes widersprach dem Kirchenbegriff des Reformpapsttums. Die Gewalt des Bischofs über die Klöster in seinem Bistum sollte nicht beschnitten werden. Deshalb faßte Wilhelm Investitur und Weihe in einem Vorgang zusammen und legte gemäß den Hirsauer Konstitutionen von 1079 beides in die Zuständigkeit des Bischofs. Kein anderer als der Bischof sollte dem erwählten Abt den Abtstab übergeben. Abt Wilhelm spricht nur ganz allgemein von einem Bischof. Dabei ist zu bedenken, daß der zuständige Diözesanbischof von Speyer sich der antipäpstlichen Partei des Kaisers angeschlossen hatte. Hirsau wollte sich die Möglichkeit offen halten, einen romtreuen Bischof um die Abtweihe zu bitten. So wie Udalrich von Cluny empfahl, den Erzbischof von Besançon und nicht den zuständigen Bischof von Mâcon um die Abtweihe in Cluny zu bitten, so wollte auch Hirsau die Freiheit haben, den Bischof selbst für Investitur und Weihe seines Abtes zu wählen.

Mit Nachdruck stellte Papst Urban II. in einem Privileg vom 8. März 1095[6] für das Kloster Hirsau die Bindung an den Diözesanbischof hier eigens heraus. Kirch- und Altarweihen, die Weihe von Klerikern, die Weihe des Öls und alles andere, was in die Zuständigkeit des Bischofs fällt, sollen die Mönche von Hirsau durch den Bischof von Speyer empfangen. Nur ausnahmsweise, wenn z. B. der Bischof von Speyer sich im Schisma befindet, darf Hirsau um die Weihehandlungen im Kloster einen anderen Bischof bitten.

Nach Urbans Kirchenbegriff war das Bistum ein Territorium, in dem alle Klöster und Stifte der Aufsicht des Bischofs unterstanden. Die Exemtion eines Klosters von der bischöflichen Gewalt widersprach seinen Reformvorstellungen. Hinfort sollte der Gold-Byzantiner nicht mehr eine Gegenleistung für den Schutz des Papstes sein, sondern die von der Römischen Kirche gewährte Freiheit bezeichnen (*ad indicium percepte huius a Romana Ecclesia libertatis*). Zu dieser Freiheit gehörte auch die Abtwahl gemäß der Regel des hl. Benedikt. Der Papst gewährt und garantiert die Hirsauer Freiheit. Die königliche Bannleihe zieht Papst Urban II. an sich, indem er beansprucht, den vom Konvent gewählten Vogt einzusetzen. „Der Papst setzte also als Oberherr und Schutzherr des Klosters *iure sancti Petri* den Vogt ein. Dieser schuldete der Kirche *honorem debitum, divine servitutis obsequium,* ohne auf Erden Entgelt dafür zu erhalten – offensichtlich – mit einer gewissen Belohnung im Himmel“[7]. Damit wurde der Vogt zum absetzbaren Beamten des Klosters. Sein Amt sollte kein lukratives Herrschaftsrecht mehr beinhalten, sondern eine religiöse Pflicht bedeuten. Eine königliche Kirchenhoheit wurde von den Vertretern der Reform nicht mehr geduldet. „Auf diese Weise entzog Urban II. dem Landesherrn zwar seine Macht über die Königsklöster, zerstörte aber nicht das Gefüge der deutschen Reichskirche, da er sich – in gewissem Sinne – darauf beschränkte, die Person des Papstes an die Stelle des Landesherrn in seiner Position als oberster Immunitätsherr zu setzen“[8].

Das 59. Kapitel der Regel Benedikts regelt die Oblation von Knaben durch ihre Eltern als eine legitime Form des Klostereintritts. In reformerischer Absicht änderte Udalrich die Form der Darbringung. Die Oblation eines zum Mönchsleben bestimmten Knaben sollte nicht mehr von seinen Eltern, sondern von einem Mönch anstelle der Eltern vollzogen werden[9]. Abt Wilhelm war selbst durch Oblation seiner Eltern ins Kloster St. Emmeram in Regensburg gekommen. Der Brauch der Oblation, der die Züge der Unfreiheit trug, ließ sich aber nur schwer mit den auf Freiheit ausgerichteten Reformvorstellungen verbinden. Deshalb sollte sich ein junger Mann frei und ungezwungen für das Leben eines Mönchs entscheiden. So schaffte Wilhelm die Oblation ab und ließ damit den Eltern keine Möglichkeit mehr, überzählige und mißgestaltete Söhne einem Kloster zu übergeben. Die Erfahrung hatte gezeigt, daß von den Eltern erzwungener Klostereintritt nachgeborener Söhne keine gute Art zur Gewinnung eines brauchbaren Nachwuchses bedeutete. Eine große Zahl körperlich mißgestalteter Kinder, von deren Versorgung sich Adelige gern durch Oblation entlasteten, hätte ein Reformkloster handlungsunfähig gemacht.

Eine andere Neuerung Abt Wilhelms bedeutete die Einführung der „bärtigen Brüder“ (*fratres barbati*), die auch *fratres laici* oder *conversi* genannt werden[10]. Bei den Hirsauer Laienbrüdern handelte es sich um Menschen, die eine Bekehrung (*conversio*) zum klösterlichen Leben erfahren hatten. Als ungeweihte Personen leisteten sie körperliche Arbeit im Stall, in der Werkstatt oder auf dem Feld. Sie trugen Bärte und konnten meist weder lesen noch schreiben.

Nach der *Vita Wilhelmi*[11] brauchen die Mönche der Hirsauer Reform die Dienste bekehrter Laien, um sich dem geistlichen Leben vollauf widmen zu können. Die Laienbrüder erhalten dafür von den Mönchen alles, was zum ewigen Heil erforderlich ist. Unter den Konversen befanden sich Mitglieder des Hochadels, die in vorbildlicher Demut niedrige Knechtsdienste verrichteten, wie Bernold von St. Blasien berichtet[12]. Damit war eine Verteilung der Lasten vorgenommen, die nicht direkt der Regel Benedikts widersprach[13], aber sich doch von Benedikts Einschätzung der Handarbeit für das Mönchsleben entfernte.[14] Das ausgewogene Verhältnis von Gebet und Arbeit, das für die Regel Benedikts charakteristisch ist, wurde auch durch die zunehmende Klerikalisierung des Mönchtums gestört. Eine gewisse Verachtung der Handarbeit kommt in der

Stellung minderen Rechts für die *conversi* zum Ausdruck. Sie wohnten nicht in der Klausur und gehörten nicht dem Kapitel an, in dem Belange von Wichtigkeit für das Kloster beraten wurden. Die Laienbrüder trugen keine Mönchshabit und konnten nicht in den Stand der Vollmönche übertreten gemäß dem Schriftwort (1 Kor 7,20): „Jeder soll in dem Stand bleiben, in dem ihn der Ruf Gottes getroffen hat".

Hirsau wurde so unter Abt Wilhelm und seinen Nachfolgern ein Reformmittelpunkt, dessen Beziehungen bestehende oder neu gegründete Klöster im Elsaß, in Schwaben, Franken, Bayern, Böhmen, Kärnten, Thüringen, Sachsen und in der Schweiz erfaßten. Dabei war Abt Wilhelm nicht daran interessiert, eine rechtlich zentralisierte Kongregation nach dem Vorbild von Cluny aufzubauen. „In seinem weiteren Vorgehen während der 80er Jahre des 11. Jahrhunderts erwies sich Abt Wilhelm als eine Persönlichkeit, die nicht auf einem einzigen Schema der Rechtsregelung für die Reformklöster beharrte, sondern sich in dynamischem Handeln sehr gut mit den jeweils vorgefundenen Gegebenheiten zu befassen verstand; er konnte sich vielen Möglichkeiten anpassen, ohne sein Hauptziel, die Sicherung der Eigenständigkeit der Reformklöster, aufzugeben oder auch nur in den Hintergrund treten zu lassen"[15]

Rechtliche Formen des Reformverbandes fehlten. Gemeinsame monastische Ideale und das Gedenken der verstorbenen Mitbrüder verband die von Hirsau beeinflußten Reformklöster. Als geistiges Zentrum inspirierte Hirsau die Gründungsmönche und Äbte anderer Klöster, ohne diese in eine rechtliche Abhängigkeit von Hirsau zu zwingen. So wenig wie die reformierten Klöster eine Kongregation bildeten, war auch der Hirsauer Abt Generalabt. Das bedeutet allerdings nicht, daß Abt Wilhelm keine Vorsorge für die Durchführung oder den Bestand der Reform in den von Hirsau erfaßten Klöstern bot. Hierzu gehört die Bestellung eines Abtes in einem neu gegründeten (oder auch reformierten) Kloster. Der Vorgang wird in den Hirsauer Konstitutionen wie folgt geregelt:

1. Der Abt von Hirsau berät mit den Senioren des Klosters, wer für das Amt des Abtes würdig und geeignet erscheint.
2. Der Abt von Hirsau kann den von ihm Erwählten im Gehorsam verpflichten, das Amt zu übernehmen, wenn der Kandidat sich dagegen sträubt.
3. Der designierte Abt soll dann durch ein reguläres Wahlverfahren vom Konvent gewählt werden.
4. Der gewählte Abt steht zum Abt von Hirsau weiterhin in einem Gehorsamsverhältnis, was für diesen aber „keine Verfügungsrechte über den neuen Abt und das Kloster"[16] bedeutet.
5. Dem Diözesanbischof steht es zu, den durch den Abt von Hirsau designierten und dann vom Konvent gewählten Abt mit dem Abtstab zu investieren und zu weihen.

Der *Ordo Hirsaugiensis* bezeichnet die Gesamtheit der monastischen Lebensformen im Kloster Hirsau, den die im Geiste Hirsaus reformierten oder gegründeten Klöster übernehmen. Jedoch ist damit nicht die Verpflichtung gemeint, sich einem zentralistischen Klosterverband einzugliedern, einen Generalabt anzuerkennen und sich von diesem visitieren zu lassen.

Als Adelskloster wird heute allgemein der Typ des Hirsauer Reformklosters bezeichnet. Das hat eine gewisse Berechtigung; denn nicht nur geistliche, sondern auch rechtliche und soziale Interessen machten um 1100 den Adel zum Förderer der monastischen Reformbewegung. Diese konnte mit der materiellen und ideellen Unterstützung hochadeliger Familien rechnen, die über weit verbreitete verwandtschaftliche Beziehungen verfügten. Adelige Familien richteten ihre Klostergründungen rechtlich so ein, daß sie sowohl ihren Interessen von Nutzen waren als auch den Klöstern geistliche und materielle Unabhängigkeit bescherten. Adeliger Herrschaftsbildung war die Vogtei eines vom Reich emanzipierten Reformklosters von großem Nutzen. Die Vogtei gliederte ja den Streubesitz eines Klosters dem Herrschaftsbereich des adeligen Vogtes ein und verhinderte jede Aufteilung.

Die Bindung Hirsaus an den Römischen Stuhl (*traditio Romana*) entsprach der kirchenpolitischen Ausrichtung und dem Schutzbedürfnis der monastischen Reformbewegung. Die *traditio Romana*, die enge Bindung an den Papst, wurde zu einem Strukturelement der Hirsauer Reformklöster.

2. Die Rechtsstellung von St. Paul unter Abt Wezilo

Die Initiative zur Gründung von St. Paul im Lavanttal ging von einer mächtigen Adelsfamilie aus, den Spanheimern. Die religiöse Aufbruchstimmung in dieser Familie zeigen die Wallfahrten der Eltern des Stifters Graf Engelbert I. von Spanheim. Sein Vater, der Rheinfranke Siegfried, hatte die in Südostkärnten und in der angrenzenden Steiermark reich begüterte Richardis geheiratet. Graf Siegfried unternahm eine Wallfahrt ins Heilige Land und starb 1065 auf der Rückkehr in Bulgarien[17]. Den Leichnam ließ seine Witwe auf ihre Burg oberhalb der Lavant überführen und in der Burgkapelle bestatten. Gräfin Richardis unternahm daraufhin eine Wallfahrt nach Santiago de Compostella[18]. Aber auch sie überlebte die Schwierigkeiten einer solchen Wallfahrt im Mittelalter nicht. Zunächst wurde sie in Spanheim beigesetzt und fand 1096 schließlich ihre letzte Ruhestätte an der Seite ihres Gatten in Kärnten. Die gemeinsame Grabstätte wurde die Eigenkirche der Gründerfamilie, die spätere Pfarrkirche zum hl. Ägidius.

Der streng kirchlich gesinnte Sohn von Siegfried und Richardis, Graf Engelbert I. (†1096), war schon 1060 von dem päpstlich gesinnten Erzbischof Gebhard von Salzburg zum Vogt bestellt worden. Er war von den Reformideen seiner Zeit erfüllt und wollte in St. Paul ein Kloster nach der Regel Benedikts begründen. Zu Lebzeiten Gebhards (†1088) war Kärnten in zwei sich befehdende Lager gespalten, so daß an die Verwirklichung dieses Planes nicht zu denken war. Vielleicht schon 1090 sandte Graf Engelbert I. seinen Sohn Engelbert II. zu Abt Wilhelm in das Schwarzwaldkloster Hirsau, um für das zu gründende Begräbniskloster der Spanheimer auf der Burg oberhalb der Lavant Mönche zu erbitten. Noch zu Lebzeiten des großen Reformabtes Wilhelm (†4. Juli 1091) wurden Mönche – über die Zahl schweigen die Quellen – unter Führung des designierten Abtes Wezilo nach Kärnten gesandt[19]. Ende April oder Anfang Mai 1091 erfolgte die Dotierung von St. Paul durch den Grafen Engelbert I. mit Zustimmung seiner Frau Hedwig und seiner Kinder[20].

Das Kloster erhielt also von der Stifterfamilie seine Gründungsausstattung, ohne daß es ein Eigenkloster der Spanheimer wurde; denn das hätte den Reformvorstellungen Hirsaus widersprochen. Der folgende Vorgang regelte die Rechtsstellung der Hirsauer Gründung St. Paul genauer.

Nach dem Tod des Grafen Engelbert I. beauftragten seine Söhne Engelbert II., Siegfried, Bernhard und Heinrich[21] in Anwesenheit von Zeugen drei Salmänner, Weriand, Maingoz und Friedrich, nach Rom zu reisen und das Kloster St. Paul Papst Urban II. zu unterstellen. Es sollte vom Papst gegen eine jährliche Abgabe in Schutz und Schirm genommen werden. Der Papst ließ am 26. März 1099[22] ein Privileg ausstellen, mit dem er Abt Wezilo bekanntgibt, daß er dessen von Erzbischof Hartwig von Magdeburg, Graf Engelbert und seiner Gemahlin Hedwig sowie ihren Kindern gestiftetes Kloster in seinen besonderen

Schutz und Schirm genommen hat. Dafür sollte das Kloster jährlich ein byzantinisches Goldstück dem Papst schicken (*ad indicium autem percepte huius a Romana ecclesia libertatis per annos singulos aureum Bizanzium Lateranensi palatio persolvatis*). Graf Engelbert II. und seine Erben wurden zu Klostervögten bestimmt, solange sie dem Kloster von Nutzen waren. Andernfalls könnten die Mönche einen beliebigen Vogt wählen. Dieser sollte sein Amt ohne weltlichen Gewinn (*sine lucri secularis exactione*) ausüben, vielmehr es als Befolgung eines göttlichen Dienstes verstehen (*divine servitutis obsequium*).

Erzbischof Thiemos Neubruchzehntschenkung von 1092/1093 wurde bestätigt. Ohne Zustimmung der „besseren" Mönche (*meliorum fratrum*) sollte es keinem Papst, Kaiser, König, Herzog, Graf, Vogt oder Abt gestattet sein, die Güter des Klosters zu Lehen auszugeben oder anderweitig zu entfremden.

Die Terminologie der Urkunde vom 26. März 1099 ist stark hirsauisch geprägt. Die Beziehungen zum zuständigen Salzburger Erzbischof werden ganz im Sinne Urbans II. wie bei Hirsau geregelt. Altar- und Kirchenweihe, die Weihe von Mönchen, Ölweihe und alles, was bischöfliche Angelegenheit ist, stehen dem Diözesanbischof zu, wenn er in der Gemeinschaft mit dem Apostolischen Stuhl steht. Andernfalls können die Mönche einen anderen katholischen Bischof um die Weihen bitten. Es ist also ganz sicher falsch, wenn A. Jaksch[23] St. Paul eine exemte Stellung zuschreibt und es „ein direkt dem Papste unterstehendes Kloster" nennt. Dies lag den Reformvorstellungen Urbans II. fern, wie wir bereits bei Hirsau gesehen haben. Diese wußten die Anliegen der Ortskirche und der universalen Kirche miteinander zu verbinden. Das unter dem besonderen Schutz Roms stehende Kloster St. Paul sollte alle bischöflichen Funktionen von seinem Diözesanbischof erbitten, und das war zur Gründungszeit der Salzburger Erzbischof.

Unter dem lange regierenden Abt Wezilo kamen noch weitere Güter zum Stift St. Paul. Für den Fall, daß sie kinderlos sterben würden, vermachten Graf Bernhard und seine Gemahlin Kunigunde zwischen 1105 und 1126 die besten Teile ihrer Güter, nämlich die Hälfte des Marktes Völkermarkt[24]. Bernhards Bruder, Bischof Hartwig von Regensburg (1106–1122), schenkte unter derselben Voraussetzung die andere Hälfte des Marktes (*forum Judeorum*)[25] und dazu noch einen dort liegenden Hof. Zu den von Graf Bernhard in Aussicht gestellten Gütern gehörte auch noch eine *curia* bei Gorentschach und ein Hof am Weinberg bei Völkermarkt. Dazu sollten noch zwei Orte auf dem rechten Drauufer kommen (Wissich und Lomsich), die heute nicht mehr zu lokalisieren sind.

Mit ausdrücklicher Erlaubnis Kaiser Heinrichs V. erfolgte zwischen 1111 und 1122 ein Gütertausch zwischen St. Paul und Bischof Otto I. von Bamberg (1102–1139). Auf diese Weise gelangte das bambergische *predium* Bischolfisdorf, das später Bischofsdorf genannt wurde, an St. Paul[26]. Das Gegenstück dieses Tausches kann nur vermutet werden. A. Jaksch[27] nimmt an, daß St. Paul Besitz bei Griffen hergegeben hat. Dann würde es sich um den bei der Gründungsausstattung genannten Stadelhof Griffen handeln, der in den Urbaren des Stiftes von 1289 und 1371 nicht mehr genannt wird. Später erfolgte noch einmal ein Tausch zwischen Bamberg und St. Paul um 1200[28]. Das Stift gab zwei Mansen bei der Burg Griffen und erhielt dafür zwei Mansen am Nußberg bei St. Paul. 1106 erwarb das Stift das Gut (*predium*) Abbatisperch, das um Agsdorf bei St. Andrä lag[29].

3. Die weitere Entwicklung

Heinrich IV. (1122–1123) war der erste Herzog von Kärnten aus der Familie der Spanheimer. Er machte dem Kloster 1123 eine bedeutende Schenkung[30]: das Gut Möchling bei Grafenstein, den Hof (*curia*) und die Kirche mit allem, was dazu gehört (*villis agris vineis piscariis pratis pascuis molendinis silvis venatibus aquis aquarumque decursibus novalibus cultis et incultis*). Weiter oben am Fluß (?) kamen noch fünf „Huben" in „Gestidorf" hinzu. Der beträchtliche Besitz war weitgehend ausgebaut, obgleich Neubrüche in der Schenkung ausdrücklich genannt werden. Die Rodetätigkeit des Stiftes dürfte sich auf das Gebiet im Süden gegen die Karawanken zu erstreckt haben.

Eine landesherrliche Stiftung war auch das Gut in Drauhofen bei Völkermarkt[31]. Es umfaßte sieben Mansen mit 40 Unfreien, dazu noch Güter außerhalb Kärntens. Die Witwe Herzog Hermanns (1161 – 1181), Agnes, schenkte all dies für das Seelenheil ihres verstorbenen Gatten dem Stift St. Paul.

Kleinere Schenkungen führten zu Streubesitz im Lavanttal, andere Huben und Mansen lagen weiter entfernt vom Kloster. Beim bayerischen Mühldorf am Inn besaß das Stift kurze Zeit ein Gut in Kiefering, das aber zwischen 1142 und 1148 an die Propstei Berchtesgaden verkauft wurde[32].

Der gesamte Besitz von St. Paul wird zum ersten Mal zusammen aufgeführt in einer Urkunde Papst Lucius III. von 1184[33] und einer anderen Besitzbestätigung Papst Coelestins III. von 1196[34]. A. Jaksch[35] hält die ursprüngliche Urkunde von 1196, die sich heute in Wien befindet, für eine Fälschung. Das bedeutet aber nicht, daß die gegenüber 1184 erweiterte Besitzaufzählung nicht den tatsächlichen Besitz um 1196 wiedergibt. Anderen Besitz wird das Stift damals nicht gehabt haben. Dem Kloster wird die Kirche, nicht aber das Gut Möchling bestätigt. Im Lavanttal dürfte St. Paul keinen zusammenhängenden Besitz gehabt haben, sondern nur einzelne Höfe. Neben den Weingärten am Weinberg werden später einige Huben genannt, was das Bestreben erkennen läßt, solche Besitzeinheiten auszubauen. Neubrüche werden um Pustritz genannt. Nicht alle in der Urkunde aufgezählten Landstriche, Mansen und Huben können eindeutig lokalisiert werden. Gelang es dem Stift, die weit verstreuten Besitzeinheiten zu nutzen? Das Kloster war eindeutig bestrebt, die größeren Güter auszubauen und kleinen Streubesitz dafür abzugeben. Eine Übersicht über den bis 1300 erworbenen Besitz, die W. Fresacher[36] gibt, macht dies deutlich.

Die sich herausbildende Grundherrschaft St. Paul war kein geschlossenes Latifundium. Man kann, wie wir gesehen haben, bei dieser Herrschaft auch nicht von einem „auf ihr Zentrum ausgerichteten Bau"[37] sprechen. Gerade im Zentrum dieser klösterlichen Grundherrschaft lag nicht der Besitzschwerpunkt. Das Kloster sah sich gezwungen, weiter entfernten Besitz auch als Lehen auszugeben. Abt Ulrich I. (1192 – 1222) hat selbst keine Lehen ausgegeben, aber ein im Traditionskodex erhaltenes Verzeichnis jener Besitzeinheiten erstellt, die unter seinen Vorgängern verlehnt waren und die er nicht zurückgewinnen konnte[38]. Meist geht es da um Streubesitz, einzelne oder mehrere Mansen in Mittel- oder Unterkärnten. Es sind darunter aber auch Lehenstücke im mittleren Lavanttal, in der Völkermarkter Gegend, im Jauntal, in der Klagenfurter Umgebung am Wörthersee und zwei Hofstätten in Villach. Die Vergabe von Lehen ist umso überraschender, als nach Papst Urban II. (1099) auch Kaiser Friedrich I. 1170 das Kloster in seinen Schutz genommen und verfügt hatte, daß niemand ein Lehen aus den Klostergütern erwerben dürfe. Das Hofgericht hatte einen Spruch gefällt, daß St. Paul niemand belehnen müsse. Die Güter um Völkermarkt waren zu jener Zeit besonders gefährdet, weil die Spanheimer Völkermarkt an sich zu bringen versuchten. Die Urkunde vom 19. März 1170 ist aber auch noch wegen der Vogtei von Interesse[39]. Auch hier wird ausdrücklich die freie Vogtwahl aus der Stifterfamilie bestätigt und das Recht eingeräumt, einen anderen Vogt zu wählen, falls sich ein geeigneter Kandidat unter den Erben der Stifter nicht findet. „Nicht zufällig ist die Erwerbung von Königsschutz oder päpstlichem Schutz eines der Kampfmittel, durch die sich die Klöster der Herrschaft ihrer Vögte entziehen, sie in ‚Beamte' umzuwandeln trachten", sagt O. Brunner[40]. Auch in der Kaiserurkunde von 1170 wird dem Vogt der Verzicht auf weltlichen Gewinn und der Schutz allein um Gotteslohn (*superne remunerationis intuitu in iure suo constanter et fideliter adstabit ecclesie*) empfohlen.

Das Verbot, Lehen auszugeben, wurde 1226 von Kaiser Friedrich II.[41] bestätigt. Trotz dieses erneuten Verbotes geschah es dennoch immer wieder. So gab Abt Konrad I. (1222–1237) 1232 Güter zu Lehen, um sich Anhänger gegen die Völkermarkter Bestrebungen von Herzog Bernhard (1202–1256) zu verschaffen[42]. Derselbe Abt hatte Dietmar von Griffen 23 Mansen zu Lehen gegeben, die Abt Hartwig (1240–1248) 1244[43] dadurch dem Kloster zurückzubringen suchte, daß Dietmar die Lehen auf Lebenszeit innehaben sollte.

Die Gründungsausstattung und die im Laufe des 12. Jahrhunderts dazugekommenen religiösen Stiftungen bildeten die Besitzgrundlage des Stiftes St. Paul. Im 13. Jahrhundert kamen kaum noch Schenkungen aus religiösen Gründen hinzu, Besitzungen wurden vorenthalten und Lehen gingen verloren. Stets war man bemüht, durch Tausch Besitzschwerpunkte abzurunden.

Aus den ältesten Einkommensverzeichnissen, den Urbaren aus den Jahren 1289 und 1371[44] erfahren wir, daß meist im Mittelpunkt eines größeren Güterkomplexes Ämter (*officia*) geschaffen wurden, von denen aus auch entfernter gelegener Streubesitz verwaltet wurde. Bei Drauhofen und St. Kollmann wurde ein alter Hof zum Amt ausgestaltet. Im Urbar von 1289 erscheinen folgende Ämter: Möchling, Drauhofen, Diex, St. Kollmann, Pustritz, Framrach und Gorensfeld. Im Urbar von 1371 werden zwei weitere Ämter aufgeführt: Lavanttal und Weinberg im Lavanttal. Im Amt Möchling steigt die Zahl der Besitzeinheiten zwischen 1289 und 1371 von 65 auf 92. Das hängt mit der späten Rodung in diesem Gebiet zusammen. Zum Amt Drauhofen gehörte auch Streubesitz bei St. Philippen, Stöglach u. a. 1289 ist Diex *preconatus*, d. h. an seiner Spitze stand ein Unterbeamter (*preco*). In der Neuzeit wird dieser Besitz nicht mehr aufgeführt. In den Ämtern St. Kollmann, Pustritz und Framrach sind kaum Veränderungen im Vergleich der beiden Urbare festzustellen. Zum Amt Gorensfeld gehörte vor allem der alte Besitz um Gorentschach, aber auch Güter südlich der Drau in Rinkenberg und Edling. Der Streubesitz im Lavanttal wurde vom Amt Lavanttal verwaltet. Das Amt Weinberg im Lavanttal vergrößerte sich durch neu hinzugekommene Huben. 1371 werden viele Huben in den Ämtern Pustritz, Haberberg, Gorensfeld, Lavanttal und Framrach als verlassen und unbewirtschaftet bezeichnet. Wahrscheinlich ist die Ursache dafür in der Pest zu sehen, die viele Bewohner im 14. Jahrhundert hinweggerafft hat. Beim Markt St. Paul sind im Urbar von 1289 einige Häuser und Äcker angeführt, die wohl aus der *curia* von 1091 hervorgegangen sind. Vermeiert wurde der Besitz im Mittelalter nicht. Wie Bauernland wurde Grund und Boden gegen Zins ausgegeben. Die steirischen Weingüter dürften der Entwicklung jener in Kärnten nicht besonders förderlich gewesen sein, aber es gab solche bei Agsdorf (Amt Framrach) und auf dem Weinberg bei St. Paul.

Mit den Vanstorfern auf der Burg Rabenstein gab es ständig Streitigkeiten um Besitzrechte. Infolge der Kämpfe zwischen König Friedrich III. und den Grafen von Cilli, in die Abt Johann I. (1432–1446) hineingezogen wurde, wurden der Markt St. Paul 1439 abgebrannt und die Klostergüter verwüstet. Verheerend wirkten sich die Türkeneinfälle in der zweiten Hälfte des 15. Jahrhunderts auf den Besitz des Stiftes aus.

Für die Güter gab es kaum Bebauer, weil sie von Türken niedergemetzelt waren. Kaiser Friedrich III. (1440–1493) belegte das Stift 1453 mit einer Steuer von 1200 Gulden[45], und 1473 verlangte er 2000 Gulden vom Stift[46], die er brauchte, um Andreas Baumkircher zu bezahlen. 1478 werden von Abt Johannes II. (1455–1483) sogar 3000 Gulden gefordert[47].

Während sich der zur Stadt erhobene Markt Völkermarkt etwa seit 1290 in der Hand des Herzogs befand, behielt St. Paul in der Stadt und ihrer Umgebung lediglich kleinere Besitzeinheiten. Wie es zu dieser Entwicklung kam, ist im einzelnen nicht zu belegen. Der Besitz des Stiftes war aber nicht nur von außen gefährdet, sondern innere Vorgänge im Stift schadeten des öfteren der materiellen und rechtlichen Stellung des Klosters. Nach dem Aussterben der Lebenauer 1229 gehörte der Besitz in der Umgebung des Klosters den Grafen von Pfannberg (bis 1363). Nach manchen Streitereien gelang es ihnen, mit Abt Liutold (1248–1258) ein Mitglied ihrer Familie zum Abt von St. Paul zu erheben. Dieser zeigte sich seiner Verwandtschaft so verbunden, daß er die Grafen von Pfannberg zu Vögten des Klosters machte. Dies wird kaum in den dafür vorgesehenen rechtlichen Formen geschehen sein; denn der nächste Abt Gerhard (1258–1278) bemühte sich erfolgreich, die Vogtei dem Geschlecht der Pfannberger wieder zu entreißen. Vor König Ottokar II. von Böhmen und Herzog Ulrich III. von Kärnten mußten die Grafen Heinrich und Bernhard von Pfannberg 1160 in Graz auf die usurpierte Vogtei verzichten[48]. Der Abt behielt sich den Anspruch auf Wiedergutmachung der Schäden vor, welche dem Kloster durch die beiden Grafen und weitere Mitglieder ihrer Familien zugefügt waren. An Herzog Ulrich von Kärnten fiel daraufhin die Vogtei, was für St. Paul aber auch nicht von Vorteil war. Auf die Klage des Abtes bei König Ottokar wurde 1267 in Graz ein Vergleich zwischen Herzog Ulrich und Abt Gerhard hergestellt[49].

4. St. Paul als Landstand

Versammlungen der Herrscher mit den Mächtigen des Reiches gab es schon in fränkischer Zeit. Auch der mittelalterliche Landesherr war nie ein absoluter Fürst, „weil es von Anfang an genossenschaftliche Teilhabe am Regieren, Widerstandsrecht gegen Willkür, Freizügigkeit des liber homo, der seine Dienste jedermann anbieten konnte, der aufgrund eines Vertrags Huldigung und Treueid leistete“, gab[50].

Karl Bosl[51] hat an vielen Beispielen gezeigt, wie der Landesherr in Bayern die Stände auf den Landtagen zum Mitregieren heranzog. Eine der Wurzeln dieses Mitspracherechts liegt im Landrecht. An der Regierung des Landes konnte nur mitwirken, wer dem Landrecht unterstand. Das Landrecht stand über dem Landesherrn und den Ständen.

Was in Kärnten seit Ende des 15. Jahrhunderts Landrecht hieß, wurde bis ca. 1337 *iudicium* oder *placitum generale* genannt. Es war das oberste landesherrliche Gericht, bei dem der Herzog oder der Landeshauptmann den Vorsitz führte. Seit dem 14. Jahrhundert wird dieses Gericht Landtaiding genannt. 1338 werden in der Landeshandfeste die richterlichen Funktionen des Landeshauptmannes aufgezählt. Prozesse, die das Land betrafen, sollten auch im Land behandelt werden[52]. Die Gliederung in Landstände kann nur von der Verfassung des Landes her verstanden werden. Unter den Ständen steht als erster Stand der Herrenstand, der sich aus hochfreien Grafengeschlechtern und landesfürstlichen Ministerialen zusammensetzte. Dem Bischof von Gurk, der unter der Schirmvogtei des Landesherrn stand, wurde 1360 Dienstherrenrecht verliehen, wodurch er dem Herrenstand angehörte. Die Reichsbischöfe, der Erzbischof von Salzburg und der Bischof von Bamberg, die nicht unter der Schirmvogtei des Landesherren standen, waren Mitglieder des Herrenstandes. Anders verhielt es sich mit den Klostervorständen, den Prälaten, die unter der Schirmvogtei des Landesherrn standen. Ihr besonderes Schutzverhältnis begründete den Anspruch auf Rat und Hilfe. Im Gegenzug hatte der Landesherr einen stärkeren Anspruch auf Besteuerung der Prälatenklöster.

Der Adel, der sich aus Herren und Rittern zusammensetzte, wachte darüber, daß das landständische Instrument, mit dem er dem Landesherren selbstbewußt gegenübertrat, jenen vorbehalten blieb, die Herrschaften innehatten, d. h. über Grund und Boden verfügten. Die städtischen Ratsfamilien blieben ausgeschlossen.

Als Landschaft wird die Gesamtheit der Stände bezeichnet. In ihr waren Adel und Prälaten, später auch vereinzelt Städte und Märkte vertreten. Die Bauern waren nicht vertreten; denn sie wurden durch ihre Grundherrschaft repräsentiert. Im Laufe des 15. Jahrhunderts versammelten sich die Landstände immer häufiger zu selbständiger Beratung über Steuern und Aufgebote; denn ohne Bewilligung der Landstände konnte der Landesherr keine allgemeinen Steuern vorschreiben.

Die Zusammensetzung der Landschaft Kärntens ist zum ersten Mal aus der Aufgebotsordnung Kaiser Friedrichs II. aus dem Jahre 1446 zu erkennen. 20 Bischöfe, Prälaten und Geistliche werden erwähnt, weil sie in Kärnten über Grundbesitz verfügten: der Erzbischof von Salzburg sowie die Bischöfe von Bamberg, Gurk und Lavant, der Dompropst von Gurk, die Äbte von Ossiach, Millstatt, St. Paul, Arnoldstein und Viktring, die Äbtissinnen von St. Georgen am Längsee und von den Klarissen in St. Veit, die Pröpste der Kollegiatstifte Eberndorf, St. Andrä, Maria Saal, Maria Wörth, Tainach, Völkermarkt und Gurnitz sowie der Deutschordenskomtur in Friesach.

Das Kloster St. Paul wurde bei diesem Aufgebot verpflichtet, ausgerüstete Männer zu Roß und zu Fuß samt Fuhrwerken zu stellen. Welche finanziellen Belastungen in der zweiten Hälfte des 15. Jahrhunderts durch Steuern auf St. Paul zukamen, hatten wir bereits gesehen. Das landsässige Prälatenkloster St. Paul stand unter der Schirmvogtei des Landesherrn. Im Streit mit den Rabensteinern rief St. Paul des öfteren nach landesherrlichem Schutz. 1404 beauftragte Herzog Wilhelm Graf Rudolf von Sulz, den Kärntner Landeshauptmann, und Moritz Weber, den Landeshauptmann der Steiermark, St. Paul gegen Übergriffe des Bischofs von Bamberg zu Hilfe zu kommen[53].

Das Stift St. Paul hatte als Grundherrschaft die Zivilgerichtsbarkeit über seine Untertanen. Es vertrat seine Holden in der Landschaft, die ihm Huldigung, Steuer und Reise schuldeten. Grundlage der Landstandschaft war die Herrschaft über einen Besitz in Kärnten, der durch den Abt von St. Paul repräsentiert wurde.

ANMERKUNGEN

1. D. v. GLADISS (Bearb.), Die Urkunden Heinrichs IV., Bd. 1, in: Die Urkunden der deutschen Könige und Kaiser, hrsg. vom Reichsinstitut für ältere deutsche Geschichtskunde 6 (1941), S. 359–362; K. HALLINGER, Gorze-Kluny (Studien zu den monastischen Lebensformen und Gegensätzen im Hochmittelalter 1, 1951), S. 540f.; H. BÜTTNER, Abt Wilhelm von Hirsau und die Entwicklung der Rechtsstellung der Reformklöster im 11. Jahrhundert, ZS für württembergische Landesgeschichte 25 (1966), S. 321–339.
2. HALLINGER, Gorze-Kluny (wie Anm. 1), S. 540f.
3. *Constitutiones Hirsaugienses: Prologus* (J. P. MIGNE, *Patrologiae completus cursus, Series Latina*, v. 150), c. 929.
4. HALLINGER, Gorze-Kluny, Bd. 2 (wie Anm. 1), S. 718; siehe auch G. ZIMMERMANN, Ordensleben und Lebensstandard. Die *Cura Corporis* in den Ordensvorschriften des abendländischen Hochmittelalters (1973), S. 140f., und A. BORST, Mönche am Bodensee 610–1525 (1978), S. 141–144.
5. Wirtembergisches URKUNDENBUCH, Bd. 1 (1849), S. 282.
6. *GERMANIA PONTIFICIA*, Bd. 3, S. 123, Nr. 9; siehe H. JAKOBS, Die Hirsauer. Ihre Ausbreitung und Rechtsstellung im Zeitalter des Investiturstreites (Kölner Historische Abhandlungen 4, 1961), S. 31f.
7. C. VIOLANTE, Das cluniazensische Mönchtum in der politischen und kirchlichen Welt des 10. und 11. Jahrhunderts, in: Cluny. Beiträge zu Gestalt und Wirkung der cluniazensischen Reform, hrsg. von H. RICHTER (1975), S. 220.
8. EBD., S. 221.
9. *Udalricus, Consuetudines Cluniacenses*, in: MIGNE (wie Anm. 3), v. 149, c. 742.
10. *Codex Hirsaugiensis*, in: Württembergische Geschichtsquellen 1, hrsg. von E. SCHNEIDER (1887), fol. 5a; siehe auch K. HALLINGER, Woher kommen die Laienbrüder, Analecta sacri ordinis Cisterciensis 12 (1956), S. 104;
Ordensstudien I: Beiträge zur Geschichte der Konversen im Mittelalter, hrsg. v. K. ELM (Berliner Historische Studien 2, 1980).
11. MG SS V, S. 439.
12. *Bernoldi Chronicon ad a. 1083*, in: EBD.
13. *Regula Benedicti* 48, 7: „Wenn die Brüder jedoch wegen der Ortsverhältnisse oder infolge ihrer Armut die Ernte selbst einbringen müssen, dürfen sie nicht verdrossen sein."
14. EBD., 48, 8: „(...) denn erst dann sind sie wirklich Mönche, wenn sie von der Arbeit ihrer Hände leben, wie unsere Väter und die Apostel."
15. BÜTTNER, Reformklöster (wie Anm. 1), S. 338.
16. JAKOBS, Hirsauer (wie Anm. 6), S. 106.
17. MC 3, Nr. 488; A. v. JAKSCH, Geschichte Kärntens bis 1335, Bd. 2 (1929), S. 259ff.; W. FRESACHER, Das Benediktinerkloster St. Paul in Kärnten, in: ÖKT 37 (1969), S. 15–31.
18. El Camino de Santiago. Guia del Peregrino (1985).
19. MC 3, Nr. 489.
20. MC 3, Nr. 496.
21. MC 3, Nr. 506.
22. MC 3, Nr. 508.
23. JAKSCH, Geschichte (wie Anm. 17), S. 262.
24. MC 3, Nr. 521.
25. MC, Ergänzungsheft, Nr. 3048.
26. MC 3, Nr. 543.
27. JAKSCH, Geschichte (wie Anm. 17), S. 264.
28. MC 3, Nr. 1461.
29. EBD., Nr. 526.
30. EBD., Nr. 574.
31. EBD., Nr. 1282.
32. EBD., Nr. 740.
33. EBD., Nr. 1308.
34. EBD., Nr. 1467.
35. JAKSCH, Geschichte (wie Anm. 17), S. 360.
36. W. FRESACHER, Der Besitz des Klosters St. Paul in Kärnten, Car. I 149 (1959), S. 337–378, hier S. 374ff.
37. O. BRUNNER, Land und Herrschaft (1984), S. 248.
38. MC 3, Nr. 1426.
39. EBD., Nr. 1140.
40. BRUNNER, Land (wie Anm. 36), S. 311.
41. MC 4/1, Nr. 1902.
42. EBD., Nr. 2052.
43. EBD., Nr. 2286.
44. W. FRESACHER, Die mittelalterlichen Urbare des Benediktinerstifts St. Paul in Kärnten 1289/90 und 1371/72 (Die mittelalterlichen Stiftsurbare Kärntens 2, 1968).
45. UB ST. PAUL, Nr. 500.
46. EBD., Nr. 581.
47. EBD., Nr. 605.
48. EBD., Nr. 103.
49. EBD., Nr. 114.
50. B. THEIL, Vorformen ständischer Mitregierung im Mittelalter. Von der Ständeversammlung zum demokratischen Parlament. Die Geschichte der Volksvertretungen in Baden-Württemberg (1982), S. 21f.
51. REPRÄSENTATION und Parlamentarismus vom 13. bis zum 20. Jahrhundert (1974).
52. C. FRÄSS-EHRFELD, Geschichte Kärntens, Bd. 1 (1984), S. 413f.
53. UB ST. PAUL, Nr. 342.

Landesausbau und Bewirtschaftung der Güter St. Pauls im Mittelalter

WALTRAUD KRASSNIG

Vorerst ist die Frage nach der Situation im Lavanttal vor der Gründung des Klosters St. Paul zu stellen. Über die Besitzverhältnisse wissen wir nur vage Bescheid.

Große Teile des Lavanttales waren Königsgut, von dem im 9. Jahrhundert das spätere St. Andrä an das Erzstift Salzburg kam. Das Gebiet südlich davon scheint durch Richardis, Erbtochter des Grafen Engelbert im Pustertal (gest. 1030 – 39), an die Spanheimer gekommen zu sein. Graf Engelbert war Inhaber der Grafschaft im Jauntal, die Südostkärnten mit dem ganzen Lavanttal und Jauntal umfaßte. Das Kloster wie die Herrschaften Lavamünd, Loschental und Rabenstein gingen aus den Ländereien der Grafen von Spanheim hervor.[1]

Wieweit nun das Land um St. Paul vor der Gründung des Klosters erschlossen war, ist unbekannt. Trotz Fruchtbarkeit und günstiger Lage war jedenfalls selbst der Talboden zur Gründungszeit noch nicht voll erschlossen. Laut Eberhard Kranzmayer haben sich keine vorslawischen Namen erhalten, wiewohl das Gebiet in vorslawischer Zeit besiedelt gewesen war. Wahrscheinlich haben die Awaren die bestehenden Verhältnisse vernichtet, und durch die Baiern, die jedenfalls, so Kranzmayer, an der Lavant selbst vor den Slowenen dagewesen sein müssen, erfolgte dann die Wiederbesiedelung. Die bairische Kolonisation, die um die Mitte des 8. Jahrhunderts beginnt, tritt dann im 9. Jahrhundert stärker hervor.[2] Ab der zweiten Hälfte des 8. Jahrhunderts entstanden in Kärnten wie auch sonst im fränkisch-deutschen Gebiet Höfe als Mittelpunkte der Bewirtschaftung. Großgrundbesitz herrschte vor, und die Masse der Unfreien bestellte für den Adel den Boden. Hauptsächlich Viehzucht war in slawischer Zeit betrieben worden, mit den Baiern trat allmählich der Ackerbau gleichberechtigt hinzu. Selbst auf Königsgütern hat es anscheinend an Äckern gemangelt.[3]

1091 kam es durch Graf Engelbert I., den Sohn des Grafen Siegfried von Spanheim, der aus Rheinfranken nach Kärnten gekommen war und die reiche Erbin Richardis geheiratet hatte, zur Gründung des Benediktinerklosters St. Paul.[4] Es wurde zum Haus- und Familienkloster der Spanheimer in Kärnten, worin sie auch zum großen Teil begraben wurden.[5]

Nachdem Graf Engelbert I. von Spanheim das Kloster St. Paul nicht allzu umfangreich dotiert hatte und vor allem seine Söhne den Besitz des Stiftes durch Schenkungen vermehrt hatten,[6] erhielt St. Paul durch den Grafen Bernhard und seine Gemahlin Kunigunde bedeutenden Besitzzuwachs. Sie vermachten dem Stift für den Fall ihres kinderlosen Todes zwischen 1105 und 1126 die Hälfte des Marktes Völkermarkt und zwei Höfe am Windischen Weinberg.[7]

Gleichzeitig schenkte Bernhards Bruder, der Bischof Hartwig von Regensburg, die andere Hälfte des Marktes, der als Judenmarkt bezeichnet wird, und den Hof daselbst unter gleichen Bedingungen.[8] 1147 dann, ohne Aussicht auf Leibeserben, schenkte Graf Bernhard beide Hälften.[9]

Zu den größeren Erwerbungen gehört auch das *predium Abbatisberch*, gelegen um Agsdorf, westlich von St. Andrä.[10] Zu den größten Schenkungen in Kärnten zählt die Herzog Heinrichs IV. von Kärnten 1123. Es war dies der geschlossenste Besitz St. Pauls in Kärnten bis zum Ende des 12. Jahrhunderts: das *predium* Möchling, Hof und Kirche mit Zubehör, darunter *villae*, Äcker, Weingärten und fünf Huben in Gestidorf.[11] Er war zum großen Teil ausgebaut und gerodet, es werden aber auch ausdrücklich Neubrüche angegeben.

Zwischen 1111 und 1122 kam durch Tausch mit dem Bischof Otto I. von Bamberg das *predium Bischolfisdorf*, der heutige Kollerhof westlich von St. Paul, an das Stift. Das Tauschgut vermutet Fresacher nach Jaksch im 1091 geschenkten Stadelhof Griffen.[12] Erzbischof Konrad I. von Salzburg übergab an St. Paul 1141 die Kirche St. Martin im Granitztal und die Güter zu *Lauent* mit Ausnahme der Burg Kollnitz. Das Kloster ist von nun an wohl im Besitz der Kirche, nicht aber der Güter.[13]

Daneben her gingen noch viele kleine Gütererwerbungen, die vielfach zerstreut und vom Kloster weit weg gelegen waren. Insgesamt hatte St. Paul im Mittelalter überhaupt keinen zusammenhängenden Besitz. Dies hatte auch zur Folge, daß vom Stift zu Lehen ausgegebener Besitz oft verlorenging. Ein Verzeichnis solcher Lehen (entstanden zwischen 1193 und 1220) listet Stücke im Lavanttal, ebenso wie solche um Völkermarkt, im Jauntal, in der Umgebung von Klagenfurt, am Wörthersee und in Villach auf.[14]

Die Verfügung Kaiser Friedrichs I. von 1170[15] und deren Bestätigung durch Kaiser Friedrich II. 1226[16], daß niemand aus den Klostergütern ein Lehen erwerben dürfe, hatte nichts gefruchtet. Von den Schenkungen Ende des 12. Jahrhunderts und des 13. Jahrhunderts, die vielfach aus nur einem *mansus* bestanden, soll noch das *predium* Drauhofen, das 1181 Agnes, die Witwe Herzog Hermanns, dem Kloster schenkte, Erwähnung finden. Vielleicht auf einen 860 an Salzburg geschenkten Königshof zurückgehend, wurde daraus das Amt Drauhofen, zu dem die Streubesitzungen des Stiftes zwischen Klagenfurt und Völkermarkt nördlich der Drau geschlagen wurden.[17]

Herzog Ulrich II. schenkte vor 1202 aus spanheimischem Familienbesitz in Krain Huben in Sujica und Inner-Goritz bei Laibach.[18] Um 1238 kamen am Berg Bleiburg drei Mansen an St. Paul[19] und 1288 u. a. 12½ Mansen zu St. Martin „in Hof", zu Rawenbach und anderen Orten an das Kloster.[20]

Wir haben uns nun einen Überblick über die Besitzverhältnisse im 12. und 13. Jahrhundert verschafft. Die Zeit bis um 1300 kann man als die der Ausstattung des Klosters bezeichnen. Die nachfolgenden Jahrhunderte brachten bedeutende Verluste. Die Ausstattung erfolgte hauptsächlich durch das Gründungsgeschlecht der Spanheimer, für die St. Paul ein repräsentativer politischer und geistiger Mittelpunkt war. In der zweiten Hälfte des 12. Jahrhunderts waren die Schenkungen der Spanheimer nicht mehr so zahlreich, da sie nun andere politische und religiöse Schwerpunkte hatten. Nun treten vermehrt Angehörige anderer Adelsgeschlechter, vielfach Ministerialen der Spanheimer, auf, wie die Kollnitzer, Trixner, Unterdrauburger, Murecker, Liebenberger, Loschentaler, Dirnsteiner, Ungnad, Hornberger und Marburger. Sie waren entweder in Ostkärnten oder in der Mark hinter dem Drauwald ansässig. Repräsentationsbedürfnisse und die Vorsorge für das Jenseits ließen sie reiche Schenkungen tätigen, die als Verdienste gewertet wurden. Die Bevorzugung und Förderung eines Klosters durch den weltlichen Adel war natürlich auch ganz wesentlich von politischen Faktoren abhängig. Es bedeutete für die Ministerialen des Herzogs eine Verbesserung ihrer Stellung und ihres Ansehens, sich das Kloster St. Paul, die Spanheimergründung, verpflichten zu können. Die Gegenleistung des Klosters bestand meist in der Zusicherung des Begräbnisses im Kloster.[21]

Wie von den Spanheimern, so wird auch von den anderen Adelsgeschlechtern im 13. Jahrhundert ein Nachlassen der Schenkungen konstatiert. Das Verhältnis z. B. von Herzog Bernhard und Herzog Ulrich III. zum Kloster war nicht das beste. Etliche Schenkungen von Adelsfamilien beruhen auch auf dem Wunsch, das Kloster zu versöhnen, da ihr Verhältnis zum Stift nicht immer friedlich gewesen war. Besitzungen St. Pauls waren den ihren vielfach benachbart und hatten zu Übergriffen „eingeladen".[22]

Schenkungen und Traditionen vermitteln einen Überblick über die Besitzverhältnisse, mittels Rodung und Urbarmachung mußte das Stift seine Ländereien nutzbar machen und trug damit viel zum Landesausbau bei.

Eine erste große Rodungswelle hatte in Kärnten im 9. Jahrhundert begonnen und war hauptsächlich von den großen Grundbesitzern in die Wege geleitet worden, war also nicht das Werk von selbständigen Bauern. Sie dauerte bis in das 13. Jahrhundert, in Ausläufern bis um 1400.[23]

Auch die Erschließung des St. Paul gehörenden Bodens war Ende des 13. Jahrhunderts weitgehend abgeschlossen; im kleinen wurde noch weiter gerodet. Mit dem *predium* Möchling wurden 1123 auch Neubrüche (*novalia*) gegeben. Die Rodung steckte also erst in den Anfängen und wurde dann vom Kloster durchgeführt. Von hier aus drang man gegen Süden in die Karawankentäler vor und rodete noch bis ins 14. Jahrhundert. Zu beiden Seiten des Freibaches wurden so neue Besitzeinheiten gewonnen.[24] 1289 gibt es hier z. B. noch 17 Neubrüche. 1371/72 erscheinen *novalia* im Lavanttal unter dem Namen Geräut und als Neubruch bei Weingärten in der Steiermark.[25] Der Name des Ortes Abtei südlich von Möchling weist in diese Richtung wie auch Agsdorf (Abtesdorf) westlich von St. Andrä.

In großem Zuge konnte St. Paul seine Erschließungstätigkeit auf seinen untersteirischen Besitzungen entfalten, die den umfangreicheren Teil des mittelalterlichen Klostergutes darstellten. So ist die Besiedelung des drauseitigen Remschnigberglandes ein planvolles Siedlungswerk des Klosters St. Paul. Dessen Südteil war schon von den Spanheimern kolonisiert worden. Graf Bernhard von Spanheim und seine Frau Kunigunde schenkten 1162 das Gut *Vrezen*, das neben der Kirche auch den umliegenden Drauwald samt den zugehörigen Mansen umfaßte.[26] Diese Schenkung hatte den Umfang der späteren Pfarre Fresen und umfaßte den Südrand des Berglandes zwischen dem Remschnigbach und dem Tschermenitzengraben.[27] Der Nordteil, den die Spanheimer seit der Mitte des 12. Jahrhunderts St. Paul überlassen hatten und für dessen Erwerbung urkundliche Nachrichten fehlen, wurde von St. Paul in gewaltiger Leistung selbst gerodet und besiedelt.[28]

Die Nordgrenze der Kolonisation hier war der Zug des Radl – Remschnig. Mit Beginn des 13. Jahrhunderts hatte St. Paul bereits den gesamten Bereich des Remschnigberglandes besessen und besiedelt, so daß 1201 auf dem Klostergut die Pfarre St. Georgen am Remschnig begründet werden konnte. Die Gehänge der Höhenzüge wurden aber erst in der Neuzeit gerodet.[29] Ebenfalls umfangreiche Kolonisation führte das Kloster südlich der Drau in der *provincia s. Laurentii* durch, deren Kern die 1091 geschenkte *villa Röste* ist.

In Zusammenhang mit der Rodung ist vielleicht die Gütervogtei in Diex und Remschnig zu sehen. Die benachbarten Herrschaften stellten Kräfte für die Rodung des Klosters zur Verfügung, die zwar ihre Dienste dem Kloster abführen mußten, aber sonst ihren Herren zugehörten.[30]

Kennzeichnend für das jüngere Rodungsgebiet ist die Einzelhofsiedlung. Im Remschnigbergland liegen die Einzelhöfe in Form von Haufenhöfen ausnahmslos auf Kämmen und Verebnungen der verschiedenen Höhenrücken.[31] Oft sind sie paarig nebeneinander gelagert, spätere Teile eines alten Urhofes. Dies geht auf eine Erscheinung hauptsächlich im jüngeren Rodungsland, der Gemeinerschaft, zurück, die nach 1290 auf den St. Pauler Gütern, allerdings nur auf den untersteirischen, einsetzte. Hier bewirtschafteten zwei oder drei Gemeiner, *socii*, einen Besitz. Schwierige Arbeitsverhältnisse mögen die Ursache gewesen sein, wie auch die Steigerung der Dienste an die Herrschaft.[32] Die Bebauer der Güter in Rodungsgebieten waren in der Steiermark teilweise besitzrechtlich bessergestellt. Es herrschte das Kaufrecht vor, das heißt, es wurde den unfreien Leuten für die Rodung das Erbrecht am Besitz zugestanden. In den altbesiedelten Gebieten dagegen treffen wir fast durchwegs das schlechtere Freistiftrecht.[33] Die Huben auf frisch gerodetem Land bekamen Lagenamen, die man zum Teil noch heute vorfindet.

An dieser Stelle ist nun die Frage zu stellen, wer jenes durch Schenkungen an das Kloster gekommene Land, das noch nicht erschlossen war, kultivierte. Woher das Kloster überhaupt die Menschen für die Rodung nahm, ist unbekannt. Hierher gehört auch ein Blick auf die innere Struktur des Klosters St. Paul. Wir wissen, daß St. Paul vom Reformkloster Hirsau gegründet worden ist und Hirsau das Konverseninstitut kannte bzw. es eingeführt hat. Konversen waren Laien, die nicht die Profeß ablegten und kein Mönchskleid trugen. Sie waren *illiterati* und verrichteten körperliche Arbeit.[34] Was war die Motivation des Reformabtes Wilhelm von Hirsau zur Errichtung dieses Laieninstitutes? Wenngleich diese Frage nicht vollkommen geklärt erscheint[35], so sind es ursprünglich sicher religiös-monastische Überlegungen wie die Orientierung an der *vita communis* der Urkirche, die seelsorgliche Verantwortung der Mönchsgemeinde für ihre *familia* und disziplinärer Selbstschutz – weltliche Angestellte wurden so überflüssig – und, wie Kassius Hallinger meint, nicht feudalistische Gründe.[36] Und wenn man nun nach der Motivation der Reform für die Kultivierung des Landes forscht, so muß man zugleich nach den Gründen für einen Anschluß der Konversen an das Kloster fragen. Die Antwort darauf liegt sicher im am Jenseits ausgerichteten Weltbild des mittelalterlichen Menschen. Die Idee der Nachfolge Christi, das Motiv der freiwilligen Sklavenschaft, die Vorstellung vom jenseitigen Lohn ließen selbst Freigeborene und Adelssöhne in den Konversenstand treten.[37] In seiner weiteren Entwicklung aber geriet das Konverseninstitut in sozialen Gegensatz zur Mönchsgemeinschaft, da man mit der Zeit dazu nur mehr Angehörige der unteren Stände zuließ. Seit der ersten Hälfte des 13. Jahrhunderts kam es in Verfall, wurde dann aber in den Reformbewegungen des 14. und 15. Jahrhunderts unter neuen Gesichtspunkten wiederaufgenommen, spielte aber fortan keine wesentliche Rolle mehr. So wurde zum Beispiel in den drei Reformbewegungen von Subiaco, Melk und Kastl den Laienbrüdern der Profeßritus zugestanden.[38]

Diese Konversen gab es nun auch in St. Paul. Also dürfen wir annehmen, daß sie eine Antwort auf unsere eingangs gestellte Frage sind, wenn auch nur für die erste Zeit. 200 Jahre nach der Gründung war bereits der gesamte Stiftsbesitz zu Mansen und zu Lehen ausgetan und von *coloni* bewirtschaftet. Diese waren dann auch für den weiteren, bis in das 14. Jahrhundert andauernden Landausbau verantwortlich.

K. Ginhart ist der Meinung, daß diese Laienbrüder als Steinmetzen bei der Errichtung der romanischen Stiftskirche tätig waren, da Steinmetzzeichen völlig fehlen.[39]

Einige Konversen sind uns aus dem Nekrolog von St. Paul bekannt. Er nennt deren 13, von denen sieben zeitlich eingeordnet werden können. Darunter befinden sich auch zwei Frauen! Durch Berichte des Abtes Hieronymus Marchstaller (1616–1638) wissen wir, daß dem Stift auch ein Frauenkloster angeschlossen war.[40] Vier Konversen sind aus der Zeit des Abtes Konrad I. (1222–1237), einer aus der des Abtes Leonhard (1237–1240) und einer aus dem 18. Jahrhundert erwähnt.[41] Einer *Irmengard conuersa* begegnen wir unter Abt Ulrich I. (1192–1222)[42] und einer *Almuot conversa de Lauent* im Nekrolog von St. Peter in Salzburg.[43]

Kurz sei auch auf die Regel Benedikts eingegangen, die im ganzen Abendland erstmals die Arbeit als Ethos im Kloster forcierte, was sich unmittelbar als kulturelle Pionierleistung auswirkte. Die Arbeit wird, im Gegensatz zur Antike, zum erstenmal als ein Mittel sittlich-geistlicher Bildung betrachtet und in positive Zusammenhänge eingeordnet. Doch warnt F. Prinz davor, eine allzu geradlinige Entwicklung vom benediktinischen *ora et labora* zu einer allgemein anerkannten christlichen Arbeitswertung anzunehmen.[44] Grundlage dieses christlich-monastischen Arbeitsethos war das Bild des Schöpfergottes. Gemäß Kapitel 48 der Benediktsregel (*Regula Benedicti* 48,1: *Otiositas inimica est animae*) soll Müßiggang durch Handarbeit zu bestimmten Stunden vermieden werden, bestimmte Stunden wiederum seien der *lectio divina* gewidmet.[45] Aber nicht im materiellen Gewinn sieht die *Regula* das Ziel dieser monastisch-religiösen Leistungsgemeinschaft, sondern im Heil der Seelen; in das Streben danach wird die Arbeit als asketische Übung als ein wichtiges Mittel einbezogen. Auf dem Dienstgedanken liegt der Schwerpunkt der benediktinischen Arbeitsauffassung, und sie schreibt die Arbeitsverpflichtung für jeden fest, wenngleich sich der Mönch seine Arbeit nicht selbst wählen kann. Seine speziellen Fähigkeiten werden aber berücksichtigt. Jegliche Tätigkeit, Handarbeit sowie Studium, findet Anerkennung. Benedikt betont auch die Gefährlichkeit des Müßiggangs und damit den sozialen Charakter der Arbeit.[46] Allerdings gilt z. B. der Feldbau nicht als normale Beschäftigung der Mönche.[47] „Es liegt auf der Hand", wie Alice Lieblang es treffend formuliert, „daß mit einer so organisierten, aus innerer Überzeugung restlos zuverlässigen und nach ihren Fähigkeiten gegliederten Arbeitsgruppe ein Höchstmaß an qualifizierter Arbeit geleistet werden kann. Hier hätte die Möglichkeit bestanden, diese Arbeitsverbände in den wirtschaftlichen Prozeß einzusetzen und für die Macht und die Bereicherung des einzelnen Klosters auszunützen. Da aber macht sich der gottesdienstliche Charakter der Arbeit geltend, wie er sich im Vorrang des Schaffens über das Werk ausdrückt."[48] Von den Menschen, die bei dem Ausbau des Landes tätig waren, und ihren Motivationen sei nun zur Bewirtschaftung der Güter übergegangen. In der ersten Zeit geschah diese von Wirtschaftshöfen (*villa* oder *curia*) aus, die verschieden groß waren. Sie blieben als Höfe bestehen oder wurden zum Teil in Mansen zerlegt. Schon aus dem Jahre 1213 haben wir Kunde, daß dieser Vorgang in Gang gekommen war.[49]

Die Eigenbewirtschaftung war zur Zeit der Abfassung des ältesten Urbars 1289/90 fast verschwunden und der Besitz an die *coloni* ausgegeben. Die Lehen, die darin nicht verzeichnet werden, bleiben außer Betracht. Auf die alten Höfe gehen die *villae* in den Urbaren zurück, die aber nicht Besitzeinheiten waren, sondern mit Dorf und Hof gleichgesetzt werden können. Fresacher führt so alle Orte, die auf -dorf enden, auf einstige Wirtschaftshöfe zurück, da auf St. Pauler Grund und Boden zur Zeit der beiden Urbare keine als Dörfer gegründeten Orte nachzuweisen sind.[50]

Ist die *curtis stabularia* in der ersten Zeit des Stiftes die größte Besitzeinheit, so ist es zwei Jahrhunderte später die *curia*, einstiger erhalten gebliebener Hofmittelpunkt, der oft die Größe von zwei Mansen hatte und worauf oft die Klosterbeamten saßen. Die Besitzeinheit schlechthin war der *mansus* oder die

Hube, die so beschaffen war, daß davon ein Bauer mit seiner Familie leben konnte.[51] Die Mansen finden sich vor allem im altbesiedelten Land und sind durch das Zerteilen der alten Höfe entstanden. Die Huben, etwas größer als die Mansen, sind im jüngeren Rodungsgebiet geschaffen worden. Beide zinsten verschieden. Die *area* = Hofstatt ist die Besitzeinheit in Märkten und geschlossenen Orten, die wir in Kärnten nur im Markt St. Paul antreffen und in der Steiermark am öftesten 1290 im späteren Amt St. Georgen an der Pößnitz.[52]

Opiliones = Schwaigen hat Abt Dietrich Pruchler (1284 – 1291) eingerichtet. Es waren dies Viehhöfe, deren Haupttier das Schaf war und die ursprünglich Huben gewesen waren. 1289/90 wird auf den Kärntner Besitzungen St. Pauls nur einmal eine solche erwähnt, während wir in Untersteier über solche zu Walz und Wurmat Kenntnis haben. Im jüngeren Urbar kommen die einzigen Schwaigen in Kärnten am Magdalensberg vor, außerhalb, im Amte Unterdrauburg, St. Lorenzen und Remschnig. Vom ersteren Amt wissen wir, daß die Schwaigen durch Beistellen des Viehs durch den Grundherrn zustande kamen, der sie aber oft wieder wegnahm.[53]

Die Verwaltungseinheiten der Stiftsgüter waren die Ämter (*officia*), der oberste Güterbeamte, der *officialis*, wohnte in St. Paul und hatte in den einzelnen Ämtern untergeordnete Beamte, die Ende des 13. Jahrhunderts in Kärnten als *precones* bezeichnet werden. Der oberste Beamte in der Steiermark war der *officialis* mit Sitz in Zellnitz und der untergeordnete Verwaltungsbeamte der *supanus*, der dem kärntnerischen *preco* entspricht. Das Amt St. Lorenzen war ein selbständiger Verwaltungsbezirk, dem entweder ein *officialis* oder ein *iudex* vorstand. Hier hatte das Kloster die hohe Gerichtsbarkeit.[54]

Wie war nun die Stellung der Bauern, der *coloni*?

In Kärnten herrschte durchgehend und in der Steiermark meist das Freistiftrecht (*libera institutio*), d. h. es bestand für den Grundherrn St. Paul jederzeit die Möglichkeit, dem Bebauer Grund und Boden zu entziehen. Dennoch gab es eine ziemlich ausgedehnte Erblichkeit am Besitz, die aber nicht ein Erbrecht war.[55]

In Kärnten wurde erst zu Beginn der Neuzeit die lebenslängliche Überlassung des Freistiftgutes allgemein üblich.[56] Freie Bauern gab es auf Klosterbesitz nicht. In der zweiten Hälfte des 14. Jahrhunderts tritt neben das Freistiftrecht das Kaufrecht (*empticium*), das aber fast nur in der Steiermark vorkommt. Es ist dies ein Erbrecht am Besitz, das von den Grundherren ihren Untertanen, vielfach in Notzeiten, verkauft wurde. Wenn der Untertan aber schlecht hauste, konnte ihm der Grundherr dennoch das Gut entziehen. Dieses ausdrücklich verliehene Erbrecht ist von der von dem Grundherrn nur geduldeten Erblichkeit am Besitz zu unterscheiden.[57] Dieses bessere Besitzrecht wurde oft Bebauern verödeter Güter als Anreiz zugestanden und unfreien Leuten für die Rodung. Es war bei den Kaufrechten die leibherrliche Bindung an den Grundherrn schwächer und die Leistungen geringer.[58]

Unter der ländlichen Bevölkerung gab es eine verschieden große persönliche Unfreiheit. Die *homines*, wie sie genannt wurden, teilten sich in die Eigenleute, die *homines proprii*, und die Freileute. Sie standen in engster Beziehung zur Wirtschaftsweise. Die Inhaber von Huben, besonders im jüngeren Rodungsland, dürften größere persönliche Freiheit und größere wirtschaftliche Selbständigkeit besessen haben. Ihre Stellung übertrug sich dann auf die Hubenbesitzer im aufgelassenen Hofgebiet und später auf unfreie Bebauer der Mansen. Die verschieden große Unfreiheit spielte bei der kirchlichen Zugehörigkeit eine Rolle. Zu Beginn des 14. Jahrhunderts begannen die Unterschiede zwischen Frei- und Eigenleuten schon zu schwinden.[59]

Was wurde nun auf den St. Pauler Besitzungen angebaut? An Getreide in Kärnten vor allem der Roggen. Wie der

Weizen, so kommt auch der Hafer in allen Ämtern, außer in Unterdrauburg, vor. Die Gerste wurde nur im Amt Möchling und Drauhofen angebaut, der Hopfen dagegen ist in den meisten Ämtern zu finden. In der Steiermark scheint die Hauptfrucht der Hafer gewesen zu sein, in Friaul treffen wir neben Weizen auf Hirse und Sorghum.[60]

Große Bedeutung hatte natürlich der Weinbau. Wenn auch die St. Pauler Mönche ihn nicht eingeführt hatten, so haben sie ihn doch erweitert. Bereits unter den Dotationsgütern befanden sich Weingärten, wie in Gorentschach[61], bei Ströglach und jenseits des Drauwaldes in der Untersteiermark. Noch nicht ganz erschlossen, aber bereits mit Weingärten versehen, scheint der *mons Winsperch* um 1100 gewesen zu sein, als ihn der Erzbischof Hartwig von Magdeburg u. a. an das Stift gab, da weder eines Hofes noch einer Kirche Erwähnung geschieht.[62]

Ca. 80 Jahre später werden der Weinberg und der Windische Weinberg mit Weingärten und Kapellen angeführt. Auch im Amt Möchling werden 1123 Weingärten geschenkt. Doch diese Weingüter sind im Vergleich zu denen in der Untersteiermark geringfügig, weshalb vielleicht auch das Kloster an ihrem weiteren Ausbau in Kärnten kein Interesse hatte.

Die Gegend westlich von St. Andrä mit dem Mittelpunkt Agsdorf und die Umgebung des Weinberges waren die Hauptgebiete in Kärnten, in der Untersteiermark die Besitzungen außerhalb des Drauwaldes, besonders in den Windischen Büheln und in der Mittelsteiermark um Gamlitz. Zellnitz war der Verwaltungsmittelpunkt der klösterlichen Weinbesitzungen in der Steiermark. In Kärnten stand der Weinbau überwiegend im Eigenbetrieb des Stiftes, in der Steiermark in der Form des Bergrechtes, d. h. dessen Inhaber zinsten dem Stift für die Überlassung eines Weingartens Wein oder Geld.[63]

Die wichtigsten Nutztiere auf den St. Pauler Besitzungen waren das Schaf (Steiermark), das aber in Kärnten in den Urbaren kaum vorkommt, und das Schwein. In der Marburger Gegend scheint eine überragende Schweinezucht bestanden zu haben. Rinder werden in den Urbaren im Haushalt eines Bauern nie erwähnt.[64]

Worin bestanden nun die Leistungen und Zinse der Bauern? Die Kärntner Besitzungen gaben Naturalien, wobei besonders die Getreideablieferungen herausragten, und bildeten die Nahrungsgrundlage, die steirischen vor allem Geld. Eine Ausnahme bildete hierbei natürlich der Wein. In Geld abgelöste Naturaldienste waren die Käspfennige (*denarii caseorum*), Fisch- und Schweinspfennige; Mahd-, Saum- und Fuhrpfennige waren Ablösen für Robotverpflichtungen.[65] Der *panpfennig et chirichtagpfennig* war eine Abgabe an den Gerichtsherrn und der *erpfennig* eine Ehrengabe an den Herrn bei gewissen Anlässen, der in Friaul *honoracia* und in Kärnten auch Handehrung genannt wurde und nicht mit der Ehrung (Anlait = Antrittsgebühr bei Besitzübernahme) verwechselt werden darf. Das Sterberecht, *mortuarium*, mußten die Erben nach einem verstorbenen Besitzer dem Herrn geben. Auch die Beamten des Stiftes erhielten von den Bauern Abgaben. Die nur hie und da als Hilfe geforderte Steuer[66] fiel nicht mit dem Geldzins zusammen. Der Zehent (*decima*) kam sehr oft in weltliche Hände und wurde gern als Lehen ausgegeben.

Von den Naturalabgaben ragen besonders die Käsedienste in fast allen Kärntner Ämtern hervor. Es wurden hier jährlich mehr als 10.000 Käse abgeführt, wobei zwölf Zinskäse auf ein Schaf gerechnet wurden. Neben dem Käse als Hauptnahrungsmittel sind im allgemeinen Hühner und Eier die gebräuchlichsten Abgaben.[67]

Der Grundherr St. Paul sah auch darauf, daß überall auf seinen Gütern ein gleiches Maß verwendet wurde, für die Hohlmaße der *modius* und als Unterteilung die *mensura* oder *mezz* und die *urna* für Wein, Hafer, Hopfen und das *brasi-*

um. In der Steiermark hat das Stift planmäßig das gleiche Hohlmaß wie in Kärnten eingeführt. Bei den Geldabgaben erscheinen als höhere Einheiten des Denars das Talentum, die spätere *libra*, die Mark und der Schilling.[68]

Anmerkungen

1. W. FRESACHER, Der Besitz des Klosters St. Paul in Kärnten, Car. I 149 (1959), S. 27.
2. Obwohl z. B. der Name „Lavant" dagegen spricht. E. KRANZMAYER, Ortsnamenbuch von Kärnten, Bd. 1: Die Siedlungsgeschichte Kärntens von der Urzeit bis zur Gegenwart im Spiegel der Namen (AVGT 50, 1956), S. 32, S. 75f., S. 109.
3. W. FRESACHER, Der Bauer in Kärnten, Bd. 1: Die persönliche Stellung des Bauern in Kärnten (AVGT 31, 1950), S. 29–31.
4. MC 3, Nr. 496; C. FRÄSS-EHRFELD, Geschichte Kärntens, Bd. 1 (1984), S. 158f.; A. v. JAKSCH, Geschichte Kärntens bis 1335, Bd. 2 (1929), S. 259f.
5. Siehe den Beitrag hier S. 517–541.
6. Siehe den Beitrag hier S. 69–82.
7. MC 3, Nr. 521.
8. MC Ergänzungsheft, Nr. 3048.
9. MC 3, Nr. 838; K. DINKLAGE, Völkermarkt zwischen Abt und Herzog. Ein Beitrag zur Gründungsgeschichte mittelalterlicher Städte, MIÖG 67 (1959), S. 278–305.
10. MC 3, Nr. 526.
11. EBD., Nr. 574; vgl. FRESACHER, Besitz (wie Anm. 1), S. 33.
12. MC 3, Nr. 543; siehe JAKSCH, Geschichte (wie Anm. 4), S. 264; FRESACHER, Besitz (wie Anm. 1), S. 33.
13. FRESACHER, Besitz (wie Anm. 1), S. 34; MC 3, Nr. 799.
14. MC 3, Nr. 1426; FRESACHER, Besitz (wie Anm. 1), S. 36.
15. MC 3, Nr. 1140.
16. MC 4/1, Nr. 1902.
17. MC 3, Nr. 1282; W. FRESACHER (Hrsg.), Die mittelalterlichen Urbare des Benediktinerstiftes St. Paul in Kärnten 1289/90 und 1371/72 (Die mittelalterlichen Stiftsurbare Kärntens 2, 1968), S. XX.
18. JAKSCH, Geschichte (wie Anm. 4), S. 363.
19. MC 4/1, Nr. 2150.
20. MC 6, Nr. 72.
21. K. SONNLEITNER, Schenkungen und Stiftungen zum Kloster St. Paul in Kärnten (bis 1500). Ein Beitrag zum Thema Frömmigkeit im Mittelalter, MIÖG 94 (1986), S. 341–379, hier bes. S. 344 u. S. 346f.
22. EBD., S. 351.
23. FRESACHER, Bauer (wie Anm. 3), S. 30; KRANZMAYER, Ortsnamenbuch (wie Anm. 2), S. 156f.; siehe auch F. POSCH, Der Landesausbau Österreichs im Früh- und Hochmittelalter, in: Siedlungs- und Bevölkerungsgeschichte Österreichs, hrsg. von Institut für Österreichkunde (1974), S. 75–95, hier S. 88.
24. FRESACHER, Besitz (wie Anm. 1), S. 33, S. 39.
25. DERS., Urbare (wie Anm. 17), S. LVIII.
26. MC 3, Nr. 1041.
27. O. LAMPRECHT, Der mittelalterliche Besitz des Stiftes St. Paul i. L. auf dem Remschnik, Car. I 147 (1957), S. 334.
28. EBD., S. 336.
29. O. LAMPRECHT, Die Besiedelung des Remschnikberglandes, Zeitschrift des historischen Vereines Steiermark 47 (1956), S. 23.
30. FRESACHER, Urbare (wie Anm. 17), S. LXXXV; siehe LAMPRECHT, Besitz (wie Anm. 27), S. 336f.
31. FRESACHER, Urbare (wie Anm. 17), S. CVI; LAMPRECHT, Besiedelung (wie Anm. 29), S. 22.
32. FRESACHER, Urbare (wie Anm. 17), S. XLIX; O. LAMPRECHT, Gemeinerschaften auf dem mittelalterlichen Besitz des Stiftes St. Paul i. L., Zeitschrift des historischen Vereines Steiermark 53 (1962), S. 29–35.
33. FRESACHER, Urbare (wie Anm. 17), S. XLVII.
34. H. JAKOBS, Die Hirsauer. Ihre Ausbreitung und Rechtsstellung im Zeitalter des Investiturstreites (Kölner Historische Abhandlungen 4, 1961), S. 23–26.
35. EBD., S. 25.
36. Woher kommen die Laienbrüder?, Analecta sacri Ordinis Cisterciensis 12 (1956), S. 98.
37. EBD., S. 84–95.
38. EBD., S. 77; vgl. auch B. FRANK, Konversen und Laien in benediktinischen Reformklöstern des 15. Jahrhunderts, in: Ordensstudium 1: Beiträge zur Geschichte der Konversen im Mittelalter, hrsg. v. K. ELM (Berliner Historische Studien 2, 1980), S. 49–66.
39. ÖKT 37 (1969), S. 48; es gibt wohl Steinmetzzeichen aus der gotischen Bauperiode, vgl. EBD., S. 93.
40. W. FRESACHER, Das Benediktinerkloster St. Paul in Kärnten, EBD., S. 21.
41. B. SCHROLL (Bearb.), Necrologium des Benediktinerstiftes St. Paul im Lavantthale (AVGT 10, 1866), S. 33–240, hier S. 226.
42. EBD., S. 55, S. 122.
43. A. v. MEILLER, Auszüge aus bisher ungedruckten Necrologien der Benedictiner-Klöster St. Peter in Salzburg und Admont in Steiermark, dann der Propstei St. Andrä an der Traisen in Österreich unter der Enns, AKÖG 19 (1858), S. 209–410, hier S. 215: zum 23. Januar – *Almut conv. de Lavent.* Im Necrologium S. 61 geführt als: *Almuot monial. S. Pauli Benefactrix.* Laut MC 3, Nr. 1398 schenkt Schwester Almut dem Kloster St. Paul gelegentlich ihrer Konversion drei Mansen ihres Gutes Wolfkersdorf (zw. 1193 und 1220).
44. F. PRINZ, Askese und Kultur. Vor- und frühbenediktinisches Mönchtum an der Wiege Europas (1980), S. 68–74. Weiters dazu J. DUFT, *Regula Benedicti* und abendländisches Leistungsprinzip, Studien und Mitteilungen zur Geschichte des Benediktinerordens und seiner Zweige 91 (1980), H. 1, S. 61–79; vgl. auch H. HOLZAPFEL, Die sittliche Wertung der körperlichen Arbeit im christlichen Altertum (1941); H. DEDLER, Vom Sinn der Arbeit nach der Regel des heiligen Benedikt, in: Benedictus. Der Vater des Abendlandes 547–1947 (1947), S. 103–118; H. DOERRIES, Mönchtum und Arbeit, in: Forschungen zur Kirchengeschichte und zur christlichen Kunst. FS für J. FICKER, hrsg. von W. ELLIGER (1931), S. 17–39.
45. *Benedicti Regula,* bearb. von R. HANSLIK (*Corpus scriptorum ecclesiasticorum Latinorum,* vol. 75, 1977), S. 125.
46. *Benedicti Regula*, 48,18. Siehe A. LIEBLANG, Die Wirtschaftsverfassung der benediktinischen Mönchsregel im besonderen die Behandlung der Besitz- und Arbeitsverhältnisse, Studien und Mitteilungen des Benediktinerordens und seiner Zweige 50 (1932), H. 1, S. 109.
47. EBD., S. 132f.; *Benedicti Regula*, 48,7, S. 127.

48. LIEBLANG, Wirtschaftsverfassung (wie Anm. 46), S. 114.
49. MC 4/1, Nr. 1690.
50. FRESACHER, Urbare (wie Anm. 17), S. LIV.
51. EBD., S. LVIf.; DERS., Bauer (wie Anm. 3), S. 39–49.
52. FRESACHER, Urbare (wie Anm. 17), S. LIX; vgl. O. LAMPRECHT, Der mittelalterliche Besitzstand des Stiftes St. Paul im Lavanttal an der Pössnitz, Car. I 149 (1959), S. 379–388.
53. FRESACHER, Urbare (wie Anm. 17), S. LXI.
54. EBD., S. XXXVI–XLIV.
55. EBD., S. XLVI.
56. W. FRESACHER, Der Bauer in Kärnten, Bd. 2: Das Freistiftrecht (AVGT 39, 1952), S. 56.
57. DERS., Der Bauer in Kärnten, Bd. 3: Das Kaufrecht (AVGT 43, 44, 1955), S. 15.
58. DERS., Urbare (wie Anm. 17), S. XLVII.
59. DERS., Eine aufschlußreiche Urkunde aus dem Jahre 1319, Car. I 147 (1957), S. 350–381, hier S. 361.
60. DERS., Urbare (wie Anm. 17), S. LXXXIXf.
61. Schon 1289 nicht mehr vorhanden, vgl. EBD., S. LI.
62. MC 3, Nr. 499; FRESACHER, Besitz (wie Anm. 1), S. 32, Anm. 21.
63. FRESACHER, Urbare (wie Anm. 17), S. XCIIIf; FRESACHER, Besitz (wie Anm. 1), S. 40.
64. FRESACHER, Urbare (wie Anm. 17), S. XCIIIf.
65. Siehe O. BRUNNER, Land und Herrschaft. Grundfragen der territorialen Verfassungsgeschichte Österreichs im Mittelalter ([5]1984), S. 298–303.
66. EBD., S. 273–298, bes. S. 285.
67. FRESACHER, Urbare (wie Anm. 17), S. LXIIff.; vgl. G. ZIMMERMANN, Ordensleben und Lebensstandard. Die *Cura Corporis* in den Ordensvorschriften des abendländischen Hochmittelalters (Beiträge zur Geschichte des alten Mönchtums und des Benediktinerordens 32, 1973), S. 59f.
68. FRESACHER, Urbare (wie Anm. 17), S. XCVII–CV.

„Wie die Unglaubigen das Land vast verderbt“

ENGELBERT KIRCHHEIM

Im 15. Jahrhundert trat zu klosterinternen Differenzen[1] eine Reihe von äußeren Bedrohungen, die entscheidend zum allmählichen Niedergang des Benediktinerstiftes St. Paul im folgenden Jahrhundert beitrugen[2].

Einfälle osmanischer Truppen, die die Klostergüter in Kärnten und der Untersteiermark ab den 70er Jahren des 15. Jahrhunderts verwüsteten, die 10jährige Präsenz von Söldnertruppen im Lande, die damit zusammenhängende erhöhte Steueraufbringung zur Landesverteidigung sowie die auftretenden Mißernten, Seuchen und Heuschreckenplagen bedrohten die ökonomische Basis des Klosters und seiner Hintersassen, die ihrerseits durch den fehlenden Schutz ihrer Grundherren und den sich verstärkenden wirtschaftlichen Druck mit Versuchen zur Selbstorganisation (Bauernbund 1478, Windischer Bauernbund 1515) antworteten.

TÜRKENEINFÄLLE

Nach dem Festsetzen und der vorläufigen Konsolidierung der osmanischen Herrschaft in Europa im 14. Jahrhundert setzt Sultan Mehmed II. den Eroberungszug zur Mitte des 15. Jahrhunderts auf europäischem Boden erfolgreich fort – 1453 Konstantinopel, 1459 Serbien, 1463 Zentral- und Ostbosnien – und schiebt die Grenze des osmanischen Machtgebiets in bedrohliche Nähe zu den habsburgischen Ländern.[3]

Das militärische Operationsgebiet der osmanischen Truppen erstreckte sich weit über die eroberten Gebiete hinaus, so wurde Innerösterreich in den 70er und 80er Jahren des 15. Jahrhunderts wiederholt von osmanischen Militärexpeditionen betroffen.[4] Nicht die Eroberung und Besitznahme der Länder war das Ziel, sondern neben der Schwächung und Demoralisierung des Gegners der geschäftsmäßig betriebene Menschen- und Viehraub. Die Einfälle dieser leicht bewaffneten und schnellen Truppen (Akindschi)[5] – in den zahlreichen narrativen Quellen „Renner und Brenner“ oder „Sackmann“ genannt – dauerten meist nur kurze Zeit, konzentrierten sich auf das offene Land und unterliefen durch die Schnelligkeit der Truppen und durch den Überraschungseffekt allfällige Abwehr- und Gegenmaßnahmen. Kärnten wurde in dieser Zeit fünfmal – 1473, 1476, 1478, 1480, 1483 – heimgesucht[6] und blieb ohne nennenswerten Widerstand von seiten des „Kriegerstandes“ den „Rennern und Brennern“ ausgeliefert.

Noch vor dem ersten Einfall der „Unglaubigen“ nach Kärnten berieten die Landstände über zu treffende Verteidigungsmaßnahmen und die Aufbringung der dazu benötigten finanziellen Mittel, da die ersten Einfälle nach Krain und in die Untersteiermark die Schwächen der bestehenden Militärorganisation aufgezeigt hatten.[7]

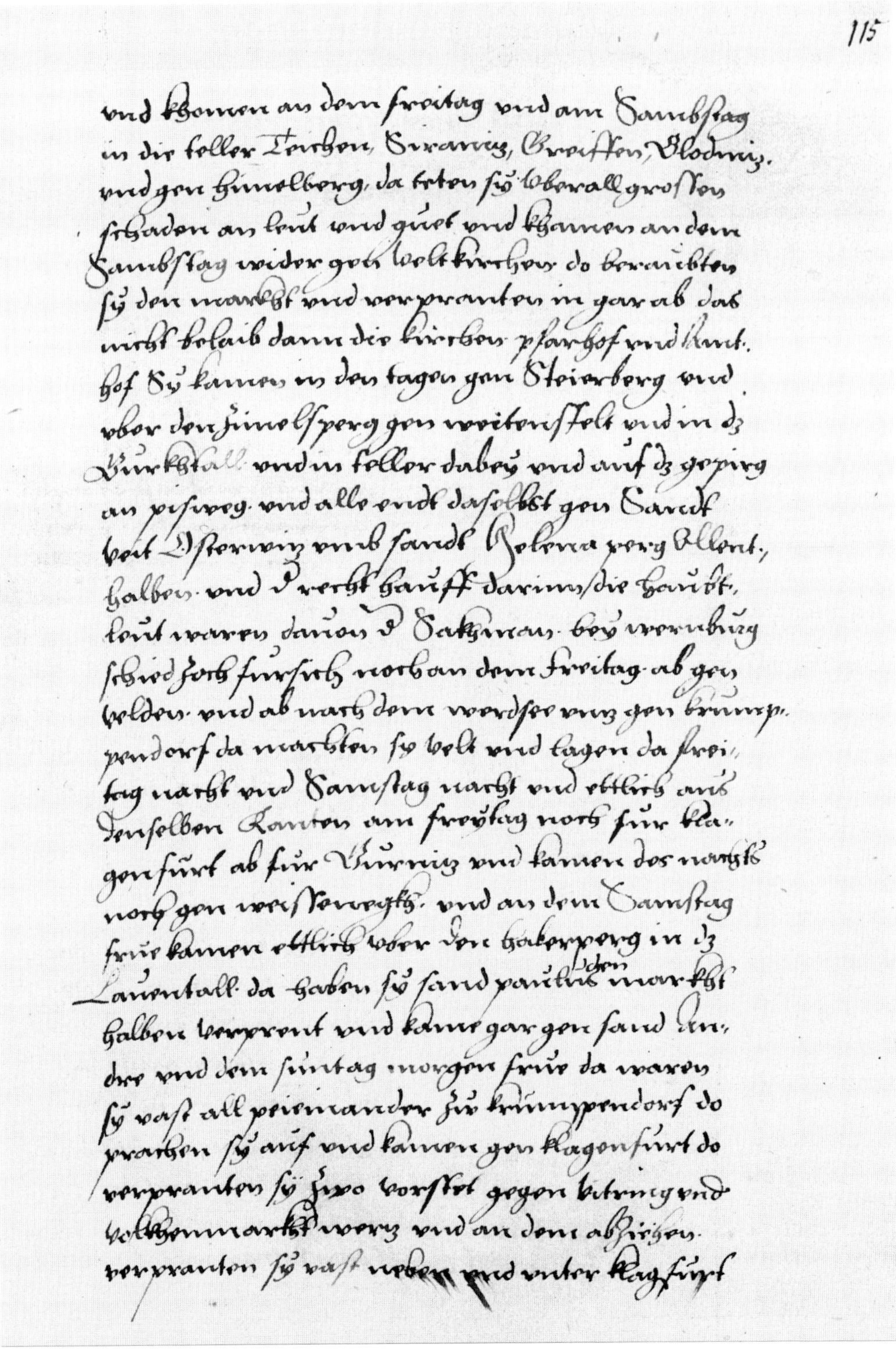
115

vnd khomen an dem freitag vnd am Sambstag
in die teller Turkhen, Sirannig, Greiffen, Blodnig.
vnd gen Himelberg, da teten sy vberall grossen
schaden an leut vnd guet vnd khamen an dem
Sambstag wider gen Veltkirchen do beraubten
sy den markht vnd verpranten in gar ab das
nicht belaib dann die kirchen pfarhof vnd kast-
hof Sy kamen in den tagen gen Steierberg vnd
vber den Himelsperg gen weitensfelt vnd in dz
Gurkhtall vnd in teller dabey vnd auf dz gepirg
an pisweg vnd alle endt daselbst gen Sand
Veit Osterwiz vnd sand Helena perg allent-
halben vnd d' recht hauff darinn, die haubt-
leut waren daruon d' Sakhinau bey wernburg
schied sich furschlich vorban dem freitag ab gen
velden vnd ab nach dem werdsee vnz gen krump-
pendorf da machten sy velt vnd lagen da frei-
tag nacht vnd Sambstag nacht vnd ettlich aus
denselben Rannten am freytag noch fur kla-
genfurt ab fur Tyrnitz vnd kamen des nachts
noch gen weissenegkh vnd an dem Sambstag
frue kamen ettlich vber den haberperg in dz
Lauental da haben sy sand pauls den markht
halben verprent vnd kam gar gen sand An-
dre vnd dem suntag morgen frue da waren
sy vast all peieinander zu krumpendorf do
prachen sy auf vnd kamen gen klagenfurt do
verpranten sy zwo vorstet gegen vitring vnd
velkhenmarkht werz vnd an dem abziehen
verpranten sy vast neben vnd vnter klagfurt

Abb. 8: Jakob Unrest, Österr. Chronik, ÖNB Cod. 8007, fol. 115r; Bericht über den Einfall der Türken nach Kärnten 1476.

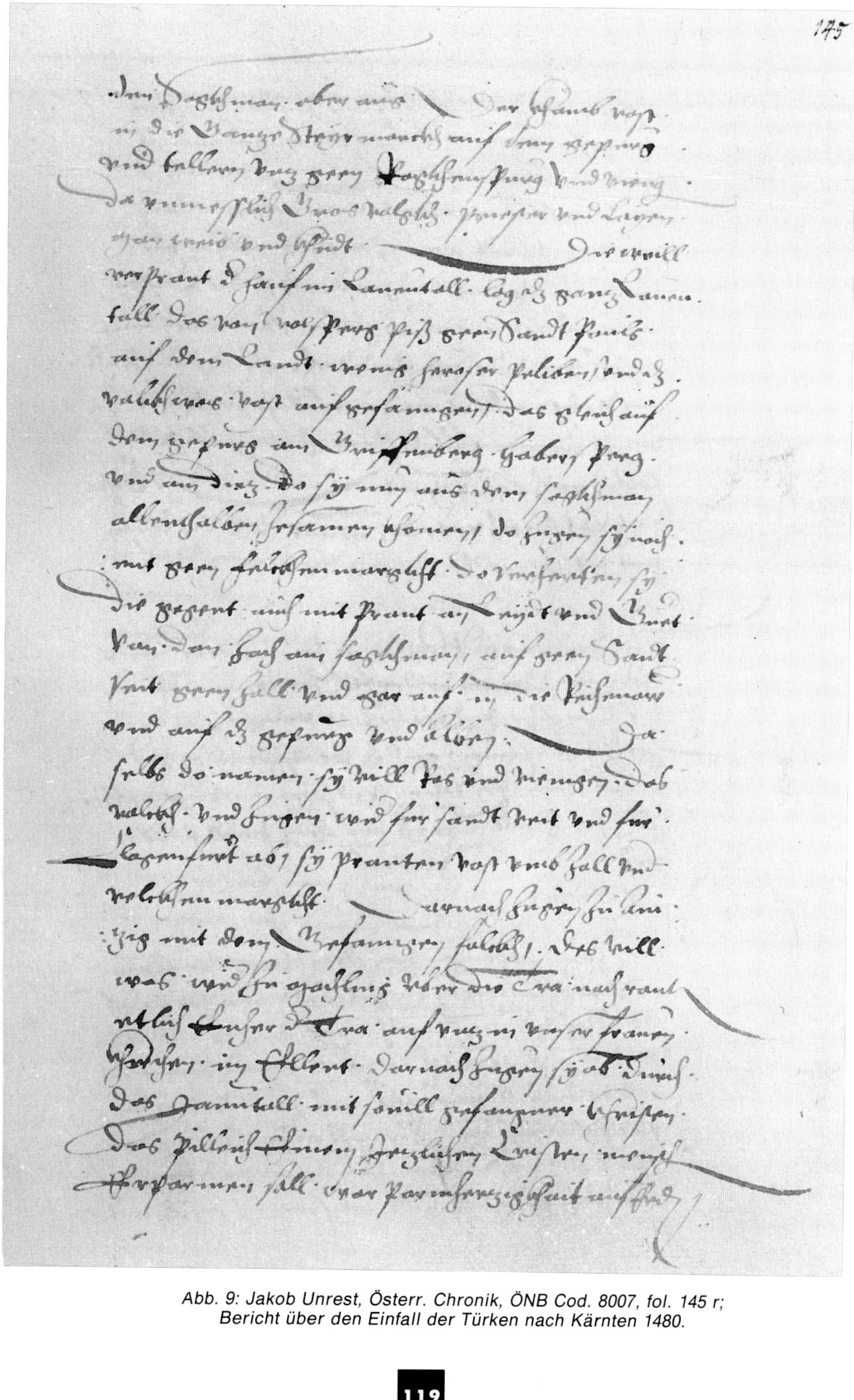

Abb. 9: Jakob Unrest, Österr. Chronik, ÖNB Cod. 8007, fol. 145 r; Bericht über den Einfall der Türken nach Kärnten 1480.

Trotz des Wissens um die Bedrohung und die zur Verfügung stehende Zeit blieben die Abwehrmaßnahmen offensichtlich Stückwerk, die osmanischen Truppen konnten Ende September 1473 ungehindert, über den Seebergsattel kommend, vor allem in Mittelkärnten und im Jauntal ihre Raubzüge durchführen.[8] Von den Besitzungen des Klosters St. Paul waren vor allem die Güter um Möchling betroffen. Dieses Gebiet diente den Türken noch mehrmals als operativer Stützpunkt für ihre Streifzüge.[9]

Ins Lavanttal, in die unmittelbare Nähe des Klosters, zogen die Osmanen zweimal. 1476 fielen sie in die Gegend von St. Paul ein, verbrannten den Markt und verwüsteten die umliegenden Ortschaften und Güter.[10]

1480 führte der Beutezug über die Steiermark ins Lavanttal.[11] Neben der Verheerung des offenen Landes – Unrest schreibt, daß „von Wolfsperg untz genn Sannd Pauls auff dem lanndt wenig hewser pelyben“ – wurden diesmal auch zahlreiche Kirchen, die der ländlichen Bevölkerung als Zufluchtsorte dienten, geplündert und eingeäschert.[12]

Das Thema Landesverteidigung gegen die Türken stand daher auch immer wieder im Mittelpunkt der Landtage der innerösterreichischen Länder, zu denen der Abt von St. Paul, Johann Eßlinger (1455–1483), geladen wurde.[13]

Neben der Beschlußfassung über die militärische Organisation des Landes – Aufgebotsordnung, Kreiseinteilung, Warneinrichtungen – und den Maßnahmen zu Grenzbefestigungen[14] war die Genehmigung finanzieller Mittel zentrales Anliegen des Landesfürsten.

1475 wird beim gemeinsamen Landtag zu Marburg die Einhebung des „gemeinen Wochenpfennigs“ als Kriegssteuer beschlossen[15], 1478 beauftragt Friedrich III. seinen Landesverweser Berthold Mager mit der Eintreibung des noch ausständigen „zehent phennig“ von allen Landständen mit Besitz in Kärnten[16], 1480 genehmigten die steirischen Landstände die Forderungen des Kaisers nach einem allgemeinen Steueranschlag zur Türkenabwehr, den die Kärntner und Krainer Stände gleichfalls bewilligen sollten[17].

Die Belastung des Stiftsbudgets wurde noch durch zusätzliche Ausgaben verschärft. Zur Auslösung mehrerer Adeliger, die sich nach einer mißglückten Militärexpedition in Krain in türkischen Händen befanden, wurde 1476 eine außerordentliche Steuer eingehoben, auf St. Paul entfielen dabei immerhin 150 ungarische Dukaten.[18] Für diverse Kundschafterdienste hatte der Abt jeweils seinen Anteil zu leisten.[19] Wie groß der wirtschaftliche Schaden für das Stift durch die Türkeneinfälle tatsächlich war, läßt sich nicht mit Bestimmtheit feststellen. Die Dezimierung der Bevölkerung war sicherlich beträchtlich, wenn auch nicht in dem von den erzählenden Quellen beschriebenen Ausmaß[20]. Hinweise auf Wüstungen – so im Urbar des Amtes Remschnig (Remšnik) in der ehemaligen Untersteiermark von 1490, wo von 162 bestehenden Gütern 29 als „verödet“ beschrieben werden[21] – sind nicht unmittelbar als Folge der Türkeneinfälle anzusehen, sondern sind mit den tiefgreifenden wirtschaftlichen Veränderungen des Spätmittelalters zu verbinden[22].

Dem Abt Johann Eßlinger ist es in dieser Zeit jedenfalls möglich, den Besitzstand in Kärnten durch Kauf einiger Güter zu vergrößern.[23]

In den 1480er Jahren betreibt sein Nachfolger, Abt Johann Hechtl – unter Hinweis auf die durch die Türkeneinfälle zurückgegangenen Einnahmen –, die Inkorporierung der Pfarre St. Georgen unter Stein[24].

UNGARNKRIEG 1480–1490

„Die Söldner und Hilfstruppen sind unnütz und gefährlich, (...) uneinig, ehrgeizig, unbändig, treulos; frech gegen ihre Freunde, feig gegen die Feinde, ohne Gottesfurcht und ohne Glauben gegen die Menschen.“[25]

Obwohl erst Jahrzehnte später formuliert, trifft Machiavellis Analyse der geänderten Kriegsführung auf den Ungarnkrieg in vollem Ausmaß zu. Die 10jährige Präsenz fremder Söldnertruppen im Lande wurde zum bedrückendsten Ereignis für die Bevölkerung im ausgehenden 15. Jahrhundert.[26]

Die langwierigen Auseinandersetzungen zwischen Kaiser Friedrich III. und dem ungarischen König Matthias Corvinus um die Machtposition im Donauraum[27] führten um 1480 zu weiteren Kriegshandlungen, denen diesmal auch Kärnten ausgesetzt war.

Den Anlaß dazu gab der „Salzburger Bistumsstreit“[28]. Friedrich versuchte, das Salzburger Erzbistum mit dem aus Ungarn geflohenen Erzbischof von Gran, Johann Beckenschlager (Bekkensloer), zu besetzen, der amtierende Erzbischof Bernhard Rohr fand Schutz und Unterstützung durch den Ungarnkönig Matthias und öffnete diesem die salzburgischen Festungen in der Steiermark und Kärnten (Herbst 1479).[29]

Während ungarische Söldner unter Hans Haugwitz in Mittel- und Oberkärnten die salzburgischen Besitzungen bereits Anfang 1480 einnahmen[30], kamen ihnen im Lavanttal die kaiserlichen Truppen unter Leonhard von Kollnitz zuvor. Sie fielen im Juni 1480 in St. Andrä ein und besetzten die umliegenden salzburgischen Festungen Reisberg und Lichtenberg sowie die Burg Stein.[31]

Der in St. Andrä residierende Bischof von Lavant, Johannes Roth – mit des Kaisers Unterstützung Bischof von Lavant[32], nunmehr der Parteinahme für die Ungarn verdächtigt –, sah sich gezwungen, sich auf die Festung Twimberg, deren Ausbau er betrieben hatte[33], zurückzuziehen[34]. Nach deren Übergabe an die ungarischen Truppen im Februar 1481 suchte er Zuflucht beim Ungarnkönig in Ofen.[35]

Die Belagerung der strategisch bedeutsamen Festung durch Leonhard von Kollnitz im August 1481 wurde durch neu eintreffende ungarische Truppen beendet, die anschließend brandschatzend durch das Lavanttal zogen – Abt Johann mußte 400 fl. zum Schutz seiner Güter auslegen – und Lavamünd sowie Unterdrauburg einnahmen.[36]

Damit waren die Positionen vorerst bezogen, der Kleinkrieg der feindlichen Lager war begleitet von ständigen Übergriffen auf die Bevölkerung, sei es durch Konfiszierung von Ernte und Vieh, Plünderungen und Vernichtung der Häuser oder Erpressung von Lösegeld mittels Gefangennahme einzelner Holden. Bambergische Untertanen wurden trotz eines Neutralitätsvertrages mit dem Ungarnkönig fortwährend von beiden Seiten geschädigt.[37]

Die Kärntner Landstände strebten in dieser Situation im Herbst 1482 gegen Bezahlung von 10.000 fl. (in Geld und Tuch) einen Separatfrieden mit Matthias an[38], die Zustimmung des Kaisers erforderte jedoch weitere 16.000 fl.[39]

Trotz Friedensvertrages blieb die Waffenruhe nicht allzulang erhalten, Übergriffe einzelner Söldner führten zu weiteren Kriegshandlungen. Im Lavanttal gelangten das Schloß Lavamünd (1483) und die Burg Loschental (um 1488) in der unmittelbaren Nähe von St. Paul in ungarischen Besitz.[40]

Erst mit dem Tod des Matthias Corvinus 1490 endete die ungarische Besatzung, König Maximilian eroberte rasch die gegnerischen Stützpunkte, zumal einige in Matthias' Diensten stehende Söldnerführer nun zu den Habsburgern übertraten.[41] Die Auswirkungen des Ungarnkrieges veranschaulicht die Beurteilung des Chronisten Unrest: „(. . .) das lanndt Kerndten (ist) von dem haylossen Kryeg mer zu schaden khomen (. . .), dann vor von vier Turckhenrayssen, ausgenomen an volckhverfurrung.“[42]

Bauernaufstände

Zum Ende des 15. und in der ersten Hälfte des 16. Jahrhunderts brachte die „Systemkrise des Feudalismus“[43] zahlreiche Bauernaufstände hervor. Der verstärkte Ausbeutungsdruck seitens der Grundherren, die fehlende rechtliche Absicherung und politische Repräsentation mobilisierten den Widerstand der Massen, ohne jedoch eine revolutionäre Umgestaltung der Gesellschaft bewirken zu können.

In Kärnten empörte sich der gemeine Mann zweimal, versuchte mit der Formierung eines Bauernbundes die Forderung nach dem „alten Recht“ gegenüber seinem Grundherrn durchzusetzen. Der erste Aufstand 1478 war insofern bemerkenswert, da er ein radikales Programm bäuerlicher Autonomie hervorbrachte, das erst wieder um 1525 in ähnlicher Form artikuliert wurde.[44]

Im Februar 1478 organisierten die Bauern der Herrschaft Ortenburg in Oberkärnten – Ausgangspunkt war die Klage über eine angebliche Münzverschlechterung – in kürzester Zeit einen mächtigen Bund und suchten im restlichen Land Anhänger für ihre Sache zu gewinnen.[45] Nachdem zuerst nur die Forderung nach Beibehaltung des „alten Herkommens“ gestellt wurde und die Organisation als Bund zum Selbstschutz gegen die Türkeneinfälle bestehen sollte, wurden die Pläne mit dem Anwachsen der Mitgliederzahl zunehmend radikaler. Ziel wurde der Bauernstaat unter kaiserlicher Oberhoheit, der die Herrschaft des Adels beseitigt, die Rechtsprechung in die Hände der Bauern legt und die seelsorgerische Betreuung der Gemeinden durch selbstgewählte Priester gewährleistet.[46]

Die Stände blieben ob der Drohung untätig, Kaiser Friedrich III. mahnte die aufständischen Bauern, ihr „frembd furnemen“ aufzugeben[47], dem Landesverweser Berthold Mager befahl er, Waffen und Rüstungskäufe durch die Bauern zu unterbinden[48], den Adel rief er zu Widerstand auf[49]. Erst Anfang Juli 1478 suchte er „wegen des puntnuss der pawrschaft“ mit der Einberufung eines Landtags nach St. Veit zu koordinierten Gegenmaßnahmen zu schreiten.[50]

Der Einfall der Türken im Juli 1478 beendete die Herrschaft des Bauernbundes und entledigte die Grundherren der Sorge ob ihrer aufständischen Untertanen. „Die armen pawren im punt“ wurden bei Goggau (nahe Tarvis) von den Osmanen vernichtend geschlagen und „czerstreut“.[51]

Nach dem Abzug der osmanischen Truppen konnten die Grundherren ungehindert zur Bestrafung der Anführer übergehen[52], die Idee des Bauernbundes schien aber weiter fortzuleben[53].

Am „innerösterreichischen Bauernkrieg“ oder „Windischen Bauernbund“ von 1515 waren Bauern des Stiftes St. Paul direkt beteiligt. Von Krain ausgehend, breitete sich der Ruf nach der „alten Gerechtigkeit“ („stara pravda“) über die Untersteiermark nach Unterkärnten aus.[54]

Die Ursachen lagen in der Erhöhung und Vermehrung der Lasten durch die Grundherren und im verstärkten Steuerdruck durch den Finanzbedarf Kaiser Maximilians für den Krieg mit Venedig, den Anlaß bildeten Übergriffe eines krainischen Grundherrn in der Herrschaft Gottschee (Kočevje) im März 1515[55].

Bei einer Bauernversammlung in Gonobitz (Slovenske Konjice), in der die Bedrückung der Bauern artikuliert und ihre Forderungen in 13 Artikeln[56] zusammengefaßt wurden, waren fünf Bauern des Klosters St. Paul anwesend[57]. Sie trugen die Botschaft ins Lavanttal und organisierten am 1. Juni 1515 eine Bauernversammlung in Pustritz, bei der sich angeblich 3000 Bauern versammelten. Hier wurde ein Bund gegründet, ihm eine militärische Organisationsstruktur gegeben, Maria Rojach zum Zentrum des Bundes bestimmt und Werbeschreiben an die Bauern der benachbarten Täler und an einzelne Städte übermittelt.[58] In den Verhandlungen mit den Abgesandten der Landschaft betonten die Delegierten des Bundes die Forderung nach der „göttlichen Gerechtigkeit" und dem „alten Herkommen".[59] Der Adel suchte nur vorübergehend einen friedlichen Ausgleich, daneben wurde ein ständisches Aufgebot ausgerüstet, das binnen kurzer Zeit die aufständischen Bauern unterwarf (Ende Juni 1515).[60] Die Anführer wurden an Ort und Stelle hingerichtet.[61]

In der Untersteiermark beendete der Feldhauptmann des ständischen Aufgebots, Georg von Herberstein, den Aufstand mit einem Gemetzel bei Cilli (Celje) Anfang Juli, Ende August 1515 hatte er auch die Bauern in Krain unterworfen.[62]

Neben den Strafmaßnahmen, vor allem Geldbußen für die Beteiligten – in Kärnten bekam jeder aufständische Bauer 8 Pfennige zusätzlich ins Urbar geschrieben –, ließ Kaiser Maximilian in den Instruktionen für den Landtag zu Laibach erste Ansätze zu Reformen erkennen, die jedoch den Widerstand der Stände hervorriefen.[63]

Der Sieg der Grundherren ließ für die Zukunft an keine Änderung der Machtverhältnisse denken, am Bauernkrieg von 1525 beteiligten sich nur die Bergknappen der an Salzburg angrenzenden Gebiete Oberkärntens, die Bauern wagten keinen Aufstand mehr.[64]

Anmerkungen

1. B. Schroll, Das Benediktinerstift St. Paul, Car. 66 (1876), S. 94ff.; W. Fresacher, Der Besitz des Klosters St. Paul in Kärnten, Car. I 149 (1959), S. 352f.
2. Bereits in der ersten Hälfte des 15. Jahrhunderts litten die Klostergüter in der Untersteiermark in den Kämpfen mit den Pflegern zu Mahrenberg und den Grafen von Cilli, die 1439 und 1442 den Markt St. Paul verbrannten und die umliegenden Ortschaften verwüsteten. Schroll, Benediktinerstift (wie Anm. 1), S. 95 und S. 99.
3. H. Jansky, Das Osmanische Reich in Südosteuropa von 1452 bis 1648, in: Handbuch der europäischen Geschichte, hrsg. von Th. Schieder, Bd. 3. (Nd., 1979), S. 1173f.
4. Besonders Krain war ab 1469 eines der von den Türken am schwersten betroffenen Gebiete. Vgl. S. Jug, Turški napadi na Kranjsko in Primorsko do prve tretjine 16. stoletja (Die Türkeneinfälle in Krain und im Küstenland bis zum ersten Drittel des 16. Jahrhunderts), Glasnik muzejskega društva za Slovenijo XXIV (1943), S. 1–61; A. Dimitz, Geschichte Krains (1874), S. 279ff.
5. Vgl. P. Jaeckel, Organisation des früh-osmanischen Heeres, besonders der Militärgrenze, in: Die Steiermark. Brücke und Bollwerk. Katalog der Landesausstellung 1986 (Veröffentlichungen des Steiermärkischen Landesarchivs, 16, 1986, S. 145–154.
6. W. Neumann, Die Türkeneinfälle nach Kärnten, Südost-Forschungen 14 (1955), S. 84–109. Nd. in: Bausteine zur Geschichte Kärntens (Das Kärntner Landesarchiv 12, 1985), S. 170–190.
7. Mc 11, Nr. 422; J. Unrest, Österreichische Chronik, hrsg. von K. Großmann (MG SS NS 11), S. 29f. 1472 hatte der Abt von St. Paul 10 gerüstete Pferde oder 40 fl. zu geben. Mc 11, Nr. 439; Ub St. Paul, Nr. 577.
8. Unrest, Österreichische Chronik (wie Anm. 7), S. 40ff.
9. 1478 verwüsteten sie diese Gegend so sehr, daß „vonn Roseckh untz geyn Mochling nicht mehr hawser belyben dann ain kewschn, ain kasten und ain padtstuben." Unrest, Österreichische Chronik (wie Anm. 7), S. 98. 1483 wird von Möchling aus das Jauntal verwüstet. Ebd., S. 141.
10. Ebd., S. 65.; K. Tangl, Reihe der Bischöfe von Lavant (1841), S. 179ff.
11. Unrest, Österreichische Chronik (wie Anm. 7), S. 110f.
12. Die Pfarrkirchen: St. Peter und Paul in St. Peter bei Reichenfels, St. Jakob in Reichenfels, St. Nikolaus in Kamp, Maria Himmelfahrt in St. Marein, St. Nikolaus in Siegelsdorf, St. Nikolaus am Windischen Weinberg, Maria Himmelfahrt in Rojach, St. Ulrich an der Goding, St. Urban in Reideben. W. Fresacher, G. Moro, J. Obersteiner, R. Wanner, H. Wiessner, Erläuterungen zum Historischen Atlas der österreichischen Alpenländer. Abt. II, Teil 8, 2. (AVGT 52, 1958), S. 11, S. 14, S. 20, S. 22, S. 48, S. 57–59.
    Zu den Wehrkirchen vgl. K. Kafka, Wehrkirchen Kärntens. 2 Bde. (Kärntens Burgen und Schlösser 4/1, 2, 1971/1972).
13. Vgl. M. Wutte, Zur Geschichte Kärntens in den ersten zwei Jahrhunderten habsburgischer Herrschaft, Car. I 125 (1935), S. 24ff.
14. Ders., Vom alten Landsturm, Car. I 105 (1915), S. 6–39; 106 (1916), S. 19–57.
15. Mc 11, Nr. 449; Unrest, Österreichische Chronik (wie Anm. 7), S. 50f.
16. Mc 11, Nr. 499; J. Chmel, *Monumenta Habsburgica* I/2, S. 867, Nr. 1116.
17. Chmel, *Monumenta Habsburgica* I/3, S. 383ff., Nr. 166, S. 393ff., Nr. 169.
18. Mc 11, Nr. 461; UB St. Paul, Nr. 594; Den Osmanen erbrachte diese Transaktion 12.000 Dukaten. Vgl. S. Vilfan, Die wirtschaftlichen Auswirkungen der Türkenkriege aus der Sicht der Ranzionierungen, der Steuern und der Preisbewegung, in: Die wirtschaftlichen Auswirkungen der Türkenkriege, ed. von O. Pickl (Grazer Forschungen zur Wirtschafts- und Sozialgeschichte 1, 1971), S. 183.
19. Mc 11, Nr. 469, Nr. 479.

20. VILFAN, Auswirkungen (wie Anm. 16), S. 180f.
21. O. LAMPRECHT, Der mittelalterliche Besitz des Stiftes St. Paul im Lavanttal auf dem Remschnik, Car. I 147 (1957), S. 345f.
22. Vgl. L. BAUER, H. MATIS, Geburt der Neuzeit (1988), S. 126f.; VILFAN, Auswirkungen (wie Anm. 16), S. 179f.
23. EBD.; UB St. Paul, Nr. 583, Nr. 588, Nr. 606, Nr. 611, Nr. 612, Nr. 615.
24. UB St. Paul, Nr. 628, Nr. 633, Nr. 634; B. SCHROLL, Hieronymus Marchstaller 1616–1638 (1891), S. 54f.
25. N. MACHIAVELLI, Der Fürst (1990), S. 64f.
26. Bereits die Baumkircherfehde zwang den Abt zu außerordentlichen Ausgaben und zu Verteidigungsmaßnahmen. UB St. Paul, Nr. 573, Nrn. 567–569.
27. K. NEHRING, Matthias Corvinus, Kaiser Friedrich III. und das Reich. Zum hunyadisch-habsburgischen Gegensatz im Donauraum, (Südosteuropäische Arbeiten 72, 1975); W. FRAKNÓI, Matthias Corvinus. König von Ungarn 1458–1490 (1891).
28. F. M. MAYER, Über die Abdankung des Erzbischofs Bernhard von Salzburg und den Ausbruch des dritten Krieges zwischen K. Friedrich und Kg. Matthias von Ungarn (1477–1481), AÖG 55 (1877), S. 179ff.
29. EBD., S. 205f.
30. UNREST, Österreichische Chronik (wie Anm. 7), S. 104f.
31. Die salzburgischen Einwohner der Stadt mußten den Besatzern huldigen, ansonsten wurden sie „berawbt, gevanngen und geschetzt". EBD., S. 109; Zu Stein vgl. H. WIESSNER, G. SEEBACH, Burgen und Schlösser in Kärnten, Bd. 1 (1977), S. 186f.
32. TANGL, Bischöfe (wie Anm. 10), S. 176.
33. EBD., S. 177f.
34. UNREST, Österreichische Chronik (wie Anm. 7), S. 121f.
35. TANGL, Bischöfe (wie Anm. 10), S. 184f.; 1482 wurde er mit Unterstützung des Ungarnkönigs Bischof von Breslau. UNREST, Österreichische Chronik (wie Anm. 7), S. 123.
36. EBD., S. 122.
37. MC 11, Nr. 534; J. URE, Bauernkrieg, Türkennot und ungarische Besitznahme in Kärnten unter Kaiser Friedrich III. 2. Teil, Jahresbericht der k.k.dt. Staatsrealschule Pilsen (1913), S. 10f.; vgl. auch H. PIRCHEGGER, Geschichte der Steiermark 1282–1740 (1931), S. 104, Anm. 84.
38. MC 11, Nr. 550a.
39. UNREST, Österreichische Chronik (wie Anm. 7), S. 137.
40. EBD., S. 138f.
41. EBD., S. 188f.
42. EBD., S. 132.
43. BAUER, MATIS, Neuzeit (wie Anm. 22), S. 58.
44. G. FRANZ, Der Deutsche Bauernkrieg ([10]1975), S. 37.
45. „Inn dem Lauentall warn sich auch pundtmessig gewessen, wann sy hetten vor auch ainen pundt angetragen, aber doch nicht vollenndt". UNREST, Österreichische Chronik (wie Anm. 10), S. 90ff., S. 94.
46. EBD.; FRANZ, Bauernkrieg (wie Anm. 44), S. 37.
47. MC 11, Nr. 497; CHMEL, *Monumenta Habsburgica* I/2, S. 878, Nr. 1144.
48. MC 11, Nr. 498; CHMEL, *Monumenta Habsburgica* I/2, S. 876f., Nr. 1141; S. 877, Nr. 1142.
49. MC 11, Nr. 500; CHMEL, *Monumenta Habsburgica* I/2, S. 873, Nr. 1129.
50. MC 11, Nr. 505; CHMEL, *Monumenta Habsburgica* I/2, S. 881, Nr. 1152.
51. MC 11, Nr. 506; Das Bauernheer hatte sich bereits vorher aufgelöst, von 3000 Bauern leisteten nur mehr 500 und 70 Bergknappen Widerstand gegen die Türken. UNREST, Österreichische Chronik (wie Anm. 7), S. 95f.
52. EBD., S. 99.
53. „Noch get der pundt den pawren in syn und muessen doch darczu geschweygen." EBD., S. 99.
54. F. M. MAYER, Materialien und kritische Bemerkungen zur Geschichte der ersten Bauernunruhen in Steiermark und den angrenzenden Ländern, Beiträge zur Kunde steiermärkischer Geschichtsquellen 13 (1876), S. 18.
55. F. M. MAYER, Der innerösterreichische Bauernkrieg des Jahres 1515, AÖG 65 (1884), S. 72f.
56. Abgedruckt bei: F. M. MAYER, F. BISCHOFF, Kleinere Mittheilungen zur Geschichte der Bauernunruhen in Steiermark, Beiträge zur Kunde steiermärkischer Geschichtsquellen 14 (1877), S. 119f.
57. MAYER, Bauernkrieg (wie Anm. 55), S. 89.
58. EBD., S. 90.
59. FRANZ, Bauernkrieg (wie Anm. 44), S. 40.
60. MAYER, Bauernkrieg (wie Anm. 55), S. 93f.
61. „Also waren vill der bauern Haubtleut und ire Obristen, wo man die im landt betretten hat, an die baumb gehangen." MAYER, Materialien (wie Anm. 54), S. 19.
62. Zwischen 700 und 2000 Bauern wurden im Zuge der Niederschlagung des Aufstandes getötet. MAYER, Bauernkrieg (wie Anm. 55), S. 97; vgl. PIRCHEGGER, Steiermark (wie Anm. 37), S. 329, Anm. 376.
63. MAYER, Bauernkrieg (wie Anm. 55), S. 102f.
64. H. BRAUMÜLLER, Der Bauernaufstand von 1525/26 in Kärnten, Car. I 116 (1926), S. 89ff.

Zur Geistesgeschichte St. Pauls am Ausgang des Mittelalters

WILHELM BAUM

Die Geistesgeschichte der Kärntner Klöster am Ausgang des Mittelalters ist noch vollständig unerforscht. Die Stifte des Landes lagen meist entfernt von den Hauptdurchzugsrouten zwischen Italien und Deutschland, an denen sich zuerst Vorboten der Renaissance und der neuen Frömmigkeitsformen im späten Mittelalter zeigten. Um die inneren Verhältnisse zu verstehen und beurteilen zu können, ist es daher stets notwendig, den Blick auf die großen Geisteszentren und Klöster zu richten, die gewissermaßen als Paradigma in die Provinz abstrahlten. Die 1365 gegründete Wiener Universität bildete am Ausgang des Mittelalters das wichtigste Bildungszentrum für den Raum, der seit 1379 von zwei, dann seit 1395 von drei habsburgischen Linien regiert wurde. Für St. Paul im Lavanttal war die leopoldinische Linie der Habsburger zuständig, zunächst Leopold III. († 1386) selbst, dann schließlich sein Sohn Ernst „der Eiserne" († 1424), dann Herzog Friedrich IV. „mit der leeren Tasche" von Tirol (1424 – 1435), dann sein Neffe Friedrich V. „der Jüngere", der Sohn Herzog Ernsts, der als Kaiser Friedrich III. (1440 – 1493) in die Geschichte einging. Die innerösterreichische, in Graz und Wiener Neustadt residierende Linie der Habsburger trat politisch weniger hervor als ihre Innsbrucker und Wiener Vettern. Die relativ hausbackene und bescheidene Hofhaltung trug kaum dazu bei, geistige Entwicklungen zu fördern oder zu beschleunigen. Wir kennen die Klagen des großen Humanisten Aeneas Silvius Piccolomini, der seit Anfang 1443 in der Kanzlei Friedrichs III. arbeitete und sich über die Verhältnisse in Österreich beklagte.[1] Es darf daher nicht verwundern, daß sich die ersten humanistischen Bestrebungen im österreichischen Raum am frühesten in Wien und in den großen Klöstern an der Brennerstraße wie Neustift, Stams oder Wilten feststellen lassen, kaum jedoch in Kärnten, wo nur Millstatt kurz vor der Auflösung bzw. Umgestaltung durch Friedrich III. eine gewisse Ausnahme darstellt.

Ausgangspunkt für innerkirchliche Reformbestrebungen war das Konzil von Konstanz (1414 – 1418). Einer der führenden Reformtheologen war Nikolaus (Pruntzlein) von Dinkelsbühl († 1433), der 1404/05 Rektor der Wiener Universität gewesen war. Neben Thomas Ebendorfer von Haselbach († 1464) gehörte er zu den wichtigsten Reformtheologen der Wiener Universität, die auch auf die „konziliaristische" Reformbewegung einwirkten.[2] Nikolaus von Dinkelsbühl trat bereits auf dem Konstanzer Konzil als wortgewaltiger Prediger hervor; 228 Einzelpredigten haben sich von ihm erhalten, darunter auch einige in St. Paul. Er dachte noch durchaus scholastisch; vom humanistischen Einfluß ist noch wenig zu spüren. Aber er war der führende Mann an der Wiener Universität, der durchaus die Zeichen der Zeit erkannte. Sein Werk *Reformationis methodus* wurde zur Pro-

Abb. 10:
Kenotaph des Abtes
Gerhard von Viktring,
Stiftskirche
Viktring.

grammschrift der Klosterreform im frühen 15. Jahrhundert. Auch sein Freund Nikolaus Seyringer († 1425) war Rektor der Wiener Universität gewesen. Gemeinsam mit dem Benediktiner Petrus von Rosenheim († 1433) war Seyringer in das Benediktinerkloster Subiaco eingetreten, das nach einer Verfallsperiode 1364 deutschen Mönchen übergeben worden war. Hier entstanden die berühmten *Consuetudines Sublacenses* als Ergänzung zur Benediktinerregel.

Der gute Ruf Subiacos veranlaßte Herzog Albrecht V. von Österreich – den späteren König Albrecht II. († 1439) – Mönche von dort zur Reform der Klöster in Österreich zu holen. Bereits 1418 erreichte Albrecht vom Konstanzer Konzil die Durchführung einer Reform im Stift Melk, wo der alte Abt zur Abdankung gezwungen und Nikolaus Seyringer als Nachfolger eingesetzt wurde. Somit begann die benediktinische Reform mit der Einsetzung Seyringers in Melk im Jahre 1418. Ein anderer Mönch aus Subiaco, Nikolaus von Respitz, wurde Abt des Wiener Schottenstiftes, und auch Mariazell erhielt einen neuen Abt aus dem italienischen Reformkloster. Die Regeln von Subiaco wurden nun den deutschen Verhältnissen angepaßt und als *Consuetudines Mellicenses* weiterverbreitet. Wesentlich trug zum Erfolg dieser Klosterreformen, die auch Kremsmünster, Seitenstetten und Garsten erreichten, bei, daß die Landesfürsten sie unterstützten.

Der nächste bedeutende Schritt geschah, als Herzog Wilhelm von Bayern 1426 Petrus von Rosenheim zur Klosterreform nach Bayern holte und mit der Visitation des völlig heruntergekommenen Klosters Tegernsee beauftragte. Dort wurde der erst 24jährige Kaspar Aindorffer († 1461) zum Abt eingesetzt; unter ihm wurde Tegernsee zum bedeutendsten Benediktinerstift des gesamten süddeutschen Raumes. 1431 reformierte Petrus von Rosenheim auch St. Peter in Salzburg, das fortan neben Tegernsee und Melk das wichtigste österreichische Bollwerk der Reformbenediktiner wurde. Fruchtbar aber wurde die Reformbewegung erst durch das Zusammenwirken zwischen Tegernsee, Melk, St. Peter in Salzburg und der Wiener Universität, wo immer wieder von neuem junge Mönche theologisch geschult wurden. Die führenden Köpfe der Reform, Nikolaus von Dinkelsbühl, Johannes Schlitpacher († 1482) – der schließlich auch St. Paul reformierte – Konrad von Geisenfeld († 1460), Johannes Keck († 1450)[3] und Bernhard von Waging († 1472) pendelten auch zwischen der Wiener Universität und den genannten Klöstern hin und her. Mehrfach wurden sie bei Visitationen gebeten zu bleiben; letztlich aber strebten sie wieder nach Tegernsee oder Melk zurück, die stets das Zentrum der Reformbewegung blieben. Wenn St. Paul eine – wenn auch relativ bescheidene – Reform „schaffte", dann nicht aus eigener Kraft, sondern nur durch die geistige Unterstützung, die das Lavanttaler Stift von Tegernsee und Melk aus erhielt.

Als es auf dem Reformkonzil zu Basel (1431–1449) schon bald zum Streit zwischen der Reformpartei und der päpstlichen Partei kam, bewog die Wiener Universität den Salzburger Erzbischof Johann II. dazu, sich dem Konzil und nicht Papst Eugen IV. anzuschließen. Auf dem Konzil lernte Thomas Ebendorfer 1432 den jungen karrierebewußten Theologen Nikolaus von Kues kennen.[4] Dieser legte 1434 dem Konzil seine berühmte Reformschrift *De concordantia catholica* vor. Als es auf dem Konzil 1437 zu einer Spaltung zwischen den beiden Parteien kam, ging Cusanus nicht zuletzt aus Karrieregründen zu Papst Eugen IV. über, was besonders die österreichische Konziliaristenpartei unter Thomas Ebendorfer ihm nie verzeihen sollte. Nach der Spaltung des Konzils 1437 tagte die päpstliche Partei in Ferrara und Florenz weiter. Der größte Teil Österreichs hing dem Basler Konzil an, das gegen Cusanus einen Prozeß eröffnete. 1439 wurde der Herzog Amadeus von Savoyen zum Gegenpapst Felix V. gewählt, dessen Sekretär

Aeneas Silvius Piccolomini wurde, bis er 1443 ebenfalls aus Karrieregründen zur päpstlichen Partei übertrat.

Das Schisma zwischen Papst und Konzil führte bei vielen Klöstern und Bistümern zu Doppelbesetzungen und Mißständen. Dennoch versuchte das Konzil, die Klosterreform weiter voranzutreiben. Entscheidend war jedoch, daß Aeneas Silvius 1446 im Auftrage des Papstes durch Bestechung die antipäpstliche Fürstenkoalition in Deutschland sprengen konnte. Wenige Tage vor dem Tode Eugens IV. erklärten die deutschen Fürsten ihm 1447 ihre Obödienz, während das Basler Konzil immer noch tagte. König Friedrich III. schloß schließlich am 17. 2. 1448 das „Wiener Konkordat" mit der Kurie, das ihm reiche Einflußmöglichkeiten in der österreichischen Kirche beließ. Cusanus, der zu dem Zustandekommen des Konkordates nicht unwesentlich beigetragen hatte, wurde am 20. 12. 1448 zum Kardinal ernannt. Noch kurz vor der Selbstauflösung des Basler Konzils hatte dieses am 18. 4. 1449 in Lausanne dem Abte des Wiener Schottenstiftes, dem Prior Thomas Papler von Aggsbach und dem Propst Nikolaus von St. Dorothea in Wien die Vollmacht zur Visitation des Stiftes Melk erteilt.

Bisher war die Reformbewegung in erster Linie von den Konzilien in Konstanz und Basel ausgegangen. Nun nahm sich das wiedererstarkte Papsttum der Reform an. Am Ende des Jubeljahres 1450 ernannte Papst Nikolaus V. den Kardinal Nikolaus Cusanus zum päpstlichen Legaten für Deutschland und Böhmen und ermächtigte ihn zur Kirchen- und Klosterreform und zur Verkündigung des Jubiläumsablasses. Dadurch kam die cusanische Reform ins Rollen, die auch St. Paul erreichen und zu einer allmählichen Besserung der Verhältnisse führen sollte.

Wie sah es nun in St. Paul um die Mitte des 15. Jahrhunderts aus? Die Quellenlage dazu ist mehr als dürftig. Neben den Urkunden, die nur wenig über die inneren Verhältnisse aussagen, ist hier die Handschrift *De fundatione rerum statu prospero adverso vita et morte fundatorum benefactorum abbatum et monachorum monasterii S. Pauli vallis Lavantinae* des Abtes Hieronymus Marchstaller von 1619 zu nennen[5], die auch der Darstellung der Stiftsgeschichte von Beda Schroll zugrundeliegt.[6] Der Quellenwert dieser fast 170 Jahre nach der cusanischen Visitation geschriebenen Chronik ist jedoch verhältnismäßig gering, wenn man etwa bedenkt, daß der Tod Ulrichs II. von Cilli in das Jahr 1476 verlegt wird.[7] Im allgemeinen wird lediglich der Inhalt der Urkunden des Stiftsarchivs wiedergegeben, vermischt mit einzelnen Nachrichten aus der Landesgeschichte. Über die inneren Verhältnisse des Stiftes erfahren wir so gut wie nichts, weder zur Bibliotheks- noch zur Kunstgeschichte, so daß sich die Handschrift für unsere Fragestellung als fast wertlos herausstellt.

Die Verhältnisse im 15. Jahrhundert – aus dem sich nicht ein einziger Grabstein in St. Paul erhalten hat – müssen sehr triste gewesen sein. 1399 sah sich der Salzburger Erzbischof auf die wiederholte Klage des Konventes hin genötigt, dem Bischof von Lavant den Auftrag zur Absetzung des Abtes Hermann II. (1391 – 1401) zu geben. Es kam zur Aufstellung des Gegenabtes Kaspar Fürholzer, und 1401 sah sich der Landesherr, Herzog Wilhelm, der älteste Sohn Leopolds III., gezwungen, in die Wirren einzugreifen und beide Äbte abzusetzen. Auch in der Folgezeit waren Reformversuche in österreichischen Klöstern vor allem dann erfolgreich, wenn sie von den Landesfürsten unterstützt wurden; einige der cusanischen Reformversuche scheiterten vor allem daran, daß sie gegen den erklärten Willen des Landesherren Herzog Sigmund des Münzreichen durchgeführt wurden.[8]

Bereits wenige Monate nach Beendigung des Konstanzer Konzils wurde Ende 1418 in Salzburg eine Provinzialsynode unter dem Vorsitz Erzbischof Eberhards III. abgehalten, bei der es auch um eine Reform der Klöster ging. Auch die Reform der Benediktiner wurde in Angriff genommen. 1421 beauftragte Papst Martin V. den Erzbischof mit der Durchführung der Reform in ganz Österreich. Die Annahme der Reform in Melk (1418), Tegernsee (1426) und St. Peter (1431) bedeutete einen ersten großen Durchbruch in der Reformbewegung.

1429 erreichten die Reformbestrebungen erstmals auch St. Paul. Erzbischof Eberhard IV. befahl dem Abt Ulrich IV. Ecklinger (1414 – 1432), eine strengere Klosterordnung einzuführen. Die Mönche sollten eigene Besitzungen und Geld dem Abt übergeben, die Klausur beobachten und die Tracht und Wohnung gemeinsam haben. Er ermahnte sie, zwei oder drei Mönche aus anderen Klöstern zu holen, und von ihnen eine Visitation durchführen zu lassen.[9] Ob die Reform überhaupt durchgeführt wurde, ist nicht bekannt. Die Wiederherstellungsarbeiten an der Kirche zu St. Paul nach dem großen Brand von 1367 wurden unter Abt Ulrich zum größten Teil abgeschlossen; die Holzdecken wurden dabei durch ein Gewölbe im Altarhaus, Querhaus und Mitteljoch ersetzt. Um 1420 ließ Abt Ulrich am dritten nördlichen Arkadenpfeiler einen Altarblock anbauen und bemalen.[10] Der nächste Abt Johann I. Poschenbeuter (1432 – 1446) wurde bereits zu Beginn seiner Amtstätigkeit vom Salzburger Erzbischof exkommuniziert. Bald nach der Beilegung des Konfliktes mit dem Erzbischof brach ein Zehentstreit mit dem Propst von St. Andrä im Lavanttal aus. Der Abt ersuchte den Landesfürsten Herzog Friedrich um Unterstützung, während der Propst sich an das geistliche Gericht des Erzbistums wandte. Der Abt wurde exkommuniziert, weil er sich an ein weltliches Gericht gewandt hatte. Schließlich wurde der Streit sogar an das Basler Konzil verwiesen, wo es jedoch zu keiner Entscheidung kam. 1441 wurde er dann durch einen Vergleich beigelegt.

Das Stift wurde 1439 auch in den Konflikt zwischen Herzog Friedrich und seinem Bruder Albrecht VI. verwickelt, der sich mit Unterstützung der Grafen von Cilli gegen Herzog Friedrich erhob.[11] Der Abt hielt dabei zu Herzog Friedrich. Die Folge war, daß die Cillier am 31. 5. 1439 den Markt St. Paul und die Erhardikirche zerstörten. Am 1. 3. 1444 besuchte Albrecht VI., der unter anderem die Herrschaft Bleiburg verwaltete, das Stift St. Paul.[12] Abt Johann beklagte sich *cum multis et longis lamentationibus* über den Zustand der Abtei nach den Kriegswirren bei König Friedrich III., dem Landesfürsten und ersuchte ihn um Unterstützung. Der Chronist Marchstaller bemerkt dazu: *Nihil tamen efficit: unde monasterium ad extremam inopiam redactum, vulnus hoc longo tempore sensit.*[13] Über das Ende des Abtes wußte der Chronist nichts zu sagen, weder ob er abgesetzt wurde noch ob er als Abt starb; offensichtlich gab es auch keinen Grabstein von ihm.

Allmählich hielt die „Melker Reform" auch in Kärnten ihren Einzug. Bereits 1430 waren im Anschluß an die ein Jahr vorher erfolgte Visitation von Millstatt zwei Benediktiner von Melk nach Millstatt gekommen, um dort die Ordenszucht zu heben. 1436 wurde auf Geheiß des Salzburger Erzbischofs durch den Prior von St. Peter und einen Melker Profeß auch das Stift Ossiach reformiert.[14] In Österreich unterstützte insbesondere der Landesfürst Albrecht V. die Reform der Klöster. 1435 schickte das Konzil von Basel eine Reformkommission nach Österreich, zu der neben dem Theologen Johann Nider auch Thomas Ebendorfer gehörte. 1436 wurden die Äbte von Lambach, Heiligenkreuz und vom Wiener Schottenstift, die Pröpste von Klosterneuburg und St. Dorothea in Wien sowie der Dechant von St. Florian zu Visitatoren ernannt. Ulrich Stoeckel, der Vertreter Tegernsees auf dem Basler Konzil, wurde Abt von Wessobrunn. 1449 erhielt auch das Stift Scheyern einen Abt aus Tegernsee. 1442 reformierten die Melker Professen Johann Schlitpacher und Konrad von Geisenfeld das Stift Ettal. Einen durchgreifenden Erfolg hat die vom Konzil ausgehende Reformtätigkeit jedoch nicht erreicht.

In St. Paul war mittlerweile 1446 der Prior Peter Knapp von Erzbischof Friedrich IV. von Salzburg zum neuen Abt ernannt worden. Die Klosterdisziplin hatte durch die Wirren der letzten Jahre sehr gelitten; einige Konventualen waren sogar geflohen. Der Professe Sigmund Lenghaimer protestierte gegen die Rechtmäßigkeit der Wahl Knapps beim Basler Konzil, das den Abt jedoch bestätigte. Beim Chronisten Marchstaller klingt die Sympathie für das Konzil noch nach, wenn es heißt, der Abt habe zur Zeit des Basler Konzils regiert, in der es viele Reformversuche im Benediktinerorden gegeben habe. Man habe damals die Äbte Martin vom Wiener Schottenstift und Laurentius von Mariazell nach St. Paul geschickt, um dort eine Reform anzuordnen, die Abt Peter durchgeführt habe.[15]

Wie bereits erwähnt, bevollmächtigte Papst Nikolaus V. schließlich den Kardinal Cusanus am 29. 12. 1450 mit der Reform der Klöster. Von Rom aus reiste er nach Kärnten, wo er am 25. 1. 1451 in Spittal die Zisterzienseräbte der Salzburger Kirchenprovinz zu einer Besprechung nach Wiener Neustadt einlud. Am 3. 2. eröffnete er in Salzburg eine Provinzialsynode, auf der er am 8. 2. 1451 ein Dekret erließ, das die Rückkehr zur alten Strenge der Ordensregel innerhalb eines Jahres gebot. Am 3. 3. ernannte er dann in Wien die Äbte der Reformklöster Melk, Mariazell und zu den Schotten in Wien zu Visitatoren. Der Melker Abt bestimmte jedoch den Prior Johann Schlitpacher[16] zu seinem Stellvertreter. Die Reformatoren sollten den reformwilligen Klöstern Ablässe erteilen, die widerstrebenden jedoch notfalls mit dem Bann und Interdikt belegen und den weltlichen Arm dabei zu Hilfe nehmen. Auch sollten sie auf die strengste Einhaltung der Regel achten. Am 28. 7. 1451 begann die Kommission in Göttweig mit ihrer Arbeit, am 25. 9. war sie in Admont; dann folgten die Visitationen von Göss, St. Paul, St. Georgen am Längsee und Ossiach; am 1. 11. war die Kommission in Millstatt.[17] Insgesamt wurden 44 Männer- und 17 Frauenklöster visitiert. Am 5. 3. 1451 ernannte Cusanus auch für die Augustiner-Chorherren eine Reformkommission. Am 25. 2. hatte er bereits in Wiener Neustadt die Äbte Hermann von Rain, Gerhard von Viktring und Gottfried von Neukloster zu Visitatoren der Zisterzienser ernannt. Am 24. 2. hatte er dabei der Pfarrkirche von Meiselding einen Ablaß verliehen[18], zwei Tage darauf auch dem Stift Viktring.[19] Es läßt sich vermuten, daß der Geschichtsschreiber und Pfarrer von Meiselding, Hans Turs, ein Gewährsmann des Chronisten Jakob Unrest, damals mit dem Kardinal zusammentraf. Auf diese Weise könnte der Kardinal erste Informationen über den Zustand der Kärntner Klöster erhalten haben, die die „Melker Reform“ weitgehend noch nicht angenommen hatten. Das Stift Viktring, das damals 31 Regulare zählte, wurde am 18. 3. 1451 visitiert und war in einem ausgezeichneten Zustand. Die Disziplin war gut, das Stift hatte keine Schulden und hinterließ einen guten Eindruck.[20] Abt Gerhard († 1466), dessen Grabstein noch erhalten ist, hob sich deutlich von anderen Prälaten in Kärnten ab.

Wenig erfreulich war dagegen die Visitation des Gurker Domkapitels, das nach der Regel der Augustiner-Chorherren lebte bzw. leben sollte. Das Kapitel beschwerte sich bei Papst Nikolaus V. über die Reform. Dieser ersuchte am 25. 4. 1452 den Bischof von Seckau, die Bestrebungen des Kardinals zu verhindern und das Dekret, nach dem die Kanoniker nach einer anderen Regel wie die Salzburger Domherren leben sollten, für ungültig zu erklären. Am 28. 5. 1454 entschied Nikolaus V. endgültig, daß die Gurker Kanoniker auch weiterhin nach der Salzburger Weise leben dürften.[21]

Nun zu den Reformen in St. Paul selbst, das damals 17 Mönche zählte.

Der erhaltene Bericht Schlitpachers zeigt die Verhältnisse ungeschminkter als die spätere Schilderung Marchstallers. Dem kritischen Melker Prior waren die Mißstände im Stift keineswegs entgangen. In dem Bericht heißt es, das Kloster sei vom Haupt bis zu den Gliedern reformbedürftig und habe die Observanz der Ordensregel aufgegeben und sich in große Schulden gestürzt. Der Abt habe eigentlich eine sofortige Absetzung verdient, sich dann jedoch reuig gezeigt und der Visitation unterworfen.[22] Aber auch in St. Georgen am Längsee, in Ossiach und in Millstatt sah es kaum besser aus.

Über die Visitation von St. Paul hat sich glücklicherweise noch ein zweiter Bericht erhalten. Der Schottenabt Martin Leibitz verfaßte 1464 eine Lebenserinnerung *Senatorium* in Form eines Dialoges zwischen einem Greis und einem jungen Mann. Dabei berichtet er auch über die cusanische Reform und seinen Aufenthalt in St. Paul. Dabei heißt es, er lobe die Mönche von St. Paul, weil sie allein von allen nichtreformierten Klöstern bereit gewesen seien, die Reform nicht nur mit Worten, sondern auch dem eigentlichen Sinne nach anzunehmen. Sie hätten gebeichtet und voll Reue über das Vergangene das Eigentum zurückgegeben, der eine 30 Gulden, der andere mehr, der andere weniger. Dann hätten die Mönche die Reformkommission ersucht, den Abt zu ersuchen, von dem auf diese Weise zusammengekommenen Geld neue Meßgewänder zu kaufen. Dies sei auch geschehen, und der Abt sei einverstanden gewesen. Andererseits aber fürchte er, daß die Mönche bezüglich des Armutsgelübdes auch weiterhin anfällig seien.[23]

Im Bericht über St. Georgen erwähnt Martin Leibitz die Schwierigkeiten mit dem einheimischen Adel, der den Versuch, die Klausur einzuführen, mit Gewalt verhindern wollte. Die Kommission mußte sich sogar wegen der freien Geleitszusage mit dem Landeshauptmann in St. Veit auseinandersetzen. Über den Abt von Ossiach kursierte der Spruch *Custodias te a Diabolo in Ossia.* In Millstatt wurde neben der üblen wirtschaftlichen Lage auch noch der baufällige Zustand des Stiftes hervorgehoben. Der in St. Paul festgestellte Verstoß gegen das Verbot des Privateigentums wurde sonst in Kärnten nicht bemerkt. Die Äbte von St. Paul, Millstatt und Ossiach wurden in ihren Würden belassen, obwohl sie ausdrücklich als untauglich bezeichnet worden waren. Bereits 1452 wurde St. Georgen am Längsee von neuem visitiert. Mit der neuerlichen Reform von Ossiach beauftragte Kaiser Friedrich III. am 2. 5. 1455 seinen früheren Sekretär Aeneas Silvius Piccolomini.[24] Im gleichen Jahr 1455 wurden auch St. Paul und Millstatt noch einmal auf Veranlassung des Salzburger Erzbischofs von St. Peter in Salzburg aus visitiert.[25] Über diese Visitation haben sich in St. Paul selbst keinerlei Erinnerungen erhalten; die Hinweise darauf stammen aus St. Peter in Salzburg. Möglicherweise steht eine Bulle Papst Calixts III. vom 1. 10. 1455 damit im Zusammenhang, in der der Papst sich mit Zustimmung des Kaisers in den Klöstern Admont, St. Lambrecht, St. Paul, Ossiach und Viktring das Recht vorbehielt, nach dem Tod der Äbte das Stift unter zeitweiliger Aufhebung des Wahlrechtes selbst neu zu besetzen.[26] Erhalten ist das Beglaubigungsschreiben an die Amtleute vom 10. 10. 1455, in dem der Erzbischof Sigmund von Salzburg schreibt: „Wir senden jetzt und unsern lieben in Gott den Abbt zu sand Peter hir zu Saltzburg zu den zwain Clöstern gegen Müllstatt, und gen sand Paul in Laventhall dieselben also ze visitiren und in pessern stand zu bringen“.[27]

Möglicherweise im Zusammenhang mit dieser Visitation übernahm Abt Johann II. Ecklinger (1455–1483) die Leitung des Stiftes. Marchstaller schreibt über ihn, daß er die Disziplin im Kloster derart gehoben habe, daß es in großem Ansehen stand und daß sich eine Reihe von anderen Klöstern um die Gebetsverbrüderung bewarben. Er ließ einen Katharinenaltar errichten, wozu

Kardinal Nikolaus von St. Cäcilia 1461 einen Ablaß erteilte.[28] An Kunstwerken hat sich aus dieser Zeit in St. Paul lediglich der Flügel eines Gnadenstuhlaltärchens von etwa 1460 erhalten. Der erste Türkeneinfall in Kärnten im September 1473 und der zweite Einfall von 1476, bei dem auch der Markt St. Paul in Flammen aufging, bedeuteten für Kärnten und auch das Stift St. Paul einen tiefen Einschnitt. Die weiteren Türkeneinfälle der Jahre 1478, 1480 und 1483, der Kärntner Bauernaufstand von 1478 und die Besetzung von weiten Teilen des Landes durch die Truppen des ungarischen Königs Mathias Corvinus von 1480 bis 1490 machten eine kontinuierliche Kulturarbeit unmöglich. Die Analyse der kulturgeschichtlichen Situation in St. Paul zwischen der cusanischen Reform und dem Beginn der Türkeneinfälle, also der Jahre 1451 bis 1473, läßt jedoch den Schluß zu, daß es mit der klösterlichen Disziplin aufwärts ging, und daß es zu einer bescheidenen kulturellen Blüte kam, die sich freilich in keiner Weise mit der von Tegernsee, Melk oder St. Peter in Salzburg messen konnte.

Es wurde bereits betont, daß die Reformbestrebungen im benediktinischen Mönchstum Süddeutschlands in erster Linie von der Wiener Universität ausging. Etwa 250 Benediktiner waren im 15. Jahrhundert Studenten an der Wiener Universität. Während Admont und Garsten mit neun und St. Lambrecht mit sieben Konventualen an der Universität vertreten waren, treffen wir von St. Paul lediglich zwei Konventualen dort an: 1441 einen Frater Konrad und 1475 Frater Bernhard von Wettl.[29] Mit Viktring, Arnoldstein, Seeon, St. Zeno bei Reichenhall, Ossiach, Griffen und Ebersberg ging St. Paul unter Abt Johann II. eine Gebetsverbrüderung ein. Eine Urkunde von 1461 beleuchtet die Kontakte zum Kartäuserkloster Allerengelsberg im Schnalstal in Südtirol: Dr. Franciscus und die Definitoren des Generalkapitels erklären, Abt Johann soll wegen seiner Liebe zum Kartäuserorden und für das Kloster Schnals aller geistigen Gaben des Ordens teilhaftig sein.[30] Dies dürfte wohl die Erklärung dafür sein, wieso sich aus der St. Pauler Bibliothek drei von vier Bänden des Werkes *De vita Christi* von Ludolf von Sachsen von 1438 finden, die aus Schnals stammen und damals in die Bibliothek von St. Paul kamen.[31]

Die bei der Aufhebung des Stiftes 1782 an die Klagenfurter Studienbibliothek übergebene Stiftsbibliothek enthält heute noch immer 71 Handschriften, die – zumeist mit Sicherheit – als St. Pauler Handschriften identifiziert werden konnten. Ein 1782 angefertigter Katalog umfaßte 271 Nummern mit 310 Bänden.[32] Ein weiterer Katalog aus dem Jahre 1684 verzeichnet 208 Handschriften.[33] Von den in der Klagenfurter Universitätsbibliothek erhaltenen 71 St. Pauler Handschriften entstanden etwa 50 vorwiegend im 15. Jahrhundert. Darüberhinaus befinden sich drei St. Pauler Handschriften aus dem 15. Jahrhundert in der Österreichischen Nationalbibliothek – darunter eine, die wiederum mit Schnals zusammenhängt –, zwei weitere St. Pauler Handschriften des 15. Jahrhunderts befinden sich im Kärntner Landesarchiv – eine davon ist ein Kalendar. Die Bibliothek der Grafen Seilern in Monaco bewahrt ebenfalls zwei St. Pauler Handschriften des 15. Jahrhunderts. Damit sind bisher etwa 56 Handschriften des 15. Jahrhunderts St. Pauler Provenienz bekannt. Menhardt konnte nachweisen, daß um 1470 ein neuer Katalog angelegt wurde und diesen auch z. T. rekonstruieren.[34] Er konnte aufgrund der Signaturen hochrechnen, daß die Bibliothek damals etwa 250 Bände umfaßte, also etwa gleich groß war wie die Bibliothek von Millstatt, jedoch größer als alle übrigen Kärntner Klosterbibliotheken.

Was läßt sich nun aus der St. Pauler Bibliothek über die geistigen Zustände der Abtei am Ausgang des Mittelalters feststellen? Zunächst deutet die Anlage eines neuen Kataloges um 1470 auf ein gestiegenes Interesse an den Handschriften hin. Etliche Handschriften wurden von dem Mönch Vinzenz Sittich angelegt, der von 1462 bis 1492 als Schreiber in St. Paul nachweisbar ist; „über keinen Kärntner Schreiber des 15. Jahrhunderts ist so viel bekannt".[35] Die 1462/63 von Vinzenz Sittich geschriebene Handschrift 19 der Klagenfurter Universitätsbibliothek enthält den Traktat *De tribus partibus poenitentiae* des Nikolaus von Dinkelsbühl und sein Werk *Speculum conscientiae.*[36] 1463 schrieb Sittich die *Sermones de corpore Christi*, die *Sermones de tempore* und den *Tractatus de poenitentia* des Nikolaus von Dinkelsbühl ab,[37] 1472 noch einen *Sermo de dominica ex dictis Nic. de Dinkelsbuehl.*[38] Ein gewisses Interesse an der Reformtheologie der konziliaristischen Ära dürfte dadurch feststehen. Auch Thomas Ebendorfer war in St. Paul vertreten. Die Klagenfurter Handschrift 43, die hauptsächlich zwischen 1458 und 1462 wahrscheinlich ebenfalls von Vinzenz Sittich geschrieben wurde, enthält Ebendorfers *Sermones de 12 generibus peccatorum*[39]. 1464 schrieb der Mönch und spätere St. Pauler Abt Johannes Hechtl die *Sermones dominicales* von Ebendorfer ab.[40] Nikolaus von Dinkelsbühl und Thomas Ebendorfer sind somit die einzigen bekannten Theologen des 15. Jahrhunderts, die in der Bibliothek von St. Paul vertreten waren.

Ein Vergleich mit dem Katalog von 1782 zeigt, daß wir nicht mit größeren Verlusten rechnen müssen; es ist also das meiste aus der alten Klosterbibliothek noch vorhanden. Um die geistigen Zustände richtig bewerten zu können, ist es jedoch notwendig, die Bibliothek mit anderen Klosterbibliotheken zu vergleichen. Ein solcher Vergleich zeigt freilich, wie bescheiden die St. Pauler Bibliothek war. Die Schriften des Nikolaus von Dinkelsbühl und des Thomas Ebendorfer bieten sich hier als Vergleichsmöglichkeit an. In Millstatt – wo der älteste Katalog allerdings erst von 1577 datiert – war Nikolaus von Dinkelsbühl durch zwei Traktate und eine Inkunabel vertreten, Thomas Ebendorfer durch zwei Werke. Wesentlich umfangreicher und bedeutender als alle Kärntner Klosterbibliotheken waren jedoch die von St. Peter in Salzburg und Tegernsee. So hatte man in St. Peter in Salzburg von Nikolaus von Dinkelsbühl 75 und von Thomas Ebendorfer 23 Werke.[41] Von Tegernsee sind noch heute in der Bayerischen Staatsbibliothek über 2000 Handschriften erhalten.[42] Allein 50 Handschriften enthalten Korrespondenzen der Tegernseer Mönche mit Theologen und Zeitgenossen. Neben den Mystikern wie Meister Eckhart, Tauler und Seuse war hier auch Nikolaus von Kues reichlich vertreten. Die Werke des Nikolaus von Dinkelsbühl füllten im Katalog drei Seiten. Ebenso war es mit den Werken des Thomas Ebendorfer. Das Werk *De visione Dei* des Cusanus war in Tegernsee dreimal vorhanden, einmal in Schnals, St. Peter in Salzburg, Melk, Subiaco usw. Von den übrigen Theologen des 15. Jahrhunderts wie auch von den Humanisten wie Aeneas Silvius Piccolomini usw. war in St. Paul nichts vorhanden.

Soweit die Bilanz der zeitgenössischen Theologie in St. Paul zur Zeit der cusanischen Reformbestrebungen. Auch einige andere Werke vermitteln Einblicke in das geistige Leben des Stiftes. In der Österreichischen Nationalbibliothek befinden sich 23 Handschriften aus St. Paul, darunter zwei aus dem 15. Jahrhundert. Wie kamen diese Handschriften nach Wien? 1548 brachte der Humanist Wolfgang Lazius im Auftrage Kaiser Ferdinands I. wertvolle St. Pauler Handschriften nach Wien. Bei der Aufhebung des Stiftes jedoch verzichtete die Wiener Hofbibliothek auf die St. Pauler Bibliothek, die ihr offensichtlich nicht interessant genug erschien. Die Kärntner Klosterbibliotheken gelangten nach 1782 in die neugegründete Klagenfurter Studienbibliothek. Leider wurden damals zentnerweise Bücher, die man für wertlos erachtete, als Altmaterial verkauft. Auf diese Weise kam eine Sammlung von 70 bis 80 Handschriften in den Besitz der Grafen von Seilern; heute befindet sich diese Bibliothek in Monaco. Darin befinden sich ein Orationale des 15. Jahrhunderts aus St. Paul (B 10 VI 1) und ein *Tractatus de titulis psalmorum* (B 12 IV 7), der noch die St. Pauler Signatur von ca. 1470 trägt.[43] Das Kärntner Landesarchiv besitzt mit den Handschriften 5/17 (Kalendar des 15. Jahrhunderts und Missale) und 6/3 (Orationale) zwei weitere St. Pauler Handschriften des 15. Jahrhunderts. MS 18380 des Britischen Museums stammt ebenfalls aus St. Paul. Auf diese Weise wurden Teile der St. Pauler Bibliothek in alle Winde zerstreut.

Betrachten wir nun noch einige kulturhistorisch interessante Handschriften. Ein St. Pauler Kodex in der Österreichischen Nationalbibliothek aus dem Jahre 1466 enthält Nachrichten über die Kartause Schnals. Die Handschrift 12.840 (Suppl. 489), geschrieben 1468 und 1472 vom Mönch Johannes, ist historisch interessant.[44] Sie ist ein im Lande selbst geschriebenes Schulbuch für deutsche Schüler mit Merkversen zur Naturgeschichte. In dieser Handschrift findet sich der kulturhistorisch wichtige Vermerk, daß Abt Johann II. in der Zeit vom 2. 2. bis zum 29. 9. 1468 die „äußere" Kirche einwölben ließ.[45] Neben Auszügen aus Konrad von Megenbergs deutschem „Buch der Natur" enthält die Handschrift die im Spätmittelalter weit verbreiteten Schulbücher der Johannes von Garlandia und Otto von Lüneburg, deutsche Glossen und die Sammlung von 750 Sprichwörtern, die aus dem deutschen „Cato", einer allgemeinen Morallehre, dem deutschen „Facetus", einer Sammlung von Anstandsregeln, dem *Cornutus*, einer Sammlung seltener Vokabeln für den Grammatik- und Moralunterricht und aus Freidanks „Bescheidenheit" entlehnt sind.[46] Ein Gedicht, das 1469 von einem Frater Michl in St. Paul niedergeschrieben wurde, berichtet von dem Pfarrer Georg Haidnik, der zehn Jahre unschuldig in der Burg Oberstein bei Laibach eingekerkert wurde. Das Werk scheint „durch Latinität und Tendenz schon in die Zeit humanistisch-reformatorischen Denkens zu weisen".[47] Schuld an Haidniks Unglück ist der Advokat de Harlant, dessen Latein fehlerhaft ist. Die sittenlosen Höflinge sind schuld an diesem Zustand, heißt es in der Klagenfurter Handschrift 14. „Diese regieren die Welt, das Reich und das Land, Papst, Kardinal und Patriarch wird von diesen gewählt!"[48]

Zum Schluß sollen noch einige Streiflichter die innere Entwicklung in St. Paul von der Zeit der cusanischen Reformen bis zum Ende des 15. Jahrhunderts beleuchten. Daß Papst Pius II., von dem es in St. Paul keine Werke gab, dem Stift dennoch gewogen war, bezeugt eine auf dem Fürstentag von Mantua 1459 erlassene Bulle, in der dem Abt Johann die Vollmacht erteilt wurde, sich einen Beichtvater zu wählen, der ihn im Falle des Todes von allen Sünden lossprechen durfte.[49] Nach der Reform der Jahre 1451 bis 1455 kam es in St. Paul allmählich zu einem Aufschwung. Daß es im Stift um 1480 bereits eine Schule gab, wird bestätigt durch eine Urkunde, nach der Abt Johann 1481 den neuen Schulmeister Leonhard um 7 Pfund Pfennige anstellte, dem gleichen Gehalt, das auch die früheren Schulmeister Andreas, Martin, Lorenz, Christoph und Markus bekommen hatten.[50] Die innere Konsolidierung des Stiftes zeigt sich besonders in der Neuordnung der Bibliothek um 1470 und in der Einwölbung des Langhauses der Kirche im Jahre 1468. Es wurde behauptet, daß der um 1435 geborene Maler Michael Pacher zusammen mit seinem jüngeren Landsmann Friedrich Pacher die 23 Vierpässe und 28 Schlußsteine zwischen 1468 und 1475 – also vor den Türken- und Ungarneinfällen – gemalt habe.[51] Bei derartigen Zuschreibungen ist größte Vorsicht geboten. Sicher ist, daß die Ausmalung unter Abt Johann II. erfolgte, dessen Wappen auf einem Schlußstein zu sehen ist.[52] Auf jeden Fall spricht auch die Qualität der Bemalung für den Aufschwung des Stiftes nach der cusanischen Reform.

Zum Abschluß unserer Untersuchung

über die geistigen Verhältnisse in St. Paul am Ausgang des Mittelalters soll schließlich noch die Frage erörtert werden, ob das Stift damals bereits von humanistischen Bestrebungen berührt wurde. Einige Inidizien sprechen durchaus dafür. Aus der Wiener Handschrift 5497 erfahren wir einige interessante Dinge über humanistische Bestrebungen in St. Paul. Zunächst enthält der Kodex eine Inschrift, die über dem Stifterfresko von Thomas von Villach an der östlichen Querhauswand der Stiftskirche zu St. Paul, das Abt Sigismund Jöbstl von Jöbstlberg 1493 malen ließ, angebracht war. Diese Handschrift, die einem Geistlichen am Ende des 15. Jahrhunderts gehörte, war früher umfangreicher. Dazu gehörte ein Traktat des Reformtheologen Johannes Gerson gegen die Kommunion unter beiderlei Gestalten, aufgezeichnet 1436 zu Basel durch einen Melker Benediktiner. Weiters gehörten ein Text des Humanisten Giovanni Francesco Poggio Bracciolini († 1459) dazu, eine Abhandlung des Georg von Trapezunt über Aristoteles, ein Traktat des Guarinus von Verona über Plutarch und eine Abhandlung über die Satiren des Persius.[53] Gegen Ende des 15. Jahrhunderts lassen sich demnach erste Spuren humanistischer Literatur in St. Paul feststellen. Der Katalog von 1782 enthält einige Nummern, die humanistische Bestrebungen dokumentieren. Unter Nr. 32 werden *Miscel. Franc. Petrarchae* erwähnt, die nicht mehr erhalten sind. Unter Nr. 56 findet sich das ebenfalls verlorengegangene Werk *De arte cabalistica* von Johannes Reuchlin. Unter Nr. 135 wird ein griechisches Neues Testament angeführt. Unter Nr. 137 fanden sich Virgils „Eklogen“ von 1546. Unter Nr. 255 findet sich ein ebenfalls nicht mehr erhaltenes Werk *Septimirii Ditis Epimeridos belli Trojani libri 7*.[54]

Auch in dieser Frage ist ein Vergleich mit anderen Klöstern aufschlußreich. Während in Kremsmünster bereits 1482 Beziehungen zu italienischen Humanisten bestanden und der St. Georgenberger Abt Kaspar Augsburger († 1491) bereits Bücher in Italien selbst kaufte, setzten sich derartige Bestrebungen in St. Paul nur langsam durch. Gerade St. Georgenberg bietet sich hier zum Vergleich an. Während der Tegernseer Prior Bernhard von Waging, der die Abtei 1454 im Auftrag des Cusanus visitieren sollte, nach dem Scheitern dieses Auftrages ein Horrorbild von den Zuständen in seinen „Klageliedern über St. Georgenberg“ entwarf[55], sah es in dem Kloster nach dem Amtsantritt Kaspar Augsburgers (1469) bald besser aus. Abt Kaspar reiste 1473 im Auftrag Sigmunds des Münzreichen nach Mailand zu Galeazzo Sforza und 1479 nach Rom zu Papst Sixtus IV. Auf diesen Reisen kaufte er etliche humanistische Handschriften, wie z. B. die auch in St. Paul später vorhandenen Scholien des römischen Satirikers Persius, Petrarcas *De vita solitaria*, Boccaccios *Viri clarissimi*, Werke mit Traktaten über Aristoteles, Schriften Senecas und Ciceros, die *Regulae* des Guarinus von Verona, Schriften von Laurentius Valla und andere mehr.[56] Die Bibliothek von St. Paul konnte sich demnach auch mit der von St. Georgenberg nicht messen. Dennoch sind humanistische Bestrebungen nach dem Ende der Türkeneinfälle und der ungarischen Besatzung in Kärnten – als das kulturelle Leben in der Zeit von etwa 1473 bis 1490 stagnierte – feststellbar.

Auch die Untersuchung der 10 in der Universitätsbibliothek Klagenfurt erhaltenen St. Pauler Inkunabeln läßt auf relativ bescheidene humanistische Tendenzen am Ende des 15. Jahrhunderts schließen. Allerdings stammen drei Inkunabeln aus dem persönlichen Besitz des Abtes Marchstaller und je zwei von Abt Reichart (1710) und einem Prior Amand. Ein kanonistisches Werk von Baldus de Ubaldis aus St. Paul war 1610 noch in Regensburg und kam erst 1680 nach St. Paul. Lediglich die Inkunabel *Super Digesti Novi* von Baldus de Ubaldis (Venedig 1495) scheint zum Urbestand von St. Paul zu gehören, denn die

1496 gedruckte *Theologia naturalis* von Raymund von Sabunde scheint erst 1722 nach St. Paul gekommen zu sein.[57] Eine einzige Inkunabel in St. Paul im 15. Jahrhundert – das ist nicht viel, wenn man bedenkt, daß etwa das Stift Neustift bei Brixen gleichzeitig rund 800 davon besaß!

Nach dem Ende der Türken- und Ungarneinfälle kam es nach einer rund zwanzigjährigen Stagnationsperiode in St. Paul allmählich wieder zu einem neuen Aufschwung. Die Bemalung der nördlichen Querhauswand durch Thomas von Villach im Jahre 1493 signalisiert diesen Umschwung, zu dem auch die allmählich einsetzenden humanistischen Bestrebungen am Ende des Jahrhunderts gehören. St. Paul erreichte damit zwar keineswegs die Vorbilder Tegernsee, St. Peter oder Melk, aber innerhalb Kärntens nahm es doch neben Millstatt eine führende Stelle ein, so daß sich ohne weiteres sagen läßt, daß die Melker Reform und die cusanische Klosterreform in St. Paul durchaus zu einem für das Land Kärnten beachtlichen Ergebnis führten.

Anmerkungen

1. K. Grossmann, Die Frühzeit des Humanismus in Wien, Jb. für Landeskunde von Niederösterreich NF 22 (1929), S. 186ff.; W. Baum, Enea Silvio Piccolomini (Pius II.), Cusanus und Tirol, Der Schlern 56 (1982), S. 179ff.
2. M. Grabmann, Die Geschichte der katholischen Theologie seit dem Ausgang der Väterzeit (1933), S. 116; R. Bauerreiss, Kirchengeschichte Bayerns, Bd. 5: Das XV. Jahrhundert (1974), S. 96f.
3. W. Baum, Johannes Kecks Traktat über Klosterleben und Eremitentum für den Einsiedler Johannes Frankenfurter im Halltal (1447).
Ein Beitrag zur Geschichte des Klosters Tegernsee und zur Biographie des Nikolaus von Kues, Studien und Mitteilungen des Benediktinerordens 97 (1986), S. 444–461.
4. W. Baum, Nikolaus Cusanus in Tirol. Das Wirken des Philosophen und Reformators als Fürstbischof von Brixen, Schriftenreihe des Südtiroler Kulturinstitutes 10 (1983), S. 60.
5. H. Marchstaller, *De Fundatione, Rerum statu, Vita et Morte Fundatorum, Benefactorum, Abbatum et Monachorum Monasterii S. Pauli vallis Lavantinae.* 1619 (STA, Cod. 1/0).
6. B. Schroll, Das Benediktiner-Stift St. Paul, Car. 66 (1876), S. 57–73, S. 89–104, S. 121–137, S. 169–184, S. 217–227 u. S. 265–276.
7. *De Fundatione* (wie Anm. 5), fol. 77v.
8. W. Baum, Sigmund der Münzreiche. Zur Geschichte Tirols und der habsburgischen Länder im Spätmittelalter, Schriftenreihe des Südtiroler Kulturinstitutes 14 (1987), S. 129–138.
9. *De Fundatione* (wie Anm. 5), fol. 73v–74r; Schroll, St. Paul (wie Anm. 6), S. 98.
10. ÖKT 37 (1969), S. 108.
11. W. Baum, Albrecht VI. († 1463), Erzherzog von Österreich. Skizze einer Biographie, 1. Tl., Der Sülchgau 31 (1987), S. 23–45, hier S. 25.
12. Innsbruck, Tiroler Landesarchiv, Cod. 158 (Raitbuch Albrechts VI.).
13. De Fundatione (wie Anm. 5), fol. 75r.
14. I. Zibermayr, Die Legation des Kardinals Nikolaus Cusanus und die Ordensreform in der Kirchenprovinz Salzburg, Reformationsgeschichtliche Studien und Texte 29 (1914), S. 35.
15. *De Fundatione* (wie Anm. 5), fol. 76r.
16. F. Sigloch, Johann Schlitpacher von Weilheim, der bedeutendste Vertreter der Melker Reformbewegung (Diss. Wien, 1930), S. 38.
17. Ebd., S. 95.
18. W. Baum, Nikolaus von Kues wird Bischof von Brixen, Der Schlern 60 (1986), S. 379–388, hier S. 382, Nr. I.
19. Ebd., S. 383, Nr. III.
20. Zibermayr, Legation (wie Anm. 14), S. 115.
21. J. Obersteiner, Die Bischöfe von Gurk (1072–1822) (1969), S. 226 u. S. 241f., Anm. 61.
22. I. Zibermayr, Johann Schlitpachers Aufzeichnungen als Visitator der Benediktinerklöster in der Salzburger Kirchenprovinz.
Ein Beitrag zur Geschichte der Cusanischen Klosterreformen (1451–1452), MIÖG 30 (1909), S. 258–279.
23. *Senatorium sive Dialogus historicus Martini Abbatis Scotorum Viennae Austriae*, in: H. Pez, *Scriptores Rerum Austriacarum*, Bd. 2 (1725), Sp. 641f.
24. J. Chmel, *Regesta chronologico-diplomatica Friderici III. Romanorum Imperatoris* (1840), S. 338, Nr. 3357.
25. B. Seeauer, *Novissimum Chronicon antiqui monasterii O.S.B. ad sanctum Petrum Salisburgi* (1772), S. 379ff.; Zibermayr, Legation (wie Anm. 14), S. 85.
26. Ub St. Paul, Nr. 511.
27. Seeauer, *Chronicon* (wie Anm. 27), S. 382.
28. Also nicht Cusanus, wie Ginhart, ÖKT 37 (1969), S. 140, irrtümlich schreibt. Wäre der Ablaßbrief tatsächlich von Cusanus gewesen, hätte man darin einen Anhaltspunkt dafür sehen können, daß sich die Klosterdisziplin wirklich gebessert habe.
29. V. Redlich, Tegernsee und die deutsche Geistesgeschichte im 15. Jahrhundert (1931), S. 14, Anm. 23.
30. Ub St. Paul (wie Anm. 26), S. 442, Nr. 550.
31. H. Menhardt, Neue Forschungen über die Herkunft der Handschriften aus alten Bibliotheken Kärntens, Zentralblatt für Bibliothekswesen 41 (1924), S. 225–233, hier S. 226.

32. H. MENHARDT, Weitere Nachrichten von Kärntner Klosterbibliotheken, Zentralblatt für Bibliothekswesen 44 (1927), S. 593 – 609, hier S. 596 – 606.
33. H. MENHARDT, Handschriftenverzeichnis der Kärntner Bibliotheken, in: Handschriftenverzeichnisse österreichischer Bibliotheken, Kärnten, Bd. 1: Klagenfurt, Maria Saal, Friesach (1927), S. XII.
34. MENHARDT, Handschriften (wie Anm. 31), S. 226f.
35. EBD., S. 230.
36. MENHARDT, Handschriftenverzeichnis (wie Anm. 33), Nr. 19.
37. EBD., ÖKT, Nr. 134.
38. EBD., Nr. 151.
39. A. LHOTSKY, Thomas Ebendorfer. Ein österreichischer Geschichtsschreiber, Theologe und Diplomat des 15. Jahrhunderts, Schriften der MG 15 (1957), S. 82, Nr. 93: „Autorenschaft Ebendorfers bleibt zu prüfen".
40. EBD., S. 75, Nr. 38 (*Sermones de evangeliis de tempore*, I.: *pars hyemalis*).
41. BAUM, Cusanus (wie Anm. 4), S. 60.
42. REDLICH, Tegernsee (wie Anm. 29), S. 5.
43. H. MENHARDT, Kärntner Handschriften in Monaco, Car. I 151 (1961), S. 606 – 615, hier S. 608 u. S. 610.
44. I. NEMETH, Handschriften und Inkunabeln Kärntner Provenienz in der Österreichischen Nationalbibliothek, Car. I 174 (1984), S. 173 – 192, hier S. 186.
45. H. MENHARDT, Eine lateinisch-deutsche Spruchsammlung aus St. Paul vom Jahre 1468, Car. I 120 (1930), S. 10 – 19.
46. E. NUSSBAUMER, Geistiges Kärnten (1956), S. 124f.
47. EBD., S. 125.
48. H. MENHARDT, Zehn Jahre unschuldig im Kerker der Burg Oberstein, Car. I 118 (1928), S. 62 – 65.
49. UB ST. PAUL, S. 483, Nr. 620, u. SCHROLL, St. Paul (wie Anm. 6), S. 123.
50. EBD., S. 483, Nr. 620, u. SCHROLL, St. Paul (wie Anm. 6), S. 123.
51. E. HEMPEL, Das Werk Michael Pachers (1952), S. 32, Nr. 77. Siehe auch den Beitrag hier.
52. ÖKT 37 (1969), S. 115, Abb. 143.
53. EBD., S. 218.
54. MENHARDT, Nachrichten (wie Anm. 34), S. 596 – 605.
55. W. BAUM u. K. RAUTER, Bernhard von Waging († 1472): Klagelieder über St. Georgenberg. Das Scheitern einer Klosterreform des Nikolaus Cusanus (1453/54), Der Schlern 57 (1983), S. 482 – 494.
56. G. WEISS, Beiträge zur Geschichte der Benediktinerabtei St. Georgenberg im späten Mittelalter und zu Beginn der Neuzeit (Diss. Innsbruck, 1969), S. 79 – 86.
57. H. P. PASCHER, Die Wiegendrucke der Universitätsbibliothek und des Kärntner Landesmuseums in Klagenfurt (1980), S. 10, Nr. 16 (Reichart); S. 29, Nr. 45 (Reichart); S. 53, Nr. 73 (Marchstaller); S. 59, Nr. 84 (Marchstaller); S. 145, Nr. 202 (St. Paul 1772); S. 162, Nr. 222 (Marchstaller); S. 177f., Nr. 246 – 249, davon Nr. 247 u. 249 aus dem Besitz des Priors Amand; Nr. 246 (1610 in Regensburg) und lediglich Nr. 248 als St. Pauler Urbesitz.

Das schwierige 16. Jahrhundert

Das Stift St. Paul unter Abt Ulrich Pfinzing (1515–1530)

FRIEDRICH WILHELM LEITNER

Eine besondere Entwicklung nahm das Benediktinerstift St. Paul unter dem Einfluß der kulturellen Strömungen des ausgehenden 15. und beginnenden 16. Jahrhunderts: Das lokale Kunstschaffen spätgotischer Künstler, noch stark der mittelalterlichen Tradition verpflichtet, strebte einem letzten Höhepunkt zu und fand in dem humanistisch gebildeten Menschen der Renaissance seinen endgültigen Abschluß[1]. Der „Herbst des Mittelalters"[2] als idealisierender Abgesang einer späten gotischen Hochkultur des 15. Jahrhunderts gilt manchem schon als eine zu oft und mißverständlich zitierte plakative Formel. Er signalisiert nicht so sehr das nahende Ende einer Epoche, sondern findet im Übergang zu einem neuen und universellen Kulturverständnis seine bleibende Definition. Dieser Übergang gestaltete sich im Alpenraum wesentlich anders als in der burgundischen Welt. Die natürliche Abgeschlossenheit Kärntens bewirkte eine Retardierung der kulturellen Entwicklung von fast zwei Generationen: Die Spätgotik reichte hier bis in das zweite Jahrzehnt des 16. Jahrhunderts hinein, teilweise schon überlagert von den ersten Ansätzen einer beginnenden, landbezogenen Renaissance.

An diesem kulturellen Schnittpunkt manifestierte die Politik Kaiser Maximilians I.[3] auch eine politische Zeitenwende, von der das Herzogtum Kärnten ebenso betroffen war wie das damals führende Kloster des Landes, das Benediktinerstift St. Paul. Die schwierigen Zeiten der Türkeneinfälle (1473, 1476, 1478, 1480 und 1483), der Streit mit dem Salzburger Erzbischof Bernhard von Rohr und die damit verbundene Besetzung salzburgischer Besitzungen in Kärnten durch ungarische Söldner (1480–1490) wie auch die ersten Bauernunruhen waren vorbei[4], die Auseinandersetzungen um die reformatorischen Lehren eines Martin Luther standen erst in ihren Anfängen[5]. Im Kloster fand diese Entwicklung in der Besetzung der Abtei durch zwei gänzlich verschiedene Männer eine adäquate Akzentuierung: Der dem spätgotischen Weltbild verbundene und für das Stift uneigennützig wirkende Johann Parenpichler mußte dem kaiserlichen Druck nachgeben und zugunsten des pfründesuchenden Patriziers Ulrich Pfinzing resignieren, der, ganz im Geiste der Renaissance erzogen, das Kloster einzig und allein als eine gute Möglichkeit sah, sein weltliches Leben in „renaissancemäßiger Hofhaltung" zu finanzieren.

Zwei Äbte hatten das Kloster in dieser Zeit des Überganges wirtschaftlich wieder einigermaßen saniert und damit den Weiterbestand gesichert. Es waren dies Abt Sigmund Jöbstl von Jöbstlberg (1488–1498) und Johann IV. Parenpichler (1500–1515)[6]. Das erfolgreiche Wirken des Abtes Sigmund drückte sich nicht zuletzt in dessen Ernennung zum Salzburger Vizedom in Kärnten[7] aus. Auf sein Ansuchen bestätigte Maximilian I. am 22. August 1496[8] dem Kloster St. Paul alle Freiheiten und Privilegien. Auch die Renovierung der Klosterkirche und die Auftragserteilung für die Ausmalung der Nordwand des Querhauses mit der Darstellung der Spanheimer Stifter durch den bedeutendsten Kärntner Maler der Spätgotik, Thomas Artula von Villach[9], geben Zeugnis von einer bemerkenswerten kulturellen Entwicklung und künstlerischen Ausgestaltung des Stiftes. Unter Abt Johann IV. Parenpichler wurde nicht nur eine Besitzvermehrung[10] erwirkt, auch die vom Salzburger Erzbischof Siegmund II. von Holleneck (1494–1495) angeordneten Reformen und klösterlichen Erneuerungsbewegungen[11] „im Geiste der Melker Observanz"[12] scheinen nun allmählich gegriffen zu haben.

In dieser für das Kloster so positiven Entwicklungsphase erfolgte ein im Sinne der „habsburgischen Kirchenpolitik"[13] üblicher Eingriff durch Kaiser Maximilian I.: Der amtierende Abt wurde trotz erfolgreichen Wirkens für das Kloster Opfer dieser Pfründen- bzw. Finanzpolitik[14], die die geistlichen Stiftungen als Einnahmequellen und zugleich Versorgungsstätten protegierter Günstlinge des kaiserlichen Hofes betrachtete. Diese Einflußnahme erfolgte naturgemäß in den Erblanden stärker und setzte sich oftmals – wie etwa am Beispiel St. Paul – über kurz zuvor verliehene Privilegien und Freiheiten der Stifte einfach hinweg. Im Konkreten ging es um die Versorgung eines Nürnberger Patriziers mit Namen Ulrich Pfinzing, der zu dieser Zeit kaiserlicher Rat und Schatzmeister (Zahlmeister)[15] war. Die Wahl war in diesem Fall nicht zufällig auf das eher in einer Randlage situierte Stift St. Paul gefallen.

Eine besondere Rolle dürfte hier der Kärntner Adelige Siegmund von Dietrichstein[16] gespielt haben, der sich seit etwa 1495 am Hof Maximilians I. aufhielt. Er gehörte bald zum engsten Beraterkreis des Habsburgers und erhielt zunehmend Ämter und Auszeichnungen. Die „schöpferische Mitarbeit"[17] des Siegmund von Dietrichstein an den literarischen Werken Maximilians, insbesondere bei dessen dichterischer Lebensgeschichte, dem „Theuerdank"[18], hat nicht nur die enge Beziehung zwischen beiden gefestigt. Auch die im Umfeld der literarischen Ambitionen des Kaisers tätigen Schreiber und Gelehrten werden ein Nahverhältnis zu Dietrichstein gefunden haben. Dazu gehörte sicherlich auch Melchior Pfinzing[19], der mit Joseph Grünpeck, Marx Treitzsauerwein, Sebastian Sprentz, Johann Stabius, Jakob Manlius (Mennel) und Ladislaus Sunthaym zu den wichtigsten „Schreibern" zählte[20]. Er wurde aus Nürnberg an den Hof geholt[21]. Ihm wird auch die Hauptredaktion des „Weißkunig" zugeschrieben[22], wie auch die Mitarbeit und Schlußredaktion am „Theuerdank"[23]. Melchior Pfinzing war auch Propst von St. Sebald in Nürnberg und Domherr zu Trient[24]. Sein Bruder Ulrich Pfinzing bezog zu dieser Zeit als kaiserlicher Günstling – ohne Priesterweihe – bereits die Einkünfte als Propst von St. Alban bei Mainz[25] und war auch Pfarrer von Weißkirchen in der Steiermark (BH Judenburg)[26], wo er sich vertreten ließ. Eine ausreichend dotierte Pfründe in Form eines Klosters fehlte noch.

Die nahe dem Kloster St. Paul gelegene Herrschaft Rabenstein[27], die im 14. und teils noch zu Beginn des 15. Jahrhunderts immer wieder mit dem Stift in Streit lag, gelangte 1514 „phanndt- und phlegweis" durch Kaiser Maximilian I. an seinen engen Berater Siegmund von Dietrichstein. Mit der Weitergabe dieses Pfandbesitzes an seinen Bruder Franz begründete sich hier die Linie der „Dietrichstein auf Rabenstein". Und es liegt auf der Hand, daß bei der Auswahl eines Klosters für Ulrich Pfinzing der seit 20. Jänner 1515 zum Landeshauptmann der Steiermark ernannte Siegmund von Dietrichstein „beratend" geholfen haben wird, lagen nun doch auch eigene Interessen vor. Für die wirtschaftliche Entwicklung der Feste Rabenstein war es sichtlich von Vorteil, im benachbarten Kloster einen Verbündeten als Abt zu haben. Die persönliche Bekanntschaft vom Hofe her wirkte nach. Im Jahre 1514 befand sich Ulrich Pfinzing während der Kriegshandlungen gegen Venedig im Gefolge des Dietrichsteiners in Friaul[28]. Auch bei dessen Geldgeschäften wird Ulrich Pfinzing 1514 erwähnt, da er ihm ein Darlehen von 6000 Gulden gewährte[29]. Auch der von Siegmund von Dietrichstein 1517 gegründeten „Bruderschaft des hl. Christophorus“[30] gehörte er als Abt von St. Paul an. Nicht zuletzt diese enge persönliche Beziehung wird dazu geführt haben, daß ein nach einem Einfall der Türken in Krain und der damit verbundenen Bedrohung der Grenzen einberufenes Treffen der innerösterreichischen Landeshauptleute unter Führung Siegmunds von Dietrichstein am 16. Mai 1522[31] im Benediktinerkloster St. Paul stattfand.

Um den Weg für Ulrich Pfinzing freizumachen, mußte Abt Johann IV. Parenpichler resignieren und der Konvent die Zustimmung zur Besetzung dieses Amtes durch einen Laien erteilen, was nicht ohne Widerstand zu erwarten war. Auch der Salzburger Erzbischof Leonhard von Keutschach, selbst ein Kärntner, versuchte vorerst, dieses kaiserliche Diktat zu negieren[32], mußte aber schließlich wohl zustimmen. Um die „Wahl“ Pfinzings im Konvent durchzusetzen, mußte sich dieser verpflichten, den Ordenshabit anzulegen, die Profeß abzulegen und sich zum Priester weihen zu lassen[33]. Und erst nach der Zusicherung[34], daß diese Einschränkung der freien Abtwahl durch den Konvent keine Folgewirkung auf zukünftige Besetzungen haben dürfte, entschloß sich Abt Johann IV. im Oktober 1515[35] zur Resignation. Er ist am 21. Juli 1516 gestorben[36] und in der Stiftskirche beigesetzt worden. Die figurale Grabplatte dieses 31. Abtes von St. Paul befindet sich heute am ersten Pfeiler des nördlichen Seitenschiffes[37].

Ulrich Pfinzing entstammte einer angesehenen Nürnberger Adelsfamilie, die sich bis ins 12. Jahrhundert als Nürnberger Bürger zurückverfolgen läßt[38]. Er war das vierte von acht Kindern des Nürnberger „Senators und Baumeisters“[39] Seifried (Seitz) Pfinzing von Henfelfeld und dessen zweiter Ehefrau Barbara Gruntherr[40] und wurde im Jahre 1483[41] geboren. Auf einer Medaille aus dem Jahre 1519[42] findet sich Ulrich mit vier weiteren Brüdern abgebildet: Sigismund[43] (1479–1554), Melchior, Seyfrid und Martin. Nach einem Nürnberger Geschlechterregister von 1748[44] ist die engere Genealogie folgend darzustellen:

Melchior Pfinzing trat schon früh in kaiserliche Dienste und erhielt hier auch wegen seiner literarischen Begabung große Anerkennung. Von Ulrichs Tätigkeiten am Hof erfahren wir nur wenig. Anfang 1515[45] befand er sich mit kaiserlichem Auftrag beim König von England, anschließend war er zusammen mit Maximilians Tochter Margarethe in den Niederlanden. Hier scheint er in größere Geldschwierigkeiten geraten zu sein, aus denen ihm der Kaiser mit 820 Gulden Rheinisch vorerst geholfen hat. Diese Summe sollte er dann aus den Einkünften der ersten „Prelatur“[46] zurückzahlen, die ihm zugewiesen werden würde.

Kaiser Maximilian I. mußte auf die Rückerstattung dieser Schuld dank seiner eigenwilligen Besetzungspolitik von Abteien nicht lange warten. Sechs Monate[47] nach der Resignation seines Vorgängers legte Pfinzing die feierliche Profeß ab, nahm das Ordensgewand und erhielt im Feber 1516[48] durch den Lavanter Bischof Leonhard I. Peurl die Konfirmation. Es folgte die Benediktion zum 32. Abt von St. Paul mit dem Namen Ulrich V.[49] Auch als Abt stand er weiterhin mit dem kaiserlichen Hof eng

Seifried Pfinzing ∞ Barbara Gruntherr

Siegmund	Anna	Melchior	Ulrich	Seifried	Paul	Martin	Barbara
(1479–1554)	(1480–1506)	(1481–1535)	(1483–1530)	(1485–1545)	(1487–1495)	(1490–1552)	(1492–1528)

in Verbindung, insbesondere bis zum Tode seines Kaisers Maximilian I. (1519), wohl aber nicht mehr in einer beamteten Funktion. Dafür spricht die am 23. September 1518 in Rom ausgestellte und für diese Zeit nicht ungewöhnliche päpstliche Genehmigung für Abt Ulrich Pfinzing[50], bei seinen Aufenthalten am Hofe das Ordensgewand der Benediktiner nicht tragen zu müssen. Bestätigt wird dieser ständige Kontakt auch durch entsprechende Besitzausstattungen: 1517 erhielt er von Maximilian I. das Schloß Heunburg (Haimburg, nördlich von Völkermarkt)[51], 1522 von König Ferdinand pflegeweise Schloß und Landgericht Mahrenberg[52]. Diese Besitzschenkungen hingen nicht mit seinem Amt als St. Pauler Abt zusammen, kamen also nicht dem Stift zugute, sondern waren im Rahmen eines Rechtsgeschäftes als kaiserliche Gegenleistung für diverse Geldverschreibungen zu verstehen[53]. Bei Heunburg ging es um 600 Gulden, die Pfinzing dem Kaiser geborgt hatte. Die gleiche Summe mußte er darüber hinaus zur Sanierung dieses Schlosses aufwenden.[54] Beim Landgericht Mahrenberg stand ihm die Nutzung zu, er mußte aber auch hier in das Schloß einen Betrag von 300 Gulden investieren, den er bei Rückgabe des Landgerichtes zurückerhalten sollte. Im Todesfall war der König bei gleichzeitigem Rückfall des Landgerichtes und Schlosses Mahrenberg von dieser Zahlungsverpflichtung befreit. Eine ähnliche Vereinbarung wurde am 21. März 1528 getroffen, als Pfinzing die Herrschaft und das Schloß Weitersfeld (nordwestlich von Mureck) um einen Pfandbetrag von 3608 Gulden erhalten sollte. Diese beabsichtigte Verpfändung kam allerdings nicht zustande.[55]

Ulrich Pfinzing hat sich nach seiner Benediktion[56] nicht in die klösterliche Gemeinschaft von St. Paul zurückgezogen und hier etwa die Führung der Abtei in benediktinischer Tradition und Verpflichtung übernommen. Dies war wohl auch schwerlich zu erwarten gewesen. Ihm fehlte nicht nur die notwendige Ausbildung, sondern auch jede Neigung zum geistlichen Beruf.[57] Er stand bereits im 33. Lebensjahr, geprägt von seiner Herkunft aus einer reichen Nürnberger Patrizierfamilie, erzogen und ausgebildet ganz im Geiste der Renaissance, geschult durch seine Tätigkeit am kaiserlichen Hofe und verhaftet der gewohnten höfischen Lebensweise. So durfte es nicht verwundern, daß er ab 1517 fast ausschließlich im Schloß Heunburg residierte, hier den aufwendigen Hof eines „geistlichen Renaissancefürsten" unterhielt und weiterhin allen weltlichen Annehmlichkeiten zugetan war. Der „zweite Gründer" des Benediktinerklosters, Abt Hieronymus Marchstaller (1616–1638)[58], hatte als erster das Wirken Ulrich Pfinzings in seiner Gründungsgeschichte „De Fundatione (. . .)"[59] verurteilt und ihn ausdrücklich als *miserabilis Abbas*[60] bezeichnet. Nutznießer seiner verschwenderischen Lebensführung waren seine Konkubine[61], mit der er mehrere Kinder hatte, und seine nähere Verwandtschaft.

Ulrich Pfinzing benützte das Stift St. Paul mit seinen Besitzungen einzig und allein zur Finanzierung seiner kostspieligen Lebenshaltung. Da diese Ausgaben, einschließlich der Darlehen an den Kaiser, die Einnahmen des Klosters bald überstiegen, kam es schließlich zu Schuldverschreibungen und Güterverkäufen. Es zeichnen sich zwei Perioden ab, in denen der Geldbedarf auffallend groß war: einmal in den Jahren von 1521 bis 1523 und dann nochmals 1529/1530. Mit den großen Kreditaufnahmen der Jahre nach 1521 könnte die Finanzierung seines prächtigen Renaissancegrabmales in St. Paul direkt zusammenhängen. Jedenfalls stand das Kloster nach dem zweiten großen Eingriff in sein Vermögen vor dem absoluten wirtschaftlichen Ruin[62].

Die Belastung der Jahre 1529 und 1530 hing nicht zuletzt auch mit den Steuern Ferdinands I. zusammen, der zur Finanzierung der Türkenkriege den vierten Teil der Klostereinkünfte – die sogenannte Quart[63] – eingefordert hatte.

Die in diesem Zusammenhang durchgeführte Gültschätzung durch kaiserliche Kommissare erbrachte einen Betrag von 9000 Gulden[64] für das Stift St. Paul, woraus sich eine hohe Abgabenleistung ergab. Diese landesfürstlichen Steuern suchte Pfinzing durch den Verkauf stiftseigener Güter an Amelrich von Kollnitz aufzubringen. Eine für das Kloster befriedigende Lösung kam erst nach seiner Resignation zustande.[65] Schon zwei Jahre vorher (1527) hatte er auf Weisung König Ferdinands I. wertvolle Ornate aus der Stiftskirche abgeliefert. Aus der St. Paul inkorporierten Pfarre St. Georgen unter Stein, wo der spätere Abt Matthias Furtner als Pfarrer wirkte, wurde eine silberne Monstranz abgestellt.[66]

Von Achaz Schrott borgte er 1521 300 Pfund Pfennige, ein Jahr später 600 Pfund und schließlich 1523 nochmals 300 Pfund, also insgesamt 1200 Pfund.[67] Weitere Darlehen erhielt er von Balthasar von Altenhaus, insgesamt 4200 Pfund in den Jahren 1522 und 1523. Katharina von Kollnitz borgte ihm 150 Pfund (1523), schließlich auch der Hochmeister des St.-Georg-Ritter-Ordens in Millstatt, Johann Geumann, einen Betrag von 450 Pfund.

Bald reichten auch diese Darlehen nicht mehr aus. Mit den ersten Verkäufen von Kunstschätzen des Klosters war wohl auch für den Konvent eine „Schmerzgrenze" erreicht, die eigentlich offenen Widerstand hätte hervorrufen müssen. Dem Balthasar von Altenhaus verkaufte er 1523 Silbergeschmeide und Kleinodien von nicht näher bezeichnetem Wert, darunter ein goldenes Kreuz, das mit sechs Diamanten und neun Smaragden besetzt war.[68] Der Stiftskirche entnahm er zwei Bilder und zehn Kelche und verkaufte sie um über 700 Gulden.[69]

Für die Wirtschaftsführung des Klosters wirkte sich auch der Verkauf von Gütern und insbesondere von Huben, die dadurch vom Freistiftseigentum in Kaufrechtseigentum umgewandelt wurden[70], nachteilig aus. Die ersten diesbezüglichen Geschäfte sind im St. Pauler Archiv[71], in dem ansonsten zur Person und Amtszeit Pfinzings nur ganz wenig Aktenmaterial überliefert ist, nachgewiesen. Im Jahre 1518 verkaufte Abt Ulrich dem „Blasi Fuerer zu Kaufrecht die Stompan Hube und ein Gereut im Amt Möchling"[72], 1520 dem „Klement Rawcher eine Hube im Amt Drauhofen"[73] zu Kaufrecht, 1525 seinem „Palbierer Michael Wanngner Haus und Hofstätte im Markt St. Paul"[74], 1527 dem St. Pauler Bürger „Georg Gumpmhueber (. . .) ein Haus im Markt"[75]. In das Jahr 1529 fiel dann eine ganze Reihe von Besitzveräußerungen, die hier nur summarisch aufgeführt werden können: Nachweisbar ist der Verkauf von sieben Gütern, zwei Höfen, 29 Huben (davon zahlreiche dem Konvent gehörige Huben), zwei ½ Huben, vier Lehen, drei Zulehen und mehreren Weinbergen.[76] Besonders einträglich war der Verkauf eines Gutes im Amt Möchling an Wolfgang Mager von Fuchsstatt, das 1500 Gulden[77] einbrachte. Auch an Moritz Rumpf ging ein nicht näher bezeichnetes Gut, andere Besitzungen in „Räst, Hollern, Mechling und Remschnig" gelangten an Pfinzings Verwandtschaft, von der dann Abt Matthias Furtner (1530–1550) diese Klostergüter zurückfordern mußte.[78] Noch im Jahre 1530 sind drei Hubenverkäufe beurkundet, der letzte am 24. Feber 1530[79], obwohl Pfinzings Resignation bereits „erzwungen" und die Wahl seines Nachfolgers Veit Pissinger[80] schon vorbereitet wurde. Den Gesamtverlust durch diese Besitzveräußerungen berechnete Abt Hieronymus Marchstaller[81] mit einem Betrag von 6000 Gulden. Letztlich war die Frage der Resignation für Pfinzing auch eine wirtschaftliche. Bis 1530 war es ihm gelungen, durch Verkauf und Verpfändung von Klosterbesitz so viel aus dem einst reichen Stift herauszuholen, daß „es förmlich auf den Bettelstab gebracht"[82] war. Nun, da nichts mehr zu holen war, war er geneigt, sich auf sein Schloß Heunburg zurückzuziehen. Nur mit Hilfe Ferdi-

Abb. 11: Medaille Ulrich Pfinzings 1515; Vorder- und Rückseite, Germanisches Nationalmuseum, Nürnberg.

nands I. und des Salzburger Erzbischofs Matthäus Lang von Wellenburg gelang es dem Abt Matthias Furtner, in langwierigen Prozessen verpfändete und verschenkte Güter wieder dem Kloster zurückzugewinnen und damit den gänzlichen wirtschaftlichen Zusammenbruch des nun schon 440 Jahre bestehenden Benediktinerklosters zu verhindern. Mit Recht konnte der schon zitierte Abt Marchstaller die entrüstete Frage stellen[83]: *An non recti(us) iste miserabilis Abbas potius p(rae)do mon(aste)rij dicendus, quam praesul?*

Über eine erfolgreiche Tätigkeit des Abtes Ulrich Pfinzing zum Wohle des Klosters St. Paul erfahren wir nur wenig. Die Zahl der Konventualen dürfte vorübergehend stark abgenommen haben.[84] Auch über die ersten Auswirkungen der Lutherischen Reformationsbewegung in und um St. Paul ist nichts Näheres bekannt. Die ersten, die sich im Nahbereich des Klosters offen zum Protestantismus bekannten, waren die Besitzer der Herrschaft Rabenstein, die Freiherren von Dietrichstein[85]. Die Interessen des Stiftes vertrat Abt Pfinzing nach außen hin erstmals im Jahre 1517[86], als er sich erfolgreich um die Erneuerung und Bestätigung alter Privilegien bezüglich des Marktrechtes und des Wochenmarktes für den südsteirischen Markt St. Lorenzen durch Kaiser Maximilian I. bemühte. Im Jahre 1519 ließ er eine dem hl. Nikolaus geweihte Kapelle abtragen und den Altar in der Stiftskirche *ad Sum(m)um templum*[87] übertragen. Im Zusammenhang mit der Bestellung des St. Pauler Konventualen Wolfgang Velnpaum zum Vikar der zum Stift gehörigen Kirche St. Martin kam es 1523 zu einem Rechtsstreit mit Bischof Leonhard I. Peurl von Lavant, der diese Pfarre für sein Bistum beanspruchte.[88] Eine diesbezügliche Beschwerde des Abtes bei Papst Hadrian VI. wurde vom damit beauftragten Gurker Bischof Hieronymus Balbus zugunsten des Stiftes entschieden. In einer neuerlichen Streitsache[89] um die Pfarre St. Martin und die Zahlungsverpflichtung eines Weggeldes im Dorf Fresen 1524 wurde wiederum dem Abt, diesmal durch den Salzburger Erzbischof Matthäus, recht gegeben. Dabei wurden auch Übergriffe in Fragen der Gerichtsbarkeit aufgegriffen und für beide Seiten verbindlich geregelt. Im gleichen Jahr entschied Abt Pfinzing in einer Streitsache mit Katharina von Kollnitz hinsichtlich der Weiderechte auf „der halben Tratten"[90] bei St. Paul, daß dorthin nicht mehr als sechs Kollnitzer Bauern ihr Vieh treiben durften, das Holzrecht aber nur dem Kloster allein zustehe. Landespolitische Bezüge sind aus der Regierungszeit des Abtes Ulrich Pfinzing, abgesehen von der engen Beziehung zum steirischen Landeshauptmann Siegmund von Dietrichstein, nicht überliefert.

Bald nach seiner Bestellung zum Abt von St. Paul durch Kaiser Maximilian I. 1515 und noch zeitig vor seiner Benediktion 1516 hatte sich Ulrich Pfinzing – der Mode der Zeit entsprechend und dem Beispiel seines Kaisers, aber auch seines Bruders Melchior Pfinzing[91] folgend – eine Medaille anfertigen lassen.[92] Auf der Vorderseite ist das Brustbild Pfinzings mit Birett zu sehen, mit der Umschrift A(NNO).D(OMINI).1515. ETAS.V.PHINCZING[93]. Die Rückseite trägt eine Wappendarstellung: 1 u. 4 das Stiftswappen, 2 u. 3 das persönliche Wappen des Abtes.

Ein Werk aber, welches Abt Ulrich Pfinzing zu Lebzeiten in Auftrag gab, ist von künstlerisch überregionaler Bedeutung und zugleich ein eindrucksvolles Manifest des der Renaissance zutiefst verbundenen Nürnberger Patriziers. Als *uomo universale*, als Mensch der Renaissance, verband er seine zeitgemäß zelebrierte Religiosität mit der mittelalterlichen Bildhaftigkeit des Todes. Wie viele seiner Vorbilder, allen voran natürlich sein Kaiser Maximilian I., trachtete auch er nach Selbstdarstellung auf seinem Grabdenkmal, wohl aus religiösen Motiven, aber auch aus dem renaissancezeitlichen Verständnis von selbstbewußtem Ehrgeiz und einem natürlichen höfischen Geltungsbedürfnis.

Abt Ulrich Pfinzing bescherte dem Kloster St. Paul und damit dem Land Kärnten das wohl prächtigste frührenaissancezeitliche Grabdenkmal[94]. Als Entstehungszeit für dieses großartige kenotaphartige Denkmal wird die Zeit kurz nach dem Tode Maximilians am wahrscheinlichsten in Frage kommen. Eine besonders aktive Darlehenspolitik Pfinzings in den Jahren von 1521 bis 1523 könnte nicht zuletzt auf die hohen Kosten dieses Kenotaphs zurückzuführen sein und eine Datierung des Kunstwerkes, welches offensichtlich in seiner geplanten Konzeption nie vollendet wurde, in diesem Zeitraum vorgenommen werden.[95] Eine Zuweisung des Kunstwerkes ist der kunsthistorischen Forschung bislang nicht einwandfrei gelungen. Lange Zeit galt der Eichstätter Bildhauer Loy Hering als der verantwortliche Meister, in jüngster Zeit wird allerdings auch der Augsburger Bildhauer Hans Daucher[96] mehrfach genannt.

Abb. 12: Grabstein des Abtes Ulrich Pfinzing von Loy Hering oder Hans Daucher, 1519; St. Paul, Stiftskirche, südliche Querhauswand.

Die schwierige wirtschaftliche Situation, in der sich das Kloster St. Paul endgültig ab 1529 befand, hatte in Abt Ulrich V. Pfinzing die Bereitschaft gefördert, den Forderungen seines Konventes nach seiner Amtsniederlegung nachzugeben. Daß er sich schon im Jahr 1529 mit dieser Absicht getragen hatte, bestätigt eine Notiz im ALBVM BENEDICTINO (. . .)[97], daß er die Erlaubnis habe, nach seiner Resignation das Ordens-

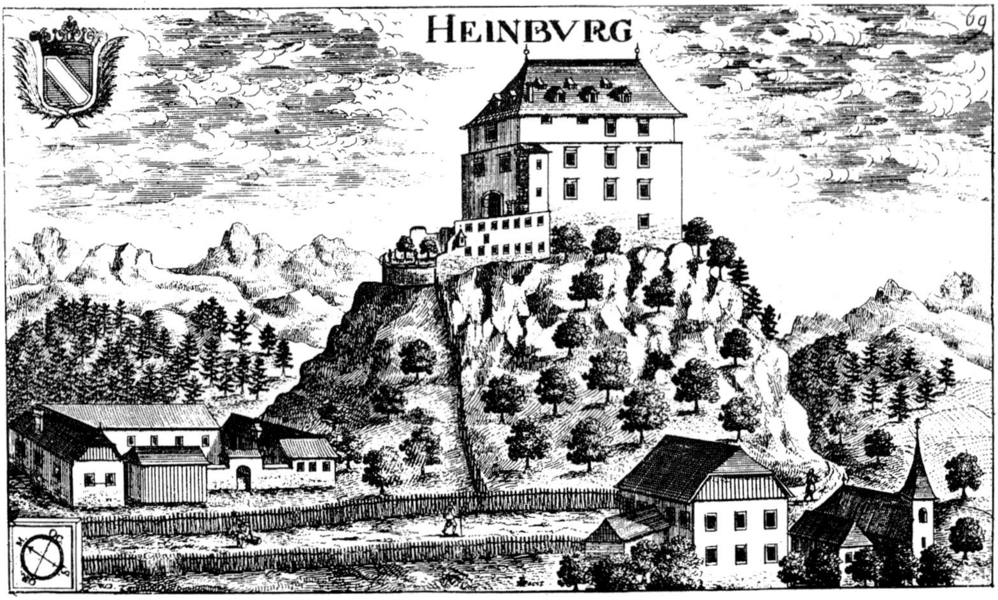

Abb. 13: Haimburg 1688; Kupferstich aus Valvasors „Topographia Archiducatus Carinthiae".

gewand nicht mehr zu tragen, sondern einfach *in habitu clericali* leben möge. Sein Abgang erfolgte nicht ohne Schwierigkeiten und legte dem Kloster ein letztes Mal eine schwere Bürde auf.

Eine Bedingung bestand in der Wahl seines Günstlings Veit Pissinger zum Abt, die vom Konvent am 10. März 1530 auch erfüllt wurde. Abt Pissinger starb noch vor Pfinzing am 16. November 1530.[98]

Als „Abgeltung" verlangte er schließlich vom Kloster für sich persönlich: „Er hat ihm vorbehalten Järlich 20 Stärtin[99] Wein in seiner resignation, darüber noch nit begniegt, sondern auf Zeit 50 Stärtin v(on) Marburg und Räst auf Haimburg, Völkhmarkht und Clagenfurt führen lassen, ein Stärtin angeschlagen p(er) 20 fl. [Gulden] (Summarum) 1000 fl. Mehr entführt er dem Gottshauß 8 Roß, 3 Essl, 4 Földin mit sambt den Füllen, 4 Wagenroß die 200 (Pfund) D(enare) werd geweßen, 4 par Ochsen, 16 Küe, 30 Frischling, 8 Stier, eine anzahl schwein, auß den Ambt Pustrüz 36 Vierling waiz, 131 V(ie)rling roggen, 238 V(ier)ling habern, Hisch, pfenich und Grieß ein große Zahl, 12 Centen eisen, 3 Centen Zinn, messinge leuchter, Sätl, Riembwerch, etlich Truhen Insleth, schmalz, schweinfleisch, bähen, ochsenheit, die teich ällmer, Stiel, allen Hausrath und betgewandt, 18 Stukh Pichsen, die 1400 fl. gestanden sein, 30 Hakhen, 15 Centen pulver, 24 man Harnisch mit aller Zuegehör die 400 (Pfund) D(enare) werd, und das Closter dermassen beraubt, das Abbt Veith des Abbt Furtner forsizer nit mehr nach ihm gefunden, alß 2 Tischtüecher, und 3 par leilacher [Leintücher], disses alles heimblich und ohne Vorwissen des Convents, deßwegen Abbt Furtner v(on) den Erben widerumb begert zu restituieren oder dafür 2336 (Pfund) D(enare)"[100]. In der Folge konnte durch den Eingriff des Abtes Furtner der Verkauf der den Erben Pfinzings übertragenen Güter und Besitzungen verhindert und diese großteils für das Kloster wieder gerettet werden.[101] In einem entsprechenden Vertrag wurde die Angelegenheit geregelt und die Ansprüche der Erben mit einem Betrag von 2000 Gulden abgedeckt.

Ulrich Pfinzing resignierte am 10. März 1530[102] und zog sich in sein Schloß Heunburg (Haimburg) bei Völkermarkt zurück. Hier ist er am 30. Dezember 1530[103] gestorben. Er fand sein Begräbnis nicht in dem von ihm in der Stiftskirche in St. Paul in Auftrag gegebenen Prunkgrabmal, sondern er wurde ganz schlicht in der Marienkapelle der Stadtpfarrkirche Maria Magdalena zu Völkermarkt beigesetzt.

ANMERKUNGEN

1. H. WIESFLECKER, Kaiser Maximilian I., Bd. I (1971), S. 245.
2. Vgl. J. HUIZINGA, Herbst des Mittelalters (1957).
3. H. ULMANN, Kaiser Maximilian I. 2 Bde. (1884/1891); H. WIESFLECKER, Kaiser Maximilian I. Bd. I–V (1971–1986); DERS., Kaiser Maximilian I. Seine Persönlichkeit und Politik. Katalog Maximilian I., Innsbruck (1969), S. 1 ff.
4. C. FRÄSS-EHRFELD, Geschichte Kärntens, Bd. 1: Das Mittelalter (1984), S. 594 ff., S. 602 ff. u. S. 611 ff. – Hier auch weitere Literatur.
5. J. LOSERTH, Zur Geschichte der Reformation und Gegenreformation in Innerösterreich. Rückblick und Ausschau, Jb. der Gesellschaft für die Geschichte des Protestantismus in Österreich 25 (1904), S. 183 ff.; G. MECENSEFFY, Geschichte des Protestantismus in Österreich (1956); K. F. SCHWARZ, Der Protestantismus im Lavanttal (Diss. Graz, 1961).
6. Abt Bernhard Trethan, ein äußerst gelehrter und tüchtiger Mann, regierte nur ein knappes Jahr (1498–1499); vgl. dazu B. SCHROLL, Hieronymus Marchstaller, Abt des Benedictiner-Stiftes St. Paul im Lavantthale, päpstlicher Protonotar, kaiserlicher und erzbischöflich-salzburgischer Rath, Erzpriester des Metropoliten in Salzburg für Unterkärnten, und des Patriarchen von Aquileja für Möchling im Jaunthale und St. Lorenzen in der Wüste in Untersteiermark. 1616–1638 (1891), S. 6; B. RADER, Die Geschichte der Äbte von St. Paul. 2. Tl.: Vom 16. bis zum 30. Abt (1314–1499), JbSP (1981/82), S. 25 ff.; DERS., Die Geschichte der Äbte von St. Paul. 3. Tl.: Vom 31. bis zum 40. Abt (1500–1638), JbSP (1982/83), S. 14 ff.
7. S. TÜRK, Die Benediktinerabtei St. Paul in Kärnten als Grundherrschaft im 16. Jahrhundert (Diss. Graz, 1950), S. 4.
8. HHSTA Wien, UK von 1496 VIII 22 (Urkundenreihe).
9. J. HÖFLER. Die gotische Malerei Villachs. Villacher Maler und Malerwerkstätten des 15. Jahrhunderts, 1. Bd.: Darstellung, Neues aus Alt-Villach 18 (1981), S. 171 ff.; O. DEMUS, Der Meister von Gerlamoos, Jb. der Kunsthistorischen Sammlungen in Wien NF XI (1937), S. 49 ff. u. XII (1938), S. 77 ff.; G. HOPFMÜLLER, Neue Studien zu Thomas von Villach (Diss. Graz, 1979). W. NEUMANN, Wer war Thomas von Villach, Neues aus Alt-Villach 1 (1964), S. 183 ff.; DERS., Der bedeutendste Maler der Kärntner Spätgotik – Thomas Artula von Villach. Neue Funde zu seiner Lebensgeschichte, Neues aus Alt-Villach 20 (1983), S. 59 ff.
10. So wurde 1506 die Pfarre St. Paul unter Hornburg im Görtschitztal dem Kloster einverleibt. Vgl. NB Wien, HS cod. 8395: *Archivum Monasterii s(ancti) Pauli in Carinthia. Pars secunda ab anno 1500 usque ad 1600. Collectum opera R(everendissimi)* D(omini) Hieronymi Abbatis Eiusdem Monasterii anno 1625, fol. 17 ff.; SCHROLL, Marchstaller (wie Anm. 6), S. 66.
11. J. WODKA, Kirche in Österreich (1959), S. 50.
12. In diese Zeit – um 1507 – fiel auch die Gebetsverbrüderung mit den Benediktinern in Formbach (Steiermark); NB Wien, HS cod. 8395: *Archivum* (wie Anm. 10), fol. 9 ff.: 1507 VII 8. Vgl. R. STRELLI, Das Stift St. Paul in Kärnten unter Abt Ulrich Pfinzing, Studien und Mitteilungen zur Geschichte des Benediktinerordens und seiner Zweige NF 5 (1915), S. 95.
13. R. SCHLESINGER, Maximilians I. Beziehungen zur Kirche und Religion (Diss. Graz, 1979), S. 14 ff.
14. EBD., S. 34 ff.
15. STA, HS 32/0: *ALBVM BENEDICTINO-SAN-PAVLENSE / in quo / MONASTERII S. PAVLI ORD: S. P. BENEDICTI / in valle Lavantina Carinthiae [1682]*, fol. 52. – HS 1/0: *Nasci Pati Mori / Hoc est / De Fundatione / Rerum statu / Prospero Adverso / Vita et Morte / Fundatorum (et) Benefactoru(m) / Abbatum et Monachorum / Monasterij S(ancti) Pauli vallis Lauantinae / Auctore / R(everendissi) mo D(omi)no Hieronymo Abbate / Monasterij eiusdem / Anno D(omi)ni.M.DC.XIX.*, fol. 81. – WIESFLECKER, Maximilian I., Bd. V (1986), S. 161.
16. K. v. MOLTKE, Siegmund von Dietrichstein (1970), S. 1 ff.; K. EDER, Der steirische Landeshauptmann Siegmund von Dietrichstein (1480–1533) (1963); M. HOLLEGGER, Maximilian I. und die Entwicklung der Zentralverwaltung am Hof und in den österreichischen Erbländern von 1510 bis 1519 (Diss. Graz, 1983); WIESFLECKER, Maximilian I., Bd. V (wie Anm. 15), S. 276 ff.; H. J. MEZLER-ANDELBERG, Siegmund von Dietrichstein. Ein innerösterreichischer Staatsmann der beginnenden Neuzeit, Österreich in Geschichte und Literatur 7 (1963), S. 303 ff.
17. MOLTKE, Dietrichstein (wie Anm. 16), S. 35. Vgl. auch E. EGG, Maximilian und die Kunst. Katalog Maximilian I. Innsbruck (1969),S. 93 ff.: hier weiterführende Literatur.
18. H. RUPPRICH, Das literarische Werk Kaiser Maximilians I. Katalog Maximilian I. Innsbruck (1969), S. 47 ff.: hier auch weiterführende Literatur.
19. ULMANN, Maximilian I., Bd. 2 (wie Anm. 3), S. 747. L. SPATZENEGGER, Die Reise-Rechnung des Erzbischofs Leonhart Keutschach nach Hall in Tirol, Mittheilungen der Gesellschaft für Salzburger Landeskunde 7 (1867), S. 114, A. 40.
20. WIESFLECKER, Maximilian I., Bd. I (wie Anm. 1), S. 245; DERS., Kaiser Maximilian I., Bd. IV (1981), S. 454.
21. J. G. BIEDERMANN, Geschlechtsregister des Hochadeligen Patriciats zu Nürnberg (1748), Tab. CCCXC; H. WIESFLECKER, Kaiser Maximilian I., Bd. V (wie Anm. 15), S. 322.

22. EBD., S. 292.
23. Theuerdank. Facsimile-Reproduktion nach der ersten Auflage vom Jahre 1517. Hrsg. v. S. LASCHITZER, Jb. Kunsthistorische Sammlungen 8 (1888), S. 14 ff.; WIESFLECKER, Maximilian I., Bd. V (wie Anm. 15), S. 313 verweist auf die Merkwürdigkeit, daß Melchior Pfinzing „das fertige Werk als sein literarisches Eigentum bezeichnen durfte".
24. ULMANN, Maximilian I. (wie Anm. 19), S. 614 ff.; SCHLESINGER, Maximilian I. (wie Anm. 13), S. 70.
25. SCHLESINGER, Maximilian I. (wie Anm. 13), S. 32, A. 4.
26. W. FRESACHER, Zwei Äbte in Kärnten, LM (1971), H. 10, S. 53 ff.
27. KLA, Allgemeine Urkundenreihe A 1784 (1514 IV 5); G. GAICH-FAUSTER, Genealogie und Besitzgeschichte der Familien von Praitenfurt, Fohnsdorf-Rabenstein (Diss. Graz, 1976), S. 174, A. 903; W. FRESACHER, Der Übergang der Herrschaften Finkenstein und Hollenburg an den Weichselstätter Zweig der Herren von Dietrichstein, Car. I 167 (1977), S. 120; MOLTKE, Dietrichstein (wie Anm. 16), S. 28; H. WIESSNER, Zur Geschichte der Burgen Rabenstein und Loschental, Car. I 149 (1959), S. 724; vgl. dazu auch H. HENCKEL, Burgen und Schlösser in Kärnten, Bd. 2 (1964), S. 139; F. X. KOHLA – G. A. v. METNITZ – G. MORO, Kärntner Burgenkunde, Bd. 2 (1973), S. 124; A. WEISS, Kärnthens Adel bis zum Jahre 1300 (1869), S. 301; A. E. v. B(ENEDIKT), Die Burg und die Herren von Dietrichstein, Car. 25 (1835), S. 3–5, S. 15–17, S. 19–21, S. 23–25, S. 36–37 u. S. 43–45.
28. MOLTKE, Dietrichstein (wie Anm. 16), S. 66.
29. EBD., S. 50, A. 48b.
30. EBD., S. 164 ff. u. S. 166. – Neben den moralischen Anliegen der Bruderschaft, gegen „Fluchen, Gotteslästerung und Trunksucht" anzukämpfen, hatte diese auch politische Inhalte im Sinne Maximilianischer Weltordnung für den innerösterreichischen Bereich; Vorbild war der von Kaiser Friedrich III. 1469 gegründete und mit Sitz nach Millstatt verlegte St. Georg-Ritter-Orden.
31. EBD., S. 218.
32. NB Wien, HS cod. 8395 (wie Anm. 10), fol. 31 ff.; SCHLESINGER, Maximilian I. (wie Anm. 13), S. 32.
33. STRELLI, Pfinzing (wie Anm. 12), S. 96.
34. STA, HS 1/0 (wie Anm. 15), fol. 81 ff.; NB Wien, HS cod. 8395 (wie Anm. 10), fol. 44 ff.: 1515 X 12; SCHLESINGER, Maximilian I. (wie Anm. 13), S. 243.
35. STA, Akten, Pack 2/18: 1515 X 14, Niederlegung der Abtwürde durch Abt Johann; NB Wien, HS cod. 8395 (wie Anm. 10), fol. 32 ff.: er erhielt eine jährliche Pension von 300 flRh und 3 Faß Wein; SCHLESINGER, Maximilian I. (wie Anm. 13), S. 32.
36. Vgl. B. SCHROLL, Necrologium des Benedictinerstiftes St. Paul im Lavantthale, AVGT 10 (1866), S. 64, S. 142; A. LEITNER, Abt Johann IV. Parnpichler (1500–1515), JbSP (1966/1967), S. 5; vgl. dazu RADER, Die Geschichte der Äbte von St. Paul. 3. Tl. (wie Anm. 6), S. 14.
37. Hierher wurde diese Grabplatte erst im Zuge der Restaurierungsarbeiten im Jahre 1936 verlagert.
38. BIEDERMANN, Geschlechtsregister (wie Anm. 21), Tab. CCCXC; Die Chroniken der fränkischen Städte: Nürnberg (Die Chroniken der deutschen Städte vom 14. bis ins 16. Jahrhundert, 3, 1864), S. 96 u. S. 136 ff. (Pfinzing u. Gruntherr); SPATZENEGGER, Leonhart Keutschach (wie Anm. 19), S. 115 ff.
39. BIEDERMANN, Geschlechtsregister (wie Anm. 21), Tab. LXIV u. CCCCV: in erster Ehe verheiratet mit Kunegunde Mendel.
40. EBD., Tab. LXIV (geh. 1477).
41. BIEDERMANN, Geschlechtsregister (wie Anm. 21), Tab. CCCCV; STRELLI, Pfinzing (wie Anm. 12), S. 96; vgl. P. ZAHN, Die Inschriften der Friedhöfe St. Joannis, St. Rochus und Wöhrd zu Nürnberg (Die Deutschen Inschriften 13/3, 1972), Nr. 264 (Anna Pfinzing, geb. 6. I. 1480, gest. 25. III. 1506, wohl eine Schwester Ulrichs) u. Nr. 231 (Grundherr).
42. STRELLI, Pfinzing (wie Anm. 12), S. 105 ff.; G. PROBSZT-OHSTORFF, Die Kärntner Medaillen, Abzeichen und Ehrenzeichen (1964), S. 70, Nr. 158 (Vs. CONCORDIAE FRATERNAE und fünf Brustbilder; Rs. EFFIGIES.SIGISMVNDI.MELCHIORIS. PREPOSITI.ECCLESIE.SANCTI.ALBANI.MOGVNTINENSIS.VDALRICI.ABBATIS. SANCTI.PAVLI. VALLIS.LAV(ANT)INII.SEYFRIDI.ET.MARTINI. PFINCZING.FRATRVM..ANN(O).M.CCCCC.XIX).
43. ZAHN, Inschriften (wie Anm. 41), Nr. 613 u. 614: hier ist eine weitere Schwester, Barbara, genannt (geb. 19. I. 1492, gest. 26. XI. 1528).
44. BIEDERMANN, Geschlechtsregister (wie Anm. 21), Tab. CCCCV ff.
45. H. FINDENIG, Die Benediktinerabtei St. Paul in Kärnten zur Zeit der Reformation (Hausarbeit Graz, 1978), S. 10.
46. FINDENIG, Benediktinerabtei St. Paul (wie Anm. 45), S. 10.
47. STA, HS 1/0 (wie Anm. 15), fol. 81^{v}.
48. STA, HS 1/0 (wie Anm. 15), fol. 81^{v}: *Sic aut(em) Abbas Vlricus non p(er) ostium ingressus in ovile ovium, non venit pascere, sed perdere et mactare, nam ex malo non nisi malum p(ro)venire potest* (. . .); NB Wien, HS cod. 8395 (wie Anm. 10), fol. 36 ff.: 1516 II 25; vgl. auch STRELLI, Pfinzing (wie Anm. 12), S. 98.
49. STA, HS 32/0 (wie Anm. 15), fol. 52; EBD., HS 1/0 (wie Anm. 15), fol. 81 ff.
50. STA, HS 1/0 (wie Anm. 15), fol. 81^{v}; NB Wien, HS cod. 8395 (wie Anm. 10), fol. 44 ff.
51. STRELLI, Pfinzing (wie Anm. 12), S. 98; KOHLA – METNITZ – MORO, Burgenkunde 2 (wie Anm. 27), S. 63.
52. Radlje ob Dravi, in der ehemaligen Südsteiermark.
53. G. GÄNSER, Die rechtliche, wirtschaftliche, soziale und kulturelle Stellung der österreichischen Beamten unter Maximilian I. (Diss. Graz, 1976), S. 75 f. und S. 91 ff.
54. FINDENIG, Benediktinerabtei St. Paul (wie Anm. 45), S. 11 ff.
55. EBD., S. 12; R. BARAVALLE, Burgen und Schlösser der Steiermark (1961), S. 541.
56. STA, HS 1/0 (wie Anm. 15), fol. 81^{v}.
57. STRELLI, Pfinzing (wie Anm. 12), S. 97 ff.
58. Siehe den Beitrag hier, S. 175 ff.
59. STA, HS 1/0 (wie Anm. 15), fol. 81 ff.
60. EBD., fol. 82.
61. EBD., fol. 81: (. . .) *aluit publice concubinam, propriamq(ue) domum intra muros mon(aste)rij prope portam pro illa aedificavit, ex qua filios et filias plures genuit* (. . .); vgl. STRELLI, Pfinzing (wie Anm. 12), S. 104, A. 17.
62. TÜRK, Grundherrschaft (wie Anm. 7), S. 116.
63. E. WEINZIERL-FISCHER, Die Quart in Kärntens Stiftern und Klöstern, MÖSTA 4 (1959), S. 139 ff.
64. EBD., S. 151 f.
65. STA, HS 1/0 (wie Anm. 15), fol. 83; STRELLI, Pfinzing (wie Anm. 12), S. 103.
66. STA, HS 32/0 (wie Anm. 15), fol. 52^{v}; STRELLI, Pfinzing (wie Anm. 12), S. 103.
67. STRELLI, Pfinzing (wie Anm. 12), S. 98.
68. STA, HS 1/0 (wie Anm. 15), fol. 81^{v}; EBD., HS 32/0 (wie Anm. 15), fol. 52; STRELLI, Pfinzing (wie Anm. 12), S. 89.

69. STA, HS 1/0 (wie Anm. 15), fol. 82; EBD., HS 32/0 (wie Anm. 15), fol. 53; STRELLI, Pfinzing (wie Anm. 12), S. 99.
70. STA, HS 1/0 (wie Anm. 15), fol. 82.
71. STA, Katalog: Verzeichnisse von Urkunden, Handschriften und Akten von St. Paul i. L., Eberndorf, St. Blasien und Spital am Pyhrn. Maschinschriftlich St. Paul (ca. 1950), S. 34 ff.
72. EBD., UK Nr. 466 (1518 XII 17).
73. EBD., UK Nr. 467 (1520 XII 10): Trahouen (Drauhofen bei Tainach).
74. EBD., UK Nr. 480 (1525 IV 24).
75. EBD., UK Nr. 485 (1527 IV 28).
76. Vgl. STA, UK Nr. 488 (1529 V 9); Nr. 528 (1529 XII 19).
77. STA, HS 1/0 (wie Anm. 15), fol. 82; EBD., HS 32/0 (wie Anm. 15), fol. 53; STRELLI, Pfinzing (wie Anm. 12), S. 99.
78. EBD.
79. EBD., UK Nr. 534 (1530 II 24).
80. EBD., UK Nr. 536 u. 537 (1530 IV 9): der Konvent meldet dem Salzburger EB Matthäus Lang von Wellenburg die Wahl, die mit gleichem Datum bestätigt wurde.
81. STA, HS 1/0 (wie Anm. 15), fol. 82.
82. STRELLI, Pfinzing (wie Anm. 12), S. 99.
83. STA, HS 1/0 (wie Anm. 15), fol. 82^v; STRELLI, Pfinzing (wie Anm. 12), S. 99.
84. Vgl. STA, HS 32/0 (wie Anm. 15), fol. 53.
85. SCHWARZ, Protestantismus (wie Anm. 5), S. 34.
86. SCHROLL, Marchstaller (wie Anm. 6), S. 131; STRELLI, Pfinzing (wie Anm. 12), S. 100.
87. STA, HS 32/0 (wie Anm. 15), fol. 52.
88. NB Wien, HS cod. 8395 (wie Anm. 10), fol. 86 ff.: 1523 IV 27; STA, HS 32/0 (wie Anm. 15), fol. 52.
89. STA, HS 32/0 (wie Anm. 15), fol. 52 ff.; NB Wien, HS cod. 8395 (wie Anm. 10), fol. 96 ff.: 1524 IV 23.
90. STA, HS 32/0 (wie Anm. 15), fol. 52.
91. E. HEYCK, Kaiser Maximilian I. (1898), S. 120, Abb. 131.
92. STRELLI, Pfinzing (wie Anm. 12), S. 105 ff.; PROBSZT-OHSTORFF, Kärntner Medaillen (wie Anm. 42), S. 70, Nr. 157: Bronze, D. 41,5; der Meister ist nicht bekannt, wohl im Umfeld des Hans Schwartz.
93. ETAS wird wohl ein Prägefehler sein; richtig möglicherweise AB(B)AS.
94. Vgl. dazu hier, S. 525 ff.
95. R. MILESI, Loy Hering und das Grabmal des Abtes Ulrich Pfinzing, Car. I 149 (1959), S. 445 ff.; DERS., Romanische und ritterliche Grabplastik Kärntens (1963), S. 16 ff.; F. DWORSCHAK, Die Werke des Loy Hering in Österreich, Wiener Jb. für Kunstgeschichte 4 (1926), S. 86 ff.; STRELLI, Pfinzing (wie Anm. 12), S. 93 ff.; MOLTKE, Dietrichstein (wie Anm. 16), S. 41 ff.; V. OBERHAMMER, Das Grabmal des Kaisers. Katalog, in: Maximilian I. Innsbruck (1969), S. 107 ff.
96. Vgl. Die Kunstdenkmäler Österreichs. Kärnten. DEHIO-Handbuch (^{2}1981), S. 588.
97. STA, HS 32/0 (wie Anm. 15), fol. 52^v.
98. Vgl. SCHROLL, Necrologium (wie Anm. 36), S. 75.
99. Startin = altes Weinmaß; 1 Startin = 5 große Grazer Eimer; 7½ Startin = ca. 565 Liter.
100. STA, HS 32/0 (wie Anm. 15), fol. 52^v–53; EBD., HS 1/0 (wie Anm. 15), fol. 82 ff. u. 83: hier abweichende Angaben; STRELLI, Pfinzing (wie Anm. 12), S. 104.
101. FRESACHER, Zwei Äbte (wie Anm. 26), S. 54.
102. NB Wien, HS cod. 8395 (wie Anm. 10), fol. 75 ff.; STRELLI, Pfinzing (wie Anm. 12), S. 15.
103. Vgl. SCHROLL, Necrologium (wie Anm. 36), S. 63 u. S. 140 (Anm. 17): hier ist der 13. VI. angegeben, im Kommentar richtig der 30. XII. 1530. Nach HENCKEL, Burgen 2 (wie Anm. 27), S. 170, soll Pfinzing im Schloß Thalenstein bei Völkermarkt gestorben sein.

Reformation und Gegenreformation im Kloster St. Paul und im übrigen Lavanttal

EVELYNE WEBERNIG

Kärnten wurde von den Kommunikationsmitteln der Reformationszeit, u. a. von Flugschriften und „Zeitungen", von theologischer Kontroversliteratur und protestantischen Bekenntnisschriften sehr rasch erreicht. Ein Großteil der kirchlichen und weltlichen Kärntner Intelligenz wurde damals an den Universitäten Deutschlands, wo man von den Lehren Luthers aktuelle Kunde hatte, ausgebildet, wie z. B. der Villacher Student Georg Krainer, der 1517 – im Jahr des Thesenanschlags – in Wittenberg immatrikuliert wurde. 1527 sollte er sich als Pfarrer von Maria Gail verpflichten, das Wort Gottes „lauter ohne allen Zusatz" zu predigen. Die zahlreichen Kärntner, die im 16. Jahrhundert – trotz landesfürstlicher Verbote – an protestantischen Universitäten studierten, bildeten nach ihrer Rückkehr ein wichtiges Element für die Verankerung des Luthertums im Lande. Ferner bestanden verwandtschaftliche und geschäftliche Beziehungen des Kärntner Handelsbürgertums zum süddeutschen Raum, so daß die Kunde von den Ereignissen um Luther rasch auch im Briefverkehr weitergegeben wurde. Nicht zuletzt ergab sich über die Besitzungen des Bistums Bamberg in Kärnten (vor allem auch im oberen Lavanttal) eine Verbindung zu der von Luther ausgelösten Bewegung. Schon bald nach 1520 lassen sich in Kärnten die ersten Spuren lutherischen Einflusses nachweisen, zuerst in der bambergischen Stadt Villach 1525/26[1].

Der Salzburger Erzbischof Matthäus Lang erkannte wohl die Notwendigkeit von Reformen der damaligen kirchlichen Verhältnisse. Das erzbischöfliche Mandat auf der Synode von Mühldorf 1522 ließ an Deutlichkeit nichts zu wünschen übrig, aber Erfolg hatte es so wenig wie die Erlässe des Landesfürsten Ferdinand I. 1522/23 gegen die Verbreitung lutherischer Bücher und Schriften in seinen Ländern[2]. Auch in den folgenden Jahren ergriff die geistliche Obrigkeit, vor allem aber der Landesfürst Maßnahmen zur Abwehr der Lehren Luthers bzw. zur notwendigen Reform des verderbten, trägen und sittenlosen Klerus (z. B. acht Salzburger Provinzialsynoden 1537–1576). Genaue Weisungen betrafen die Zucht und Ordnung in den Klöstern. Die Einrichtung von Seminaren sollte die Ausbildung des Priesternachwuchses qualitativ und quantitativ verbessern[3]. Eine weitere wichtige Aufgabe sah man in der Ausrottung des damals weit verbreiteten Konkubinates. Die Visitationen geistlicher Institutionen, die seit 1528 sowohl von kirchlichen als auch von landesfürstlichen Kommissionen durchgeführt wurden, zeigten die durch die Glaubensspaltung aufgetretenen Probleme; die Zahl der Konventualen in den Klöstern war stark zurückgegangen, das Konkubinat war üblich und das Luthertum innerhalb der Geistlichkeit weit verbreitet. Die Maßnahmen, die man dagegen ergriff, brachten keine wesentliche Besserung; die Visitationsberichte werfen noch im Jahre 1582 ein grelles Licht auf die Verwahrlosung des Kärntner Klerus[4].

Im Lavanttal ist reformatorisches Gedankengut schon vor 1530 anzutreffen, vor allem in der Stadt Wolfsberg, wo der Vizedom des Bischofs von Bamberg seinen Sitz hatte. Das Benediktinerkloster St. Paul wird nicht viel später mit der neuen Lehre konfrontiert worden sein, auch wenn kein Aktenmaterial davon berichtet. Abt Ulrich Pfinzing (1515–1530), ein Günstling Kaiser Maximilians I., stand in Verbindung mit dem auch in Kärnten begüterten steirischen Landeshauptmann Siegmund von Dietrichstein, der sich früh dem Luthertum zugewandt hatte[5]. Auswirkungen der beginnenden Reformation auf die Abtei St. Paul sind anzunehmen, da sie als Grundherrschaft mitten in der Problematik des wirtschaftlichen und sozialen Lebens jener Zeit stand[6]. Die chaotischen politischen und militärischen Verhältnisse, Türkeneinfälle, Ungarnkrieg sowie Bauernaufstände in der zweiten Hälfte des 15. und zu Beginn des 16. Jahrhunderts[7] hatten im unmittelbar betroffenen Lavanttal eine katastrophale wirtschaftliche Lage zur Folge, von der auch das Kloster St. Paul nicht verschont blieb.

Zur finanziellen Verarmung kam seit der ersten Hälfte des 15. Jahrhunderts ein allgemeiner Niedergang der kirchlichen Verhältnisse, gekennzeichnet durch das Schwinden mönchischer Ideale, Vernachlässigung der klösterlichen Disziplin und Verweltlichung einzelner Äbte. Die Zustände in St. Paul entsprachen zweifellos dem allgemeinen Bild jener Zeit, in der der Ruf nach einer Reform der Kirche immer lauter wurde. In St. Paul gab es damals nur acht Konventualen, von denen ein einziger des Schreibens kundig gewesen zu sein scheint[8]. 1529/30 befand sich das Kloster am Tiefpunkt seiner finanziellen Entwicklung. Einerseits hatte Abt Ulrich Pfinzing, ein typischer Renaissancemensch, Klostergut verschleudert, ja sogar Kleinodien des Stiftes verkauft, andererseits wurde die Abtei damals der durch die Türkeneinfälle bedingten landesfürstlichen Besteuerung unterworfen. 1529 überließ Papst Clemens VII. zur Unterstützung des Türkenkrieges König Ferdinand den vierten Teil (Quart) der kirchlichen Einkünfte seiner Länder, nachdem schon 1523 der dritte Teil aller geistlichen Einkünfte eines Jahres für die Türkenabwehr eingezogen worden war. Die neuerliche schwere Belastung bedeutete für die meisten Klöster den Verkauf von Grundbesitz. Die Bezahlung der Quart fügte dem Kloster St. Paul großen Schaden zu[9]; der Verkauf der Klostergüter belastete die Amtszeit der Äbte Veit Pissinger (1530) und Matthias Furtner (1530–1550). Dazu überschatteten Spannungen zwischen Abt Matthias und dem Konvent das Leben im Kloster. Im Jahre 1544 beklagten sich die Konventualen beim Landesfürsten über ihren Abt, dem sie Verschwendung des Klostergutes und Mißwirtschaft vorwarfen. Er kümmerte sich weder um die zum Kloster gehörenden Pfarren noch um die Ausbildung der Konventualen, die keine Lehrbücher hatten, und denen auch die Einsicht in die Klosterbibliothek versagt wurde. Der Schulmeister hatte mangels Bezahlung das Kloster verlassen, ebenso etliche junge Mitbrüder wegen schlechter Versorgung in geistiger und leiblicher Hinsicht. Kritik an diesen Zuständen wurde vom Abt mit gewalttätigen Maßnahmen beantwortet, indem er einige Konventualen einsperrte. Er hatte auch eine Konkubine und verlangte von den Mitbrüdern, bei der Messe die Kommunion *sub utraque specie* zu erteilen. Bezeichnenderweise waren diese Beschwerden nicht an den Ordinarius des Klosters, den Salzburger Erzbischof, gerichtet, sondern an den Landesherrn, von dem man sich eher ein energisches Eingreifen erhoffte. Dem Mangel an Mönchen, zum Teil bedingt durch fehlenden Nachwuchs, versuchte König Ferdinand u. a. 1546 durch ein Mandat zu begegnen, das entwichenen Ordensleuten die Rückkehr in ihre Klöster befahl[10].

Die Prälatur Jakob Pächlers (1550–1558) scheint eine vorübergehende Besserung der Situation in wirtschaftlicher und geistlicher Hinsicht gebracht zu haben. Die Klosterschule, eine altehrwürdige und einst bedeutende Einrichtung, war während des 16. Jahrhunderts in Verfall geraten und erhielt außerdem eine ernsthafte Konkurrenz im Klagenfurter *Collegium sapientiae et pietatis* der protestantischen Landstände. Laut einem Bericht des Abtes Pächler an König Ferdinand aus dem Jahre 1554 hatte die Klosterschule damals aber wieder einen Schulmeister und zehn Schüler. Von einer gewissen Reform und Straffung des geistigen Lebens im Kloster zeugt auch die vom Abt beschriebene Ordnung in den liturgischen Handlungen. Der geistliche Personalstand setzte sich aus vier Konventualen, einem Novizen, zwei anderen Ordensbrüdern und einem Prädikanten zusammen, „der sich als ein erzkatholischer Priester (...) bisher gehalten"[11]. Auch Abt Pächler mußte infolge der dem Landesfürsten schuldigen Darlehen, Kriegssteuern und Rüstungen Güter des Klosters verkaufen und verpfänden, dürfte jedoch eine moralisch integre Persönlichkeit gewesen sein. Gegen die Wahl des Abtes Thomas Mur (1558–1576) legte ein Konventbruder Protest beim Erzbischof von Salzburg ein, fand jedoch kein Gehör. Doch noch vor der Konfirmierung Murs ließ der Kärntner Landeshauptmann Christoph von Thanhausen die Abtei visitieren, um etwaige Mißstände abzustellen. Im Jahre 1561 ordnete König Ferdinand eine Visitation der Klöster an, die ein weiteres Vordringen des Luthertums zeigte. 1562 trugen landesfürstliche Kommissare dem Abt und Konvent von St. Paul auf, die Meßordnung einzuhalten sowie die Ordensregel zu beachten. Die Stiftsschule sollte einen katholischen Schulmeister erhalten und die Zöglinge zu Gottesfurcht, Zucht und Ordnung angehalten werden. Schüler, die der Lehre Luthers zugeneigt waren, mußten bekehrt werden oder das Kloster verlassen. Die Pfarren des Klosters sollten mit Priestern besetzt werden, die nicht dem Protestantismus anhingen. Lutherische Literatur war verboten und mußte vernichtet werden[12]. Abt Thomas Mur erwies sich in zunehmendem Maße als untauglich für sein Amt. Ständige Konflikte mit dem Konvent brachten die klösterliche Disziplin in gänzlichen Verfall und etliche Konventualen verließen die Abtei. Mur wurde 1567 vom Salzburger Erzbischof seines Amtes enthoben, exkommuniziert und nach einer vorübergehenden Rehabilitierung infolge seiner abermals schlechten Amtsführung 1576 von Erzherzog Karl II. und dem Erzbischof endgültig abgesetzt. Die Mißwirtschaft dieses Abtes hatte das Kloster um 1570 in eine katastrophale Notlage und an den Rand des finanziellen Ruins gebracht[13].

Mittlerweile hatte das Konzil von Trient (1545–1563) die Klärung der dogmatischen Probleme und die Überwindung der theologischen Unsicherheit gebracht. Doch an den mißlichen Zuständen im kirchlich-klösterlichen Bereich sollte sich noch längere Zeit wenig ändern. Im Frühjahr 1575 visitierte der apostolische Kommissar Feliciano Ninguarda im Auftrag Erzherzog Karls die Klöster (vor allem der Dominikaner, Franziskaner und Augustiner) in Innerösterreich[14]. Von klösterlichem Leben war kaum eine Spur anzutreffen. St. Paul wurde damals nicht visitiert, wohl aber das Franziskanerkloster im nahen Wolfsberg aufgesucht. Der Guardian war damals der einzige Insasse. In der Diözese Lavant, damals von Bischof Georg II. Agricola von Seckau administriert, gab es zahlreiche verheiratete Priester, die Erteilung des Abendmahls unter beiderlei Gestalt war die Regel. Im Juni und Juli 1578 visitierte Ninguarda abermals die Diözesen Gurk, Seckau und Lavant[15]. Über seine Reise liegen nur spärliche Nachrichten vor; er besuchte insgesamt 14 Männer- und fünf Frauenklöster und hielt sich u. a. in St. Andrä auf, dem Sitz des Bistums Lavant. Von dort aus dürfte er auch die Benediktiner in St. Paul aufgesucht haben. Die Mißstände, die schon früher Kritik erregt hatten, waren nicht beseitigt worden, sondern hatten sich eher noch verschlimmert. Die Ordensregeln wurden kaum beachtet, und in vielen Klöstern waren sie nicht einmal bekannt.

Erzherzog Karl II., Landesfürst der innerösterreichischen Länder Steiermark, Kärnten und Krain, konnte erst nach der Münchner Konferenz 1579 mit gegenreformatorischen Maßnahmen beginnen. Noch 1572 und 1578 mußte er sich der finanziellen Macht der damals bereits überwiegend protestantischen Landstände beugen, da er auf ihre Hilfe bei der Türkenabwehr angewiesen war. St. Paul hatte in jenen Jahren den absoluten Tiefpunkt in wirtschaftlicher und religiöser Hinsicht erreicht. Abt Andreas Schaffer (1576 – 1583) war ohne landesfürstlichen und erzbischöflichen Konsens gewählt und erst 1578 konfirmiert worden. Ein Visitationsbericht aus dem Jahre 1582 bietet einen guten Einblick in die damaligen traurigen Zustände im Kloster[16]. Der Salzburger Erzbischof Johann Jakob von Kuen-Belasy hatte für einige Gebiete in Kärnten, die seiner geistlichen Jurisdiktion unterstanden, eine Visitation veranlaßt, deren Ergebnisse einer Diözesansynode zugrunde gelegt werden sollten. U. a. wurde damals das Kloster St. Paul visitiert. Die Mißstände, die der Bericht widerspiegelt, gehen in religiös-moralischer Hinsicht auf die Auswirkungen der Reformation, in ökonomischer vor allem auf die Mißwirtschaft mancher Äbte seit Ulrich Pfinzing zurück. Immerhin lebten damals im Kloster noch neun Konventualen, darunter vier Novizen. Die Verrichtung des gemeinsamen Chorgebets – der kanonischen Horen – fand tagsüber in der Kirche statt, die nächtliche Matutin hingegen beteten die Novizen in der Zelle des Priors. Man beichtete zwar drei- bis zwölfmal im Jahre, doch die Fastengebote wurden mißachtet. Kapitel hielt der Abt nur selten. Er war auch fast nie beim Chorgebet oder beim Gottesdienst anwesend; bei der täglichen Messe ließ er sich vom Prior vertreten. Die Mönche erhielten ihre Gewandung vom Abt und ihre Verpflegung aus den Abgaben der Stiftsuntertanen. Die Novizen dagegen mußten Kleidung und andere Auslagen aus dem Verkauf der ihnen zustehenden Brot- und Weinration bestreiten. Im allgemeinen fand während der Mahlzeiten keine geistliche Lesung statt, nur gelegentlich wurde aus der Bibel oder aus einer Postille vorgelesen. Der Abt nahm nur viermal im Jahr an der gemeinsamen Mahlzeit teil. Die Novizen hatten keinen Lehrer, der sie unterrichtete; die einst berühmte Klosterschule bestand damals also nicht mehr. Abt und Pfarrer ausgenommen, gab die Lebensführung der Mönche jedoch keinen Anlaß zu Klagen. Der Abt Andreas Schaffer, gebürtig aus Griffen, war sehr weltlich gesinnt. Er vernachlässigte die Wirtschaft und versorgte seine Kinder auf Kosten des Stiftes. Der Prior Adam Schröttl dagegen scheint ein würdiger Mönch gewesen zu sein; er wurde 1593 Abt des Stiftes Ossiach. Ein eben erst zum Priester geweihter Mitbruder, der Steirer Christian Stainprucker, erwies sich als völlig ungebildet und unwissend im Spenden der Sakramente. Bartholomäus Barias, Sohn eines Priesters und seit 1572 selbst geweihter Priester, versorgte die Stiftspfarre (Pfarrkirche St. Erhard und drei Filialen) und versah auch das Predigtamt im Kloster, obwohl er in jeder Hinsicht sehr ungebildet war. Er hatte erst kurz vor der Visitation seine Konkubine weggeschickt, mit der er auch ein Kind hatte. Etliche Mönche waren einige Zeit zuvor aus Furcht vor dem päpstlichen Nuntius Germanicus Malaspina (1580 – 1584, Nuntius in Graz) entflohen, der 1581 eine Visitation des Klosters durchgeführt hatte. Abt Schaffer wurde nach einem Verhör durch den Nuntius in Graz mit Kerkerhaft bestraft, mußte 1583 die Abtwürde zurücklegen und starb im Jahre 1601 nach einem recht unruhigen Leben.

Nach 1579 begann Erzherzog Karl mit der Rekatholisierung seiner Länder.

Unter anderem erhob er Anspruch, neuerwählte Prälaten hinsichtlich ihrer Eignung zur Verwaltung der weltlichen Güter zu prüfen, bevor sie vom geistlichen Metropoliten bestätigt wurden. Der nächste Abt von St. Paul wurde nicht vom Konvent gewählt, sondern vom Landesfürsten eingesetzt. Dann erst wurde er vom Salzburger Erzbischof konfirmiert[17]. Abt Vinzenz Lechner (1583 – 1616), ein Konventuale aus der Abtei St. Lambrecht in Steiermark, war von umfassender Bildung; er hatte in Padua studiert und sich auch im Vatikan aufgehalten. Mit ihm zog in St. Paul die Gegenreformation ein. Lechner gelang es, einen Teil der großen Schuldenlast des Klosters abzutragen und die klösterliche Disziplin wiederherzustellen. Erzherzog Ferdinand (der spätere Kaiser Ferdinand II.) betraute im Jahre 1600 Bischof Martin Brenner von Seckau mit der Durchführung der Gegenreformation in Kärnten. Auch der Abt von St. Paul wurde beauftragt, die lutherische Lehre in seinem Bereich nach einer vorgegebenen Instruktion auszurotten. Die erzwungene Bekehrung zum Katholizismus war jedoch in vielen Fällen nur eine äußerliche, wie sich in den folgenden Jahren immer wieder zeigen sollte. Z. B. mußte Abt Vinzenz im Jahre 1613 auf Grund eines landesfürstlichen Befehls ein schriftliches Verzeichnis derjenigen Personen, welche in den ihm unterstehenden Pfarren die österliche Beichte nicht abgelegt hatten, an die innerösterreichische Regierung einsenden[18]. Abt Vinzenz Lechner besaß großes Ansehen bei den Landständen und beim Landesfürsten, aber auch er fügte dem Stift St. Paul schließlich nicht unbedeutenden Schaden zu, als er nahe Verwandte mit der Verwaltung von Klostergut betraute. Nachdem Abt Johann Pferinger im Jahre 1616 bald nach seiner Wahl wieder abdankte, sollte Abt Hieronymus Marchstaller (1616 – 1638) zum „zweiten Gründer“ des Klostes St. Paul werden[19].

Das Benediktinerstift bildete ein exemtes Herrschaftsgebiet innerhalb des kleinen Bistums Lavant, das 1228 als Salzburger Suffraganbistum mit dem bischöflichen Sitz in St. Andrä gegründet worden war. Hier fand der Protestantismus kaum Anhänger. Bischof Georg III. Stobäus von Lavant (1584 – 1618), ein gewandter Diplomat und seit 1587 Statthalter von Innerösterreich, war der Berater des Landesfürsten bei dessen gegenreformatorischen Maßnahmen und gilt als einer der „Vordenker der Gegenreformation“. Als die Reformationskommission im Oktober 1600 nach St. Andrä kam, wurde nur ein Bürger wegen seiner Zuneigung zur Lehre Luthers aus der Stadt verwiesen und etliche „sektische“ Bücher verbrannt[20]. Über das im 13. Jahrhundert gegründete Augustiner-Chorherrenstift in St. Andrä weiß man aus der Zeit der Reformation nur wenig, doch soll die Zahl der Kanoniker, der Propst mitgezählt, auf sechs herabgesunken sein[21].

Anders war die Lage im Herrschaftsbereich des Bistums Bamberg, zu dem nahezu das ganze obere Lavanttal mit ertragreichen Bergwerken, der Markt Reichenfels und die Städte St. Leonhard und Wolfsberg gehörten[22]. Hier drang das Luthertum besonders früh ein; schon zur Zeit des Vizedoms Andreas Fuchs im ersten Drittel des 16. Jahrhunderts gibt es Hinweise auf den Protestantismus in Wolfsberg, wo der Guardian des Minoritenklosters angeblich lutherisches Gedankengut predigte[23]. Die Blütezeit des Protestantismus war auch hier das siebente Jahrzehnt des 16. Jahrhunderts. Ein Zentrum der Anhänger Luthers war das Schloß Bayerhofen vor den Toren der Stadt, wo der reiche Gewerke Matthias Freidl 1577 ein Bethaus errichtete und einen Prädikanten hielt[24]. Laut einem Bericht des päpstlichen Nuntius Ninguarda aus dem Jahre 1578 hatte Freidl den alten Pfarrer von Wolfsberg, der die Katholiken gegen ihn schützen wollte, erdolcht und war von der Obrigkeit für diese Mordtat nicht bestraft worden[25]. Auch der nächste Besitzer von Bayerhofen, Dr. Christoph Siebenbürger, war ein eifriger Förderer des Protestantismus. Er nahm den 1588 aus Wolfsberg ausgewiesenen deutschen Schulmeister und den Prädikanten in Bayerhofen auf, wo er eine Schule und ein Pfarrhaus errichten ließ, die vom benachbarten protestantischen Adel und den Wolfsberger Bürgern miterhalten wurden. Streng ging man allerdings seit jeher gegen die vom Luthertum abweichenden evangelischen Glaubensrichtungen der Wiedertäufer (erste Hälfte des 16. Jahrhunderts) und der Flacianer (zweite Hälfte des 16. Jahrhunderts) vor; so wurde 1579 der seit 1577 in Wolfsberg tätige deutsche Schulmeister Valtan Moral von Richter und Rat entlassen, als eine Examination ergab, daß er dem Flacianismus anhing[26]. Als „Erzketzer" galt in katholischen Kreisen der bambergische Vizedom Johann Friedrich Hoffmann Freiherr von Grünbüchel und Strechau (1579 – 1583), einer der führenden Protestanten Innerösterreichs. Obwohl Papst Gregor XIII. und der apostolische Nuntius Malaspina vehement seine Entfernung als Vizedom auch bei Kaiser Rudolf II. und Erzherzog Karl betrieben, hielten die Bamberger Bischöfe Johann Georg Zobel von Giebelstadt (1577 – 1580) und Martin von Eyb (1580 – 1583) die Verwaltung ihrer Kärntner Besitzungen durch einen lutherisch gesinnten Weltlichen nicht für verwerflich[27]. Erst Bischof Ernst von Mengersdorf (1583 – 1591), der mit gegenreformatorischen Aktionen im Bistum Bamberg begann, drängte Hoffmann, gegen den mittlerweile auch mit der Inquisition vorgegangen wurde[28], zum Verzicht auf sein Amt. Bei der Durchführung der Gegenreformation, u. a. bei der Besetzung freigewordener Ratsstellen mit Katholiken, kam es in Wolfsberg zu ernsthaften Schwierigkeiten, die den Vizedom Johann von Redwitz zur Amtsniederlegung veranlaßten. Ein Tumult im Herbst 1590, verursacht durch das Auftreten eines Grazer Jesuitenpaters im lutherischen Friedhof in der Vorstadt, wo ein Prädikant zu den dort anwesenden Bürgern sprach, ließ den Vizedom Wolf Heinrich von Redwitz um seine Abberufung aus Wolfsberg ansuchen, da er sich dort seines Lebens nicht mehr sicher fühlte[29]. Tatsächlich kam es 1597 zu einem Zwischenfall mit letalem Ausgang, als der Pfarrer von St. Marein den protestantischen Prediger Hieronymus Khopler, der sich damals in Bayerhofen aufhielt, tötete[30]. Der Bamberger Vizedom Johann Georg von Stadion (1591 – 1612) wirkte in Kärnten bereits ganz im Sinne der Gegenreformation[31], doch erst die Maßnahmen Erzherzog Ferdinands seit den Herbsttagen des Jahres 1598 bedeuteten auch in Wolfsberg den Anfang vom Ende des Protestantismus. Im November 1598 mußten die beiden Prädikanten, die sich bei Dr. Siebenbürger auf Bayerhofen aufhielten, auf landesfürstlichen Befehl das Land verlassen[32], die protestantische Kirche zu Bayerhofen wurde im Herbst 1600 von der unter militärischer Bedeckung durch Kärnten ziehenden Reformationskommission zerstört. Die Bürger standen vor der Wahl, auszuwandern oder katholisch zu werden. Dennoch blieben auch hier viele Protestanten standhaft; noch 1616 beklagte sich der Landeshauptmann Christoph David von Urschenbeck über Zusammenkünfte der Wolfsberger Frauen, wobei sie „einander aus der Luthery postill fürpredigen"[33].

Nicht viel anders waren die Verhältnisse in der bambergischen Stadt St. Leonhard[34], wo es noch 1568 einen aus Weimar in Thüringen stammenden protestantischen Pfarrer namens Johannes Quellerus gegeben hatte, der verheiratet und Vater mehrerer Kinder war[35]. Auch im nahen bambergischen Bergbaugebiet von Kliening und Reichenfels hielten sich damals stets Prädikanten auf; so mußte im Jahre 1583 der Bergrichter auf landesfürstlichen Befehl einen Prädikanten aus Kliening wegschaffen, da er angeblich Unruhe und Aufruhr unter den Knappen stiftete[36]. Der dortige Verweser Daniel Lehner war ebenfalls überzeugter Lutheraner, wie die in seinem, 1585 aufgenommenen Nachlaß vorhandenen Bücher beweisen. Der Bamberger

Vizedom Georg von Stadion leitete auch hier die Gegenreformation ein; 1599 mußten die Bürger von St. Leonhard innerhalb von drei Monaten zur katholischen Religion zurückkehren oder das bambergische Gebiet verlassen; dies galt auch für den Markt Reichenfels.

Im Lavanttal waren vor allem auch die Ansitze der Adeligen Stützpunkte des Protestantismus. Für das obere Lavanttal sind hier im besonderen die Freiherren von Ungnad in Waldenstein[37], die dem Kärntner Ritterstand angehörenden Pain auf dem Painhof bzw. Schloß Lichtengraben und Wiesenau[38] oder die Herren von Moosheim in Prebl zu nennen[39]. Im unteren Lavanttal zählten zum protestantischen Adel u. a. die Freiherren von Dietrichstein auf Rabenstein[40], der Freiherr Veit Georg von Eibiswald auf Schloß Thürn, dessen Mutter eine geborene von Pain war[41], die Freiherren von Kronegg als damalige Besitzer von Himmelau[42] oder die Herren von Freiberg auf Schloß Reideben[43]. Für den mit gegenreformatorischen Maßnahmen bisher verschont gebliebenen Adel schlug die Stunde mit dem Generalmandat Kaiser Ferdinands II. vom 1. August 1628, mit dem die Ausweisung des protestantischen Herren- und Ritterstandes aus den innerösterreichischen Ländern verfügt wurde[44]. Nun mußten sich auch die im Lavanttal ansässigen Adeligen binnen Jahresfrist entscheiden, ob sie zum Katholizismus zurückkehren oder in protestantische Länder auswandern wollten.

ANMERKUNGEN

1. W. NEUMANN, Zum Beginn der Reformation in Kärnten, Reisenauers Eisenhandel und seine protestantische Bibliothek, Car. I 172 (1982), S. 39–49.
2. J. LOSERTH, Die Reformation und Gegenreformation in den innerösterreichischen Ländern im XVI. Jahrhundert (1898), S. 21ff.
3. J. RAINER, Zur Ausbildung der Kärntner Priester vornehmlich im 16. und 17. Jahrhundert, Car. I 160 (1970), S. 858–875.
4. J. OBERSTEINER, Aus Religionsakten des Jahres 1582, Car. I 172 (1982), S. 7–38.
5. K. v. MOLTKE, Siegmund von Dietrichstein. Die Anfänge ständischer Institutionen und das Eindringen des Protestantismus in die Steiermark zur Zeit Maximilians I. und Ferdinands I. (Veröffentlichungen des Max-Planck-Instituts für Geschichte 29, 1970), S. 166; S. 303ff.
6. H. FINDENIG, Die Benediktinerabtei St. Paul in Kärnten zur Zeit der Reformation (Hausarbeit Graz, 1978), S. 17.
7. J. UNREST, Österreichische Chronik, hrsg. von K. Großmann (MG NS–XI), S. 65, S. 94, S. 110f; H. BRAUMÜLLER, Geschichte von Kärnten (Kärntner heimatkundliche Schriftenreihe 2, 1949), S. 226ff.
8. FINDENIG, St. Paul (wie Anm. 6), S. 20.
9. E. WEINZIERL-FISCHER, Die Quart in Kärntens Stiftern und Klöstern 1529–1530, MÖSTA 4 (1951), S. 139ff.; W. FRESACHER, Der Besitz des Klosters St. Paul in Kärnten, Car. I 149 (1959), S.354f.
10. FINDENIG, St. Paul (wie Anm. 6), S. 29ff.
11. EBD., S. 32f.
12. EBD., S. 41ff.
13. J. OBERSTEINER, Die Bittschrift des Abtes Thomas Mur vom Jahre 1570 an den Landesfürsten. Ein zeitgeschichtliches Dokument zur wirtschaftlichen Lage des Stiftes St. Paul im 16. Jahrhundert, Car. 149 (1959), S. 459–463.
14. K. SCHELLHASS, Der Dominikaner Felician Ninguarda und die Gegenreformation in Süddeutschland und Österreich 1560–1583, Bd. 1, (Bibliothek des preuß. hist. Instituts in Rom 17, 1930), S. 199ff.
15. DERS., Bd. 2 (1939), S. 24ff.
16. OBERSTEINER, Religionsakten (wie Anm. 4), S. 26ff.; KLA, Geschichtsverein-Sammelarchiv, Fasz. 37.
17. FINDENIG, St. Paul (wie Anm. 6), S. 50ff.
18. N. LEBINGER, Mittheilungen aus dem Stiftsarchive von St. Paul, AVGT 4 (1858), S. 9.
19. B. SCHROLL, Hieronymus Marchstaller. 1616–1638 (1891), S. 7f.; DERS., Das Benedictiner-Stift St. Paul, Car. 66 (1876), S. 121–137.
20. A. v. JAKSCH, Aus Akten des Stadtarchivs St. Andrä, Manuskript im KLA; Geschichtsverein-Sammelarchiv, Fasz. 92.
21. M. PAGITZ-ROSCHER, Das Augustiner-Chorherrenstift St. Andrä im Lavanttal, Car. I 157 (1967), S. 296ff.
22. G. MORO, Zur Geschichte des Bamberger Besitzes in Kärnten, in: FS Karl Eder (1959), S. 289ff.
23. K. F. SCHWARZ, Der Protestantismus im Lavanttal (Diss. Graz, 1961), S. 34.
24. F. WITTMANN, Zur Geschichte des Schlosses Bayerhofen bei Wolfsberg in Kärnten, Car. I 150 (1960), S. 162ff.
25. J. LOSERTH (Hrsg.), Acten und Correspondenzen zur Geschichte der Gegenreformation in Innerösterreich unter Erzherzog Karl II. (1578–1590) (FRA II/50, 1898), S. 4ff, Nr. 3.
26. KLA, Geschichtsverein-Sammelarchiv, Fasz. 145.
27. J. LOOSHORN, Das Bisthum Bamberg von 1556–1622 (Die Geschichte des Bisthums Bamberg 5, 1903), S. 118, S. 120ff., S. 135ff., S. 165ff.
28. J. RAINER (Bearb.), Nuntiatur des Germanico Malaspina, Sendung des Antonio Possevino 1580–1582 (Publikationen des österr. Kulturinstituts in Rom, 2. Abt.: Quellen, 2. Reihe: Nuntiaturberichte, Sonderreihe: Grazer Nuntiatur 1, 1973), S. 393ff., Nr. 145: betrifft Auftrag an Abt von St. Paul und an Pfarrer von Wolfsberg zur Inquisition gegen Hoffmann; S. 403f., Nr. 151.
29. J. LOSERTH, Zur Geschichte der Gegenreformation in den Bambergischen Gebieten von Kärnten, Car. I 97 (1907), S. 131ff.
30. KLA, Ständisches Archiv, HS 37 (Ausschuß-Protokoll 1597), fol. 53.
31. KLA, Geschichtsverein-Sammelarchiv, Fasz. 145.
32. J. LOSERTH (Hrsg.), Akten und Korrespondenzen zur Geschichte der Gegenreformation in Innerösterreich unter Ferdinand II., 1. Tl. (FRA II/58, 1906), S. 422f., Nrn. 571, 572.
33. DERS., Akten, 2. Tl. (FRA II/60, 1907), S. 679f., Nr. 2119.
34. R. MAIER, Die Geschichte der Stadt St. Leonhard im Lavanttal vom Beginn der Neuzeit bis zum Übergang in habsburgischen Besitz 1759 (Diss. Graz, 1959), S. 198ff.
35. KLA, Archiv Reideben, Fasz. CVII: Testament des Pfarrers Joannes Quellerus von 19. 9. 1571.
36. MAIER, St. Leonhard (wie Anm. 34), S. 199f.; KLA Geschichtsverein-Sammelarchiv, Fasz. 37.
37. B. ZIMMERMANN, Landeshauptmann Hans Ungnad von Sonnegg (1493–1564), in: FS F. Posch (Veröffentlichungen des Steiermärkischen Landesarchivs 12, 1981), S. 203ff.; P. DEDIC, Kärntner Exulanten des 17. Jahrhunderts, 7. Tl., Car. I 150 (1960), S. 290ff.
38. DEDIC, Exulanten, 5. Tl., Car. I 145 (1955), S. 578.
39. DERS., Exulanten, 4. Tl., Car. I 142 (1952), S. 377f.
40. DERS., Exulanten, 1. Tl., Car. I 136/137 (1948), S. 129.
41. DERS., Exulanten, 2. Tl., Car. I 139 (1949), S. 396f.
42. DERS., Exulanten, 4. Tl. (wie Anm. 39), S. 363ff.
43. DERS., Exulanten, 2. Tl. (wie Anm. 41), S. 403ff.
44. LOSERTH, Akten (wie Anm. 33), S. 814ff, Nr. 2466.

Von neuer Blüte bis zur Aufhebung des Stiftes (17. und 18. Jahrhundert)

Kärntens Klöster im Zeitalter des Absolutismus (1522 – 1780)

HELMUT RUMPLER

Als 1521/22 mit dem Enkel Kaiser Maximilians, Ferdinand von Spanien-Burgund, ein neues Zeitalter der österreichischen Geschichte begann, befand sich auch die katholische Kirche Österreichs an einem Wendepunkt ihrer Entwicklung. Ob sie als Organisation politisch, materiell und geistig-religiös überleben würde, blieb für fast ein Jahrhundert unentschieden. Ob sie in diese Krise als Folge des inneren Niederganges im Spätmittelalter geraten ist oder sich erst unter dem Ansturm der Reformation fast auflöste, ist eine neuerdings wieder als offen gesehene Frage. Jedenfalls wurden die habsburgischen Länder – seit 1526/27 gehörten dazu bis zur Länderteilung von 1564 neben den österreichischen Erblanden auch Ungarn und Böhmen – zum überwiegenden Teil protestantisch. Unbestritten ist, daß von dieser Krise die Klöster, die infolge des Fehlens einer geschlossenen Bistumsorganisation eine hervorragende Rolle als Faktoren der Kirchlichkeit spielten, besonders betroffen waren: „Es herrschte nicht nur ein Klima der Laxheit, dem die Ideale der Keuschheit und der Askese fremd waren, sondern viele Geistliche nahmen auch aus Überzeugung die protestantischen Lehren an. Klosterneuburg mit all seinen angeschlossenen Pfarren war unter dem humanistischen Prior Hübner und seinem Nachfolger Hintermayr eindeutig protestantisch, ebenso wie Wilhering in Oberösterreich. In Admont, inmitten der entlegenen steirischen Alpen, lehrte der Rektor der Klosterschule den lutherischen Katechismus mit voller Zustimmung seines Abtes, der 1568 wegen Förderung weltlicher Lehren abdanken mußte. Zwei weitere Benediktineräbte wurden in Garsten abgesetzt, wobei einer von ihnen lediglich einige Mitbrüder zurückließ und sein Leben als Gastwirt beschloß. Wenige Klöster konnten sich ihrer eigenen, frei gewählten Leitung rühmen. Selbst Rein, das älteste Haus der Zisterzienser, berief einen weltlichen Administrator. Die Wahl fiel oft auf Verschwender, wie Steingaden in Zwettl oder Jakob von Sternowitz, der das, was Strahov an Gütern rund um Prag verblieben war, verjubelte. Einige Besitzungen, wie Ossegg und Saar, die an den örtlichen Bischof kamen, wurden innerhalb der Kirche veräußert, andere außerhalb, wie beispielsweise Schlierbach, das an die Familie Jörger verkauft wurde. Fast alle der Hunderten von Klöstern in Ungarn wurden verlassen und säkularisiert, und dies nicht nur unter osmanischem Druck. Ungarns bedeutendste historische Ordensgemeinschaft, die Benediktiner in Pannonhalma, löste sich auf, schon lange bevor die Türken in den neunziger Jahren des 16. Jahrhunderts ihren „auf einem Berggipfel gelegenen Sitz besetzten“.[1] Das war der traurige Zustand einer zentralen, religiösen, wirtschaftlichen und politischen Institution, die nun im Rahmen einer „heilsamen Flurbereinigung“[2] dezimiert wurde. Sowohl die großen landesfürstlichen Visitationen von 1528,

1544 und 1561 als auch noch die Berichte des Dominikanervisitators Felizian Ninguarda (1579) und die Nuntiaturberichte von Aleander und Mignatelli (1544) bis Commendone (1568) und Malaspina (1578) bezeugen den desolaten Zustand des überwiegenden Teiles der Klöster. Auf dem Höhepunkt der Krise fand Ninguarda 1574 bei seiner Rundreise durch die habsburgisch-bambergisch-österreichischen Kirchensprengel (nicht diejenigen Aquileias südlich der Drau und Laibachs, später Erzbistum Görz) nur mehr einen kärglichen Rest klösterlicher Existenz, insbesondere in Innerösterreich, wohin er von Erzherzog Karl gerufen worden war. In Kärnten waren drei Dominikaner im Friesacher Konvent, je zwei Franziskaner in Villach, ein Augustiner-Eremit in Hohenmauthen, der Konvent in Völkermarkt war leer, vier Dominikanerinnen in Mahrenberg, der Konvent der Clarissinnen in St. Veit war verlassen.[3] Von den Frauenklöstern in Friesach (Clarissinnen St. Moritz, Zisterzienserinnen und Augustinerinnen St. Magdalena) war 1592 nur mehr die Priorin der Zisterzienserinnen übriggeblieben. Das Augustinerstift Eberndorf war fast ausgestorben. Im Villacher Minoritenkloster befand sich (1584) ein Ordensbruder, und er war Italiener, für die deutsch-slowenische Seelsorge des Aquileia unterstehenden bambergischen Besitzes also ungeeignet. Das Benediktinerstift Arnoldstein war nur mehr von drei Mönchen behaust. Obwohl es zu dieser Zeit – 1573 waren die Jesuiten nach Graz berufen worden, in Wien waren sie seit 1551, in Prag und Innsbruck seit 1562 – schon Anzeichen der Besserung, wie etwa in St. Lambrecht, wo nur der Abt übriggeblieben war, gab, waren die einst flächendeckende klösterliche Wirtschaft und Seelsorge sowie die kulturelle Tätigkeit der Klöster fast restlos vernichtet.

Begonnen hat dieser Niedergang mit dem Verlust der wirtschaftlichen Grundlagen schon im 15. Jahrhundert. Der epochale Wandel zur Geldwirtschaft entwertete die Stiftungen, die das Haupteinkommen der meisten Klöster ausmachten. Besonders Minoriten und Dominikaner in den Städten ohne eigene wirtschaftliche Grundlage waren als erste betroffen. Die damit einhergehende Krise der traditionellen Grundherrschaft, die den Kleinadel und das Bauerntum ruinierte, erfaßte auch die wirtschaftstreibenden Kommunitäten der Benediktiner und Zisterzienser. Das war auch eine der Hauptursachen für die Kumulation von Pfarrpfründen, die dann von Leutpriestern und Gehilfen schlecht versorgt wurden, was ein weiterer Angriffspunkt für die reformatorische Kritik wurde. Als die protestantische Agitation gegen die katholischen Klöster mit dem massiven Aufruf zum Austritt einsetzte, traf sie auf ein bereits verfallenes Gebäude. Der fast geschlossen protestantisch gewordene Adel vollendete, was sich nicht von selbst erledigte, durch Entzug der Stiftungen, durch direkte Nötigung zum Verkauf bzw. zur Aufteilung des Klostergutes und durch politische Einflußnahmen auf die Personalentscheidungen. So hat Hans Friedrich Hofmann, der „König des Ennsthales", 1578 für ein Darlehen an den Bischof von Bamberg die Stelle eines Vizedoms erhalten und als solcher die Lavanttaler und Villacher Gebiete Bambergs evangelisiert.[4] Die Khevenhüller, Ungnad, Welzer u. v. a. haben sich ähnlich erfolgreich im Sinne der Verteilung und Erwerbung katholischen Kirchengutes und der Förderung des Protestantismus betätigt. Nicht zuletzt hat der Landesfürst durch die wiederholt auferlegte Türkensteuer den ohnehin ökonomisch geförderten Kirchenbesitz schwerstens belastet. Die Klöster waren kein *refugium securitatis* mehr. Sie zu verlassen lag nahe. Wer blieb, konnte gar nicht mehr nach den monastischen Regeln leben. Schon Heinrich Hermann hat in seiner Geschichte Kärntens diese Zusammenhänge richtig beurteilt: „Die Nichteinhaltung des Gelübdes der Armuth und die Plünderung der Klöster von weltlichen und den selbsteigenen

Händen richtete sie zugrunde und bei herabgekommenen Einkommen konnte selbst von einer hinlänglichen Zahl Conventualen keine Rede sein, und die blieben, schalteten damit als einer Sache, die ohnehin ein Raub fremder Hände werden müsse."[5]

Und doch gilt auch das mit diesem Befund scheinbar in Widerspruch stehende Urteil, daß es letztendlich die Klöster waren, die das Überleben des Katholizismus in Österreich garantierten: „In allen Ländern, wo die Reformation durchgeführt wurde, erfolgte sie gleichzeitig mit der Vernichtung des monastischen Instituts. Auflösung der Klöster, Einziehung und Veräußerung des Klostergutes erschienen als notwendige Vorbedingungen für den Sieg des neuen Kirchentums (. . .). Es war daher von wesentlicher Bedeutung, daß in Österreich die Klöster nicht aufgehoben wurden. Sie verfielen zwar, und einige hörten von selbst zu bestehen auf, weil sich kein Nachwuchs mehr einfand, aber trotz beklagenswerter Zustände blieben sie bestehen."[6] Allerdings ist das ein Urteil *post festum*, gefällt von der Blüte klösterlicher Entfaltung im Hochbarock, als sich der österreichische Katholizismus tatsächlich im Glanz seiner Barockklöster darstellte, die wieder, wie im Hochmittelalter, wirtschaftliche und geistig-religiöse Zentren geworden waren. Bis dahin aber war der Weg weit.

Einerseits ist es richtig, daß die Klöster die einzige, vor allem wirtschaftliche Basis blieben, von der die „Gegenreformation" aufgebaut werden konnte. Z. B. bildeten die finanzielle Grundlage der Stiftungsdotation für das Grazer Jesuitenkolleg von 1573 und die Grazer Jesuiten-Universität von 1585/86 Renten des Klosters Millstatt und 40 Fuder Salz aus Aussee (für das Kolleg von 1573 2.000 Gulden, für die Universität 4.200 Gulden). Noch lange bevor von einer Gegenreformation gesprochen werden kann, sorgte sich der Staat vor allem und zuerst um die Sicherung des Klostervermögens. Als die landesfürstliche Visitation des Generalvikars Dr. Christoph Hillinger von 1566 den prekären Stand der meisten Konvente aufzeigte, wurde 1567 vom Vizekanzler Ulrich Zasius eine „Generalordnung für Klöster und Stifte" erlassen, die sich die wirtschaftliche Kontrolle und Stärkung des Prälatenstandes zum Ziel setzte. Der daraufhin 1568 eingerichtete „Klosterrat" sicherte bleibend die landesfürstliche Kontrolle über die Klöster. Es war dies eine Vorwegnahme des späteren Staatskirchentums, aber auch ein erster Beitrag zur Konsolidierung eines zerrütteten Systems. Mehr als die wirtschaftliche Sicherung gelang nicht. Zu Trägern und Stützpunkten der katholischen Erneuerung wurden die Klöster im 16. Jahrhundert nicht mehr. Die geistige und religiöse Initiative blieb vorerst beim Protestantismus.

Die Politik im großen auf den Landtagen wie im kleinen bei der Besetzung der Ämter im Lande und selbst bei Hof, selbstverständlich auch die Ernennung oder Nichternennung von Pfarrern beherrschte der meist protestantische Adel. Das geistige Leben war geprägt von den Prädikanten auf den Landschlössern und in den Städten, besonders in deren Schulzentren. Kein Kloster Innerösterreichs, auch nicht Admont und St. Lambrecht, die sich recht und schlecht auch während der Reformation behaupteten, konnte sich an geistigem Rang mit dem *Eggenberger Stift* in Graz oder dem *Collegium Sapientiae et Pietatis* in Klagenfurt messen. Auch für Kärnten, wie für die Donauländer, war damit eine tiefgreifende geistige Neuorientierung verbunden: Man studierte nicht mehr in Paris, Bologna, Prag oder Wien, sondern in Tübingen, Wittenberg und Leipzig. Selbst Krain und der slowenische Protestantismus wurden durch das bekannte Wirken der Brüder Johann und David Ungnad für Primus Truber dem deutschen protestantischen Kulturraum angeschlossen. Nimmt man dazu die frühere sächsische Zuwanderung im Bergbau und die fränkisch-schwäbische bei der Neubesiedlung Klagenfurts nach 1514 und den Zustrom an

Prädikanten und Lehrern aus Deutschland, dann erweist sich das Urteil als richtig und als politisch bedeutsam, daß „die geistigen Beziehungen zu Deutschland noch nie so enge gewesen" sind wie damals.[7] Die großen Klöster und Kapitel, die der Humanist Wolfgang Lazius wegen ihrer Bibliotheksschätze seinerzeit bereist hatte – Friesach, Gurk, Ossiach, Millstatt, Viktring, St. Paul, St. Georgen, Arnoldstein, Völkermarkt, Eberndorf, Griffen, St. Andrä –, sie waren aus dem politischen und geistigen Leben verschwunden. Allerdings blieben ihre Kulturschätze für die Entfaltung einer neuen Blüte erhalten.

Aus eigener Kraft vermochten sie allerdings in der Gegenreformation keine Rolle zu spielen. Die katholische Glaubenserneuerung war eine Sache der großen Bischöfe, der Landesfürsten und der neuen bzw. erneuerten Orden, allen voran der Jesuiten, dann der Kapuziner, Carmeliten, Augustiner-Eremiten, Serviten, Piaristen, Carmeliterinnen, Ursulinen, Elisabethinerinnen, Salesianerinnen und Englischen Fräulein. Auch in den österreichischen Ländern war die Gegenreformation von den Bischöfen geistig und organisatorisch vorbereitet worden: Die Wiener Bischöfe Johann Fabri (1530–1542) und Friedrich Nausea (1542–1552) hatten neben Bernhard Cles von Trient, Johannes Eck und Johannes Cochlaeus zu den führenden katholischen Theologen im Kampf gegen den Protestantismus gehört. Seit 1551/52 wirkten in Wien die Jesuiten unter Leitung von Lejay (Jajus), Schorich, Delanoy und Canisius, später Georg Scherer mit Gymnasium und Kolleg sowie Vorlesungen an der Universität. Als 1580 Melchior Klesl, Bischof von Wien und Administrator von Wiener Neustadt, ein Konvertit, die Gegenreformation in Österreich auf breiter Front startete, konnte er auf guten Grundlagen aufbauen. Trotzdem hielten sich die Erfolge bis 1620 in Grenzen, weil die staatliche Macht von Ferdinand I. bis Mathias nicht konsequent antiprotestantisch war, sondern eine Einigung mit der ständisch-protestantischen Opposition suchte. Selbst der zunächst radikale Gegenreformator Klesl – allerdings mehr im Sinne einer katholischen Regeneration – steuerte als Direktor des „Geheimen Rates" unter Mathias einen Ausgleichskurs.

Das war in Innerösterreich radikal anders. Karl II. (1564–1590) mit seiner bayerischen Frau Maria und ihrem Sohn Ferdinand (II. ab 1596) führten, wie vorher Erzherzog Ferdinand in Tirol, die Gegenreformation kompromißlos und zuletzt mit Gewalt durch. Die Bischöfe Georg Agricola, Georg Stobäus und Martin Brenner waren ihre erfolgreichen Werkzeuge und überzeugten Helfer. Es war die Erzherzogin Maria persönlich, die in Klagenfurt, dem geistigen und politischen Zentrum des Kärntner Protestantismus, 1598 den katholischen Gottesdienst in der Stadtpfarrkirche St. Egidius wiedereinführte[8], ohne daß es dafür eine katholische Gemeinde gab. Bischof Brenner, der „Ketzerhammer" (*malleus haereticorum*) erschien 1600 ein erstes Mal in Klagenfurt mit militärischer Bedeckung, in einer Stadt mit drei katholischen Familien. Mehr als die Ausweisung von 27 Prädikanten und die Auflösung des Kirchen- und Schulministeriums wurde dabei nicht erreicht.[9] Erst ein zweiter Missionsaufenthalt 1604 mit mehrmonatiger Predigt in der protestantischen Dreifaltigkeitskirche (heute Dom) brachte einen Wandel in der Bevölkerung: „Nur einige fünfzig zugewanderte Sachsen, Thüringer, Schlesier, Württemberger und andere auswärtige Handwerksleute verharrten in ihrer Verstocktheit und mußten nun das Land räumen." Die Fronleichnamsprozession wurde wieder gehalten „unter Teilnahme von Innungen mit Fahnen und einer unabsehbaren Volksmenge, sodaß darob sich männiglich verwunderte."[10] Die Sicherung, ja vermutlich sogar die Ermöglichung eines wirklichen Erfolges der Gegenreformation brachte freilich nicht die politische Aktion der Landesfürsten und die kirchenorganisatorische der Bischöfe, sondern auch für Innerösterreich und Kärnten das Wirken der neuen Orden. Nachdem die Jesuiten in Wien (1551), Prag (1562), Innsbruck (1562) und Graz (1573) schon eine intensive Seelsorge- und Schultätigkeit entfaltet hatten, kamen sie 1602 auch nach Millstatt. 1604 errichteten sie in Klagenfurt, ausgestattet mit den Einkünften des verwaisten Benediktinerstiftes Arnoldstein, ein Kollegium.[11] Als Prediger wirkte der Grazer Hofprediger Gallus Scherer, der Bruder des berühmteren Wiener Jesuiten Georg Scherer. Schon 1615 besuchten die Klagenfurter Schule 500 Schüler. Das war ein erstaunlicher, erklärungsbedürftiger Erfolg, weil ja auch in Kärnten der Adel als Stütze des Protestantismus erst 1620 wirklich kapitulierte und erst 1628 zur Auswanderung gezwungen werden konnte, und weil die politische Pression allein sicher einen so raschen Umschwung nicht zu bewirken vermochte. Den Jesuiten folgten als nächste 1613 die Franziskaner in Klagenfurt (1640 St. Veit im damaligen Klarissinnenkloster), 1629 die Kapuziner in Villach (1638 Wolfsberg, 1649 Klagenfurt), 1638 die Serviten in Maria Luggau.[12]

Es unterliegt keinem Zweifel, daß die neuen Orden durch Seelsorge, Schule und Wissenschaftspflege den Protestantismus überwunden haben. Daß sie dabei zunächst nur der verlängerte Arm der weltlichen Macht waren, hat ihre Tätigkeit erschwert. Noch 1705 bezeugt ein in Klagenfurt von der 1688 gegründeten Buchdruckerei Kleinmayr herausgebrachtes satirisches Volksbuch die volkstümliche Opposition gegen die Orden: „Ungarn, Juden, Jesuiten/können wenig Guts ausbrüten."[13] Erschwert war ihr Wirken auch dadurch, daß die meisten ihrer Mitglieder Ausländer waren, Italiener, Belgier, Polen, oder zumindest in Rom am Germanikum ausgebildete Süddeutsche. Das änderte sich aber schon in der zweiten Generation. Die Stärke der Jesuiten und Kapuziner wurde ja zunehmend ihre Volkstümlichkeit. Da übertrafen sie bald den vom Adel protegierten Protestantismus und gewannen immer breitere Volksschichten für den erneuerten Katholizismus. Gerade im Zuge der Gegenreformation und im Zusammenhang mit den neuen Orden vollzog sich auch ein soziologischer Wandel: Die personelle Bindung zwischen Adel und Kirche wurde aus politischen und sozialen Gründen gelockert. So wie der Adel nicht mehr ausschließlich katholisch war, so hörten die Klöster auf, ein Versorgungsinstitut für den Adel zu sein. Die gesellschaftliche Basis, aus der sich die Orden nun rekrutierten, wurde breiter: „Die Klöster besaßen, quer durch alle österreichischen Gesellschaftsschichten, ein wesentlich größeres Reservoir an Talenten und Berufungen. Viele der führenden Äbte jener Zeit waren bäuerlicher und handwerklicher Herkunft, und das Ideal der Kontemplation war eine durch und durch ehrliche geistige Antwort auf die Zustände der Zeit."[14] So wurden die neuen Ordensgemeinschaften, mehr als es die alten aristokratischen oder asketischen je gewesen sind, in Überbietung dessen, was der Protestantismus diesbezüglich geboten hatte, zu echten und gelebten Bindegliedern zwischen Religion und Volk. Während sich Herrscher und Stände, Bauern und Adel zunehmend entfremdeten, gewannen die Orden den Kontakt zum Volk über die Seelsorge wieder zurück.

Dieser Erfolg war gesichert, als sich auch die traditionellen Klöster wieder erholten und sich den neuen Pastoralmethoden, dem modernen Geist und einer neuen Sinnlichkeit der Kultur öffneten: „Sie besaßen starke örtliche Wurzeln, und jedes einzelne Kloster war eine mehr oder weniger autonome Einheit, deren Identität vom Standort und der Tradition bestimmt wurde. Sie waren Ausdruck der Moral und der Frömmigkeit ihrer Zeit und legten dabei auch etwas von der Bodenständigkeit und dem einfachen Glauben der ländlichen Bevölkerung an den Tag."[15] Auch in Kärnten war das Wirken der Jesuiten mit ihrem neuen Unterricht, ihrem Theater, ihrem literarischen und wissenschaftlichen Wirken, auch ihrer Weltoffenheit sogar in konfessionellen Fragen (man vergleiche die tolerante Haltung gegenüber Johannes Kepler in Graz) epochewendend. Aber sowohl auf dem Gebiet der Erziehung wie auf dem der Literatur brachten die alten Orden, oft im Wettstreit mit den Jesuiten, durchaus Gleichwertiges, in gewisser Weise sogar Überlegeneres. Sowohl die Benediktiner von St. Paul seit dem Reformabt Hieronymus Marchstaller (1616–1638), wie diejenigen von Ossiach unter Virgilius Gleißenberger und die von Arnoldstein sowie die Augustiner-Chorherren von St. Andrä leisteten zentrale Beiträge nicht nur zur Restituierung des Katholizismus, sondern allgemein zur Kultur der Barockzeit. Was ihre Leistung derjenigen der Jesuiten überlegen machte, ist ihr näherer Bezug zur lokalen Kärntner Tradition. Gleißenbergers „De Boleslao II. Rege Poloniae Ossiaci Poenitente Libri VI. Poema" (1730) ist nicht nur ein hervorragendes Beispiel einer barocken Haupt- und Staatsaktion, sondern doch auch „ein Markstein auf dem Wege von der Dichtung in Kärnten zur Kärntner Dichtung im modernen Sinn".[16]

Dazu kam, daß die neuen und erneuerten Orden als Folge ihres zuerst nur religiösen Bündnisses mit der habsburgischen Dynastie auch zu deren wichtigstem politischem Partner wurden. Wo es um die Erneuerung der Seelsorge ging, war dieses Bündnis eine nicht geringe Belastung für die Erfolgschancen der Rekatholisierung.[17] In der großen Politik hat die Kirche eine neue Führungsrolle im Staat des Hochabsolutismus übernehmen können. Sowohl der Kampf um die Einheit der habsburgischen Länder Österreich–Ungarn –Böhmen wie der Kampf gegen den deutschen Protestantismus, insbesondere aber der gegen die Türken, wurden ein Kampf des Katholizismus gegen seine Feinde, die auch die Feinde Österreichs waren. Die „Apotheose des Hauses Österreich" erreichte, an ältere Wurzeln des Kaiserkultes anschließend, ihren Höhepunkt gerade in den Klöstern.[18] Die Orden haben die dazugehörige Ideologie geliefert und gepflegt und damit eine nationale Rolle im Dienste des neuen habsburgischen Österreich übernommen. Die Schlachten von Lepanto (1571), vom Weißen Berg (1620) und Wien (1683) wurden in diesem Sinn als Glaubenskämpfe gesehen. Die Siege waren Siege des Glaubens, erfochten unter dem speziellen Schutz der heiligen Maria als „Mutter der Christenheit", noch mehr aber als *Magna mater Austriae*. Besonders die Jesuiten pflegten den neuen politischen Marianismus. Mariazell wurde österreichisch-habsburgisches Reichsheiligtum, das Wiener Kapuzinerkloster zum Zentrum des Totenkultes der Habsburger, die barocken Marienstatuen wurden mit der habsburgischen Hauskrone geziert. Ordensgeistliche hatten wesentlichen Einfluß auf die Herrscher, zuerst die Jesuiten unter Ferdinand II. und Ferdinand III., später unter Leopold I. die Kapuziner (Emerich Sinelli und Marco d'Aviano) und Augustiner-Eremiten (Abraham a Sancta Clara). Vor allem in Donau-Österreich, aber auch in der Steiermark, in Salzburg, Tirol und Böhmen erlebte die Klosterkultur einen prunkvollen Höhepunkt. Österreich wurde in der Barockzeit zum „Klösterreich". Es war eine geistig-kulturelle wie religiöse Blütezeit, „die in der Geschichte unseres Kulturraumes bisher einmalig blieb und sicherlich nicht ohne die Klöster denkbar wäre".[19] Und der „österreichische Barockkatholizismus" war eine bodenständige und breit akzeptierte Bewegung, eine „Synthese von landesfürstlicher Kirchenpolitik, pastoralem Eifer einzelner Reformbischöfe und aus dem geistlichen Einsatz alter Stifte und neuer Orden erwachsen". Vor allem hatte sich in ihm der „Austausch von habsburgischer Frömmigkeit und Religiosität des Volkes" vollzogen.[20]

Allerdings war dieser prunkvolle Höhepunkt auch der Anfang vom Ende. Die gewaltigen Reichsklöster Nieder- und Oberösterreichs, von den großen

Barockarchitekten Johann Bernhard Fischer von Erlach und Lucas von Hildebrandt, Jakob Prandtauer, Carlone, d'Allio und Mungenast erbaut, ausgestattet von den Malern Daniel Gran, Paul Troger, Michael Rottmayer, Franz Anton Maulpertsch, Martin Johann Schmidt und den Bildhauern Raffael Donner, Giovanni Pietro Giuliani und Balthasar Moll, waren Klosterpaläste mit mehr kaiserlichen Repräsentationsräumen als Mönchszellen. Der „Barockprälat" geriet zunehmend in Konflikt mit dem „Mönchsasketen" und dem der Aufklärung zuneigenden „Maurinergelehrten". Aber nicht nur wegen der exzessiven Bautätigkeit, die manche Klöster bis an den Rand des wirtschaftlichen Ruins brachte, und nicht wegen der hohen Repräsentationsausgaben waren die Klöster auch in finanzielle Schwierigkeiten geraten. Wieder, wie schon im 16. Jahrhundert, waren sie für den Staat des Hochbarock die verläßlichste Steuerquelle. Von 1650–1685 wurden die Kirchengüter generell mit 1% besteuert, die Kapitalien je 100 fl. (Gulden) mit 1 fl. 24 Kreuzern. Aus den Kärntner Klöstern und Kollegiatstiften (Gurk, St. Paul, Ossiach, Viktring, Jesuiten, St. Andrä, Ursulinen Klagenfurt, St. Georgen, Luggau, Griffen) wurde unter diesem Titel der Betrag von 150.727 Gulden bezahlt. Das war im Vergleich zum übrigen Teil der Erbländer (gesamt 500.000 Gulden) verhältnismäßig viel.[21] Die Klöster waren nicht nur politisch dem Staat verbunden, sondern ihm auch finanziell ausgeliefert. Damit war dem Staatskirchentum, von dem sehr bald der Sturm auf Österreichs Klöster entfacht werden sollte, vorgearbeitet. Schon unter Karl VI. war die Kirche absolut den staatlich-politischen Interessen untergeordnet. Maria Theresia begann mit der Einrichtung des Kirchendepartements (*Consessus in publico-ecclesasticis*) 1769 den staatlichen Einfluß auf Kirche und Klöster stärker und direkter wahrzunehmen.

Es ist eine große Streitfrage, ob die Josephinischen Klosteraufhebungen seit 1782 eine Zerstörungs- oder eine Rettungsaktion waren. Unbestritten ist, daß die seit einer Welle von Neugründungen unter Ferdinand II. gewaltig vermehrten Klöster wieder reformbedürftig waren. Die Klöster waren reich, nicht nur die alten herrschaftlichen Orden der Benediktiner, Zisterzienser, Prämonstratenser, Augustiner-Chorherren, auch die Bettelorden sammelten beträchtliche Kapitalien. Sie hatten in der Regel auch keine echte religiöse Funktion für die Bevölkerung mehr. Nicht einmal die Güter wurden ordnungsgemäß verwaltet. In den Klöstern wurde sehr gut und sehr weltlich gelebt.[22] Die eigentlichen religiösen Zielsetzungen blieben vernachlässigt, die theologische Ausbildung ließ zu wünschen übrig, die Seelsorge rund um die Klöster lag im argen. Es ist allerdings fraglich, ob dieses Urteil über die Verweltlichung der Klöster im gesamten stimmt. Denn die Visitationsberichte, die solche Zustände kritisch vermerken, stammen nur zum Teil aus wohlwollenden Reformkreisen, in der Mehrzahl kommen sie von der kirchlichen und politischen Konkurrenz: Die Bischöfe und der Weltklerus sahen sich materiell und politisch gegenüber den Klöstern benachteiligt. Sie waren auch von der echten, auf Volksseelsorge ausgerichteten Reformbewegung des Jansenismus erfaßt. Sie waren vor allem geneigt, sich mit dem Staat zu arrangieren, weil sie in der neuen Diözesan- und Pfarrorganisation und in der geplanten halbstaatlichen Priesterausbildung Vorteile auch für die Kirche sahen. Der Staat des aufgeklärten Absolutismus seit Joseph I. war seinerseits interessiert, die Kirche, insbesondere aber die Klöster, die mit ihrem großen Besitz, ihrer geistigen Potenz und ihrer rechtlichen Sonderstellung ein Staat im Staate waren, der politischen Kontrolle zu unterwerfen. Zudem handelte es sich um eine europäische Entwicklung: „Der aufgeklärte Rationalismus der Zeit griff das Mönchsideal grundsätzlich an. Die religiöse und anthropologische Basis wurde dem Mönchsleben entzogen."[23]

Für Maria Theresia und Joseph II. und ihre Berater war die innerkirchliche Reformfrage sicher nur ein Vorwand für anderes. Dabei war das Ziel der Verstaatlichung der Kirche im Rahmen einer umfassenden politisch-administrativen Reform sicher primär.

Der „Griff nach dem Kirchengut"[24] war aber ein nicht zu übersehendes Faktum. Für den Staatskanzler Fürst Kaunitz standen die weltanschaulichen Argumente des Aufklärers im Vordergrund seiner Maria Theresia angeratenen Klosterpolitik. Seine zunächst vorgetragene Begründung, daß die Klöster „jene Menschen fürs Leben versorgten, die sich ohnehin wegen ihrer physischen oder geistigen Unfähigkeit im bürgerlichen Leben nicht hätten fortbringen oder vom Staate aus gleichem Grunde nicht hätten verwendet oder beschäftigt werden können"[25], war wenig konsequent, weil die so gesehene bürgerliche Unbrauchbarkeit der Klosterinsassen durch eine Aufhebung der Klöster wohl nicht zu beheben war. Das Zentralargument war also nicht utilitaristisch, sondern ideologisch: Für die Aufklärer war das Kloster „eine gegen alle Rechte der Natur abenteuerliche Erfindung", „Heimstätte von Müßiggängern, Schädigung der bevölkerungspolitischen Interessen des Staates" durch den Zölibat.[26]

Für die Schließung der Jesuitenkonvente 1773 nach der Aufhebung durch Papst Klemens XIV. galt ja dann nicht, daß der Orden Seelsorge und Schule vernachlässigte, seine Güter schlecht verwaltete und dem Müßiggang huldigte. Die 28 Kärntner Jesuiten waren durchwegs als Prediger, Beichtväter, Pfarrer und Wissenschafter tätig, ihr Vermögen betrug 400.000 Gulden.[27] Als Maria Theresia gewahr wurde, was aus der Aktion geworden war, die 1750/51 mit der Überprüfung des Stiftungsvermögens (der *causae piae*) einiger Mailänder Klöster begonnen hatte, schrieb sie anläßlich der Konfiskation der Jesuitengüter beunruhigt an ihre Vertraute, die Gräfin Enzenberg: „Pour les jesuites je suis desolée et au desespoir: toute ma vie je les ais aimée et estimée et ne rien vue que d'edifiant d'eux."[28]

Als dann 1781 das viel Diskutierte und lang Geplante verwirklicht wurde, stellte man das Kriterium der Gemeinnützigkeit in den Mittelpunkt. In Josephs II. berühmter Weisung an den Leiter des Kirchendepartements, Franz Joseph von Heinke, hieß es: „Der schon lang bestehende Beweiß, daß diejenigen Orden, die dem Nächsten ganz oder gar unnütz sind, nicht Gott gefällig seyn können, veranlassen Mich, der Kanzley aufzutragen, in gesamten Erblanden diejenigen Orden männlich- und weiblichen Geschlechts, welche weder Schulen halten, noch Kranke unterhalten, noch sonst in studiis sich hervorthuen, von nun an per commissarios durch die Landesstellen in einem jeden Land aufzuschreiben, ihre Einkünfte und Vermögen, wie mit den Jesuiten geschehen, zu übernehmen."[29] Mit dem Argument, „blos ein vitam contemplativam" zu führen, wurden die Gemeinschaften der Karthäuser, Kamaldulenser, Eremiten, Karmeliterinnen, Klarissinnen, Kapuzinerinnen aufgelöst. Es zeigte sich allerdings sogleich, daß nicht alle beschaulichen Klöster wirklich beschaulich lebten, wie umgekehrt viele von der Theorie her nützliche Ordenshäuser sich in einem desolaten wirtschaftlichen bzw. geistlichen Zustand befanden. Deshalb oder aber auch trotzdem wurde die begonnene Politik fortgesetzt, weil es eben nicht um Argumente ging, sondern um die Absicht des Staates, das Klosterwesen zumindest zu reduzieren. Das Zeitalter, in dem Österreichs Kultur und Gesellschaft, wie übrigens auch im übrigen katholischen Europa, von einem dichten Netz klösterlicher Kommunitäten bestimmt wurde, war damit zu Ende.

Daß die Probleme des Klosterlebens, des Klosterbesitzes und der Seelsorge sehr komplex und lokal höchst unterschiedlich waren, daß die vorgebrachten und z. T. auch zutreffenden Argumente nicht allgemein gültig waren, als Begründung für Aufhebung oder Fortbestand jedenfalls nicht ausreichten, zeigt das Kärntner Beispiel. Schon der ersten Auflösungsorder opponierte die Landeshauptmannschaft bzw. folgte ihr nur widerstrebend. Sie argumentierte, daß es Kartäuser gar nicht gebe, wie überhaupt keine kontemplativen Frauenorden.[30] Und obwohl die Dominikanerinnen in Maria Loretto und die Benediktinerinnen von St. Georgen Kostkinder hielten, Unterricht erteilten und in der Armenpflege tätig waren, wurden ihre Konvente 1782 aufgelöst. Aus Gründen finanzieller Verschuldung folgten die Benediktinerstifte Ossiach, Arnoldstein und St. Paul. Ebenfalls mit vorwiegend wirtschaftlichen Begründungen wurden 1783–1790 weitere Auflösungen verfügt – betroffen waren die Zisterzienser in Viktring, die Prämonstratenser in Griffen, die Minoriten in Wolfsberg und Villach, die beschuhten Augustiner in Völkermarkt, die Hieronymiten-Missionare in Weisach, Teichen und Zedlitzdorf, die Karmeliter in Zedlitzdorf, die Kapuziner in Villach, Klagenfurt und Wolfsberg, die Serviten in Luggau und das Kollegiatstift St. Andrä. Der eigentliche Grund dieser zweiten Aktion war weder humanitär-pastoraler noch wirtschaftlicher Natur. Das Vermögen der Klöster, das zunächst von der „Staatsgüter-Administration“ verwaltet wurde – für Kärnten waren das 1,181.052 fl., für die Steiermark 2,059.599 fl., für Krain 545.105 fl. –, sollte über den Studienfonds und den Religionsfonds zur Finanzierung der Schulen bzw. der Pfarren dienen. Als die josephinische Pfarreinteilung durchgeführt wurde, zeigte sich, daß das Vermögen des Religionsfonds nicht ausreichte, um die vorgesehenen Pfarren zu dotieren. Daher wurde die Klosteraufhebung zur Gewinnung weiterer Mittel fortgesetzt.

Auf kurze Sicht war die Klosteraufhebung eine zwar nicht notwendige, aber auch für die verbliebenen Orden und die Gesamtkirche verdienstvolle Maßnahme. Die Klöster wurden aus ihrer barocken, mehr repräsentativen Existenz zu mehr praktischem Wirken gezwungen. Die Vermögensverwaltung unter staatlicher Kontrolle (besonders über den Verkauf von Klostergut und die verbotene Vermögenshortung Privater) wurde geordnet und gesichert. Und an die Stelle der Klöster sollten die neuen Pfarren treten. Obwohl es fraglich ist, ob Joseph II. den Schaden, den er der Kirche durch die Klosteraufhebungen zufügte, durch die Neueinrichtung einer noch größeren Anzahl von Pfarren wieder wettgemacht hat[31], war die neue Pfarrordnung ein bleibendes Verdienst der Josephinischen Kirchenpolitik. Die zweite Klosteraufhebung von 1783 war begleitet von Bestimmungen über die Reduktion der Zahl der Klosterinsassen und die Übertragung der Stiftungen von den Klöstern auf die Pfarren. Wie bei allen josephinischen Reformen erreichte die Praxis nicht das, was in der Theorie vorgesehen war. In den gesamten habsburgischen Ländern wurden von 2163 Klöstern 738 aufgehoben, von 43.260 Mönchen und Nonnen blieben 28.250 übrig.[32] In den österreichischen Erbländern (Nieder- und Oberösterreich, Steiermark, Kärnten, Krain) standen den 150 Klosteraufhebungen immerhin 640 Pfarrgründungen gegenüber, wovon allerdings 255 allein auf Niederösterreich entfielen.[33] In Kärnten standen 14 Klosteraufhebungen 83 Pfarrgründungen bzw. Pfarrkonsolidierungen gegenüber.[34] Das Zeitalter der klösterlich geprägten Kirche war jedenfalls zu Ende: „Das bis dahin weithin klösterlich ausgerichtete Gefüge der österreichischen Kirche machte mehr und mehr einer einheitlichen pfarrlichen Seelsorge Platz, die in den neuerrichteten Bistümern allmählich zu einem immer stärker werdenden Diözesanbewußtsein führte.“[35]

Es bleibt nach wie vor fraglich, ob der Preis für diese Besserung der Pfarrorganisation, die übrigens bei weitem nicht identisch war mit einer inhaltlichen Besserung der Seelsorge, nicht zu hoch war. Denn mit der so gravierenden Reduktion eines durch Jahrhunderte wesentlichen Elementes nicht nur des kirchlichen Lebens, sondern auch der Kultur und Wirtschaft wurde ein Vakuum geschaffen, das noch lange nicht ausgefüllt werden konnte. Im Falle Kärntens muß man die Frage stellen, ob damit nicht einem Land ohne ein ausgeprägtes politisches und geistiges Zentrum der Boden für die weitere Entwicklung entzogen worden ist. Wer, wie der Administrator der josephinischen Kirchenpolitik, Hofrat Heinke, der Auffassung war, „daß die Kirche für den Gottesdienst und das Seelenheil der Menschen zu sorgen habe und sich deshalb mit nur geistlichen Verrichtungen zu beschäftigen habe“[36], der übersieht nicht nur, daß die Klöster in ihrem Selbstverständnis tatsächlich nicht nur für die Seelsorge bestimmt waren, sondern auch, daß sie tatsächlich immer mehr gewesen sind als Seelsorgestationen. Österreichs Klöster waren sehr wesentlich auch Wirtschaftszentren und damit Versorgungs- und Arbeitsstellen, vor allem natürlich die hervorragendsten Kulturträger. Und sie haben durch ihre materiellen und geistigen Besitztümer diese Funktionen auch über Zeiten des Niederganges erfüllt. Gerade für ein Land wie Kärnten, wo es keine Herrscherresidenz gab, wo der Adel zahlreich, aber nicht besonders reich war, die kirchliche Organisation zersplittert wie in keiner anderen Provinz, das frühe Bürgertum durch Bergbau und Handel wirtschaftlich nicht unbedeutend, aber ohne städtischen Mittelpunkt und ohne Kontinuität, waren die Klöster die eigentlichen Innovationszentren der Region. Nur kurzfristig hatte daher das Argument Gültigkeit, daß die Klosteraufhebungen ein entscheidender Beitrag zur Verbesserung der Wirtschaftsstruktur des Landes waren. Wohl war auch in Kärnten ein beträchtliches Vermögen an Grund und Boden wie an Kapitalien bei den Klöstern und Bruderschaften konzentriert. Daß dieses tote Kapital „der freien Arbeit und einer gesunden Volkswirtschaft entzogen“ war[37], dürfte doch eher ein liberalistisches Vorurteil sein. Der wirtschaftliche Niedergang Kärntens im 16. und 17. Jahrhundert hatte seine Ursachen im Zusammenbruch des Italienhandels und des Bergbaues. Kärnten verlor, wie die übrigen Alpenländer und ganz Innerösterreich, seine begünstigte Stellung an den Hauptstraßen des Nord-Süd-Handels und des kulturellen Austausches zwischen Italien und Deutschland, Böhmen, Polen und Ungarn. Diesen Verlust durch Mobilisierung der landeseigenen Ressourcen auszugleichen lag nahe. Aber die Aufteilung des Klosterbesitzes brachte bestenfalls eine kurzfristige Konjunkturförderung. Der agrarische Besitz vermehrte nur den ohnehin dominierenden adeligen und neubürgerlichen Mittelbesitz, ganz abgesehen davon, daß lange Zeit die Güter vom Staat weiter verwaltet wurden, und er war dabei keineswegs erfolgreicher als früher die Klöster. Die Lagerhäuser, Fabriken und Gutsverwaltungen, die auf einigen Klosterbesitzungen entstanden, waren nur von marginaler wirtschaftlicher Bedeutung. Daß die kapitalisierten Klostergüter eine neue „Quelle des Wohlstandes“ geworden sind[38], kann eigentlich nicht behauptet werden. Was dem Land Kärnten aber für immer verloren ging, waren die vielen Zentren der Bildung und der Kultur. Kärnten hat durch die Klosteraufhebungen wahrscheinlich mehr verloren, als es ökonomisch gewonnen hat.

ANMERKUNGEN

1. R. J. W. EVANS, Das Werden der Habsburgermonarchie 1550–1700. Gesellschaft, Kultur, Institutionen (Forschungen zur Geschichte des Donauraumes 6, 1986), S. 26.
2. K. S. FRANK, Grundzüge der Geschichte des christlichen Mönchstums (Wissenschaftliche Buchgesellschaft Darmstadt, Grundzüge 25, 1979), S. 128.
3. Den Bericht Ninguardas referiert L. PASTOR, Geschichte der Päpste, Bd. 1 (1923), S. 478ff.; über den Stand 1563 siehe I. KOLLER-NEUMANN, Eine Statistik zum österreichischen Klosterwesen von 1563, in: Historische Blickpunkte. FS für Johann Rainer,

hrsg. von S. WEISS (Innsbrucker Beiträge zur Kulturwissenschaft 25, 1988), S. 331–341.
4. Siehe E. TOMEK, Kirchengeschichte Österreichs, Bd. 2: Humanismus, Reformation, Gegenreformation (1949), S. 445.
5. H. HERMANN, Handbuch der Geschichte des Herzogthumes Kärnten in Vereinigung mit den österreichischen Fürstenthümern, Bd. 2/2 (1855), S. 166.
6. H. HANTSCH, Die Geschichte Österreichs, Bd. 1 ([2]1947), S. 256.
7. E. NUSSBAUMER, Geistiges Kärnten. Literatur- und Geistesgeschichte des Landes (1956), S. 144.
8. Siehe u. a. den Bericht des Landesvizedoms von Kärnten, Hartmann Zingl, an Erzherzog Ferdinand, Straßburg, 11. 10. 1598, J. LOSERTH, Akten und Korrespondenzen zur Geschichte der Gegenreformation in Innerösterreich unter Ferdinand II. 1: Die Zeiten der Regentschaft und die Auflösung des protestantischen Schul- und Kirchenministeriums in Österreich 1590–1600 (FRA II/59, 1906), Nr. 494.
9. Nach J. WODKA, Kirche in Österreich. Wegweiser durch ihre Geschichte (1959), S. 223.
10. TOMEK, Kirchengeschichte (wie Anm. 4), S. 6.
11. Vgl. LOSERTH, Akten (wie Anm. 8), Nrn. 970, 988; die Schenkung der Besitzungen des St.-Georgs-Ordens von Millstatt erfolgte schon mit 26. 7. 1598. Millstatt gehörte aber zum Grazer Ordenshaus und war nur von wenigen Patres besetzt, HERMANN, Geschichte (wie Anm. 5), S. 225; zu Millstatt erhielten sie die Güter Pörtschach und Steuerberg, 1602 das Chorherrenstift Eberndorf.
12. Nach *Austria Sacra*, Bd. 5, S. 228, S. 271, S. 305, S. 335.
13. Aus „Des entzückten Marforio in die Welt gethane Reisen", zit. NUSSBAUMER, Geistiges Kärnten (wie Anm. 7), S. 211.
14. EVANS, Werden (wie Anm. 1), S. 143.
15. EBD., S. 144.
16. NUSSBAUMER, Geistiges Kärnten (wie Anm. 7), S. 206.
17. Für Kärnten dazu P. TROPPER, Staatliche Kirchenpolitik, Geheimprotestantismus und katholische Mission in Kärnten (1752–1780) (Das Kärntner Landesarchiv 16, 1989).
18. Siehe E. KOVÁCS, Die Apotheose des Hauses Österreich. Repräsentation und politischer Anspruch, in: R. FEUCHTMÜLLER, E. KOVÁCS (Hrsg.), Welt des Barock, Bd. 2 (1986), S. 53–86.
19. J. ANGERER, Klösterreich. Die Stifte und Klöster in Bayern, Österreich und der Schweiz (1980), S. 248.
20. E. KOVÁCS, Die österreichische Kirche im Zeitalter des Barock, in: Barock (wie Anm. 18), S. 132.
21. HERMANN, Geschichte (wie Anm. 5), S. 283–286.
22. In diesem Sinn urteilt der Verteidiger der josephinischen Reform, E. WINTER, Der Josephinismus. Beiträge zur Geistesgeschichte Österreichs 1740–1848 (Prager Studien und Dokumente zur Geistesgeschichte und Gesinnungsgeschichte Ostmitteleuropas 1, 1943), S. 149: „Die Klöster waren Zufluchtsstätten von Menschen geworden, die ohne viel Arbeit sehr gut leben wollten."
23. FRANK, Mönchstum (wie Anm. 2), S. 154.
24. F. MAASS, Der Josephinismus. Quellen zu seiner Geschichte in Österreich 1760–1790, Bd. 2 (FRA II/72, 1953), S. 18.
25. EBD., S. 3, als Belegverweis.
26. EBD., S. 4.
27. HERMANN, Geschichte (wie Anm. 5), S. 283–286.
28. Zit. A. v. ARNETH, Geschichte Maria Theresias, Bd. 9 (1879), S. 568, Anm. 170.
29. MAASS, Josephinismus (wie Anm. 24), Bd. 3, S. 311.
30. Vgl. A. WOLF, Die Aufhebung der Klöster in Innerösterreich 1782–1790. Ein Beitrag zur Geschichte Kaiser Josephs II. (1871), S. 90.
31. WODKA, Kirche (wie Anm. 9), S. 308.
32. WOLF, Aufhebung (wie Anm. 30), S. 157f.
33. WODKA, Kirche (wie Anm. 9), S. 309.
34. EBD. und WOLF, Aufhebung (wie Anm. 30), S. 158.
35. WODKA, Kirche (wie Anm. 9), S. 309.
36. MAASS, Josephinismus (wie Anm. 24), Bd. 3, S. 12.
37. WOLF, Aufhebung (wie Anm. 30), S. 163.
38. EBD., S. 165.

Abb. 14: Abt Hieronymus Marchstaller (1616–1638); Heliogravüre nach einem Gemälde, STA.

Abt Hieronymus Marchstaller (1616–1638), der „zweite Gründer" des Stiftes

FRIEDRICH WILHELM LEITNER

Die Gründung des Benediktinerklosters St. Paul im Lavanttal durch die Spanheimer-Stifterfamilie im Jahre 1091 bildet bekanntermaßen den historischen Anlaß für die erste Kärntner Landesausstellung, die sich diese 900-jährige Geschichte des Stiftes zum Thema gesetzt hat. Die Jahrhunderte nach der Stiftung waren geprägt von einer wechselvollen Entwicklung, monastischen Höhepunkten folgten Notzeiten, die manchmal bis zur bitteren Existenzfrage eskalierten. Gerade das 16. Jahrhundert, ansonsten für Kärnten wegen des erfolgreich betriebenen Bergbaues und einer maßvollen Politik der Landstände durchaus eine Blütezeit, brachte dem Kloster in St. Paul schwere Krisen. Die kriegerischen Ereignisse der Türkeneinfälle im ausgehenden 15. Jahrhundert hatten auch das Kloster betroffen und wirkten in das nächste Jahrhundert nach. Die Einsetzung des Nürnberger Patriziersohnes Ulrich Pfinzing (1515–1530)[1] zum Abt von St. Paul, als Schatzmeister und kaiserlicher Rat Maximilians I. dessen ausgesprochener Günstling, führte zur finanziellen Ausbeutung des Klosters. Sein prunkvolles Grabmonument in der Stiftskirche ist eines Renaissancefürsten durchaus würdig und gehört zu den besten Leistungen der Sepulkralplastik dieses Jahrhunderts.[2] Die hohe Verschuldung aus dieser Zeit, die Auferlegung von Kriegssteuern, hohen landesfürstlichen Anleihen, eine mangelhafte Wirtschaftsführung und das Unvermögen einiger nachfolgender Äbte erforderten den Verkauf oder die Verpfändung von Gütern. Die rasche Ausbreitung der protestantischen Lehre gefährdete zudem das geistliche Leben: Nicht nur die Bürger des Marktes, sondern auch der Adel – hier sei stellvertretend Seyfried von Dietrichstein auf Rabenstein, Pfandbesitzinhaber der Herrschaft Rabenstein, kaiserlicher Rat und Inhaber des Erbschenkenamtes im Herzogtum Kärnten, genannt, dessen Epitaph[3] im ebenerdigen Laubengang des Klosters zu den besten Beispielen protestantischer Grabmalplastik des 16. Jahrhunderts in Kärnten zählt – und immer mehr Stiftsgeistliche wandten sich dem reformierten Glauben zu.

Als nach dem Tode des Abtes Vinzenz Lechner (1583–1616)[4], dem es nicht gelungen war, die stete Abnahme der Ordnung des benediktinischen Klosterlebens zu verhindern, im Jänner 1616 zur Neuwahl eines Abtes geschritten werden mußte, war allen Beteiligten sichtlich klar, daß aus den St. Pauler Konventualen kein geeigneter Nachfolger gefunden werden konnte. Bei der Wahl am 13. März 1616 erhielt zwar der St. Pauler Pater Johann Pferinger die notwendige Stimmenmehrheit, wurde aber nicht sogleich konfirmiert[5], sondern vom salzburgischen Prinzipalkommissär Dr. Matthäus Holzapfel, Propst von Völkermarkt, zum Verzicht auf dieses Amt überredet. Man hatte mit dem Kloster andere Pläne. Die Frage einer konsequenten Gegenreformation betraf ganz

Innerösterreich und erforderte eine Auffrischung der heimischen Abteien mit streng der katholischen Religion verpflichteten Geistlichen. Und diese holte man aus den Benediktinerklöstern Bayerns. Die beiden Klöster St. Lambrecht in der Steiermark und St. Paul im Lavanttal aber bekamen ihre Neuzugänge aus Schwaben.

Bei einer neuerlich angesetzten Wahl wurde nun am 15. März 1616 der Prior des Benediktinerklosters St. Lambrecht, Hieronymus Marchstaller, einstimmig zum Abt von St. Paul gewählt.[6] Mit der Bestellung des erst vierzigjährigen Marchstaller trat ein Mann an die Spitze des Klosters in St. Paul, der in der Reihe der bedeutenden Äbte dieses Stiftes an vorderster Stelle zu nennen ist. Am 7. April kam Hieronymus Marchstaller erstmals nach St. Paul, am 2. Juli erhielt er in Salzburg die Konfirmation. Von Salzburg reiste er, nachdem seine Benediktion verschoben worden war, nach Schwaben (heute: Baden-Württemberg) in das Mutterkloster Ochsenhausen[7], um sich vom dortigen Abt Unterstützung bei seiner schweren Aufgabe der Reformierung des klösterlichen Lebens zu erbitten. Mit ihm kehrten drei Benediktiner nach Kärnten zurück, nämlich P. Alexius Gerer, P. Martin Teutsch und P. Benedikt Schenck; als vierter kam der ebenfalls aus Ochsenhausen stammende und damals in St. Lambrecht weilende P. Mathias Rör hinzu.[8] Die feierliche Benediktion erhielt der neue Abt am 28. August 1616 durch den Lavanter Bischof Georg III. Stobaeus von Palmburg.

Pater Beda Schroll OSB[9] folgend, der eine vortreffliche Biographie dieses bedeutendsten St. Pauler Abtes der frühen Neuzeit geschrieben hat, und dessen Buch in fast allen Belangen auf Grund genauester Archivstudien geradezu als „Quelle" herangezogen werden muß, wurde Hieronymus Marchstaller am 20. April 1576 in Altdorf bei Weingarten in Schwaben geboren. Der Vater, Petrus Marchstaller[10], wirkte als Präfekt und Rat des Klosters Weingarten (nördlich von Ravensburg), seine Mutter, Agatha, eine geborene Rotenhäuser, stammte aus dem Ort Albisreuten. Von seinen Geschwistern ist uns aus dem St. Pauler Nekrolog[11] ein Bruder namens Petrus bekannt. Schon mit dreizehn Jahren wurde Hieronymus in die Schule des Benediktinerklosters Ochsenhausen geschickt[12]. Zwei Jahre später war er bereits Novize. Nachdem er am 15. August 1591 das Ordensgelübde abgelegt hatte, studierte er an der „Akademie" in Dillingen[13]. 1597 wurde er zum Subdiakon geweiht, ein Jahr später war er bereits Diakon. Von Bischof Heinrich von Augsburg erhielt er am 27. Mai 1600 „in der academischen Aula"[14] von Dillingen die Weihe eines Presbiters, genau einen Monat später den akademischen Grad eines Magisters. Seine Primiz feierte er am 25. Juli 1600. Nach seiner Rückkehr in das Kloster Ochsenhausen am 9. November d. J. machte Hieronymus Marchstaller auf Grund seiner Fähigkeiten und seiner guten Ausbildung rasch Karriere:[15] Er wurde vorerst Novizenmeister, 1601 Subprior und schon 1602 erstmals Prior dieses Klosters. Am 28. Mai 1604 wurde ihm dann die Wirtschaftsführung übertragen, so daß er sich auch in diese wichtige Verwaltungsaufgabe einarbeiten und wertvolle Erfahrungen sammeln konnte, die ihm in seiner späteren Tätigkeit als St. Pauler Abt von sehr großem Nutzen waren. Im Jahre 1605 erfolgte seine neuerliche Bestellung zum Prior, bis er schließlich 1608 zum Pfarrer der Stiftskirche ernannt wurde[16] und so in allen wichtigen Positionen des Benediktinerklosters Ochsenhausen eingesetzt war. Nach zweijährigem Aufenthalt im Kloster St. Lambrecht in der Steiermark, wo er ebenfalls zum Subprior und dann zum Prior berufen wurde, kehrte er wieder als Pfarrer nach Ochsenhausen zurück.

Nach dem Tode des St. Lambrechter Abtes Martin im Jahre 1613 erging das Ersuchen nach Ochsenhausen, den neuen Abt bei den Reformationsbemühungen[17] durch den hochgeschätzten Hieronymus Marchstaller zu unterstützen. Dieser Bitte wurde entsprochen, und am 15. Oktober 1613 traf Marchstaller in Begleitung des Ochsenhausener Konventualen P. Mathias Rör in der Steiermark ein. Hier verblieb er dann bis zu seiner Berufung zum 40. Abt des Benediktinerklosters in St. Paul.

Und dieser vierzigste Abt von St. Paul, Hieronymus Marchstaller (1616–1638), erfuhr schon zu Lebzeiten die auszeichnende Apostrophierung als „zweiter Gründer" dieser Spanheimer-Stiftung des ausgehenden 11. Jahrhunderts. Seine Zeitgenossen haben ihm in Bewunderung seiner Bemühungen um die bauliche Erneuerung und religiöse Reformierung von St. Paul zu Recht den Stiftertitel zugeeignet. Schon 1625 titulierte ihn der Ossiacher Abt Georg Wilhelm Schweitzer[18] (1622–1628) anläßlich einer Visitation vor dem versammelten Konvent als *fundator monasterii*, 1629 bezeichnete ihn der Gurker Dompropst Georg Vizdom[19] (1617–1648) als „andern Fundator", und letztlich war es Abt Maurus Maucher von Ossiach[20] (1629–1642), der in diesem Zusammenhang das auszeichnende Epitheton *secundus fundator*[21] geprägt hat.

Die nachfolgenden Ausführungen werden zeigen, wie berechtigt diese zeitgenössischen Urteile waren. Nicht nur die Erneuerung des religiösen Lebens und der Klosterdisziplin war ein Eckpfeiler seiner „Stiftungsmission", sondern auch die bauliche und finanzielle Sanierung des Klosters. Allein im Zusammenhang mit dem Um- und Ausbau der Klosteranlagen, die im 16. Jahrhundert weder eine merkbare Vermehrung noch Verbesserung der Bausubstanz erfahren hatten, wurden unter Abt Marchstaller Ansätze geschaffen, die in der kunstgeschichtlichen Beurteilung eine zumindest konzeptionelle Verbindung eines „Idealplanes des St. Pauler Klosterbaues" mit dem habsburgischen El Escorial bei Madrid hervorgerufen haben. Diese Auszeichnung des Stiftes St. Paul als „Kärntner Escorial" hat sich im Laufe der Zeit manifestiert, bedarf aber hinsichtlich der Zuordnung zum „zweiten Gründer", Abt Marchstaller, doch einer Korrektur. Dieser fand bei seinem Amtsantritt nicht nur die Klosterkassen leer vor, sondern zusätzlich eine ganz beachtliche Verschuldung[22] des Stiftes. Seine Möglichkeiten einer großzügigen baulichen Revitalisierung des Klosters waren daher von Anbeginn stark eingeschränkt, und er konnte sichtlich den Ausbau nur in kleinen Baustufen vorantreiben. Die in den „Gedingbüchern"[23] detailliert aufgelisteten Arbeiten zeigen, daß Abt Marchstaller keinen Gesamtplan des Klosters im Sinne eines „Idealmodells" als Bauvorgabe hatte anlegen lassen, was eigentlich ganz seinen Intentionen entsprochen hätte, sondern von der Dringlichkeit her einen Schritt nach dem anderen gesetzt hat. Daher wird man mit der Person dieses Abtes die bauliche Planung eines „Kärntner Escorials" nicht verbinden können, wie dies bislang gerne geschehen ist. Vielmehr beruht diese Zuweisung auf dem Irrtum, daß man die auf Gemälden überlieferten „Idealansichten" der Klosteranlage als „Vision Marchstallers"[24] gedeutet hat, was unrichtig ist. Gemeint sind hier in erster Linie zwei gleichformatige Bilder, die heute in der Sakristei hängen und den hl. Benedikt und die hl. Scholastika[25] darstellen. Beide sind wohl zur gleichen Zeit und vom gleichen Künstler gemalt worden, aber nicht im Auftrag des Abtes Marchstaller, sondern gehen auf Abt Albert Reichart (1677–1727)[26] zurück, dessen persönliches Wappen auf beiden Gemälden zu finden ist. Jakob Lorenz Glaber[27], Hofmaler Abt Marchstallers, kann daher nicht mehr als Meister der beiden Bilder angesprochen werden. Die Gesamtansicht der „Idealanlage" nach den Vorstellungen des Abtes Reichart hat dann eine Nachbildung in fast unveränderter Form am „Stifteraltar", auch Dreifaltigkeitsaltar, gefunden, der für die nördliche Apsis bestimmt war und nach Karl Ginhart[28] in das dritte Viertel des 18. Jahrhunderts zu datieren ist. Die beste Darstellung der Klosteranlage nach den Umbauten des Abtes Albert[29] zeigt das Altarbild mit der Darstellung des hl. Florian am südlichen Seitenaltar in der Filialkirche St. Johannes am Johannesberg, das wohl bald nach 1683 zu datieren ist.

Die Baumaßnahmen des Abtes Hieronymus Marchstaller (siehe dazu im einzelnen den Beitrag hier, S. 553 ff.) waren demnach nicht von jener ihm zugesprochenen weitsichtigen Planung auf einen „Kärntner Escorial" hin geprägt, sondern vielmehr von den baulichen und finanziellen Notwendigkeiten einer raschen Sanierung des Stiftes bestimmt. Die Um- und Neubauten erfolgten in den Jahren von 1616 bis 1638 in kleinen Schritten ohne große Vorplanung. Marchstaller wäre prädestiniert gewesen, für große Umbauten konzeptive Architekturvorlagen erarbeiten zu lassen, hat aber einfach nach Notwendigkeit auf die bestehenden spätgotisch-frühneuzeitlichen Klosteranlagen aufgebaut. So haben sich sowohl im Nordtrakt, der zum Angelpunkt der Marchstaller'schen Umbauten geworden ist, als auch im Westtrakt ältere Bauelemente erhalten. Den ältesten und bislang einzigen bildlichen Anhaltspunkt hinsichtlich der Bauausführung des Stiftes nach der Regierungszeit dieses Abtes vermittelt das „Urbar der Herrschaft Kollnitz"[30] aus dem Jahre 1651: Hier ist in Aquarell die Stiftsanlage von Süden her dargestellt. Der westseitige Nordtrakt zeigt sich zumindest im Obergeschoß[31] noch nicht fertig durchgebildet, wie etwa im ostseitigen Bereich[32]. Der sechseckige Turmbau an der Nordwestecke war bereits in Dachhöhe aufgeführt. Der Westtrakt hat nur bis zur ehemaligen Prälatur gereicht und wurde im Obergeschoß unter Abt Albert Reichart (1677 – 1727) in den heute erhaltenen Bauzustand gebracht.[33] Auch der Südtrakt mit der Bibliothek bestand noch nicht und kann wohl als erster Bauabschnitt einer von Abt Albert beabsichtigten „Idealanlage eines Kärntner Escorial" angesehen werden.

Zu den auffallenden Bauten der Ära Abt Marchstallers zählte das „Mittlere Tor", das in den „Gedingbüchern" mehrfach erwähnt wird. Ein eingeschossiger, einfacher Bau mit vorgelagerter Wehrmauer[34] verband es mit dem Westflügel, ein vermutlich aus spätgotisch-frühneuzeitlicher Epoche stammendes mehrgeschossiges Wirtschaftsgebäude mit dem Osttrakt. Unterhalb dieser wehrhaften Bauten entstand auf der Südseite des Klosters der sogenannte Hofrichterbau mit dem 1633 fertiggestellten „Neuen Stiftstor"[35], ein mit doppelter Säulenädikula und manieristischen Rustikafassungen der Portaleingänge ausgezeichnetes Einfahrtstor in das Kloster.

Abt Hieronymus Marchstaller ist nach einem bewegten und überaus erfolgreichen Leben, gewidmet dem Benediktinerorden und seinem Kloster St. Paul, in seiner neuen Heimat Kärnten nach zweiundzwanzigjähriger Regierungszeit am 25. August 1638[36] im Alter von 62 Jahren verstorben und in der Stiftskirche beigesetzt worden.

Die geistliche Reformierung und Erneuerung des Klosterlebens unter Abt Marchstaller

Nachdem in Innerösterreich die Gegenreformation schon im ausgehenden 16. Jahrhundert von landesfürstlicher Seite[37] ernsthaft betrieben worden war, begann mit der Benediktion des Abtes Hieronymus Marchstaller auch im Stift St. Paul die „katholische Reformation". Seine Reformen betrafen die nicht mehr entsprechende Klosterordnung und das Leben der Mönche, zum anderen die Neuregelung des Gottesdienstes, in Besinnung auf die benediktinische Ordensregel *operi Dei nihil praeponatur*. Sein erfolgreiches Wirken bei dieser religiösen Reform des Stiftes berechtigte dazu, ihn als „Klosterreformator“[38] der Neuzeit anzusprechen.

Mit dem wirtschaftlichen Niedergang des Klosters unter Abt Vinzenz Lechner war auch ein merkbarer Verfall der klösterlichen Zucht und Ordnung verbunden. Ein Visitationsbericht des Salzburger Archidiakons von Unterkärnten, Dr. Matthäus Holzapfel, aus dem Jahre 1610[39] stellte dem Stift ein denkbar schlechtes Zeugnis aus: Es wurde vermerkt, daß der Gottesdienst *sine ulla devotione aut proximi aedificatione* abgehalten werde, der Bildungsstand der Konventualen als erschreckend zu beurteilen sei und überdies die Klausur *graviter et enormiter* übertreten werde und damit die innere Disziplin des Klosters sich im Zustand einer gefährlichen Auflösung befinde. Abt Marchstaller fand bei seiner Ankunft in St. Paul die seltsame Situation vor, daß der Konvent eigene Güter besaß und zudem die Konventualen gewisse Einkünfte zur eigenen Verwendung zugeteilt erhielten.[40] Eine der ersten Amtshandlungen bestand daher darin, dem Konvent dieses Eigentum zugunsten des Stiftes abzunehmen und dem allgemeinen Klosterurbar zuzuschlagen. Soweit die Konventualen Geld besaßen, das *Peculium* beanspruchten, mußten sie es nun gemäß den Vorgaben einer strengen klösterlichen Armut wieder aufgeben.[41] Die Versorgung wurde durch eine klosterübliche gemeinsame „Hofküche“ und einen „Hofkeller“ ersetzt. Die Klausur wurde wieder streng eingehalten, der „Regulartisch“ eingeführt und vor allem die Zeiten und die Ordnung des Gottesdienstes genau vorgegeben. Den benediktinischen Regeln entsprechende Statuten für das gesamte Ordensleben wurden ausgearbeitet und deren Einhaltung durch Klostervisitationen ständig überprüft.[42] Die wichtigsten Ämter wurden den auf Wunsch Marchstallers aus dem Mutterkloster Ochsenhausen nach St. Paul entsandten Patres übertragen: So wurde P. Alexius Gerer zum Prior gewählt, P. Martin Teutsch wurde Großkellner, P. Mathias Rör Novizenmeister und P. Benedikt Schenck „Beichtvater und Prediger“.[43]

Zum Zeitpunkt der Wahl Marchstallers zum Abt von St. Paul bestand der Konvent aus acht Mitgliedern und einem Novizen. Auch hier trachtete der neue Abt, eine Aufwertung des Stiftes durch die Aufnahme und Ausbildung junger Menschen zu erreichen. Wie erfolgreich er in diesem Bereich gewirkt hat, verdeutlicht ein Brief des Rektors des Grazer Jesuiten-Kollegs, Vitalis Pelliceroli, aus dem Jahre 1624[44], in dem mitgeteilt wurde, daß bereits neun Geistliche nach Ablegung der akademischen Prüfungen nach St. Paul zurückkehren konnten. Weitere sechs Angehörige des Klosters St. Paul begaben sich im gleichen Jahr nach Graz[45], um hier an der von den Jesuiten geleiteten Universität ihre Studien aufzunehmen. Aber auch an der neugegründeten Salzburger Akademie (später Universität), zu deren Finanzierung der Abt 2000 Gulden beigesteuert hatte, studierten St. Pauler Novizen. Ans Lyceum der Jesuiten in Klagenfurt entsandte man schließlich jene Studierenden, welche aus besonderen Beweggründen nicht weiter reisen konnten. Abt Marchstaller vermehrte im Laufe seiner Regierungszeit die Zahl der Konventualen immer mehr, so daß es ihm möglich war, anderen Kärntner Benediktinerklöstern in ihrem Personalstand auszuhelfen. Im Jahre 1632 verfügte das Kloster über 22 eigene Professen, zudem hielten sich neun fremde Konventualen als Gäste hier auf. Erstmals stellte sich das Problem, für die Mönche weder im Refektorium noch im Dormitorium und im Chor genug Platz zu haben.[46] Abt Marchstaller wird schon zu dieser Zeit an eine bauliche Vergrößerung des Klosters gedacht haben.

Mit einer erfolgreichen Verbesserung des klösterlichen Lebens hing eng auch die generelle Neuordnung des Gottesdienstes im Stift St. Paul zusammen. Abt Marchstaller hatte sofort Neuregelungen, die sich weitgehend an den Gepflogenheiten seines Mutterklosters Ochsenhausen orientierten, einführen lassen[47], und diese nach einer achtjährigen Übung und Erprobung als allgemeinverbindlich festgelegt. Im Jahre 1624 wurde diese neue Gottesdienstordnung für St. Paul in einem eigenen Werk zusammengefaßt, bezeichnet *DIRECTORIVM CVLTVS DIVINI*[48]. Diese Ordnung betraf nun nicht nur eine dem Benediktinerorden entsprechende Formulierung der zeitlich genau bestimmten Chorgebete an Sonn- und Feiertagen, auch das *opus Dei* an Wochentagen wurde neu geregelt[49] und streng eingehalten. Die Feste im Kirchenjahr fanden gleichermaßen ihre Neuordnung wie auch die feststehenden Gottesdienste für die Heiligen im Jahreslauf.

Aber auch im Umfeld des Stiftes war sein Wirken als katholischer Reformator von großen Erfolgen begleitet. Vom Salzburger Erzbischof Paris Graf von Lodron erhielt er 1625 für vier Jahre die Erlaubnis, Häretiker freizusprechen.[50] Ab 1627 mußte er in den St. Paul unterstehenden Pfarren Listen der protestantischen Untertanen anlegen, um hier ebenfalls Gegenmaßnahmen setzen zu können. Interessant ist seine Anzeige an den Bischof von Lavant, Leonhard II. Goetz, wonach der Anwalt der Freiherren von Dietrichstein auf Rabenstein, ein Mann namens Georg Pacher, auf der Burg evangelischen Gottesdienst abhielt und dazu nicht nur die katholischen Dienstleute der Herrschaft verpflichtete[51], sondern auch den St. Pauler Marktrichter Ruprecht Pöck eingeladen hatte.

Die wirtschaftliche Sanierung des Stiftes durch Abt Marchstaller

Abt Hieronymus Marchstaller erwies sich auch als ganz hervorragender Wirtschaftsfachmann. Die von Abt Vinzenz Lechner übernommene Schuldenlast muß enorm gewesen sein, und die gesamte Wirtschaftsführung des Klosters lag im argen. Sogleich nach seiner Benediktion ging er daran, den Stiftshaushalt wieder in Ordnung zu bringen. Zu Beginn des Jahres 1617 wurden im einvernehmlichen Vergleich alle noch offenen Forderungen der im Stift angestellten Diener und Knechte[52], von denen manche fast zwanzig Jahre auf die Abrechnung gewartet hatten, geregelt.

Zur Neuordnung der Verwaltung suchte Abt Marchstaller, die teils bereits in Vergessenheit geratenen Klosterprivilegien hinsichtlich der alten Besitzrechte, der Marktrechte und der Gerichtsbarkeit wieder erneuern und bestätigen zu lassen. Seine erste Aktivität in dieser Richtung betraf das Marktprivileg von St. Paul[53], um den mit der verliehenen Marktfreiheit verbundenen Jahrmarkt wie auch Wochenmärkte und Kirchtage veranstalten zu dürfen. Walther Fresacher[54] hat auf die Unterscheidung von Marktrecht und dem Recht auf Abhaltung von Wochen- und Jahrmärkten hingewiesen und Abt Marchstaller als Urheber dieser neuen Märkte für St. Paul angegeben. Marchstallers Bitte wurde am 21. Jänner 1622[55] durch Kaiser Ferdinand II. entsprochen, die offizielle Kundmachung dieser Marktrechtsbestätigung erfolgte aber erst 1625. Das dem Stift zustehende Maut- und Zollrecht und den Schutz des Jahrmarktes[56] überließ der Abt vorbehaltlich den St. Pauler Bürgern, um damit den Markt aufzuwerten.

Darüber hinaus wurden weitere fünfundvierzig Privilegien des Stiftes auf Gesuch des Abtes Marchstaller vom Kaiser am 1. August 1625[57] bestätigt. Neben diesen landesfürstlichen bzw. kaiserlichen Privilegien verfolgte der Abt auch die Erneuerung der erzbischöflich-salzburgischen wie auch der päpstlichen Privilegien, allerdings mit unterschiedlichem Erfolg. Sein Ansuchen an den Salzburger Erzbischof Paris Graf Lodron (1619 – 1653) scheint erfolglos geblieben zu sein.[58] Erfolgreich blieb er hingegen im Bemühen um Bestätigung der alten päpstlichen Bullen. Zur persönlichen Erledigung dieses Anliegens entschloß er sich in dem von Papst Urban VIII. zum päpstlichen „Jubiläumsjahr" erklärten Jahr 1625 zu einer persönlichen Reise nach Rom[59]. Wenngleich dabei die päpstliche Zustimmung nicht erreicht werden konnte, wurde diese dann über weitere Intervention eines von ihm bevollmächtigten „Agenten" am 3. Juli 1625[60] vollinhaltlich erteilt. Im selben Jahr wurde der Abt auch zum päpstlichen Protonotar[61] ernannt.

Einen wesentlichen Beitrag zur Verbesserung der wirtschaftlichen Situation des Klosters leistete er mit der Rückgewinnung der Herrschaft Faal an der Drau in der ehemaligen Untersteiermark, westlich von Marburg.[62] Diese große Besitzung des Stiftes war schon 1586 durch Abt Vinzenz Lechner dem Stift entzogen worden und gelangte erst 1624 im Prozeßwege wieder ans Kloster, womit der Hauptteil der steirischen Besitzungen durch Abt Marchstaller[63] gerettet war.

Energisch betrieben hat Abt Marchstaller auch die Rückgewinnung der vielen von seinen Vorgängern verpfändeten und damit dem Kloster verlorengegangenen Güter. 1620 löste er Ämter ein sowie Bauern in Framrach und Diex wieder aus.[64] Ebenfalls kamen der Zehent des Marktes St. Paul wieder an das Kloster und der schon von Abt Mathias Furtner (1530 – 1550) vergebene Kollerhof bei St. Paul[65].

Durch Kauf konnten im Markt St. Paul einige Häuser und Keuschen[66], durchwegs direkt angrenzend an das Kloster, erworben werden, um damit den Klostergarten und das Areal der Meierei zu vergrößern. Dies ermöglichte dann auch eine geschlossene, durchgehende Einfriedung des engeren Stiftsbereiches zum Markt hin. Unter den Neuerwerbungen[67] waren Güter, die von den Putz von Kirchheim stammten, Weingärten, die von den Keutschachern erkauft wurden, aber auch Bergbaurechte. Ein wichtiges Kaufgeschäft tätigte Abt Marchstaller in Klagenfurt, indem er 1619 das Schick'sche Haus am Heiligengeistplatz erwarb. Als Kärntner Landstand benötigte er in Klagenfurt für sich ein Quartier und zugleich für das Stift ein „St. Pauler Haus"[68] in der Landeshauptstadt.

Von besonderer Bedeutung für das Stift war die Erwerbung der Herrschaft Unterdrauburg vom Gurker Fürstbischof Johann VII. Jakob Freiherr von Lamberg im Jahre 1628[69], die zu einer beträchtlichen Besitzvermehrung geführt hat. Schließlich gelang es Abt Marchstaller nach langwierigen Verhandlungen, die nahe beim Kloster gelegene Burg und Herrschaft Rabenstein[70] ebenfalls in den Stiftsbesitz einzugliedern.

Die Leistungen des Abtes Hieronymus Marchstaller als Wirtschaftsfachmann veranschaulicht eine Auflistung des Zuwachses der Klostergüter im General-Einnehmer-Amt aus dem Jahre 1630[71], wo für das Jahr 1518 „mitsammt den Pfarren und Zukirchen" ein Betrag von 913 Pfund und 24 Pfennig angegeben wird, 1629 betrug er bereits 1163 Pfund, 2 Schilling und 14 Pfennig. Abt Marchstaller hat nach seinem Tode 1638 seinem Nachfolger zwar einen Schuldenstand von 42.085 Gulden, 4 Schilling und 28 Pfennig hinterlassen, fand aber bei seinem Biographen P. Beda Schroll[72] hinreichend Rechtfertigung: Er verweist auf die große Schuldenlast, die Abt Marchstaller von seinem Vorgänger übernehmen mußte. Einer positiven Bilanz sind die Gesamtrenovierung, der Um- und Ausbau des Klosters, des Wirtschaftshofes und der Nebenbesitzungen zuzurechnen, weiters ist der Kauf der beiden Herrschaften Unterdrauburg und Rabenstein um runde 80.000 Gulden miteinzubeziehen. Nicht zuletzt sind auch die im Zusammenhang mit den Kriegswirren des 30jährigen Krieges (1618 – 1648) immer höher steigenden Steuern und Abgaben als Erschwernis bei der Wirtschaftsführung des Klosters anzuführen.

Abt Hieronymus Marchstaller als Archivar und „Historiograph" des Stiftes

Die Wirtschaftsführung des Klosters hatte es notwendig gemacht, daß sich Abt Marchstaller sehr bald auch mit den Fragen der Temporalienadministration und der Darlegung der dem Kloster erteilten Privilegien befassen mußte. In diesem Zusammenhang wurde das überlieferte Stiftsarchiv für ihn zu einer Fundgrube, mit der er sich intensiv zu beschäftigen begann. Im Vorwort seiner „Gründungsgeschichte"[73] nahm er darauf Bezug, wenn er feststellte: *Ipsi enim scitis, quam sparsim, contemptim, passim hinc inde litterae et instrumenta antiqua pulveribus obsita iacuerint, pars in Sacristia, pars in Abbatia, pars in turri, pars super odeum templi, grata pabula glirium, tinearum et murium, collegi ergo sedulo omnia, collecta in formam archivi, in certas materias et cistas distribui (. . .)*. Die erste neuzeitliche Sammlung und Ordnung des St. Pauler Archivbestandes geht somit ebenfalls auf Abt Marchstaller zurück, der alle Urkunden und Akten zusammentragen und in einem eigenen Archivraum in Kästen und Kisten lagern und sichern ließ. Bereichert wurde dieser Archivbestand durch einen Zufallsfund:[74] Bei Bauarbeiten an der Orgelempore im Jahre 1617 fand man in einem vermauerten Turmgeschoß drei Kisten, die vermutlich um 1400 dort versteckt worden und in denen zahlreiche sehr alte Urkunden und wertvolles Aktenmaterial eingelagert waren. Aus Interesse an diesen Geschichtsquellen und der Notwendigkeit, dem Stift St. Paul zugesprochene Privilegien nachweisen zu können, bearbeitete Abt Marchstaller in der Folge das Archiv und verfaßte mehrere einschlägige Verzeichnisse. So entstand 1618 das schon zitierte Indexwerk *Archivum Mo(naste)ry S. Pauli* (. . .)[75], welches dann durch ein Kopialbuch mit dem Titel *Archivum Mon(aste)rii S. Pauli in Carinthia*[76] ergänzt wurde. Von den beiden ersten Bänden dieser Urkundenaufzeichnungen ist der zweite Band in der Nationalbibliothek in Wien vorhanden. Der dritte Band enthält Abschriften von Urkunden und Akten der Jahre 1600 bis 1625; der vierte Band behandelt den Zeitraum von 1625 bis 1630[77] und wurde von Marchstallers Nachfolger weitergeführt.

Ein wichtiges Instrumentarium zur Erfassung der grundherrschaftlichen Eindienungen der Stiftsuntertanen waren die Urbare. Auch diese waren vor dem Amtsantritt Marchstallers mangelhaft geführt worden, so daß dem Stift ein genauer Überblick über die Urbar- und Dominikalabgaben weitgehend fehlte. Abt Marchstaller schrieb in diesem Zusammenhang[78]: *Urbaria monasterii alioquin vetustate attrita, disiecta, corrupta et lacerata undique erant. (. . .) Urbaria et registrata pro libitu a praefectis mutabantur, scribebantur, radebantur, obliterantur, ita ut revera confusum chaos potius, quam ordinata urbaria essent.* In der Folge wurden bestehende Urbare verbessert und auf den neuesten Stand gebracht, ebenso kamen neue Urbare dazu. Schon im Jahre 1616 entstand ein „Urbar des Konventes"[79], 1620 ließ er ein neues Urbar anlegen, mit einem kolorierten Titelblatt und der Beschriftung „Urbarium: / Inn Khärndten / Des Loblichen Gotts/haus St: Paul Im / Lauenthal (et) c(eterea):"[80]. 1621 entstand ein *Urbarium culinarium*[81]. Eine vollständige Auflistung aller Urbare, Kuchl-Register, Siedlungs- und Stiftsbücher und Inventare aus der Zeit Marchstallers[82] ist beeindruckend, würde hier aber zu weit führen. Erwähnt seien nur noch aus dem Jahre 1622 ein „Urbaria aller und jeder des Gottshaus s. Pauls Pfaren und Khürchen in Khärndten und Steyer"[83] und aus dem Jahre 1638 ein „Urbaria aller und jeder Guetter des Gotshaus s. Pauls in Khärnten"[84]. Neben den eigentlichen urbarialen Auflistungen enthalten diese Urbare auch eine kurzgefaßte Klostergeschich-

Abb. 15: Titelblatt aus dem Urbar des Abtes Marchstaller von 1620; STA, HS 292 c/o.

te, eine Darstellung der landschaftlichen Steuergebarung sowie eine Beschreibung der „Grundstücke, Wälder, Regalien, Jagd, Fischerei, Markt- und Mautrechte“[85]. Diese Urbare gehören thematisch eigentlich zur Wirtschaftsführung, sind aber ebenso Bestandteil einer neuen Ordnung und Bewertung des St. Pauler Archivmaterials durch Abt Marchstaller.

Zu den vielen Auszeichnungen, die Abt Marchstaller zu Lebzeiten und auch später erhalten hat, fügt sich die eines klösterlichen „Historiographen“ nur im weitesten Sinne hinzu. Sein großes Interesse an der Gründungsgeschichte des Klosters hat ihn aber immer wieder in dieser Richtung aktiv werden lassen, denkt man etwa an den Auftrag zur Darstellung der „historischen Stifterfiguren“ durch seinen Hofmaler Jakob Lorenz Glaber[86] oder an die „Stifterinschriften“ am Südportal der Stiftskirche oder am Hofrichtertor. Mit dem Studium des Archivmaterials wuchsen seine diesbezüglichen Erkenntnisse, und es entspricht dem Bild Marchstallers, daß er sich 1619 auch gründlich mit der Stiftung des Klosters durch die Spanheimer auseinandersetzte. Sein vielzitiertes Werk *„De Fundatione* (. . .)“[87] bildete auch für seinen Biographen P. Beda Schroll in vielen Bereichen die Grundlage für die historische Beurteilung, brachte es doch erstmals in der Neuzeit eine recht gute Darstellung der Spanheimer-Gründungsgeschichte des Klosters. An die Geschichte der Stiftung schließt eine Auflistung der Stiftungen und Schenkungen an, es folgen Anniversarien, ein *Catalogus abbatum* bis ins frühe 17. Jahrhundert, weiters ein *Catalogus patrum, fratres, sororum et conversorum*; angeführt sind anschließend die „Confraternitates“ und ein erstes „Necrologium“, welches als Grundlage für eine gleichlautende Arbeit von P. Beda Schroll[88] gedient hat. Bemerkenswerterweise konnte Marchstaller in seiner *„De Fundatione* (. . .)“ eine Gründungsgeschichte des Klosters vorlegen, die nur in wenigen Punkten von der historischen Forschung korrigiert werden mußte.[89]

In die Reihe der „Geschichtswerke“ Marchstallers ist auch eine weitere Handschrift einzureihen, die auf einer älteren Darstellung aufbaut[90]: *Fundatorum Fundationu(m) / Benefactorum(que) / Monasterii S(ancti) Pauli / Liber / Conscriptus circa annu(m) D(omi)ni / M.CC.X. / Auctore Udalrico Abbate S(ancti) Pauli / Huius nominis Primi / Renovatus Anno D(omi)ni / MDCXXII.*

Das besondere Geschichtsbewußtsein Abt Marchstallers dokumentiert auch sein Begehren, nach der Erwerbung der Herrschaften Unterdrauburg und Rabenstein eine „Verbesserung“ des Stiftswappens zu beantragen. Er wandte sich in einer Petition an den Kaiser, mit dem Ersuchen, dem Stift ein neues, vermehrtes Wappen zu gewähren, bereichert durch die Wappen der Herrschaften Faal, Unterdrauburg und Rabenstein. Kaiser Ferdinand II. entsprach dieser Bitte Marchstallers am 7. Juli 1630[91] und erteilte dem Stift ein neues, geviertes Wappen: 1 von Rot und Weiß geschacht (Stammwappen); 2 in Blau ein Weinberg, mit einem rechtsaufspringenden, naturfarbenen Hirsch mit Schwert und Kreuz (Faal); 3 in Blau ein naturfarbener Fels, darauf ein Rabe mit einem goldenen Ring im Schnabel (Rabenstein[92]); 4 in Rot ein Fluß mit einer gezinnten Stadtmauer mit Tor und seitlich zwei Türmen, darauf ein oberhalb gerüsteter Mann mit einem Schwert in der Rechten, das Haupt bekrönt mit einem Lorbeerkranz (Unterdrauburg[93]). Trotz kaiserlicher Genehmigung stand dieses vermehrte Wappen des Stiftes nicht lange in Verwendung.

Abt Hieronymus als Landstand und Kirchenfürst

Mehrfach wurde bereits auf Abt Marchstallers landespolitische Funktion als Vertreter der geistlichen Landstände in Klagenfurt hingewiesen. Nur wenige Monate nach seiner Benediktion wurde er als Abt von St. Paul auch Ständisch-Verordneter beim Kärntner Landtag und im November 1616 als Mitglied in den Großen Ausschuß – diese Bestellung erfolgte jeweils auf drei Jahre – gewählt.[94] Auf Grund seiner allgemeinen Wertschätzung und großen Erfahrung sowohl in wirtschaftlichen Angelegenheiten als auch bei diplomatischen Geschäften verblieb er bis zu seinem Tode im Jahre 1638 in diesem politischen Gremium des Landes, abwechselnd als Mitglied des Großen Ausschusses bzw. als Ständisch-Verordneter. In den Jahren von 1630 bis 1634 übertrug man ihm auch die Aufsicht über die Bibliothek der Landstände[95], die beim großen Brand in Klagenfurt am 2. Juni 1636[96] fast zur Gänze zerstört wurde. Seine besonderen Anliegen, der Ausbau der ständischen Kirche (Heiligengeistkirche) und die Erbauung eines Frauenklosters (Ursulinenkloster), hat Abt Marchstaller mit großer Unterstützung des Landtages verfolgt und wenigstens das erste Projekt zu Lebzeiten auch erfolgreich abgeschlossen.

Seine landespolitische Tätigkeit brachte Abt Marchstaller immer wieder in Kontakt mit dem Landesfürsten in Graz bzw. der landesfürstlichen Administration. Auch hier war man sich der ausgezeichneten Fähigkeiten des St. Pauler Prälaten bewußt, und man ernannte ihn 1630 zum „kaiserlichen Rat"[97], mit all der „Ehre, Würde, Präcedenz und Rechte", die derart Ausgezeichneten zustehen.

Abt Hieronymus Marchstaller genoß auf Grund seiner erfolgreichen religiösen Reformen im Kloster St. Paul, seiner anerkannten Wirtschaftsführung, aber auch wegen der großen Bautätigkeit zur Rettung und Erneuerung des Stiftes innerhalb des Ordens und der Kirche großes Ansehen. Dies drückte sich nicht zuletzt in Auszeichnungen des Abtes mit hohen kirchlichen Titeln und der Funktionsbestellung mit wichtigen Ämtern aus. Schon am 21. Mai 1617 erging an ihn die Bitte, vorübergehend als Salzburger Archidiakon die Verwaltung und Gerichtsbarkeit innerhalb der zu Salzburg gehörenden Pfarren im Lavanttal zu übernehmen.[98] Das Archidiakonat behielt Marchstaller, mit Einschränkungen, bis zu seinem Tode. Nach dem Tode des Bischofs von Lavant, Georg III. Stobaeus von Palmburg, im Jahre 1618 wurde Abt Marchstaller *in spiritualibus et temporalibus*[99] zum Generalvikar und Administrator des Bistums Lavant ernannt, Ämter, die er bis zur Wahl des Bischofs Leonhardt II. Goetz behielt. Ein Jahr später, am 21. Mai 1619, ernannte ihn der Salzburger Erzbischof Marx Sittich Graf von Hohenems (1612–1619) zum „salzburgischen Rat"[100]. Wie schon erwähnt, wurde er 1625 auch päpstlicher Protonotar.

Abt Marchstaller zeichnete eine enge Verbindung zum Erzbistum Salzburg ebenso aus wie sein freundschaftliches Verhältnis zu den Kärntner Bistümern Lavant und Gurk. Aber auch mit den Kärntner Klöstern – nicht nur den Benediktinerstiften in Ossiach, Arnoldstein und Millstatt – war er freundschaftlich verbunden und in ständigem Kontakt. So darf Abt Hieronymus Marchstaller, wenngleich von Geburt kein Kärntner, durch seine innige Verbundenheit mit dem Land und seinem Klerus als ein wahrer „Kirchenfürst Kärntens" apostrophiert werden.

ANMERKUNGEN

1. R. STRELLI, Das Stift St. Paul in Kärnten unter Abt Ulrich Pfinzing, Studien und Mitteilungen zur Geschichte des Benediktinerordens und seiner Zweige 36, NF 5 (1915), S. 93 – 106; B. RADER, Die Geschichte der Äbte von St. Paul, 3. Tl., Vom 31. bis zum 40. Abt (1500 – 1638), JbSP (1982/83), S. 15f; auch B. SCHROLL, Das Benediktiner-Stift St. Paul, Car. 66 (1876), S. 128ff.
2. Vgl. dazu hier S. 525 ff.
3. EBD., S. 533 f.
4. B. SCHROLL, Hieronymus Marchstaller, Abt des Benedictiner-Stiftes St. Paul im Lavantthale, päpstlicher Protonotar, kaiserlicher und erzbischöflich-salzburgischer Rath, Erzpriester des Metropoliten in Salzburg für Unterkärnten, und des Patriarchen von Aquileia für Möchling im Jaunthale und St. Lorenzen in der Wüste in Untersteiermark. 1616 – 1638 (1891), S. 7ff.; DERS., Benediktiner-Stift St. Paul (wie Anm. 1), S. 135ff.
5. SCHROLL, Marchstaller (wie Anm. 4), S. 11ff.
6. EBD., S. 13ff.; vgl. auch DERS., Benediktiner-Stift St. Paul (wie Anm. 1), S. 137, S. 177ff.
7. Das Benediktinerstift Ochsenhausen wurde 1093 als Priorat vom Kloster St. Blasien im Schwarzwald gegründet, 1397 reichsunmittelbar und 1803 aufgelöst; Ochsenhausen (seit 1950 Stadt) liegt südlich von Ulm im Kreis Biberach (Baden-Württemberg, früher Schwaben); vgl. E. GRUBER, Geschichte des Klosters Ochsenhausen (Diss. Tübingen, 1956).
8. SCHROLL, Marchstaller (wie Anm. 4), S. 16.
9. EBD., S. 11ff.
10. T. NEUGART, *Historia Monasterii Ord. S. Benedicti ad S. Paulum in valle inferioris Carinthiae Lavantina, Pars II* (1848), S. 100.
11. Ein erster „Nekrolog" stammt aus der Feder des Abtes Marchstaller, der diesen schon 1619 in seine „Gründungsgeschichte" eingefügt hatte. Darauf aufbauend B. SCHROLL, Necrologium des Benedictinerstiftes St. Paul im Lavantthale, AVGT 10 (1866), S. 51ff. bzw. S. 116: *Petrus Marchstaller, Domini Hieronymi Abb(as) frater Germanus.* Er starb am 15. IV. 1620.
12. SCHROLL, Marchstaller (wie Anm. 4), S. 11ff.: am 28. X. 1588.
13. Dillingen an der Donau (bei Augsburg), kreisfreie Stadt im bayrischen Schwaben; von 1554 bis 1804 bestand hier eine Universität.
14. SCHROLL, Marchstaller (wie Anm. 4), S. 11ff.
15. EBD.
16. STA, HS 17/0: *Archivu(m) Mon(aste)ry S(ancti) Pauli / Vallis Lavantinae / Registratu(m) / Per / R(everen)diss(imum) D(ominum) Hieronymu(m) Abbatem / S(ancti) Pauli / Anno 1618*, fol. 76; SCHROLL, Marchstaller (wie Anm. 4), S. 12.
17. SCHROLL, Marchstaller (wie Anm. 4), S. 12ff.
18. I. BODO, Geschichte des Benediktinerstiftes Ossiach in Kärnten in der Zeit von 1028 – 1783 (Diss. Wien, 1966), S. 209; S. HARTWAGNER, Ossiach. Stift und Kirche (1977), S. 19.
19. J. LÖW, Kleiner Gurker Domführer (1930), S. 157.
20. BODO, Ossiach (wie Anm. 18), S. 209.
21. SCHROLL, Marchstaller (wie Anm. 4), S. VIff.
22. EBD., S. 308.
23. STA, HS. 81/0: Gedingbuch der Beamten, Diener, Handwerker. Tom. I: 1617 – 1621, Tom. II: 1621 – 1626, Tom. III: 1627 – 1637.
24. R. MILESI, Manierismus in Kärnten. Zur Kunst des späten 16. Jahrhunderts (1973), S. 63; ÖKT 37 (1969), S. 182.
25. ÖKT 37 (1969), S. 154; G. HEINZ, Die Gemälde, ebd., S. 306 (Nr. 72 u. 73).
26. A. LEITNER, Abt Albert Reichart (1677 – 1727), JbSP (1967/68), S. 5; B. RADER, Die Geschichte der Äbte von St. Paul, 4. Tl.: Vom 41. bis zum 50. Abt (1638 – 1866), JbSP (1983/84), S. 12ff.
27. Das ganzfigurige Bild des Ordensgründers zeigt die Südansicht des Klosters mit dem nie in Angriff genommenen mehrgeschossigen Südtrakt; auf dem zeitgleichen Gemälde der hl. Scholastika ist die Klosteranlage in Blickrichtung von Norden dargestellt. Zum Maler vgl. M. WUTTE, Beiträge zur Kunde Kärntner Künstler. 3. Landschaftliche Maler, Car. I 124 (1934), S. 98ff.
28. ÖKT 37 (1969), S. 134.
29. Der Südtrakt mit der ehemaligen Prälatur (bis 1988/89) und der Bibliothek war zu dieser Zeit bereits fertiggestellt, der „Mittlere Turm" bestand noch, wie auch der östlich folgende Wirtschaftsflügel; dargestellt ist auch der Eckturm im Nordwesten, nun baulich bereits vollendet; ÖKT 37 (1969), S. 37, Nr. 4; vgl. dazu auch: Die Kunstdenkmäler Österreichs. Kärnten (DEHIO-HANDBUCH, ²1981), S. 248.
30. STA, HS 303/0, fol. 5; siehe hier Abb. 137, S. 516.
31. Hier wurde der Bau erst unter Abt Philipp Rottenhäusler (1660 – 1677) vollendet, wie dies auch zwei hier im oberen Laubengang angebrachte Wappensteine von 1661 und 1662 dokumentieren; vgl. ÖKT 37 (1969), S. 181.
32. Im Osttrakt erfolgten letzte Arbeiten unter Abt Paul Memminger (1638 – 1660), wie ein Wappenstein über dem offenen Arkadeneingang aus dem Jahre 1640 und ein gleichfalls mit 1640 datierter Türsturz beim ostseitigen Ausgang in den Garten belegen; vgl. EBD., S. 180ff.
33. Im Laubengang des Obergeschosses findet sich nahe beim Eingang in die Bibliothek eine Marmortafel mit der baugeschichtlich interessanten Inschrift: *DEO OPTIMO, MAXIMO, / Qvi dicturus est: / Hospes fui, et collegistis me; / Atqve Homini Viatori, / Qvi non habet permanente(m) hic Civitate(m), / Sed Peregrinatur ad Dominum, / Partem Diversorii / per perticas XII. / Ex Aqvilone in Austrum, / Totidemqve ex Occiduo Sole in Oriente(m) / extruxit / A(bbas) A(lbertus) A(nn)o M.CD.LXXXIII.*
34. Diese Wehrmauern werden den spätmittelalterlichen Befestigungsanlagen zuzurechnen sein, die etwa beim Einfall der Türken in Kärnten im ausgehenden 15. Jahrhundert das Kloster vor Übergriffen geschützt haben; vgl. ÖKT 37 (1969), S. 181ff.
35. EBD., S. 181; MILESI, Manierismus (wie Anm. 24), S. 25ff.
36. SCHROLL, Marchstaller (wie Anm. 4), S. 300; vgl. dazu auch hier, S. 529.
37. Vgl. J. LOSERTH, Die Reformation und Gegenreformation in den innerösterreichischen Ländern im XVI. Jahrhundert (1898); DERS., Zur Geschichte der Gegenreformation in den Bambergischen Gebieten von Kärnten, Car. I 97 (1907), S. 132ff; DERS., Zur Geschichte der Reformation und Gegenreformation in Innerösterreich, Jb. der Gesellschaft für die Geschichte des Protestantismus in Österreich XXV (1904), S. 183ff.; N. LEBINGER, Die Reformation und Gegenreformation in Klagenfurt, XVII. Programm des k.k. Gymnasiums in Klagenfurt (1867),

S. 1ff. u. XVIII. Programm (1868), S. 1ff.

38. J. Klausberger, Abt Hieronymus Marchstaller als Klosterreformator. Ein Beitrag zur Erinnerung an den 300jährigen Todestag des größten Prälaten von St. Paul, JbSP (1937/38), S. 3–19.
39. Ebd., S. 10.
40. Schroll, Marchstaller (wie Anm. 4), S. 16.
41. Klausberger, Marchstaller (wie Anm. 38), S. 10.
42. Ebd., S. 11.
43. Ebd., S. 17.
44. Ebd., S. 29.
45. Schroll, Marchstaller (wie Anm. 4), S. 29ff.
46. Schroll, Marchstaller (wie Anm. 4), S. 31 u. S. 32: hier erfolgt eine Auflistung aller St. Pauler Konventualen.
47. Ebd., S. 3.
48. StA, HS 28/0: *DIRECTORIVM / CVLTVS DIVINI / ET DISCIPLINAE MO/NASTICAE / MONASTERII S(ANCTI) PAVLI/EX / OCTENNALI / TRADITA ET OBSERVA/TA PRAXI / AVTORE / REVERENDISSIMO HIE / RONYMO ABBATE EI/USDEM MONASTERII nono / sui regiminis / anno / 1624.*
49. Ebd., S. 4ff.
50. Schroll, Benediktiner-Stift St. Paul (wie Anm. 1), S. 176.
51. Ebd.; N. Lebinger, Mittheilungen aus dem Stiftsarchive von St. Paul, AVGT 4 (1858), S. 12, S. 19.
52. Schroll, Marchstaller (wie Anm. 4), S. 93ff.
53. StA, UK Nr. 27 (1236, richtig 1232; kann nicht als Nachweis für eine erste Marktrechtsverleihung gesehen werden); Schroll, Marchstaller (wie Anm. 4), S. 105; vgl. UB St. Paul, S. 119, Nr. 53 (1232); W. Fresacher, Die Marktverleihung an St. Paul im Lavanttal, Car. I 146 (1956), S. 119ff; Ders., Hof, Burgfried, Hofgericht und Markt St. Paul, Car. I 149 (1959), S. 363ff; Ders., Geschichte des Marktes St. Paul im Lavanttal (AVGT 57, 1961), S. 14ff.
54. Fresacher, Geschichte des Marktes (wie Anm. 53), S. 17.
55. StA, UK Nr. 1077 (1622 I 20); vgl. MC 4/1, Nr. 2051.
56. Schroll, Marchstaller (wie Anm. 4), S. 106ff.
57. StA, UK Nr. 1092 (betreffen Privilegien, die zwischen 1123 und 1336 dem Kloster erteilt wurden).
58. Schroll, Marchstaller (wie Anm. 4), S. 108.
59. Die Reise dauerte vom 14. Feber bis 8. Mai 1625 und fand als ein interessantes Itinerar des frühen 17. Jahrhunderts in einem persönlichen „Reisebericht" des Abtes an den Konvent ihren Niederschlag; vgl. StA HS 16/0: *ARCHIVUM / MONASTERY S(ANCTI) PAULI / IN CARINTHIA PARS TERTIA / AB ANNO / 1600 VSQVE AD 1625 / COLECTVM / OPERA / REV(ERENDISSIMI) D(OMINI) HIERONYMI / ABBATIS / EIVSDEM MONASTERY / ANNO 1625,* fol. 10; B. Schroll, Eine Reise nach Rom, unternommen im Jahre 1625 von Hieronymus Marchstaller, Abt des Benedictiner-Stiftes St. Paul in Kärnten (Separat-Abdruck aus der „Carinthia" 1881), S. 5ff.
60. StA, UK (Bulle) Nr. 1091 (1625 VI 3); vgl. dazu Schroll Marchstaller (wie Anm. 4), S. 109ff.
61. StA, UK Nr. 1093 (1625 IX 10); vgl. dazu Schroll, Marchstaller (wie Anm. 4), S. 110.
62. Vgl. dazu H. Pirchegger, Der Besitz der Kärntner Klöster und Pfarren in der Steiermark, Car. I 151 (1961), S. 515ff.; O. Lamprecht, Der Besitz des Stiftes St. Paul i. L. in der Mark hinter dem Drauwald, Car. I 151 (1961), S. 532f.; W. Fresacher, Der Besitz des Klosters St. Paul in Kärnten, Car. I 149 (1959), S. 356ff.
63. Schroll, Marchstaller (wie Anm. 4), S. 101.
64. StA, HS 16/0, Pars III (wie Anm. 59), fol. 1028; Schroll, Marchstaller (wie Anm. 4): hier wird ein Amt Hartelstein (?) genannt, wohl Hartneidstein.
65. StA, HS 293e/0 „Urbaria / Aller und Jeder / Güetter des Gots/hauß St. Paul / In Kharnte(n) / Renoviert und / Aufgericht / durch Herrn Hieronymu(m) Abbt / < In Jahr 1638 5 April >, pag. 133; Schroll, Marchstaller (wie Anm. 4), S. 112.
66. Ebd., S. 110.
67. Ebd., S. 133ff.
68. Ebd., S. 111ff.; Fresacher, Besitz St. Paul (wie Anm. 62), S. 44; siehe auch hier, S. 358 und 566.
69. Schroll, Marchstaller (wie Anm. 4), S. 112; J. Obersteiner, Die Bischöfe von Gurk 1072–1822 (1969), S. 356 u. Anm. 37; Erläuterungen zum Historischen Atlas der österreichischen Alpenländer, I/4: Kärnten. Von A. v. Jaksch u. M. Wutte (1914), S. 151.
70. StA, Akten, Fasz. 50, Nr. 320; Schroll, Marchstaller (wie Anm. 4), S. 116ff.; H. Wiessner, Zur Geschichte der Burgen Rabenstein und Loschental, Car. I 149 (1959), S. 726; Fresacher, Besitz St. Paul (wie Anm. 62), S. 45ff.; Rader, Geschichte der Äbte 3 (wie Anm. 1), S. 32.
71. StA, HS 293e/0 (wie Anm. 65), pag. 177; Schroll, Marchstaller (wie Anm. 4), S. 123ff.
72. Ebd., S. 308.
73. StA, HS 1/0: *Nasci Pati Mori / Hoc est / De Fundatione / Rerum statu / Prospero Adverso / Vita et Morte / Fundatorum (et) Benefactoru(m) / Abbatum et Monachorum / Monasterij S(ancti) Pauli vallis Lavantinae / Auctore / R(everendissi)mo D(omi)no Hieronymo Abbate / Monasterij eiusdem / Anno D(omi)ni. M.DC.XIX.*, fol. 2: *Reverendis. Religiosis, mihiq(ue) in Christo clarissimis Patribus et Fratribus Monasterii Sancti Pauli Professis.*
74. Schroll, Marchstaller (wie Anm. 4), S. 104, S. 138.
75. StA, HS 17/0 (wie Anm. 16).
76. Ebd., HS 16/0 (wie Anm. 59), fol. 1051.
77. NB Wien, HS cod. 8395: Archivum Monasterii s(ancti) Pauli in Carinthia. Pars secunda ab anno 1500 usque ad 1600. Collectum opera R(everendi) D(omini) Hieronymi Abbatu Einsdem Monasterii anno 1625; vgl. Schroll, Marchstaller (wie Anm. 4), S. VII.
78. StA, HS 16/0 (wie Anm. 59), fol. 1051; Schroll, Marchstaller (wie Anm. 4), S. 104.
79. StA, HS 324/0.
80. Ebd., HS 292a–d/0: in einer Säulenarchitektur sind die Hll. Petrus und Paulus gemalt, unten links das Landeswappen, in der Mitte das persönliche Wappen des Abtes, rechts das Stiftswappen.
81. Ebd., HS 325/0.
82. StA: siehe Archivkatalog.
83. Ebd., HS 292/0 (wie Anm. 80).
84. Ebd., HS 293e/0 (wie Anm. 65), fol. 1ff.
85. Schroll, Marchstaller (wie Anm. 4), S. VII.
86. Siehe dazu hier, S. 562.
87. StA, HS 1/0 (wie Anm. 73), fol. 1ff.
88. Vgl. Anm. 11; vgl. dazu auch hier, S. 281.
89. Sein Wissen über die Spanheimer bezog sich aber offensichtlich nur auf sein Kloster St. Paul, denn bei der Darstellung der Stiftung von Viktring zeigte er sich erstaunlich uninformiert; vgl. Schroll, Reise nach Rom (wie Anm. 59), S. 25: Im Itinerar seiner Reise nach Rom im Jahre 1625 nannte er noch „den Grafen Meinhard von Malentin und dessen Gattin Kunigund" als Stifter; ihm folgte Schroll hier offensichtlich kritiklos (richtig: Graf Bernhard von Spanheim, gest. 1147, und seine Gattin Kunigunde, Tochter des Markgrafen Ottokar I. von Steyer); StA, Akten, Fasz. 8, Nr. 61: Reise nach Rom.

90. EBD., HS 2/0.
91. SCHROLL, Marchstaller (wie Anm. 4), S. 126ff.
92. Vgl. WIESSNER, Rabenstein (wie Anm. 70), S. 726. Zum ursprünglichen Wappen der Fohnsdorf-Rabenstein siehe G. GAICH-FAUSTER, Genealogie und Besitzgeschichte der Familien von Praitenfurt, Fohnsdorf-Rabenstein (Diss. Graz, 1976), S. 201ff.
93. Vgl. das Marktwappen: In Grün das Lamm Christi; KLA, Wappenbuch C, fol. 32.
94. SCHROLL, Marchstaller (wie Anm. 4), S. 272ff.; vgl. SCHROLL, Benediktiner-Stift (wie Anm. 1), S. 174; FRESACHER, Besitz St. Paul (wie Anm. 62), S. 356; M. WUTTE, Die Wappen in den Wappensälen des Landhauses zu Klagenfurt und in den Wappenbüchern des Kärntner Landesarchives, Car. I 127 (1937), S. 123 bzw. S. 144.
95. SCHROLL, Marchstaller (wie Anm. 4), S. 295.
96. STA, HS 16/0, Pars V. (wie Anm. 59), pag. 393 u. 543.
97. SCHROLL, Marchstaller (wie Anm. 4), S. 127.
98. EBD., S. 227ff.
99. EBD., S. 116, S. 196ff.
100. EBD., S. 220.

Entwicklung des Stiftes St. Paul im 17. und 18. Jahrhundert im Spiegel der Finanzdaten

WERNER DROBESCH

1. Der Versuch der ökonomischen Konsolidierung unter den Äbten Hieronymus Marchstaller und Paul Memminger

Die wirtschaftliche Entwicklung des Stiftes St. Paul während dem 17. und 18. Jahrhundert ist vor dem Hintergrund einer tiefgreifenden Neustrukturierung und Neuorientierung der gesamteuropäischen Wirtschaft mit der Ausbildung neuer Bewirtschaftungsformen sowie neuer Geschäftstechniken im Waren- und Geldhandel zu sehen. Zunächst wirkte sich die Wirtschaftskrise, von der Europa seit dem letzten Drittel des 16. Jahrhunderts erfaßt worden war, auf den regionalen Bereich aus. In besonderer Weise davon betroffen waren die Klöster. Diese vernachlässigten einerseits als Folge der geistigen Zerrüttungen der Reformation ihre Funktion als Grundherren. Andererseits gerieten sie infolge der Türkenkriege in eine materielle Krise.[1] Das gilt auch für St. Paul. Noch am Beginn des 17. Jahrhunderts hatte das Stift existenzielle Schwierigkeiten zu überwinden gehabt. In einer Zeit, in der die Tendenz dahin ging, die eigene Grundherrschaft durch Zukauf oder Tausch von Gütern abzurunden und zu erweitern, verschrieb sich das Stift einer diesen ökonomischen Notwendigkeiten entgegengesetzten Wirtschaftsführung. Mit der Überlassung der Herrschaft Faal an Niclas Lechner, den Bruder des Abtes Vinzenz Lechner (1583 – 1616), nahm man sogar größere Besitzverluste hin.[2] In welchem Maße sich die Besitzsubstanz des Klosters, damit konformgehend ebenso die Einnahmenbasis, binnen eines Jahrhunderts verringert hatte, zeigt ein Blick in den Auszug des Generaleinnehmeramtes von 1630. Diesem zufolge war das Stift „mitsammt den Pfarren und Zukirchen" 1518 noch mit „913 Pfund beansagt" worden, „in Folge des Verkaufs des vierten Theiles der geistlichen Güter blieben 1536" nur mehr 686 Pfund „Beansagung", die für den Zeitraum 1606 – 1618 wieder, allerdings nur geringfügig, auf 789 Pfund, das waren 394 Huben, 159 Zulehen und 36 Keuschen, anstieg.[3] Zusätzlich schwächten die Verpfändungen und Verkäufe die ökonomische Substanz des Klosters. Das Fehlen einer geordneten, von betriebswirtschaftlich - kapitalistischen Grundsätzen bestimmten Temporalienverwaltung und die finanziellen Auslagen für militärische Belange aufgrund der Türkeneinfälle potenzierten die wirtschaftliche Krise des Stiftes. Eine Neuordnung der klösterlichen Wirtschaft war dringend notwendig geworden.

Diese Konsolidierung, zumindest für den ökonomischen Bereich, wurde von dem 1616 zum Abt gewählten Hieronymus Marchstaller (1616 – 1638) – Beda Schroll bezeichnet ihn als „zweiten Stifter des Klosters" – von allem Anfang an konsequent vorangetrieben. Mit ihm stand im Gegensatz zu seinen Vorgängern ein Mann an der Spitze des Konvents, der über wirtschaftliche Kompetenz verfügte. Bereits 1604 hatte man ihn in seinem Heimatkloster Ochsenhausen mit der Wirtschaftsverwaltung betraut. Unter seiner Amtsführung setzte im Stift wieder eine geordnete Temporalienverwaltung ein. Dies manifestierte sich u. a. darin, daß er die bestehenden Urbare, in denen jegliche Systematik fehlte (*Urbaria monasterii alioquin vetustate attrita, disiecta, corrupta et lacerata undique erant, . . .*), in einem Gesamturbar zusammenzog und sich damit einen Gesamtüberblick über die Einnahmen verschaffte. Jetzt standen im Urbar auch die vielen „extraordinären" Gefälle, „welche bisher ausser den Urbaren auf ‚Skartheken' hin und her verzeichnet waren, die Verwalter innehatten und zu ihrem Nutzen bezogen".[4] Dann setzte er ganz im Sinne einer zentralistischen Wirtschaftsführung durch, daß jenes aus dem Jahr 1320 stammende Privileg, wonach ein jeder Konventuale zu gewissen Zeiten von dem Einkommen der Konventsgüter einen Teil erhielt und über diese Einkünfte frei verfügen konnte, seine Gültigkeit verlor. Nur zu gut wußte Marchstaller um das Fehlen dieser Einkünfte in den gesamtklösterlichen Finanzen. Er setzte durch, daß das Eigentum der Konventualen unter die Verwaltungskompetenz des Abtes fiel. Von nun an hatte jeder Konventsangehörige sein Vermögen der klösterlichen Gemeinschaftskasse zu übergeben.[5] Darüber hinaus begann er mit einer An- und Rückkaufspolitik der in den Jahrzehnten zuvor verlorengegangenen Ämter und Herrschaften. Parallel dazu verkaufte man entferntere Besitzungen, mit dem Ziel, durch Konzentration des Güterbesitzes auf das Lavanttal die Schaffung eines geschlossenen Wirtschaftsraumes zu erreichen. Mit dieser Wirtschaftspolitik entsprach Marchstaller den Tendenzen der Zeit, nämlich die feudale Grundherrschaft in ein gewinnorientiertes Unternehmen umzustrukturieren. Trotz des Dreißigjährigen Krieges, der steuerliche Belastungen für das Stift mit sich brachte, betrieb die Stiftsführung eine expansive Wirtschaftspolitik. Nach einer Phase der inneren Konsolidierung erwarb es 1629 die Herrschaft Rabenstein mit 97 Huben, 19 Zulehen und 25 Keuschen (Kaufsumme: 60.000 fl), des weiteren die Herrschaft Unterdrauburg mit 25 Huben, 11 Zulehen und 10 Keuschen (Kaufsumme: 20.000 fl und 100 Dukaten Leihkauf).[6] Bereits zuvor war die Herrschaft Faal wieder dem klösterlichen Besitz einverleibt worden, indem Abt Marchstaller die 1589 von seinem Vorgänger durchgeführte Verschreibung der Herrschaft für ungültig erklärte. Finanziert wurden diese Ankäufe durch den Verkauf entfernterer Ämter (St. Georgen an der Pössnitz, Gamlitz) und durch Fremdkapital, dessen Aufbringung sich überaus schwierig gestaltete, da „die Unkatholischen aus dem Lande ziehen und daher die Klöster und Katholischen im Lande ihr Geld zur Erkaufung der Güter derselben verwenden".[7] Ein Jahr nach dem Erwerb dieser Herrschaften begann Abt Hieronymus mit der Rückzahlung der dafür aufgenommenen Darlehen, wohl ein erstes Anzeichen für die Gesundung der klösterlichen Finanzen. Vor allem war es ihm gelungen, die Einnahmen zu erhöhen. Daß das Kloster bis zu diesem Zeitpunkt seine ökonomische Krise großteils überwunden hatte, wird aus dem bereits angeführten Auszug aus dem Generaleinnehmeramt deutlich. Hatte die „Beansagung" des klösterlichen Besitzes bei der Abtwahl lediglich 789 Pfund betragen, stieg diese innerhalb von vierzehn Jahren durch den Ankauf oben angeführter Herrschaften und anderer kleinerer Besitzungen auf 1163 Pfund an.[8] Trotz der Ausgaben für den Erwerb neuer Besitzungen war es ihm gelungen, binnen zweier Jahrzehnte den Schuldenstand erheblich abzubauen. Belief sich dieser beim Tod seines Vorgängers auf 75.000 fl, waren es nun,

1638, nur mehr 42.085 fl.[9] Diese Politik der Umwandlung der Grundherrschaft in ein gewinnorientiertes Unternehmen setzte Marchstallers Nachfolger Paul Memminger (1638–1660) trotz ungünstigerer Rahmenbedingungen fort. Bestehende Besitzungen wurden erhalten, weitere (1651 die Herrschaft Kollnitz, 1656 das Amt Goding) hinzugekauft, wofür das Stift als Kaufsumme 76.000 Gulden auszulegen hatte.[10] Für die weitere wirtschaftliche Gesundung waren aber nicht allein diese Erwerbungen, deren Ankauf ja große Geldsummen erforderlich machte, verantwortlich, sondern vielmehr die Fortführung jener Reformen in der inneren Neuorganisation des Wirtschaftssystems, die noch von seinem Vorgänger initiiert worden waren. Unter anderem hatte bereits Abt Marchstaller in einem internen *Directorium cultus divini et disciplinae monasticae monasterii sancti Pauli ex octennali tradita et observata praxi autore reverentissimo Hieronymo abbate eiusdem monasterii nono sui regiminis anno 1624* Sparsamkeit in der Lebensführung der Mönche postuliert. So mußte beispielsweise das Geld, das die Mönche von einem *Viaticum* zurückbrachten, dem Abt am Tage der Heimkehr zurückerstattet werden. Ebenso wurden sie verpflichtet, eine schriftliche Abrechnung vorzulegen.[11] Abt Memminger seinerseits verpflichtete die vom Stift zur Temporalienverwaltung eingesetzten Beamten, darauf zu achten, ob die Untertanen „ihr Hubwerk, Gründt und Böden innehaben, ob sie in ordentlicher Weis besetzt und auch ihre Schulden abzahlen (. . .), die Roboth und andere Herrenforderungen in Gehorsam zu gewisser und bestimmter Zeit unfehlbar leisten, ebenfalls die Steuern und Zinsen treulich und ohne Abgang erlegen (. . .)“.[12] Brachten diese Maßnahmen nicht die erwarteten Einnahmen, scheute er nicht davor zurück, die Abgaben der Untertanen zu erhöhen. Mitentscheidend für den in der ersten Hälfte des 17. Jahrhunderts einsetzenden wirtschaftlichen Aufschwung war neben der Hebung der internen Klosterdisziplin ohne Zweifel die ausgeprägte wirtschaftliche Kompetenz dieser beiden Äbte, die sich u. a. darin manifestierte, daß sich der Abt persönlich der wirtschaftlichen Angelegenheiten annahm, in diese einschaltete und als Kontrollinstanz fungierte. 1647 etwa tadelte Abt Memminger den Verwalter Leutzendorfer, dieser hätte in der ihm unterstellten Herrschaft Faal mehr Getreide und Wein als in den Jahren zuvor verbraucht. In einer anderen Angelegenheit bemängelte er das Fehlen von Rechnungsbelegen und die falsche Berechnung des Verkaufspreises von Getreide.[13] Diese kompromißlose Betriebsführung, begünstigt durch einen in Mitteleuropa einsetzenden kurzfristigen Aufschwung im Agrarbereich, beschleunigte die ökonomische Sanierung des Stiftes. Eine *Specificatio. Industria oeconomica Abba sancti Pauli* über die von Abt Memminger verausgabten Gelder bzw. Außenstände ergab *debita activa* in der Höhe von 264.171 fl:

In vivis debita antecessoris ob empta domina Rabenstain et Traburg soluta	42.151 fl
Dominum Colnitz emptum	66.000 fl
Pro Goding	11.000 fl
Capitale posuit in provincia Carinthia	40.000 fl
Item in Styria	6.055 fl
Comitis Paradeiser suisque nominati capitale	16.500 fl
aliorum diversorum	4.310 fl
Pro emptis vineis expendit	7.000 fl
Pro aedificiis ad minimum	8.000 fl
Debita subditorum	63.155 fl
Debita activa	264.171 fl[14]

Finanziert wurden die Ankäufe in der Hauptsache durch Einlösung von Schuldbriefen, lediglich 19.000 fl mußten bar erlegt werden. Diese Form der Finanzierung war zu einem guten Teil dafür verantwortlich, daß sich trotz reger Bautätigkeit und umfangreicher Gebietsankäufe die wirtschaftliche Gebarung des Klosters nicht verschlechterte. Ergebnis dieser Wirtschaftsführung, die die Grundherrschaft als ein Instrument der Kapitalbeschaffung auffaßte, war, daß sich unter Abt Memminger der Schuldenstand des Klosters erheblich minderte. Allerdings divergieren die Angaben über dessen Höhe. Setzte der Verfasser des *Album Benedictino san Paulense* (...) diesen zum Zeitpunkt des Todes des Abtes mit 2900 fl an,[15] so beliefen sich nach den Berechnungen Beda Schrolls die Passiva auf 12.000 fl.[16] Festzuhalten bleibt, daß das Stift beim Tod Memmingers nach wie vor ein reines Agrarunternehmen war. Es ist daher nicht verwunderlich, wenn es von der nach dem Dreißigjährigen Krieg in Mitteleuropa einsetzenden Agrardepression erfaßt wurde. Erste Anzeichen einer Verschlechterung im wirtschaftlichen Bereich des Stiftes zeigten sich unter Abt Philipp Rottenhäusler (1661–1677). Zwar setzte dieser die Bestrebungen seiner beiden Vorgänger fort, durch Ankäufe (1661: Gollnerhof bei Allersdorf um 850 fl; 1666: Lembach am Kollenberg um 24.000 fl; 1667: die Herrschaften Lavamünd und Loschental um 60.000 fl; 1668: Gut Mosern im Lavanttal um 16.000 fl) den Besitz auf den Lavanttaler Raum zu konzentrieren.[17] Während seiner Amtszeit gelang es aber nicht mehr, ausgeglichen bzw. positiv zu bilanzieren. Die Gründe hierfür mögen darin liegen, daß sich die wirtschaftliche Ertragsfähigkeit der Grundherrschaften allgemein stark verringert hatte. Andererseits verursachten die Türkenkriege – St. Paul hatte für die Verpflegung und Einquartierung durchmarschierender Truppen aufzukommen – und Katastrophenfälle überdurchschnittliche Ausgaben. All das schlug sich in der Vermögensbilanz des Klosters nieder. Zwar hatte dieses durch die zahlreichen Ankäufe im südlichen Lavanttal seinen Besitzstand arrondiert – das Stift war „von nun an fast ausschließlich die Grundherrschaft des südlichen Lavanttales“ –, doch waren innerhalb von zehn Jahren die Passiva erheblich angewachsen. Die lange Depression auf dem Agrarmarkt hatte die klösterliche Wirtschaft voll erfaßt, was sich in der beim Tod Abt Rottenhäuslers aufgenommenen Vermögensbilanz widerspiegelte. Denn nun belief sich der Schuldenstand des Klosters bereits auf 102.000 fl.[18]

2. Montanindustrielle Experimente und der Beginn des ökonomischen Niederganges unter Albert I. Reichart

Als Reaktion auf die sich abzeichnende frühmerkantile Wirtschaftsordnung, die nicht mehr allein im Grundbesitz eine Erwerbsquelle sah und die die Schaffung industrieller Unternehmungen forcierte, geriet das Wirtschaftsunternehmen Kloster, das als Grundherrschaft ganz auf die Landwirtschaft als Einnahmequelle fixiert war, allgemein in eine Krise. Ganz im Sinne des Merkantilismus, der in der Förderung des Bergbaues und der gewerblichen Politik ein wesentliches Ziel sah, und mit der Übernahme frühkapitalistischer Produktionsformen vollzog sich der Einstieg kirchlicher Grundherren in montanistische Unternehmungen, etwa jener des Gurker Domkapitels in der ersten Hälfte des 17. Jahrhunderts.[19] St. Paul, das bis dahin keine ernstzunehmenden gewerblich-industriellen Initiativen entwickelt hatte, folgte in den 1680er Jahren diesem Trend. Trotz des Umstandes, daß sich bereits im späten 16. Jahrhundert als Folge der Konkurrenz des überseeischen Edelmetalls der Edelmetallbergbau als unrentabel erwiesen hatte, erhoffte man sich nun aus dem Abbau von Eisen- und Bleierzen finanziellen Gewinn. Obwohl seit 1553 durch die „Pergk-Ordnung“ Ferdinands I. unter landesfürstliches Kuratel gestellt, konnte sich der Eisenbergbau im Gegensatz zum Salz- und Quecksilberbergbau in privater Hand behaupten. Abt Albert I. Reichart (1677–

1727) sah in einem Einstieg in den Bergbau und in der Schaffung kleinindustrieller Unternehmen im Sinne einer ökonomischen Modernisierung eine zukunftsträchtige Investition, die die finanzielle Einkommenssituation des Klosters verbessern konnte. Dies erschien ihm umso notwendiger, als die Ausgaben durch Kriegssteuern, weitere Ankäufe, den Ausbau des Klosters und Kirchenneubauten geradezu explodierten. Er knüpfte hiermit an die Versuche des frühen 16. Jahrhunderts an, als Abt Johann IV. Pappenpichler (1500–1515) einen zaghaften Einstieg in den Eisenbergbau durch Ankäufe von Eisenhämmern bei St. Johann am Brückl und in Klein St. Paul versucht hatte. 1679 kaufte der Abt um 1400 fl im Bereich der Kärntner Eisenwurzen eine Stuckhütte im Markte Hüttenberg mit zwei Knappenteilen an der Paadgrube und ebenso zwei Teilen an der Pock „samt der halben Grueben Johannesstollen mit völligem Hüttenzeug und Pölgern“,[20] wozu am 31. Jänner 1680 der Ankauf der halben Brandgrube, eines weiteren Teiles der Paadgrube und der ganzen Pfannerhütte um 1480 fl von Wolf Andrä von Ottenfels kam.[21] Zwischen diesen beiden Ankäufen lag der Versuch, um das erzeugte Roheisen in Eigenregie zu Eisenwaren verarbeiten zu können, die kaiserliche Konzession für die Errichtung eines Hammerwerkes zu bekommen. Dieses Ansinnen scheiterte aber am Einspruch des Nachbargewerken, des Bischofs von Bamberg, der sich energisch gegen die Errichtung des Hüttenwerkes wandte, mit der Begründung: „Wenn ihnen (= den Untertanen) diese Vorteile gemindert werden, bin ich nicht in der Lage, die jährlichen Landesanlagen zu zahlen.“[22] In den folgenden Jahren erweiterte das Stift seine Besitzungen am Hüttenberger Erzberg. Noch 1681 kaufte es in Hüttenberg ein Haus samt Garten für die Hüttenarbeiter, 1683 „wegen großer Ermangelung der Erz“ die „Fuxbaugrueben“ von Balthasar Ebner um 241 fl.[23] Daß man diese Ankäufe nicht aufs Geratewohl tätigte und sich von gewinnorientierten Überlegungen leiten ließ, wird aus einer detaillierten Kosten-Nutzen-Rechnung ersichtlich. Danach wurde ein täglicher Gewinn von zwei fl errechnet, falls man ein Maß Erz um 18 fl verkaufen konnte und die Produktions- und Personalkosten nicht höher als 16 fl waren. Unter der Voraussetzung, an jährlich mindestens 200 Arbeitstagen 200 Maß Erz zu produzieren, errechnete man Einnahmen von 3600 fl, von denen die Betriebskosten in der Höhe von 3200 fl abgezogen werden mußten, was einen jährlichen Reingewinn von 400 fl ergab. Zu einem noch positiveren Betriebsergebnis gelangte eine zweite Rentabilitätsstudie. Dieser zufolge belief sich der zu erwartende Gewinn für die beiden Stuckhütten auf 1800 fl.[24] All diese Überlegungen blieben graue Theorie, solange es nicht gelang, das Roheisen gewinnbringend zu verkaufen, nachdem die Möglichkeit, mit einem eigenen Hammerwerk zu arbeiten, nicht wahrgenommen werden konnte. Ein erster Erfolg auf der Suche nach Abnehmern stellte sich 1681 ein. Am 20. Jänner 1681 wurde zwischen dem Stift und dem Gurker Dompropst Wolfgang Andreas Gösel von Thurn „ein Eisenschluß vorgenommen und kontrahiert“, wonach sich dieser für 244 fl Altgeld verpflichtete, monatlich 18 Züge Roheisen für den Hammer in Pöllau abzunehmen.[25] Dieser Abschluß dürfte allerdings der einzige gewesen sein. Denn betrachtet man die Ertragslage der ersten Betriebsjahre, offenbaren sich von Anbeginn an große Schwierigkeiten. Lediglich im ersten Betriebsjahr erwirtschaftete man ein positives Betriebsergebnis, deckten sich die Einnahmen mit den Ausgaben. Diese positive Bilanz täuschte insofern, als vor allem für die weitere Nutzbarmachung Instandsetzungsinvestitionen zu tätigen waren: Aufwendungen für die Neuauszimmerung der beiden Stuckhütten, die „wegen des langwierigen Feierns ganz ruiniert waren“, und für die Gruben. Da waren aber auch von Anfang an die permanenten finanziellen Engpässe bei der Auszahlung der Löhne an die Arbeiter und bei der Bezahlung der Lieferanten. Bereits im ersten Betriebsjahr schuldete das Stift seinem Verweser Jakob Poßl für Erz- und Lehmfuhren 28 fl, 1681 waren es bereits 35 fl. Hinzu kamen noch Schulden bei den Hütten: 250 fl beim Propst von Wieting für geliehenes Verlagsgeld (1682 streckte dieser nochmals 300 fl vor), 270 fl bei den Bauern für Kohlen- und 93 fl für Erzfuhren, 10 fl bei den Hüttenleuten für Lohn und Frühstücksgeld, 28 fl bei den Knappen für Postgeld, 22 fl Waaggeld in Althofen und 50 fl für die Besoldung des Verwesers.[26] Diese Bestandsaufnahme aus dem Jahre 1681 läßt schon den Mißerfolg des Montanbetriebes in Hüttenberg erahnen. In den folgenden Jahren verschlechterte sich die Bilanz der Hüttenberger Montanbesitzungen erheblich. Von 1683 bis 28. Februar 1684 wurden für Kohlen-, Erz- und Eisenfuhren 183 fl nicht mehr ausbezahlt, 1685 schuldete man für Fuhren allein 220 fl. Angesichts der immer prekärer werdenden finanziellen Situation ging man nun daran, Teile des Hüttenberger Besitzes zu verpachten (17. Juli 1685 Verpachtung der schadhaft gewordenen Marktstuckhütte mit einem Teil der Pock- und Paadgrube an den Hüttenberger Bürger Niklas Pucker auf drei Jahre; 1. Juli 1688 Verpachtung der Pfanner- und Markthütte mit Erz-, Kohlen- und Lehmvorrat an Matthias Tanger), um wenig später (1689) sämtliche stiftliche Besitzungen am Hüttenberger Erzberg um die Summe von 2500 fl zu verkaufen.[27]

Trotz des Hüttenberger Desasters riskierte Abt Reichart wenige Jahre später erneut den Einstieg in den Erzbergbau. 1696 erwarb das Stift gleich drei Montanbetriebe: die Bleierzgruben am Hochobir, ein Silberbergwerk bei Klein St. Paul und ein Eisenbergwerk an der Goding. Wenngleich die Quellenlage über diese Ankäufe und deren wirtschaftliche Gebarung äußerst dürftig ist, lassen sich Aussagen über deren Rentabilität tätigen. Fest steht, daß am 24. Oktober 1696 der Kärntner Oberstbergmeister Johann Franz Reichsgraf von Dietrichstein gemeinsam mit dem Friesacher Bergrichter Johann Andreas Auer dem Stift das silberhältige Kieserz bei St. Paul unter Hornburg verkaufte, und daß vier Tage später der Abt mit dem desolaten Bergwerksbetrieb an der Goding samt Floßofen am Ragglbach belehnt wurde.[28] Schon ein halbes Jahr zuvor hatte das Stift Bleierzgruben am Hochobir „samt all den dabei befindlichen Bleierz, Knappenzeug und aufgesetzter Knappenhütte“ um 300 fl von Graf Johann Wilhelm von Attems erworben, wobei 100 fl sofort bar zu erlegen waren, der Rest zu Neujahr 1697.[29] Des weiteren vereinbarte man, sollte das Bergwerk Gewinne abwerfen, daß eine Hälfte des Nettoertrages dem Stift, die andere dem Grafen Attems zufallen solle. Um sicherzugehen, ließ Abt Albert – zumindest für die Silbererzgruben in Klein St. Paul ist dies dokumentiert – eine Reihe von Gutachten einholen, die allerdings in der Beurteilung der Rentabilität voneinander divergierten. Während Johann Sebastian Kylhol von einer Weiterführung des Betriebes im Klein St. Pauler Bergwerk aufgrund der geologischen Gegebenheiten, die wiederum einen erhöhten Personalaufwand nötig machten, abriet,[30] sprach sich das Gutachten des Jakob Poden, Bergwerksverweser des Stiftes Admont in dessen Kupferbergwerk Kallwang, für eine Weiterführung des Betriebes aus.[31] Reichart folgte dem Rat Kylhols, der mit seinem Urteil Recht behalten sollte. Denn die Praxis zeigte sehr bald die Nichtrentabilität der beiden Gruben. Für den Klein St. Pauler Betrieb läßt sich dies anhand einer Verrechnung für das Jahr 1700 belegen. Danach wurden für den Zeitraum vom 6. Mai bis 7. November 1700 Einnahmen von 97 fl verbucht, denen Ausgaben in der Höhe von 171 fl gegenüberstanden.[32] Es ist anzunehmen, daß beide Bergwerke kurz nach 1700 vom Stift wieder verkauft wurden. Zu diesem Zeitpunkt dürfte man sich auch bereits des im Oktober 1696 erworbenen Eisenbergbaus an der Goding entledigt haben.[33] Neben diesen montanbetrieblichen Versuchen etablierte sich das Stift auch als Unternehmer in der Glasfabrikation. 1687, angeregt durch bereits in der benachbarten Steiermark bestehende Glashütten, ließ Abt Albert I. auf der Lavamünder Alpe eine Glashütte errichten, die er 1688 an die Glasermeister Sebastian Zitzmann und Kaspar Job auf zehn Jahre verpachtete.[34] Das Stift selbst trat aber als eigenständiger Unternehmer in den folgenden Jahren nicht auf. Die Ursachen für das Scheitern dieser Ambitionen im montanistischen Bereich lagen zum einen im fehlenden Know-how für den Bergbau, in dem sich ein starker Konkurrenzkampf abzuzeichnen begann. Von vornherein besaß der finanzkräftige Unternehmer einen Startvorteil, waren doch zum Einstieg in den Bergbau hohe Investitionen notwendig. Zwangsläufig mußten die kleinen Gewerke – zu diesen ist auch das Stift zu zählen – in dieser Auseinandersetzung den kürzeren ziehen, fehlte ihnen doch die finanzielle Basis, um im Kampf um Marktanteile den längeren Atem zu haben. An die Stelle des geistlichen und adeligen Herrschaftsunternehmers trat jetzt der bürgerliche Unternehmer, für den nicht die Grundherrschaft, sondern Kapital und Wissen Ausgangspunkt der ökonomischen Ambitionen waren.

Zusätzlich zu den Belastungen einer expansiven Wirtschaftspolitik, die dem Kloster keinen Gewinn, sondern nur neue Schulden brachte, kamen noch die Belastungen durch die Türkenkriege, etwa die Vorschreibung einer Vermögens- und Kopfsteuer oder die Zahlung von Darlehen. 1683 war der hundertste Pfennig vom Vermögen, 1685 der hundertste Teil der Kirchengüter und zusätzlich von jedem Pfund Geld ein Gulden sowie von 100 fl Kapital 1 fl 24 kr als Kriegssteuer zu entrichten. 1686 setzte der Kaiser auch für die in letzter Zeit erkauften Güter eine Kriegssteuer fest, die für St. Paul immerhin eine Summe von 45.000 fl ergab. Hinzu gesellten sich in den folgenden Jahren weitere Abgaben: 1696 und 1701 je 900 fl bzw. 240 fl an Kärnten bzw. an die Steiermark, 1693 1787 fl Kopfsteuer für den Konvent und die Untertanen in Kärnten, 1690 als Beitrag zu einem „freiwilligen" Staatsdarlehen 2560 fl und schließlich die Beiträge als Angehöriger des Prälatenstandes in Kärnten in den Jahren 1693, 1697, 1705, 1706 und 1709 in der Höhe von 29.577 fl.[35] Belastend für die klösterlichen Finanzen wirkte sich aber ebenso die rege Bautätigkeit zu dieser Zeit aus, die erhebliche Kapitalaufwendungen erforderlich machte.

Resultat dieser von Abt Reichart betriebenen finanziellen Überforderung des Klosters war ein exorbitantes Anwachsen des Schuldenstandes von 102.000 fl im Jahre 1677 auf 358.000 fl im Jahre 1727,[36] was dazu führte, daß das Stift unter staatliche Vormundschaft gestellt wurde. Von nun an hatte es der Regierung jährlich eine Jahresabrechnung vorzulegen. Selbst diese Maßnahme brachte nicht den gewünschten Erfolg. Ein „Summarischer Entwurff über den Statum Activum et Passivum des Klosters St. Paul in Kärnthen gezogen anno 1728" offenbart die angespannte finanzielle Lage des Stiftes. Diesem zufolge wurde die Schuldenlast mit 355.050 fl beziffert, der eine „Summa des völligen Vermögen und jährliche Ertragnüß kapitaliter angeschlagen" von 669.342 fl gegenüberstand.[37]

Unter den Nachfolgern Alberts I. Reichart, Johann IV. Rainer und Benedikt Hasler, erhöhte sich der Schuldenstand, zunächst auf 405.000 fl im Jahre 1742, dann auf 458.000 fl im Jahre 1748.[38] Zwar schienen die ersten Jahre der Regentschaft Anselms I. Passauko eine kurze Phase der ökonomischen Gesundung einzuleiten. Letzten Endes aber war der sich abzeichnende finanzielle Kollaps nicht aufzuhalten. Ab 1757 verschlechterte sich im Verlauf der System- und Strukturkrise der feudalen Ökonomie die wirtschaftliche Lage des Klosters rapid, beschleunigt durch eine Reihe von weiteren Fehlinvestitionen.

Tabelle 1
Die Einnahmen des Stiftes St. Paul aus den Ämtern 1748/1754
Gelddienste vom Jahre

	1748		1754	
	fl	kr	fl	kr
Amt Weinberg	1.989	39 1/2	1.937	17 1/2
Amt Rabenstein	3.807	23 1/2	3.700	38 1/2
Amt Hartelsperg	393	28 1/2	344	8
Amt Goding	543	15 1/4	448	8 1/4
Amt Lavanttal	1.291	33	1.259	23 1/2
Amt Wietering	599	1/2	585	50 3/4
Amt Eis	575	55 1/2	561	12 1/4
Amt Granitztal	960	55 1/4	926	30 1/2
Amt Haberberg	681	48 1/2	664	6 1/4
Amt Pustritz	1.775	53	1.733	51 1/2
Amt Framrach	910	52 1/4	877	25 1/2
Markt St. Paul	399	56	392	36 1/4
Amt Kollnitz	3.634	21	3.563	19 1/4
Amt Loschtal	1.840	21	1.787	55 3/4
Amt Lavamünd	2.245	17	2.209	49 1/2
Amt Mosern	640	42 1/2	622	38 1/2
Amt Wurmbrand	552	15 3/4	537	27 1/4
Amt Unterdrauburg	2.456	22 1/2	2.576	21
Amt Möchling	2.133	52	2.138	52 3/4
Amt Hornburg	412	31 3/4	424	8 1/4
	27.245	24	26.691	40 1/2

Quelle: STA, Akten, Fasz. 351, Nr. 6.

3. Der ökonomische Zusammenbruch in der zweiten Hälfte des 18. Jahrhunderts

Zeichnete sich in den Jahren 1754–1756 noch eine Konsolidierung der klösterlichen Finanzen ab, wenngleich die erhebliche Minderung der Einkünfte aus den einzelnen Ämtern im Vergleich zu 1748 nicht zu übersehen ist, waren die folgenden Jahrzehnte bis zur Auflösung von einer sukzessiven Verschlechterung der Ertragslage bestimmt. Damit folgte die ökonomische Entwicklung des Stiftes einem allgemeinen Trend. Denn um die Mitte des 18. Jahrhunderts geriet die Mehrzahl der Grundherrschaften, geistliche wie weltliche, in eine Krise, zumal sie sich nicht auf die komplexer gewordenen wirtschaftlichen Gegebenheiten einstellen konnten. Hinzu kam noch eine staatliche Politik, die ihre überlieferten Rechte in Frage stellte und ihnen Freiheiten entzog. Die Herrschaft Bamberg etwa befand sich infolge einer kurzsichtigen Wirtschaftspolitik und einer überhandnehmenden „Unordnung“ in der wirtschaftlichen Verwaltung bereits in den 1750er Jahren in existenzgefährdenden Turbulenzen, mitverursacht durch ein mißlungenes Engagement im Montanwesen. Bamberg mußte schließlich 1759 seinen Kärntner Besitz dem Landesfürsten verkaufen.[39] Der neue, merkantilistische Wirtschaftsgeist hatte u. a. zu einer verstärkten Hinwendung der Stände ins Gewerblich-Wirtschaftliche geführt, zunächst vom finanzkräftigen

Adel forciert, in weiterer Folge vom hohen Klerus imitiert. So etwa experimentierte der Gurker Bischof Joseph Maria 1748 mit dem Aufbau eines Eisenverlagswesens und der Errichtung von Eisenmanufakturen.[40] Hinter solchen Überlegungen stand der Gedanke des raschen Gelderwerbs, wobei, was sich gerade für die St. Pauler Montanambitionen als verhängnisvoll erweisen sollte, für einen gewinnbringenden Metallbergbau ein großer Kapitalaufwand nötig war, um überhaupt konkurrenzfähig zu sein. Der neuerliche Einstieg in montanindustrielle Aktivitäten drängte sich allerdings auf, da sich die Geldeinkünfte aus den einzelnen Ämtern weiter verringerten. Ein Vergleich der Einkünfte aus den 19 Ämtern und dem Markt St. Paul von 1748 mit jenen von 1754 ergab bei Gesamteinnahmen von 26.691 fl 40$^{1}/_{5}$ kr Mindereinnahmen von 690 fl gegenüber 1748.

Als Rettungsanker für den Abbau der immer drückenderen Schuldenlast gedacht, suchte man seitens der Stiftsführung nach neuen Einnahmequellen und glaubte, diese durch ein Engagement im Bergbau zu finden, und das, obwohl die Rahmenbedingungen gegen ein solches Vorhaben sprachen. Denn die Patente von 1748 bzw. 1759 brachten ein Wiederaufleben des alten „Eisensystems", d. h. jeder Gewerke durfte nur so viel produzieren, wie ihm staatlicherseits als Jahresquote bestimmt war. Kleineren Waldeisengewerken war damit jegliche Expansion per legem unterbunden. Das führte dazu, daß trotz eines allgemeinen Booms in der Eisenproduktion – Johann von Thys bezifferte sie für das Jahr 1767 trotz einer Limitation von 102.000 Zentner mit etwa 110.000 bis 120.000 Zentner[41] – kleinere Bergwerksbetriebe (z. B. 1769 das Gurker Domkapitel) aufgrund der Konkurrenznachteile ihre Bergwerke verkauften.[42]

Nichtsdestoweniger war für die stiftliche Leitung die Wiederaufnahme des Montanbetriebes ein verlockendes Ziel, erlebte doch die Montanindustrie in Kärnten gerade im 18. Jahrhundert eine Hochblüte. Diese Bemühungen mündeten in der Errichtung eines Eisenbergbaus am Lamprechtsberg (1766 – 1771), später eines Kupferbergbaues und Schmelzwerkes (1771 – 1782) sowie in einer Beteiligung am Eisenbergwerk zu St. Maria in der Wüste in der Untersteiermark.[43] Wie kam es dazu, welcher Art waren die Auswirkungen auf die finanziell-wirtschaftliche Gebarung?

Die ersten Initiativen reichten ins Jahr 1766 zurück, als Abt Anselm I. Passauko in Berufung auf das Privileg vom April 1226[44] um Bewilligung ansuchte, „sotanen Eisenstein zu erheben, sondern auch zu aufarbeitung dessen einen hierzu nötigen Floß-, Stuck- und Plattlofen und das erforderliche Hammerwerk (. . .) errichten zu lassen in allerhöchsten Gnaden zu gestatten". Damit werde nicht nur „meinen eigenen sowohl als fremdschaftlichen an diesen Bergen wohnenden und auf das äußerste erarmten Untertanen zu leichterer Errichtung des Contributionalis durch verschiedene Verdienste die ergiebige Behelfe verschaffen werden". Auch werde niemand Schaden erleiden, im Gegenteil: „Wohl aber hingegen dem Publico. Dem allerhöchsten Camerali und dem Commercio, auch damit die dermalen fruchtlos stehenden Waldungen zu Nutzen gebracht, die daselbigsten Untertanen in ihren Praestandis unterstützt und viele arme Leute lebend gemacht werden."[45] Dieses Ansuchen an die Regierung blieb nicht ohne Erfolg. Nach drei Jahren erhielt das Stift am 19. September 1768 die Bergwerkskonzession „nach Maßgabe unserer landesfürstlichen Bergwerksordnung de anno 1553" mit einer Reihe von Auflagen, die bei genauerer Betrachtung von Anfang an ein wirtschaftliches Florieren unmöglich machten. Es durfte u. a. nämlich „bei diesem Waldeisenbergwerk kein mehreres Raucheisenquantum als was 1000 Mailer aufgeschlagene War erforden erzeuget" werden. Ferner mußten alle „landesfürstlich in Kärnten eingeführt gewohnlichen Rauh- und Hammereisen-, dann Stahl-Fron, wie auch Maut- und

Tabelle 2

Ausgaben des Stiftes St. Paul für die Bergbaustätten Lamprechtsberg/Kärnten und St. Martin in der Wüste/Steiermark

a) Lamprechtsberg/Kärnten

Jahre	Knappenlohn		Pulver Kerzen		Inschlitt arbeit		Schmiede-Eisen		Stahl und Gebäudeholz		Gruben- und Betrag		Summarischer	
	fl	kr	fl	kr	fl	kr	fl	kr	fl	kr	fl	kr	fl	kr
1767	520		51	45	46		19	54	24	30	14	57	677	6
1768	696		78	45	64		30	54	36		20	30	926	9
1769	958		107		85	32	48	39	34		28	35	1.261	46
1770	959		79	45	50		38	42	68	6	25	75	1.269	48
1771	740	20	140	45	43	20	50	40	47	49	39	49	1.062	43
1772	785		100	45	84	40	57	25	36	52	43	52	1.108	34
1773	1.060	45	180	45	151	20	78	56	70	21	218	43	1.760	50
1774	675	28	101	34	45		338	8	54	53	26	14	941	17
Sum.	6.394	33	841	4	569	52	663	18	372	31	416	55	8.958	13

Quelle: STA, Akten, Fasz. 351.

b) St. Martin in der Wüste/Steiermark

Jahre	Knappenlohn		Pulver Kerzen		Inschlitt arbeit		Schmiede-Eisen		Stahl und Gebäudeholz		Gruben- und Betrag		Summarischer	
	fl	kr	fl	kr	fl	kr	fl	kr	fl	kr	fl	kr	fl	kr
1768	810	15½	158	45½	81	19½	43	17½	57	24½	59		1.202	
1769	907	30	65		120	33	36	35½	24	50	29	7½	1.183	
1770	712	30	100		78	55	50	46	9	26½	50	9	1.001	
1771	515	46	100		81	10	29	5½	20	30	39	16	785	
1772	304	48	50		36	40	15	34	2	15	6	46	416	
1773	299		71		154	45	20	24	7	45	10		562	
1774	159	30	36		81	15	11	18	5	24	6		299	
Sum.	3.709	19½	580	45½	634	37½	207	½	127	35	192	18½	5.451	

Quelle: STA, Akten, Fasz. 351.

andere Giebigkeiten" ausnahmslos ent richtet werden, und falls sich der Bergwerksbetrieb auf die Haupteisenwurzen in Hüttenberg negativ auswirken sollte, konnte er für einige Zeit eingestellt bzw. völlig aufgehoben werden.[46] Monate zuvor hatte sich das Stift, nachdem es von der Vordernberger Radmeisterinnung aufgefordert worden war, in „Compagnie" mit ihr zu treten, am Eisenbergwerk zu St. Maria in der Wüste beteiligt.[47] Wie sich die Ertragslage in den beiden Eisenbergwerken gestaltete, ist nur ansatzweise eruierbar. Fest steht, daß man am Lamprechtsberg ab 1767 zehn Knappen beschäftigte. Aus dem „Ausweis, was von Jahr 1767 bis inclusive 1773 auf den Bergbau in Karnthen verwendet worden" bzw. aus jenem, „was von Jahr 1768 bis inclusive 1773 auf den Bergbau in Steyer verwendet worden", wissen wir, wie hoch die finanziellen Aufwendungen für die beiden Bergbaue in diesem Zeitraum waren.

Die Aufstellung für den Lamprechtsberger Bergbaubetrieb zeigt, daß sich die finanziellen Aufwendungen binnen dreier Jahre nahezu verdoppelten und erst 1771, als man den Abbau auf Kupfer umstellte, sich eine Kostenminderung sowohl im Bereich der Personal- als auch der Instandhaltungs- und Investitionskosten einstellte. Überhaupt bedeutete 1771 für den klösterlichen Bergbau eine Zäsur, da man sich am Lamprechtsberg von nun an aufgrund des Fundes von kupferhaltigem Erz ganz auf die Förderung dieses Erzgesteins konzentrierte, wobei, was sich in weiterer Folge als gravierende Unterlassung erweisen sollte, ganz im Gegensatz zu früheren Unternehmungen auf eine Überprüfung der Rentabilität des Gesteines verzichtet wurde. Jenes war nämlich in jeder Beziehung für eine weitere Verarbeitung ungeeignet gewesen. Im Oktober 1782 resümierte der Oberstbergmeisteramtsassessor Johann Paul Fuchs in einem Gutachten über den Montanbetrieb: Die bis dahin „erhauten mehr als 20.000 Zenten Erzten (. . .) seien sehr schlecht ausgeschieden und (haben) meistens in einem unschmölzwürdigen grauen arsenikalischen Kies und mit Katzenglimmer (= leere Bergart, die keine schmelzwürdigen Mineralien enthält) vermischten Gestein bestanden, ohne daß die darbei miteingebrochene gelfig (= bleihältig) und kupferkiesige Erztsorten darvon ausgehalten, sondern das schlechte mit dem weniger guten in die Verschmölzung genommen worden, dadurch dann der gemeine Halt von denen gegen die 6000 Centen verschmolzene Erzt und der mit fürgegangene noch schlechtere Schmölzungsmanipulation nit einmal zu 1 Pfund Kupfer vom Centen Erzt ausgefallen".[48] Die Analysen des Amtsassessors erhielten im nachhinein eine Bestätigung durch eine Studie aus unseren Tagen, die bezüglich der Abbaurentabilität des Lamprechtsberger Erzes ebenso zu einem negativen Ergebnis gelangte: „Wegen des Fe-Gehaltes von 47,45% wäre das Lamprechtsberger Erz schon abbauwürdig, wären die Metalle Cu, Mn und As nicht in dem Maße vorhanden. Andererseits ist es unrentabel, das Erz für die Cu-Gewinnung abzubauen, da dafür der Cu-Gehalt von 5,49% zu gering ist."[49] Unbestritten ist, daß der Kupferbergbau anfangs noch in kleinerem Rahmen betrieben wurde. 1773 begann man aber mit einem intensiveren Ausbau des Bergwerkes. Gleichzeitig dürfte sich das Stift aus dem Eisenbergbau zu St. Martin in der Wüste zurückgezogen haben. Die Aufwendungen für diesen waren seit 1771 kontinuierlich geringer geworden und erreichten 1774 mit 299 fl, davon 159 fl für das Personal, einen absoluten Tiefststand. Konträr dazu stellt sich die Entwicklung am Lamprechtsberg dar. Hier betrug die Zahl der Bergarbeiter Ende 1773 bereits 23 (1 Hutmann, 17 Stollhäuer, 2 Lehrhäuer und 3 Erzscheider) und belief sich das Gewicht des abgebauten Kupfererzes auf 5414½ Zentner. 1775 waren es bereits 6400 Zentner.[50] Es scheint sich geradezu eine Euphorie um diesen Bergbau ausgebreitet zu haben, stellte doch der Abt in einer Anzeige vom 10. Oktober 1774 an den Oberstbergmeister fest, „daß man (. . .) zur Erzeigung des zum Kupferbergwerk (. . .) erforderlichen Kols mit dem Holzschlag anher gehörigen sogenannten Lavamünder Alpenwaldung, welche hierzu commissionaliter erbaut und vorbehalten worden ist, den Anfang nächstens zu machen Vorhabens seie".[51] 1775 übersiedelte in der Person Pater Karlmann Kollmanns ein Verweser auf den Lamprechtsberg und schlug dort seinen Wohnsitz auf. In diesem Jahr ging man auch daran, zusätzlich zum Bergbau ein eigenes Schmelzwerk zu errichten. In einem Schreiben vom 18. Oktober 1775 teilte der Abt der Landeshauptmannschaft mit, man stehe „bereits im begriff, (. . .) das Schmelzwerk und ander hiezu nötige Gebäude, deren einige würklich verfertigt sind, in diesem Jahr vollkommen herzustellen, und den Anfang zur Verschmelzung des Kupfer Erztes zu machen".[52] Jedenfalls war Pater Karlmann als Verwalter des Montanbetriebes am Lamprechtsberg noch im Februar 1778, zwei Monate vor der infolge des Todes des Abtes notwendig gewordenen Inventarisierung, optimistisch und rechnete damit, „daß, wenn Gott noch ferners seinen Segen gibt, das Bergwerkspersonale stark derfte vermehret werden".[53] Bestärkt in dieser Meinung wurde man anläßlich der Erstellung des Inventars über den klösterlichen Vermögensstand vom 23./24. April 1778 durch zwei Vertreter des zuständigen Berggerichts St. Veit, die durch Schätzung des montanbetrieblichen Besitzes zu folgendem Vermögensstand gelangten:

1. „Die Realität des wirklichen Bergbaues (. . .) ist samt der Knappen Wohnung, Scheidstuben, Erztkammer und Bergschmieden nach vormaligen Augenschein (. . .) beanschlagt worden pro 45.000 fl."

2. „An dem Berg befünden sich (. . .) an aufgescheideten, sowohl besseren als schlechteren Kupfererzt 10.400 Centen à 1 fl 28 kr (. . .) 16.720 fl. An unausgeschiedenen dergleichen vermischten Kupfererzten haben sich vorgefunden 9800 Centen à 1 fl 24 kr (. . .) 13.720 fl."

3. „Das sammentliche Schmölzhüttengebau" ist „so zusammen nach dermaligen Stand beanschlagt worden 8000 fl."

4. Das ungeröstete Erz schätzte man auf 22.350 fl, die 5000 „Schaff Kohl" auf 1666 fl 40 kr.

Inklusive sonstiger Restposten gelangten die beiden beim Bergwerk zu einem Gesamtaktivposten von 75.597 fl 9 kr und beim Schmelzwerk zu einem von 33.169 fl 18 kr, im gesamten also 108.766 fl 27 kr. Demgegenüber stand auf der Ausgabenseite, „da von Seiten des Stifft zu St. Paul bei dem Kupferberg und Schmölzwerk kein productum aufgebracht, somit auch notfolglich nichts eingelöset, sondern bisher beträchtliche Ausgaben gemacht worden, (. . .) die bishero bestrittenen Auslagen" in der Höhe von 34.465 fl 38 kr, was einen ideell gedachten Vermögensüberschuß von 74.300 fl 49 kr ergab.[54] Diese positive Bilanz des Bergbaues am Lamprechtsberg dürfte für den am 14. August 1778 zum Abt gewählten Anselm II. von Edling Anlaß gewesen sein, trotz der überaus prekären Finanzlage des Stiftes – dessen Schuldenstand hatte sich unter seinem Vorgänger um weitere 74.649 fl 19 kr vergrößert – am Montanbetrieb festzuhalten, obwohl im Bereich der Schmelzhütte, „ungeacht zu solchen mit einer annoch ziemlichen erforderlichen Geldaufwand mehrerer Gebäude hergestellt werden müssen".[55] Angesichts der angespannten finanziellen Lage und der immer evidenter werdenden Krise im klösterlichen Finanzhaushalt im Herbst 1778 suchte Abt Anselm II. zunächst am 3. November bei der Klagenfurter Bergbehörde an, „sein Stifft mit der Frongebühr in ansehen des geringhältigen Erztes gnädig zu halten und solche zu taxieren". Etwa einen Monat darauf, nachdem inzwischen das Fiasko des Kupferbergbaus voll zutage getreten war, folgte ein Ansuchen um gänzliche Fronbefreiung. Man hatte nämlich herausgefunden, „daß (. . .) von diesem Hoffnungsbau des Kupfererztes bis annonoch gar keinen Nutzen geschöpfet, sondern an dasselbe zwischen 40 und 50.000 fl vermittels Schuldenkontrahierung verwendet" worden sind. Aus diesem Grund ersuche der Abt, „damit unterhabendes Stift als anfangender Gewerken in der Fortsetzung dieses beträchtlichen Werkes nicht gehemmet, sondern zum Nutzen des höchsten Aerarii erleichtert werde mit der Fronbefreiung in solang, als das obernannte Passiva abgestoßen und ersetzt werden in hohen Gnaden angedeihen zu lassen".[56] Wie defizitär und subventionsabhängig der Betrieb zu diesem Zeitpunkt bereits war, zeigen die Fakten. So beliefen sich die Bergwerkskosten für die Jahre 1778–1780 auf 18.255 fl 18¼ kr (1778: 7035 fl 29¼ kr; 1779: 6981 fl 31 kr; 1780: 4238 fl 18 kr).[57] An Einnahmen verbuchte der Verwalter lediglich 1780 „für 2543 Zentner Fcinkupfer (...) 1091 fl 30 kr".[58] Noch ernüchternder fiel die Bilanz in den aufgrund einer Kurrende vom 22. Februar 1780 zu erstellenden „summarischen Rubricalauszügen der der Fronbefreiung sich erfreuenden Gewerken", die „ein Verzeichnis über alle Berg-, Poch- und Schmölzwerksunkösten enthalten" sollten, und den Fassionen „über die erzeigenden Gefälle" aus. Nach den Angaben im „Rubricalauszug" vom 12. Juli 1781 hatte das Stift bis 3. Juni 1781 die Summe von 51.928 fl 20 kr 3 d investiert, hievon 29.039 fl 41 kr 2 d in den Bergbau und 22.888 fl 39 kr 1 d in das Schmelzwerk.[59]

Diese negative Bilanz des Bergbaus und die ausufernde Überschuldung des Stiftes überhaupt – dem Aktivvermögen von 891.678 fl 21 kr standen 1778 Passiva in der Höhe von 532.881 fl 57 kr gegenüber[60] – veranlaßten den Abt, nach Einsparungsmöglichkeiten zu suchen. Denn es war zu offensichtlich, daß die Ursachen für die Überschuldung nicht nur in den von den beiden Inventarisierungskommissaren festgestellten Ausgaben liegen konnten. Die beiden sahen in den Unglücksfällen der vergangenen Jahre, in den notwendigen Gebäuderenovierungen, aber auch in der Anschaffung neuer Altäre und neuen Kirchengestühls sowie von Paramenten den Grund für die rasche Zunahme der Verschuldung. Nach ihren Berechnungen hatten die Aufwendungen für Erneuerungen mindestens 64.900 fl 21½ kr betragen, hinzu kamen noch die Unkosten des Lamprechter Bergbaues in der Höhe von geschätzten 34.465 fl 38 kr und jene für das Eisenbergwerk in der Steiermark (6703 fl 30 kr).[61] Noch 1779, zu einem Zeitpunkt also, bevor das sich abzeichnende finanzielle Debakel vollends sichtbar wurde, ging der eben erst gewählte Abt Anselm II. daran, nach Wegen einer wirtschaftlichen Gesundung zu suchen, vor allem aber auch eine Berechnung der durchzuführenden Ausgaben und der zu erwartenden Einnahmen anzustellen. Dieser „Ausweiß über die gesamten so Kärntnerischen alß Steyrischen Erträgnüß- und Erfordernüßen des Stiftes St. Paul" brachte ein zu erwartendes jährliches Defizit von 12.833 fl 23 kr zutage, das sich wie folgt zusammensetzte:

Summe der Erfordernisse in Kärnten	43.994 fl 56 kr
Summe der Erfordernisse in Steiermark	3.245 fl 25 kr
	47.240 fl 22 kr
Nutzungssumme in Kärnten	25.763 fl 11 kr
Nutzungssumme in Steiermark	8.643 fl 48 kr
	34.406 fl 59 kr[62]

Um dieses Defizit zu verkleinern, konzipierte Abt Anselm II. zunächst einen „Erspahrungs Entwurf in bezug der Stift St. Paullerschen Würthschaft". Hiebei ließ er allerdings die großen Ausgabenbereiche unberücksichtigt und konzentrierte sich in erster Linie auf den Personalsektor. „Anstatt 2" sollte künftig „nur 1 fuhrknecht" gehalten werden, „machete eine Einsparung von 300 fl", „werden auch fürhin 2 haußknecht, 1 ochsenknecht, 1 schweinehalter, 2 schweinedürne (...) in Ersparung gebracht, machte berechnetermaßen 353 fl." Weitere Einsparungen erhoffte er durch Kürzungen in der Entlohnung des Dienstpersonals zu erreichen. Sollte doch künftig der Hofamtmann anstatt bisher 68 fl 30 kr nur mehr 50 fl, der/die Schreiber (gesamt) anstatt 180 fl nur mehr 100 fl und der Orgeltreter anstatt 43 fl nur mehr 30 fl erhalten. Aber auch der Konvent sollte sein Scherflein beitragen. So wurde erwogen, künftig den Vespertrunk abzuschaffen und anstelle des Weizenbrotes Roggenbrot zu servieren. Im gesamten betrug der errechnete Einsparungsbetrag 4342 fl 57 kr.[63] Da selbst dieser Einsparungsplan das Defizit nur zu einem Drittel senken konnte, war man gezwungen, weitere Möglichkeiten in Betracht zu ziehen. Man fand solche. Erster Schritt in Richtung Sanierung war eine radikale Einschränkung des Kupferbergbaues, sowohl im personellen Bereich – man reduzierte die Zahl der Arbeiter auf sechs Knappen – als auch in der räumlichen Begrenzung. Der Betrieb im Schmelzwerk wurde überhaupt eingestellt. Resultat dieser Maßnahmen war, daß sich die Aufwendungen des stiftlichen Rentamtes für das Bergwerk laut „Bergwerks-Rechnung de anno 1781" auf 805 fl 37$^{3}/_{4}$ kr senkten, gleichzeitig konnten damit die ebenfalls niedriger gewordenen Ausgaben von 797 fl 57$^{3}/_{4}$ kr gedeckt werden.[64]

Daß Einsparungen nur ein Teil eines Generalsanierungskonzeptes sein konnten, dürfte Abt Anselm II. im Frühjahr 1782, als er diese Überlegungen anstellte, durchaus bewußt gewesen sein. Weitere Schritte drängten sich geradezu auf. Einerseits hatte in der binnenwirtschaftlichen Verwaltung eine Organisationsreform stattzufinden, andererseits mußte das Stift, sollten die anderen Schritte nicht bloß kosmetischer Aufputz sein, verschiedene Herrschaften und Ämter verkaufen bzw. verpachten. Und man schritt zur Tat. Zuallererst ging der Abt daran, die nicht immer korrekt arbeitenden herrschaftlichen Verwalter abzuberufen. Denn gerade in der wirtschaftlichen Verwaltung der Herrschaften dürften sich gravierende, grundlegende betriebswirtschaftliche Notwendigkeiten völlig außer acht lassende Mißstände breitgemacht haben. In einem Brief des Verwalters der Herrschaft Möchling, Pater Hieronymus Pastori, an die Aufhebungskommission beantwortete dieser die Urgenz der Kommission, weitere Rechnungsbelege vorzulegen: „Alles dieses muß ich nur unter priesterlicher Bewahrung und sub juramento praistito darumen betheuren, weil ich hierüber aus folgenden Ursachen keinen klaren und ordentlichen Ausweis geben kann. Denn erstlich hatte ich von der Wirtschaft (. . .) keine Rechnung zu stellen, folglich machte ich mich hiezu nicht gefast. 2do können tägliche ordinar Einnahmen und Ausgaben mit keinen schriftlichen Zeugnüßen belegt werden, 3tio Ware ich durch Amts Geschäften wie auch heftige und öftere Anfälle der Krankheit und der daraus verursachten Abweßenheit vor hier durch mehrere Wochen verhindert mein privat Wirtschafts Rechnung in das zu errichtete Handbuch (. . .) einzutragen."[65] Nächster Schritt war die Verpachtung von Herrschaften: im März die Herrschaft Faal gegen eine jährliche Pachtsumme von 5700 fl und 1500 fl Kaution, im Mai Lembach gegen ein Pachtgeld von 1000 fl und 1200 fl Kaution.[66] Im Grunde waren aber alle diese ins Auge gefaßten und zum Teil auch realisierten Maßnahmen vergeblich, gelang es doch auf der anderen Seite nicht, und das mußte ein vorrangiges Anliegen sein, die Schulden abzubauen. Schenkt man der aufgrund der kaiserlichen Verordnung vom 12. August 1782 erstellten Inventarisierung Glauben, dann hatte sich der Schuldenstand während der letzten vier Jahre erheblich erhöht. Das Urteil der Inventarisierungskommissare: „Nur in den letzten vier Jahren hat das Stift, wie es die Daten der ausgestellten schuld obligationen beweisen

anno 1779	47.485 fl
anno 1780	17.200 fl
anno 1781	34.950 fl
und heuer 1782	29.250 fl
somit . . .	128.885 fl

neue Schulden gemacht", heißt es im

Protokoll bezüglich des Vermögensstandes 1782.[67] In Reaktion auf diese Kritik gelang es Abt Anselm II., nachzuweisen, daß die Neuverschuldung des Stiftes seit seinem Amtsantritt lediglich 102.779 fl 51 kr bei einer Tilgung von 124.566 fl 18 kr betragen habe, also von einer Anhäufung neuer Schulden gar nicht gesprochen werden könne.[68] Ein anderes Bild der finanziellen Entwicklung unter seiner Regentschaft präsentierte der Abt in einer dem Aufhebungskommissar Gröller übersandten Wirtschaftsbilanz. Dieser zufolge hatte sich unter ihm das Aktivvermögen des Klosters um 54.716 fl 11 kr, das Passivum um 21.786 fl 27 kr vermindert, was eine reale Verminderung um 32.929 fl 44 kr ergab. In einer Aufstellung über die Ausgaben gliederte er diese tabellarisch auf:

Extra Ausgaben	19.250 fl 3 kr
„bey Gelegenheit der Inventur 1778	1.173 fl 36 kr
die unkosten bey der Wahl und in deren Verfolg	6.959 fl kr
betragen die (. . .) unkosten auf dem (. . .) mir hinterlassenen Kupferbergbau seit 1778 bis 1782	19.834 fl 9 kr
die kosten des neuen Pfarrhofs zu St. Georgen	2.497 fl 55 kr
zwey doni gratuiti 1779	834 fl 32 kr
gab ich 1780 (. . . für) die zwey in Verfall gestandenen Weingärten	2.100 fl kr
unkosten auf die Wiedererbauung des abgebrannten Hauses zu Prosegg in Steyer	1.500 fl kr
Summa	54.149 fl 15 kr
Wenn nun von dieser ausgewiesenen Summa (. . .) das (. . .) quantum des abgangs zu	32.929 fl kr
abgezogen wird, zeigt sich ein überschuß der respectu meiner als (. . .) als Erwirtschaftung bezeichnet werden kann zu . . .	21.219 fl 3 kr“[69]

Diese Summe unterschied sich wesentlich von jener des Aufhebungskommissärs. Jener stellte in Berücksichtigung des Inventars von 1778 und der anläßlich der Aufhebung verfaßten Bilanz einen Vermögensabgang von 39.610 fl zur Zeit Anselms II. fest. Im übrigen beweise das Inventarium, daß dem Aktivvermögen von 856.082 fl $35\,{}^{5}/_{8}$ kr Passiva in der Höhe von 567.666 fl $19\,{}^{1}/_{6}$ kr gegenüberstehen, also das Stift nur mehr über eine „reine Kapitalssumme“ von 288.416 fl 16 kr verfüge.[70]

Die Bemühungen Abt Anselms II., zu retten, was noch zu retten war, blieben erfolglos. Noch im Oktober 1782 hob Kaiser Joseph II. das Stift auf und erklärte den klösterlichen Besitz zum Staatseigentum. Wenn Anselm II. feststellte: „Der allgemeine Ruf verbreitet es wenigst, daß die Grundursach unserer Aufhebung die große Schuldenlast seye, die an unseren Gilten klebt, und die sich vorzüglichst in den 4 letzten Jahren angehäuft haben soll. (. . .) Unmöglich kann es Ihnen unbekannt seyn, welche Mühe ich mir gegeben habe, die Lage der Klostergüter kennen zu lernen, welche wiederholten Pläne ich verfassen und größtentheils ausführen ließ. Sie wissen, daß ich den lästigen Bergbau, der mir so wie eine Erbsünde von meinem Vorfahr am Kopf hing, sobald die beiden Proben sich übel zeigten, in das Kleine brachte, um die Nothwendigkeit, fernere Schulden zu machen, zu vernichtigen“,[71] mag dies subjektiv durchaus begründet gewesen sein. Ebenso außer Zweifel steht das Bestreben Abt Anselms II., das Defizit im klösterlichen Finanzhaushalt in den Griff zu bekommen. Es ist aber fraglich, ob angesichts der veränderten Rahmenbedingungen der Wirtschaftskörper Kloster ohne radikale Anpassungen überhaupt zu retten gewesen wäre. Denn der wirtschaftliche Niedergang St. Pauls mit der ausufernden Überschuldung war kein Einzelfall und ist vor dem Hintergrund einer Gesamtentwicklung zu sehen. Auch andere Klöster im Lande (St. Georgen am Längsee, Ossiach, Arnoldstein) konnten im neuen Wirtschaftssystem des Merkantilismus nicht mehr reüssieren,[72] hatten sie es doch verabsäumt, die Leitlinien ihrer Klosterwirtschaften den Zeiterfordernissen anzupassen. Ebenso ließ ihnen der von der staatlichen Obrigkeit vorangetriebene Transformationsprozeß von der statischen ständisch-feudalen zu einer sich nach finanziellen Gewinnen orientierenden Wirtschaftsordnung keine Überlebenschance. So mag auf den ersten Blick die Argumentation der Aufhebungskommissare („Dieselben hätten aus dem eingesändeten Vermögensstande (...) unliebsam ersehen, daß selbes einen so geringen, nicht einmal ein Drittl des ganzen Vermögens ausmachenden fruchtbringenden Ueberschuß an Activo besitze (...). Um also dessen Untergang in Zeiten zuvorzukommen, befohlen Se. Majestät dieses Kloster ganz aufzuheben."),[73] deren Urteil sich bis dato auch die Geschichtswissenschaft angeschlossen hat, die Aufhebung rechtfertigen. Denn rein vom Aspekt der wirtschaftlichen Überlebensfähigkeit einer Grundherrschaft, ergänzt durch eine Montanindustrie, war die josephinische Aufhebung gerechtfertigt. Allerdings erschöpft sich die Frage der Existenzberechtigung eines Klosters nicht nur darin, ob es im Bereich der Grundherrschaft positiv bilanziert hat. Seitens der Aufhebungskommissäre übersah man bei der Bestandsaufnahme der klösterlichen Finanzgebarung jene Bereiche, die zum Fortgang der Kultur beitrugen, fast gänzlich. Natürlich sind diese Investitionen, die Teile immaterieller Kultur sowie die Leistungen des Stiftes als kultureller Mittelpunkt der damaligen Zeit in einem kulturellen Peripherieraum genauso in Rechnung zu stellen. Die Reduktion auf die Frage nach der Produktivität der Grundherrschaft mußte zwangsläufig zu einem Scheinergebnis führen, hatte sie doch die politische Rechtfertigung für die Klosteraufhebung zu liefern.

ANMERKUNGEN

1. E. BRUCKMÜLLER, Sozialgeschichte Österreichs (1985), S. 224.
2. Zur wirtschaftlichen Ausgangslage des Klosters im ausgehenden 16. Jahrhundert allgemein S. TÜRK, Die Benediktinerabtei St. Paul in Kärnten als Grundherrschaft im 16. Jahrhundert (Diss. Graz, 1950).
3. STA, Urbaria aller und jeder Guetter des Gotshaus s. Pauls in Khärnten, renovirt und aufgerichtet durch Herrn Hieronymum Abbt im Jahr 1638 den 5. April, S. 177.
4. B. SCHROLL, Hieronymus Marchstaller (1616–1638) (1891), S. 105.
5. EBD., S. 17.
6. STA, Akten, Fasz. 351/810, Specification, was das Stifft St. Paul Ordinis Sancti Benedicti in Unter Kaernthen von 60 Jahren hero (...) wieder an sich gebracht, 21. 10. 1685, unfol. Zur Veranschaulichung des Geldwertes: Laut einer Wolfsberger Spitalsrechnung aus dem Jahre 1627 kostete ein Vierling Hafer 30–40 kr und das Paar Ochsen 20–25 fl (Car. 14, 1824, S. 122f.) 1753 kostete in Kärnten ein Vierling Hafer 1 fl und eine Kuh 14–20 fl. (Vergleichungen über Roggen- und Fleischpreise in Kärnten, Car. 33, 1843, S. 71f.).
7. SCHROLL, Marchstaller (wie Anm. 4), S. 119.
8. STA, Urbaria 1638 (wie Anm. 3), S. 177.
9. SCHROLL, Marchstaller (wie Anm. 4), S. 308.
10. STA, Akten, Fasz. 351/810, Specification (wie Anm. 6), unfol.
11. J. KLAUSBERGER, Abt Hieronymus Marchstaller als Klosterreformator. Ein Beitrag zur Erinnerung an den 300jährigen Todestag des größten Prälaten St. Pauls, JbSP 53 (1936/37), S. 3–19, S. 12.
12. Zit. nach J. KLAUSBERGER, Paul Memminger, Abt des Benediktinerstiftes St. Paul i. L., erzbischöflich Salzburger und fürstbischöflich Bambergischer Rat, Erzpriester von Möchling und St. Lorenzen, Kärntner landständischer Verordnete des großen Ausschusses etc. etc. 1638 bis 1660. Nach seinem Leben und Wirken dargestellt (Diss. Wien, 1939), S. 132.
13. EBD., S. 192.
14. STA, *Album Benedictino san Paulense, in quo monasterii sancti Pauli, ordinis sancti Benedicti, in valle Lavantina Carinthiae abbatum et religiosorum nomina, officia, dignitates describuntur origine sumpta a fundato monasterio, quantum ex annalibus colligi potuit, diligentissime vero continuatum in descriptione eorum religiosorum, qui abbate Alberto sacro habitu donati sunt, studio et opera P. Ignatii Mayr eius ordinis monasterii professi sacerdotis et novitorium magistri anno 1682*, fol. 71.
15. EBD.
16. B. SCHROLL, Das Benediktiner-Stift St. Paul, Car. 66 (1876), S. 169–227, hier S. 178.
17. STA, Akten, Fasz. 351/810, Specification (wie Anm. 6).
18. SCHROLL, Benediktiner-Stift (wie Anm. 16), S. 184.

19. Vgl. R. FREISITZER, Die Grundherrschaft des Gurker Domkapitels als Wirtschaftsfaktor in Kärnten (Diss. Klagenfurt, 1989), S. 111ff.
20. J. KLAUSBERGER, Das Stift St. Paul als Gewerke zu Hüttenberg (1679 – 89), Car. I 128 (1938), S. 59 – 65, hier S. 60.
21. F. MÜNICHSDORFER, Geschichte des Hüttenberger Erzberges (1870), S. 199.
22. Siehe KLAUSBERGER, Stift St. Paul als Gewerke (wie Anm. 20), S. 60.
23. EBD., S. 61.
24. STA, Akten, Fasz. 316, Nr. 750/2, Beileifiger Überschlag, unfol.
25. EBD., Vertrag zwischen Abt Albert Reichart und Wolfgang Andreas Gösel, 20. Jänner 1680, unfol.
26. KLAUSBERGER, Stift St. Paul als Gewerke (wie Anm. 20), S. 63.
27. EBD., S. 63.
28. STA, Akten, Fasz. 316, Nr. 751, Bergwerkssachen in St. Paul bei Hornburg und in der sogenannten Abtei zu Möchling, betreffend Blei- und Silbererz 1696 – 1754, Kaufvertrag, unfol.
29. EBD., Kaufvertrag zwischen Abt Albert und Johann Wilhelm Graf von Attems, 15. Mai 1696, unfol.
30. EBD., Schreiben des Johann Sebastian Kylhol an Abt Albert, 5. Juni 1698, unfol.
31. EBD., Schreiben des P. Jakob Poden an Abt Albert, 1. Oktober 1699, unfol.
32. J. KLAUSBERGER, St. Pauls Blei- und Silberbergbauversuche am Hochobir und bei Klein St. Paul im Görtschitztal in den Jahren 1696 bis 1700, Tägliche Montanberichte. – Beilage zu: Montanistische Rundschau. ZS für Berg- und Hüttenwesen 29 (1937), Nr. 87.
33. J. KLAUSBERGER, Das Eisenbergwerk am Lamprechtsberg (1647 – 48) und an der Goding, Montanistische Rundschau. ZS für Berg- und Hüttenwesen 29 (1937), Nr. 24.
34. STA, Akten, Fasz. 318, Nr. 757, Spiegelfabrik St. Vinzenz.
35. SCHROLL, Benediktiner-Stift (wie Anm. 16), S. 219f.
36. EBD., S. 184, S. 221.
37. STA, Akten, Fasz. 351, Nr. 810, Fassionen und Acten betreffend das Vermögen des Stiftes 1714 – 1786, Stück 4.
38. SCHROLL, Benediktiner-Stift (wie Anm. 16), S. 222.
39. M. WUTTE, Die Lage der bambergischen Herrschaften in Kärnten vor ihrem Verkauf im Jahre 1759, Car. I 97 (1907), S. 168 – 199.
40. R. FREISITZER, Die Wirtschaftspolitik und wirtschaftliche Lage im Herzogtum Kärnten in der maria-theresianischen Epoche (Diplomarbeit Klagenfurt, 1985), S. 27.
41. K. DINKLAGE, Kärntens gewerbliche Wirtschaft von der Vorzeit bis zur Gegenwart (1953), S. 221.
42. FREISITZER, Gurker Domkapitel (wie Anm. 19), S. 121.
43. Ausführlicher dazu J. KLAUSBERGER, St. Pauls Kupferbergwerk am Lamprechtsberg, JbSP (1935/36), S. 3 – 37; DERS., Das Eisenwerk zu St. Martin in der Wüste in Untersteier, Blätter für Heimatkunde 16 (1938), S. 12 – 14.
44. MC 4,2, Nr. 1902: *De speciali tamen et habundančiori quoque gracia nostra concedimus predicto monasterio in perpetuum, ut cadmias tam argenti quam plumbi et ferri que in territorio ipsius monasterii de cetero inveniri continterint.*
45. STA, Akten, Fasz. 316, Nr. 750/1, Acten betreffend das Eisenbergwerk am Lamprechtsberg, Wiedenbauer und Blasigrund, dann in der Goding 1636 – 1769, D 2.
46. Zit. nach KLAUSBERGER, St. Pauls Kupferbergwerk (wie Anm. 43), S. 5.
47. Dazu KLAUSBERGER, Eisenwerk zu St. Martin (wie Anm. 43), S. 1f.
48. KLA, Klosteraufhebungsakten, Fasz. II, Nr. 50, Relation Nr. 23, fol. 521.
49. V. OLIP, Untersuchung des Lamprechtsberger Erzes, JbSP (1978/79), S. 17 f., hier S. 18.
50. Ertzerzeugnus- und Holzaufwandts-Ausweis, zit. nach KLAUSBERGER, St. Pauls Kupferbergwerk (wie Anm. 43), S. 7.
51. STA, Akten, Fasz. 317, Nr. 753/1, Acten betreffend das Kupfer-, Berg- und Schmölzwerk am Lamprechtsberg 1771 – 1791, A 7, unfol.
52. EBD., A 14c, unfol.
53. EBD., g 9, unfol.
54. Zit. nach KLAUSBERGER, St. Pauls Kupferbergwerk (wie Anm. 43), S. 11.
55. EBD., S. 10.
56. STA, Akten, Fasz. 317, Nr. 753/1, A 23.
57. KLA, Klosteraufhebungsakten, Fasc. II, Nr. 17, Summarischer Ausweis der jährlichen Bergwerks Ausgaben, 18. Dezember 1782, fol. 200.
58. KLAUSBERGER, St. Pauls Kupferbergwerk (wie Anm. 43), S. 14.
59. STA, Akten, Fasz. 317, Nr. 753/1 (wie Anm. 51), A 27a, unfol.
60. KLA, Klosteraufhebungsakten, Fasc. II, Nr. 10, Inventarium ueber den Activ und Passiv Stand des Stifts St. Paul nach Ableben des Herrn Prelaten Anselmi 1mi mit Ende Martz 1778, VII. Ad relationem, fol. 134 und 147.
61. EBD., fol. 148.
62. EBD., Nr. 27, Billance zwischen dem Vermögensstand Anselm des Ersten Abbten von St. Paul am 12. Martz und Anselm dem Zweyten mit letzten 8bris 1782, fol. 252, 258f. und 261.
63. EBD., fol. 262 – 266.
64. STA, Akten, Fasz. 317, Nr. 753/1 (wie Anm. 51), A 30, unfol.; auch KLA, Klosteraufhebungsakten, Fasz. II (wie Anm. 57).
65. KLA, Klosteraufhebungsakten, Fasc. V, Nr. 196/7, fol. 41f.
66. T. RASCHL, Aufhebung und Neubegründung des Stiftes St. Paul (1782 – 1809), JbSP (1926/27), S. 3 – 31, hier S. 7.
67. EBD., S. 10.
68. KLA, Klosteraufhebungsakten, Fasc. II, Billance (wie Anm. 62), fol. 276.
69. EBD., fol. 270 u. 276.
70. KLA, Klosteraufhebungsakten, Fasc. V, Nr. 196/1, Relation des kärntnerischen Landrechtsrathes Adam Dionys Edler von Gröller über die aufhebung des Benediktiner Stifts St. Paul im Lavantthale. Die Uibernehmung des gesamten Vermögens, und die Billance des Status Activ et Passivi zwischen dem vorigen Prelaten bey seinem Ableben und dem itzigen bey der Aufhebung des Stifts, fol. 5 und 59.
71. Anselm Edlings Abbten zu St. Paul in Kärnten Ord. S. Bened. Anrede an seine Geistliche am Tag nach der Aufhebung am 5. November 1782, AVGT 5 (1860), S. 21 – 31, hier S. 24.
72. Dazu A. WOLF, Die Aufhebung der Klöster in Innerösterreich 1782 – 1790 (1871), S. 91ff. Für ihn war die „Wirtschaft der Kärntner Klöster im 18. Jahrhundert so verfallen, daß sie sich ohne große Opfer nicht halten konnten", und daher war ihre Aufhebung „mehr ein Akt der Notwendigkeit als der Willkür".
73. KLA, Klosteraufhebungsakten, Fasz. II, Protocollum Commissionis, fol. 9.

Abb. 16: Porträt Josephs II., um 1770; Kunsthistorisches Museum Wien.

Die Aufhebung des Stiftes 1782/1787[1]

WALTRAUD KRASSNIG

Schon die Kirchenpolitik Maria Theresias und in weitaus stärkerem Maße die ihres Sohnes, Kaiser Josephs II., war gekennzeichnet von dem Bestreben, alle Bereiche des kirchlichen Lebens unter staatliche Aufsicht zu stellen. Natürlich waren auch die Klöster davon betroffen. Staatliche Eingriffe in deren Leben gab es auch unter Maria Theresia, aber unter Joseph II. gerieten sie als eine Seite des josephinischen Staatskirchentums[2] zum vielfach apostrophierten „Klostersturm“.

Die Aufhebung des Stiftes St. Paul im Oktober 1782 fand zeitlich als eine der ersten im Reigen der Klosteraufhebungen unter Kaiser Joseph II. statt.[3] Nicht weil es unter das erste Klosteraufhebungspatent vom 12. 1. 1782, das die kontemplativen Klöster aufhob[4], fiel, sondern auf Grund der vermeintlichen schweren wirtschaftlichen Mißstände, „um also dessen Untergang in Zeiten vorzukommen“[5]. In Kärnten waren nur die Dominikanerinnen zu Maria Loreto in St. Andrä im Lavanttal vorher (März 1782) aufgehoben worden[6], im Dezember folgten dann die Benediktinerinnen zu St. Georgen am Längsee[7] und das Benediktinerkloster Ossiach[8].

Nun besaß das Stift St. Paul in Anselm II. von Edling – von einem Zeitgenossen „ein gewiß viel umfassendes Genie“[9] genannt – einen Abt, der mit Fug und Recht als Josephiner bezeichnet werden darf. Dieser Abt wandte sich zu einer Zeit großer Bedrängnis von seiten seines Konventes, der ihm Mißwirtschaft zum Vorwurf machte, an die staatlichen Behörden, um von dort Rehabilitierung zu erlangen. Von dem Bestreben, „die Umstände eines Klosters unbekannt seyn zu lassen“, was vor seiner Regierungszeit in seinem Kloster üblich war, hält er nichts, denn mit „diesen Verhüllungen“, laut Edling, „wäre es beynahe zum Umsturze des Klosters gekommen“.[10] Das freilich von Edling nicht erwartete Ergebnis der Untersuchung führte zur ersten Aufhebung 1782. So hatte der Abt ungewollt den (ersten) Untergang seines Stiftes herbeigeführt.

Was war nun die Ursache der „Gährung“ im Stifte? Deren gab es sicherlich mehrere. Zum einen war es für die klösterliche Gemeinschaft sicher nicht förderlich, daß Abt Anselm sehr oft von seinem Stifte abwesend war und sich in Klagenfurt aufhielt, wo der als Dichter Gefeierte Mitglied des Kreises war, den Erzherzogin Maria Anna, die von 1781 bis zu ihrem Tod 1789 in Klagenfurt residierte, um sich geschart hatte.[11]

Der Fürstbischof von Lavant stellte ihm dies lebhaft als großen Fehler vor Augen.[12] Zum anderen hatte ihm 1778 sein Vorgänger Abt Anselm I. Passauko ein schlecht bestelltes Erbe hinterlassen. So bekennt Edling Mitte des Jahres 1780: „meine Verwaltung ist immer nur ein Tentamen, ob es noch gerettet werden könne?“[13]

Ein großer Gläubigeransturm am Ende des Jahres 1781 und der sein Ehrgefühl verletzende Vorwurf der Mißwirtschaft seitens des Konventes veranlaßten ihn, einen folgenschweren Schritt zu setzen. Auf Drängen seiner Mitbrüder und nicht aus ausschließlich eigenem Antrieb[14] machte er eine Eingabe an die Regierung, worin er um die Vermögensverwaltung des Stiftes durch den Staat bat, ihm selbst sollte nur die geistliche Leitung überlassen bleiben. Die durch kaiserliche Verordnung vom 12. 8. 1782 verfügte Inventur bestätigte den Vorwurf der schlechten Wirtschaftsführung.[15] Doch dieses Ergebnis beruht auf einem Irrtum, wie dies der Abt später selbst schlüssig nachweisen sollte.

So erging an die Kärntnerische Landeshauptmannschaft am 7. 10. 1782 das Hofdekret, St. Paul ganz aufzuheben.[16] Am 24. 10. 1782 wird das Hofdekret dem Abt und Konvent von St. Paul und dem Fürstbischof von Lavant als salzburgischem Generalvikar mitgeteilt.[17] Zum Aufhebungskommissar wurde der k.k. landeshauptmannschaftliche Rat Adam Dionys von Gröller bestimmt[18], der mit vier weiteren Beamten am 4. 11. 1782 in St. Paul eintraf und vor Abt und versammeltem Konvent im „großen Abbtey Zimmer" die Aufhebung verlautbarte.

Über den weiteren Vorgang der Aufhebung sind wir bis ins Detail unterrichtet. Jeder Arbeitstag der Kommission wurde in einem über 100 Seiten langen, mit 112 teils umfangreichen Beilagen gespickten Aufhebungsprotokoll[19] – die Aufhebung dauerte fast drei Monate – genau dokumentiert. Zu jedem Verhandlungspunkt wurde das Hofdekret und der Paragraph gesetzt, der für die betreffende Sache zuständig und nach dem man vorgegangen war. Neben der ausführlichen, ebenfalls über 100 Seiten umfassenden Relation Gröllers, dem Aufhebungsbericht[20], füllen die Akten über die Aufhebung 1782/1787 eine Reihe von Faszikeln im Kärntner Landesarchiv.[21]

Nach der Publikation wurden die Schlüssel übergeben und die Manifestationseide von Abt und allen denjenigen geleistet, die in Wirtschaft und Verwaltung tätig waren. Jede einzelne dieser Aktionen der Kommission fand schriftlichen Niederschlag. Der Abt wurde beauftragt, sämtliche Mönche, die auf Pfarren oder in der Wirtschaftsverwaltung eingesetzt waren, für den 8. 11. ins Stift einzuberufen, damit auch sie offiziell informiert werden und den Manifestationseid leisten konnten. Die in der Wirtschaft tätigen Patres, so der Verwalter von Möchling, P. Hieronymus Pastori, und der von Kollnitz, P. Jodokus Gatterer, hatten ihre Ämter niederzulegen und wieder in das Stift zurückzukehren, die als Seelsorger auf den Pfarren eingesetzten Religiosen wurden dort belassen.[22]

Nachdem man nun dem Abt und den Stiftsgeistlichen „alle Temporalienverwaltung abgenommen" hatte, war es notwendig, bis zu einer „förmlichen Administration" jemanden als alleinverantwortlichen provisorischen Kameraloberpfleger zu bestellen, und man tat dies mit dem bisherigen Hofrichter Lukas Seblatnig. Unter seiner „unmittelbaren Besorgung" sollten wie bisher die Herrschaften Kollnitz[23], Lavamünd, Loschental, das Gut Mosern, die Herrschaften St. Paul und Rabenstein stehen. Die zwei Beamten in Möchling, der im Stift nun nicht mehr benötigte „Secretarius und Rennt Amtsverwalter" Lorenz Mathias Gorian[24], und in Unterdrauburg Franz Kolbe[25], wurden ihm unterstellt.[26]

Am ersten Aufhebungstag errichtete die Kommission noch u. a. über die Barschaften der verschiedenen Kassen des Stiftes ein Hauptverzeichnis, in das dann später alle anderen auf den „Außenstellen" vorgefundenen oder von dort in das Stift gebrachten baren Gelder nachgetragen wurden. Sie betrugen insgesamt 10 519 fl 54 kr 3 d.[27]

Acht beeidete Schätzleute begannen am folgenden Tag unter Aufsicht der Kommissionsmitglieder mit der Schätzung des Vermögens im Stift und auf den beiden Meiereien St. Paul und Kollnitz.[28] Ein Verzeichnis über das Kirchensilber, die Sakristei- und Kirchengerätschaften zu erstellen wurde der vereidigte Sakristan P. Ägidius Moser beauftragt. Besonders reichhaltig ist die Liste der Paramente der Stiftskirche.[29] Gold und Silber (Bestecke, Geschirr) besaß das Stift im Werte von 4 485 fl 56 kr 2d.[30] Von den Prätiosen im Werte von 1 173 fl 30 kr sei das wertvollste Stück, ein „Pectoral von Rauten ganz weiß" (450 fl), hervorgehoben[31], das dann bei der Versteigerung keinen Käufer fand. Zuerst wurden diese Stücke von der Kommission übernommen, um sie der k.k. Kameralklosterfondskasse zu übergeben, später wurden sie, als bei Abschluß der Vermögensaufnahme in St. Paul die allerhöchste Resolution wegen des Weiterbestandes des Stiftes noch nicht eingelangt war, dem Abt zur Verwahrung wieder eingehändigt. Nur die Stücke im Klagenfurter Haus des Stiftes blieben dort unter Verwahrung des Hauspflegers Knafl.[32] Schließlich gelangten sie trotz Restitution des Stiftes an die k.k. Kameralkasse und von dort an das Versatzamt zur Lizitation am 2. 5. und 24. 5. 1786. Nichtverkaufte Stücke (ca. die Hälfte) kamen wieder an die Kameralkasse.[33]

Am 14. 11. wurde das Inventar über die Stiftsgerätschaften geschlossen[34], „diese Sachen aber dem Oberpfleger zur Amtsbesorgung eingeräumet" und die Schätzleute, die also zehn Tage tätig waren, entlassen.[35] Dieses Inventar gibt uns einen Einblick in die Ausstattung, z. B. der Stiftskanzlei, des Rentamtes, des Archivs, der „Kellnerey", bis in jene der Zimmer der Patres oder des „Bigliard-Zim̄ers". Fast in jedem Raum finden sich Bilder, die als „Landschaft, Historienbild", als „heilige Bilder", manchmal mit Nennung des dargestellten Heiligen, „Portrait" oder „Kupferstichbild" ohne jede weitere Spezifikation bezeichnet werden.[36] Von Interesse ist vielleicht auch die Apotheke. Der seit 32 Jahren im Dienst des Stiftes stehende Apotheker Joseph Billig[37] hatte seine Gläser und Gerätschaften selbst angeschafft, so daß die Kommission nur 200 hölzerne alte „Medicin Büchsen", deren weitere blecherne, alte und verrostete, eine „alte Receptier-Tafel, alte Medicin Stellen mit Lädle" und im Gang nächst der Apotheke einen alten Kräuterkasten als dem Stift gehörig aufzunehmen fand.[38]

Wir wollen nun die Inventare wieder schließen und sehen, wie es mit der Aufhebung weiterging. Am dritten Tag bereits nahm man die Bibliothek in Augenschein, und da in der „weitschüchtigen Bibliothek zwar ein alter, jedoch ganz unbrauchbarer Katalog" vorhanden war, wurden einige jüngere Patres und die *non-professi* zur Erstellung eines solchen nach dem „Com̄issionaliter entworfenen Formular" herangezogen. Fünf Wochen nahm dieses Geschäft in Anspruch.[39] Die Einrichtung der Bibliothek bestand in zehn großen Bücherkästen mit drei Schubladen, gläserner Tür und Oberschildern, zwei kleineren Bücherkästen mit Glastüren und 12 „Bücher Stellen". Daneben gab es noch in des „Herrn Praelaten Wohnzim̄er" dessen Handbibliothek mit „4 großen Bücher Kästen, mit glaßernen Tafelthurn samt Eisen und verzin̄ten Beschlächt".[40] Es war dies in etwa die Einrichtung, die 1778 nach Abt Anselms I. Tod inventarisiert wurde.[41]

Am 6. 11. übernahm die Kommission die Aktivkapitalien und ließ die diesfälligen Verzeichnisse vom Abt unterschreiben (38 780 fl).[42] Bis 1. 11. 1782 waren davon noch 1 376 fl 49 kr 1 d an Zinsen ausständig, die dann an die Kameralkasse abzuführen waren. Auch bei Privaten hafteten einige Aktiva, die aufgekündet wurden, um sie *ad massam* einzubringen. Es zeigte sich im Vergleich mit der Ankershofischen Kommission ein Abgang von 29 100 fl, mit denen der Abt allerdings den Passivstand vermindert hatte.[43]

Wie verfuhr die Kommission mit den wirtschaftlichen „Außenstellen" des Stiftes? Wohin die Kommission sich nicht selbst zur Inventur verfügte, schickte sie einzelne Beamte, so „in die Lavantminder Alpe" und nach Möchling. Die Inventare wurden dem Oberpfleger bzw. dem Pfleger zur „AmtsBesorgung“ übergeben.[44]

Persönlich allerdings reiste Gröller gemäß Befehl gemeinsam mit einem Aktuar[45], Schätzmann und dem Prälaten am 18. 11. in die Untersteiermark, um dort die St. Paulischen Güter in Zellnitz, Lembach und Faal[46] zu übernehmen; vier Tage dauerte dieses Geschäft. Unterwegs machte man in Lavamünd und Unterdrauburg ebenfalls zu diesem Zweck Halt.[47]

Am 25. 11. fuhr die Kommission nach Klagenfurt, um dort das Haus des Stiftes samt Inventar zu schätzen.[48] Die Rückreise nach St. Paul wurde gemeinschaftlich mit dem Bergrat Fuchs und dem „Landschafts Architheckten“ Hagenauer angetreten. Unterwegs wurde das Völkermarkter Haus des Stiftes geschätzt.[49] Im Beisein des Priors P. Karlmann Kollmann, der hier „Berg- und Schmelzwercks Verwesser“ gewesen war, und zwei Schätzleuten besichtigte und inventarisierte Bergrat Fuchs das Bergwerk am Lamprechtsberg, das das Stift erst seit 1766 betrieben hatte.[50] Während Hagenauer alle Stiftsgebäude zu „mappiren“ begann und in der Folge damit zwei Wochen beschäftigt war, gingen auch die Stellungsinventaria von einigen Pfarren des Stiftes ein, die dem Prälaten zum Vergleich mit den Antrittsinventaria der Pfarrer übergeben wurden.[51] Das Fresener Inventar mußte dem Pfarrer gleich zweimal zurückgeschickt werden[52], und als es endlich ohne Mängel vorlag und damit alle Stellungsinventaria in ein Verzeichnis gebracht werden und der Betrag von 5 216 fl 2 kr ad aktiva gesetzt werden konnte[53], schrieb Abt Anselm an die Kommission, „(. . .) und wünsche von Herzen in meinem Leben niemal mehr Richter über die Mayrschaftsadministration der Geistlichen zu seyn“.[54]

Am 1. 12. erging an die in der Seelsorge exponierten St. Pauler Benediktiner die Aufforderung, ihre Einkünfte und Auslagen offenzulegen, um zu sehen, wo künftig „eine Vermehrung der Einkünfte zur Erzielung der Congrua nöthig falle“.[55] In seiner Stellungnahme zu den diesbezüglich eingereichten Fassionen, die über weite Strecken zu einer Charakterisierung ihrer Verfasser gerät, schickt Abt Anselm voraus, daß die Pfarrer noch nie über ihre Finanzgebarung Rechnung gelegt hätten und er in diese Dinge wenig Einblick habe.[56] Die Dotation von St. Erhard hielt er für die dringendste Notwendigkeit.[57]

Alle St. Pauler Pfarr- und Filialkirchen traten nun in die Kameralvogtei über, die vom Oberpfleger und seinen Beamten ausgeübt wurde; über sämtliche Stiftungen wurde eine Tabelle verfaßt.[58]

Erst spät, am 10. 12., sah sich die Kommission das links vom Rentamt liegende Archiv an, das mit u. a. „2 Schrieften Stellen mit je 28 Schubladen samt Ober-Stelle, 1 Kästel mit 8 großen Sand-Uhren, 1 Kasten mit 24 Schubladen mit Schloß et Band, 1 schwarz gepeiztes Kästel von harten Holz, mit vielen Schubläden“ und einer großen und zwei kleinen Schriftenstellen ausgestattet war.[59] Da, wie Gröller schreibt, es eine „Unmöglichkeit gewesen wäre, das ganze Archiv in Ordnung zu bringen, so ließ man wenigstens alle darin befindlichen Rubriquen verzeichnen“.[60] Da die Kommission bereits kurz darauf abreiste, übergab sie dem Oberpfleger den Archivschlüssel. Die genaue Registrierung des Archivs erfolgte erst ein dreiviertel Jahr später.[61]

Am 12. 12. waren alle Arbeiten, die die Anwesenheit der Kommission in St. Paul erforderten, beendet, am 13. 12. reiste man ab, setzte die Arbeiten in Klagenfurt fort und beendete die Relation am 30. 1. 1783.[62]

Zu welchem Ergebnis war die Kommission nun gekommen? Die dem Abt zuerst zur Last gelegte angeblich grundaus schlechte finanzielle Situation des Klosters hatte sich zwar nicht als glänzend, aber als durchaus tragfähig erwiesen. Der Aktivstand betrug 856 082 fl 35 5/8 kr, der Passivstand 567 666 fl 19 1/6 kr, das reine Aktivum somit 288 416 fl 16 11/24 kr. Also verblieb mehr als ein Drittel fruchtbringender Überschuß aus dem ganzen Aktivvermögen.[63] Aber noch bevor die Aufhebungskommission ihre Arbeit beendet hatte und zu diesem positiven Ergebnis gekommen war, fühlte sich Abt Anselm durch dieses „bereits so verbreitete und meinen Leymuth so nahe gehende Gerücht“ veranlaßt, am 24. 11. 1782 ein Gesuch an den Kaiser zu richten, eine Kommission zur Untersuchung der Vermögensgebarung während seiner Regierungszeit einzusetzen, da er unmöglich mit diesem Vorwurf in den „Stand des einfachen Staatsbürgers“ zurücktreten könne. Er war überzeugt, daß das Resultat günstig ausfallen müsse, und wenn schon ein solches „Eurer Majestet von dem gefaßten Entschluß unserer Aufhebung, (...), nicht abzubringen vermögend wären“, so würde es „doch wenigstens mir die Ruhe und den Trost verschaffen, daß ich die Aufhebung nicht als die Wirkung und die Strafe meiner Nachlässigkeit betrachten dürfe“.[64] Mit Hofdekret vom 17. 12. 1782 wird diese Bitte gewährt[65] und die Aufhebungskommission angewiesen, eine solche Bilanz zu erstellen.[66] Diese Entscheidung wartete Abt Anselm gar nicht ab und übergab schon vorher der Kommission einen „Documentirten Ausweis“ in der Hoffnung, „ein Zeugniß meines Unverschuldens zu erhalten“.[67] Ende Januar ging nun die Kommission daran, die höchsten Orts angeordnete Bilanz zu erstellen, die für Abt Anselm ein positives Ergebnis brachte. Schlußendlich erachtete es Gröller nur für billig, daß „hievon sowohl die Landesstelle, als die Stiftsgeistlichen verständiget werden, um seine Ehre gegen alle Vorwürfe, und Verunglimpfung sicher zu stellen“.[68]

Dieser günstige Bericht, das Einraten der Hofkommission in geistlichen Sachen in Graz, das Eintreten des Gouverneurs für Innerösterreich, Franz Anton Grafen von Khevenhüller, und der Hofkanzlei für das Weiterbestehen St. Pauls hatten vorerst keinen Erfolg. Im August 1783 wendete sich das Blatt durch eine Audienz, die Khevenhüller beim Kaiser hatte und in der er den Kaiser umzustimmen vermochte. Durch das Hofdekret vom 15. 9. 1783 wurde schließlich die Aufhebung Arnoldsteins anstatt der von St. Paul verfügt.[69]

Nun wollen wir unser Augenmerk den eigentlich Betroffenen, den Mönchen von St. Paul, zuwenden. Es waren insgesamt 40 an der Zahl. Keines der Stifte Kärntens, die durch Joseph II. aufgehoben wurden, erreichte diesen Personalstand.[70] Davon lebten 26 Mönche ständig im Stift, die anderen waren in der Seelsorge und in Wirtschaftsgeschäften eingesetzt. Novizen fanden sich keine vor, aber fünf *non-professi*. Vier von diesen befanden sich zwar schon vier Jahre im Stift, einer zwei Jahre, aber aufgrund der 1770[71] erfolgten staatlichen Festsetzung des Profeßalters auf das 24. Lebensjahr hatten sie ihre Profeß noch nicht ablegen können. Die Altersstruktur des Konventes war ausgewogen, fast die Hälfte hatte das 40. Lebensjahr noch nicht erreicht, im dritten Lebensjahrzehnt standen neun St. Pauler. An hoffnungsvollem Nachwuchs fehlte es also nicht. Gleich zehn Kandidaten waren unter Edling eingekleidet worden, der damit für das Gymnasium und den Chor vorsorgen wollte.[72] Die Einzugsgebiete der St. Pauler Professen lagen zum größten Teil in Mittel- und Unterkärnten, die übrigen kamen aus der Steiermark. Aus der näheren Umgebung des Stiftes selbst stammten zehn Religiosen. Es gab deren nur wenige, die kein Amt im Stift innehatten. Neben Abt, Prior, Subprior, Senior gab es einen Keller- und einen Küchenmeister, einen Kastner und einen Sakristan. Zwei waren Verwalter zu Kollnitz und Möchling, einer Kellermeister zu Zellnitz. Ein Drittel des Konvents war in der Seelsorge tätig (13). Einen finden wir als Professor der Theologie, P. Odilo Hiersch, der auch im Stift Viktring lehrte[73], vier als Professoren der Humanoria und einen als *Catecheticus*. Zehn Stiftsmitglieder weist die Tabelle ohne Beschäftigung aus, sechs davon aus gesundheitlichen Gründen. Weitere drei gehörten zur Riege der jungen *non-professi.*[74] Was geschah nun mit ihnen? Bei der Aufhebung war ihnen eröffnet worden, daß sie noch fünf Monate im Stift bleiben dürften[75] und dann in andere Stifte ihres Ordens verteilt werden sollten.[76] Sie hatten also nicht die Möglichkeit, den Weltpriesterstand zu wählen. Vom Aufhebungstag an wurde ihnen ein Taggeld von 40 kr, den *non-professi* 30 kr und dem Abt 2 fl für den Lebensunterhalt gegeben. Die Seelsorger und der Kellermeister zu Zellnitz bekamen nichts, weil sie von ihren Einkünften lebten.[77] Die außerhalb des Stiftes lebenden, nicht angestellten Religiosen mußten gemäß Verordnung der Landesstelle dahin zurückkehren.[78]

Es wurde den Konventualen erlaubt, alles, was sie auf ihren Zimmern hatten und was zu ihrem Privatgebrauch bestimmt war, mitzunehmen. Das Inventar, das über diese Dinge errichtet wurde, verzeichnet neben Büchern, Bildern, Kupferstichen, Möbeln, Teppichen, Geschirr auch minutiös die Zahl der „Schnupftücher" und anderer Wäsche und Kleidung. Die Ausstattung eines durchschnittlichen Wohnzimmers bestand aus einer Bettstatt, zumeist mit Bettvorhängen, zwei Tischen und einigen Sesseln, zwei Kästen, einem „Betkastl", selten einem Teppich, manchmal Fenstervorhängen und zwei Leuchtern. Von den insgesamt 1021 gezählten Büchern auf den Zimmern der Patres besaß der Abt mit 169 Stück die meisten, die wenigsten P. Bonifaz Schmauz (sechs).[79] Überall, außer beim Prior, hingen „gemahlene Bilder". Insgesamt waren es deren 160, während 208 Bilder sich bei den außerhalb des Stiftes Lebenden befanden, die vorhin nicht berücksichtigt wurden, ebenso wie 860 Stück Bücher.[80]

Wie verhielten sich Abt und Konvent während des Aufhebungsvorganges? Schlichtweg kann gesagt werden, besieht man die umfangreichen Aufhebungsakten, daß eine ordnungsgemäße Aufhebung ohne die zentrale Mitwirkung des Abtes schwer möglich gewesen wäre. So fühlte sich der Aufhebungskommissar verpflichtet, „die in diese Geschäfte von dem H. Prelaten geäusserte Bereitwilligkeit und seine zu Erleichterung der Comission allenthalben bezeigte Thätigkeit besonders anzurühmen".[81]

Seine Unterschrift auf sämtlichen Inventaren, Tabellen, Listen bestätigt deren Richtigkeit. Bei unklaren und strittigen Sachverhalten galt seine Stellungnahme. Auch an einige Konventualen waren von der Kommission Inventarisierungsarbeiten delegiert, oder sie waren daran mitbeteiligt worden. „Mit der größten Willfährigkeit", waren sie den Anordnungen der Kommission entgegengekommen.[82] Sehr ungewiß war die Lage der fünf *non-professi.* Mit der „größten Betrübnis" sah sie der Abt gemäß Hofresolution vom 25. 11. 1782 mit einer Abfertigung von 150 fl am 11. 12. 1782 ziehen und unterstützte ihre an den Kaiser gerichteten Bittschriften wegen des Tischtitels und der unentgeltlichen Aufnahme in das Konvikt zu Klagenfurt.[83]

Die verbliebenen 35 Mönche sahen vorerst einer unsicheren Zukunft entgegen. Die Absicht, sie in andere Benediktinerklöster einzuteilen, wie sie das Aufhebungsdekret verlautbarte, und noch dazu in solche in anderen (innerösterreichischen) Ländern, wie später verfügt wurde[84], dürfte unter den St. Paulern einen nicht geringen Schrecken ausgelöst haben. Die Bereitschaft zu einem solchen Schritt hielt sich sehr in Grenzen.[85] In der Folge taucht der Plan auf, eine „union der Benedictiner in Kärnten in *loco S. Paul*"[86] einzurichten. Verschiedene Variationen wurden durchgespielt, die Ossiacher sollten nach St. Paul, die St. Pauler nach Arnoldstein, die Arnoldsteiner nach St. Paul und zum Schluß die Ossiacher und die Arnoldsteiner nach St. Paul kommen. Die erste Variante war die von der Landesstelle und vom Gouverneur vergeblich favorisierte[87]; es wurde die zweite verfügt.[88] Nach ebenso erfolglosen Bemühungen, dann die dritte zu erreichen, wurde den St. Paulern wenigstens die Möglichkeit eingeräumt, in den Weltpriesterstand zu treten.[89] Mit dem Restitutionsdekret von St. Paul wurde schließlich Arnoldstein statt St. Paul aufgehoben. Die dortigen Religiosen sollten nach St. Paul übertreten[90], wogegen sie sich erfolgreich sträubten und die Erlaubnis zur Säkularisation erhielten[91], die Ossiacher aber, vor die Wahl gestellt, gingen lieber nach St. Paul, als in den Weltpriesterstand zu treten.[92]

Trotz Restitution des Stiftes blieb die Güterverwaltung in Händen der Kameraladministration. Die Hoffnung, diese im Zuge der Genehmigung der neuen Pfarreinteilung für Kärnten im Mai 1786, die in Verbindung damit auch das Fortbestehen St. Pauls bekräftigte, wiederzubekommen, erwies sich als trügerisch. Auch die in genannter Genehmigung enthaltene Bestimmung, daß der *numerus fixus* der St. Pauler Patres ohne die in der Seelsorge ausgesetzten 20 betragen sollte, konnte vom Stift nicht erfüllt werden, lediglich zehn von 16 Patres im Stift entsprachen dieser Norm, 14 waren in der auswärtigen Seelsorge.[93] Seit 1782 waren fünf St. Pauler gestorben, an Nachwuchs fehlte es nun.[94] Da auch die Kameraladministration nicht gut gewirtschaftet hatte – es sei laut Edling alles in Verwirrung geraten –, ihn die Gläubiger wie auch seine Geistlichen bestürmten, die bei Fortsetzung dieser Bewirtschaftung um ihre Pension fürchteten, tat Edling wieder den schon 1782 gesetzten Schritt. Er wandte sich an den Kaiser und legte ihm die Lage des Stiftes dar.[95] Mit Hofentscheidung vom 10. 4. 1787 wird die abermalige Aufhebung St. Pauls verfügt[96], und am 4. 5. begann der zum Aufhebungskommissar bestimmte Mittelsrat und Kreishauptmann von Klagenfurt, Bernhard Gottlieb Freiherr von Hingenau, mit der Aufhebung im Stift, die diesmal nur fünf Tage dauerte, da man vorerst auf eine neue Inventarisierung verzichtete, diese dann aber vom 27. 9. bis 7. 11. 1787 nachholte.[97] Nur das, was das Stift noch in seiner Verwahrung hatte, sollte übernommen werden, z. B. das Kirchensilber und die Ornate, die von der Gröller-Kommission wohl verzeichnet, aber nicht geschätzt worden waren; dies wurde jetzt nachgeholt.[98] Von den 16 Stück Paramenten, die der Versatzamtskassier zur Lizitation erhielt[99], wurde mehr als die Hälfte nicht verkauft.[100] Einen „schönen Ornat mit Gold und Seide gestickt" erwarb Erzherzogin Maria Anna für das Elisabethinenkloster in Klagenfurt.[101] Somit konnten nur 585 fl 28¾ kr der Kameralreligionsfondskassa zugeführt werden.[102]

Das Hauptinventar 1787 weist aus, daß die Kameraladministration nicht besser als Edling gewirtschaftet hatte. Aktiva von 867 252 fl 38 kr 3 7/12 d stehen Passiva von 541 841 fl 34 kr 3 d gegenüber, somit verbleibt ein reines Aktivum von 325 411 fl 14 kr 7/2 d.[103]

Den Patres wurde es diesmal freigestellt, in ein anderes Kloster oder in den Weltpriesterstand zu treten. Alle entschlossen sich zu letzterem. Außer einem waren alle für die Seelsorge approbiert, von diesen 26 aber zehn wegen Alter und Krankheit dazu unfähig.[104] Während der Verweilfrist von fünf Monaten im Kloster bekamen sie ein Taggeld von 40 kr, die „normalmäßige" Pension von 300 fl wurde ihnen erst am 6. 11. 1787 angewiesen. Abt Anselm von Edling wurde in der Folge Pfarrer und Dechant zu Wolfsberg. Er starb in Göß als Domkustos und Domherr zu Leoben am 23. 4. 1794.[105]

Für die weitere Verwendung der weitläufigen Stiftsgebäude stand die Widmung als Priesterhaus für die Lavanter Diözese, als Siechenhaus, als Kaserne oder als von der Marktgemeinde St. Paul erhoffte Fabrik zur Diskussion. Ungeachtet dessen, daß der Wert der Gebäude nur auf 4 600 fl (brauch- und veräußerbare Materialien der Gebäude) – von geschätzten 200 000 fl Erbauungskosten – veranschlagt wurde, wurde weder 1788, als das halbe Stiftsgebäude um 2 187 fl angeboten wurde, noch später ein Käufer gefunden, als der Preis nur mehr 151 fl 26 kr betrug, mit der Auflage, eine angemessene Fabrik zu errichten. Schließlich entschied der Kaiser am 1. 11. 1792 nach langen Verhandlungen der Staatsgüter-Verwaltung mit dem Innerösterreichischen Militärgeneralkommando, daß die Güter St. Paul und Kollnitz an das Militär verkauft werden sollten.[106] Dieses, die Beamten der Religionsfondsherrschaft St. Paul und einige Patres befanden sich noch im Stift, als die Mönche von St. Blasien 1809 hier einzogen.[107]

Anmerkungen

1. Dieses Thema hat bereits T. Raschl in seinem Aufsatz: Aufhebung und Neubegründung des Stiftes St. Paul (1782–1809), JbSP 42 (1926/27), S. 3–31; 43 (1927/28), S. 3–31; 44 (1928/29), S. 3–23, ausführlich behandelt (Rezension von H. Braumüller, Car. I 125 (1935), S. 286). Im folgenden wurde versucht, soweit es in diesem engen Rahmen möglich war, jene Dinge aus dem reichen Quellenmaterial zu filtern, die bei Raschl, dessen Schwerpunkt in der Wiedergabe vieler Aktenstücke zur Aufhebung und Restitution liegt, nicht dargestellt oder nur angerissen wurden, wie z. B. die Vorgangs- und Arbeitsweise der Aufhebungskommission. Mit einer näheren Betrachtung des Konventes und mit der Sichtung einzelner Inventare soll auch Kulturgeschichtliches gestreift werden.
2. Aus der Fülle von Literatur dazu sei E. Zöllner, Bemerkungen zum Problem der Beziehungen zwischen Aufklärung und Josefinismus, in: Österreich und Europa. FG für Hugo Hantsch, hrsg. vom Inst. für Österr. Geschichtsforschung und von der Wiener Katholischen Akademie (1965), S. 203–219, herausgegriffen, der darin auch die Standpunkte wichtiger Josephinismus-Publikationen untersucht, wie auch K. Vocelka, Der Josephinismus: Neuere Forschungen und Problemstellungen, Jb. der Gesellschaft für die Geschichte des Protestantismus in Österreich 95 (1979), S. 53–68. Eine der Wurzeln des Josephinismus reicht bereits ins Mittelalter zurück, eine teils österreichische, teils europäische staatskirchliche Tradition, vgl. Zöllner, Bemerkungen S. 204.
3. Mit den Klosteraufhebungen beschäftigen sich, neben vielen Untersuchungen zum Einzelfall, für Innerösterreich: A. Wolf, Die Aufhebung der Klöster in Innerösterreich 1782–1790 (1871, Nd. 1971), für Oberösterreich: R. Hittmair, Der Josefinische Klostersturm im Lande ob der Enns (1907), für Niederösterreich: G. Winner, Die Klosteraufhebungen in Niederösterreich und Wien (Forschungen zur Kirchengeschichte Österreichs 3, 1967), für Tirol: A. Lindner, Die Aufhebung der Klöster in Deutschtirol 1782–1787. Ein Beitrag zur Geschichte Kaiser Josephs II., ZS des Ferdinandeums für Tirol und Vorarlberg 3. F., 28 (1884), S. 157–234.
4. Handbuch aller unter der Regierung des Kaisers Joseph II. für die K.K. Erbländer ergangenen Verordnungen und Gesetze in einer Sistematischen Verbindung 2,4: Geistliche Sachen und Stiftungsangelegenheiten ([2]1785), S. 264–266; vgl. Wolf, Aufhebung (wie Anm. 3), S. 27–31.
5. Hofdekret vom 7. X. 1782. KLA, Regierungsakten (Jesuiten-, Klosteraufhebungs-, Invasionsakten), Fasz. VII, 206. Da alle im folgenden benutzten Quellen aus diesem Bestand stammen, erfolgt die Zitierung nur mit Faszikel und Aktenzahl.
6. Wolf, Aufhebung (wie Anm. 3), S. 90.
7. Ch. Tropper, St. Georgen am Längsee (1988), S. 21. Manuskript für Austria Benedictina. Die Männer- und Frauenklöster der Benediktiner in Österreich und Südtirol, hrsg. von F. Hermann, U. Faust (im Druck).
8. P. G. Tropper, Ossiach (1987), S. 19. Manuskript für *Austria Benedictina* (wie Anm. 7).
9. Marian, Geschichte der ganzen österreichischen und weltlichen und klösterlichen Klerisey beyderley Geschlechtes. Aus den Sammlungen Josephs Wendt von Wendtenthal, 3. Tl., Bd. 5: Das Innerösterreich (1783), S. 301, Anm.
10. Edling im Begleitbrief seines Artikels über St. Paul an Marian vom 24. 7. 1780, Ebd. Darin befand er sich im Gegensatz zum Lavanter Fürstbischof, Brief an den Abt vom 22. I. 1782 (wie Anm. 12).
11. „Er ist die fruchtbarste und bedeutendste Dichterpersönlichkeit seiner Epoche, der Kärntner, der in Kärnten seine Zeit verkörpert." E. Nussbaumer, Geistiges Kärnten (1956), S. 248. Darin ausführliche Würdigung des Schriftstellers Anselm von Edling, wie auch weitere Literatur hiezu. Kurze Darstellung seiner Regierungszeit in T. Neugart, *Historia Monasterii Ord. S. Benedicti ad S. Paulum in valle inferioris Carinthiae Lavantina*, Bd. 2 (1854), S. 121–124, und B. Schroll, Das Benediktinerstift St. Paul, Car. 66 (1876), S. 225–226; *Scriptores Ordinis S. Benedicti qui 1750–1880 fuerunt in imperio Austriaco-Hungarico* (1881), S. 76–77. Über Anselm von Edling vgl. auch die Beiträge hier S. 219 ff. und 225 ff.
12. Brief des Fürstbischofs an den Abt vom 22. 1. 1782, Sta. Zit. nach Raschl, Aufhebung 42 (wie Anm. 1), S. 7. Hier der vollständige Abdruck des Briefes wie auch in Neugart, *Historia 2* (wie Anm. 11), S. 122–124.
13. Marian, Klerisey 3,5 (wie Anm. 9), S. 301, Anm. Zu Passauko vgl. Schroll, St. Paul (wie Anm. 11), S. 223–225. Über die Ursachen und die Wirtschaftsführung Passaukos siehe hier, S. 197 ff.
14. „Lieber Mann das war zu gäh fürgegangen, Sie hätten ihr Convent von diesen Schritt abhalten sollen, nicht selbst darein einschlagen". Brief des Lavanter Fürstbischofs an den Abt von 22. I. 1782 (wie Anm. 12).
15. Raschl, Aufhebung 42 (wie Anm. 1), S. 9; vgl. Ebd., S. 3, Anm.
16. Fasz. VII, 206; vgl. Raschl, ebd., S. 10, und Wolf, Aufhebung (wie Anm. 3), S. 95.
17. Fasz. II, Nr. I (Copia), und VII, 206 (Konzept). Abgedruckt bei Raschl, Aufhebung 42 (wie Anm. 1), S. 11.
18. Fasz. II, Nr. I.
19. Fasz. II, Nr. II. Im folgenden Zitierung nach der gleichlautenden Abschrift (54 Blatt), abgekürzt mit Protokoll und Foliierung. Beilagen von A–Z,

AA – ZZ, Aa – Zz, AAA – QQQ, AAa – ZZz.
20. Fasz. V, 196/1. Relation vom 30. I. 1783. Im folgenden Zitierung nach der gleichlautenden Abschrift (56 Blatt, Original 68 Blatt), abgekürzt mit RELATION und Nummer, gegebenenfalls Foliierung.
21. Nur weniges darüber befindet sich im STA, wie RASCHL, Aufhebung 42 (wie Anm. 1), S. 3, schreibt, der auch die Archivalien in Wien (Österr. Staatsarchiv, Abt. Allgem. Verwaltungsarchiv, B.M.f.K. u.U.) benützte. Seine Nachforschungen im Steiermärkischen Landesarchiv blieben erfolglos; diese Akten waren schon 1874 unauffindbar.
22. PROTOKOLL fol. 22f. Landeshauptmann von Kärnten an Lavanter Fürstbischof v. 24. X. 1782 – Stiftsprofessen sollen auf Pfarreien bleiben. Fasz. II, Nr. I.
23. Hier irrt Gröller, Kollnitz wurde bis zur Aufhebung von P. J. Gatterer verwaltet.
24. RELATION Nr. 20.
25. RELATION Nr. 25 und PROTOKOLL fol. 21v.
26. RELATION Nr. 14.
27. RELATION fol. 6r. Verzeichnis der Barschaft vom 2. XII. 1782, Fasz. II, Nr. 1.
28. RASCHL, Aufhebung 42 (wie Anm. 1), S. 16.
29. Verzeichnis erstellt vom 5. XI. – 12. XI. 1782, ohne Schätzwerte. Fasz. V, 196/8.
30. Darin auch das Gold und Silber von den Herrschaften Kollnitz, Möchling und Faal, das man nach St. Paul bringen ließ, wie auch das im Klagenfurter Haus und das „Abbatial Kirchensilber". Geschätzt in St. Paul am 5. u. 6. XI., in Klagenfurt am 25. XI. 1782. Fasz. II, Nr. 2.
31. Fasz. II, Nr. 3, und RELATION Nr. 10.
32. RELATION Nr. 9.
33. Das Silber an das k.k. Pagamentamt. Zusammen mit dem Silber wurde ein Betrag von 4 478 fl 2¼ kr erzielt. Kameral- u. Bancozahlamtsbericht an das innerösterreichische Gubernium, Klagenfurt 7. VI. 1786. Fasz. IX, 20950.
34. Die Rubriken dieses Inventars seien mitgeteilt: „Haus, Zim̄er Einrichtung und andere Geräthschaften – 2 222 fl 45 kr, Lein und Tisch Wäsch – 330 fl 21 kr, Porculain und Hollitscher Geschier – 66 fl 51 kr, Kuchel Einrichtung – 78 fl 13 kr, Keller Geräthschaften – 199 fl 40 kr, Zinn, Messing und Kupfer – 540 fl 3½ kr, lebendige Fahrnisse – 554 fl, Fourage – 75 fl, Gebäude – 1 526 fl und Gärten – 715 fl 12 kr"; in Summa also 6 308 fl 6 kr, Fasz. II, Nr. 9.
35. PROTOKOLL fol. 28.
36. Manchmal setzt die Kommission noch Adjektiva wie „klein" und „groß, geistlich" und „weltlich, gleiche" und „andere, schlechte", „verschiedene" und „alte" bei.
37. Fasz. II, Nr. 50.
38. Fasz. II, Nr. 9.
39. PROTOKOLL fol. 20v u. 44v. Vgl. RELATION fol. 28r. Über das Schicksal der Bibliothek siehe S. LASCHITZER, Geschichte der Klosterbibliotheken und Archive Kärntens zur Zeit ihrer Aufhebung unter Kaiser Josef II., Car. 73 (1883), S. 141 – 148; H. MENHARDT, Neue Forschungen über die Herkunft der Handschriften aus alten Bibliotheken Kärntens, Zentralblatt für Bibliothekswesen 41 (1924), S. 225 – 244; DERS., Weitere Nachrichten von Kärntner Klosterbibliotheken, ebd. 44 (1927), S. 593 – 611; A. TRENDE, Die Stiftsbibliothek in St. Paul, Car. I 142 (1952), S. 609 – 668. Der Bibliothekskatalog von 1782 war 1787 anscheinend nicht mehr vorhanden, da in diesem Jahr von Abt Anselm ein neuer angefertigt wurde. Der Handschriftenkatalog von 1782, bestehend aus 310 Bänden, ist abgedruckt bei MENHARDT, Weitere Nachrichten (wie Anm. 39), S. 596 – 606.
40. Fasz. II, Nr. 9.
41. Vgl. LASCHITZER, Klosterbibliotheken (wie Anm. 39), S. 141f.
42. PROTOKOLL fol. 21r und RELATION Nr. 11.
43. RELATION Nr. 11.
44. PROTOKOLL fol. 23r, 24v, 29v.
45. PROTOKOLL fol. 30v – 34v.
46. RELATION Nr. 34 – 38.
47. Wie Anm. 45.
48. PROTOKOLL fol. 35r. Inventar des Klagenfurter Hauses Nr. 351 im Schätzwert von 444 fl 16 kr, Fasz. II, Nr. 24.
49. Fasz. II, Nr. 15 u. 23.
50. PROTOKOLL fol. 36r – 38r. Vgl. RELATION Nr. 4. Darüber bereits ausführlich von den Anfängen J. KLAUSBERGER, Das Kupferbergwerk am Lamprechtsberge (1766 – 1791) (Diss. Graz, 1931); DERS., St. Pauls' Kupferbergwerk am Lamprechtsberg (1766 – 1791), JbSP 52 (1935/36) und Sonderdruck 1936 (Rezension Car. I 127 (1937), S. 164f.); DERS., Das Eisenbergwerk am Lamprechtsberg (1647 bis 1648) und an der Goding (1696 bis 1697), Montanistische Rundschau 29 (1937), Nr. 24. Ihm folgend E. POTOTSCHNIG u. a., Das Kupferbergwerk des Stiftes St. Paul am Lamprechtsberg, JbSP (1978/79), S. 14 – 18.
51. PROTOKOLL fol. 35r – 36r, 38rf. und Fasz. V, 196/8, Note an Prälaten v. 29. XI. 1782.
52. PROTOKOLL fol. 38f., 41r, 42v, 46v.
53. PROTOKOLL fol. 46r.
54. Brief vom 10. XII. 1782, Fasz. V, 196/10.
55. Fasz. V, 196/8, und PROTOKOLL fol. 42r. Die Kongrua ist das vom Staat garantierte Mindesteinkommen, vgl. J. R. KUSEJ, Joseph II. und die äußere Kirchenverfassung Innerösterreichs (Kirchenrechtliche Abhandlungen 49/50, 1908), S. 304 – 305.
56. An Kommission vom 10. XII. 1782 = Beilage L.L.I. *ad protocollum*, Fasz. V, 196/10; vgl. PROTOKOLL fol. 42r.
57. Wie Anm. 56; vgl. Äußerung der Aufhebungskommission über Dotation – RELATION Nr. 54 – 57.
58. PROTOKOLL fol. 39r, 40r, 43v.
59. Fasz. II, Nr. 9.
60. PROTOKOLL fol. 42v. Verzeichnis der Rubriken vom 10. XII. 1782, Fasz. V, 196/10.
61. PROTOKOLL fol. 45r. Diese wurde dann wegen Restitution des Stiftes nicht zu Ende geführt, Fasz. VII, 255. Ausführlich zum Archiv, dessen Hauptkörper den 1809 eingewanderten Mönchen aus St. Blasien übergeben wurde, siehe LASCHITZER, Klosterbibliotheken (wie Anm. 39), S. 144 – 148.
62. PROTOKOLL fol. 45rf., 54v.
63. Sum̄arisches Hauptinventarium vom 20. I. 1783, Fasz. II, Nr. V. Die gleichen Zahlen auch in RELATION Nr. 84 und bei WOLF, Aufhebung (wie Anm. 3), S. 97. Geringfügig abweichend bei RASCHL, Aufhebung 42 (wie Anm. 1), S. 22. Dazu ebd., Anm. 28.
64. Fasz. V, 196/4.
65. Fasz. VII, Nr. 167.
66. PROTOKOLL fol. 50vf., 53rf.
67. 12. XII. 1782 = Beilage F.F.F. *ad protocollum*, Fasz. V, 196/4. Am 27. XII. übergeben, PROTOKOLL fol. 47r. Über die Bilanz siehe RASCHL, Aufhebung 42 (wie Anm. 1), S. 23.
68. RELATION fol. 49v.
69. RASCHL, Aufhebung 42 (wie Anm. 1), S. 27 – 30. Edling wurde davon vor der offiziellen Information durch Erzherzogin Maria Anna in Kenntnis gesetzt, die es von ihrem „sichern corresponden-

ten" in Wien erfuhr, siehe F. OBERNDORFER, Briefe der Erzherzogin Maria Anna (1738–1789) an Anselm von Edling, Abt von St. Paul, Blätter zur Geschichte und Heimatkunde der Alpenländer 1 (1910), Nr. 11, S. 47.

70. WOLF, Aufhebung (wie Anm. 3), S. 95, berichtet fälschlich von 60. Arnoldstein – 17 Geistliche, Fasz. I, Nr. 307 (Vorschlag d. Gouverneurs bezüglich der Benediktinerunion v. 13. XI. 1783); Ossiach – 17, TROPPER, *Austria Benedictina* (wie Anm. 8), S. 19; Viktring – 21, W. KRASSNIG, Die letzten Zisterzienser des im Jahre 1786 aufgehobenen Stiftes Viktring. Unter besonderer Berücksichtigung ihrer nachmaligen Verwendung in der Seelsorge (Diss. Graz, 1985), S. 174; Griffen – 19, KUSEJ, Joseph II. (wie Anm. 55), S. 263.
71. F. MAASS, Der Josephinismus. Quellen zu seiner Geschichte in Österreich 1760–1790. 2: Entfaltung und Krise des Josephinismus 1770–1790 (FRA II, 72, 1953), S. 9.
72. RASCHL, Aufhebung 42 (wie Anm. 1), S. 24.
73. KRASSNIG, Viktring (wie Anm. 70), S. 181.
74. Tabelle vom 14. XI. 1782 = Beilage *G. g. ad protocollum* und Tabelle bei RASCHL, Aufhebung 43 (wie Anm. 1), S. 27.
75. RASCHL, Aufhebung 42 (wie Anm. 1), S. 15.
76. HOFDEKRET vom 7. X. 1782 (wie Anm. 5).
77. RELATION fol. 3f. und PROTOKOLL fol. 25v. Verpflegungsstand bis 15. XI. 1782 vom 11. XI. 1782 = Beilage *N et X ad protocollum,* Fasz. II.
78. PROTOKOLL fol. 38v.
79. Tabelle vom 16. XI. 1782 = Beilage *K.K. ad protocollum,* Fasz. V. 1787 zählte man dort insgesamt mehr Bücher, obwohl es inzwischen 10 Patres weniger waren. Vgl. LASCHITZER, Klosterbibliotheken (wie Anm. 39), S. 85.
80. Wie Anm. 79.
81. RELATION fol. 5v.
82. RASCHL, Aufhebung 42 (wie Anm. 1), S. 13.
83. Abt an Kommission vom 11. XII. 1782, Fasz. V, 196/10. Bittschriften der *non-professi* vom 10. XII. u. 11. XII. 1782, EBD. RELATION fol. 4r.
84. Wie Anm. 88.
85. Eingabe des Abtes an Gubernium vom 1. I. 1783, Fasz. II, 3064. Abgedruckt bei RASCHL, Aufhebung 42 (wie Anm. 1), S. 25–27; vgl. Anselm Edlings Abbten zu St. Paul in Kärnten Ord. S. Bened. Anrede an seine Geistlichen am Tag nach der Aufhebung am 5. XI. 1782, AVGT 5 (1860), S. 21–31, bes. S. 26f.
86. Abt Anselm an Gouverneur vom 29. X. 1783, Fasz. I, Nr. 307.
87. RASCHL, Aufhebung 42 (wie Anm. 1), S. 11, S. 27f. Vgl. S. DROSG, Verfall und Aufhebung des Benediktiner-Stiftes Ossiach in Kärnten (Diss. Graz, 1935), S. 71.
88. Am 5. XII. 1782. Damit wurde auch zugleich die Aufhebung Ossiachs verfügt. RASCHL, Aufhebung 42 (wie Anm. 1), S. 25; vgl. DROSG, Ossiach (wie Anm. 87), S. 74.
89. Hofdekret vom 12. VI. 1783, Fasz. VII, 206, fol. 65. Vgl. RASCHL, Aufhebung 42 (wie Anm. 1), S. 29.
90. EBD., S. 30; vgl. J. GRABMAYER, Arnoldstein (1989), S. 30. Manuskript für *Austria Benedictina* (wie Anm. 7).
91. Hofdekret vom 24. XI. 1783, Fasz. VII, Nr. 25 u. Nr. 196.
92. DROSG, Ossiach (wie Anm. 87), S. 109–111.
93. Abt Anselm an Gub., 12. VIII. 1786, Fasz. XX, 11343, fol. 28.
94. Fasz. IX, 4739, 7826, 18446. Die Kandidatenaufnahme war am 20. V. 1781 untersagt worden, siehe WINNER, Klosteraufhebung (wie Anm. 3), S. 68.
95. Eingabe v. 23. XII. 1786. RASCHL, Aufhebung 43 (wie Anm. 1), S. 13.
96. Fasz. XX, 11343, fol. 1.
97. RASCHL, Aufhebung 43 (wie Anm. 1), S. 18, S. 20.
98. Aufhebungsbericht Hingenaus vom 4. V. 1787, Fasz. XX, 113343, fol. 5. Das Kirchensilber schlug mit 3 411 fl 23 kr zu Buche (Fasz. IV, Beil. 22), die Paramente der St. Pauler Sakristei mit 1 591 fl. (Fasz. IV, Beil. 26).
99. Fasz. IV, Beil. 26.
100. Fasz. IV, Beil. 27.
101. A. INNERKOFLER, Eine große Tochter Maria Theresias: Erzherzogin Marianna in ihrem Hauptmonument, dem Elisabethinen-Kloster zu Klagenfurt (1910), S. 117.
102. Fasz. IV, Beil. 27 und 29.
103. RASCHL, Aufhebung 43 (wie Anm. 1), S. 21.
104. „Standstabelle" vom 7. V. 1787, EBD., S. 27.
105. RASCHL, Aufhebung 43 (wie Anm. 1), S. 26f.
106. EBD., S. 23–25.
107. RASCHL, Aufhebung 44 (wie Anm. 1), S. 11.

aus akzeptiert war.[3] Der spielerische Charakter solcher Tätigkeit wird manchmal klar angekündigt: „Man gab mir 1775 in einer Gesellschaft zu Klagenfurt folgende Wörter auf, um eine Ode daraus zu machen" (xxvii, 55), oder: „Mein Sprachmeister in der französischen Sprache Baron Siegersdorf gab mir folgende Wörter zu einer Ode 778", woraus das Gedicht *La Coquete abandonée* (lxvi, 107) fabriziert wird. Nicht erst nachfolgende Generationen, schon Edlings Zeitgenossenschaft hat diese Art von Poesie auf den Rang dilettantischer Kunstübung zurückgestuft. Auch dies mag einer der Gründe gewesen sein, warum Edling von einer gedruckten Veröffentlichung Abstand genommen hat und es bei einem Liebhaberexemplar beließ. Denn: in der zeitgleichen Literatur war er wohl bewandert, und wenn er sich selbst auch eher der Generation und Manier der Gellert (1715–1769) und Hagedorn (1708–1754) verwandt fühlen mochte („Was Geller/t/s Hagedorne singen, / Muß meiner Kehl doch auch gelingen" heißt es in einem „bestellten" Gedicht von 1773, das diese Art freilich auch ein wenig ironisch betrachtet, xii, 21), so nahm er doch die darüber hinausgehende literarische Entwicklung wahr. Ein Gedicht zur „Emilia Galotti" (1772) aus dem Jahr 1775 belegt dies; auf Goethes „Werther" (1774) beziehen sich zwei Gedichte, davon eines 1779 „bestellt" (xv, 26), das andere undatiert und unkommentiert, doch deutlicher literarisch modernisiert durch die Form der freieren Ode und den expliziten Bezug auf den Goetheschen Roman. Die Kennzeichnung der Gedichte als „bestellt", „freygemacht", „freyer Gedanke" oder gar „herausgepreßt" (zu einem Gedicht an eine Schauspielerin, lxiii, 105–106) ist dabei kein Hinweis auf Qualität oder Relevanz: „freygemacht" ist ein Gedicht zum „Namenstag des Fraülleins von E." (vii, 12, mit der Zusatzbemerkung: „das Gedicht ward in der Jagd auf dem Thierstand mit Bleystift verfertigt"); „bestellt" ein düsterer Monolog einer „Verzweifelten Nonne" aus dem Jahr 1773 (xxxix, 69). Und selbst Gedichte mit autobiographischen Zügen verdecken denkbare psychische Konflikte eher hinter den Formeln stoischer Heiterkeit. Lediglich das Gedicht „Selbstgespräch mit meiner Inful", eine Art Lebensbilanz von 1780, gerichtet an die Abtmütze, das Zeichen seiner Würde und gehobenen gesellschaftlichen Stellung, bekennt die mit der Stellung verbundenen Verluste („von jeder Lust der Erd' beraubt") und Alpträume:

„Ich kriech im Traum vor Szeptern und vor Thronen,
Und schleppe mich im Schlaf mit Millionen,
Die ich stets suche, niemal find
/. . ./
O Inful! Trauriges Geschenke,
Das ich erhielt, um glücklicher zu scheinen.
Im Grund' viel elender zu werden."
(x, 17–18)

3. Adeliges Landleben und städtischer Geist

Von den fehlenden Millionen, die den Abt nächtlich plagten, gibt auch die Abschiedsrede an seine Mitbrüder Zeugnis, die er am Tag nach der Klosteraufhebung und zu ihrem Anlaß hielt. Sie ist zum großen Teil eine Rechtfertigung und Beteuerung seiner ökonomischen Bemühungen, zeigt aber auch großes Verständnis für die josephinischen Maßnahmen, mahnt zu Gelassenheit und rät ab von Renitenz:

„Die Verwirrung der Diözesen, die Entferntheit der Pfarreien und die Menge großer und kleiner Stiftungen, die im Verborgenen ruhen, oft zu Kleinigkeiten, davon die Religion keinen Vortheil hat, bestimmt sind, oft vielleicht auch mit sehr großer Lauigkeit befolgt worden sind, die verfallene Klosterzucht und viele andere Gegenstände trafen zusamm, um einmal einen thätigen Monarchen zu bewegen, daß er dem geistlichen Fach eine andere Gestalt in seinen Staaten geben sollte. Je mehr wir der Sache nachdenken, desto mehr sind wir überzeugt, daß uns Philosophie und Christenthum verbinden, die höchste Anordnung eines Monarchen, den uns Gott gesetzt hat, mit Gelassenheit anzunehmen /.../"[4]

Dem Abt scheinen die sachlich-vernünftigen Gründe der Aufhebung verständlich, und die Welt, in die er seine Mitbrüder mit Mahnung und Ermutigungen entließ, war ihm selbst wenig fremd. 1781 war die Erzherzogin Maria Anna, Schwester Josephs II., nach Klagenfurt übersiedelt und hatte hier eine Art Hofhaltung etabliert, die Aristokraten, Gelehrte und Künstler vorübergehend gesellig versammelte.[5] Im selben Jahr regelte Joseph II. die Bücherzensur neu. Ebenfalls in diesem Jahr wurde in Wien die bedeutendste Freimaurerloge, „Zur wahren Eintracht", gegründet.[6] Sie stand unter dem besonderen Schutz der Erzherzogin Maria Anna; der Mineraloge Ignaz von Born (er gilt als Vorbild des Sarastro in Mozarts „Zauberflöte") wurde 1782 Leiter der Loge und versammelte in ihr die intellektuelle Elite der Residenzstadt. 1784 nahm Born in Klagenfurt die feierliche Konstituierung der (ein Jahr davor gegründeten) Loge „Zur wohltätigen Marianna" vor.[7] In seiner Begleitung war Aloys Blumauer, als Dramatiker („Erwine von Steinheim", 1780 im Burgtheater aufgeführt), Lyriker, Redakteur (des „Wienerischen Musenalmanachs" ab 1781, des „Journals für Freymaurer" 1784–86) und Bücherzensor (ab 1782) wohl die zentrale Figur der nach der Zensurregelung von 1781 jäh aufschießenden Wiener literarischen Öffentlichkeit. Es sind diese Ereignisse und Personen, die neue Bewegung in Edlings literarische Versuche bringen.

Die persönlichen Beziehungen, die diesem Neuansatz zugrundeliegen, sind in Umrissen rekonstruierbar, wenn auch nicht im Detail.[8] Durch Gedichte ist belegt, daß Blumauer und Edling Gäste auf dem Sommersitz des Grafen Max Thaddä Egger, Schloß Thalenstein, waren. Graf Egger war der erste Leiter („Meister vom Stuhl") der Klagenfurter Loge „Zur wohltätigen Marianna". Für Edling war Thalenstein der Ort, an dem die „schöne Nützung aller Stunden" stattfand, „freyes Leben, / Das mich gar oft vom ganzen Schleppe / Der Häuslichen Verdrüßlichkeit erlöste, / Und Blut, das Schwärmerey gestockt, / In Gang gebracht /.../", auch der Ort, an dem seine dichterischen Etüden mit Aufmerksamkeit honoriert wurden („Manch Lob, das in dem Kreiß erscholl, / Und meine kleinen Vers belohnte", lxxvii, 137–138) und von dem er sich – etwas larmoyant – unter Tränen verabschiedet, um allein zu überwintern, während sich die Herrschaft dem gesellschaftlichen Winter in der Stadt widmet, der durch Zwang, Etikette, durch „sießer Herren Unsinn" und den „dummen Kraiß geputzter Schönen" gekennzeichnet ist. Der literarische Topos des Gegensatzes von Stadt und Land, die Formeln, die bereit lagen, mögen das, was an Erfahrung zugrunde lag, etwas überhöhen und dramatisieren – jedenfalls trifft sich Edling auf diesem Feld mit Blumauer schon vor der mutmaßlichen Begegnung im Sommer 1784. Auch Blumauer bezieht sich auf das die Gegensätze Abmildernde dieses Orts, mit einer Naturbildlichkeit des „Lustgärtchens der Frau Gräfin von Egger"[9], die zwar „nackte Felsenstücke", „harte Felsenritzen", den „schroffen harten Stein" als die Gegenstände nennt, welche die Gräfin mit kundiger Hand, Moos und Rasen zum Lustgärtchen abpolstert; die Interpretation des Ganzen aber als „deines Geistes Bild" ruft eine zweite Bedeutungsebene auf: hart/weich, Mann/Frau, Winter/Sommer – vielleicht Ver-

ANMERKUNGEN

1. Briefe in Kärnten. Oder Lehrsätze für angehende Seelsorger. Von Anselm Abbt zu St. Paul (1786), S. 3.
2. Anselm Edlings Gedichte von verschiedenen Gegenständen. Gesamlet im Jahre MDCCLXXX. Handschriftliches, gebundenes Exemplar der Goeßschen Schloßbibliothek in Ebenthal. Herrn Dr. Leopold Goeß danke ich für die Erlaubnis zur Benützung der Handschrift. Die im folgenden daraus zitierten Gedichte werden mit Gedichtnummern (in römischen Ziffern) und Seiten angemerkt, und zwar im Anschluß an das Zitat. Ein großer Teil der Gedichte ist ediert und kommentiert von E. NUSSBAUMER, Anselm Edlings Lyrik, Car. I 143 (1953), S. 965–987.
3. Vgl. J. C. GOTTSCHED, Versuch einer Critischen Dichtkunst (1751), bes. S. 145.
4. Die Aktivitäten und Fähigkeiten Edlings auf diesem Gebiet werden kontrovers beurteilt von R. CEFARIN, Kärnten und die Freimaurerei (1932), S. 115, und E. NUSSBAUMER, Geistiges Kärnten (1956), S. 228ff.; dort auch jeweils genauere Angaben zur Biographie Anselm Edlings; ANSELM EDLINGS Abbten zu St. Paul in Kärnten Ord. S. Bened. Anrede an seine Geistliche am Tag nach der Aufhebung am 5. November, AVGT 5 (1860), S. 21–31, Zitat: S. 26.
5. Vgl. dazu H. MENHARDT, Zu Anselm von Edlings Werken, Car. I 114 (1924), S. 32–41; dort auch Nachweis und Beschreibung der Handschrift der unten näher erörterten „Tagsatzung im Olympus"; vgl. die etwas romanhaft ausgeschmückte Darstellung von O. RUDAN, Erzherzogin Maria Anna in Klagenfurt 1781–1789, Car. I 170 (1980), S. 185–260.
6. E. ROSENSTRAUCH-KÖNIGSBERG, Freimaurerei im josephinischen Wien. Aloys Blumauers Weg vom Jesuiten zum Jakobiner (1975), S. 48ff. Frau Dr. Rosenstrauch danke ich für vielfältige Anregungen und Überlassung von Materialien.
7. Cefarin, Freimaurerei (wie Anm. 4), S. 74ff.
8. So herrscht etwa über Edlings Zugehörigkeit zur Klagenfurter Loge Unsicherheit, vgl. ebd., S. 115.
9. A. BLUMAUER'S gesammelte Werke, 5 Bde. (1839–41), 3. Bd., S. 54f.
10. Zur Handschrift und Zuordnung vgl. Menhardt, Anselm Edling (wie Anm. 5), S. 32–34.
11. Vgl. G. Frh. v. ANKERSHOFEN in einer Fußnote zur Edition der „Anrede an seine Geistliche" (wie Anm. 4).
12. Vgl. O. ROMMEL, Die Alt-Wiener Volkskomödie (1952), S. 530ff.; ROSENSTRAUCH, Freimaurerei (wie Anm. 6), S. 171ff.
13. A. BLUMAUER, Beobachtungen über Österreichs Aufklärung und Litteratur (1782), S. 44.
14. EBD., S. 43.
15. EBD., S. 9.
16. BLUMAUER, Werke (wie Anm. 9), Bd. 1, S. 189.
17. EBD., S. 8.
18. M. M. BACHTIN, Literatur und Karneval (1990), S. 43.
19. EBD., S. 45.
20. BLUMAUER, Werke (wie Anm. 9), Bd. 1, S. 222.
21. BACHTIN, Literatur (wie Anm. 18), S. 38–39.
22. BLUMAUER, Werke (wie Anm. 9), Bd. 4 (dieser Band enthält Nachahmungen durch andere Autoren, also auch die Edlings), S. 193.
23. EBD., S. 188.
24. EBD., S. 232.
25. EBD., S. 239.
26. EBD., S. 243.
27. Vgl. E. NUSSBAUMER, Zur Geistesgeschichte von Klagenfurt. Kärntner Dichtungen in Blumauers Manier, Car. I 140 (1950), S. 804–815.
28. ROSENSTRAUCH, Freimaurerei (wie Anm. 6), S. 208; Blumauers Aeneis war von den Maßnahmen nicht mehr betroffen, wohl aber manche Nachahmer.
29. NUSSBAUMER, Edlings Lyrik (wie Anm. 2), bes. S. 984–987.
30. Der Kornet oder so arg macht's die Eifersucht. Aus einer vaterländischen Sage zu einem Trauerspiel von fünf Aufzügen umgeschaffen von A. F. (1787), Vorerinnerung des Verfassers.
31. Untertitel: „Eine komische Oper in drey Aufzügen, von dem Verfasser des Kornets. A. Ed – g." (1789).
32. Vgl. CEFARIN, Freimaurerei (wie Anm. 4), S. 131.

Das neue Stift St. Paul im 19. und 20. Jahrhundert

Abb. 19: St. Blasien im Schwarzwald, Klosteranlage, Luftaufnahme

Das Benediktinerkloster St. Blasien und seine Beziehung zum Stift St. Paul[1]

JOHANNES GUT

DIE ANFÄNGE

St. Blasien, die wohl bedeutendste und mächtigste Benediktinerabtei des Schwarzwaldes, zählt nicht zu den frühesten Klostergründungen des deutschen Südwestens. Die schwere Zugänglichkeit des von tiefen Tälern durchschnittenen Waldgebietes des südlichen Hochschwarzwaldes mit seinen rauhen Hochflächen führte zu einer relativ späten Besiedelung jener Region. Erstmals tritt die mönchische Niederlassung, aus der später St. Blasien entstehen sollte, in einer Urkunde König Ludwigs des Deutschen aus dem Jahre 858 in das Licht der Geschichte, und zwar als *cella alba* (wohl Zelle an dem Flüßchen Alb) des Klosters Rheinau am Hochrhein. Die Übertragung der Reliquien des hl. Blasius[2] in das stille Schwarzwaldtal gegen Ende des 9. Jahrhunderts gab dem klösterlichen Gemeinwesen den Namen.

Personeller Zuzug und umfangreiche Schenkungen aus dem Kreis adeliger und hochadeliger Familien führten bald schon dazu, daß sich um die Mitte des 10. Jahrhunderts die Albzelle von dem Mutterkloster lösen und zur selbständigen Abtei werden konnte. Maßgebend hierbei erscheint ein gewisser Reginbert von Sellenbüren/Schweiz, den man später in der Klostertradition als Gründer (*fundator*) und sogar als Heiligen verehrte. Dieser Stellung entsprach auch der Bau einer ersten steinernen Klosterkirche. Doch schon 1013 begann man mit der Errichtung einer neuen Kirche (eingeweiht 1036) und eines ersten steinernen Klosters anstelle der bisherigen hölzernen Unterkünfte der Mönche.

DIE BLÜTEZEIT ALS REFORMKLOSTER

Im dritten Viertel des 11. Jahrhunderts gelangte St. Blasien in den Sog der großen abendländischen Reformbewegung, die von dem burgundischen Cluny ausgegangen war; die unmittelbare Beeinflussung erfolgte hier aus dem oberitalienischen Fruttuaria. Nur wenig mehr als zwei Jahrhunderte nach der ersten Erwähnung einer Zelle an der Alb empfand man das Leben der Schwarzwaldabtei als so vorbildhaft, daß sich weitere Klöster an ihr und ihren mönchischen Gewohnheiten orientierten. Es begann damit eine der geistigen Hochblüten St. Blasiens, das auf diese Weise neben Hirsau/Schwarzwald und Allerheiligen zu Schaffhausen zu einem der mächtigsten Reformzentren klösterlichen Lebens wurde. Die Kraft st. blasianischen Geistes reichte damals sogar so weit, daß ein von hier aus reformiertes Kloster wie Göttweig/Niederösterreich seinerseits zu einem eigenen Reformzentrum wurde; von ihm ging als weiteres Unterzentrum St. Lambrecht/Steiermark aus. Als Priorate an St. Blasien angeschlossen wurden unter anderem auch das alte, früher mit Einsiedeln verbundene habsburgische Kloster Muri/Schweiz (dieses bald jedoch wieder verselbständigt) und Ochsenhausen/Oberschwaben. Mönche aus dem Blasiuskloster kamen besonders nach Wiblingen bei Ulm, Alpirsbach/Schwarzwald, Donauwörth, St.-Johanns-Insel bei Erlach/Schweiz, Stein am Rhein, Ensdorf bei Amberg, Ettenheimmünster, St. Walburg am Heiligen Forst/Elsaß, Fultenbach/Bayern, Nienburg an der Saale und Lüneburg. Das Kloster Engelberg/Schweiz blühte unter dem aus St. Blasien stammenden Abt Frowin im 12. Jahrhundert auf.

Die steigende Bedeutung der Abtei erforderte nur fünf Jahrzehnte nach dem Bau des ersten steinernen Klosters die Errichtung einer größeren Kirche (begonnen 1095, eingeweiht 1108) und umfangreicherer neuer Klostergebäude (vollendet wenige Jahre später). Jahrhunderte hindurch blieben beide Klosteranlagen mit dem „Alten Münster" und dem „Neuen Münster" nebeneinander bestehen. Eine Zeit lang war St. Blasien ein Doppelkloster.

Im beginnenden 12. Jahrhundert wurde der Frauenkonvent nach dem südöstlich gelegenen Berau verlegt, blieb jedoch weiterhin der Abtei St. Blasien unterstellt. Auch dieses Frauenkloster spielte in der mönchischen Reformbewegung des 12. Jahrhunderts eine überragende Rolle; seine Regel wurde von mehreren Frauenklöstern Südwestdeutschlands und der Schweiz übernommen, so etwa von Fahr/Zürich und Sulzburg.

Im Schnittpunkt der Mächte

Dieser hervorragenden geistigen Prägung verdankte St. Blasien, daß es sich im Konzert der damaligen Großmächte behaupten konnte.

Die rechtliche Stellung der Schwarzwaldabtei unmittelbar nach der Lösung vom Mutterkloster Rheinau um die Mitte des 10. Jahrhunderts muß derzeit noch als ungeklärt gelten. Doch stand sie bald im Schnittpunkt verschiedener Einflußbereiche.

Die mächtigsten Herren des Gebietes waren im ausgehenden 11. Jahrhundert, der Zeit des Investiturstreites, die Herzöge von Rheinfelden. Ein Mitglied dieses Hauses, als Rudolf von Schwaben Gegenkönig gegen Heinrich IV., wählte St. Blasien als Grablege seines Geschlechtes. Dessen Erben im besitzrechtlichen und politischen Sinne wurden die Herzöge von Zähringen, die nach 1100 versuchten, St. Blasien in ihren Herrschaftsbereich einzubauen. Ihre Gegner waren die Bischöfe von Basel, die in der Schwarzwaldlandschaft nördlich des Hochrheins über zahlreiche Besitzungen und Rechte verfügten und sich ihrerseits um St. Blasien bemühten. Wichtig war aber auch Kaiser Heinrich IV., dem St. Blasien ein bedeutendes Immunitätsprivileg aus dem Jahre 1065 verdankt; hierin verlieh der Kaiser der Abtei einige Gerichtsrechte in einem fest umrissenen Kerngebiet um das Kloster – später als st. blasianischer „Zwing und Bann" bezeichnet –, ohne daß St. Blasien hierdurch zum Königskloster geworden wäre.

Offenbar war es der Abtei gelungen, die Mächtigen gegeneinander auszuspielen und dabei die Streitpunkte des Kampfes zwischen Kaiser und Papst und deren jeweiligen Parteigängern für ihre eigenen Interessen nutzbar zu machen. So konnte sich St. Blasien zunächst von der Basler Schutzvogtei lösen und seine ihm vom König privilegierte freie Vogtwahl dazu benützen, die Zähringer enger an sich zu binden, auf die schließlich im Jahre 1125 die Vogtei überging.

St. Blasien unter Österreich

Nach dem Aussterben der Zähringer (1218) geriet die Abtei St. Blasien nach einer noch weitgehend ungeklärten Zwi-

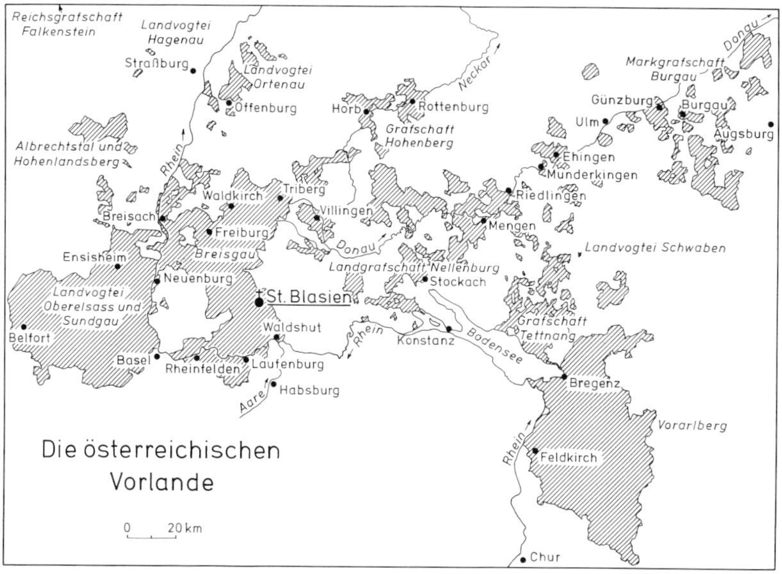

Die Abtei St. Blasien im vorderösterreichischen Herrschaftsverband des Hauses Habsburg

schenphase ab der Mitte des 13. Jahrhunderts schon bald in den Einflußbereich der mächtig aufstrebenden Grafen von Habsburg. Dieses Adelsgeschlecht, dessen Stammsitz sich im nordschweizerischen Aaretal befindet, bemühte sich nach dem Untergang der Staufer Mitte des 13. Jahrhunderts, im Südwesten des Reiches das gänzlich zerfallene Herzogtum Schwaben als habsburgisches Herzogtum wiederherzustellen.

Einen Überrest dieser Bemühungen stellen die sogenannten österreichischen Vorlande dar (im wesentlichen bestehend aus Vorderösterreich, Schwäbisch-Österreich und Vorarlberg). Sie verloren zwar endgültig zu Beginn des 15. Jahrhunderts ihre zentrale Bedeutung zugunsten der östlichen habsburgischen Gebiete, gewannen jedoch später eine erneute Funktion als Brücke zwischen Österreich und den burgundisch-niederländischen Besitzungen. St. Blasien lag inmitten der vorderösterreichischen Lande.

Die Anlehnung St. Blasiens an die Habsburger führte in der Folgezeit zu einer festen, bis zum Ende des alten Reiches andauernden Einfügung der Abtei in den vorderösterreichischen Herrschaftsverband; ihre Äbte spielten hier eine bedeutende Rolle im Prälatenstand, dessen Vorsitz sie seit 1666 innehatten.

Vom Mittelalter zur Neuzeit

Rechtliche Sicherheit, wirtschaftliche Kraft und vorbildhaftes religiöses Leben bildeten das Fundament der blühenden Abtei im 11. und 12. Jahrhundert, die damals auf dem Höhepunkt ihrer Entwicklung stand. Durch Gebetsverbrüderungen verband sie sich mit Klöstern in Oberitalien, Südfrankreich, dem Elsaß, Österreich, Schwaben, Bayern, dem pfälzischen und rheinischen Raum und Niedersachsen.

Dieser Periode starken geistigen und politischen Einflusses folgten in St. Blasien Zeiten des Stillstandes, ja sogar Niederganges der Askese und kirchlichen Zucht. So widmete man sich im 14. und 15. Jahrhundert teilweise mehr dem Ausbau und der Organisation der weitgestreuten Grundherrschaft als intensivem mönchischen Leben. Auch konnte sich das Schwarzwaldkloster den allgemeinen äußeren Machtkämpfen und Wirtschaftskrisen der Zeit nicht entziehen.

In der Zeit des 1378 eingetretenen und erst während des Reformkonzils von Konstanz (1414–1418) beigelegten Schismas stellte sich der Abt von St. Blasien gegen Papst Urban VI., was zur Ernennung eines Gegenabtes durch diesen führte; dies wiederum brachte den Kirchenbann über das Kloster durch die päpstliche Gegenseite. Auf dem Konstanzer Konzil allerdings gelangte St. Blasien nochmals zu einer solchen Bedeutung, daß sein Abt zusammen mit dem Abt von Füssen als Aufseher über die Benediktinerklöster der Mainzer Kirchenprovinz bestellt wurde. Die Klöster Engelberg (1420), St. Gallen (1425) und Reichenau (1428) holten damals ihre Äbte aus St. Blasien. Die Klosterschule, die ursprünglich nur die zum Klosterleben bestimmten jungen Männer unterrichtete (*schola interior*), später aber auch die Kinder der benachbarten Adeligen und Freien an sich zog (*schola exterior*), hatte in der zweiten Hälfte des 14. Jahrhunderts eine letzte Blütezeit, ehe sie ihre ursprüngliche Bedeutung verlor und schließlich Weltpriestern übertragen wurde.

Reformation und Gegenreformation sahen St. Blasien eindeutig auf der Seite des alten Glaubens, wenn man auch im Bereich einiger Propsteien in evangelisch gewordenen Orten fremder Landesherren bei den dem Kloster gehörenden Pfarreien zu Kompromissen gezwungen war (Besoldung evangelischer Geistlicher). Ab der Mitte des 16. Jahrhunderts wurde der gesunkene wissenschaftliche Geist neu belebt; die Klosterschule erfuhr eine grundlegende Umgestaltung. So blieb es nicht aus, daß nach einer über 100jährigen Pause St. Blasien wieder als geistliches Vorbild angesehen werden konnte. Auch die konsequente Kunstsammeltätigkeit dürfte nunmehr ihren entscheidenden Impuls erfahren haben.

Von äußeren Katastrophen blieb St. Blasien nicht verschont. Ein Brand im Jahre 1322 scheint große Teile des Klosters vernichtet zu haben; doch konnten binnen zwölf Jahren die Gebäude größtenteils wiederhergestellt werden. Der Brandschatzung im Bauernkrieg 1526 folgte ein rascher Wiederaufbau; allerdings fielen zahlreiche alte Gebäude dem Abbruch anheim. Die erneut wachsende Bedeutung der Abtei erforderte bereits seit der zweiten Hälfte des 16. Jahrhunderts und das gesamte 17. Jahrhundert hindurch ständige, zum Teil umfangreiche Erweiterungen.

Von der stets sorgfältig gepflegten Bibliothek des Klosters St. Blasien haben nur wenige mittelalterliche Zeugnisse die Jahrhunderte überdauert. Brände und andere Ereignisse dezimierten den einst umfangreichen Bestand erheblich, der jedoch immer wieder erneuert und ergänzt wurde. Lückenhaft ist auch die Überlieferung zu der mittelalterlichen st. blasianischen Schreibwerkstatt. Was über die Wirren der Säkularisation von 1806/07 gerettet werden konnte, findet sich heute als kostbarer Besitz in St. Paul im Lavanttal.

Zeichen religiösen Lebens und geschichtlicher Wirksamkeit finden sich auch bei St. Blasien in den oft unschätzbar wertvollen Stücken des klösterlichen Kirchenschatzes, die heute ebenfalls zu einem großen Teil in St. Paul verwahrt werden. Der großen klösterlichen Reformzeit des 11. und 12. Jahrhunderts entstammt das prachtvolle Reliquienkreuz der Königin Adelheid von Ungarn, einer Tochter Herzog Rudolfs von Rheinfelden (Rudolfs von Schwaben); der anschließenden Epoche verdanken wir drei romanische Textilien von Weltgeltung (zwei Kaseln – eine davon heute im österreichischen Museum für Angewandte Kunst in Wien – und ein Pluviale); um 1260/70 entstand ein überaus fein ziselierter hochgotischer Deckel einer Buchkassette, die zur Aufbewahrung einer besonders geschätzten Evangelienhandschrift diente. Nach den Verlusten im Bauernkrieg und die gesamte

Zeit bis zur Klosteraufhebung zu Beginn des 19. Jahrhunderts erfuhr der Kirchenschatz ständige Ergänzungen.

Wirtschaftliche Grundlagen und Verwaltungsorganisation

Wie andere Klöster war St. Blasien stets um eine solide wirtschaftliche Grundlage als wichtigster Voraussetzung seiner Selbständigkeit bemüht.

Das einstige Kerngebiet um die Abtei wurde im Mittelalter durch planmäßigen Rodungsbau der Mönche selbst erschlossen, die damit einen bedeutenden Beitrag zur Erschließung der Region leisteten. Durch umfangreiche Schenkungen und mit Hilfe gezielter Ankäufe konnte das Albkloster seinen umfangreichen Besitz stetig erweitern, so daß seine wirtschaftliche Vorrangstellung im Südschwarzwald unbestritten war.

Schenkungen in Oberschwaben und im heutigen Stuttgarter Raum ließen es weit nach Osten ausgreifen; Erwerbungen im Bodenseeraum, im Breisgau und in der Schweiz kamen hinzu. Zur Verwaltung dieser riesigen Besitzungen schuf die Abtei seit dem 13. Jahrhundert eine vorbildliche „Ämterverfassung", die einerseits ihre grundherrschaftlichen Rechte wahrte, andererseits aber auch den einzelnen Teilgrundherrschaften weitgehende Autonomie zugestand.

Reiche Erträge warf darüber hinaus der mittelalterliche Silbererzbergbau im Einzugsbereich des Klosters ab; allerdings übten die Äbte kein eigenes Münzrecht aus. Nach dem Niedergang dieser Förderung im 16. und 17. Jahrhundert verlegte St. Blasien den Schwerpunkt seiner wirtschaftlichen Interessen auf die Eisenverhüttung. Das größte Unternehmen der Abtei auf diesem Gebiet war das bedeutende Eisenhüttenwerk in Albbruck/Hochrhein, an dem St. Blasien seit 1755 beteiligt war und das 1778 in den Alleinbesitz des Klosters überging; zeitweise fanden hier – die Erzgräber nicht mitgerechnet – annähernd 1000 Menschen der Umgebung ihren Lebensunterhalt.

Seelsorge und Wallfahrt

Parallel mit der siedlungsmäßigen Erschließung der Gegend richtete St. Blasien ein Hauptaugenmerk naturgemäß auf die Seelsorge. Von der zentralen Mutterpfarrei St. Stephan aus versah die Abtei zahlreiche inkorporierte Pfarreien und Filialen des näheren Einflußbereiches.

Auch außerhalb dieses Gebietes ging Hand in Hand mit der Ausbreitung der weiträumigen Grundherrschaft der Erwerb von Pfarreien durch die Schwarzwaldabtei; stets strebte man nicht nur das Patronat, sondern darüber hinaus eine Inkorporation an. So betreute St. Blasien im Spätmittelalter über ein halbes Hundert Pfarreien der Umgebung, im Breisgau, im Bereich Stuttgart und Eßlingen, in Oberschwaben und in der Schweiz; für das Jahr 1806 wird die Zahl der st. blasianischen Pfarreien mit 40 angegeben.

Seit der Schenkung der Kirche zu Todtmoos/Schwarzwald durch Herzog Leopold von Österreich (1319) hatte die Abtei St. Blasien einen durch viele Jahrhunderte berühmten und nach zahlreichen Wechselfällen heute noch bestehenden Marienwallfahrtsort im Schwarzwald. Als eine der wohl bedeutendsten Gaben darf die große silbergetriebene Votivtafel gelten, die Herzog Karl V. von Lothringen für die geglückte Überquerung des Schwarzwaldes während des französisch-holländischen Krieges im Jahre 1678 bei dem Augsburger Silberschmied Elias Jäger in Auftrag gab (heute Kunsthistorisches Museum in Wien). Noch in der Spätzeit gelangte St. Blasien 1738 in den Besitz eines weiteren Marienwallfahrtsortes, Kirchhofen im vorderen Breisgau.

Ausdehnung des Herrschaftsbereiches

Trotz der bis zum Ende des alten Reiches andauernden Zugehörigkeit der Abtei St. Blasien zu Habsburg war diese ständig bestrebt, durch Erwerb von Herrschaftsrechten ihren Einflußbereich auszudehnen.

Über das Gebiet seines Zwing und Bann hinaus kam das Kloster auch in der weiteren Umgebung in den Besitz umfangreicher niedergerichtlicher Befugnisse (z. B. kleinere Frevel, Streitigkeiten); es faßte sie in Niedergerichtsbezirke zusammen. Für das Gebiet seines Zwing und Bann konnte es im Jahre 1596 – allerdings ohne Erlangung der Landeshoheit – pfandweise die Hochgerichtsbarkeit (z. B. Blut, Leib, Leben) an sich bringen. Ebenso gelangten vogteiliche Rechte anderer Gebiete nach und nach an die Schwarzwaldabtei.

Schließlich konnten die Äbte von St. Blasien in den Jahren 1606–1614 die reichsunmittelbare Grafschaft Bonndorf/Schwarzwald sowie die landeshoheitlichen Befugnisse über benachbarte Gebiete an sich bringen, ein Bereich, der sich später noch etwas vergrößerte. Hier (nicht etwa auch im Klostergebiet) waren die Äbte Landesherren und hatten als solche Sitz und Stimme auf der Grafenbank des schwäbischen Kreises im Reichstag. Die Verleihung der Reichsfürstenwürde an die Äbte von St. Blasien im Jahre 1746 bezog sich rechtlich nur auf diese reichsunmittelbare Herrschaft, nicht auf das Kloster St. Blasien selbst, sollte aber auch das persönliche Ansehen der Prälaten herausstreichen. Zahlreiche Erlasse und Verordnungen zur Fortentwicklung von Handel und Gewerbe, Erziehung und Gesellschaft sowie die Gründung sozialer Einrichtungen zeigen die Äbte als wohlmeinende und fürsorgliche Landesherren (z. B. 1765 zweitälteste Waisen- und Darlehenskasse Deutschlands, 1780 Brandversicherungsanstalt, 1789 Spital mit Waisen- und Arbeitshaus). Zur Verbesserung der wirtschaftlichen Verhältnisse der Bewohner der kargen Gegend entwickelte sich seit der Mitte des 18. Jahrhunderts eine Hausindustrie, deren Schwerpunkt, ausgehend von Schweizer Fabrikanten, auf der Textilherstellung lag. Die im eigentlichen Klostergebiet lebenden Menschen hatten an dieser Entwicklung Anteil. Wohl auch in Zusammenhang mit landesherrlicher Fürsorge gründete Fürstabt Martin II. Gerbert im Jahre 1791 in der Mitte der Reichsherrschaft Bonndorf die Brauerei Rothaus, die heute noch zu einem der erfolgreichsten einschlägigen Unternehmen des Landes Baden-Württemberg zählt.

Abb. 20: Wappen des Reichsfürstendiploms der St. Blasier Äbte von 1746, Generallandesarchiv Karlsruhe

Letzte große Erweiterungen des st. blasianischen Einflusses brachte das beginnende 18. Jahrhundert mit dem Erwerb der drei Wilhelmitenklöster Mengen/Donau, Sion/Aargau und Oberried bei Freiburg (1725) sowie der Herrschaft Staufen-Kirchhofen im Breisgau (1738).

Es mag nicht verwundern, daß auch die Abtei St. Blasien bei einer derartigen Verknüpfung mit weltlichen Rechten immer wieder mit Unruhen aus der Bevölkerung konfrontiert wurde. Besonders während des Bauernkrieges wurde sie 1525/26 stark in Mitleidenschaft gezogen. Bekannter noch wurden die Salpetererunruhen in der ersten Hälfte des 18. Jahrhunderts (benannt nach dem Beruf des ursprünglichen Hauptanführers, eines Salpetersieders), die ab 1719 in einer über 30jährigen Periode sogar die Bevölkerung entzweiten und zuweilen zu fast bürgerkriegsähnlichen Zuständen führten; diese fanden erst in der Mitte des 18. Jahrhunderts durch zum Teil rigorose Zwangsmaßnahmen der österreichischen Behörden (Verhaftungen, Zwangsarbeit, Hinrichtungen und Verbannungen) ein Ende.

Letzte Blüte vor dem Untergang

Sowohl vom religiösen und wissenschaftlichen Leben als auch von der Baugeschichte her bedeutet das 18. Jahrhundert einen herausragenden Höhepunkt in der Geschichte der Abtei St. Blasien.

Schon im Mittelalter waren die Namen zweier Männer weit über die Grenzen des Schwarzwaldklosters hinaus bekannt: Bernold von St. Blasien, der im 11. Jahrhundert hier einige Jahre lebte und in der Nachfolge des bekannten Reichenauer Chronisten Hermanns des Lahmen steht; ferner Otto von St. Blasien, der die Arbeiten des staufischen Chronisten Otto von Freising fortsetzte und 1222–1223 seinem Kloster als Abt vorstand. Auch andere Zeiten, wie vor allem das 16. Jahrhundert, konnten mit beachtlichen Leistungen besonders auf historischem Gebiet aufwarten. Doch im 18. Jahrhundert entwickelte sich in St. Blasien eine Art Gelehrtenakademie von europäischem Rang. Bedeutende, teilweise heute noch unverzichtbare Werke der allgemeinen Geschichtsforschung, der Kirchengeschichte, Liturgiegeschichte, Theologie, Philosophie und der Musikgeschichtsschreibung verdanken wir einer wissenschaftlichen Schule, die sich – beeinflußt von dem französischen Kloster St. Maur – moderner quellenkritischer Arbeitstechniken bediente. Die Namen Marquard Herrgott, Rustenus Heer, Stanislaus Wülberz, Franz Kreutter, Trudpert Neugart und Ambrosius Eichhorn seien anstelle vieler genannt. Allen voran aber stand Fürstabt Martin II. Gerbert (1764–1793), der sich auch mit besonderem Eifer dem Studium und der Verbesserung des Kirchengesanges widmete. Er übernahm für St. Blasien das gewaltige Werk der *Germania Sacra*, einer umfassenden Kirchengeschichte Deutschlands; in den Jahren 1790–1803 erschienen hier davon acht Bände, ein weiterer 1862 in St. Paul. Der Publikation von Werken der St. Blasier Gelehrten diente eine 1754 erworbene klostereigene Druckerei, deren Erzeugnisse eine hohe Qualität aufweisen. Diesem Gelehrtenfleiß entsprang auch die entscheidende Vermehrung des Münzkabinetts, dessen Bestand zu Ende des 18. Jahrhunderts mit der stattlichen Anzahl von etwa 24.000 Stück angegeben wird.

Der gestiegenen Bedeutung St. Blasiens entsprach es, daß Abt Franz II. Schächtelin (1727–1747) die gesamte alte Klosteranlage niederlegen und 1728–1742 durch einen – in seinem Kern heute noch erhaltenen – gewaltigen Barockbau mit zwei verschieden großen Innenhöfen ersetzen ließ; die Klosterkirche, das „Neue Münster", wurde jedoch nicht angetastet. Zur Gewinnung des erforderlichen Bauplatzes hatte man sogar den Steinabach, ein Nebenflüßchen der Alb, verlegen müssen. Schon 1768 wurde diese gesamte Klosteranlage durch ein verheerendes Feuer bis auf die Außenmauern vernichtet. Binnen vier Jahren ließ Fürstabt Martin II. Gerbert die Klostergebäude im wesentlichen unter Verwendung der alten Umfassungsmauern durch den

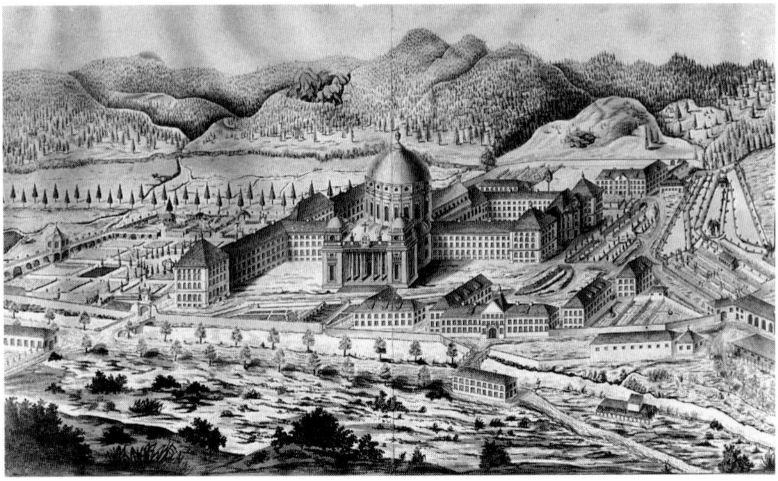

Abb. 21: St. Blasien im Schwarzwald, kolorierte Zeichnung, Ende 18. Jh., Stift St. Paul

französischen Baumeister Pierre Michel d'Ixnard und den fürstlich-fürstenbergischen Baudirektor Franz Joseph Salzmann wiedererrichten. An die Stelle der bisherigen Klosterkirche trat nun jedoch nach den Plänen d'Ixnards, dem Salzmann dabei zur Seite stand, ein völlig neues Gotteshaus. Es ist dies der heute im Kern noch erhaltene, an französischen Vorbildern orientierte Kuppelbau nach der Grundidee des altrömischen Pantheon mit anschließendem längsrechteckigem Mönchschor; Kuppelkonstruktion und Zierkuppel waren das Werk des kurpfälzischen Baudirektors Nicolas de Pigage. Die Einweihung der Kirche erfolgte mit großem Zeremoniell im September des Jahres 1783.

Nicht nur aus Pietät gegenüber dem habsburgischen Herrscherhaus, sondern auch in nüchterner Einschätzung der sich von Wien her ausbreitenden Klosterfeindlichkeit hatte Fürstabt Martin II. Gerbert erreicht, daß im Jahre 1770 die in Königsfelden/Aargau und Basel ruhenden Gebeine der frühen Habsburger nach St. Blasien überführt worden waren. Diese fanden entgegen dem Willen d'Ixnards, der eine gewaltige Grufthalle unter der Rotunde plante, in einer bescheidenen Gruft hinter dem Chorende ihre Ruhestätte. Das Ende dieser blühenden Benediktinerabtei war allerdings nicht mehr aufzuhalten.

Aufhebung und erste Pläne einer Übersiedelung nach Österreich[3]

Spätestens seit dem Frieden von Campo Formio im Oktober 1797 zeichnete sich ab, daß der damals vorderösterreichische Breisgau und der Schwarzwald für das Haus Habsburg verlorengehen würden.

In ein konkretes Stadium trat dies mit dem Friedensschluß von Lunéville am 9. Februar 1801, der zur Folge hatte, daß diese Gebiete dem mit dem habsburgischen Kaiserhaus verwandten Herzog von Modena, die hier gelegenen Klöster dagegen dem Malteserorden zufielen; verbunden damit war das Recht der Säkularisation der geistlichen Korporationen, das durch den Reichsdeputationshauptschluß vom 25. Februar 1803 bekräftigt wurde. Den Ansprüchen der Malteser konnte sich St. Blasien erfolgreich widersetzen.

Schon im Jahre 1800 hatte Kaiser Franz II. dem damaligen Fürstabt von St. Blasien bei dessen Aufenthalt in Wien zugesichert, das Stift im Falle einer Aufhebung in den österreichischen Erblanden aufzunehmen; er fühlte sich nicht nur dieser bedeutenden vorder-

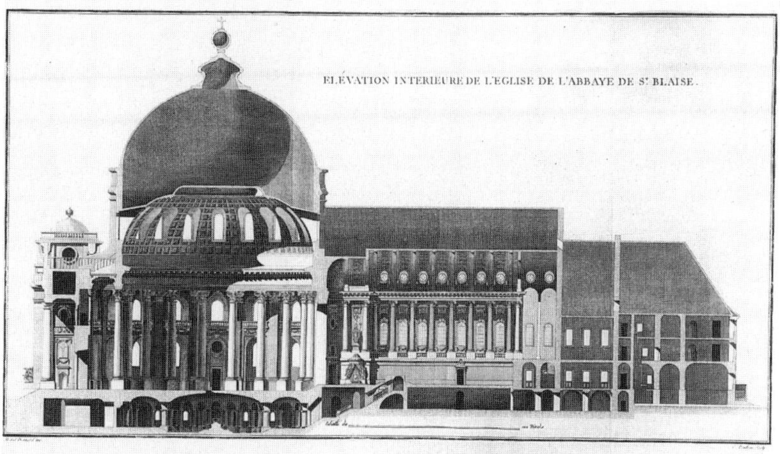

Abb. 22: St. Blasien im Schwarzwald, Längsschnitt; Kupferstich aus Pierre Michel d'Ixnard: „Recueil d'architecture", Stift St. Paul

österreichischen Abtei, deren Verlust er kommen sah, verpflichtet, sondern wollte sich vor allem deren beträchtlichen geistigen Potentials versichern. Überlegungen zur Berufung St. Blasier Mönche nach Innerösterreich gingen noch weiter zurück. Im Jahre 1792 nämlich, also noch zu Lebzeiten Fürstabt Martin Gerberts, schlug der Wiener Erzbischof Kardinal Christoph Anton Graf Migazzi in einer Eingabe an den Hof vor, zur Behebung des Defizits im Erziehungswesen, das vor allem durch die Aufhebung des Jesuitenordens entstanden war, „einige" Mönche aus St. Blasien nach Österreich zu holen.[4] Ganz abgesehen davon, daß es sich hier nicht um eine Übersiedelung des gesamten St. Blasier Konventes nach Österreich handelte, waren derartige Pläne offenbar bald wieder in den Hintergrund getreten. Ähnliches widerfuhr auch Erwägungen des Jahres 1802, den St. Blasiern das Theresianum in Wien anzuvertrauen, hier allerdings wohl schon auf der Basis des Umzuges des gesamten Konvents. Konkreter in dieser Richtung dachte man erst, als St. Blasien nach dem Preßburger Frieden vom 26. Dezember 1805 zusammen mit dem Breisgau und dem westlichen Teil des Schwarzwaldes an Baden gefallen war.

Am 26. Februar 1806 wurde dem Stift St. Blasien eröffnet, daß es „als provisorisch aufgehoben anzusehen seye".[5] Hierauf wandte sich der damalige Fürstabt Berthold Rottler (1801 – 1807; gest. 1826 in St. Paul) hilfesuchend an den Karlsruher Hof, nach Paris und nach Wien, um den Bestand seines Hauses im Schwarzwald doch noch sichern zu können.

Zögern und endgültige Entscheidung

Die Antwort aus Wien fiel anders als erwartet aus. Statt für einen Weiterbestand der Schwarzwaldabtei einzutreten, setzte der Kaiser den österreichischen Senatsvizepräsidenten Ferdinand von Fechtig ein, der dem Abt am 12. April 1806 folgendes eröffnete: Der Kaiser wolle den Konvent in seine Erbstaaten aufnehmen, wenn man sich bereit erkläre, „die Universität Salzburg und das Lyceum in Klagenfurt mit Lehrern zu versehen"; den Klöstern St. Peter (bei Freiburg) und Wiblingen (bei Ulm) werde gleiches eröffnet werden wegen „Brünn in Mähren" beziehungsweise „Krakau" (gemeint war Tiniez in Galizien).[6] Die St. Blasier, allen voran der Fürstabt, konnten sich jedoch mit dieser Idee nicht anfreunden, sondern versuchten weiterhin, ein Verbleiben im Schwarzwald zu erreichen. Dies änderte sich auch nicht, als am 10. Oktober 1806 das endgültige Aufhebungsdekret ergangen war; man hoffte vielmehr, wenigstens als Gemeinschaft von Weltgeistlichen im Schwarzwald zusammenbleiben zu können, anderenfalls man sich endgültig trennen wollte. Als dann doch das tatsächliche Ende abzusehen war, setzte ein Wandel im Denken des Fürstabtes ein: So hartnäckig er bisher für einen Verbleib des Konventes im Schwarzwald gekämpft hatte, so zielstrebig und zäh betrieb er nunmehr eine Auswanderung. Daher war es Berthold Rottler wohl sehr willkommen, als er Anfang April 1807 durch Präsident von Fechtig aus Wien im Auftrag des Kaisers erneut an das Auswanderungsangebot erinnert und um Entsendung zweier Unterhändler gebeten wurde.

Obwohl eine Umfrage bei den Konventualen für Rottler niederschmetternd war, reisten P. Trudpert Neugart und P. Ignatius Kopp am 25. Mai 1807 als Unterhändler nach Wien ab. Am 11. Juli 1807 folgte eine fünfköpfige Vorhut unter Führung von P. Ambrosius Eichhorn nach Salzburg.

Zuweisung von Spital am Pyhrn

Da man weder in Salzburg noch in Wien die genaue Zahl der Auswanderungswilligen angeben konnte, der Kaiser für die vorgesehenen Aufgaben jedoch mindestens 60 Personen wünschte, zerschlug sich die Salzburger Angelegenheit einschließlich einer Übergabe der Abtei Michaelbeuern, wobei das Salzburger Stift St. Peter und die dortige Universität nicht ganz unschuldig waren. Man beschränkte die St. Blasier daher auf die Lehraufgaben in Klagenfurt und wies ihnen das Chorherrenstift Spital am Pyhrn zu, das formell am 11. August 1807 an P. Trudpert Neugart übergeben wurde; als Wohnung in Klagenfurt sollte ihnen das eigens aufgehobene dortige Franziskanerkloster dienen. In der Zeit von 21. bis 27. September 1807 wanderten dann Fürstabt Berthold Rottler und die übrigen hierzu bereiten Mitglieder des Stifts auf drei Wegen von St. Blasien aus; am 15. Oktober 1807 schließlich war der Konvent endgültig in Spital vereint. Schmerzlich war Berthold Rottler sich dessen bewußt, daß er Spital nur auf Kosten jener 14 Chorherren erhalten hatte, die für die St. Blasier ihr Stift hatten räumen müssen; so bekannte er noch von unterwegs aus: „(. . .) Es wäre für mich und alle ungleich tröstlicher, wenn wir niemand vertreiben dörften“[7].

Insgesamt traten von dem damals über 100 Mitglieder starken Konvent in St. Blasien nur 40 Männer den Weg nach Österreich an. Die Zurückbleibenden übernahmen Pfarr- oder Lehrstellen beziehungsweise wurden pensioniert. Der große Besitz der einst wohlhabenden Schwarzwaldabtei war seit dem Anfall an Baden von den staatlichen Behörden in penetrant kleinlicher Weise inventarisiert worden. Die bewegliche Habe, insbesondere die Bibliothek und die meisten Kostbarkeiten, hatte man noch unter den Augen des hier lebenden Konventes nach Karlsruhe und Freiburg abgeführt oder versteigert und verkauft.

Doch vieles konnten die St. Blasier in die neue Heimat retten: Einiges, wie zum Beispiel das Münzkabinett, war schon während der Unruhen des ausgehenden 18. Jahrhunderts in die Schweizer Besitzungen verbracht worden und konnte später von hier aus den Weg nach Österreich antreten. Nur weniges wurde den Mönchen als Eigentum zuerkannt. Manches kauften sie noch vor ihrer Auswanderung vom badischen Staat zurück; weiteres, das bereits seinen Weg nach Karlsruhe oder Freiburg angetreten hatte, konnte von Österreich aus zurückerworben werden. Die Gebeine der frühen Habsburger, die die badi-

Der Weg der St. Blasier Mönche nach Spital und St. Paul

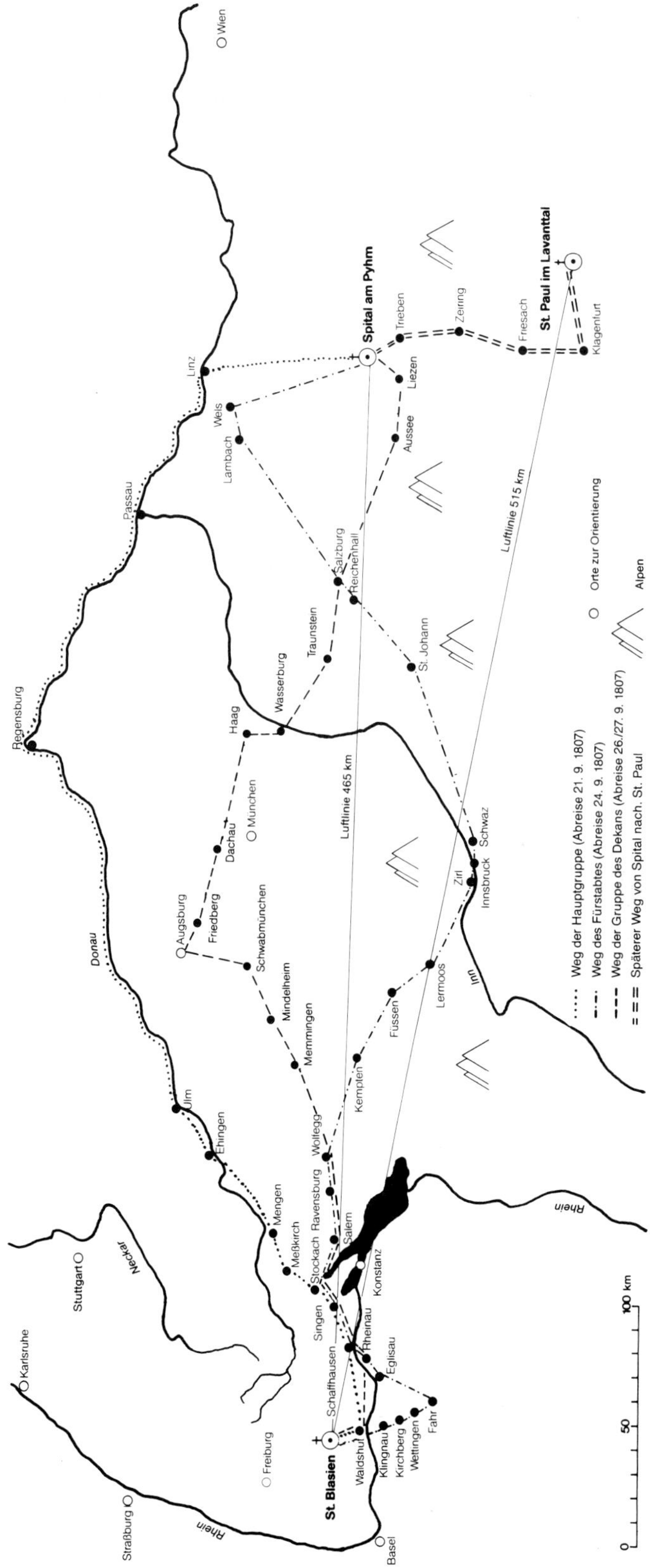

schen Behörden erst auf ein entsprechendes Ersuchen aus Wien freigaben, wurden am 22. April 1808 an den eigens im Schwarzwald zurückgebliebenen, aber nunmehr ebenfalls auswandernden P. Frowin Meister übergeben und gelangten auf der Donau über Linz nach Spital.

Schwierigkeiten in Spital am Pyhrn

Auch in Spital hörten die Sorgen des St. Blasier Restkonventes nicht auf. Zum einen war es die Entfernung zu dem jenseits der Alpen gelegenen Klagenfurt, die die Wahrnehmung der dortigen Aufgaben ungemein erschwerte. Zum anderen war es auch der Lebensunterhalt, der noch weitgehend ungeklärt schien. Von Baden waren jährliche Pensionen ausgeworfen worden, die sich ursprünglich beim Abt auf 1000 fl, bei den übrigen Konventsmitgliedern je nach Alter auf 400 bis 500 fl beliefen, jedoch infolge der Auswanderung um ein Drittel gekürzt wurden; im Mai 1808 wurden diese Pensionen durch eine einmalige Abfindungssumme von 200.000 fl von seiten des Großherzogtums Baden abgelöst.[8] Für die zugewiesenen Aufgaben reichte dies bei weitem nicht aus.

Fürstabt Berthold Rottler brach am 10. November 1807 über Klagenfurt, St. Andrä im Lavanttal und Leoben nach Wien auf, wo er seit 22. November einen verzweifelten Kampf um ausreichende Dotationen führte. Spital scheint er nicht wiedergesehen zu haben.

Durch eine vom Abt erbetene Resolution der Wiener Hofkanzlei vom 31. Dezember 1807 wurden die Aufgaben des nunmehrigen Spitaler Konventes wie folgt umschrieben:[9] Außer der Versorgung der Pfarren des Stifts Spital und der Seelsorgeaushilfe in Klagenfurt, wie sie bisher den Franziskanern oblegen hatte, waren das Lyzeum und das Gymnasium in Klagenfurt mit Lehrern zu versehen; außerdem hatte man „nach Erfordernis auch für andere öffentliche Lehranstalten und insbesondere für die Salzburger Universität taugliche Lehramts-Subjekte zu liefern". Über die Dotation des auf eine Größe von 50 Personen festgelegten Stifts bestimmte eine Konferenz bei der Wiener Hofkanzlei vom 13. Jänner 1808, an der auch der Abt teilnahm, folgendes:[10] Die jährliche Summe wurde auf 28.000 fl fixiert (2000 fl für den Abt, jeweils 500 fl für die übrigen Stiftsangehörigen und 1500 fl für die Bibliothek), und zwar „in reinen und ganz unbelasteten Einkünften von Realitäten"; die von Baden ausgeworfenen Pensionen sollten teilweise angerechnet werden. Zur Realisierung dieser Einkünfte sollten dem Konvent außer der Herrschaft Spital die in Kärnten gelegene Herrschaft Eberndorf nebst der Meierei Wasserhofen, kleinere Erträgnisse des ehemaligen Franziskanerklosters zu Klagenfurt sowie „ein anderes erst noch zu bestimmendes Gut" zugewiesen werden.[11] Ein den Betrag von 28.000 fl übersteigender Überschuß sollte an die entsprechenden staatlichen Fonds abgeliefert werden. Der Abt, der als weiteres Dotationsgut Stift und Herrschaft Millstatt gewünscht hatte – von seiten der Hofkanzlei dachte man an Viktring – [12], erhob sofort Einwände bezüglich der Anrechnung der badischen Pensionen und hinsichtlich der Berechnung von Steuerbelastungen; auch legte er Wert auf die Zuweisung von Weingefällen. Zu einer Einigung scheint man ebensowenig gelangt zu sein wie zu einer tatsächlichen Zuweisung der in Kärnten gelegenen Dotationsgüter. So mußten die aus St. Blasien ausgewanderten Mönche während ihrer Spitaler Zeit zum großen Teil auf eigene Kosten leben, was teilweise zu großem Unmut auch gegenüber dem Abt führte.

St. Paul wird zugewiesen

Es waren wohl die Kärntner Stände, die sich erstmals der Unzuträglichkeiten annahmen, die aus der Entfernung des

Abb. 23:
Johann Baptist Hoechle (1754–1832): Übergabe des Klosters St. Paul an Abt Berthold Rottler durch Kaiser Franz I.

Spitaler Konventes zu seinem Klagenfurter Aufgabenbereich entstanden. Bereits unter Datum vom 17. Dezember 1807, also nur zwei Monate nach der Ankunft der St. Blasier in Spital, reichte der „Große Kärntnerisch Ständige Ausschuß" ein Gesuch an den Kaiser,[13] in dem nicht nur allgemein auf die mißliche Lage des geistlichen Standes und vor allem des Erziehungswesens nach Aufhebung der Kärntner Klöster hingewiesen, sondern auch ganz konkret gefordert wurde, daß der nunmehrige Spitaler Konvent nach Kärnten übersiedeln solle. Als Sitz schlug er die ehemaligen Stifte St. Paul und Eberndorf oder – für den Fall einer Aufhebung des Bistums Lavant – die bischöfliche Residenz in St. Andrä vor. Bald kam auch der Plan auf, in St. Paul das frühere Gymnasium wiederaufleben zu lassen und ein Konvikt zu errichten. Berthold Rottler griff diese Ideen bereitwillig auf, wobei sich die Sache schon ab März 1808 auf St. Paul zuspitzte. Im August 1808 scheint die erste Inspektion St. Pauls durch einen St. Blasier im Auftrag des Fürstabtes stattgefunden zu haben. Nachdem ein Vorhaben der St. Blasier, Spital als Priorat nebst der dortigen Pfarre beizubehalten, die Spitaler Außenpfarren Windischgarsten, St. Pankraz sowie Vorder- und Hinterstoder aber Weltgeistlichen zu überlassen, von den Behörden abgelehnt worden war, wurde schließlich am 5. Jänner 1809 das offizielle Übergabedokument für St. Paul ausgestellt.[14]

Diese für St. Paul grundlegende Urkunde, die die Verhandlungsergebnisse des gesamten vergangenen Jahres festschrieb, bestimmte folgendes: Der Konvent hatte Spital vollständig aufzugeben. Zusätzlich zu den bisherigen Lehraufgaben am Lyzeum und Gymnasium in Klagenfurt hatte er in St. Paul das frühere Gymnasium wiederaufleben zu lassen und „mit der Zeit" ein Konvikt zu errichten, die Pfarre in St. Paul zu versehen, in Klagenfurt bei der Seelsorge auszuhelfen sowie „für Lehrämter in Salzburg oder in anderen Ländern, wo es nöthig seye", vier Lehrkräfte zur Verfügung zu stellen; der „numerus fixus aus 50 Köpfen" (einschließlich Abt) wurde nicht geändert. Die jährliche Dotationssumme blieb gegenüber den Vereinbarungen vom 13. Jänner 1808 gleich, allerdings ohne Abzug des zwischenzeitlich ausgehandelten badischen Abfindungskapitals von 200.000 fl; ebenso wurden die im Jahr zuvor festgelegten Dotationsgüter beibehalten. Der Berechnungsmodus der Dotationssumme wurde dahingehend ergänzt, daß „(. . .) die Steuern, wie sie im Jahre 1806 bestanden, von den Einkünften abzuschlagen seyn. Die mit dem Militärjahr 1807 eingetretenen besonderen Steuern aber, deren Dauer auf 5 Jahre festgesetzet ist, wird der kärntnerische Religionsfond (. . .) anstatt des Stiftes zu entrichten haben."

Die Zuweisung der Einkünfte wurde rückwirkend auf 1. November 1808 bestimmt, wofür ab diesem Zeitpunkt die Einkünfte aus Spital mit dem dort zuständigen Religionsfonds zu verrechnen waren.

Die Herrichtung nicht nur des Franziskanerklosters zu Klagenfurt, sondern auch der Stiftsgebäude zu St. Paul hatte der kärntnerische Studienfonds zu übernehmen, sofern der Abt nicht freiwillig letzteres zu tragen bereit wäre. Da in St. Paul kaum mehr genügend Einrichtung vorhanden war, wurde den Übersiedlern gestattet, von Spital „die ganze Bibliothek nebst der Apotheke und denjenigen Geräthschaften, welche in dem von dem Herrn FürstAbte überreichten (. . .) Verzeichnisse enthalten sind", nach St. Paul mitzunehmen.

Ankunft in St. Paul

Das Übergabedokument vom 5. Jänner 1809 nahm von den Stiftsgebäuden in St. Paul ausdrücklich den Teil aus, der von dem nach 1787 eingezogenen Beschäldepartement besetzt war. Die St. Blasier/Spitaler hatten St. Paul spätestens zum 1. Mai 1809 zu beziehen, doch wurde ihnen gestattet, sofort davon Besitz zu ergreifen. Enttäuschung mag aufgekommen sein, als P. Frowin Meister, der 1808 als letzter mit den Gebeinen der Habsburger das schon völlig ausgeplünderte St. Blasien verlassen hatte und nun am 9. Jänner 1809 mit zwei Begleitern von Spital zur offiziellen Besitznahme St. Pauls aufgebrochen war, in der neu zugewiesenen Heimat ankam: Die Gebäude scheinen sich in einem katastrophalen Zustand befunden zu haben; zudem war noch nicht einmal der zugewiesene Teil vollständig geräumt; der Grundbesitz war völlig heruntergekommen.

Erst am 11. April 1809 konnte Fürstabt Berthold Rottler von Wien aus den Weg an den endgültigen Aufenthaltsort antreten. Über Knittelfeld und das obere Lavanttal gelangte er schließlich am 15. April 1809 abends um sieben Uhr in St. Paul an, wo er „an der Stiege" von den Beamten und Geistlichen empfangen wurde. Sein Tagebuch vermerkt: „(. . .) Unter dem Nachtessen hat die Bürgerschaft zweymal ihre Pöller abgefeuert, um uns ihre Zufriedenheit zu bezeugen."[15]

Von 4. bis 11. Mai 1809 folgte der übrige Konvent. Mit verschiedenen Weihen noch im Verlaufe des Monats Mai, darunter am 27. der Priesterweihe von P. Meinrad Amann, dem späteren Nachfolger Berthold Rottlers, war die neue Heimat endgültig angenommen. Doch noch Jahre sollte es dauern, bis zunächst die äußeren und später auch die inneren Schwierigkeiten einigermaßen überwunden waren.

Die St. Blasier brachten nach St. Paul nicht nur äußere Schätze mit; sie stellten auch ihr ungeheures geistiges Potential in den Dienst ihrer nunmehrigen Heimat. Bewußt setzten sie hier st. blasianische Tradition fort. Für die Aufgaben im Schul- und Erziehungswesen, das sie entscheidend prägten, waren sie bestens geeignet. Entscheidende Impulse verdankt die moderne Geschichtswissenschaft Kärntens den an kritischen Forschungsmethoden geschulten ehemaligen St. Blasier Konventualen; Namen wie P. Trudpert Neugart und Ambrosius Eichhorn sowie dessen Schüler Franz

Abb. 24: St. Blasien im Schwarzwald, Kuppelkirche.

Xaver Grüninger stehen hier an vorderster Stelle. Von dem gewaltigen, in St. Blasien begonnenen Werk der *Germania Sacra* konnte 1862 in St. Paul noch ein weiterer Band erscheinen.

St. Blasien nach der Säkularisation

In dem von den Mönchen verlassenen St. Blasien sollte nach 1807 die erst wenige Jahrzehnte alte mächtige Abteikirche abgerissen werden; doch war dies im letzten Moment zu verhindern. Die weitläufigen Klostergebäude wurden verkauft und nahmen bald unter anderem eine Baumwollspinn- und Webmaschinenfabrik, eine Waffenfabrikation und eine Spinnerei auf. Aus der einstigen Stätte klösterlichen Lebens war ein Industrieort mit der frühesten Maschinenfabrik Deutschlands und der Waffenfabrik des Großherzogtums Baden geworden. Nur langsam entwickelte sich eine politische Gemeinde; zeitweise existierte daneben eine selbständige Fabrikgemeinde mit einem eigenen Bürgermeister. Nach Einstellung der Waffenfabrikation um 1844 und einem Niedergang auch der übrigen Fabrikationszweige um die Mitte des 19. Jahrhunderts blühte die Spinnerei bald wieder auf; erst die Weltwirtschaftskrise der 1920/30er Jahre setzte 1930/31 auch diesem Unternehmen ein Ende.

Bereits während der Zeit industrieller Blüte nahm von der Mitte des 19. Jahrhunderts an in St. Blasien eine erneute, heute noch prägende Entwicklung ihren Anfang, die des Kurbetriebes und Fremdenverkehrs; der einstige Klosterort, 1897 zur Stadt erhoben, wurde so vor dem Ersten Weltkrieg zu einem Treffpunkt der internationalen Gesellschaft.

In den Jahren 1933/34 zog das deutsche Auslandsgymnasium des Feldkircher Jesuitenkollegs *Stella Matutina* (Vorarlberg) nebst Bubeninternat in die altehrwürdigen Klostergebäude von St. Blasien ein; die von den nationalsozialistischen Machthabern in Deutschland erlassenen Devisen- und Erziehungsbestimmungen hatten diesen Wechsel erzwungen. Damit war die alte klösterliche Tradition wiederaufgenommen.

Kaum vorstellbar erscheint heute der mehrmalige grundlegende Wandel St. Blasiens von einem dem geistigen Leben verpflichteten uralten Benediktinerkloster zu dem Industrieort des 19. Jahrhunderts und zu der von Kurbetrieb und Fremdenverkehr geprägten Gemeinde der heutigen Zeit mit dem Zentralpunkt des Jesuitenkollegs an der alten Stätte klösterlichen Wirkens. An den ehemaligen Klostergebäuden ging dieses wechselvolle Schicksal nicht spurlos vorüber: 1874 brannten bei einem Großfeuer der (östliche) Konventtrakt und die Klosterkirche vollständig aus. Die Mauern des Konventbaues riß man nun nieder und errichtete an ihrer Stelle Fabrikhallen mit einem hohen Schornstein. Der Chor der Kirche wurde bis

*Abb. 25:
Dom von St. Blasien im Schwarzwald, Innenansicht.*

1879 als Pfarrkirche wiederhergestellt. Die Rotunde erhielt eine neue Außenkuppel und erfuhr bis 1883 eine notdürftige Innenausbesserung; erst 1910/12 konnte nach Einbau einer neuen Zierkuppel auch das Innere der Rotunde einfühlsam, aber mit vereinfachten Mitteln restauriert werden. Es blieb dem von den Jesuiten geleiteten Kolleg vorbehalten, die im 19. Jahrhundert entstandenen Baulücken an den ehemaligen Klostergebäuden größtenteils wieder zu schließen. Auch ein erneuter Großbrand im Jahre 1977 konnte den Lebenswillen dieser hochangesehenen Privatschule, der seit 1989 ein Mädcheninternat angeschlossen ist, nicht brechen.

Exkurs

Vielfältig waren schon immer die engen Beziehungen des Stifts St. Paul zum süddeutschen, insbesondere südwestdeutschen Raum: Bekanntlich wurde es gegründet von den Grafen von Spanheim, einem Adelsgeschlecht aus dem Hunsrück, das lange Zeit auch die Herzogswürde in Kärnten bekleidete; die ersten Mönche wurden aus dem bedeutenden Reformkloster Hirsau im Schwarzwald gerufen. Der große Reformabt des beginnenden 17. Jahrhunderts Hieronymus Marchstaller, der als zweiter Gründer von St. Paul gilt, stammte aus dem schwäbischen Ochsenhausen, das bis Ende des 14. Jahrhunderts als Priorat der Abtei St. Blasien unterstellt war; auch weitere Mönche der blühenden Epoche dieses Abtes sowie seine beiden Nachfolger in der Abtswürde von St. Paul kamen aus Oberschwaben. Und 1809 waren es die im Zuge der Säkularisation aus ihrer Heimat vertriebenen Mönche von St. Blasien, die das 1782/1787 aufgehobene Stift St. Paul wieder zum Leben erweckten.

So war es wohl eine nur konsequente Folge dieser Ereignisse, daß sich in unserer Zeit, in der Kloster und Welt enger aneinanderrücken, die politischen Gemeinden St. Blasien im Schwarzwald und St. Paul im Lavanttal zu einer Patenschaft zusammenfanden (1989).

Anmerkungen

1. Dieser Beitrag über die für das neuzeitliche Stift St. Paul so wichtige ehemalige Benediktinerabtei St. Blasien sieht seine Aufgabe nicht allein in einer Darstellung der Geschichte des Schwarzwaldklosters, die ohnehin nur einen allgemeinen Überblick geben kann. Er legt einen besonderen Schwerpunkt auch auf die Hintergründe und die Durchführung der Übersiedelung eines Teiles des St. Blasier Konvents zu Beginn des 19. Jahrhunderts zunächst nach Spital am Pyhrn und später nach St. Paul im Lavanttal. Ein Anhang soll auf das Schicksal St. Blasiens nach der Klosteraufhebung hinweisen.
Die bislang zusammenfassendste, wenn auch in erster Linie bauhistorisch orientierte Geschichte des Klosters St. Blasien findet sich in dem Standardwerk von L. SCHMIEDER, Das Benediktinerkloster St. Blasien, eine baugeschichtliche Studie (1929). Weitere ausführliche Literatur in: Das tausendjährige St. Blasien, 200jähriges Domjubiläum, Ausstellungskatalog St. Blasien 1983 (²1984), Bd. 1, S. 383–402, S. 406–408. Ferner: H. HEIDEGGER, H. OTT (Hrsg.), St. Blasien, FS aus Anlaß des 200jährigen Bestehens der Kloster- und Pfarrkirche (1983).
2. Bischof von Sebaste, heute Siwas/Türkei; Märtyrertod um das Jahr 316; einer der 14 Nothelfer; zählt zu den bekanntesten und meistverehrten Kirchenheiligen Europas.
3. Quellen zur Aufhebung St. Blasiens und der Auswanderung seiner Mönche nach Österreich aus dem STA: 34/6 (Geschichtliche Darstellung der Auflösung St. Blasiens auf dem Schwarzwalde, von P. Joh. Bapt. Mannhart, Anfang 19. Jahrhundert). 35/6 (Akten betreffend die Auflösung des Stiftes St. Blasien, 1803–1808). 36/6 (Diverse Diarien, 1801–1807). 0/950 a (Diarium des Fürstabtes Berthold Rottler, 1805–1811). P 91/449 (Dotationsakten, 1807–1815).
Literatur: T. RASCHL, Aufhebung und Neubegründung des Stiftes St. Paul (1782 und 1809), 3. Tl., JbSP (1928/29), S. 1–21; G. LADSTÄTTER, Die Geschichte des Benediktinerstiftes St. Paul im Lavanttal in Kärnten von 1809 bis 1848 (Diss. Wien, 1973); H. SCHMID, Die Säkularisation der Klöster in Baden (1980), S. 1–29, S. 166–177; K. SUTTER, Die Aufhebung der Abtei St. Blasien und der Neubeginn in St. Paul/Kärnten, in: St. Blasien, FS aus Anlaß des 200jährigen Bestehens der Kloster- und Pfarrkirche (1983), S. 301–314; DERS., Die Aufhebung der Benediktinerabtei St. Blasien und der Neubeginn in St. Paul/Kärnten, Badische Heimat 57 (1977), S. 401–418.
4. C. WOLFSGRUBER, Christoph Anton Kardinal Migazzi, Fürsterzbischof von Wien.
Eine Monographie und zugleich ein Beitrag zur Geschichte des Josephinismus (²1897), S. 793–794 (beim Auffinden dieser Stelle war mir dankenswerterweise Herr Univ.-Prof. Dr. Alfred A. Strnad aus Innsbruck behilflich); H. PEISSL, Von der Lateinschule zum Gymnasium, in: St. Paul 1091 - 1809 - 1959 (1959), S. 58–59.
5. STA, O 950a, Bl. 31.
6. EBD., O 950a, Bl. 38r, 34v.
7. EBD., O 950a, vor Bl. 58 (Schreiben vom 7. Oktober 1807).
8. Generallandesarchiv Karlsruhe, 237/4903.
9. STA, P 91, 449.
10. EBD.
11. Dem Diarium Berthold Rottlers ist zu entnehmen, daß es sich bei diesem Gut um „eine Herrschaft ob der Enns" handeln sollte (EBD., O 950a, Bl. 59).
12. EBD., O 950a, Bl. 59v.
13. EBD., P 91, 449.
14. EBD.
15. EBD., O 950a, Bl. 82v.

Spital am Pyhrn – Benediktinerstift auf Abruf

HANS KRAWARIK

Man schrieb Frühjahr 1807. Die Mönche von St. Blasien, durch den Aufhebungsbescheid 1806 aus dem Schwarzwald vertrieben, sollten die Lehrtätigkeit in Salzburg aufnehmen. Als Aufenthaltsort war u. a. Michaelbeuren vorgesehen.[1] Weitere Dotationen waren erwünscht. Da geschah es, daß im Kollegiatstift Spital am Pyhrn am 5. März 1807 der Kanoniker Franz de Paula Kner mit noch nicht 38 Jahren verstarb. Seit 1804 hatte ihm eine Geisteskrankheit zu schaffen gemacht, wiederholt hatte er seine Seelsorgetätigkeit in Innerstoder unterbrechen müssen. Mit Billigung des Propstes ließ ein herbeigeholter Mediziner den Kranken an das Bett fesseln und äußerst roh mit Medikamenten behandeln. Kner starb daran qualvoll.[2] Diese Episode machte Schlagzeilen, und bald hatten jene Kreise, die über zwanzig Jahre die Aufhebung Spitals erfolglos betrieben hatten, den Vorwand gefunden.

Bereits im Juli 1807 war alles ausgehandelt. Da inzwischen die Übernahme von Lehrstellen in Klagenfurt für die Benediktiner entschieden worden war, sollten die Spitaler Weltpriester eine Pension aus dem Religionsfonds für Kärnten erhalten: der Propst 2000 fl, der Dechant 500 fl und die 11 Kanoniker 400 fl. Auf den Pfarren waren die bisherigen Stiftsgeistlichen zu belassen. Das kaiserliche Dekret, das Kollegiatstift Spital den Mönchen von St. Blasien einzuräumen, wurde am 9. August 1807 unterzeichnet.[3]

Der Zustand des Kollegiatstiftes war zu diesem Zeitpunkt nicht sehr vorteilhaft. Mehrere Kanoniker konnte man infolge diverser Gebrechen nicht in der Seelsorge einsetzen. In der Amtszeit des Propstes Mathäus Lichtenauer ab 1803 waren die Passiva des Stiftes vor allem durch Anleihen um etwa 100 000 fl angestiegen. Wachsende Ausgaben für Vorräte oder das Vieh des Meierhofes hängen wohl mit der Unsicherheit und Teuerung der Napoleonischen Ära zusammen. Aber für einen Prälaten, den „nur Ökonomie beschäftigte", war es eine unglückliche Wirtschaftsführung.[4] Die heftige „Schwarzmalerei" der Folgezeit diente allerdings der Rechtfertigung für die Politik eines typisch josephinischen Beamtentums.[5]

Wenn man überlegt, wie lange damals die Konstituierung einer Kommission brauchte, glich das Erscheinen der Aufhebungskommission in Spital am Pyhrn am 11. August 1807 – zwei Tage nach Erhalt des kaiserlichen Dekretes – einem vorbereiteten, lange geheimgehaltenen Überfall. Bereits an diesem Tag war der Personalstand wegen zukünftiger Anstellungserfordernisse erhoben, das Inventar nach Angaben des Propstes sowie des Kanonikers M. Knodt (für das Kelleramt) aufgelistet, die Übergabe an die Benediktiner (ad P. Neugart) durchgeführt, die Oberbeamten vereidigt.[6]

Der Propst zog sich wenige Tage später in den Sommersitz Feyeregg zurück, um dort seine Zukunft vorzubereiten.

Dechant und Kanoniker allerdings bekundeten ihren „Schmerz“ über die Auflösung und suchten am 13. August um eine Pensionserhöhung sowie Übersiedlungsbeihilfe an.[7] Für die Seelsorge in Spital wurden drei fähige Kanoniker (Leeser, Rechberger, Postelbauer) bestimmt, die ab 1. September 1807 die Pfarre übernehmen sollten. Als Quartier wurde ihnen der kleine Gebäudetrakt beim Eingang des Stiftes zugewiesen. Bis 1. Oktober mußte das Stiftsgebäude von den Kapitularen geräumt werden, die Pension begann mit 15. August. Der weitere Lebensweg der Weltpriester muß in diesem Beitrag ausgeblendet bleiben.[8] Mit dem Kommissionsprotokoll vom 26. August 1807 wurde die Übergabe des Stiftes Spital an die Benediktiner von St. Blasien abgeschlossen. Der Bericht ging an die Staatshauptbuchhaltung. Im Präsidialbericht vom 11. September scheinen mehrere kritische Anmerkungen auf. So fehlten bei zahlreichen privaten Anleihen richtige Schuldbriefe, das unverzinsliche Kapital war nicht als solches ausgewiesen worden, auf steirische Gülten hatte man überhaupt vergessen. Das Aktivkapital Spitals in Staatspapieren von etwa 151 000 fl war inzwischen auf den neuen Herren übertragen worden. Über die Entwicklung der Passiva und die damit verbundene Sorglosigkeit drückte vor allem der „alleruntertänigste Vortrag der vereinigten Hofkanzlei“ vom 1. Oktober 1807 sein Mißfallen aus.[9]

Anfang Oktober trafen die Benediktiner in Spital ein. Damals waren schon Anweisungen getroffen, den Franziskanerkonvent in Klagenfurt zu räumen. Die Reiseroute der Blasier nach Spital ging aus dem Salzburgischen über Frankenmarkt, Lambach, Strinzing und Klaus. Anfang Oktober residierten im neuen Benediktinerstift Spital bereits 26 Mönche, neun in Ausbildung stehende Geistliche und zwei Laienbrüder. Novizen (insgesamt 10) trafen erst nach und nach ein. Kaum drei Wochen später wurden neun jüngere Mönche als Lehrkräfte nach Klagenfurt entsandt.[10]

Fürstabt Berthold Rottler ist erst Mitte Oktober 1807 in die neue Heimat gekommen. Am 15. Oktober war der St. Blasier Konvent in Spital vereint. Um die alte Herrschaft Spital mit seinen Vorstellungen abstimmen zu können, wurden nun in unregelmäßigen Abständen „Konferenzen über Verwaltungssachen“ durchgeführt. Bei den insgesamt 14 Konferenzen führte der Abt nur zweimal den Vorsitz. Die erste fand am 24. Oktober 1807 statt, wobei von seiten St. Blasiens der Dekan, der Hofküchenmeister, der Hofkastner sowie der Rentmeister, von seiten der Spitaler Verwaltung Hofrichter Michael Ferdinand Bernhardt, Kämmerer Christian von Erb, Forst- und Waldmeister Joseph Pierner und der Stiftssekretär Joseph Wimbperger teilnahmen. Berichte des Spitaler Rentamtes, Kreditamtes, Kastenamtes und Waldamtes zeigten kein ermutigendes Bild der Herrschaft. Es war wenig Geld vorhanden. Allzuviel Holz war geschlägert worden und noch mehr für notwendige Reparaturen bereitzustellen. Das Hofgericht bekam die Anweisung, bei allen Rechnungsbranchen die Kameralrechnung mit Journal und Hauptbuch einzuführen. Die meisten Traditionen der lokalen Grundherrschaft blieben aber bestehen. Insgesamt war eine starke Hand zu spüren: Soziale Anliegen wurden rasch erhört, bürokratische Handlungen jedoch kritisch durchleuchtet.[11]

Die Neubesiedlung Spitals hatte sich bald herumgesprochen. Der Kirchdorfer Kürschnermeister etwa erinnerte daran, daß er schon immer kostengünstige Wildbälge vom Stift bezogen hätte. Zwei Ärzte, Dr. Ruf aus Augsburg bzw. Dr. Salturner in Wels bewarben sich als Hausärzte des Benediktinerstiftes. „Wegen geringer Stiftseinkünfte und Dürftigkeit der Bewohner kann es nicht gestattet werden“, stellte ein Protokoll in der zweiten Konferenz fest.[12] Drei Tage später, am 10. November 1807, begab sich Fürstabt Rottler auf die Reise nach Klagenfurt. Nach Besichtigung der neuen Gründung reiste er über Eberndorf und das Lavanttal nach Wien zu den Dotationsverhandlungen.[13] Die Konferenzen leitete nun Dekan P. Markus Baader. Der Fürstabt hatte genug gesehen. Wie auch später die Stiftungshofbuchhalterei feststellte, schmolzen die Einkünfte Spitals angesichts der 1807 auf fünf Jahre gebundenen Militärsteuer auf 2442 fl (!) zusammen.[14] Dies reichte bei weitem nicht für einen Konvent, der etwa vierfach so groß geplant war wie die bisherige Anzahl der Weltpriester. Die zahlreichen Reparaturanträge in Filialpfarren und auf Schloß Klaus zeigen, daß viele Jahre nichts geschehen war. Im Spätherbst 1807 machten sich zudem neue Probleme bemerkbar. Es mußten jetzt 14 Zimmer mehr als bisher beheizt werden, die Hofbäckerei stand im Dauereinsatz. Der Holzbedarf verringerte rasch die Scheitervorräte im Draxlanger am Pyhrn bzw. am Wuhr. Der Hoftischler mußte Aufträge an einen Standesgenossen weitergeben und verlangte gleichzeitig wegen der Gefahr, Kundschaft zu verlieren, höheren Taglohn. Der wachsende Schnittholzbedarf zwang zu umfangreichen Schlägerungen am Wuhr. Der Waldmeister stellte fest, mit acht Stiftsholzknechten wäre die Mehrarbeit nicht zu schaffen. Der Dekan entschied in der Notlage, Knechte vom stiftseigenen Kohlhof heranzuziehen.[15]

Natürlich bot der Einzug der Benediktiner auch anderen Gewerben vermehrte Aufträge. Aber sie sollten rasch erfüllt werden und wurden damit zu einer Spielart des sozialen Drucks. Selbst die zwei Spitaler Amtsboten forderten für vervielfachten Einsatz eine Entschädigung und erhielten schließlich um 28% mehr Lohn. Die Überführung des Gepäcks der Blasier aus Salzburg bzw. donauabwärts von Ulm war Ende November fast abgeschlossen. Damals lagerten noch zwei starke Fuhren in Linz. Die mitgebrachten Silbersachen ruhten aber noch viele Monate später in Truhen und harrten der Punzierung.[16]

Spital als „Pflanzschule für die Lehrer" in Klagenfurt war weit weg. Wie der Wintereinzug am 4. Dezember 1807 am Pyhrn bestätigte, mußte man nach Kärnten den Umweg über Wien machen, von Ende Jänner 1808 an war der Paß Pyhrn für einige Wochen überhaupt nicht begehbar. Eine wirksame Kontrolle sowie die Supplierung der Lehrkräfte bei Krankheit war unmöglich. In späteren Verhandlungen tritt diese Argumentation immer wieder zutage. Daher bemühten sich die Kärntner Stände noch im Herbst 1807 mit einigem Erfolg, die Übersiedlung der Spitaler Benediktiner nach Kärnten zu veranlassen. In dem vom Gubernium in Graz weitergeleiteten Gesuch vom 17. Dezember wurde auch die Errichtung eines zweiten Gymnasiums in St. Andrä oder Eberndorf angeregt.[17]

Während also in Kärnten, Graz und Wien langwierige Verhandlungen begannen, richteten sich die Benediktiner auf einen längeren Aufenthalt ein. Fast wöchentlich kamen die Briefe von Fürstabt Rottler mit Instruktionen und Anfragen. Eine wesentliche Angelegenheit war die Obsorge für den Nachwuchs. Dekan Baader bezeichnet ihn als „lustlos", und es gab darunter auch „schwarze Schafe". Als am 28. Dezember 1807 acht Kandidaten eingekleidet wurden, zeigte sich, daß auch störrische und nach herkömmlichen Maßstäben ungeeignete Kandidaten mit ihrer Affirmation rechnen konnten. Die Mehrheit der Benediktiner Kapitulare waren von den Strömungen des Josephinismus geprägt. Fast resignierend klagte der Dekan dem Abt: „Die Jugend ist halt nicht mehr wie ehemals. Man findet bei selber keine solche Vorliebe zum Klosterstand wie vor Zeiten und an geistlichen Gegenständen besonders wenn sie länger dauern, wollen die jungen Leute keinen rechten Geschmack mehr finden."[18]

Die Konsequenz daraus war, daß Novizen in Spital weniger geistliche Kost und mehr klassische Aufsätze vorgesetzt bekamen. Die Fratres erhielten nach Weihnachten 1807 in Schulangelegenheiten besondere Anweisungen. Fürstabt Rottler war allerdings über die

Abb. 26: Stiftsanlage von Spital am Pyhrn um 1810; Wien, Albertina

„Untätigkeit" mehrerer Benediktiner sehr aufgebracht. P. Simon und P. Andreas sollten im Archiv, P. Bartholomäus in Küsterei und Kelleramt, P. Nepomuk in der Bibliothek arbeiten. Dekan Baader verwies entschuldigend auf die mit St. Blasien vergleichbare Winterstrenge, wodurch die Räume nicht ausreichend beheizbar wären.[19]

Die Frage, wie die Einquartierung der Blasier in Spital selbst aufgenommen wurde, läßt sich an einigen Anzeichen ablesen. Höhere Stiftsbeamte arrangierten sich mit der neuen Herrschaft rasch. Allerdings kann man doch gelegentlich erahnen, daß sie sich als Bewahrer der Tradition und als Rest der alten Herrschaft betrachteten.

Hofrichter Bernhardt wirkte in Finanzsachen belehrend, und seine Hinweise auf den Landesbrauch bei der Konferenz am 4. Jänner 1808 dürften den Dekan doch wesentlich beeinflußt haben, für eine Übersiedlung nach Kärnten einzutreten. Die Militärsteuer war nun direkt abzuführen, wodurch ihre einstweilige Verwendung für notwendige Stiftsauslagen ausfiel. In der Steuergebarung zeigte sich insgesamt ein Abgang.

Bei der Stiftsübernahme war auch ein Ausschuß der Bevölkerung angelobt worden. Einige Benediktiner-Fratres traten mit dieser sehr bald in Kontakt, und zwar beim Kartenspielen (offensichtlich beim Hofwirt). Auf diese Weise wurden Gerüchte weitergetragen, die das Verhältnis der Benediktiner zu den Spitalern nicht verbesserten. Ein Beispiel: Von P. Bartholomäus erzählte man, er solle ein Beichtkind „dem Teufel zugewiesen haben". Mit Jahresende verbot Dekan Baader diese Form der Unterhaltung im Wirtshaus für seine Fratres. Der Verdacht liegt nahe, daß auch einige ehemalige Kanoniker Spitals an dieser Mißstimmung beteiligt waren. Eine anonyme Anzeige, daß man die Kandidaten eingekleidet hatte, obwohl sie noch nicht die Philosophie gehört hätten, konnte nur von ihnen kommen. Der einzige ehemalige Kanoniker, mit dem die Benediktiner fruchtbar zusammenarbeiteten, war der Spitaler Provisor Johann M. Leeser. Dieser erhielt auch prompt vom neuen Ruraldechanten und früheren Mitchorherren Hinterhofer einen Verweis, weil er den Blasiern die Frühpredigt überlassen hatte.[20] Aus der Lage des Alltags heraus

Abb. 27: Spital am Pyhrn Stiftskirche; Abschlußgitter des Andreas Ferdinand Lindermayr (1728–1734), mit Wappen des Propstes Heinrich Fürsten.

entwickelte die Spitaler Führung unter Dekan Baader, Subdekan P. Simon und P. Bartolomäus eigene Vorstellungen über die Zukunft in Spital. Da abzusehen war, daß die drei Spitaler Weltpriester andere Pfarrpfründen anstrebten – Postelbauer ging in dieser Sache häufig auf Reisen –, wollte man die Pfarre Spital selbst übernehmen. Man dachte dabei an eine eigenwillige Konstruktion: Einer der älteren Benediktiner sollte Oberpfarrer oder „Direktor“ werden und ein junger Pater die eigentliche Seelsorge leisten. Nach der Bekanntgabe der neuen Pfarrstelle Alkoven für Leeser im Jänner 1808 betrieb Dekan Baader diese Angelegenheit zielstrebiger, stieß jedoch in Linz auf Schwierigkeiten. Dort waren Generalvikar und Dompropst über die Spannungen in Spital aufgebracht. Am 18. April 1808 schrieb der Dekan an den Fürstabt: „Wir müssen die Pfarre bald übernehmen wegen Behauptung unserer Ehre, Stimmung des Volkes und Collisionen zwischen pfarrlichen und stiftischen Gottesdienst.“[21] Auf Anraten Leesers bot der Dekan die Oberpfarrerstelle dem Abt an. Erst als der Abschied aus Spital längst beschlossene Sache war, bekam Ruraldechant Hinterhofer die Anweisung, am 15. November 1808 Dekan Baader auf die Pfarre Spital zu installieren.[22]

Mittlerweile hatten die Benediktiner in Spital mit Unruhe den Verlauf der Dotationsverhandlungen verfolgt. Bei der Konferenz am 13. Jänner 1808 wurde für die Zahl von 50 Stiftsmitgliedern 28 000 fl veranschlagt, die aus den Gütern Spital, Eberndorf, der Meierei Wasserhofen sowie dem Franziskanerkloster Klagenfurt bestritten werden sollten. In den Audienzen beim Kaiser konnte in der Folge Fürstabt Rottler einen Rückgriff auf Dotationen bei den Pensionen verhindern. Er war auch bestrebt, da ohnehin noch ein Dotationsgut fehlte, die Zahl der Mitglieder und damit die Dotation zu erhöhen. Nach Rückfrage in Spital wurde tatsächlich die Zahl der Fratres um sechs erhöht. Über die damals in die Diskussion gebrachte Herrschaft St. Paul war der Dekan gar nicht glücklich. Im Juni 1808 legte der Staatsrat erstmals dem Fürstabt nahe, auf Spital zu verzichten und dafür Güter in Kärnten und Steiermark anzunehmen. In Spital witterten schon Wochen vorher einige Weltpriester die Chance, das Kollegiatstift werde wieder entstehen.[23]

Um in der Dotation weiter entscheiden zu können, wurde u. a. von der Landesregierung in Linz eine Erhebung der Spitaler Einkünfte abgefordert. Erst am 12. August erhob eine Kommission den zehnjährigen Durchschnitt der Spitaler Finanzen. Das Konsistorium warf nun den Benediktinern vor, bei der Übergabe nicht ordentlich vorgegangen zu sein. Zu diesen Mißhelligkeiten kamen die wachsende Teuerung und zahlreiche Lohnforderungen der für das Stift arbeitenden Gewerbeleute. Nach der Musterung der Landwehr am 23. Juli nahm man im September die Schanzarbeiten beim Draxlanger am Pyhrn unter erheblichen Kosten in Angriff. Die Kriegsstimmung wuchs.[24]

Trotz dieser Umstände waren die Benediktiner in Spital im Unterschied zu ihrem Abt an St. Paul als neuem Hauptquartier uninteressiert. Bei der entscheidenden Kommissionssitzung am 11. Oktober 1808 wurde dem Fürstabt freigestellt, die Seelsorge in Spital – nach Rat des Dekans als Priorat mit sieben Leuten – zu besorgen. Er verzichtete jedoch ganz auf die Herrschaft Spital und erklärte sich einverstanden, diese per 1. November 1808 dem Religionsfonds des Landes ob der Enns zu übergeben. Der Vorteil war, daß man die Pensionszahlungen an die Weltpriester los war. Im Präsidialvortrag vom 18. November legte der Abt bereits ein Verzeichnis jener Gerätschaften und Pretiosen vor, die die Blasier von Spital mitnehmen wollten. Dekan Baader lenkte die Aufmerksamkeit Rottlers auf die riesigen Spitaler Weinfässer, die beim Transport große Dienste leisten sollten. Mit Urkunde vom 5. Jänner 1809 wurde die kaiserliche Genehmigung der Übersiedlung nach St. Paul offiziell.[25]

Angesichts der in den folgenden Monaten sichtbaren Entleerung der Bibliothek, der Sammlungen und der Paramentschränke, wuchs die Enttäuschung der Spitaler darüber, daß kein Priorat erhalten werden konnte. Als am 3. Mai 1809 Dekan P. Markus Baader als letzter abreiste, ließ er eine verbitterte Bevölkerung zurück, die der einstigen Rolle des Stiftes nachtrauerte.

Anmerkungen

1. Siehe dazu STA, Spital am Pyhrn Akten, Pack 1, Schriften Michaelbeuren, Salzburg, Spital.
2. R. HITTMAIR, Der Josefinische Klostersturm im Lande ob der Enns (1907), S. 494. Es kommt nur Kner in Frage, siehe dazu: H. KRAWARIK, Die weltlichen Chorherren von Spital am Pyhrn (1418 – 1807). Biographische Darstellungen (1988), Nr. 103.
3. ARCHIV DER LANDESREGIERUNG, im Oberösterreichischen Landesarchiv, Schachtel 366, Instruktion 26. Juli 1807, Protokoll 26. August 1807. Insgesamt wurden 4900 fl Pensionen veranschlagt.
4. F. X. PRITZ, Geschichte des einstigen Kollegiatstiftes weltlicher Chorherren zu Spital am Pyhrn im Lande ob der Enns, AÖG 10 (1853), S. 293; ARCHIV DER LANDESREGIERUNG, Schachtel 366, Personalstand, Bilanz.
5. Spital hatte durchaus Leistungen aufzuweisen. Ein Beispiel: Kanoniker Leeser war maßgebend bei der Aufklärung über die Pockenimpfung 1807 beteiligt. Siehe dazu: R. GIRTLER, Heiler und Ärzte von Spital am Pyhrn, in: H. KRAWARIK (Hrsg.), Dorf im Gebirge. Spital am Pyhrn 1190 – 1990 (1990), S. 289.
6. ARCHIV DER LANDESREGIERUNG, Schachtel 366, Kommissionsprotokoll; PRITZ, Spital am Pyhrn (wie Anm. 4), S. 293; HITTMAIR, Klostersturm (wie Anm. 2), S. 495. Vgl. dazu STA, Spital am Pyhrn, Pack 2, Inventar. Zur Aufhebungskommission gehörten Regierungsrat Johann Bertgen, Kreishauptmann Joseph Jacoba, Rechnungsrat Franz Petermandl, Actuar Joseph Fyllinger, Domdechant Franz Ertl aus Linz und P. Trudpert Neugart aus St. Blasien.
7. ARCHIV DER LANDESREGIERUNG, Schachtel 366, I. Am 16. August ersuchte der Propst um Entlastung als Ruraldechant.
8. KRAWARIK, Chorherren (wie Anm. 2), Nrn. 46, 78, 104, 117, 120, 123, 158, 159, 170, 189, 194, 230; ARCHIV DER LANDESREGIERUNG, Schachtel 366, Personalstand 11. August 1807.
9. ALLGEMEINES VERWALTUNGSARCHIV (AVA), im Zentralarchiv Wien, F 93 Stift Spital am Pyhrn 1808 – 1848, S. 115ff.; ARCHIV DER LANDESREGIERUNG, Schachtel 366, Nr. 5361.
10. STA, Spital am Pyhrn, Pack 1, 2; G. LADSTÄTTER, Die Geschichte des Benediktinerstiftes St. Paul von 1809 – 1848. (Diss. Wien, 1973), S. 29; STA, St. Paul 71/404, Schreiben des Guberniums, Pack 19/103, Brief 1.
11. STIFTSARCHIV SPITAL AM PYHRN (= StASpP), im Oberösterreichischen Landesarchiv, Bd. 617, Nr. 7, S. 226 – 250.
12. StASpP, Bd. 617, S. 253, S. 257.
13. LADSTÄTTER, St. Paul (wie Anm. 10), S. 31.
14. AVA, S. 95, Benediktinerstift St. Paul, 2., Protokoll, S. 39.
15. StASpP, Bd. 617, S. 261 – 265. Der Vorschlag des Waldmeisters, für das Beheizen Torfziegel zu verwenden – sie hatten kurz vorher noch das Sensenwerk Grünau versorgt – blieb ohne Echo.
16. STA, St. Paul 19/103, Briefe 1 und 2. StASpP, Bd. 617, S. 267.
17. STA, St. Paul 71/404; AVA 95/2; LADSTÄTTER, St. Paul (wie Anm. 10), S. 29f. Bezüglich der Dotationsverhandlungen siehe den Beitrag hier, S. 263ff. Als

Kärntner Dotation waren u. a. Millstatt, Eberndorf und St. Paul vorgesehen.

18. STA, St. Paul 19/103, Briefe 3 und 10.
19. Kein geringes Aufsehen erregten die 1807 und 1808 durchgeführten Wolfsjagden um den Pyhrnpaß. Vgl. dazu: KRAWARIK, Dorf im Gebirge (wie Anm. 5), S. 498.
20. StASpP, Bd. 617, S. 300; AVA, F 93, S. 122; STA St. Paul 19/103, Briefe 3 – 10: Ruraldechant Hinterhofer, die Spitaler Kapläne Rechberger und Postelbauer sowie Pfarrer Geser aus Innerstoder wurden von Dekan Baader verdächtigt, gegen die Benediktiner zu arbeiten. Bezüglich der Militärsteuer riet der Abt, erst beim letzten Termin zu zahlen.
21. STA St. Paul 19/103, Brief 11.
22. EBD., Brief 32.
23. AVA, S. 95/2. STA St. Paul 19/103, Brief 15; LADSTÄTTER, St. Paul (wie Anm. 10), S. 35. Das Gubernium versuchte lange, das zweite Gymnasium in Millstatt oder Spittal an der Drau zu installieren. Graf von Saurau schlug gar eine Übersiedlung von Spital nach St. Lambrecht vor.
24. StASpP, Bd. 617, S. 351 – 408; STA St. Paul 19/103, Briefe 26 – 30.
    Die Schanze wurde beim Scheiterstadel des Stiftes errichtet, der ausgeräumt als Quartier für 240 Mann diente.
25. AVA, S. 95, Protokoll 5. Jänner 1809, Protokoll 11. Oktober 1808; STA St. Paul 19/103, Briefe 13 – 35; HITTMAIR, Klostersturm (wie Anm. 2), S. 496.

Die wirtschaftliche Lage des Stifts im 19. Jahrhundert

GEORG-JAKOB LADSTÄTTER

Nach dem 3. Koalitionskrieg (1805) fiel im Frieden von Preßburg (26. Dezember 1805), den Kaiser Franz II. (I.)[1] mit Napoleon Bonaparte zu schließen gezwungen war, der ehemalige österreichische Breisgau an Baden und Württemberg. Nach den Bestimmungen des Luneviller Friedens (Februar 1801) und des Reichsdeputationshauptschlusses (1803) verfügten Baden und Württemberg in ihren neuerworbenen Gebieten die Säkularisation, der auch das in höchstem Ansehen stehende Benediktinerstift St. Blasien im Schwarzwald zum Opfer fiel (1806/1807).

Schon 1801, als die Franzosen im 2. Koalitionskrieg (1799–1802) den Breisgau überrannten, hatte der St. Blasier Fürstabt Mauritius Ribbele (1793–1801) von Kaiser Franz die Zusicherung erhalten, daß er und seine Mitbrüder im Falle der Aufhebung seines Stiftes in den österreichischen Erblanden Aufnahme finden würden.[2] So folgten 1807 die zur Einwanderung nach Österreich bereiten Mitglieder des aufgehobenen Konvents von St. Blasien unter ihrem Fürstabt Berthold Rottler (1801–1826) dem Ruf des Kaisers und fanden im kurz zuvor aufgehobenen Stift weltlicher Chorherren in Spital am Pyhrn in Oberösterreich zunächst eine neue Heimat, mit der Verpflichtung, die Professuren am Gymnasium und Lyzeum in Klagenfurt, wo man ihnen das eben aufgehobene Franziskanerkloster als Wohnsitz für die Professoren überwies (1807), nach und nach zu übernehmen.

Ursprünglich sollten die St. Blasier Mönche Lehrstühle an der Universität in Salzburg und am Lyzeum in Klagenfurt besetzen und das Kloster Michelbeuern als Wohnsitz übernehmen, doch scheiterte dies am Widerstand der Salzburger Professoren und des Abtes von St. Peter zu Salzburg.[3]

Mit Anfang Jänner 1808 begann für Fürstabt Rottler ein zehn Jahre dauernder Kampf mit den staatlichen Verwaltungsstellen um eine ausreichende Dotation für seine Ordensgemeinde – der Kaiser hatte den St. Blasiern noch vor ihrer Immigration eine ausreichende Dotation versprochen –, wobei die finanzielle Situation des österreichischen Kaiserstaats, bedingt durch die Franzosenkriege, nicht übersehen werden darf.

Nach Interventionen der Stände Kärntens um Übersiedlung der St. Blasier Mönche von Spital/Pyhrn nach Kärnten (Klagenfurt, St. Paul)[4] und Verhandlungen Rottlers mit den staatlichen Stellen und mit dem Kaiser im selben Sinne wurde am 5. Jänner 1809 den Mönchen das Kloster St. Paul im Lavanttal als Wohnsitz zugewiesen. Die Ordensgemeinde hatte die Lehrkräfte am Gymnasium in Klagenfurt und St. Paul zur Verfügung zu stellen, wobei sie eine Dotation von 28.000 Gulden jährlich – bestehend aus den Einkünften der Religionsfonds-Herrschaft St. Paul (mit Ausnahme der an das Militärgestüt zu Kollnitz verpachteten Gründe und Gebäude), der Studienfonds-Herrschaft Eberndorf mit der Meierei Wasserhofen

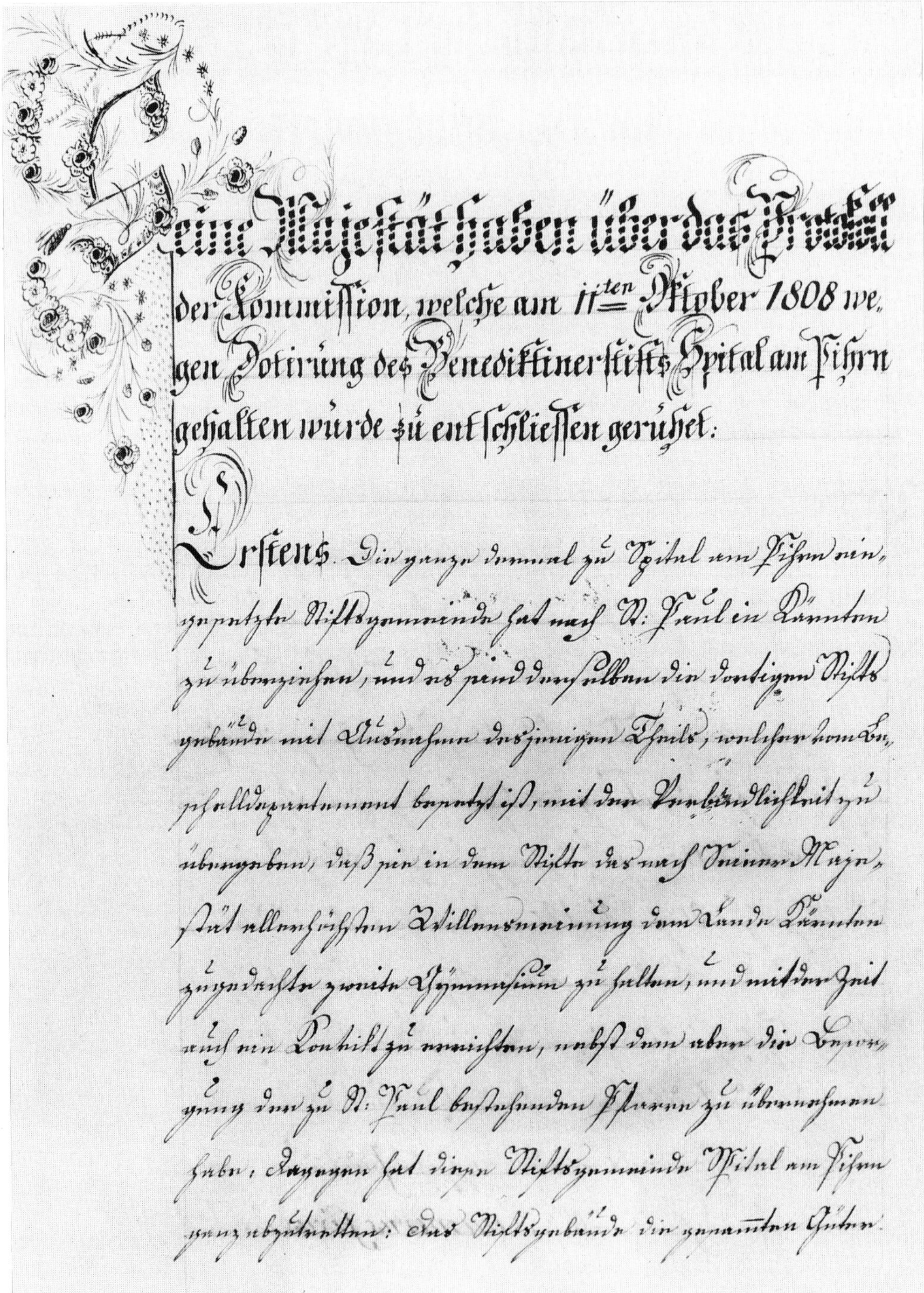

Seine Majestät haben über das Protokoll der Kommission, welche am 11ten Oktober 1808 wegen Dotirung des Benediktinerstifts Spital am Pihrn gehalten würde zu entschließen geruhet:

Erstens. Die ganze dermal zu Spital am Pihrn eingesetzte Stiftsgemeinde hat nach St. Paul in Kärnten zu übersiedeln, und es sind derselben die dortigen Stiftsgebäude mit Ausnahme desjenigen Theils, welcher vom Beschälldepartement besetzt ist, mit der Verbindlichkeit zu übergeben, daß sie in dem Stifte das nach Seiner Majestät allerhöchsten Willensmeinung dem Lande Kärnten zugedachte zweite Gymnasium zu halten, und mit der Zeit auch ein Konvikt zu errichten, nebst dem aber die Besorgung der zu St. Paul bestehenden Pfarren zu übernehmen habe; dagegen hat diese Stiftsgemeinde Spital am Pihrn ganz abzutreten: das Stiftsgebäude die genannten Güter.

Abb. 28: Dekret Kaiser Franz I. vom 5. 1. 1809 über die Übersiedlung der St. Blasier Mönche von Spital am Phyrn nach St. Paul und mit der Übergabe des Stiftes an sie, STA, UK 1649

und dem Franziskanerkloster in Klagenfurt – erhalten sollte. Die 200.000 Gulden, die die vertriebenen Mönche von Baden als Abfindung erhalten hatten, wurden in die Dotationssumme nicht einbezogen. Zudem durften sie die Bücherei und die Pretiosen aus Spital am Pyhrn, das sie gänzlich räumen mußten, mitnehmen.[5]

Nach der ersten Freude über die neue Heimat stellte sich rasch Ernüchterung ein, denn die Räume im Stiftsgebäude und die anderen Gebäude waren in einem äußerst schlechten Zustand[6], die Meiereigründe – mit Ausnahme von wenigen Joch Grund – befanden sich in Händen des Militärs (Beschäl-Departement), und die zum Stift gehörigen Alpenwaldungen hatte die k. k. Hofkammer mit Dekret vom 25. 5. 1809 dem Bankal-Eisenwerk in Wolfsberg zugesprochen.[7] Die Übergabe der Dotationsgüter wurde durch das Verhalten der Hofkammer und des Hofkriegsrates, die dem neuen St. Pauler Konvent ablehnend gegenüberstanden, verzögert[8], die Dotationsverhandlungen dauerten bis ins Jahr 1818.

Die Hauptziele des Fürstabts waren zunächst die Rettung der Alpenwaldungen und die Entfernung des Militärgestüts. Während seines zweiten Wien-Aufenthalts (Jänner bis September 1810) ersuchte er den Kaiser um Beendigung des Dotationsgeschäfts, um Verlegung des Kollnitzer Gestüts und um die Rettung der Alpenwaldungen.[9] Als der Kaiser im September 1810 nach Kärnten kam, konnte er sich anläßlich seines Besuchs im Stift St. Paul (27. September 1810) an Ort und Stelle von der Situation der Ordensgemeinde ein Bild machen („Den Meierhof, den das Militär inne hat, braucht das Stift zu seinem Bedarf.")[10] Von Oktober 1810 bis September 1811 hielt sich Fürstabt Rottler wiederum in Wien auf, um dem Kaiser, der Hofkanzlei, der Hofkammer und dem Hofkriegsrat seine allzu berechtigten Forderungen um Verlegung des Gestüts zu Kollnitz, um die Ausfolgung der Alpenwaldungen, die Rückgabe aller dem Gestüt zu Kollnitz übergebenen Gebäude und Gründe, um die pachtweise Übergabe der Studienfondsherrschaft Leonstein/Pörtschach wegen des Holzbedarfs für das Kollegium in Klagenfurt und um die Überlassung (im Kaufwege) des Viktringhofes in Marburg zu unterbreiten.[11]

In der Audienz am 20. Juni 1811 versicherte ihm der Kaiser, daß er die „leidige Geschichte" beendet wissen wolle[12], doch gab Hofkammerpräsident Graf Wallis dem Fürsten zu verstehen, daß er die versprochene Dotation bereits erhalten habe, und wenn er nicht bestehen könne, solle er den österreichischen Staat mit seiner Ordensgemeinde wieder verlassen.[13] Am 1. April 1811 wurden dem Stift vom Beschäl-Departement 42 Joch Grundstücke der Meierei St. Paul abgetreten[14], Mitte Juli 1812 erhielt das Stift die Alpenwaldungen.[15] Als das Stift in eine immer schwierigere finanzielle Lage kam und auch noch zur Zahlung der Extrasteuern genötigt wurde – sogar Edelsteine mußten zur Beseitigung der ärgsten Not verkauft werden –, begab sich 1813 Fürstabt Rottler nach Wien, unterstützt vom Grazer Gubernium, das auf eine Verlegung des Kollnitzer Gestüts nach Griffen drängte.[16] Auch die Stände Kärntens erinnerten den Kaiser in ihrem Majestätsgesuch vom 13. Juli 1814 daran, daß sie ihn schon am 15. Juni 1810 gebeten hatten, das Dotationsgeschäft des Stiftes St. Paul als wirklich bestehendes Lehr- und künftiges Erziehungsinstitut zu beschleunigen, und nun, falls die Übersetzung des Militärgestüts von Kollnitz nach Griffen nicht durchführbar sei, noch immer die ehemaligen Stifte Ossiach und Millstatt als Ausweichplätze zur Verfügung stünden.[17]

Eine vom Kaiser eingesetzte Untersuchungskommission fand die Übersetzung des Gestüts nach Griffen nicht für zweckmäßig, doch mit dem Vorschlag des Fürstabts, das Gestüt nach Piber oder Papolna zu verlegen, war der Hofkriegsrat einverstanden. Der Kaiser versprach die Verlegung des Gestüts und die Ausfolgung der versprochenen Dotierung des Stiftes mit 28.000 Gulden. Ende August 1814 bat der Fürstabt die Hofkanzlei, bei der Berechnung der Dotationsherrschaften einen anderen Schlüssel, entweder den rektifikatorischen vom Jahre 1750 oder den zehnjährigen von 1788–1797 anzuwenden, wo der Gulden noch Gulden war. [Infolge der napoleonischen Kriege kam es 1811 zum Zusammenbruch der österreichischen Finanzen. Durch das Devaluationspatent vom 15. März 1811 wurde der Wert des „Bankozettels" auf ein Fünftel des Nennwertes herabgesetzt und gegen den sogenannten „Einlösschein" umgetauscht, der zum Unterschied von der „Conventionsmünze" (C.M.) als „Wiener Währung" (W.W.) bezeichnet wurde. 1816 gelang es der neu gegründeten österreichischen Nationalbank, die Wiener Währung auf der Höhe von 250 Gulden gleich 100 Gulden Conventionsmünze zu stabilisieren.][18] Darauf kehrte Rottler im September 1814 nach St. Paul zurück. Im März 1815 überprüfte eine Kommission des Grazer Guberniums die Forderungen des Stiftes hinsichtlich der Dotation: Die Unrichtigkeit der früheren Dotationsberechnungen kam endlich zutage! Denn dadurch, daß die Bankozettelbeträge durch das Devaluationspatent seit dem 16. März 1811 in Wiener Währung (W.W.) umgerechnet wurden, stellten sich bedeutende Fehlbeträge an der Dotationssumme heraus. Nach den vorgelegten Belegen betrug der sechsjährige Defizitdurchschnitt vom 11. November 1808 bis 30. April 1815 16.420 Gulden. Das Stift konnte also einen Ersatzanspruch von insgesamt 69.480 Gulden geltend machen. Zudem waren die Kommissäre sehr verwundert, daß das Stift inmitten seiner Grundstücke lag und keinen Nutzen davon beziehen durfte, da alles dem Militär in Pacht überlassen war.[19]

Im Mai 1815 wurde das Meiereigebäude in St. Paul vom Militär geräumt und dem Stift übergeben, im August erfolgte die Übergabe von Kollnitz an das Stift; am 20. August 1815 begann die Abwanderung des Gestüts, nur die zwei- bis dreijährigen Fohlen sollten nach Vereinbarung bis zum April 1816 in Kollnitz verbleiben.[20] Damit war nach vielen Verhandlungen des Fürstabts die Existenzgrundlage für seine Kommunität geschaffen. Nun konnte er hoffen, daß seine Dotationsverhandlungen ebenso zum Abschluß gebracht werden. Im Dezember 1815 bat er die Hofkanzlei wiederum um Einstellung der Extrasteuer, um Beschleunigung der Dotationsangelegenheit und um die Zuteilung des Viktringer Weingutes in Marburg sowie der Herrschaft Leonstein/Pörtschach am Wörther See als Dotationsergänzung.[21] Da auch das Gubernium in Graz darauf positiv reagierte und dem Fürstbischof riet, die Extrasteuern sowie die Patronate und Vogteien der Güter zu übernehmen, und auch Erzherzog Rainer seine Anwesenheit in Wien für notwendig hielt, begab sich Rottler im Februar 1816 nach Wien, um die Dotationsverhandlungen zu beschleunigen.[22] Im Dezember 1816 und abermals im Jänner 1817 bat der Fürstabt die Hofkanzlei um einen Vorschuß von 30.000 Gulden, der „(. . .) das Institut vor der sonst unvermeidlichen Krida und bevorstehenden Hungertode schützet. (. . .) Das Institut wird sich diesen gnädigst gemachten Vorschuß an seinen guthabenden Nachforderungen von ca. 140.000 fl bei einer allfälligen Abrechnung gerne abziehen lassen (. . .)". Im März 1817 wurde dem Stift ein Vorschuß von 15.000 Gulden aus dem Religionsfonds gewährt.[23]

Die Dotationsverhandlungen verzögerten sich bis Mitte Juni 1817, bis sie Erzherzog Rainer übertragen wurden, der am 25. Juni 1817 die Hofkanzlei aufforderte, gemeinsam mit Fürstabt Rottler die Dotationsangelegenheit seines Stiftes so zum Abschluß zu bringen, daß dem Stift die Güter Viktringhof und Leonstein/Pörtschach vom 1. November 1816 an übergeben werden sollten, das Stift aber Extrasteuern und Patronate übernehmen und auf seine Rück-

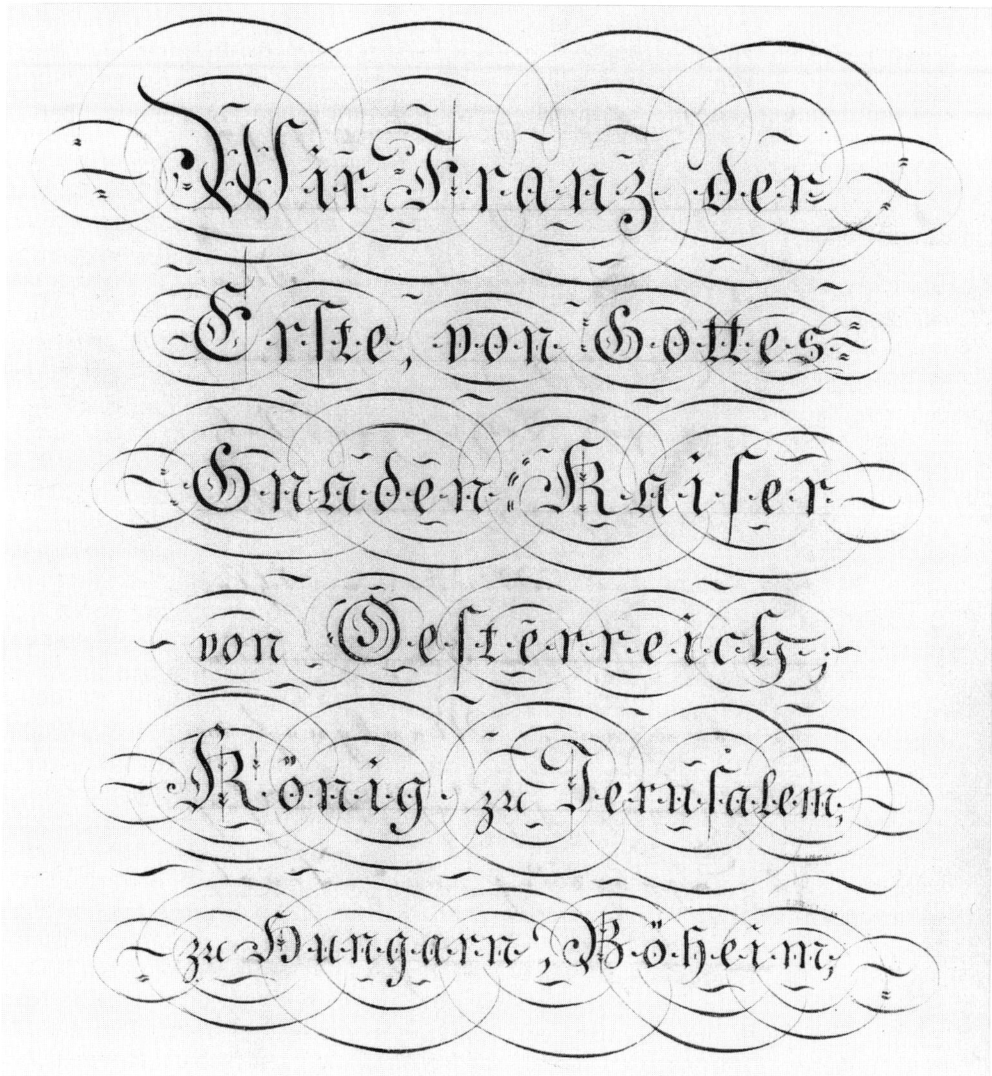
Wir Franz der Erste, von Gottes Gnaden Kaiser von Oesterreich; König zu Jerusalem, zu Hungarn, Böheim,

Abb. 29: Intitulativ der Dotationsurkunde Kaiser Franz I. vom 3. 7. 1820; STA, UK 1650.

forderungen verzichten sollte. Hofkanzlei, Hofkammer, Rechnungsdirektorium und Rottler einigten sich in der Kommission am 28. Juli 1817, das Ergebnis wurde am 10. August 1817 vom Kaiser gebilligt[24], und am 3. Juli 1820 wurde die endgültige Entscheidung des Kaisers bekanntgegeben: Das Stift St. Paul im Lavanttal erhält als Dotation:

1) Die Religionsfondsherrschaft St. Paul mit den Lavamünder Alpen und Waldungen, ferner die Pfarren St. Paul, St. Martin im Granitztal, St. Georgen unter Stein, St. Paul unter Hornberg (im Görtschitztal) und Maria Pustritz auf der Saualpe am Griffnerberg.
2) Die vormalige Studienfondsherrschaft Eberndorf mit dem Gut Wasserhofen.
3) Die vormalige Religionsfondsherrschaft Viktringhof in Lembach bei Marburg.

4) Die vormalige Studienfondsherrschaft Leonstein zu Pörtschach.
5) Das ehemalige Franziskaner-Kloster mit dem Garten zu Klagenfurt als Unterkunft für die in Klagenfurt tätigen Stiftsgeistlichen.
6) Die Lavamünder Alpen und Waldungen erhält das Stift nur unter der Bedingung, „daß aus denselben alles für den Hausbedarf des Stiftes und der Untertanen entbehrliche Holz Unseren Bankal-Eisenwerke in Wolfsberg und Kollnitz jährlich angeboten, und um den kurrenten Lokalpreis überlassen werden soll: (. . .)".
7) Hat das Stift alle Vorteile aus den Gütern zu genießen, aber auch alle Steuern und Patronatslasten zu tragen.
8) Bestätigt der Kaiser dem Stift den Besitz und Genuß des mitgebrachten eigenen Vermögens und den vom Stift bereits von diesem Vermögen angekauften Minoritengülten und das Löschnigg'sche Gut bei Marburg.
9) Das Stift hat sich bei allen Verfügungen mit seinem beweglichen und unbeweglichen Vermögen an die bestehenden oder auch noch zu erlassenden Vorschriften zu halten.
10) Muß das Stift mindestens 50 Mitglieder erhalten, von denen 34 oder mehr an öffentlichen Gymnasien und höheren Lehranstalten ohne Anspruch auf einen Gehalt zur Verfügung stehen müssen. Der Hauptzweck des Stiftes ist, daß es ein mustergültiges Lehrinstitut sei.[25]

Im Anschluß an die Hofkommission vom 28. Juli 1817 hatte Fürstabt Rottler noch die Bitte beigefügt, man möge ihm die Rückzahlung des erhaltenen Vorschusses von 15.000 Gulden erlassen und ihm erlauben, dafür die im Besitz des Religionsfonds befindlichen Minoritenweingärten bei Marburg zu kaufen. Dieser Bitte wurde 1818 entsprochen[26], und damit waren die Dotationsverhandlungen nach zehn Jahren abgeschlossen.

Das Stift hatte weiterhin mit finanziellen Schwierigkeiten zu kämpfen. Durch Besitzerwerbungen versuchte der Fürstabt die Einkünfte seines Stiftes zu vermehren: um 11.378 Gulden C.M. erwarb er die Religionsfonds-Minoritengült zu Marburg[27], und ebenfalls 1818 mit dem aus Baden mitgebrachten Geld um 7.000 Gulden C.M. und 24 Dukaten Schlüsselgeld das Löschnigg'sche Weingut Pickern bei Marburg.[28]

Seit 1817 bemühte sich Rottler um die mautfreie Weineinfuhr des in der Untersteiermark selbst erzeugten und zum eigenen Gebrauch notwendigen Weines. Erst 1826 wurde dies dem Stift bewilligt.[29] Am 9. November 1817 erfolgte auf Anordnung des Kaisers zur Vermehrung der Dotation die Übergabe der Herrschaften Viktringhof und Lembach mit den Gülten Roßwein und Rogeis, doch war das zum Viktringhof gehörende Amtsgebäude schon im März 1817 der Militärgarnison in Marburg als Spitalsgebäude übergeben worden. Nach 12 abgehaltenen Kommissionen kaufte das Militär im September 1824 dieses Gebäude mit dem dabeiliegenden Garten um 13.000 Gulden Metall-Münz.[30] Als Ersatz dafür erwarb Fürstabt Rottler als Wohnung für das Verwaltungsamt 1826 die Mandelsteinschen Realitäten in Marburg um 10.168 Gulden C.M.[31] Zwei Versuche der Grundvermehrung scheiterten: die Erwerbung der Herrschaft Rotwein bei Marburg (1819–1826), die von den stiftseigenen Herrschaften Viktringhof und Lembach zum Teil umschlossen war[32], und der Ankauf der seit 1759 im Staatsbesitz befindlichen Herrschaften Wolfsberg und St. Leonhard samt Eisenwerken.[33]

Nach Fürstabt Rottlers Ableben (1826) versuchte sein Nachfolger Meinrad Aman (1827–1839) aufgrund der wirtschaftlichen und finanziellen Lage des Klosters (Rottler hatte unverschuldet eine Passivlast von 30.580 Gulden hinterlassen, die Abwahltaxen machten fast 6.000 Gulden aus, zusätzlich war eine Landestaxe von ca. 1.500 Gulden und der Kontributionsbeitrag von 4.322 Gulden zu entrichten) eine Dotationserhöhung zu erreichen. 1828 reiste Abt Aman nach Wien, und in der Audienz am 27. Juli 1828 bat er den Kaiser, eine Hofkommission zur Überprüfung der wirtschaftlichen und finanziellen Situation des Stiftes St. Paul zu entsenden. Der Kaiser stimmte zu, und am 24. Juni 1829 waren die Erhebungen der Untersuchungskommission abgeschlossen. Nach mehreren Audienzen beim Kaiser (Wien, Mai 1830; Marburg, Juni 1830; Preßburg, November 1830) und bei Finanzminister Saurau (Wien, Juli 1828; Wien, Mai 1830: „(. . .) wiederum sehr grob und kränkend empfangen, als schadeten wir dem Staate in ökonomischer und wirtschaftlicher Hinsicht (. . .)“) wurden die Dotationsansprüche des Stiftes durch das Hofkanzleidekret vom 14. Juni 1832 für nichtig erklärt. Auch weitere Bittgesuche um Dotationsverbesserung blieben ungehört.[34]

Wie schon sein Vorgänger bemühte sich auch Abt Meinrad um die Vergrößerung des Stiftsbesitzes. Die Ankäufe der Herrschaft Stainz in der Steiermark, der Eisenwerke Saldenhofen und Hohenmauthen in der Untersteiermark[35] und des sogenannten Kollnitzhammers an der Lavant (nördlich von St. Paul) waren im Gespräch oder scheiterten an der finanziellen Lage des Stiftes.[36] 1832 kaufte das Stift St. Paul die Herrschaft Peßnitzhofen in der Untersteiermark um 35.000 Gulden C.M.[37] und 1836 um 4.000 Gulden C.M. „die der Herrschaft Rotwein dienstbaren Bergrechts-Weingärten und Grundstücke im Amte Feistritz der Pfarre Lembach des Marburger Kreises, dann den der Gült Süßenstein dienstbaren Berggrund ebendort und alle bei den genannten Realitäten befindlichen Gebäude samt Zubehör“.[38]

Abt Ferdinand Steinringer (1840–1866) übernahm nach dem Tode von Abt Meinrad Aman eine Schuldenlast von 59.000 Gulden. Trotz des von der Staatsbuchhaltung berichtigten jährlichen Reinertrags von 32.918 Gulden (nach den Angaben der Verwaltungsämter des Stiftes betrug er 19.875 Gulden) hatte das Stift mit großen finanziellen Schwierigkeiten zu kämpfen, denn der Brand, dem in der Nacht vom 3. auf 4. Dezember 1839 die Stiftsmeierei zum Opfer fiel, die Vernichtung der Weingärten durch Hagelschlag und die neuerlich zu zahlenden Abtwahltaxen brachten das Stift in einen wirtschaftlichen und finanziellen Engpaß, doch wurde ein Gesuch um Dotationsvorschuß vom Kaiser nicht genehmigt. Auch die weiteren Ansuchen Steinringers um Dotationsergänzung und Nachlaß der Abtwahltaxen wurden mit dem Hinweis auf den Stiftungsbrief vom 3. Juli 1820 und auf das Hofkanzleidekret vom 14. Juni 1832 abgelehnt. Als im März 1842 das Stift vom General-Hof-Taxamt laut Hofkammerdekret vom 28. Februar 1842 zur Bezahlung der rückständigen Abtwahltaxen des verstorbenen Abtes Meinrad Aman und des neugewählten Abtes Ferdinand Steinringer in Höhe von 11.532 Gulden aufgefordert wurde, wandte sich Abt Steinringer erneut an den Kaiser, der am 1. Oktober 1842 das Gesuch des Abtes ablehnte. Eine erneute Bitte des Abtes um Nichtig-Erklärung der Abtwahltaxen wurde im September 1846 vom Kaiser abgelehnt, und das Stift wurde zur Ableistung der ersten „6-Jahres-Rate“ von 1.922 Gulden ab 21. Oktober 1842 verpflichtet.[39]

1846 kaufte das Stift einen Hubgrund in der Herrschaft Peßnitzhofen um 4.000 Gulden C.M.[40] Damit fanden die Dotationsbemühungen des Stiftes St. Paul ihr Ende, und bis zum Ausgang des 19. Jahrhunderts blieb der Besitz des Stiftes unverändert bestehen.

Die Bauernschutzgesetzgebung unter Maria Theresia brachte spürbare Erfolge: so die Beseitigung der grundherrlichen Steuereinhebung, die Einschränkung der Patrimonialgerichtsbarkeit, weiters die konsequente Scheidung von bäuerlichem und herrschaftlichem Besitz durch den theresianischen Kataster. Ihr Sohn, Kaiser Joseph II., galt nach dem Untertanspatent vom 1. November 1781 (Aufhebung der Leibeigenschaft in jenen Ländern, in denen sie noch bestand) als eigentlicher Schutzherr und Freund der Bauern. Der Bauer hatte aber noch kein freies Eigentum an Grund und Boden, und der Herrschaft verblieben einige obrigkeitliche Befugnisse.[41] Für die Untertansverhältnisse in Kärnten wirkten sich entscheidend die französischen Reformen aus, als im Frieden von Schönbrunn (14. Oktober 1809) Osttirol, die Gebiete Kärntens südlich der Drau, Krain, Kroatien südlich der Save mit dem schon 1805 abgetretenen Istrien und Dalmatien als „Illyrische Provinzen" Frankreichs zusammengefaßt wurden: Nun mußte der Grund- oder Zehentherr ein Hypothekarrecht gegen den Untertan oder Zehentholden erlangen, um ihn wegen seiner Rückstände belangen zu können. Hinsichtlich der Urbarial- und Zehentschuldigkeiten war durch Verordnung vom 16. Juli 1810 ein Fünftel-Nachlaß festgesetzt worden. Nach den Franzosenkriegen wurden Krain und Oberkärnten unter Beibehaltung des Namens „Illyrien" dem Laibacher Gubernium unterstellt, die illyrischen Einrichtungen – das Steuerwesen, die Aufhebung aller Patrimonial- und Ortsgerichte und der Fünftel-Nachlaß bei Herrschaftsabgaben – wurden beibehalten.[42] In Unterkärnten wurde mit Hofkanzlei-Dekret vom 11. April 1820 für die von den Untertanen unmittelbar an den Staat zu entrichtende Grundsteuer ein 20prozentiger Nachlaß an allen Urbarial- und Zehentleistungen eingeführt.[43] Die von den Bauern ungern geleisteten Dienste wurden beibehalten, und erst kurz vor der Revolution von 1848 dachte man staatlicherseits an eine Ablöse der Dienste, insbesondere der bei den Bauern verhaßten Robot. Mit Gesetz vom 7. September 1848 wurde das Untertänigkeitsverhältnis mit allen daraus entspringenden Rechten und Pflichten aufgehoben.

Als Grundherr hatte das Stift St. Paul zu seinen Untertanen ein gutes Verhältnis[44], als einzigen Fall einer wirklichen Kontroverse Stift–Untertanen ist ein Naturalrobot-Holzfuhr-Streit (1845–1850) zu erwähnen: Die Untertanen weigerten sich, die Naturalrobot-Holzfuhren zu leisten, da ihnen der gesetzlich vorgeschriebene 20prozentige Nachlaß (siehe oben) nicht zugute gekommen war und sie zudem dazu angehalten worden waren, 48zölliges statt 36zölliges Scheiterholz aufzuarbeiten und zur Stiftsherrschaft zu führen. Im Juli 1850 kam es zum gerichtlichen Ausgleich zwischen den streitenden Parteien, und das Stift mußte an seine ehemaligen Untertanen 1.233 Gulden rückvergüten.[45]

Das Stift sorgte als Grundherr in Notzeiten wie in den Jahren 1814 bis 1818 für die Mittellosen und unterstützte hilfreich Untertanen, die von Elementarschäden usw. getroffen wurden. Die großen Untertansrückstände von 19.976 Gulden nach dem Ableben des Fürstabts Berthold Rottler zeigen eine milde und nachsichtige Behandlung der Untertanen durch die Grundherrschaft.[46]

Von einschneidender Bedeutung für das Stift St. Paul war die Grundentlastung seit 1848, die die wirtschaftliche Grundlage des Klosters veränderte. Hatte das Stift bisher von Hunderten Untertanen jährlich Dienste und Abgaben – zum Teil in Geld, zum Teil in leicht in Geld umzusetzenden Naturalabgaben – erhalten, so bekam es nun, nach Übergabe des Besitzes der Bauern in deren Eigentum, statt dieser sicheren Rente eine große, einmalige finanzielle Entschädigung, die aus Not angegriffen wurde und gegen Ende des 19. Jahrhunderts durch die immer fühlbarer werdende Geldentwertung mehr und mehr schwand.[47]

Nach der Inbesitznahme des Stiftes St. Paul und der Übernahme der Stiftsherrschaft St. Paul als Dotation (nebst der Studienfondsherrschaft Eberndorf mit der Meierei Wasserhofen) sahen sich die St. Blasier Mönche bezüglich der Herrschaft St. Paul zwar als Grundherren, aber ohne Besitzrecht, denn alle

Meiereigründe – bis auf wenige Joch Grund – hatte das Militärgestüt zu Kollnitz in Pacht. Erst 1815 kamen die Mönche nach Verlegung des Gestüts in den Genuß aller Grundstücke und Gebäude. Von einem gedeihlichen Wirtschaften konnte bis zu diesem Zeitpunkt also keine Rede sein. Schon nach Ankunft der St. Blasier erfolgten die ersten großen Reparaturen am völlig desolaten Stiftsgebäude und dessen Nebengebäuden um 16.700 Gulden W.W. bis 1814[48], die Baukosten der neu errichteten Wohn- und Wirtschaftsgebäude nebst verschiedenen Reparaturen (Stift St. Paul mit Nebengebäuden, die Meiereien Kollnitz und Zockelhof und die Gebäude der Lavamünder Alpenwaldungen) von 1810 bis 1828 beliefen sich auf fast 15.000 Gulden C.M.[49], die Ausbesserungen am Dach der Stifts- und Erhardikirche, des Stifts- und Kastengebäudes 1829 auf über 4.000 Gulden C.M.[50] 1835 wurde die vom Stift schon baufällig gekaufte „Mühle bei St. Andrä in der Blaiken" um 2.030 Gulden C.M. neu errichtet. Anfang Dezember 1839 vernichtete ein verheerender Brand die Meierei samt Vorräten in St. Paul, bis 1841 wurden die neuen Stall- und Stadelgebäude, das Meiereihaus, die Remisen und sonstigen Nebengebäude wiederhergestellt (Kosten: 31.600 Gulden C.M.). Die Summe der wesentlichsten Reparaturen (teilweise Neubedachung des Stiftsgebäudes, der Klosterkirche und der zwei Türme, des Hofrichter- und Kastengebäudes sowie die vollständige Renovierung des Stiftes samt Außen- und Hofseiten) von 1842–1847 und der Neubau des Schulgebäudes zwischen Stiftskirche und dem östlichen Stiftstrakt (1845–1847) betrug 21.250 Gulden C.M.[51] Ab 1852 erfolgte unter bedeutendem Kostenaufwand die Restaurierung der Stiftskirche, 1864 die der alten Pfarrkirche St. Erhard. Die Viktringhofer Meierei in Marburg wurde mit Zustimmung der Behörden in Bauplätze verwandelt, und mit der daraus gewonnenen Kaufsumme vermehrte Abt Steinringer den Weingartenbesitz des Stiftes. 1860 kaufte der Abt die schon vor der Klosteraufhebung 1787 in Stiftsbesitz gewesene sogenannte Hofmühle zu St. Paul zurück und errichtete dabei eine Brettersäge, eine Öl- und Mostpresse samt einer mit Wasserkraft betriebenen Dreschmaschine.[52] Abt Augustin Duda (1866–1897) ließ die recht einfach ausgestattete Mühle zu einer Kunstmühle umgestalten, die bald zu den leistungsfähigsten des ganzen Lavanttales gehörte. Die Brettersäge erhielt 1909 einen 12-PS-Elektromotor, um den erhöhten Anforderungen zu entsprechen; die mit Wasserkraft betriebene Öl- und Mostpresse sowie die Dreschmaschine wurden durch Brand zerstört und von Abt Duda nicht mehr erneuert.[53]

Die Gebäude der den St. Blasier Mönchen 1808/1809 übergebenen Dotationsherrschaft Eberndorf mit der Meierei Wasserhofen waren laut Übergabshandschrift in durchwegs gutem Zustand[54], trotzdem waren Reparaturen und Neubauten notwendig; die Rechnungsposten (1809/1812–1827) des Baumeisters Pietro Rodolfi (1829) und die des Stiftes St. Paul von 1809 bis 1827 mit der Bitte an den Kaiser um Dotationserhöhung (1840) weisen nicht nur bedeutende finanzielle, sondern auch zeitliche Unterschiede hinsichtlich der Bauführung auf.[55] Für Reparaturen und Neubauten in Eberndorf und Wasserhofen dürften in der Zeit von 1809 bis 1828 an die 30.000 bis 35.000 Gulden ausgegeben worden sein. 1827 errichtete Abt Meinrad Amann in Eberndorf eine Bierbrauerei.[56] 1832 erfolgte die Erweiterung und Bedachung des Stallgebäudes in Eberndorf mit Ziegeln um fast 2.400 Gulden. 1838 begann man in Wasserhofen mit der Errichtung einer Runkelrüben-Zucker- und Branntweinfabrik, die Herstellungskosten waren bedeutend.[57]

Mitte Februar 1825 wurden das Schloß und Meiereigebäude der Stiftsherrschaft Leonstein/Pörtschach durch einen Brand vernichtet; die Wiederherstellungskosten betrugen über 3.000 Gulden C.M.[58]

Die schon unter Fürstabt Rottler 1810 geplante Vergrößerung des Kollegiums in Klagenfurt wurde erst 1845 in Angriff genommen und 1847 um die Summe von 25.000 Gulden C.M. abgeschlossen.[59] 1845–1847 wurden das Wirtschaftsgebäude und Meierhaus der Stiftsherrschaft Lembach bei Marburg neu errichtet.[60]

1764 wurde unter Maria Theresia die Kärntner Ackerbaugesellschaft gegründet, um die Viehzucht und Bodenkultur zu verbessern, eine geregelte Düngewirtschaft einzurichten, den Wald, der aufgrund des Eisen- und Hüttenwesens arg dezimiert war, zu hegen, Erfahrungen über neu erfundene landwirtschaftliche Maschinen auszutauschen und den Getreide- und Viehabsatz zu regeln. 1787 wurde den Ackerbaugesellschaften die staatliche Unterstützung entzogen, und die meisten lösten sich in der Folge auf.[61] Als 1828 Fürstbischof Georg Mayr (1827–1840) von Gurk die Direktion der Kärntner Ackerbaugesellschaft übernahm, trat ein großer Teil der Geistlichkeit dieser Gesellschaft bei[62], darunter auch Abt Meinrad Amann von St. Paul. Unter ihm setzte die planmäßige Intensivierung der Feldwirtschaft und Einführung der Fruchtwechselwirtschaft ein, und die Ergebnisse des Weizenanbaus wurden im „Auszug der wesentlichsten Notizen der landwirtschaftlichen Gauberichte“ 1847 lobend erwähnt.[63] Der verstärkte Anbau von Runkelrüben, Krautrüben, Kartoffeln und die Abfälle aus der Zucker- und Spirituserzeugung führten zu einer Intensivierung der Viehzucht, die dem ganzen Lavanttal über das 19. Jahrhundert hinaus zugute kam.[64] Um die wirtschaftlichen Erträge seines Klosters zu steigern, errichtete Abt Meinrad Amann 1827 in Eberndorf eine Bierbrauerei, die aber bald aufgegeben wurde.[65] Zum selben Zweck wurde 1838 in Wasserhofen eine Runkelrüben-Zuckerfabrik und Branntweinbrennerei in Betrieb genommen; die Zuckerfabrik mußte 1841 wegen geringen Ertrages, die Branntweinbrennerei 1848 wegen der großen Konkurrenz, der hohen Verzehrungssteuer und dem Aufkommen der „Mäßigungsvereine“ geschlossen werden.[66] Erfolglos blieben auch die montanistischen Bestrebungen des Stiftes, als 1850 die im Jahre 1838 Abt Meinrad in Belehnung überlassenen Grubenfeldmassen unter dem Namen „Philippen II., Steinkohlenbergwerk“ der k. k. Berghauptmannschaft in Klagenfurt heimgesagt werden mußten, da sich der Steinkohleabbau als unrentabel erwies.[67]

Um die Mitte des 19. Jahrhunderts begann man der Obstkultur als landwirtschaftlichem Ertragszweig wieder großes Interesse zu schenken. Unter Abt Ferdinand Steinringer erreichte der Obstbau des Stiftes eine erste Blüte, den Höhepunkt jedoch in der zweiten Hälfte des 19. Jahrhunderts unter Abt Augustin Duda. Daß der Obstbau im Lavanttal sich so vorzüglich entwickelte, ist großteils das Verdienst dieser beiden Äbte.[68] Auch ihren Weingärten in der Untersteiermark bei Marburg widmeten die St. Pauler Mönche große Aufmerksamkeit, und der Ertragszustand rang den Zeitgenossen viel Achtung und Bewunderung ab.[69]

Die Hauptaufgabe der von St. Blasien nach St. Paul immigrierten Mönche war laut Stiftungsurkunde vom 3. Juli 1820, daß dieses Stift durch fortwährende Zeiten in der Seelsorge und hauptsächlich bei öffentlichen Lehr- und Erziehungsanstalten ersprießliche Dienste leiste. Dieser Verpflichtung, der auch bis dato Rechnung getragen wird, widmeten die Äbte des neubegründeten Stiftes ihre ganze Aufmerksamkeit.[70] Die St. Blasier Mönche nahmen durch ihre Lehrinstitute großen Einfluß auf die geistige Entwicklung Kärntens, hervorragende Historiker wie P. Trudpert Neugart, P. Ambros Eichhorn, P. Franz Grüninger und P. Beda Schroll hatten durch ihr Wirken die Entwicklung der Kärntner Landesgeschichtsschreibung beschleunigt; in gleichem Maße waren die Mönche auf dem Gebiet der klassischen und deutschen Philologie (u. a. die Patres Dr. Karlmann Flor, Rainer Graf), der Naturwissenschaften (P. Meinrad von Gallenstein und P. Rainer Graf) und der Dichtkunst (P. Franz Xaver Kienreich) tätig.[71]

Fürstabt Berthold Rottler hatte nach der Übersiedlung nach St. Paul das Ordensleben auf die Verpflichtungen der Ordensgemeinde als Lehrinstitut ausgerichtet. Seine dafür aufgestellten Ordensstatuten, die 1812 vom Kaiser und vom Bischof des Bistums Lavant, Graf Firmian, genehmigt wurden, stießen jedoch auf den Widerstand der Professoren in Klagenfurt. Erst nach Entfernung des Haupträdelsführers kehrte in die Ordensgemeinde Friede ein. Unter Abt Meinrad Amann gab es wegen der Konstitutionen einiges Geplänkel, doch kritisch wurde es unter Abt Ferdinand Steinringer – die Finanzgebarung des Abtes wegen der vielen notwendig gewordenen Neubauten, die angeblich falsch ausgelegten Ordensstatuten usw. –, so daß sich sogar Kaiser Ferdinand zum Eingreifen gezwungen sah. Die Situation wurde mit Hilfe des Fürstbischofs von Lavant und der staatlichen Behörde, die sich auf die Seite des Abtes stellten, zwar bereinigt, doch litt die Klostergemeinde an den Nachwehen der internen Wirren noch lange Zeit.[72]

Der Ruf des Stiftes St. Paul als Stätte der Wissenschaft und Kultur im 19. Jahrhundert ist zweifellos das Verdienst seiner Äbte. Fürstabt Rottler und seine Nachfolger Meinrad Amann, Ferdinand Steinringer und Augustin Duda waren stets um die Ausbildung der an den Lehrinstituten in Klagenfurt und St. Paul tätigen Mönche besorgt, förderten die Wissenschaften und die Ökonomie, um allen übernommenen Verpflichtungen zum Wohle Kärntens und den damit verbundenen Wünschen des österreichischen Kaiserhauses zu entsprechen.

Anmerkungen

1. Kaiser Franz II. – seit 1804 als Kaiser von Österreich Franz I. – legte am 6. August 1806 unter dem Druck Napoleons die römisch-deutsche Kaiserwürde nieder. Dies bedeutete das Ende des „Heiligen Römischen Reiches Deutscher Nation".
2. T. Raschl, Aufhebung und Neubegründung des Stiftes St. Paul (1782 und 1809), JbSP (1928/29), S. 4 f., A 2; G.-J. Ladstätter, Die Geschichte des Benediktinerstiftes St. Paul im Lavanttal in Kärnten von 1809 bis 1848 (Diss. Wien, 1973), S. 13.
3. Raschl, Aufhebung (wie Anm. 2), S. 6; Ladstätter, Geschichte (wie Anm. 2), S. 20, S. 22 f.
4. B. Schroll, Das Benediktiner-Stift St. Paul, Car. 67 (1876), S. 57 ff., S. 89 ff., S. 121 ff., S. 169 ff., S. 217 ff., S. 265 ff.; siehe auch Sta, Pack 71/404, Pack 91/449; Ladstätter, Geschichte (wie Anm. 2), S. 30 f., S. 34.
5. Vgl. Raschl, Aufhebung (wie Anm. 2), S. 10; Schroll, Benediktiner-Stift (wie Anm. 4), S. 227, S. 265 f.; W. Fresacher, Der Besitz des Klosters St. Paul in Kärnten, Car. I 149 (1959), S. 368; Ladstätter, Geschichte (wie Anm. 2), S. 38 ff.; Sta, Pack 91/449, 84a/429a. Siehe auch hier, S. 260.
6. Sta, Pack 476/875$_1$ (St. Paul, 15. März 1809); Ladstätter, Geschichte (wie Anm. 2), S. 43 ff.
7. Raschl, Aufhebung (wie Anm. 2), S. 12; Sta, Pack 304/715 (Klagenfurt, 21. Juli 1809, Nr. 291); HS 950a/0 (30. Juli 1809).
8. Raschl, Aufhebung (wie Anm. 2), S. 12, A 19; Ladstätter, Geschichte (wie Anm. 2), S. 47.
9. Vgl. Ladstätter, Geschichte (wie Anm. 2), S. 48 ff.
10. Ebd., S. 52 ff.
11. Raschl, Aufhebung (wie Anm. 2), S. 14 ff.; Ladstätter, Geschichte (wie Anm. 2), S. 55 ff.
12. Raschl, Aufhebung (wie Anm. 2), S. 17; Sta, HS 950a/0 (26. Juni 1811).
13. Ladstätter, Geschichte (wie Anm. 2), S. 64.
14. Raschl, Aufhebung (wie Anm. 2), S. 16; Sta, Pack 86/431b (St. Paul, 1. April 1811).
15. Raschl, Aufhebung (wie Anm. 2), S. 18, A 30; Sta, HS 950b/0 (14. Juli 1812).
16. Raschl, Aufhebung (wie Anm. 2), S. 18 f.; Ladstätter, Geschichte (wie Anm. 2), S. 67 ff.
17. Sta, Pack 91/449 (Klagenfurt, 13. Juli 1814).
18. Raschl, Aufhebung (wie Anm. 2), S. 19; Ladstätter, Geschichte (wie Anm. 2), S. 72 f.

19. RASCHL, Aufhebung (wie Anm. 2), S. 20; SCHROLL, Benediktiner-Stift (wie Anm. 4), S. 267 f.; LADSTÄTTER, Geschichte (wie Anm. 2), S. 74 f.
20. RASCHL, Aufhebung (wie Anm. 2), S. 20; LADSTÄTTER, Geschichte (wie Anm. 2), S. 75 ff.
21. SCHROLL, Benediktiner-Stift (wie Anm. 4), S. 268; STA, HS 950b/0 (30. Dezember 1815); Pack 91/449 (28. Dezember 1815, Entwurf).
22. RASCHL, Aufhebung (wie Anm. 2), S. 21; SCHROLL, Benediktiner-Stift (wie Anm. 4), S. 268; LADSTÄTTER, Geschichte (wie Anm. 2), S. 78 f.
23. RASCHL, Aufhebung (wie Anm. 2), S. 21; LADSTÄTTER, Geschichte (wie Anm. 2), S. 79 f.
24. RASCHL, Aufhebung (wie Anm. 2), S. 21, A 38; LADSTÄTTER, Geschichte (wie Anm. 2), S. 80 f.
25. FRESACHER, Besitz (wie Anm. 5), S. 370 f.; RASCHL, Aufhebung (wie Anm. 2), S. 21, A 38; LADSTÄTTER, Geschichte (wie Anm. 2), S. 82, S. 277 ff.
26. LADSTÄTTER, Geschichte (wie Anm. 2), S. 88.
27. SCHROLL, Benediktiner-Stift (wie Anm. 4), S. 269; LADSTÄTTER, Geschichte (wie Anm. 2), S. 88.
28. SCHROLL, Benediktiner-Stift (wie Anm. 4), S. 268 f.; FRESACHER, Das Benediktinerkloster St. Paul in Kärnten (geschichtlicher Überblick), in: ÖKT 37 (1969), S. 30, A 45; STA, HS 950b/0 (1. Jänner 1818), 139/0 = 140/0.
29. LADSTÄTTER, Geschichte (wie Anm. 2), S. 83 ff.
30. SCHROLL, Benediktiner-Stift (wie Anm. 4), S. 268; LADSTÄTTER, Geschichte (wie Anm. 2), S. 90 ff.
31. SCHROLL, Benediktiner-Stift (wie Anm. 4), S. 268; STA, HS 950c/0 (20. August 1826).
32. LADSTÄTTER, Geschichte (wie Anm. 2), S. 94 f.
33. FRESACHER, Besitz (wie Anm. 5), S. 372; DERS., Benediktinerkloster (wie Anm. 28), S. 30; LADSTÄTTER, Geschichte (wie Anm. 2), S. 96 ff.
34. SCHROLL, Benediktiner-Stift (wie Anm. 4), S. 272 f.; LADSTÄTTER, Geschichte (wie Anm. 2), S. 102 ff.
35. LADSTÄTTER, Geschichte (wie Anm. 2), S. 110.
36. FRESACHER, Besitz (wie Anm. 5), S. 372; LADSTÄTTER, Geschichte (wie Anm. 2), S. 110.
37. SCHROLL, Benediktiner-Stift (wie Anm. 4), S. 273; STA, HS 140/0 = 139/0, Pack 125/492.
38. SCHROLL, Benediktiner-Stift (wie Anm. 4), S. 273; STA, HS 140/0 = 139/0, Pack 125/496.
39. LADSTÄTTER, Geschichte (wie Anm. 2), S. 113 ff.
40. EBD., S. 120.
41. EBD., S. 121.
42. EBD., S. 122.
43. EBD., S. 121.
44. EBD., S. 124–141.
45. EBD., S. 142 ff.
46. EBD., S. 148.
47. FRESACHER, Besitz (wie Anm. 5), S. 373; DERS., Benediktinerkloster (wie Anm. 28), S. 31.
48. LADSTÄTTER, Geschichte (wie Anm. 2), S. 152, S. 293 ff.
49. EBD., S. 152 ff.
50. EBD., S. 154.
51. EBD., S. 154 f.; SCHROLL, Benediktiner-Stift (wie Anm. 4), S. 273, S. 276.
52. SCHROLL, Benediktiner-Stift (wie Anm. 4), S. 274 f.
53. R. STRELLI, E. OLBERT, Das Benediktinerstift St. Paul in Kärnten 1809–1909 (1910), S. 186, S. 189 f.
54. LADSTÄTTER, Geschichte (wie Anm. 2), S. 315 f.; SCHROLL, Benediktiner-Stift (wie Anm. 4), S. 269, spricht von einem sehr schlechten Bauzustand.
55. LADSTÄTTER, Geschichte (wie Anm. 2), S. 156 ff.
56. SCHROLL, Benediktiner-Stift (wie Anm. 4), S. 273; STRELLI, OLBERT, Benediktinerstift (wie Anm. 53), S. 194.
57. SCHROLL, Benediktiner-Stift (wie Anm. 4), S. 273; LADSTÄTTER, Geschichte (wie Anm. 2), S. 158 f.
58. SCHROLL, Benediktiner-Stift (wie Anm. 4), S. 269; STA, Pack 478/873.
59. SCHROLL, Benediktiner-Stift (wie Anm. 4), S. 276; STRELLI, OLBERT, Benediktinerstift (wie Anm. 53), S. 192 f.; LADSTÄTTER, Geschichte (wie Anm. 2), S. 160 f.
60. SCHROLL, Benediktiner-Stift (wie Anm. 4), S. 276; STA, Pack 476/875$_2$.
61. LADSTÄTTER, Geschichte (wie Anm. 2), S. 167 ff.
62. EBD.
63. EBD., S. 171 ff.
64. EBD., S. 186; STRELLI, OLBERT, Benediktinerstift (wie Anm. 53), S. 185.
65. SCHROLL, Benediktiner-Stift (wie Anm. 4), S. 273; STRELLI, OLBERT, Benediktinerstift (wie Anm. 53), S. 194; LADSTÄTTER, Geschichte (wie Anm. 2), S. 187.
66. SCHROLL, Benediktiner-Stift (wie Anm. 4), S. 273; STRELLI, OLBERT, Benediktinerstift (wie Anm. 53), S. 194; LADSTÄTTER, Geschichte (wie Anm. 2), S. 188 ff.
67. SCHROLL, Benediktiner-Stift (wie Anm. 4), S. 273; LADSTÄTTER, Geschichte (wie Anm. 2), S. 193.
68. SCHROLL, Benediktiner-Stift (wie Anm. 4), S. 275; STRELLI, OLBERT, Benediktinerstift (wie Anm. 53), S. 186 f.; LADSTÄTTER, Geschichte (wie Anm. 2), S. 182 f.
69. SCHROLL, Benediktiner-Stift (wie Anm. 4), S. 273; LADSTÄTTER, Geschichte (wie Anm. 2), S. 184 f.
70. STRELLI, OLBERT, Benediktinerstift (wie Anm. 53), S. 4–167; LADSTÄTTER, Geschichte (wie Anm. 2), S. 194 ff., S. 277 ff.; siehe auch den Beitrag hier, S. 381ff.
71. LADSTÄTTER, Geschichte (wie Anm. 2), S. 208–233, S. 269 ff.
72. SCHROLL, Benediktiner-Stift (wie Anm. 4), S. 270 f.; STRELLI, OLBERT, Benediktinerstift (wie Anm. 53), S. 54; LADSTÄTTER, Geschichte (wie Anm. 2), S. 234 ff.

Der Beitrag des Benediktinerklosters St. Paul zur Historiographie in Kärnten im 19. Jh.

FRIEDRICH WILHELM LEITNER

Eine Geschichtswissenschaft im modernen Sinne entwickelte sich in Kärnten erst verhältnismäßig spät, nicht zuletzt wegen des Fehlens einer universitären Einrichtung bis in die jüngere Gegenwart. Wie im Mittelalter, waren es auch im 18. und 19. Jahrhundert die Klöster des Landes, die sich zu Zentren der historischen Landesforschung entwickelten. Neben den Jesuiten erbrachten vor allem die Benediktiner wichtige Vorarbeiten und wurden allmählich zu den geistigen Trägern einer eigenen Kärntner Geschichtswissenschaft.[1] Lassen sich für das 18. Jahrhundert erste Ansätze einer historischen Schule, die auf ein kritisches Quellenstudium aufbaute, feststellen, so kann die erste Hälfte des 19. Jahrhunderts bereits als erste „Blütezeit" der heimatkundlichen Forschung bezeichnet werden, in der das Wissen und die Erforschung um die interessante Geschichte des Landes von der Urzeit bis in die Gegenwart einen reichen wissenschaftlichen Niederschlag fand.

Als Hauptvertreter einer wissenschaftlichen Geschichtsschreibung sind für das 18. Jahrhundert die beiden Jesuiten Markus Hansiz[2] (1683–1766) und Erasmus Fröhlich[3] (1700–1758) anzusprechen. Eine auf reicher Quellenbasis beruhende Geschichte des Landes von der Römerzeit bis zu den Karolingern bot Hansiz in seiner *Analecta seu Collectanea R.P. Marci Hansizii S.J. pro historia Carinthiae concinnanda*[4]. Sein Hauptwerk, die *Germania sacra*[5] brachte im zweiten Band auch Beiträge zur Kärntner Kirchengeschichte. Eine *Historia reformationis religionis*[6] stellte einen Auszug aus der vorgenannten *Germania sacra* dar. Für die Landesgeschichte wegweisend wurde schließlich Fröhlichs *Specimen archontologiae Carinthiae*[7]. Erwähnt sei auch dessen genealogische Abhandlung *Genealogiae Sounekiorum comitum Celejae, et comitum de Heunburg, specimina duo*[8], ein erster wichtiger Anstoß zur Geschichte des Kärntner Adels.

Der Aufhebungsbescheid Kaiser Josephs II. bewirkte bei den Kärntner Klöstern nicht nur einen baulichen Verfall ältester Kulturstätten (wie z. B. beim Benediktinerkloster Arnoldstein), sondern führte auch zu einem auf Jahrzehnte merkbaren Niedergang in dem ohnehin sehr provinziell ausgerichteten Kultur- und Geistesleben[9]. Die französische Invasion in den Jahren 1797, 1805 und schließlich die Kämpfe des Jahres 1809 haben auch in Kärnten nach der pragmatischen Periode des Josefinismus die neuen Strömungen eines romantischen Historismus und einer stark heimatbezogenen Hinwendung zur eigenen Vergangenheit und Geschichte wesentlich gefördert. Das Wirken des „steirischen" Erzherzogs Johann zur Förderung der Geschichtsforschung hat auch auf das Herzogtum Kärnten einen nachhaltigen Einfluß ausgeübt. Zu Recht durfte der erste Redakteur der 1811 in Klagenfurt begründeten historischen Zeitschrift „Carinthia"[10], Johann Gottfried

Kumpf, diesen als „Wiederhersteller der Geschichte Innerösterreichs"[11] apostrophieren.

Im Jahre 1809 erhielt dieses neue Geschichtsbewußtsein des Landes und damit die Kärntner Geschichtsforschung mit der Wiederbesiedlung[12] des 1787 aufgehobenen Stiftes St. Paul durch Benediktinermönche aus dem Schwarzwaldkloster St. Blasien wesentliche Impulse und eine neue wissenschaftliche Heimstätte. Die Verpflichtung zur Historiographie gründete in der Blasier Tradition, wenn man etwa an die Arbeiten[13] des Blasier Bibliothekars und Hofhistoriographen Kaiser Karls VI., Marquard Herrgott, oder an die auf Anregung von Fürstabt Martin Gerbert (1764–1793) zurückgehende *Germania sacra in provincias ecclesiasticas et dioeceses distributa*[14] denkt, die von den Gelehrten P. Ämilian Ussermann, P. Trudpert Neugart und P. Ambros Eichhorn bearbeitet wurde.[15]

Eine wesentliche Voraussetzung für das wissenschaftliche Schaffen der Benediktinermönche war deren anerkannte Schultradition. Diese Lehrtätigkeit war letztlich auch für die kaiserliche Berufung nach Kärnten maßgebend. Schon während des kurzen Zwischenaufenthaltes im Chorherrenstift Spital am Pyhrn wurde den Blasier Mönchen die Lehrtätigkeit im Klagenfurter Lyzeum übertragen, eine Aufgabe, die sich mit der Übersiedlung nach St. Paul wesentlich besser durchführen ließ. So hängt der bemerkenswerte Aufschwung der Kärntner Geschichtsforschung insbesondere in der ersten Hälfte des 19. Jahrhunderts eng mit der St. Pauler Schultradition, auf die wir hier nicht weiter eingehen, und dem dort eingesetzten Lehrkörper weitgehend zusammen.

Unter der bewährten Führung der als Historiker bereits anerkannten Lehrer und Forscher Trudpert Neugart (1742–1825)[16], Ambros Eichhorn (1758–1820)[17] und Franz Xaver Grüninger (gest. 1826)[18], letzterer selbst bereits ein Schüler Neugarts, wurde das Stift St. Paul zum eigentlichen Zentrum der historischen Landesforschung in den ersten Jahrzehnten des 19. Jahrhunderts. Das besondere Verdienst dieser neuen „Schule" lag in der systematischen Sammlung und kritischen Beurteilung des Urkundenmaterials als gesicherte quellenmäßige Grundlage für eine Landesgeschichte. Auf diese drei Benediktiner ging im wesentlichen dann auch „der Grundstock der Kopiensammlung"[19] im neu angelegten Archiv des Geschichtsvereines für Kärnten zurück.

Noch im Jahre 1803 erschien in St. Blasien von Trudpert Neugart, der bereits den Ruf eines hervorragenden Diplomatikers hatte, als dessen Beitrag zur *Germania sacra* das Werk *Episcopatus Constantiensis Alemannicus*[20], dem der *Codex diplomaticus Alemanniae et Burgundiae*[21] vorausgegangen war. In seiner neuen Heimat blieb er Lehrer im Benediktinerkloster in St. Paul und konnte von hier aus Forschung und auch wissenschaftliche Lehre[22] betreiben. Seinen großen Plan, eine *Carinthia sacra*[23] zu verfassen, konnte Neugart leider nicht verwirklichen, wohl aber dazu wertvolle Vorarbeiten leisten. Eifrig betrieb er in Kärntner Klöstern Urkundenstudien – wie in Viktring[24], Maria Wörth und St. Georgen am Längsee –, sammelte einschlägige Abschriften und bearbeitete den Urkundenbestand von St. Paul und dem zu St. Paul gehörigen ehemaligen Augustiner-Chorherrenstift Eberndorf. Die Urkundenkopien wurden später den Regesten des Ambros Eichhorn beigefügt.[25] Im Zusammenhang mit der Arbeit an einer Geschichte des Klosters befaßte er sich auch ausführlich mit dem wichtigen „St. Pauler Traditionskodex"[26]. Schon um 1817 waren die Vorarbeiten zur „Geschichte des Klosters St. Paul" in Manuskriptform[27] aufgezeichnet, zur Drucklegung sollte es allerdings erst Jahre nach seinem Tode kommen. In dieser *Historia Monasterii Ord. S. Benedicti ad S. Paulum in valle inferioris Carinthiae Lavantina*[28] beschäftigte sich Trudpert Neugart im ersten Teil im Zusammenhang mit der Gründung des Klosters vor allem mit der Genealogie

Abb. 30: Ignatius Kopp, Trudpert Neugart, Ambros Eichhorn; Ausschnitt aus dem Übergabebild (siehe Abb. 23, S. 249)

der Spanheimer Stifterfamilie, im zweiten Teil mit der Geschichte der St. Pauler Äbte. Ebenfalls nach seinem Tode erschien *„Das Chorherrenstift Eberndorf"*[29]. Weniger entsprach sein nicht gedrucktes Werk über den *Episcopatus Lavantinus in Carinthiae inferioris*[30], zu dem auch in St. Paul eine handschriftliche Fassung überliefert ist.[31] Andere Arbeiten wurden handschriftlich überliefert:[32] *Commentatio in vitam B. Hildegardis*[33]; *Adversaria ad illustrandam historiam Carinthiae atque vicinarum regionum*[34]; *Quaestio duplex de duobus Udalricis marchionibus Istriae, qui saeculis XI et XII extitere, explicata*[35]; *Specimen lexici topographico-genealogici interioris Austriae*[36]; *Libellus maiores maternos Rudolfi I. R.R. (...) exhibens*[37]. Erwähnt wurde weiters eine Arbeit über die Geschichte der Kärntner Herzöge aus dem Hause der Spanheimer[38], eine Geschichte des Klosters St. Georgen am Längsee blieb nicht erhalten. Ankershofen waren darüber hinaus Monographien über Viktring, St. Lambrecht und die Propstei Maria Wörth bekannt.[39]

Als eigentlicher Begründer einer geschichtswissenschaftlichen Schule in St. Paul gilt aber Ambros Eichhorn[40], der nicht nur als Lehrer – er war seit 1807 Präfekt des k. k. Gymnasiums in Klagenfurt[41] – besonders anerkannt war, sondern auch zahlreiche historische Arbeiten hinterlassen hat. Neben seiner Lehrtätigkeit in Klagenfurt, wo er sich auch besonders des Schultheaters angenommen hatte[42], war er gleichfalls als Mitarbeiter der *Germania sacra*[43] berufen, sich hier nun der Kärntner Kirchen- und Landesgeschichte zu widmen. Er galt ebenfalls als ausgezeichneter Diplomatiker, wovon nicht nur fünf Foliobände von Urkundenabschriften vom 9. bis zur Mitte des 15. Jahrhunderts Zeugnis ablegen, die heute handschriftlich im Stiftsarchiv von St. Paul verwahrt werden.[44] P. Eichhorn durchforschte die Archive in St. Georgen, St. Andrä, Völkermarkt, Gurk, Pörtschach, Sachsenburg und Wolfsberg.[45] Auf seinen wissenschaftlichen Forschungsreisen durch Kärnten lernte er viele historische Denkmäler und Orte kennen, stützte sich bei der Beurteilung der „Funde" – dem Geist seiner Zeit entsprechend – großteils auf römerzeitliche Überlieferungen. In der Niederschrift dieser Studien als „Beyträge zur älteren Geschichte und Topographie des Herzogthums Kärnten"[46] formulierte er die Wichtigkeit der Überlieferung von

Inschriften, die er immer wieder aufzeichnete, mit den Worten: „Steht die Inschrift eines Denksteines mit der Geschichte, das ist, mit offenbaren nicht zu bezweifelnden Tathsachen in natürlicher Verbindung, so daß sie einander gegenseitig erklären, so läßt sich der Inhalt so bestimmen, daß man darauf beharren kann, bis fernere Entdeckungen ein helleres Licht anzünden." Im ersten Abschnitt der I. Sammlung behandelte P. Ambros Eichhorn die Geschichte der antiken Stadt Virunum am Zollfeld, widmete den folgenden Abschnitt der Christianisierung und frühmittelalterlichen Geschichte, um im dritten Teil schließlich auf die Klostergründungen in Kärnten, die Legende der hl. Hemma und der Gurker Bistumsgeschichte sowie der des Bistums Lavant einzugehen. Die II. Sammlung gestaltete er in Form eines Itinerars und berichtete von „Alterthümern" aus ganz Kärnten. In den Jahren von 1819 bis 1826 erschien im „Archiv Hormayrs"[47] ein „Diplomatar zur Geschichte Carentaniens"[48]. Der Großteil seiner kleineren Arbeiten fand Aufnahme in den ersten Jahrgängen der 1811 gegründeten Zeitschrift „Carinthia" und der 1818 erstmals erscheinenden „Kärntnerischen Zeitschrift"[49]. Darüber hinaus existieren sowohl im Stiftsarchiv St. Paul[50] wie auch im Kärntner Landesarchiv handschriftliche Nachlässe. So wird ihm ein „Kopialbuch von Eberndorf (1106–1653)"[51] zugeschrieben, weiters eine geschichtliche Abhandlung über die antike Provinzhauptstadt Virunum am Zollfeld[52], eine Geschichte der Grafen von Ortenburg in Kärnten[53]. Zwei Hefte mit *Epigrammata de tempore*[54] tragen ebenfalls die Handschrift Eichhorns. Als er 1817 die Präfektur des Gymnasiums niedergelegt hatte, widmete er sich bis zu seinem Tode 1820 mit besonderer Hingabe dem Archiv des Benediktinerstiftes St . Paul.

Der jüngste in diesem Triumvirat war Franz Xaver Grüninger, Kapitular des Benediktinerstiftes St. Paul und Professor der „allgemeinen Geschichte, der griechischen und römischen Philologie" am k. k. Lyzeum in Klagenfurt. Auch er, den Gottlieb Freiherr von Ankershofen als „geliebten Freund"[55] benannt hatte, erforschte die heimischen Archive in Millstatt und St. Andrä im Lavanttal, insbesondere aber das Archiv des Zisterzienserklosters Viktring. Mit besonderer Fertigkeit kopierte er aus den Wappenbüchern der Kärntner Landstände[56] an die hundert landständische Wappen[57] und verfaßte auch eine Abhandlung über das Kärntner Wappen „Uiber den Ursprung des Wappens des Herzogthumes Kärnten"[58]. Gedruckt wurden noch zwei weitere Arbeiten, einmal eine Untersuchung über „Berthold I. von Zähringen, Herzog in Kärnten, Markgraf zu Verona und Landgraf im Breisgau"[59], ferner „Wie kam Kärnten an Przemisl Ottokar II., König von Böhmen, und von diesem dann an das Haus Habsburg=Österreich?"[60]. Handschriftlich überliefert sind seine „Skizzen zur österreichischen Numismatik"[61] und eine „Kurze Übersicht der Geschichte des Herzogtumes Kärnten"[62].

Diesem engeren Kreis gelehrter Historiker im Benediktinerstift St. Paul darf man noch P. Leopold Scheichenberger[63] und P. Ludwig Weber, der das Werk Grüningers fortsetzte und sich besonders verdienstvoll um die Viktringer Urkundensammlung bemüht hatte[64], hinzufügen. Sie alle begründeten innerhalb weniger Jahre hier eine „historische Schule", aus der in der Folge anerkannte Historiker hervorgehen sollten. An erster Stelle ist Gottlieb Freiherr von Ankershofen[65] zu nennen, der auf die Entwicklung der Kärntner Geschichtsforschung im 19. Jahrhundert einen ganz bestimmenden Einfluß ausüben konnte. In der wissenschaftlichen Schulung seiner Lehrer Trudpert Neugart, Ambros Eichhorn und Franz Xaver Grüninger fand er die Grundlagen für ein überaus erfolgreiches Wirken. Nach dem Vorbild der Blasier Diplomatiker schuf er mit den „Urkunden-Regesten zur Geschichte Kärntens"[66] die

Abb. 31: Gottlieb Freiherr von Ankershofen

Abb. 32: Carlmann Flor

quellenmäßigen Voraussetzungen für eine kritische Geschichtsdarstellung, wie er sie 1850 bzw. 1851 in einer I. Abteilung in einem zweibändigen „Handbuch der Geschichte des Herzogthumes Kärnten“[67] vorlegen konnte. Geplant war innerhalb dieser Abteilung eine Darstellung der Landesgeschichte bis zum Jahre 1335. Zur selben Zeit hatte Heinrich Hermann (1793–1865)[68], der als Theologe nicht in dieser „St. Pauler Historikerschule“ ausgebildet worden war, die Bearbeitung des Zeitraumes von 1335 – der Vereinigung mit den österreichischen Ländern – bis zur Mitte des 19. Jahrhunderts in einer zweiten Abteilung übernommen und 1857 abgeschlossen[69].

Gottlieb Freiherr von Ankershofen war darüber hinaus im Jahre 1844 maßgeblich an der Gründung des Geschichtsvereines für Kärnten[70], der als „Historischer Landesverein für Kärnten“ aus dem „Innerösterreichischen historischen Verein für Steiermark, Kärnten und Krain“ herausgelöst wurde, beteiligt. Neben den Bestrebungen, dem Geschichtsverein unter Führung Ankershofens den Charakter einer wissenschaftlichen Institution mit einem eigenen Vereinsarchiv – aus dem später das Kärntner Landesarchiv[71] hervorging – zu geben, ist auch das erfolgreiche Bemühen herauszuheben, diesen Verein als Träger eines zukünftigen „Landesmuseums“[72] zu etablieren, was dann im Jahre 1848 in einem ersten Anlauf auch gelungen war. Es wirft ein bezeichnendes Licht auf die enge Verbindung zwischen dem Benediktinerstift St. Paul und dem neuen Verein zur Pflege der Geschichte und Kultur des Landes, wenn wir zahlreiche Patres und Historiker der „zweiten Generation“ in führenden Positionen dieses Geschichtsvereines sehen können. So war P. Franz Fritz von 1834 bis 1844 provisorischer Direktor des „Historischen Vereines“, anschließend erstes Ausschußmitglied[73]. Mit P. Carlmann Flor verfügte das Kloster über einen der archäologischen Disziplin besonders aufgeschlossenen Hi-

Abb. 33: Norbert Lebinger

Abb. 34: Beda Schroll

storiker und Lehrer[74], der von 1856 bis 1867 als Ausschußmitglied des Geschichtsvereines verdienstvoll gewirkt hatte. In gleicher Funktion sehen wir von 1867 bis 1873 P. Rainer Graf, der 1871 sogar das Kustodiat über die Münzsammlung des Vereines übernahm.[75] P. Norbert Lebinger[76] trat 1857 dem Geschichtsverein als Mitglied bei und wurde 1871 in den Vereinsausschuß berufen. Als Konservator der k. k. Zentralkommission für das Archivwesen in Kärnten durchforschte er zahlreiche Pfarr-, Herrschafts- und Gemeindearchive des Landes. Von ihm angefertigte Beschreibungen von nicht weniger als 465 Archiven und ein umfassender Regestenapparat gelangten als „archivalischer Nachlaß" in das Vereinsarchiv und gehören heute zum Bestand des Kärntner Landesarchives. Zu erwähnen sind seine „Mittheilungen aus dem Stiftsarchive von St. Paul"[77] und eine Abhandlung über „Die Reformation und die Gegenreformation in Klagenfurt"[78]. Schließlich ist hier noch P. Beda Schroll[79] zu erwähnen, der, seit 1856 Mitglied des Vereines, in den Jahren von 1877 bis 1889 im Ausschuß führend tätig war und 1890 sogar zum Ehrenmitglied ernannt wurde. Seine systematische Sammeltätigkeit und Regestensammlung aus zahlreichen Kärntner Archiven wie Gurk, Wolfsberg, Griffen, Arnoldstein, St. Georgen am Längsee, Millstatt, Ossiach, Maria Saal, Völkermarkt, Feldkirchen u. a. kamen ebenfalls an das Vereinsarchiv und bildeten einen Grundstock der Archivsammlungen, die dann August v. Jaksch in das spätere „Kärntner Landesarchiv" überleiten konnte.

Nach dem Tode Ankershofens 1860 bemühte sich die Direktion des Geschichtsvereines, das von Ankershofen begonnene zweibändige „Handbuch der Geschichte des Herzogthumes Kärnten", das nur bis 1122 gediehen war, fortzuführen. Wiederum gelang es, einen Kärntner Historiker für diese schwierige Aufgabe zu gewinnen, der mit dem Besuch des Gymnasiums in St. Paul und Klagenfurt auch die dortige „historische Schule" eines Neugart und Eichhorn kennengelernt hatte. Es war dies der Wolfsberger Karlmann Tangl[80], seit 1832 Professor an der Universität in Lemberg und ab 1850 in Graz. In enger Verbundenheit mit dem Lavanttal hatte er sich eingehend mit der Geschichte des Bistums Lavant befaßt und 1841 eine Monographie über die „Reihe der Bischöfe von Lavant"[81] veröffentlicht. Bei der Fortsetzung des „Handbuches"[82] sah er sich aber außerstande, auch den Zeitraum der Spanheimer Herzöge von 1122 bis 1269 behandeln zu können und verwies hier auf die Gelehrten im Benediktinerstift St. Paul. Auch den vorgegebenen Zeitrahmen von 1269 bis 1335 konnte Tangl schließlich nicht mehr vollenden, da er im Jahre 1866, mitten in der Bearbeitung der Kulturgeschichte der angesprochenen Epoche, gestorben ist. So blieb auch der von ihm bearbeitete Teilband des „Handbuches"[83] leider unvollendet.

Aus der schon zitierten „zweiten Generation" von St. Pauler Historikern im 19. Jahrhundert ragt ein Mann ganz besonders hervor: P. Beda Schroll[84]. Als im Herbst 1860 eine Delegation des Geschichtsvereines bei Abt Ferdinand Steinringer vorsprach und um die Mitarbeit eines historisch geschulten Benediktiners beim „Handbuch" ersuchte, wurde ihnen neben P. Norbert Lebinger vor allem der Stiftsarchivar P. Schroll empfohlen[85], der zu diesem Zeitpunkt noch an der Universität in Wien Geschichte und Geographie studierte, trotzdem aber große Bereitschaft zeigte, an dem Ankershofenschen Geschichtswerk mitzuwirken. Schon 1861 unternahm er Archivstudien[86] zur St. Pauler Stifterfamilie der Spanheimer in Stuttgart und München. Auf Grund beruflicher Überlastung und ständiger Kränklichkeit mußte Schroll 1863 seine geplante Mitarbeit am „Handbuch" einstellen. Ganz aufgegeben hatte er allerdings diesen Plan nicht, denn schon 1873 veröffentlichte er in der „Carinthia" eine umfassende Darstellung über „Die Herzöge von Kärnten aus dem Hause Spanheim"[87], die er selbst diminuierend nur als „eine Skizze" bezeichnet hat. Bei allen Vorbehalten stellte diese auf neuer Quellenforschung beruhende Arbeit Schrolls die schwierige Periode der Kärntner Landesgeschichte von 1122 bis 1269 erstmals zusammenfassend dar. In der Folge beschäftigte er sich auch mit der von Karlmann Tangl in Fortsetzung des „Ankershofenschen Handbuches", I. Abteilung, bearbeiteten Epoche von 1269 bis 1335[88] und schließlich mit den habsburgischen Herzogen von 1335 bis 1519[89]. Zu einer Drucklegung eines eigenen Bandes durch P. Beda Schroll kam es leider nicht. Dessen wissenschaftliche Verdienste lagen im wesentlichen auf einem anderen Gebiet. Ein erstes Hauptwerk stellte das „Urkundenbuch des Benedictiner-Stiftes St. Paul in Kärnten"[90] dar, dem schon 1865 die Ausgabe der „Lehenverzeichnisse" des Stiftes[91], 1870 die „Urkunden-Regesten des Augustiner-Chorherren-Stiftes Eberndorf im Jaunthale"[92] und die „Regesten aus Lehen-Urkunden des Benedictiner-Stiftes St. Paul vom XVI. bis XVIII. Jahrhunderte"[93] vorausgegangen waren. Im Zusammenhang mit der Bearbeitung des von Spital am Pyhrn übernommenen Archivmaterials verfaßte er 1888 ein Regestenwerk, bezeichnet die „Regesten zur Geschichte des Hospitals am Pyrn in Oberoesterreich. 1190–1417"[94].

Neben diesen wichtigen Quelleneditionen publizierte Schroll in verdienstvoller Weise erstmals eine ganze Reihe von Nekrologien: für das Stift St. Paul[95], für das ehemalige Chorherrenstift Eberndorf[96], für das ehemalige Kollegiatstift Spital am Pyhrn[97], für das Kapitel der Gurker Chorherren[98], dann auch noch für die aufgelassenen Klöster Ossiach[99] und Millstatt[100]. Neben zahlreichen weiteren wichtigen Arbeiten zählen bis heute unbestritten zu den Hauptwerken P. Beda Schrolls seine *Series episcoporum et. s.r.i. principum Gurcensium*[101], die Abhandlung über „Das Prämonstratenser-Stift St. Maria zu Grifenthal in Unterkärnten"[102] und vor allem die bis heute als biographisches Standardwerk zu bezeichnende Monographie über den bedeutendsten St. Pauler Abt der Neuzeit und „zweiten Gründer" des Benediktinerklosters, Hieronymus Marchstaller (1616–1638)[103], welches auf einer grundlegenden Kenntnis aller einschlägigen Quellen und St. Pauler Archivalien beruht: „Hieronymus Marchstaller, Abt des Benedictiner-Stiftes St. Paul im Lavantthale, päpstlicher Protonotar, kaiserlicher und erzbischöflich-salzburgischer Rath, Erzpriester des Metropoliten in Salzburg für Unterkärnten, und des Patriarchen von Aquileja für Möchling im Jaunthale und St. Lorenzen in der Wüste in Untersteiermark. 1616–1638"[104].

Neben Gottlieb Freiherr von Ankershofen, Heinrich Hermann, Karlmann Tangl[105] und August Ritter Jaksch von Wartenhorst[106], dem „Altmeister" der Kärntner Geschichtsforschung, fügen sich zahlreiche St. Pauler Benediktinermönche als kongeniale Partner einer jungen Kärntner Geschichtswissenschaft hinzu. P. Beda Schroll ist explizit diesem Kreis zuzuordnen und insbesondere als „Kirchenhistoriker" den erstgenannten in jeder Weise vergleichbar.

Diese besondere Förderung der historischen Forschung im wiederbesiedelten Benediktinerstift St. Paul fand nicht nur eine merkbare wissenschaftliche Auswirkung im Stift selbst, sondern hat auch die heimische Geschichtswissenschaft des 19. Jahrhunderts entschieden beeinflußt und die Entwicklung der Kärntner Historiographie des 20. Jahrhunderts ganz wesentlich mitgeprägt.

ANMERKUNGEN

1. G. MORO, Die Begründung der modernen Geschichtswissenschaft in Kärnten. Bericht über den 4. österr. Historikertag, Veröffentlichungen des Verbandes österr. Geschichtsvereine 11 (1957), S. 21 ff.; F. MONE, Die historische Literatur über Kärnten, Österreichische Blätter für Literatur und Kunst. Beilage zur Österreichisch-Kaiserlichen Wiener Zeitung 1856, S. 217–220; A. WÖLGER, Die historische Literatur in und für Kärnten. Ein Versuch, die Entwicklung der Landesgeschichtsschreibung in Kärnten darzustellen (Diss. Wien, 1950), S. 66 ff.; E. POLZER, Die Entwicklung der Organisation der historischen Landesforschung in Kärnten seit dem Beginn des 19. Jahrhunderts (Diss. Graz, 1950), S. 1 ff.; M. JANIK, Der „Kärntner Geschichtsverein" bis zur Abgabe seiner musealen Sammlungen im Jahre 1942 (Diss. Wien, 1965), S. 114 ff.; E. NUSSBAUMER, Geistiges Kärnten. Literatur- und Geistesgeschichte des Landes (1956), S. 305 ff.; H. BRAUMÜLLER, Ursprung und Werden der Kärntner Bildungsstätten (1965), S. 27 ff.; W. NEUMANN, 600 Jahre Geschichtsschreibung. Von Johann von Viktring bis Martin Wutte, in: Das ist Kärnten (^{2}1978), S. 90 ff.
2. Vgl. Nationalbibliothek Wien: hier sind Vorarbeiten und Manuskripte zur Geschichte der Bistümer Trier, Regensburg, Neustadt, Salzburg, Passau, Gurk, Lavant und Seckau in 13 Foliobänden verwahrt. WÖLGER, Die historische Literatur (wie Anm. 1), S. 78 ff.; JANIK, Geschichtsverein (wie Anm. 1), S. 120; F. HAUSMANN, Ein verschollenes Diplomatar für Gurk und die „Germania sacra" des P. Marcus Hansiz S.J. und des Abtes Magnus Klein von Göttweig, Car. I 161 (1971), S. 197 ff.
3. WÖLGER, Die historische Literatur (wie Anm. 1), S. 76 ff.
4. *Opus posthumum. In strenam oblatum D.D. sodalibus sub titulo B.M.V. ab angelo salutate in caes. reg. Archiducali Academia Clagenfurti congregatis. Pars I. Clagenfurti typ. Ignatii Allysii Kleinmayer (1782)* bzw. *Pars I. u. II. Norimbergae (1793);* WÖLGER, Die historische Literatur (wie Anm. 1), S. 80.
5. *Germaniae Sacrae (...) tomus (...) Auctore Marco Hansizio. Tom. 1.2. Augustae Vindelicorum (1727–1729).*
6. *Historia reformationis religionis in Styria, Carinthia et Carniola. Excerpta ex Marci Hansizii Germ.*

Sacr. 2 (. . .). Clagenfurti: Kleinmayr (1769).
7. *Conscriptum ab Erasmo Frölich S.J. Viennae, Pragae, Tergesti (1758).*
8. *Conscripta ab Erasmo Frölich S.J. Viennae (1755).*
9. NUSSBAUMER, Geistiges Kärnten (wie Anm. 1), S. 219 ff.
10. M. ORTNER, Hundert Jahre Carinthia, Car. I 100 (1910), S. 165 ff.; K. PACHNECK, Die Kärntner Zeitschrift „Carinthia" und ihre Beiträge in den Jahren 1811–1815 (Diss. Innsbruck, 1931); E. BREITENSEHER, Kärntner geistiges Leben im Spiegel der „Carinthia" von 1811 bis 1848 (Diss. Wien, 1949); G. MORO, 150 Jahre „Carinthia", Car. I 151 (1961), S. 277 ff. u. 901 ff.; DERS., „Carinthia", Österreichs älteste Zeitschrift, in: Das ist Kärnten (^{2}1978), S. 100 ff.; F. W. LEITNER, Die Kärntner Zeitschrift „Carinthia", Die Brücke 2 (1976), S. 115 ff.
11. Carinthia 1811, Nr. 14. NUSSBAUMER, Geistiges Kärnten (wie Anm. 1), S. 304 f.
12. G. MORO, Zur 150-Jahr-Feier der Wiederbesiedlung des Benediktinerstiftes St. Paul im Lavanttal durch die Mönche von St. Blasien im Schwarzwald, Car. I 149 (1959), S. 315 ff. R. STRELLI – E. OLBERT, Das Benediktinerstift St. Paul in Kärnten 1809–1909 (1910), S. 1 ff.; BRAUMÜLLER, Bildungsstätten (wie Anm. 1), S. 39; W. FRESACHER, Das Benediktinerkloster St. Paul in Kärnten (Geschichtlicher Überblick), in: ÖKT 37 (1969), S. 29 ff.
13. *Genealogia diplomatica augustae gentis Habsburgicae (Viennae 1737–1738); Monumenta augustae Domus Austriacae (Viennae 1750–1760).*
14. Vgl. A. RULAND, Die Germania sacra der St. Blasianer (1862), S. 17.
15. STRELLI-OLBERT, St. Paul (wie Anm. 12), S. 1 ff.
16. Allgemeine Deutsche Biographie 23 (1886), S. 492–494; C. v. WURZBACH, Biographisches Lexikon des Kaiserthumbs Österreich 20 (1869), S. 246–249; F. X. v. WEGELE, Geschichte der Deutschen Historiographie (1885), S. 697 ff.; J. BADER, Das ehemalige Kloster St. Blasien auf dem Schwarzwalde und seine Gelehrten-Akademie, Freiburger Diözesanarchiv 8 (1874), S. 103 ff.; WÖLGER, Die historische Literatur (wie Anm. 1), S. 92 ff.; JANIK, Geschichtsverein (wie Anm. 1), S. 120 ff.
17. Allgemeine Deutsche Biographie 5 (1877), S. 729; WURZBACH, Lexikon 4 (1858), S. 14 f.; S. M. MAYER, Nekrologische Notiz, Car. 10 (1820), Nr. 13; H. HERMANN, Erinnerungen an Eichhorn, Fladung, Apeltauer und Häfele, Car. 13 (1823), S. 46 ff.; DERS., Handbuch der Geschichte des Herzogthumes Kärnten in Vereinigung mit den österreichischen Fürstenthümern, III. Bd. (1857), S. 189 ff.; WÖLGER, Die historische Literatur (wie Anm. 1), S. 94 ff.; JANIK, Geschichtsverein (wie Anm. 1), S. 121 ff.
18. Österreichisches Biographisches Lexikon 2 (1959), S. 91; WÖLGER, Die historische Literatur (wie Anm. 1), S. 96 ff.; JANIK, Geschichtsverein (wie Anm. 1), S. 123 ff.
19. G. MORO, Verzeichnis der seit der Wiederbesiedlung des Benediktinerstiftes St. Paul im Lavanttal (1809) von Stiftsmitgliedern veröffentlichten Beiträge zur Geschichte Kärntens, Car. I 149 (1959), S. 908, A. 1.
20. *Episcopatus Constantiensis Alemannicus sub metropoli Moguntina cum Vindonissensi, cui successit, in Burgundia Transiurana Provinciae Vesontinae olim fundato, chronologice et diplomatice illustratus.* P.1.Tom.1. St. Blasien (1803): es erschien allerdings nur ein erster Teilband; vgl. dazu G. v. ANKERSHOFEN, Trudpert Neugart als Verfasser des Episcopatus Constant. St. Blasien 1803, Car. 45 (1855), S. 131 f.
21. *Trans-Juranae intra fines diocesis Constantiensis ceu fundamentum historiae ejusdem diocesis.* Tom.I.II. St. Blasien (1792–1795).
22. RULAND, Die *Germania sacra* (wie Anm. 14), S. 17.
23. G. v. ANKERSHOFEN, Handbuch der Geschichte des Herzogthumes Kärnten vor und unter der Römerherrschaft. Bd. I (1850), S. XII (Vorrede); A. v. JAKSCH, Der Geschichtsverein für Kärnten 1844–1894. FS zum hundertjährigen Geburtstage Gottliebs Freiherrn von Ankershofen und zur fünfzigjährigen Jubelfeier des Geschichtsvereines für Kärnten (1896), S. 17 *(Collectanaea ad historiam Carinthia sacram et profanam);* STRELLI-OLBERT, St. Paul (wie Anm. 12), S. 14.
24. Vgl. STA, HS 889/0 a, b: Auszüge aus dem Viktringer Urkundenbuch.
25. STA, HS 987/0a–e: P. Ambros EICHHORN, P. Trudpert NEUGART, Urkundensammlung über St. Paul ab 954.
26. STA, HS 4/0: *Codex traditionum mon(aster)ii s(ancti) Pauli, notis illustravit (. . .) (1818);* vgl. EBD., HS 886/0; vgl. auch KLA, HS GV 7/13: *Codex traditionum abbatiae S. Pauli in Carinthiae* (Auszug v. G. v. ANKERSHOFEN, lat.: Bl. 1^r–19^r); vgl. auch KLA, HS GV 9/16: *Adnotationes in codicem traditionum monasterii S. Pauli*; Bl. 1^r–45^r.
27. EBD., HSS 8/0 u. 9/0.
28. *Clagenfurti, typis Joannis Leon* (1848) bzw. *Pars II* (1854).
29. AVGT 1 (1849), S. 97–120 (nach Trudpert Neugarts handschriftlichem Nachlasse).
30. KLA, HS GV 7/32, S. 1–663 (2 Bde., 1818); lat. u. dt; vgl. JAKSCH MC 3, S. XVIII.
31. STA, HS 890/0: *Episcopatus Lavantinus.*
32. Vgl. dazu auch A. CIGOI, Das soziale Wirken der katholischen Kirche in der Diözese Gurk (1896), S. 202.
33. KLA, HS GV 7/28, lat.: Bl. 1^r–4^r.
34. EBD., HS GV 8/21: Bl. 1^r–27^r.
35. EBD., HS GV 8/32: Bl. 1^r–12^r (1818); vgl. auch HS GV 9/33.
36. EBD., HS GV 9/6a: Bl. 1^r–46^r (1816).
37. EBD., HS GV 9/32: Bl. 1^r–20^r (1816). Erschien posthum auch gedruckt bei Leon in Klagenfurt: *Libellus majores maternos Rudolfi I. R.R. in Gottfrido Duce Alemaniae proavo Hildegardae conjugis Caroli M. subsistentes extibens* (1850).
38. JAKSCH, Geschichtsverein (wie Anm. 23), S. 17.
39. ANKERSHOFEN, Handbuch I (wie Anm. 23), S. XIII.
40. WÖLGER, Die historische Literatur (wie Anm. 1), S. 94.
41. Für das Lyceum erschien bei Leon in Klagenfurt: *Libellus precum. Ad usum juventutis studiosae christianae. Curante Ambrosio Eichhorn (1811).*
42. K. W. DROZD, Das Klagenfurter Gymnasium nach Auflösung der Gesellschaft Jesu und das Schultheater des P. Ambrosius Eichhorn OSB, Car. I 149 (1959), S. 513 ff.
43. Hier hatte er das Bistum Chur zu bearbeiten: *Episcopatus Curiensis in Rhaetia sub Metropoli Moguntino chronologice ac diplomatice illustratus cum codice probationem 161 Documenta praecipua completente. Typ(ii) S(ancti) Blasii 1797.*
44. Vgl. STA, HS 987/0a–e: hier sind auch die Vorarbeiten von Trudpert Neugart miteinbezogen. Vgl. Anm. 25.
45. ANKERSHOFEN, Handbuch I (wie Anm. 23), S. XI (Vorrede). STRELLI-OLBERT, St. Paul (wie Anm. 12), S. 11.
46. I.Sammlung. Klagenfurt, gedruckt mit Leon'schen Schriften, 1817; II. Sammlung (. . .) 1819.

47. Archiv für Geschichte, Statistik, Literatur und Kunst. Hrsg. von Joseph Frh. v. HORMAYR zu Hortenburg (1809–1828).
48. EBD., Jg. 1819, Nr. 136, 137, 140–143, 150, 152 u. 154; Jg. 1820, Nr. 12, 15, 19, 22, 57, 66–69, 73, 79, 80, 83, 92, 93, 112, 128, 129 u. 136; Jg. 1821, Nr. 20, 32 u. 77; Jg. 1826, Nr. 70.
49. K.Z. 1 (1818), S. 77 u. 3 (1821), S. 175; vgl. die Literaturliste bei MORO, Verzeichnis (wie Anm. 19), S. 908–909.
50. Akten, Pack 456a, Nr. 842a.
51. KLA, HS GV 2/14: Bl. 2r–215r.
52. EBD., HS GV 8/61: A. EICHHORN, Virunum vor und unter den Römern; S. 1–24 (dt.).
53. EBD., HS GV 9/12: Bl. 1r–27v (mit Anmerkungen von G. Frh. v. Ankershofen).
54. EBD., HS GV 11/19: Heft 1, Bl. 1r–16r; Heft 2, Bl. 1r–16v.
55. ANKERSHOFEN, Handbuch I (wie Anm. 23), S. V.
56. Vgl. KLA, Wappenbücher A, B u. C.
57. Vgl. STA, Akten, Pack 457, Nr. 847: Verzeichnis der Wappen der Kärnt. Landstände. – Diese polychromierten Wappendarstellungen sind, wenn auch nicht signiert, höchstwahrscheinlich als Arbeit Grüningers anzusehen.
58. K.Z. 4 (1823), S. 166. – Vgl. ANKERSHOFEN, Handbuch I (wie Anm. 23), S. XIV.
59. K.Z. 3 (1821), S. 50.
60. EBD., S. 85.
61. STA, HS 955/0.
62. KLA, HS GV 8/40: S. 1–80. – Ein weiteres Manuskript trägt den Titel: Über den verheerenden Krieg, den Margareta, die Maultasche genannt, im Jahre 1334 in Kärnten geführt haben soll.
63. Er hatte sich u. a. um die neue „Grablege" der Habsburger in St. Paul gekümmert; vgl. Car. 4 (1814), S. 47; K.Z. 1 (1818), S. 17; vgl. MORO, Verzeichnis (wie Anm. 19), S. 911; UBW Bibl. Papier-HS 243.
64. KLA, HS GV 1/5: Urkundensammlung aus dem Viktringer Archive, 4 Bde. (vor 1844); vgl. ANKERSHOFEN, Handbuch I (wie Anm. 23), S. XIV, A. b); JAKSCH, Geschichtsverein (wie Anm. 23), S. 17. MORO, Verzeichnis (wie Anm. 19), S. 913 ff.
65. Geb. 1795 in Klagenfurt, gest. 1860 ebenda; Studium der Geschichte, dann Jus. Wirkte später als Appellationssekretär und wurde 1844 zum ersten Vereinsdirektor des Geschichtsvereines gewählt; vgl. Österreichisches Biographisches Lexikon 1 (1957), S. 23 ff.: hier weitere Literatur.
66. AKÖG I (1848), S. 39 ff.; 2 (1849), S. 309 ff.; 5 (1850), S. 181 ff.; 8 (1852), S. 333 ff.; 11 (1853), S. 299 ff.; 12 (1854), S. 63 ff.; 14 (1855), S. 109 ff.; 19 (1858), S. 191 ff.; 22 (1860), S. 339 ff.; 27 (1861), S. 167 ff.
67. Bd. I (wie Anm. 23); Bd. II: Handbuch der Geschichte (...) im Mittelalter bis zur Vereinigung mit den österreichischen Fürstenthümern (1851); vgl. WÖLGER, Die historische Literatur (wie Anm. 1), s. 111 ff.; JANIK, Geschichtsverein (wie Anm. 1), S. 125 ff.
68. Allgemeine Deutsche Biographie 12 (1880), S. 180 f.; WURZBACH, Lexikon 8 (1862), S. 384 f. – Österreichisches Biographisches Lexikon 2 (1959), S. 286 ff.; WÖLGER, Die historische Literatur (wie Anm. 1), S. 114 ff.; JANIK, Geschichtsverein (wie Anm. 1), S. 129 ff.; NUSSBAUMER, Geistiges Kärnten (wie Anm. 1), S. 307 f.
69. Bd. I: 1335–1518, 1 Heft (1843); Bd. II: 1518–1780, 2 Hefte (1853–1855); Bd. III: 1780–1857 (1859), 3 Hefte (1857–1860).
70. Vgl. dazu G. v. ANKERSHOFEN, Über die Aufgaben des Geschicht-Vereines mit Rücksicht auf den gegenwärtigen Stand der Geschicht-Forschung und die Bedeutung der Baudenkmale als Geschichtsquellen, AVGT 6 (1861), S. 17 ff.; JAKSCH, Geschichtsverein (wie Anm. 23), S. 12 ff.; F. G. HANN, Über Gottlieb Freiherr von Ankershofen und über Zweck und Aufgaben des Geschichtsvereines für Kärnten, Car. I 86 (1896), S. 124 ff.; BRAUMÜLLER, Bildungsstätten (wie Anm. 1), S. 37.; JANIK, Geschichtsverein (wie Anm. 1), S. 120 ff.
71. M. WUTTE, Das Archiv des Geschichtsvereines für Kärnten, Car. I 103 (1913), S. 52 ff.; DERS., 25 Jahre Kärntner Landesarchiv, Car. I 119 (1929), S. 112 ff.; BRAUMÜLLER, Bildungsstätten (wie Anm. 1), S. 40; Das Kärntner Landesarchiv, hrsg. von A. OGRIS gemeinsam mit W. DEUER u. W. WADL (1984).
72. Vgl. A. v. JAKSCH, Der erste Plan zur Gründung eines Landesmuseums in Klagenfurt, Car. I 86 (1896), S. 16 ff.; M. WUTTE, Der erste Plan zur Gründung eines Museums in Kärnten, Car. I 116 (1926), S. 122 ff.; G. MORO, Das Landesmuseum für Kärnten als wissenschaftliches Forschungsinstitut, Veröffentlichungen des Verbandes Österr. Geschichtsvereine 9 (1955), S. 66 ff.
73. A. R. v. GALLENSTEIN, Necrolog, Car. 39 (1849), S. 313 f.; STRELLI-OLBERT, St. Paul (wie Anm. 12), S. 18; MORO, Verzeichnis (wie Anm. 19), S. 909.
74. B. SCHROLL, Dr. Carlmann Flor +, Car. 60 (1870), S. 332 ff.; A. TRENDE, Dr. Carlmann Flor, Car. I 149 (1959), S. 515 ff.; MORO, Verzeichnis (wie Anm. 19), S. 909. Er nahm aus Verehrung für seinen Lehrer Karlmann Tangl den Namen „Carlmann" an.
75. P. Rainer Graf +, Car. 62 (1872), S. 181; JAKSCH, Geschichtsverein (wie Anm. 23), S. 81; MORO, Verzeichnis (wie Anm. 19), S. 909.
76. JAKSCH, Geschichtsverein (wie Anm. 23), S. 81; DERS., P. Norbert Lebinger +, Car. I 97 (1907), S. 34 ff.; WUTTE; Archiv (wie Anm. 71), S. 60 f.; STRELLI-OLBERT, St. Paul (wie Anm. 12), S. 34; MORO, Verzeichnis (wie Anm. 19), S. 910.
77. AVGT 4 (1858), S. 6–21.
78. Jb. des Gymnasiums in Klagenfurt 17 (1867), S. 1–49; 18 (1868), S. 1–56.
79. F. G. HANN, Beda Schroll's Bedeutung für die Geschichtsforschung, Car. I 81 (1891), S. 193.
80. Allgemeine Deutsche Biographie 37 (1884), S. 370 ff.; WURZBACH, Lexikon 43 (1881), S. 50 ff.; [A. R. v. GALLENSTEIN], Dr. Carlmann Tangl +, Car. 56 (1866), S. 487; WÖLGER, Die historische Literatur (wie Anm. 1), S. 112 ff.; JANIK, Geschichtsverein (wie Anm. 1), S. 126 ff.
81. Leon, Klagenfurt 1841.
82. JAKSCH, Geschichtsverein (wie Anm. 23), S. 66 ff.
83. Handbuch der Geschichte des Herzogthumes Kärnten bis zur Vereinigung mit den Österreichischen Fürstenthümern; begonnen von Gottlieb Freiherrn von ANKERSHOFEN, nach dessen Tode fortgesetzt von Dr. Karlmann TANGL (1864–1867).
84. HANN, Beda Schroll (wie Anm. 79), S. 106 ff.; vgl. auch Car. I 114 (1924), S. 112; WÖLGER, Die historische Literatur (wie Anm. 1), S. 118; JANIK, Geschichtsverein (wie Anm. 1), S. 132 ff.
85. JAKSCH, Geschichtsverein (wie Anm. 23), S. 67 ff. u. S. 72.
86. HANN, Beda Schroll (wie Anm. 79), S. 194; STRELLI-OLBERT, St. Paul (wie Anm. 12), S. 34 ff.
87. Car. 63 (1873), S. 48–49, S. 201–213, S. 257–267 u. S. 299–315 (auch als Sonderausgabe erschienen).
88. Das Herzogtum Kärnten in der Zeit von 1269–1335. Ein Auszug aus Dr. Carlmann Tangl's theils gedruckter, theils ungedruckter Periode des Handbuches der Geschichte von Kärnten. Bearbeitet von B. SCHROLL, Car. 64 (1874), S. 8–16, S. 123–133,

S. 231–236, S. 282–292; Car. 65 (1875), S. 11–23 u. S. 61–68.

89. Das Herzogtum Kärnten unter den ersten Herzogen aus dem Hause Habsburg 1335–1519, Car. 69 (1879), S. 149–163, S. 181–197, S. 213–238, S. 250–259, S. 284–305, S. 313–332 u. S. 349–375.
90. FRA II 39 (1876).
91. Lehenverzeichnisse des Benedictiner-Stiftes St. Paul in Kärnten, AKÖG 34 (1865), S. 288–343.
92. Leon, Klagenfurt, (1870).
93. AVGT 11 (1867), S. 137–168; 12 (1872), S. 71–137; 13 (1876), S. 35–77.
94. AÖG (1888), S. 201–280.
95. Necrologium des Benediktinerstiftes St. Paul im Lavantthale. Bearbeitet von Beda SCHROLL, AVGT 10 (1866), S. 33–240; HANN, Beda Schroll (wie Anm. 79), S. 198.
96. Necrologium des ehemaligen Augustiner-Chorherrenstiftes St. Maria in Juna oder Eberndorf in Kärnten, AÖG 68 (1886), S. 209–410.
97. Necrologium des ehemaligen Collegiatstiftes Spital am Pyrn in Oberoesterreich, AÖG 72 (1888), S. 89–199.
98. Necrologium des Kathedral-Capitels der regulierten Chorherren von Gurk, AÖG 75 (1889), S. 237–286.
99. Necrologium des ehemaligen Benedictinerstiftes Ossiach in Kärnten, AÖG 73 (1888), S. 275–314.
100. Necrologium des ehemaligen Benedictiner-Stiftes Milstat in Kärnten, AÖG 77 (1891), S. 265–317.
101. AVGT 15 (1885), S. 1–43. Dazu vgl. auch B. SCHROLL, Reihe der Dompröpste von Gurk, Car. 79 (1889), S. 1–16 u. S. 33–40.
102. AVGT 16 (1886), S. 3–166.
103. Vgl. dazu hier S. 175 ff.
104. Klagenfurt 1891; vgl. dazu B. SCHROLL, Eine Reise nach Rom, unternommen im Jahre 1625 von Hieronymus Marchstaller, Abt des Benedictiner-Stiftes St. Paul in Kärnten, Car. 71 (1881), S. 129–144, S. 165–181, S. 197–216, S. 229–253, S. 265–285, S. 297–324 u. S. 329–343.
105. Sein Großneffe, Michael Tangl (1861–1921), war ebenfalls Professor für Geschichte an den Universitäten Wien, Marburg a. d. Lahn und Berlin; die erste Anregung zum Geschichtestudium erhielt auch er im „Stiftsgymnasium" in St. Paul, allerdings schon von der „zweiten Historikergeneration". Seine diesbezügliche Motivation formulierte er 1920 bei einer Rede in München: „Ein Blick in die Handschriften- und Urkundenschätze der alten Abtei St. Blasien, der dem Vierzehnjährigen im Stiftsarchiv zu St. Paul in der Kärntner Bergheimat gegönnt war, hat bei mir über Berufswahl und Studiengang entschieden." Siehe A. TRENDE, Die Stiftsbibliothek in St. Paul, Car. I 142 (1952), S. 609. NEUMANN, Geschichtsschreibung (wie Anm. 1), S. 91.
106. F. W. LEITNER, Zur Edition der Gurker Geschichtsquellen, in: Katalog Hemma von Gurk. Ausstellung auf Schloß Straßburg/Kärnten (1988), S. 49 ff.

Das Benediktinerstift St. Paul – ein „Wahrzeichen des Kärntner Landes"?*

ULFRIED BURZ

Anhand der Geschichte des Stiftes St. Paul können einige Charakteristika der Kärntner Landeshistorie skizziert werden, die vor allem im Verlauf des 19. und 20. Jahrhunderts ihre besondere Ausprägung so erfuhren, daß es gerechtfertigt ist, vom oft zitierten „Sonderfall Kärnten" im Rahmen der österreichischen Geschichte zu sprechen. Ein wesentliches Merkmal dieser Entwicklung war, daß ein beachtlicher Teil jener Gesellschaftsschichten, die für die politischen Geschehnisse im Lande verantwortlich waren, mit dem Aufstieg des preußisch-kleindeutschen Nationalstaates eine verstärkte Ausrichtung hin zum Bismarckstaat und gleichzeitig damit eine mentale Veränderung des Verhältnisses gegenüber der Habsburgermonarchie vollzogen. Nach dem Zusammenbruch des Vielvölkerstaates mündete diese Einstellung in jener Anti-Wien-Haltung, die Ernst Hanisch in seinen Forschungen, das Land Salzburg betreffend, modellhaft für andere Länder Österreichs dargelegt hat.[1] In diesem Prozeß befanden sich das Bürgertum und die Großgrundbesitzer an vorderster Stelle, jene Gesellschaftsschichten, die hauptsächlich die von der katholischen Kirche getragenen Bildungsanstalten in Anspruch nahmen, dieser Institution in der zweiten Hälfte des 19. Jahrhunderts aber auch den Kampf angesagt hatten. Dieser „Kulturkampf" wurde in den Regionen der Habsburgermonarchie mit unterschiedlicher Intensität geführt. Die römisch-katholische Kirche Kärntens geriet dabei nicht nur ins Kreuzfeuer der Kritik liberaler, sondern vor allem „nationaler" Kreise. Jene Literatur, die sich mit den Ereignissen der Jahre 1918 – 1920 auseinandersetzt, einer Periode, in der das „nationale" Bewußtsein im Lande in vollem Ausmaß in Erscheinung trat, liefert dafür zahlreiche Belege. Daß dabei eine antiklerikale Stimmung verstärkt zum Ausbruch kam, ist wohl ein Kärntner Spezifikum. So stimmt beispielsweise auch der „Kärntner Nationalist und europäische(r) Kosmopolit"[2] J. F. Perkonig in seinem Buch „Heimat in Not" in die Kritik an der Kirche ein, wenn er schreibt: „In den Dörfern rühren sich die Geistlichen; als Intelligenz in das Volk gepflanzt, von den Zentralen in Laibach und den geduldeten Hetzerkanzleien in Klagenfurt angeleitet, unterstützt, ja, mit Drohungen gezwungen, beginnen sie langsam, aber stetig, den Einfluß von Kanzel, Katheder, Beichtstuhl zu mißbrauchen. Ihre Hast und Eindringlichkeit schwillt mit den Jahren an, die geistige Seelsorge wird vielfach zu einer leiblichen, Beziehungen werden zu Schädigungen von Widerstrebenden ausgenützt, zu Belohnung für Gefolgschaft."[3] Warum der Liberalismus gerade in Kärnten eine politisch bedeutende Kraft war, ist noch nicht detailliert untersucht worden. Eine Teilerklärung

* So formuliert von W. SCHÜTZ, dem langjährigen Stiftsarchivar des Benediktinerstiftes St. Paul, in: Der Volksbote, 21. 10. 1948, o. S.

bietet die erst spät vorgenommene Diözesaneinteilung. Die Bistümer Gurk und Lavant hatten lediglich kleine Territorien. Der größte Teil des Landes un-* Salzburg, „das weit und nur umständlich zu erreichen war, der Süden dem landfremden Patriarchat Aquileja".[4] Die neue Diözesaneinteilung wurde aber in einer Zeit getroffen, als sich in der Donaumonarchie der Nationalitätenkonflikt ausweitete. In Kärnten, wo das erwachende Nationalgefühl in Teilen der slowenischsprechenden Bevölkerung vorwiegend von Geistlichen aufbereitet und getragen wurde, wobei diese nicht nur von nationalpolitischen, sondern auch von praktischen Motiven geleitet worden waren, eröffnete sich dadurch ein weiteres Konfliktfeld.[5] Hinzu kam, daß die Stellung der katholischen Kirche im Herzogtum schwächer als in anderen Provinzen des Kaiserreiches war, weil rund 10 Prozent der Bevölkerung dem Protestantismus anhingen. Die Christen dieser Konfession sympathisierten vorwiegend mit dem deutschnationalen Lager, einer politischen Bewegung, die in der Konzeptionsdiskussion um einen zu gründenden gesamtdeutschen Staat weitgehend in Richtung „kleindeutscher Lösung" tendierte.[6] Damit befand sich diese politische Bewegung in Opposition zum Habsburgerstaat und jenem Herrscherhaus, das seit der Gegenreformation das Staatskirchentum errichtet hatte und als Protektor der katholischen Kirche fungierte. In Kärnten mußte die Kirche, um ihren Stellenwert in der Gesellschaft behaupten zu können, den politischen Umständen Rechnung tragen, indem sie einen Weg beschritt, der auf der Ebene eines reduzierten Ultramontanismus verlief. Es war eine Politik des steten Suchens nach einem akzeptablen Modus vivendi. Einerseits versuchte sie, Gehilfin des Staates zu sein, andererseits die eigenen Interessen zu wahren. Das zeigt sich am deutlichsten im Bereich des Schulwesens, in dem die traditionellen Bildungsstätten, die Klöster, eine Schlüsselrolle spielten.

* . . . terstand ja lange Zeit dem Erzbistum . . .

Der Bildungsauftrag des Stiftes St. Paul ist im Stiftsbrief, datiert aus dem Jahre 1820, niedergeschrieben worden. In dieser Urkunde hatte der österreichische Kaiser dem Konvent u. a. die Verpflichtungen auferlegt, „einen Personalstand von wenigstens Fünfzig Gliedern zu erhalten um mittels desselben die ihm obliegenden Lehr-, Pfarr- und andere öffentlichen Ämter ordentlich besetzen zu können. Insbesondere hat das Stift im Allgemeinen vier und dreyßig und wo möglich und wenn es erfordert wird – auch mehrere Individuen an öffentliche Gymnasien und höhere Lehr-Anstalten zu stellen und ohne allen Anspruch auf Gehalte oder Beiträge vom Staate zu erhalten. Das Stift St. Paul hat schon dermalen die Lehrer am Gymnasium zu St. Paul und am Gymnasium zu Klagenfurt, ferner, sobald Lehrstellen erledigt werden und in wie fern Wir eine oder die andere Lehrkanzel nicht ausdrücklich dem Stifte vorzuenthalten finden, auch die Lehrer für die Lehrkanzeln der philosophischen und theologischen Lehranstalt zu stellen und zu unterhalten. Endlich hat das Stift, sobald als thunlich für die Errichtung eines Konvikts und für dessen stäte Aufrechterhaltung besorgt zu seyn".[7] Ein halbes Jahrhundert kamen die Benediktiner all den vom Kaiser gestellten Aufgaben nach, dank großzügiger Rechte, die dem Stift eingeräumt worden waren.[8] Schwierigkeiten stellten sich ab 1830 ein, als die Benediktinerabtei nicht mehr in der Lage war, alle Lehrstühle am Lyzeum in Klagenfurt mit seinen Konventualen zu besetzen. Daher mußten auch weltliche Professoren, deren Bezahlung aber dem Stifte oblag, in den Lehrkörper berufen werden. 1865 verlor das Stift sein Monopol, welches es bei der Besetzung der Lehrstühle der Theologischen Lehranstalt besessen hatte, ein Monopol, dem in wirtschaftlicher und kirchenpolitischer Hinsicht eine große Bedeutung zukam. Mit Valentin Nemec übernahm erstmals ein Kandidat einen vakant gewordenen Lehrstuhl (Kirchenrecht), der nicht von der

Stiftsleitung vorgeschlagen worden war.[9]

Eine grundsätzliche Änderung im Bildungswesen des für das Stift so wichtigen Aufgabenbereiches ergab sich durch das Reichsvolksschulgesetz vom 25. Mai 1868. In diesem wurde u. a. verfügt, daß die vom Staate, von einem Lande oder einer Gemeinde ganz oder teilweise gegründeten und erhaltenen Schulen und Erziehungsanstalten für alle Staatsbürger ohne Unterschied des Glaubens zugänglich zu machen seien. Damit einhergehend galten die kirchlichen Schulen nunmehr als Privatanstalten, die unter staatlich festgesetzten Voraussetzungen das Öffentlichkeitsrecht eingeräumt bekamen. Die neue politische Konstellation Ende des 19. Jahrhunderts, eingeleitet durch Teilerfolge der liberal-deutschnationalen Gruppierung, erforderte auch von den Benediktinern eine Umstrukturierung des ursprünglichen Lehrauftrages. 1871 setzte dieser Prozeß mit der Übernahme des Obergymnasiums in Klagenfurt durch den Staat ein. Dabei wurde das Stift von seiner Verpflichtung enthoben, für diese Schule Professoren zur Verfügung zu stellen, mußte aber dem Kärntner Studienfonds dafür per anno einen Betrag von 8000 Gulden bezahlen und die Verpflichtung übernehmen, das Untergymnasium in St. Paul zu einem achtklassigen Vollgymnasium auszubauen.[10] Im Hinblick auf die ständig steigende Schülerzahl schien es zunächst vorteilhaft, daß der Benediktinerkonvent künftig ein Mehr an Lehrkräften in der eigenen Schule verwenden konnte. Denn auf Grund der günstigen Inspektionsberichte hatte das Gymnasium 1874 das Öffentlichkeitsrecht erhalten. Der nunmehr geforderte Ausbau der Schule verlangte vom Stift in den nächsten Jahrzehnten große finanzielle Opfer. Erst 1890 trat die Stiftsvorstehung mit der Staatsverwaltung in Verhandlungen ein, um für die Erweiterung des Gymnasiums finanzielle Unterstützung zu erhalten. Sechs Jahre lang konnte darüber keine Einigung erzielt werden, wofür in erster Linie die im Lande stärker werdende antiklerikale Stimmung verantwortlich zu machen war.[11]

Mit dem Erlös aus dem Verkauf des Benediktinerklosters in Klagenfurt, womit ein Postulat des Kaisers erfüllt worden war, und staatlicher Unterstützung konnte man schließlich dennoch mit der Errichtung des neuen Gymnasialgebäudes beginnen. Anfang des Schuljahres 1897/98 wurde das neue Haus seiner Bestimmung übergeben. Im Sog dieser Entwicklung erfuhr auch der Markt St. Paul eine wirtschaftliche Aufwertung. Die in das neue Gymnasium strömenden Schüler wurden teilweise im Ort untergebracht und bescherten ein, wenn auch bescheidenes, zusätzliches Einkommen für manche St. Pauler.[12] Von dem Elektrizitätswerk, dessen Bau (1907) hauptsächlich vom Stift finanziert wurde, profitierte künftig neben der Abtei auch die Ortschaft, die an das neue Energienetz angeschlossen wurde. Der im Jahre 1879 begonnene und 1900 erweiterte Ausbau der Eisenbahnlinie nach Norden bis Zeltweg, wodurch eine schnelle Verbindung nach Wien hergestellt worden war, brachte weitere Vorteile für die Benediktinerabtei und die umliegende Ortschaft. Eine Statistik aus dem Jahre 1885/86 zeigt, daß von insgesamt 84 Schülern lediglich sechs in St. Paul geboren worden waren. 16 stammten aus dem Lavanttal, 24 aus dem übrigen Kärnten, 19 aus der Steiermark, je sechs aus Krain und aus Niederösterreich, drei aus Kroatien und je einer aus dem Küstenland, aus Schlesien, Ungarn und Tirol. Was die sprachliche Herkunft betrifft, dominierte die deutsche Sprache. Von den 84 Gymnasiasten des Schuljahres 1885/86 gaben 71 Deutsch als Muttersprache an, an zweiter Stelle folgte bereits Slowenisch (11). Tschechisch und Serbokroatisch waren jeweils durch einen Schüler vertreten.[13] Seitens der Schuldirektion hat man den sprachlichen Verhältnissen insofern Rechnung getragen, daß man slowenischen Sprachunterricht (neben Französisch) als „relativ obligaten Lehrgegenstand“

am Gymnasium, allerdings nur bis 1914, erteilte.

Der Ausbruch des Ersten Weltkrieges konfrontierte das Stift mit zahlreichen Problemen. Die folgenden fünf Jahre standen sichtlich unter dem Eindruck der Ereignisse, wobei zunächst auch im Stift jene bekannte Kriegseuphorie ausgebrochen war, die von „siegesfroher Kampf- und edler Opferbereitschaft“ geprägt war. Während des Schuljahres 1914/15 rückten 45 Schüler der Anstalt zum Militärdienst ein. Emphatisch formulierte der Direktor des Gymnasiums im Jahresbericht 1915/16: „An manchen von ihnen hat sich auch bereits das Dichterwort erfüllt: Gestern noch auf stolzen Rossen, heute durch die Brust geschossen, morgen in das kühle Grab. Ehre ihrem Andenken!“[14]

Zahlreiche Aktivitäten, wie Sammelaktionen für das Rote Kreuz, Weihnachtsgabenspenden für Soldaten im Feld, Ernteeinsätze der Studiosi auf Feldern in der Umgebung, Betätigung für die Kriegsfürsorge und andere „hervorragende patriotische Aktionen“[15] ließen keinen alltäglichen Schulbetrieb mehr zu. Im lehrplanmäßigen Unterricht wurde jede Gelegenheit wahrgenommen, militärische Einrichtungen und Kenntnisse den Schülern näherzubringen. Sport und Spiele standen ganz im Zeichen der Vorbereitung auf einen möglichen Fronteinsatz. Ein Blick auf die Themenstellungen für die Reifeprüfungen oder Schul- und Hausarbeiten im Fach Deutsch legt offen, daß auch im geistigen Bereich Agitation für „Gott und Vaterland“ betrieben wurde.[16] Schon in den ersten Kriegsmonaten wurde ein Zug freiwilliger Schützen zusammengestellt, der sich aus Schülern der vierten bis achten Klasse rekrutierte. Bereits im Mai 1915 kamen einige ehemalige St. Pauler Studenten an der italienischen Front zum Einsatz.[17] Mit zunehmender Dauer des Krieges ebbte die Begeisterung der einstigen „eisernen Helden der eisernen Gegenwart“[18] für Heroen- und Soldatentum ab und wich einer nüchternen Betrachtung der Situation. Kohlemangel, Lebensmittelverknappung und fehlende Bekleidung führten den Zeitgenossen ein Stück Kriegsrealität vor Augen. Der kämpferische Sprachstil wich Formulierungen, die von Friedenssehnsucht erfüllt waren. Anläßlich einer Festveranstaltung bei der Feier des ersten Namenstages von Kaiser Karl I. kam dieser Wunsch nach Frieden deutlich zum Ausdruck. Nahezu prophetischen Charakter enthält der Appell des damaligen Schuldirektors und späteren Abtes, Strelli, wenn er davon spricht, „den äußeren und selbst den ruchlosen inneren Feinden bereitwilligst die Hand zum Frieden und zur Versöhnung“ zu reichen.[19]

In den letzten Kriegsmonaten wurden jene Stimmen lauter, die einen dieser „ruchlosen inneren Feinde“ beschreiben, dem der Kampf angesagt werden muß. Es ist „ein durch den Krieg noch mächtiger und üppiger gewordener Gegner, (der) sein Rüstzeug (schmiedet), um nach Beendigung des blutigsten aller Kriege den Kampf auf dem Boden unseres Staates mit geistigen Waffen wider christliche Weltanschauung und Gesellschaftsordnung, wider Thron und Altar zu führen. Die Loge ist am Werk. (. . .) Nicht weniger als vier jüdische Blätter sind während des Krieges in Wien allein erstanden, weitere 37 haben ihr Erscheinen nach dem Krieg angemeldet (. . .), in der Provinz sind viele Hände tätig, rollen große Summen, um die financiell (!) schwachen Blätter, die den Verhältnissen nicht gewachsen sind, zu erwerben und den bestehenden semitischen Unternehmungen einzugliedern. Auf die Art versuchen die Juden die öffentliche Meinung zu beeinflussen, die Masse der Bevölkerung an sich zu ziehen, sie zu umgarnen und zu mißbrauchen. (. . .) Im Sinne obiger Ausführungen haben es einige katholische Männer auf sich genommen, eine Presseaktion, die eine Angelegenheit ganz Österreichs werden soll, einzuleiten. (. . .) Wir dürfen bei Euer Gnaden wohl auf warmes Verständnis für die Grösse des geplanten Werkes rechnen und bitten um Mithilfe und tatkräftige Empfehlung im Wirkungskreis Euer Gnaden".[20]

Wahrscheinlich wurde dem Thema Judentum innerhalb der Ordensangehörigen kein größeres Augenmerk gewidmet. Den Jahresberichten kann man entnehmen, daß zumindest in der Schule dieser Frage keine Beachtung geschenkt wurde.[21] Hier scheinen die Benediktiner der Grundhaltung der regionalen katholischen christlichsozialen Tagespresse, dem „Kärntner Tagblatt", gefolgt zu sein, das sich im Unterschied zu Wiener Presseorganen in der Zwischenkriegszeit kaum auf Polemiken gegen jüdische Mitbürger eingelassen hatte. Diese Tageszeitung nahm eine „projüdisch(e), weil antinationalsozialistisch(e) Stellung"[22] ein.

Der Zusammenbruch der Habsburgermonarchie traf auch die Benediktiner in allen Lebensbereichen. Brennstoffmangel, Nahrungsmittelknappheit, Krankheiten[23] sowie die rechtlich ungeklärte Situation, Güter in der Untersteiermark betreffend, stellten die Konventualen vor schwer zu bewältigende organisatorische und finanzielle Aufgaben. Anfang Dezember 1918 verschärfte sich die Lage, als südslawische Soldaten St. Paul besetzten und u. a. auch Räumlichkeiten des Stiftes für das Militär beschlagnahmten. Dabei wirkte ein ehemaliger Lehrer des Stiftsgymnasiums, Friedrich Kmet, mit, der für die Okkupanten als ortskundiger Führer dienstbar war. In der Bevölkerung tauchten Gerüchte auf, wonach die Verantwortlichen des Stiftes wegen „verschiedener bolschewistischer Umtriebe die Jugoslawen gerufen habe(n)"[24]. Die Stiftsverwaltung reagierte auf diese Vorwürfe mit einer Erklärung, die in der Tagespresse veröffentlicht wurde und in der man jedem „Verbreiter dieses böswilligen und widersinnigen Geredes"[25] ein gerichtliches Verfahren androhte.

Ende Dezember mußten die SHS-Truppen das Lavanttal räumen, nachdem eine Volkswehrabteilung zum erfolgreichen Gegenangriff angetreten war. Unmittelbar am Geschehen beteiligt waren auch einige Patres der Abtei, die Wachdienste geleistet hatten. Trotz dieses Einsatzes ließen sich im Frühjahr 1919 erneut Stimmen vernehmen, die den Stiftsangehörigen vorwarfen, mit den wiederum ins Lavanttal vorgestoßenen Jugoslawen zusammenzuarbeiten. Erneut gab die Stiftsvorstehung über die Presse bekannt, gerichtliche Schritte gegen jene Personen unternehmen zu wollen, die derartige „schamlose Verleumdungen"[26] verbreiten würden. Von der Kärntner Landesregierung erging an die Sicherheitsbehörden der Auftrag, diese Angelegenheit zu untersuchen. Mit den Nachforschungen wurde der Kommandant einer Lavanttaler Volkswehrkompanie betraut, der in seinem Bericht u. a. ausführte: „In Anbetracht dessen, daß das Stift stets seinen deutschen Charakter hochgehalten hat, daß Kapitulare desselben auch an den Abwehrkämpfen teilgenommen haben, sowie in Anbetracht der alten Traditionen, nach denen das Wohl und Wehe der Bevölkerung von St. Paul und Umgebung aufs innigste und engste mit dem des ehrwürdigen Stiftes verknüpft ist, kann niemals angenommen werden, daß das Stift St. Paul sich eines solchen Vergehens schuldig gemacht hätte."[27]

Dieser Darstellung schloß sich auch der Wolfsberger Bezirkskommissär Larchofsky an, der vom „urdeutschen Charakter"[28] des Stiftes überzeugt war. In diesem Zusammenhang verdient ein Vorgang Erwähnung. Bereits mit Kriegsausbruch war der Lehrgegenstand Slowenisch „wegen Einberufung des Fachlehrers" sistiert worden. Ob dies ein Zufall war oder ob man die politische Situation im Lande berücksichtigt hatte, kann hier nicht eindeutig beantwortet werden. Nach dem Kriegsende scheint das Fach Slowenisch im Lehrplan nicht einmal mehr auf, während neben dem Englisch- und Französischunterricht im Jahr 1933/34 auf Wunsch von Schülern, wohl auch auf Grund der außenpolitischen Lage Österreichs, ein einstündiger Italienischsprachkurs angeboten wurde. Das Interesse für den slowenischen Sprachunterricht scheint gering gewesen zu sein, obwohl auch nach 1918 eine etwa gleich große Anzahl von Schülern wie zur Zeit der Monarchie diese Sprache zumindest in Ansätzen beherrscht haben dürfte.[29] Eine Erklärung für die Berührungsängste mit der slowenischen Sprache nach dem Krieg ergibt sich aus den unmittelbar gewonnenen Erfahrungen, die das Stift und seine Bewohner in der Zeit 1918 bis 1920 und darüber hinaus machen mußten. Im Juni 1919 wurde das Stift das zweite Mal von südslawischen Truppen besetzt. Zwei Monate lang mußten die Patres das Gebäude mit rund 500 Soldaten der jugoslawischen Armee teilen, die Getreide requirierten und Bücher, Zeitschriften, Lehrmittel und Sportgeräte teilweise bis zur Unbrauchbarkeit beschädigten. „Bänke und Katheder wurden zerschlagen und zugleich mit dem gesamten vorhandenen Holzvorrat des Gymnasiums verheizt“ (sic!).[30] Diese Vorfälle hinterließen nicht nur im wirtschaftlichen Bereich deutliche Spuren im Stift. Nach 1919/20 läßt sich eine Identitätskrise bei jenen Schülern konstatieren, die sowohl der slowenischen als auch der deutschen Sprache mächtig waren.[31] Hatten Ende 1918/19 von 242 Studenten noch 31 Slowenisch als Muttersprache angeführt, bekannte sich am Ende des Schuljahres 1919/20 nur mehr ein Schüler von insgesamt 189 dazu.[32] Das Stift war jedenfalls tatsächlich bemüht, dem apostrophierten „deutschen Charakter“ zu entsprechen, der sich in den Jahren 1920 bis 1923 in einer regen Sammeltätigkeit für das Grenzland, für die Volksabstimmung in Oberschlesien und die „Deutschlandhilfe“ manifestierte, obwohl es sich selbst in wirtschaftlichen Nöten befand. So sammelte man 1921 3710 Kronen für die Volksabstimmung in Oberschlesien[33], 1922 200.000 Kronen für die Kärntner Landsmannschaft, 160.000 Kronen für die Grenzlandaktion[34], 1923 750.000 Kronen für die Deutschlandhilfe und 1,000.000 Kronen für die „südlichen Grenzschulen Kärntens“.[35] Die Inflation relativiert natürlich das Ergebnis. Das Ausmaß des Kursverfalls der Krone läßt sich anhand des Schulgeldes verdeutlichen. Mußte im Schuljahr 1918 ein Betrag von 30 Kronen entrichtet werden, waren es 1921/22 100 Kronen, 1922/23 4000 Kronen. 1923/24 mußte man bereits 80.000 und 1924/25 die Summe von 160.000 Kronen hinterlegen.[36] Die Geldentwertung traf das Stift vor allem im Bereich des Weinhandels, einem Wirtschaftssektor, der dem Kloster „eine jährliche Einnahme von 40.000 bis 50.000 Kronen“[37] gesichert hatte. Die Weingärten befanden sich ja nun im Territorium Jugoslawiens. Zwar schloß Österreich schon im Frühjahr 1919 mit dem SHS-Staat ein Warenaustauschübereinkommen, in dem für beide Seiten die Warenlieferungen vorgegeben waren. Während Jugoslawien hauptsächlich Naturprodukte lieferte, was im Hinblick auf die Versorgung der österreichischen Bevölkerung im „Hungerwinter“ 1919/20 bedeutungsvoll war, exportierte Österreich Erzeugnisse der Industrie und des Gewerbes. Aber zusätzlich zur Inflation verminderten die hohen Zoll- und Frachtkosten im Weinhandel die Möglichkeiten der Konkurrenzfähigkeit, so daß diese wichtige Einnahmequelle des Stiftes in den ersten sechs Nachkriegsjahren nahezu versiegte. Die Benediktinerpatres, die in der Vorkriegszeit allein aus den Zinserträgnissen des Kapitalvermögens laufende Erfordernisse decken konnten, mußten nun auf den Stammbesitz zurückgreifen, um anfallende Kosten bestreiten zu können. Gegen Jahresende 1924 erreichte der Schuldenstand des Stifts beinahe eine Milliarde Kronen. Vor allem die landwirtschaftlichen Betriebe des Stiftes verzeichneten seit Jahren eine passive Wirtschaftsbilanz, da „die Landwirtschaft in Österreich, besonders aber in Kärnten, schon seit Jahren schwer notleidend ist und trotz intensivster Bodenbearbeitung sowie Wirtschaftsführung nicht erträgnisreich gestaltet werden kann (. . .)“[38].

Hinzu kam, daß es in einer Grenzregion lag, die verkehrsmäßig gerade besser erschlossen worden war und nun durch die neuen Territorialverhältnisse stärker von der Wirtschaftskrise in Mitleidenschaft gezogen wurde. Von den Absatz- und Produktionsproblemen der an der Lavanttaler Bahn liegenden Papier- und Zellstoffabrik Frantschach war auch indirekt die stiftliche Holzindustrie betroffen.[39] Als sich 1924 die Möglichkeit ergab, die wirtschaftlichen Verhältnisse des Stiftes zu sanieren, holte man bereitwillig den Rettungsanker ein. Der Stiftsvorstehung, die schon in den vergangenen Jahren Kunstgegenstände an das Kunsthistorische Museum und die Albertina in Wien verkauft hatte, wurde für die im Hauseigentum befindliche Gutenbergbibel ein Kaufpreis von 15 Milliarden Kronen angeboten. Zunächst setzten Verhandlungen mit den staatlichen Behörden ein, denn das Präsidium des Regierungsamtes Kärnten hatte über Antrag des Bundesdenkmalamtes, vermutlich durch die Tagespresse über den möglichen Verkauf dieser Inkunabel informiert, die wertvolle Zimelie unter staatliche Aufsicht gestellt. Nachdem mit dem möglichen Käufer über den Kaufpreis keine Einigung erzielt werden konnte, wurden die Verhandlungen mit den zuständigen Behörden unterbrochen und erst später wieder fortgesetzt, als über Vermittlung eines ehemaligen St. Pauler Konviktschülers, des bekannten Wiener Orthopädieprofessors Adolf Lorenz[40], ein New Yorker Inkunabelsammler in Erscheinung trat, der bereit war, 250.000 US-Dollar für die Gutenbergbibel zu bezahlen. Der Kauf bedurfte aber der Zustimmung des Bundes- und Landesdenkmalamtes, das an die Veräußerung die Bedingung knüpfte, daß für die Ausfuhrbewilligung 175.000 öS aufzubringen seien.[41] Außerdem mußte das Stift der Kärntner Landesregierung das Aufsichtsrecht über den Erlös aus dem Verkauf einräumen und war damit bei finanziellen Transaktionen an die Zustimmung des Landes gebunden, was sich einige Jahre später noch als ein großer Nachteil erweisen sollte.

Anfang der zwanziger Jahre hatte sich auch die Ordensgemeinschaft von St. Paul der Konföderation deutschsprachiger Benediktinerklöster angeschlossen. Auf Betreiben der Kapitulare des Klosters St. Peter in Salzburg wurde das *Collegium Benedictinum* in der Salzachmetropole 1924 bis 1926 mit hohem Kostenaufwand errichtet. Geplant war, daß künftig die Benediktiner ihre Novizen zum Theologiestudium nach Salzburg schicken sollten. Darum hatten sich die Konföderationsmitglieder – allerdings nur mündlich – bereiterklärt, den Bau finanziell zu unterstützen. Durch die allgemein schlechte Wirtschaftslage in ökonomische Schwierigkeiten versetzt, fühlten sie sich nun außerstande, ihren Verpflichtungen nachzukommen. Erst 1934, nachdem auch der Papst mit dieser Angelegenheit befaßt worden war, übernahmen die Klöster einen Teil der Schulden.[42] Die Patres aus St. Paul sollten dabei einen Beitrag in der Höhe von 8000 Dollar entrichten, lehnten diese Beitragsleistung aber mit der Begründung ab, daß die Aufsichtsbehörde der Kärntner Landesregierung bisher (1934) „jede Schenkung und jedes Darlehen mit der einzigen Ausnahme jenes an das Stift St. Lambrecht grundsätzlich verweigert“[43] hätte. Dennoch muß das Stift St. Paul seinen Obolus für das *Collegium Benedictinum* entrichtet haben.[44]

Der Verkauf der Gutenbergbibel brachte dem Stift zwei Vorteile. Einerseits konnte mit den Teilbeträgen, die bereits 1927[45] (40.000 US-Dollar, rund 283.000 Schilling) ausbezahlt wurden, aufgenommene Kredite zurückerstattet werden. Andererseits reichten allein die Zinsen des Erlösbetrages aus, um die jährlich anfallenden Abgangsposten decken zu können, ohne daß auf Stammvermögen des Stiftes zurückgegriffen werden mußte.[46]

Zur Zeit der Weltwirtschaftskrise, als das Stift vor allem im Bereich der Holzwirtschaft hohe Einnahmenrückgänge in Kauf nehmen mußte, war es allerdings auf staatliche Hilfe angewiesen. Die Ansuchen um Subventionen wurden damit begründet, daß der finanzielle Aufwand für die Erhaltung des Gymnasiums und des Konviktes ein solches Ausmaß erreicht habe, daß die Schließung von Schulklassen drohe. Denn der Mangel an eigenen Lehrkräften Mitte der dreißiger Jahre erforderte die Anstellung von weltlichen Lehrkräften, was beträchtliche Kosten verursachte.[47] Die Kärntner Landesbehörden setzten sich für die Subventionsansuchen der Stiftsvorstehung bei den bundesstaatlichen Stellen ein und erreichten, daß im Zuge der Kongruaergänzungen weitere Geldmittel flüssiggemacht wurden, wobei auf die Leistungen des Stiftes im sozialen Bereich verwiesen wurde.[48] Der Einsatz der Konventualen auf sozialem Gebiet war in der Tat beträchtlich. Anfang und Mitte der dreißiger Jahre konnten jährlich 20 bis 30 Schüler auf Kosten der Abtei das Gymnasium in St. Paul besuchen. Täglich wurde 40 bis 50 Personen Unterkunft gewährt. Darüber hinaus verköstigte die Stiftsküche täglich 120 bis 140 „hungernde Wanderburschen".[49] Trotz dieses sozialen Engagements war das „Bollwerk christlich-deutscher Kultur im Süden"[50] in der Mitte der dreißiger Jahre Angriffen von politischen Extremisten ausgesetzt, die wahrscheinlich vor allem aus dem nationalsozialistischen „Lager" kamen. Das Deutschtum katholischer Provenienz entsprach nicht den Vorstellungen der Nationalsozialisten, die sich als Alleinvertreter des „wahren Deutschtums" verstanden und in Kärnten in dieser Hinsicht in der Bevölkerung breite Zustimmung fanden. Inwieweit dabei die aggressive Politik und die postulierte Dominanz „germanischer Rasse" über andere Völker akzeptiert wurde, ist schwer verifizierbar. Jedenfalls traten in dieser Frage die Gegensätze zwischen dem katholischen Landesklerus und der NSDAP am deutlichsten zutage, obwohl gerade die Kirche Kärntens in ihrem Verhältnis zum Nationalsozialismus noch über den 11. März 1938 hinaus eine ambivalente Haltung eingenommen hatte.[51] Während beispielsweise der oberste Kirchenfürst des Landes, Bischof Hefter, wohl wissend, daß ein beachtlicher Teil der Kärntner Bevölkerung den Ständestaat ablehnte, den Hirtenbrief des österreichischen Episkopates vom Dezember 1933, in dem die neue Staatsform begrüßt wurde, nicht im kirchlichen Verordnungsblatt veröffentlichen ließ und auch nicht an den Begräbnisfeierlichkeiten für Dollfuß in Klagenfurt teilnahm, erhob der Direktor des Stiftsgymnasiums St. Paul Ende 1934 die Forderung, das Vermächtnis des ermordeten Bundeskanzlers zu erfüllen, „ihm als dem leuchtenden Vorbild nachzustreben, am Werke des Neubaues unseres Vaterlandes, das er unter den schwierigsten Umständen mit festem Gottvertrauen angefangen hat, mitzuarbeiten im Geiste des Friedens und der Opferbereitschaft".[52] Daß es nicht nur beim Lippenbekenntnis blieb, zeigen die zahlreichen Veranstaltungen am Gymnasium, die im Zeichen des aufkeimenden Österreichbewußtseins ständestaatlicher Prägung standen.

Im Juni 1933 waren die NSDAP und alle ihre Nebenorganisationen behördlich aufgelöst worden. In der Folge kennzeichneten Sprengstoffanschläge, Brandlegungen, Schmieraktionen und gewalttätige Auseinandersetzungen zwischen Gruppierungen verschiedener Weltanschauungen die innenpolitische Situation. Für das Stift brachen schon kurz nach dem Verbot der NSDAP schwere Zeiten an. Mitglieder der illegalen NSDAP St. Pauls verfaßten Drohbriefe, die u. a. Aufforderungen enthielten, Predigten einzustellen, die die Gefühle von Menschen verletzten, die dem „positiven Christentum" anhingen. Ab April 1934 setzten zahlreiche Aktivitäten ein, in deren Verlauf dem Stift großer Schaden zugefügt wurde.[53] Die Androhung, auch an das Stiftsgebäude Brand zu legen, veranlaßte die Patres, in den folgenden Monaten Wachen aufzustellen, die sich aus Dienstboten und

Angestellten des Klosters rekrutierten. Während der Julikämpfe 1934, die in Kärnten und der Steiermark am längsten andauerten, besetzten die Nationalsozialisten für drei Tage die Benediktinerabtei und stellten die Konventualen unter Hausarrest. Sie nutzten die Gunst der Stunde. „Etwa 300 Putschisten verpflegten sich im Stiftsgasthof Fischer auf Kosten des Stiftes."[54] Trotz dieser Vorfälle folgte auch der Stiftsabt Strelli dem Beispiel Bischof Hefters, der sich nach der militärischen Niederlage der Nationalsozialisten für Tatverdächtige eingesetzt hatte. Wahrscheinlich ist es diesen Umständen zu verdanken, daß das Stift bis zum „Anschluß" keine weiteren größeren Schäden mehr erleiden mußte.[55] Nach dem 11. März 1938 signalisierten die Nationalsozialisten vorerst ihre Bereitschaft, der Kirche die bisherigen Rechte zu belassen, die ihrerseits durch die bekannte Märzerklärung des österreichischen Episkopats für die neuen Machthaber Sympathie bekundet hatte und in der Öffentlichkeit damit den Eindruck hinterlassen haben mußte, daß der Status quo die uneingeschränkte Anerkennung der Amtskirche fand.[56] Aber schon nach der Volksabstimmung vom 10. April[57] traten die Nationalsozialisten zur Offensive gegen diese Institution an. Es war keineswegs eine Blitzkriegsstrategie, die dabei angewendet wurde. Der Kirche wurden die Rechte Schritt für Schritt entzogen und Zusicherungen nur so lange gewährt, bis ein Teilziel erreicht war. In St. Paul setzten Maßnahmen dieser Strategie mit der Einsetzung eines „Beraters" am Stiftsgymnasium ein, der seine Funktion seit 26. April ausübte. Ende Juni beschloß der noch amtierende Direktor Pater Raschl, nach vorangegangener Aussprache mit dem Landesschulrat, das Schuljahr vorzeitig zu beenden, um den Zöglingen den Beitritt zur HJ in deren Heimatgemeinden zu ermöglichen, da ihnen dies in St. Paul verwehrt worden war. Das Bemühen des langjährigen Schulleiters, seinen Zöglingen mögliche Unannehmlichkeiten zu ersparen, steht in einem kausalen Zusammenhang mit jener Modus-vivendi-Politik, die die Kirche bis zum Scheitern der Geheimverhandlungen zwischen den österreichischen Bischöfen und Vertretern der NSDAP, Anfang September 1938, betrieben hatte. Bis zu diesem Zeitpunkt war sie ständig bemüht gewesen, möglichen Vorwürfen seitens der neuen Machthaber, staatsfeindlich zu agieren, von vornherein zu begegnen.

Am 1. Juli 1938 wurde das Stiftsgymnasium in St. Paul verstaatlicht und in eine Oberschule für Jungen umgewandelt. Um der drohenden Aberkennung des Öffentlichkeitsrechtes zu entgehen, erklärten die Benediktiner – auf Anraten des Landeshauptmannes[58] – ihr Einverständnis, das Stiftskonvikt Josefinum dem fürstbischöflichen Knabenseminar der Diözese Gurk zu überlassen, das neue Räumlichkeiten benötigte, nachdem der Staat Anfang Juni das Marianum in Klagenfurt für die Errichtung einer SS-Kaserne beansprucht hatte.

Die Zeichen der Zeit richtig deutend, waren die St. Pauler Ordensbrüder übereingekommen, das Konvikt an die Diözese Gurk zu verkaufen. Sie verbanden damit zwei Ziele, nämlich die Begleichung eines Kredites in Höhe von rund 55.000 Reichsmark, wodurch eine mögliche Einsetzung eines kommissarischen Verwalters verhindert werden sollte. Außerdem wollte man das Geld sofort für Investitionen im Bereich der Forstwirtschaft verwenden, „denn vor dem Zugriff des Staates ist Grund und Boden und Gebäudebesitz, wenn es darauf ankommt, ebensowenig sicher als Vermögen an barem Geld"[59]. Bischof Hefter, der wohl von den gleichen Überlegungen geleitet worden war und der sich für ein Mietverhältnis aussprach, erhielt in der kurzfristig anberaumten entscheidenden Besprechung am 20. Juli seitens des anwesenden Landeshauptmannes Schützenhilfe, der erklärte, daß ihm „vorläufig ein Pachtvertrag genüge, wenn er nur schnell zustande käme".[60] Tatsächlich konnten die Geistlichen vorerst die Gefahr bannen und dem Stiftsgymnasium das Öffentlichkeitsrecht sichern. Aber so schnell wie die Verhandlungen zwischen den staatlich bevollmächtigten Organen und den kirchlichen Würdenträgern abgeschlossen worden waren, so schnell änderten die Nationalsozialisten ihre Meinung. Die Übersiedlung des fürstbischöflichen Knabenseminars nach St. Paul war – Ende Juli begonnen – gerade erst abgeschlossen worden, als ein Erlaß des Ministeriums für innere und kulturelle Angelegenheiten, datiert mit 5. September, alle vorangegangenen Verfügungen außer Kraft setzte und dem Stiftsgymnasium das Öffentlichkeitsrecht entzog. Am 10. September fuhren Prälat Dr. Brunner, Pater Dr. Strelli und Pater Raschl nach Klagenfurt zum Fürstbischof und beschlossen, die Anstalt „rein privat" zu führen. Sie waren der Perfidität der Nationalsozialisten nicht gewachsen. Konsterniert vermerkte Pater Raschl (am 11. September?) in seinem Tagebuch: „Es kommt zum Erlaß, daß das Studium als eingeschriebener Privatist verboten ist."[61] Darauf beschlossen die St. Pauler Konventualen, die Anstalt als Gymnasium allein für die Knabenseminaristen der Diözese Gurk zu führen. Die Reaktion der staatlichen Behörden scheint vorprogrammiert gewesen zu sein oder stand zumindest in Zusammenhang mit den inzwischen gescheiterten Verhandlungen zwischen dem Staat und der Kirche. Denn schon zwei Tage später erging ein Schreiben an die Direktion des Stiftsgymnasiums, dessen Inhalt paradigmatisch ist für die widersprüchliche und fadenscheinige Argumentation, mit der die Nationalsozialisten ihr Vorgehen gegen politische Gegner begründeten: „Da Ordensgelübde eine stärkere Bindung sind als selbst der Diensteid, können Ordensgeistliche oder Angehörige von geistlichen Orden nicht zur Erteilung des Unterrichts an öffentlichen Volks-, Haupt- und Höheren Schulen zugelassen werden. Dieses Verbot erstreckt sich auch auf den Unterricht aus katholischer Religion. Ferner ist die Verwendung von Lehrkräften geistlichen Standes für den Unterricht aus weltlichen Gegenständen unstatthaft."[62] Kurz vor Beginn des Schuljahres 1938/39 holten die Machtträger im Lande zum nächsten Schlag aus. Konnten die rund 220 Zöglinge des fürstbischöflichen Knabenseminars das neue Staatsgymnasium noch besuchen, wurde bereits fünf Wochen später durch ministeriellen Erlaß die Schließung sämtlicher konfessioneller Schülerheime verfügt. Diese Verordnung traf die Kirche in ihrem Lebensnerv, da die Ausbildung des Priesternachwuchses praktisch unterbunden wurde, womit pro futuro keine seelsorgliche Betreuung der Bevölkerung mehr möglich sein würde. Fürstbischof Hefter stellte in Verkennung der Lage, „ermutigt (...) (durch) das freundliche Entgegenkommen des Herrn Führers und Reichskanzlers"[63] an alle maßgeblichen Behörden des Staates Ansuchen[64], ob ein Weiterbestehen des Knabenseminars durch eine „wohlwollende Lösung" ermöglicht werden könnte.

Die Kärntner Landesbehörden bewiesen vorauseilenden Gehorsam. Denn obwohl der zuständige Reichsminister erst Anfang Jänner 1939 an Bürckel, den Reichskommissar für die Wiedervereinigung Österreichs mit dem Deutschen Reich, einen ablehnenden Bescheid bezüglich des Knabenseminars zukommen ließ, hatte der Kärntner Landesschulrat den Ende Oktober 1938 eingegebenen Rekurs Hefters bereits am 16. Dezember desselben Jahres abgelehnt und dem Stift einen Mietvertrag über das Josefinum aufgezwungen, das rund ein Monat später in ein NS-Schülerheim umgewandelt wurde. In dieser „Trutzburg deutscher Erziehung" sollten künftig „Jungen, die zum teil aus kinderreichen Sippen stammen und in denen urkräftiges Bauerntum wirkt"[65], im Sinne nationalsozialistischer Weltanschauung geschult werden.

Parallel zu diesen Vorgängen hatte seit Oktober 1938 der Psychoterror der

Geheimen Staatspolizei in größerem Ausmaß eingesetzt. Am 7. Oktober wurde ein Stiftsdiener verhaftet und wegen sittlicher Vergehen unter Anklage gestellt. Der angebliche Delinquent blieb für fast fünf Monate in Haft. Den Ordensbruder Pater Anton traf ein ähnliches Schicksal. Der Geistliche wurde am Ende des gleichen Monats von der Gestapo verhaftet und für drei Wochen arretiert. Ende Dezember, während der Beerdigung eines langjährigen Stiftsdieners, wurde ein Hausbediensteter, der dem Begräbnis beiwohnte, vor den Augen der Anwesenden von staatlichen Sicherheitsorganen abgeführt. Die Benediktiner mußten Hausdurchsuchungen und Verhöre über sich ergehen lassen. Trotz dieses Terrors, dem alle kirchlichen Institutionen im Lande ausgeliefert waren[66], ließen sich einige Geistliche von Verboten oder Verfügungen nicht einschüchtern. Ein Beispiel mutigen Verhaltens gegen die staatliche Obrigkeit liegt auch aus St. Paul vor. Mitte Juli 1938 entzog der Kreisschulrat dem Religionslehrer Ignatius Frei das Recht, Religionsunterricht zu erteilen, da dieser nicht im Sinne nationalsozialistischer Weltanschauung vermittelt worden wäre. Der Betroffene legte „im Auftrage des hochwürdigsten fürstbischöflichen Gurker Ordinariates in Klagenfurt gegen diesen Bescheid Verwahrung ein und bat:

1. Um Aufklärung, welche konkrete vorschriftswidrige Vorfälle ihm den Entzug der Unterrichtserteilung eingetragen haben.

2. Um Mitteilung, wo amtlich die Grundsätze der nationalsozialistischen Weltanschauung niedergelegt sind, mit denen er in Widerspruch geraten sein soll.

3. Ob und wann diese Grundsätze den Katecheten bisher amtlich mitgeteilt worden sind".[67]

Im Frühjahr 1939 griffen die Nationalsozialisten noch entschiedener in die Vermögensverhältnisse des Stiftes ein. Eine Woche lang überprüften Beamte die Wirtschaftsgebarung des Klosters. Der abschließende Bericht[68] der Rechnungsprüfer, die dabei die Jahre 1936 bis 1939 berücksichtigten, zeigt, daß die Benediktiner seit 1936 bis zur Machtübernahme durch die Nationalsozialisten dank günstiger Rahmenbedingungen, die der Staat Österreich seit 1934 geschaffen hatte[69], mit einer positiven Wirtschaftsbilanz aufwarten konnten. Es war nicht nur der günstige Vermögensstand des Stiftes, der die Nationalsozialisten animiert hatte, ein Restdarlehen in der Höhe von rund 167.000 Reichsmark[70] – die Benediktiner hatten 1933 an den St.-Josefs-Brüder-Verein in Klagenfurt einen Kredit von 250.000 Schillingen gewährt – endgültig in das Eigentum des Landes Österreich zu überführen, nachdem schon im Jänner 1939 die Beschlagnahme der offenstehenden Schuld verfügt worden war. Hinter dieser Aktion stand das Interesse der NSDAP, die geforderten Rückzahlungen auszusetzen. Denn die ehemalige Druckerei des St.-Josefs-Vereines war nach der Machtübernahme beschlagnahmt und in einen NS-Gauverlag umfunktioniert worden. Bereits im Herbst 1938 hatte der damalige Gauleiter Klausner eine Übertragung der beschlagnahmten Forderung an die NSDAP angestrebt. Man wollte aber Reaktionen des Stiftes abwarten.[71] Tatsächlich hatte das Stift im Landesgericht Klagenfurt einen Teilbetrag von 100.000 S eingeklagt. Mit der Begründung, daß der Kredit für „volks- und staatsfeindliche" Aktivitäten verwendet worden wäre, wurde die Klage und jeglicher Anspruch des Stiftes auf Restschuldbeträge des Darlehens abgewiesen. Seit Mitte 1939 bereitete die Gestapo den Schlußakt des pikanten Spiels vor. Der Jesuitenorden in St. Andrä und das Benediktinerstift, „Hauptstützen der Systemregierung im Lavanttal", sollten gemeinsam zum Einsturz gebracht werden. Zunächst versuchte die Gestapo, die Deutsche Wehrmacht für den kirchlichen Besitz zu interessieren. Der Kriegsausbruch vereitelte den Plan.[72] Im Juli 1940 mußten die St. Pauler Konventualen den unteren Stock im Stiftsgebäude für „Reichsdeutsche" aus dem Kanaltal bereitstellen. Anfang Oktober desselben Jahres traf eine Verfügung der Reichsregierung ein, in der die Einziehung des Stiftes ausgesprochen wird, „weil die Bestrebungen des Benediktinerstiftes St. Paul i. L. volks- und staatsfeindlich gewesen sind (. . .) Sämtliche Ordensangehörige haben das Gebiet des Kreises Wolfsberg innerhalb eines Zeitraumes von 7 Tagen zu verlassen"[73].

Eine Woche später besetzten staatliche Sicherheitskräfte das Stiftsgebäude und begannen in den darauffolgenden Tagen, Zimmereinrichtungen und Archivgut abzutransportieren. Der Großteil der Patres mußte den Gau Kärnten verlassen, lediglich in Kärnten geborene Konventualen durften außerhalb des Kreises Wolfsberg bleiben. Dieser Personenkreis fand in verschiedenen Seelsorgestationen der Gurker Diözese Aufnahme und Beschäftigung. Das gesamte Vermögen des Benediktinerstiftes, darunter auch die Güter in Jugoslawien, die im Zuge des Balkanfeldzuges ebenfalls requiriert worden waren, ging in das Eigentum der Gauselbstverwaltung des Reichsgaues Kärnten über. Nach einer Anforderung der „Deutschen Umsiedlungs-Treuhand Ges.m.b.H.", die ihren Sitz in Berlin hatte, wurden Liegenschaften aus dem ehemaligen Stiftsvermögen 1941 angekauft. Der Kaufschilling wurde auf einem Konto der Landeshypothekenanstalt hinterlegt und verblieb dort bis Kriegsende. Über diese Gesellschaft erfolgte in den Jahren 1942 und 1943 ein Weiterverkauf, hauptsächlich an „Rückwanderer" aus dem Kanaltal, wobei die Käufer in der Regel von der Gestapo überprüft wurden und eine Unbedenklichkeitserklärung benötigten. Die Käufer mußten für die angebotenen Liegenschaften den gleich hohen Geldbetrag, den die Treuhand Ges. m.b.H. einige Monate zuvor an den Reichsgau entrichtet hatte, auf das gleiche Konto zur Einzahlung bringen. Diese Rechtskonstruktion bereitete dem Stift nach dem Krieg bei der Geltendmachung von Ersatzansprüchen große Schwierigkeiten, weil sich die Käufer von beschlagnahmtem Stiftseigentum auf ein rechtmäßig abgewickeltes Rechtsgeschäft berufen konnten. Wieweit die neuen Eigentümer realiter den Kaufpreis mit eigenem Kapital finanzierten, muß noch eingehender untersucht werden.[74]

Rund um die Verwendung der beschlagnahmten Stiftsgebäude gab es bald Auseinandersetzungen zwischen dem Gau Kärnten und der Reichsverwaltung. Schließlich einigten sich die Behörden, die „Oberschule für Jungen" nach Wolfsberg zu verlegen, um Platz für eine Nationalsozialistische Erziehungsanstalt zu schaffen. Der Ausbildung der Schüler dieser Anstalt – es waren durchwegs Söhne von verdienten Parteigängern der NSDAP – lag das Konzept zugrunde, diese Studenten zu bedingungslosen Anhängern des herrschenden Regimes zu machen. Als gegen Ende des Zweiten Weltkrieges bulgarische Truppen vor den Toren des Stiftes standen, wurde der Befehl erteilt „Verteidigung bis zur letzten Patrone". In den Stiftsgärten hoben NAPOLA-Zöglinge Kampfstellungen aus, dürften aber die Sinnlosigkeit des geplanten Widerstandes bald erkannt haben und verließen das Stiftsareal, das in der zweiten Maiwoche 1945 von britischen Armeeinheiten besetzt wurde. Bereits einige Monate später, am 1. Dezember, konnten die Benediktiner des Stiftes St. Paul den Schulbetrieb aufnehmen und damit wieder einen Hauptzweck des Klosters „dass es ein musterhaftes Lehrinstitut sei"[75] erfüllen.

ANMERKUNGEN

1. Siehe dazu E. HANISCH, Nationalsozialistische Herrschaft in der Provinz Salzburg im Dritten Reich (1983).
2. E. NUSSBAUMER, Josef Friedrich Perkonig. Leben – Werk – Vermächtnis (1965), S. 427.
3. J. F. PERKONIG, Heimat in Not. Erlebnisse und Berichte um das Schicksal eines kärntnerischen Tales (1921), S. 17.
4. A. MAIER, Kirchengeschichte von Kärnten, III. Tl.: Neuzeit (1956), S. 88.
5. Vgl. H. RUMPLER, Katholische Kirche und Nationalitätenfrage in Kärnten, Südostdeutsches Archiv 30/31 (1987/1988), bes. S. 42.
6. Vgl. P. MOLISCH, Die Geschichte der deutschnationalen Bewegung in Österreich von ihren Anfängen bis zum Zerfall der Monarchie (1926), S. 80 f.; M. WUTTE, Der gesamtdeutsche Gedanke in Kärnten (Sd. aus Car. I 130), S. 44ff.
7. STA, Fasz. 84/427, Stiftsbrief von Franz I. aus dem Jahre 1820, Abschrift vom 21. Februar 1883.
8. Vgl. EBD., beispielsweise erhielt das Stift „die vormalige Religions-Fondsherrschaft St. Paul im Lavantthale mit allen dazugehörigen, im besagten Thale liegenden Aemtern und den Lavamünder Ertzen und Waldungen, ferner die Pfarren St. Paul, St. Martin im Granitzthale, St. Georgen unter Stein (. . .)" v. a. § 1–7.
9. Zur Bedeutung dieser Einsetzung siehe RUMPLER, Kirche und Nationalitätenfrage (wie Anm. 5), S. 53ff.
10. Vgl. H. BRAUMÜLLER, Die kulturelle Sendung des Benediktinerstiftes St. Paul i. L., Car. 149 (1959), S. 23.
11. Vgl. J. OBERSTEINER, Die Bischöfe von Gurk 1924–1979 (Aus Forschung und Kunst 22, 1980), S. 134f.
12. Vgl. hier Tabelle 1.
13. J. RÖCK, Hundert Jahre Jahresberichte am Stiftsgymnasium St. Paul. Einen Rückblick, JbSP (1985/86), S. 15f.
14. Nachrichten des Schuldirektors (Dr. Richard STRELLI), JbSP (1915/16), S. 6.
15. EBD., S. 3.
16. Vgl. JbSP (1915/16), S. 6, S. 22; JbSP (1916/17), S. 7.
17. Im Verlauf des Krieges fielen oder starben 126 von 200 eingerückten Schülern.
18. Nachrichten des Schuldirektors (wie Anm. 14), S. 7.
19. JbSP (1917/18), S. 27.
20. STA, Fasz. 28/122, Brief Ignaz Seipels, dat. mit Juli 1918 an den Stiftsabt Odilo Frankl.
21. Vgl. Themata von Schul- und Hausarbeiten der V. – VII. Klassen der Jahre 1919–1938, die in den jeweiligen Jahresberichten veröffentlicht wurden.
22. A. WALZL, Die Juden in Kärnten und das Dritte Reich (1987), S. 111f.
23. 1918/19 erkrankten an der Spanischen Grippe fünf von 14 Professoren und 128 von 160 Schülern!
24. STA, Fasz. 540, Abschrift von Akten, die in der Bezirkshauptmannschaft Wolfsberg angelegt worden waren.
25. Erklärung der Stiftsverwaltung vom 6. Dezember 1918; Unterkärntner Nachrichten, 11. Dezember 1918, Nr. 99, S. 7.
26. Kärntner Tagblatt, 11. 5. 1919, S. 3.
27. STA, Fasz. 540 (wie Anm. 24).
28. EBD.
29. Vgl. hier Tabelle 1.
30. JbSP (1919/20), S. 21.
31. Das gilt auch, wenn die kriegsbedingt stärker ausgefallenen Fluktuationen am Gymnasium, was die Herkunft der Schüler betrifft, berücksichtigt werden.
32. Vgl. hier Tabelle 1.
33. JbSP (1920/21), S. 23.
34. JbSP (1922/23), S. 26.
35. JbSP (1923/24), S. 41.
36. Vgl. RÖCK (wie Anm. 13), S. 66.
37. KLA, Präsidialakten 1925, Akt.-Zl. 5646, Schreiben des Stiftsabtes Odilo Frankl an das Bundesministerium für Kultus und Unterricht in Wien vom 21. 8. 1925.
38. STA, Fasz. 137/529, Bericht der Stiftsvorstehung an die Kärntner Landesregierung vom 9. November 1927.
39. Vgl. S. KARNER, Die Abtrennung der Untersteiermark von Österreich 1918/19, in: Kärntner Volksabstimmung 1920. Wissenschaftliche Kontroversen und historisch-politische Diskussionen anläßlich des internationalen Symposions Klagenfurt 1980, ed. H. RUMPLER (1981), S. 277; weiters Denkschrift des Landeshauptmannes Hülgerth vom Oktober 1936, in: März 1938 in Kärnten. Fallstudien und Dokumente zum Weg in den „Anschluß", ed. H. RUMPLER (1989), S. 249ff.
40. Professor Lorenz, Vater des späteren Nobelpreisträgers Konrad Lorenz, hatte sich schon in den ersten Nachkriegsmonaten um das Stift und die Schule bemüht. 1920/21 installierte er am St. Pauler Gymnasium eine Professor-Lorenz-Stiftung. Er setzte sich dafür ein, daß umfangreiche amerikanische Lebensmittelspenden nach St. Paul transportiert wurden.
41. Währungskurs 1926–1929: 1 US-Dollar ca. 7,10 öS.
42. Vgl. E. HANISCH, St. Peter in der Zwischenkriegszeit, in: St. Peter in Salzburg. Publikation zur 3. Landesausstellung 15. Mai bis 26. Oktober 1982, (1982), S. 216ff.
43. STA, Fasz. 137/528, Schreiben des Stiftsabtes Dr. Strelli an den Abtpräses der Benediktinerkonföderation vom 13. 8. 1934.
44. Im STA liegen über diese finanzielle Transaktion keine Unterlagen auf. Dem Bericht zweier Beamter, die 1939 vom Landeshauptmann des Gaues Kärnten mit der Überprüfung der Vermögens- und Wirtschaftslage des Stiftes betraut worden waren, ist zu entnehmen, daß im Jänner 1939 die St. Pauler Ordensbrüder noch offene Forderungen von 41.146 Reichsmark an das Stift St. Peter hatte. KLA, Fasz. 408, 13-4, 10805–/38, Bericht zweier Konzeptbeamter an den Landeshauptmann von Kärnten (9. Februar 1939).
45. Die Übergabe der Gutenbergbibel erfolgte erst am 16. August 1930.
46. STA, Fasz. 137/529, Schreiben des Abtes an das Bundesministerium für Unterricht vom 12. Juli 1931; vgl. hier auch Tabelle 2.
47. STA, Fasz. 459/850/3, Schreiben des Stiftsabtes Dr. Strelli an das Bundesministerium für Unterricht vom 20. Mai 1934.
48. STA, Fasz. 137/529, Abschrift des Schreibens des Amtes der Kärntner Landesregierung an das Bundesministerium für Unterricht (Kulturamt) vom 31. März 1931.
49. STA, Fasz. 544, Manuskript Dr. Hans Richter, Nachruf auf Dr. Richard Strelli.
50. STA, Fasz. 459/850/3, Subventionsschreiben von Abt Dr. Richard Strelli an das Bundesministerium für Unterricht vom 20. Mai 1934.
51. Vgl. M. BURZ, Die katholische Kirche in Kärnten und ihr Verhältnis zum Nationalsozialismus (Diplomarbeit Klagenfurt, 1985), S. 32, S. 35. Ferner P. G. TROPPER, Bemerkungen zum Weg der Katholischen

Kirche in Kärnten von März bis September 1938, in: März 1938 in Kärnten (wie Anm. 39), S. 135ff.
52. JbSP (1934/35), S. 20.
53. Am Osterdienstag fiel die Stiftsmeierei einem Brandanschlag, dem ein weiterer am Pfingstmontag in Kollnitz folgte, zum Opfer.
Durch Gift und Sprenggranaten wurde die Forellenzucht vernichtet, durch Ausreißen Tausender Jungbäume die Baumschule zerstört, Rehe aus der Wildzucht fielen großen Hunden zum Opfer usw. STA, Stiftschronik, verfaßt von Pater Wolfgang Schütz, Fasz. 544/990.
54. EBD.
55. Das Ausmaß der Interventionspolitik Strellis müßte noch genauer untersucht werden. Die Hinweise für dessen Einsatz zugunsten von angeklagten Putschisten wurden einem Manuskript von P. Wolfgang Schütz entnommen, das dieser vermutlich 1946 verfaßt hat. STA, Fasz. 544.
56. Vgl. M. LIEBMANN, Theodor Innitzer und der Anschluß. Österreichs Kirche 1938 (1988), bes. S. 145–169.
57. Ausführlich dazu: W. WADL, „Volksbefragung", nationalsozialistische Machtergreifung, Anschluß und „Volksabstimmung" in Kärnten, in: Das Jahr 1938 in Kärnten und seine Vorgeschichte. Ereignisse – Dokumente – Bilder (Das Kärntner Landesarchiv 15, 1988), S. 41ff.
58. STA, Fasz. 28/134a, Nachlaß Thiemo Raschl, Tagebuchaufzeichnungen.
59. STA, Fasz. 28/123, Rede Strellis vom 18. Juli 1938 in der Kapitelsitzung an seine Mitbrüder.
60. Wie Anm. 58.
61. EBD.
62. STA, Fasz. 459/850/3, Schreiben des Landesschulrates für Kärnten an das Stiftsgymnasium vom 12. September 1938.
63. BUNDESARCHIV KOBLENZ (= BA), R 43 II/158; Schreiben des Fürstbischofs Hefter an Reichsminister Lammers vom 12. November 1938.
64. ALLGEMEINES VERWALTUNGSARCHIV WIEN (= AVA), Reichskommissar für die Wiedervereinigung Österreichs mit dem deutschen Reich (= RK), Karton 138, Ordner 272;
Schreiben des Fürstbischofs an Bürckel vom 10. November 1938 und BA R 43 II/158; Schreiben des Fürstbischofs an die Reichskanzlei vom 7. November 1938.
65. KÄRNTNER GRENZRUF, 23. 1. 1939, S. 3f.
66. Vgl. TROPPER, Bemerkungen (wie Anm. 51), S. 135f.
67. STA, Nachlaß Ignatius Frei, Abschrift des Schreibens von Frei an den Kreisschulrat in Wolfsberg vom 20. September 1939.
68. KLA, Fasz. 408, 13-4, 10805-/38, Bericht über Vermögenslage (wie Anm. 44).
69. Vgl. D. STIEFEL, Die große Krise in einem kleinen Land (Studien zur Politik und Verwaltung 26, 1988), bes. S. 394ff.; H. KERNBAUER, F. WEBER, Österreichs Wirtschaft 1938–1945, in: NS-Herrschaft in Österreich 1938–1945 (österreichische Texte zur Gesellschaftskritik 36, 1988), S. 49ff.
70. 1939 entsprach 1 RM dem Wert von 1,5 öS.
71. AVA, RK, Karton 138, Ordner 273. Brief Kutscheras vom 3. Februar 1940 an das Ministerium für Finanzen.
72. AVA, RK, Karton 139, Ordner 274, Abschrift eines Berichtes der Geheimen Staatspolizei/Staatspolizeistelle Klagenfurt an RK. Bürckel vom 4. November 1939.
73. STA, Fasz. 544/990, Abschrift der Verfügung der Staatspolizei/Leitstelle Klagenfurt, datiert vom 4. Oktober 1940.
74. KLA, Akten der Rückstellungskommission beim Landesgericht Klagenfurt 76-86/48. Die Stiftsvorstehung hat in den meisten dem Verfasser bekannten Fällen bei den angestrengten Prozessen einem Vergleich zugestimmt.
75. STA, Stiftsbrief (wie Anm. 7).

Tabelle 1

Tabelle über Geburtsort bzw. ab 1925/26 Staatsbürgerschaft und Muttersprache von Schülern am Stiftsgymnasium St. Paul der Schuljahre 1917/18 bis 1937/38, zusammengestellt nach den Angaben der jeweiligen Jahresberichte

Schuljahr	Gesamtzahl der Schüler, davon () Privatisten	Herkunft bzw. ab 1925/26 Staatsbürgerschaft*) steht nach /, davon () Privatisten	Muttersprache
1917/18	256 (27)	Dalmatien 1, Krain 12, Kärnten 60 (3), Steiermark 80 (22)	Serbokroatisch 2 Slowenisch 25
1918/19	242 (32)	Dalmatien 2, Krain 1 (1), Kärnten 54 (4), Steiermark 85 (26)	Serbokroatisch 2 Slowenisch 32 (1)
1919/20	189 (22)	Jugoslawien 14 (1), Kärnten 57 (4), Steiermark 51 (16)	Serbokroatisch 2(1) Slowenisch 1
1920/21	199 (28)	Jugoslawien 24 (2), Kärnten 57 (2), Steiermark 49 (20)	Serbokroatisch 1
1921/22	194 (19)	Jugoslawien 25, Kärnten 52 (1), Steiermark 56 (17)	Serbokroatisch 2
1922/23	206 (24)	Jugoslawien 25, Kärnten 54 (2), Steiermark 66 (20)	Serbokroatisch 7 Slowenisch 1
1923/24	172 (1)	Jugoslawien 24, Kärnten 55, Steiermark 37 (1)	Serbokroatisch 6 Slowenisch 1
1924/25	200 (3)	Jugoslawien 20, Kärnten 77 (1), Steiermark 42 (1)	Serbokroatisch 6
1925/26	166 (3)	Jugoslawien 22 (1)/12, Kärnten 56 (1), Steiermark 38	Serbokroatisch 4 Slowenisch 1
1926/27	165 (5)	Jugoslawien 20 (1)/8, Kärnten 62 (1), Steiermark 36 (1)	Serbokroatisch 4 Slowenisch 2
1927/29	172 (8)	Jugoslawien 20 (2)/10 (1), Kärnten 65 (4), Steiermark 36 (1)	Serbokroatisch 4 Slowenisch 1 (1)
1928/28	171 (9)	Jugoslawien 14/7, Kärnten 67 (3), Steiermark 32 (2)	Serbokroatisch 2
1929/30	168 (8)	Jugoslawien 12/4, Kärnten 72 (5), Steiermark 30 (1)	Serbokroatisch 1 Slowenisch 1
1930/31	179 (7)	Jugoslawien 14 (2)/5 (1), Kärnten 85 (4), Steiermark 27 (1)	Slowenisch 3
1931/32	188 (5)	Jugoslawien 13/3, Kärnten 98 (4), Steiermark 29 (1)	Slowenisch 5
1932/33	182 (5)	Jugoslawien 11/3, Kärnten 108 (5), Steiermark 29	Slowenisch 6
1933/34	194 (6)	Jugoslawien 10/**), Kärnten 117 (4), Steiermark 32	Slowenisch 8
1934/35	197 (5)	Jugoslawien 12/1, Kärnten 119 (3), Steiermark 31	Slowenisch 10
1935/36	221 (3)	Jugoslawien 15/1, Kärnten 135 (2), Steiermark 34	Slowenisch 10
1936/37	221 (3)	Jugoslawien 10/2, Kärnten 137 (2), Steiermark 33	Slowenisch 6
1937/38	215 (1)	Jugoslawien 6/1, Kärnten 139 (1), Steiermark 35	Slowenisch 6

*) Berücksichtigt wurden nur jene Gebiete, die u. a. nach 1918 den Staat SHS-Staat bildeten, wobei die Fehlerquote in Kauf genommen wurde, die sich dadurch ergibt, daß die Steiermark nach 1918 einen großen Teil ihres gemischtsprachigen Territoriums – Kärnten in geringem Ausmaß – verloren hatte. Schwierigkeiten ergeben sich auch, da ja der Geburtsort noch kein Beleg für die Muttersprache ist.

**) Im Jahresbericht 1933/34 keine Angaben über Staatsbürgerschaftszugehörigkeit.

Tabelle 2
Tabelle der Wirtschaftsgebarung des Benediktinerstiftes St. Paul 1924–1929*

	1924		1925		1926		1927		1928		1929	
	Überschuß	Abgang	Überschuß	Abgang	Überschuß	Abgang	Überschuß	Abgang	Überschuß	Abgang	Überschuß	Abgang
A. Land: Forstwirtschaft												
1 Meierei St. Paul	1.912,93			28.090,14		27.370,93		22.253,19		19.952,11		27.401,15
2 Meierei Kolnitz		1.526,75		2.675,70		11.777,14		6.099,46		9.560,50		21.531,59
3 Forstbetrieb	27.620,98		42.178,61		51.461,50		55.007,47		93.006,37		105.330,09	
4 Stiftsgarten	10.877,27		5.814,05			5.968,59		207,00	3.096,01			1.992,03
B. Gewerbe												
1 Elektrizitätswerk	407,01		7.719,07		12.843,10		16.554,23		21.807,64		18.964,60	
2 Mühle	8.487,14		14.653,58		14.887,88			5.388,22		8.652,75	18.092,95	
3 Ölpresse	715,16					485,50				124,95		
C. Erziehung und Seelsorge												
1 Gymnasium		8.290,54		24.967,27		20.568,21		18.954,40		37.367,71	45.061,33	
2 Konvikt		5.745,73	27.931,71		18.375,93		7.665,57		6.856,64		14.227,89	
3 Kirchen und Pfründe		11.313,08		16.531,68		14.841,02		36.815,27		36.288,10		30.991,03
D. Haushalt Verwaltung		89.484,11		110.480,50		105.204,79		152.007,77		128.191,29		149.651,31
E. Zinsen		929,38		4.732,93	989					403,98		9.751,60
Summe	50.020,49	117.289,59	98.297,02	187.469,22	98.557,41	186.216,18	81.227,27	241.725,31	124.766,66	240.541,39	156.615,53	286.379,94
		50.020,49		98.297,02		98.557,41		81.227,27		124.766,66		156.615,53
Abgang I		67.269,10		89.172,20		87.658,77		160.498,04		115.774,73		129.764,41
F. Herrschaft Eberndorf	5.512,57		18.372,45		4.029,67		4.000,00		40.000,00		55.012,50	
G. Herrschaft Marburg	1.679,91						2.980,55		569,66		344,14	
Abgang II		60.076,62		70.799,75		83.629,10		153.517,49		75.205,07		74.407,77

* STA, St. Paul, Fasz. 137/529

Daten zur Wirtschaftsgeschichte des Stiftes seit 1945

LUDWIG KRAMER

Nicht nur die heutige kulturelle Bedeutung, sondern auch die wirtschaftliche Entwicklung des Stiftes St. Paul ist weitgehend durch die im Jahre 1809 erfolgte Wiederbesiedlung durch die Mönche aus St. Blasien bestimmt worden. Mit Fürstabt Berthold Rottler waren nicht nur die Kunstschätze, Handschriften und Pretiosen aus St. Blasien, einem der berühmtesten Klöster Deutschlands, nach St. Paul gekommen, sondern vor allem 35 Mönche, die bis zur Aufhebung ihres Hauses im Schwarzwald vorwiegend als Professoren tätig gewesen waren.

Ihre Tätigkeit als Lehrer und Erzieher am Gymnasium und Lyzeum Klagenfurt sowie am Gymnasium und Konvikt St. Paul hat sehr wesentlich zum Wiederaufbau des desolaten aufgehobenen Klosters St. Paul beigetragen und auch den im Vergleich zu anderen Benediktinerklöstern sehr hohen Stellenwert begründet, den Erziehung und Unterricht im Kloster St. Paul seither einnehmen, und der auch immer wieder ideell wie finanziell durch das Stift großzügig gefördert worden ist.

Die Verhandlungen, die Fürstabt Rottler um die existentielle Sicherung des Stiftes St. Paul und um die Dotierung seiner Professoren zu führen hatte, waren äußerst langwierig und endeten erst 1820 mit einem für das Stift gerade noch erträglichen Ergebnis:

Das Stift St. Paul erhielt neben dem alten St. Pauler Stiftsbesitz im Lavanttal und auf der Koralpe das ehemalige Chorherrenstift Eberndorf mit Wasserhofen, den untersteirischen Besitz mit dem Viktringerhof bei Marburg, die Herrschaft Leonstein bei Pörtschach, das aufgelassene Franziskanerkloster Klagenfurt und die Konviktsgülte St. Veit.

Die Wahrnehmung der übernommenen Verpflichtungen brachte in der Folge dem Stift St. Paul dieselben Probleme, mit denen es bereits seit seiner Gründung finanziell zu kämpfen hatte: die wirtschaftlichen Grundlagen des Stiftes reichten, gemessen an seinen Aufgaben, zur Finanzierung dieser Verpflichtungen nicht aus. Wichtige Vorhaben konnten weder aus laufenden Erträgen noch aus Rücklagen realisiert, sondern mußten durch Abgabe von Substanz finanziert werden. So wurden für die Neuerrichtung des Gymnasiums und des Konviktes St. Paul die Besitzungen Leonstein, Wasserhofen, St. Veit, später auch die Besitzungen in Klagenfurt und Viktring wieder verkauft, und noch 1927 wurde aus dem Bestand des ehemaligen Klosters St. Blasien die Gutenbergbibel – heute in der Nationalbibliothek Washington – für die notwendige Renovierung des Stiftes veräußert.

Mit der nationalsozialistischen Machtübernahme ist der Grundbesitz des Stiftes St. Paul durch Verfügung der GESTAPO mit 4. 10. 1940 enteignet worden.

Während des zweiten Weltkrieges blieb der Hauptbesitz, abgesehen von erheblichen Überschlägerungen in den

Waldungen weitgehend erhalten, weil eine Reihe für das Stift sehr negativer Vorhaben vom damaligen Wirtschaftsführer auf die Zeit „nach dem Endsieg" verschoben werden konnte.

Nicht zurückgestellt wurde jedoch der Stiftsbesitz in der Untersteiermark mit rund 380 ha, davon 44 ha Weinberg, der 1941 „zum Schutze Deutschen Volkstums" enteignet worden war und nunmehr von der Republik Jugoslawien zurückgehalten wurde.

Auch der Grundbesitz der Stiftspfarren St. Martin, St. Georgen, Pustritz und Klein St. Paul, während des zweiten Weltkrieges enteignet und von Kanaltalern besiedelt, wurde vom Stift aus humanitären Gründen nur zum Teil naturaliter zurückgefordert und verblieb den Kanaltalern. Der Grundbesitz des Stiftes betrug daher 1946 nur mehr rund 2700 ha Land- und Forstwirtschaft im Raum St. Paul und auf der Koralpe sowie rund 500 ha im Umfeld des Stiftes Eberndorf.

Auch der übrige Besitz des Stiftes hatte die Wirren der Kriegs- und Nachkriegszeit relativ gut überstanden und wurde nunmehr zurückgestellt: Der immense Buchbestand der Stiftsbibliothek, 1941 zwecks Errichtung einer NAPOLA aus der Bibliothek entfernt und von der St. Pauler Bevölkerung in die Stiftskirche gerettet, wurde bereits am 10. Mai 1945 von der Forst- und Gutsverwaltung Herrn P. Labi, dem späteren langjährigen Hofmeister des Stiftes, übergeben und von der Bevölkerung in die Stiftsbibliothek zurückgebracht.

Noch 1946 gelang es, die Kunstschätze des Stiftes aus einem Depot der Kärntner Sparkasse und den größten Teil der ins Museum Klagenfurt verbrachten Gegenstände, wie Bilder, Meßgewänder und Archivalien, nach St. Paul zurückzuführen.

Der Schulbetrieb war bereits 1945 mit 284 Zöglingen aufgenommen worden. Als Lehrkräfte wirkten damals acht Stiftsherren und acht weltliche Professoren.

Das Konvikt, traditionell ein finanzieller Ausgleich für das Gymnasium, war jedoch mit englischen Besatzungstruppen belegt und konnte erst 1950 wieder eröffnet werden.

Der Ausbau des Gymnasiums zum größten Privatgymnasium Österreichs mit rund 900 Schülern und fast 60 Professoren erfolgte mit Übernahme der Professorengehälter durch den Staat ab 1972, wobei das Stift St. Paul als Schulerhalter nach wie vor die notwendigen finanziellen Mittel – bis zu zwei Millionen pro Jahr – für die erforderliche bauliche Erweiterung und Adaptierung sowie den gesamten Sachaufwand beizustellen hatte.

Die Erhaltung des sehr umfangreichen, zum Großteil unter Denkmalschutz stehenden Gebäudebestandes des Stiftes und der Stiftspfarren bildet eine der Hauptaufgaben des Stiftes St. Paul. Hiefür besteht eine eigene Bauabteilung von sechs Mann, fallweise ergänzt durch örtliche Baufirmen. Die daraus resultierenden Aufwendungen liegen bei rund zwei Millionen pro Jahr.

Die sehr rasche technische und industrielle Entwicklung nach 1945 hat die Struktur des Lavanttales stark verändert und auch umfangreiche Flächen des Stiftes in Anspruch genommen.

Zunächst trat das Stift St. Paul auf Empfehlung der Österreichischen Bischofskonferenz 1945–1950 rund 20 ha Baugründe rund um St. Paul für die Errichtung von Eigenheimen ab.

Weitere Grundflächen mußten vom Stift St. Paul im öffentlichen Interesse für die Errichtung von Straßen, für den Bau der Jauntalbahn, für die Adria-Wien-Pipeline, für die Relaisstation, die Radarstation auf der Koralpe, für die Trans-Austria-Gasleitung, für die 380.000-kV-Hochspannungsleitung, für den KELAG-Stausee St. Vinzenz und ähnliche Bauvorhaben abgetreten werden.

Die daraus resultierenden Entschädigungen sind in der Regel zur Finanzierung längst geplanter Bauvorhaben des Stiftes verwendet worden.

Im Zusammenhang mit der Übertragung der Pfarre Klein-St. Paul und als Ablöse von zwölf Patronatsverpflichtungen (Erhaltung von Kirchen und Pfarrhöfen) sind aus dem Revier Eberndorf Grundflächen im Ausmaß von 38 ha an die Diözese Gurk abgetreten worden. Diese Flächenverluste sind durch Arrondierungskäufe von drei Liegenschaften teilweise kompensiert und durch die Schenkung eines bedeutenden Grundbesitzes in Wolfsberg durch Frau Prof. Gertrud Schmirger (Ellert) wertmäßig ausgeglichen worden.

Der Verkauf des Klopeiner Sees im Jahre 1958 war, aus heutiger Sicht gesehen, wirtschaftlich sehr nachteilig, wenngleich damals auch der Miteigentümer aus ähnlichen Motiven seinen Seeanteil an die Gemeinde St. Kanzian verkauft hat. Auch der Verlust des Waldteiles Hamrich im Ausmaß von 86 Hektar konnte später nicht wiedergutgemacht werden.

Nach wie vor bildet die Forstwirtschaft mit Sägewerk, Holzhof und Holzexport die wirtschaftliche Grundlage des Stiftes. Die 1960 einsetzende Technisierung und Erschließung führte zu einer raschen Reduktion des früher sehr hohen Beschäftigtenstandes von rund 120 Beschäftigten, so daß heute der Forstbetrieb mit einem Minimum an sehr leistungsbewußten, betriebsverbundenen Mitarbeitern geführt wird.

Auch die drei Meierhöfe des Stiftes, St. Paul, Kollnitz und Eberndorf, früher mit eigenen Verwaltern auf der Basis Viehwirtschaft betrieben, wurden auf Ackerbau umgestellt und werden nunmehr zentral geführt. 150 ha Ackerfläche werden mit zwei Mitarbeitern in Eigenregie bewirtschaftet; rund 90 ha Weidefläche wurden mit Aufgabe der Viehwirtschaft systematisch aufgeforstet, die Restflächen sind verpachtet.

Ein Elektrizitätswerk, bereits 1907 errichtet, 1965 auf Einmannbetrieb umgestellt und 1974 auf eine Leistung von 200 kW erweitert, beliefert das Stift und die Stiftsbetriebe ausreichend mit Strom. Der Nachtstrom wird zur Beheizung des Stiftes verwertet, Verbrauchs- und Produktionsspitzen im Parallelbetrieb mit der KELAG ausgeglichen.

Auch die Campingplätze am Klopeiner und Gösselsdorfer See, die Fischereierträge aus Stauseen, Drau und Lavant bringen im Zusammenhang mit der zunehmenden Entwicklung des Fremdenverkehrs nennenswerte Erträge zur Sicherstellung der Aufgaben des Stiftes.

Die Stiftsmühle, bereits 1227 urkundlich erwähnt und damit eine der ältesten Mühlen Kärntens, mußte, bedingt durch die Erkrankung des äußerst beliebten und mit der Bevölkerung verbundenen Müllermeisters Br. Modestus, 1988 geschlossen werden und wird nunmehr als Museum weitergeführt.

Nach wie vor leisten jedoch die Mönche des Stiftes St. Paul selbst als Professoren, Religionslehrer und Seelsorger, aktiv oder bereits im Ruhestand, nicht nur einen hohen ideellen, sondern auch einen sehr entscheidenden finanziellen Beitrag zur Erhaltung ihres Hauses.

Das Wirken des Stiftes St. Paul in seinem Umland

Geologie und Landschaftsbild des Kärntner Lavanttales

RICHARD BÄK

A. Die geologische Entwicklung des Landschaftsbildes

Geologischer Aufbau und Landschaftsbild einer Region werden durch geologische Prozesse im Laufe der Erdgeschichte geprägt. Das morphologische Erscheinungsbild des Lavanttales ist durch geologische Vorgänge bestimmt worden, die erdgeschichtlich sehr jung sind:

Das im wesentlichen Nordwest-Südost verlaufende längsgestreckte Lavanttal verdankt seine Entstehung bruchtektonischen Ereignissen in der ausklingenden alpidischen Gebirgsbildung, die vor 195 Millionen Jahren im Jura einsetzte (Öffnung des Südatlantiks und Rotation bzw. Norddrift des afrikanischen Kontinents)[1] und die bis in das Jungtertiär andauerte (Tabelle 1). Im frühen Miozän (Eggenburg/Ottnang) entwickelte sich im Südosten des alpinen Festlandes nach einer Phase, die als jüngstsavische bezeichnet wird, ein großräumiges, zunächst terrestrisches Binnenbecken, dessen Ausdehnung – heute tektonisch eingeengt und zergliedert – mit den Beckenlandschaften des südlichen inneralpinen Beckens, des steirischen Beckens, des Lavanttales und der sogenannten norischen Senke (Fohnsdorfer Becken u. ä.) umschrieben werden kann. Der westliche, festländische Rahmen dieser Senke wurde vermutlich bereits seit dem Eozän vom Höhenzug der Saualpe (Kristallin)[2] und teilweise von den Deckschichten der Griffener bzw. St. Pauler Berge gebildet. In der Granitztaler Senke, als einem östlichen Ausläufer des Klagenfurter Beckens, fanden zu Beginn der miozänen Sedimentation (Ottnang/Karpat) grobkörnige Block- und Wildbachschüttungen statt, die auf die Reliefbildung durch Hebungen des Beckenrahmens[3] hinweisen. Diese tektonische Unruhe bewirkte einerseits eine rasche Verlandung der Beckenränder, andererseits eine Absenkung des unteren Lavanttaler Beckens. Diese Senke entwickelte über die Linie Wölch – Wiesenau – Obdach eine morphologische Verbindung zur nördlichen norischen Senke von Fohnsdorf, der auch heute im wesentlichen die Tallandschaft der Lavant folgt.

Dieses im Jungtertiär angelegte Becken wurde im Pleistozän weiter ausgestaltet: Die von Norden nach Süden verlaufenden kristallinen Höhenrücken der Sau- und Koralpe, die das Lavanttal umrahmen, lagen in einer tundrenähnlichen Zone, in der sich nur kleine Kargletscher (kleines Kar am Speikkogel, Kar am Gertrusk, 1400 – 1700 m Seehöhe) entwickeln konnten.[4] Trockene, kalte glaziale Hochphasen wechselten mit feuchten Wärmeperioden, wo beträchtliche Geschiebemassen über Wildbäche in das Lavanttal abgefrachtet wurden.

Während des Rückzuges des Draugletschers, dessen Gletscherstirn in der

Hochphase (letzte Hochphase 20.000 Jahre v. Chr.) kurz vor Griffen lag, erfolgte die letzte Ausgestaltung des fast 1000 km^2 großen Einzugsgebietes des Lavanttales. Das südliche Drautal wurde damals aufgeschottert, wodurch es zu einem Rückstau der Lavant und zur Bildung eines spätglazialen Sees im mittleren Lavanttal kam. Die Stauseeterrasse von St. Andrä legt davon noch heute Zeugnis ab. Die sich daran anschließende Absenkung des Drautales bewirkte die Eintiefung und die Entwicklung einer Niederflur der Lavant, die von St. Stefan aus nach Süden beidseitig von einer Hochflur begleitet wird. Die Niederflur war größtenteils sumpfig. Die Lavant hat bis zu ihrer Regulierung, die wegen ihrer steten Hochwassergefährdung erforderlich war, in diese Niederflur viele Mäander gelegt. Am Westhang der Koralpe wurden zur selben Zeit noch beträchtliche Schuttmassen in den Talboden transportiert und die mächtigen Schwemmkegel weiter ausgeformt.

B. Morphologie und Landschaftsbild

Die Gebirgsumrahmung des Lavanttales erreicht Höhen um 2000 bis 2400 m Seehöhe (Zirbitzkogel 2397 m, Koralpe 2141 m, Saualpe 2081 m). Der Talboden fällt vom Obdacher Sattel im Norden mit 945 m Seehöhe auf 344 m bei Lavamünd ab. Im mittleren Lavanttal wird bei Gemmersdorf mit 1600 m Höhenunterschied auf einer Entfernung von 6 km die höchste Reliefenergie erreicht.

Das nördliche obere Lavanttal ist hochtalähnlich (ca. 1 km breit) ausgebildet und wird durch den schluchtartigen Abschnitt von Twimberg vom südlichen Becken getrennt.

Im Westen bilden die breiten, über die Waldgrenze hinausragenden runden Kuppen des Zirbitzkogels den Gebirgsrahmen, im Osten fällt der Ameringkogel zur flachwelligen Packalpe und zu der aus dem Jungtertiär stammenden „Hochfläche" von Preitenegg (1000 m Seehöhe) ab. Der Talboden zwischen Reichenfels und Mauterndorf wird durch breite Schwemmfächer eingeengt. Die Kernlandschaft des Tales, das 17 km lange und maximal 5 km breite Becken des mittleren Lavanttales zwischen Wolfsberg und St. Paul, wird im Norden von der Twimberger Schlucht begrenzt und im Süden durch die Hügellandschaft der St. Pauler Berge vom unteren Lavanttal (der Tallandschaft zwischen St. Georgen und Lavamünd) abgeteilt. Die von Norden nach Süden verlaufende Sau- und Koralpe haben eine pultartige Oberflächengestaltung mit einer steilen Westflanke und einer flachen Ostabdachung. Die unbewaldeten weitgespannten flachen Formen des Kammbereiches und die Ostabdachung werden durch Ost-West verlaufende Erosionsgräben gegliedert. Breitflächige Schwemmkegel am westlichen Fuß der Koralpe gehen allmählich in die Hochflur über, die nördlich von Maria Rojach durch den 100 m hohen Dachberg von der Niederflur des Lavanttales getrennt wird. Das Stift St. Paul und der Markt liegen am Durchbruch der Lavant durch die St. Pauler Hügelkette, dort, wo das vom Saualpen-Südfuß heranführende Granitztal in das Lavanttal einmündet, das im Quartär entstanden ist.

C. Geologischer Aufbau

Kor- und Saualpe gehören zur ursprünglich zusammenhängenden riesigen Grundgebirgsplatte, dem sogenannten zentralalpinen Altkristallin.[5] Diese Platte wurde durch die Gebirgsbewegungen, die zur Entstehung der Alpen führten, zerlegt und teilweise umgeformt: Das „Altkristallin" wurde als Teil des ostalpinen Deckenstapels während der altalpidischen Bewegungen über den Ozeanboden (nördlicher pen-

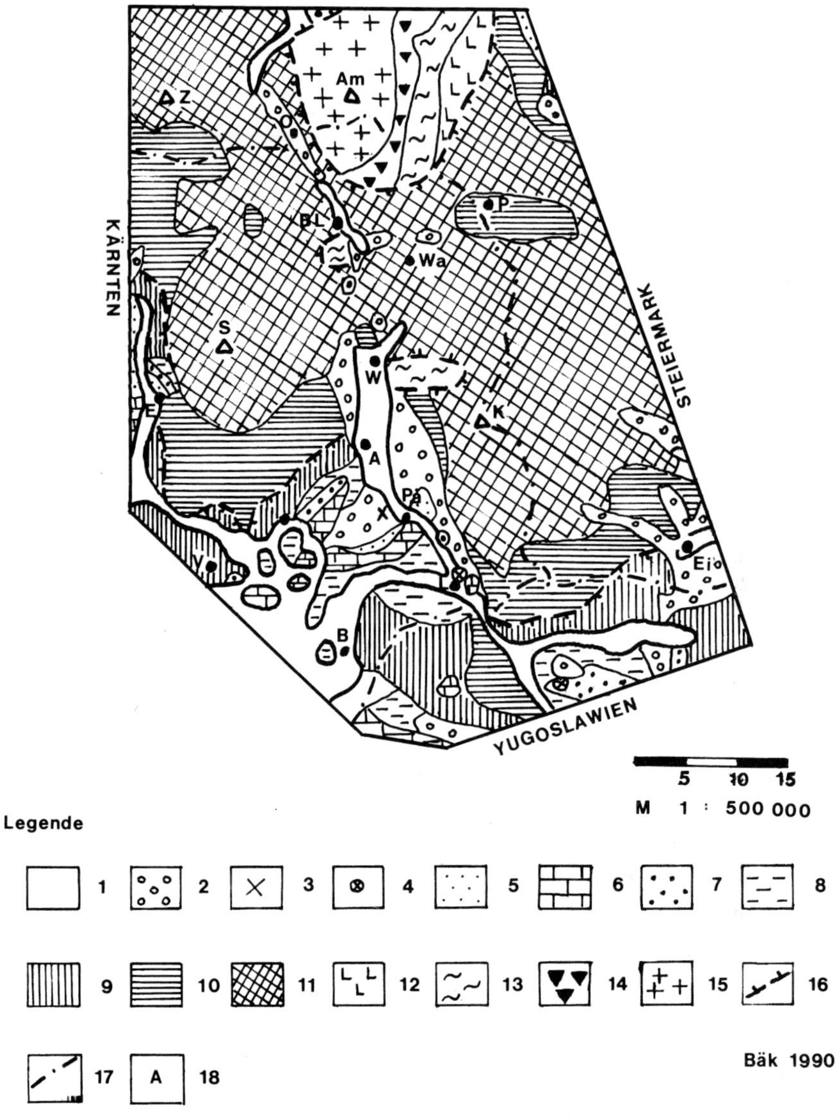

Geologische Übersichtskarte

Entwurf: BÄK 1990 nach FRITSCH 1962, BECKER 1977 u. BECK – MANNAGETTA 1980

Legende:
1 = Quartär; 2 = Jungtertiär; 3 Basalt v. Kollnitz; 4 Dazite = Trachyte u. Tuffe; 5 = Oberkreide – Alttertiär; 6 = Trias – Jura; 7 = Oberkarbon – Perm; 8 = Magdalensbergfolge; 9–11 = Koralpen-, Saualpenkristallin: Epizone (Phyllitgruppe), Mesozone (Glimmerschiefergruppe bzw. -serie), Katazone (Gneis-, Eklogitgruppe, Gneisquarzitserie); 12–15 = Gleinalm-, Stubalpenkristallin: Marmor-, Glimmerschiefer-, Amphibolit-, Gneiskomplex; 16 = Überschiebungen; 17 = Landesgrenzen; 18 = Ortsangaben: A = St. Andrä, Am = Amering, B = Bleiburg, BL = Bad St. Leonhard, E = Eberstein, Ei = Eibiswald, K = Koralpe, L = Lavamünd, P = Pack, Pa = St. Paul, S = Saualpe, V = Völkermarkt, W = Wolfsberg, Wa = Waldenstein.

Tab.: Schichtabfolgen, lithostratigraphische Zuordnung und tektonische Ereignisse (nach BECKER 1977, OBERHAUSER 1980, THIEDIG et al. 1975, WEISSENBACH 1975)

Zahlen – in Mill. Jahren

Schichtlücken (gerastert)

Zeitalter	Formation	Abt.	Stufe	Saualpe/Koralpe	Gleinalpe/Subalpe	Griffner St. Pauler Berge	Lavanttal	Deformation (Tektonik Fm) Metamorphose (Kr)
Känozoikum	Quartär	Holozän				Wildbach- und Flußablagerungen (Schwemmkegel u. Alluvionen)		
		Pleistozän		Periglaziale Denudation		u. Erosion		
	1,5/2							
	Tertiär	Pliozän					Sand- u. Schotterfächer	Fm Jungalpidische Bruchtektonik (Absenkung der Becken u. Hebung der Gebirgsrücken)
		Miozän	Sarmat				terrestr. Zone Sandsteine, Hergel Kohlenflöze	Fm
			Baden				mergelige Ton- u. Sandsteine, Dachbergschotter Mühldorfer Schichten (Mergel, dazit. Tuff) — limn. Fischschiefer	
			Karpat Ottnang			Granitztaler Schichten (Blockschotter, sand. merg. Lagen, Kohlenflöz	Fluviatile Grobschotter	Fm Savische Phase (Granitztaler Becken)
			Eggenb.			(Schichtlücke)		
		Oligoz. Eozän Paläoz.				Rotlehm (Schichtlücke)		
	65							
Mesozoikum	Kreide	Oberkr.				Gosau: Mergel, Kalk, Sande, Brekzie		
		Unterkr.				Gosau: Mergel, Kalk, Sande, Brekzie		
	135							
	Jura					(Schichtlücke)		Fm Kr früh(alt)alpid. Ereignis
	195							
	Trias	Rhät				(Schichtlücke)		
		Nor				Hauptdolomit		
		Karn				plattiger Kalk Halobienschiefer Raibler Netzkalk		
		Ladin				Hornsteinplattenk. Wetterstein-kalk / trachyandesit. Tuff, platt. Dolomit		
		Anis				Wettersteindol. dkl. Plattendol. Rauhwacke		
		Skyth				Werfener Sch. Permoskythsandstein u. Konglomerat		
	225							
Jungpaläozoikum	Perm	Zechstein				grüner Tuff, Kalk, Dolomit roter Silt- u. Sandstein Fanglomerat		
	280							
	Karbon	Oberk.				Tonschiefer		
		Unterk.				(Schichtlücke)		Fm Kr variszisches Ereignis
	345							
Altpaläozoikum	Devon			? Phyllitgruppe Glimmerschiefergr. (-serie) ?		(Schichtlücke); Magdalensberg-Folge: Kalk		
	395							
	Silur			Marmor; Phyllit, Kalkphyl. Glimmersch. Gneise	? Gneis-Eklogitgruppe (Gneisquarzitserie): Marmor-Komplex (Marmor, Quarzit); Glimmerschiefer-K. (Glimmerschiefer, Quarzit, Marmor); Amphibolit-K. Augengneis	Magdalensberg-Folge: Tonsch. Lydit		
	440							
	Ordovizium			Phyllit, Metavulkanit; Amphibolit ? Eklogit ?	Gneis-K./Vulkanog. K. (Gneis, Amphibolit) ?	Magdalensberg-Folge: Tonsch. Vulkanite		
	500							
	Kambrium							

ninischer Trog) geschoben, dessen metamorphe Gesteine im „Engadiner Fenster“ zwischen Silvretta- und Ötztaler Kristallin, in den Hohen Tauern und im Wechselgebiet als „tektonisches Fenster“ unter den ostalpinen Decken aufgeschlossen sind.

Der Kern der Sau- und Koralpe, der aus Eklogitamphiboliten, Plattengneisen, Schiefergneisen und Marmoren aufgebaut wird, wird im Süden von Glimmerschiefern mit eingelagerten Amphiboliten und Marmorzügen ummantelt.

Dieser Glimmerschiefergruppe lagern schwach metamorphe Schiefer (Phyllite) mit Einlagerungen von Metavulkaniten und Marmoren auf und bauen die südlichen Ausläufer der Sau- und Koralpe auf. Die Eklogitgruppe der Saualpe und die Gneise der Koralpe lagern im Norden dem Kristallin des Stubalpen-Gleinalmzuges auf, die im Kliening-Fenster und im Wolfsberger Fenster unter der mindestens 25 km überschobenen kristallinen Decke der Sau- und Koralpe aufgeschlossen sind.

Diese ostalpine Grundgebirgsplatte besteht aus polymetamorphem Kristallin. Mehrere Metamorphoseakte (mehrere Generationen gesteinsbildender Minerale) und Deformationsvorgänge ergeben eine zeitliche Aufeinanderfolge von gebirgsformenden Ereignissen: Der hochmetamorphe Kern der Sau- und Koralpe wurde von einer variszischen Hochdruckmetamorphose (variszische Gebirgsbildung) erfaßt und durch ein altalpidisches Ereignis überprägt, für das radiometrische Altersdaten ein Alter von 72 bis 122 Millionen Jahren ausweisen. Jüngere bruchtektonische Verformungen des Gebirges führten zu einer mechanischen Gesteinszertrümmerung (Mylonitisierung).

Im Griffner Bergland lagern den phyllitischen Gesteinen des Saualpenzuges schwach metamorphe Tonschiefer, Vulkanite und Karbonate auf, die der altpaläozoischen Serie der Magdalensberg-Folge[7] entsprechen. Die Sedimentation des mesozoischen Deckgebirges der Griffner-St. Pauler Berge[8] beginnt mit einer roten, klastischen, terrestrischen Konglomerat-Sandstein-Abfolge des Perms, die allmählich in eine marine, karbonatische Schichtabfolge übergeht, die den Beginn des alpinen Schelfmeeres anzeigt. Die feinklastischen Werfener Schiefer leiten zur karbonatischen Sedimentation der Trias über, die mit dem obertriadischen Hauptdolomit endet. Eine Sedimentationslücke von Jura bis Unterkreide und die diskordant auflagernden Gosausedimente der Oberkreide (Brekzien, Tone, Mergel und Hippuriten-Riffkalke) zeugen von der tektonischen Unruhe infolge der alpidischen Gebirgsbildung. Die altalpidische Gebirgsbildung manifestiert sich in der Schichtabfolge der Griffener und St. Pauler Berge. Der Falten- und Schuppenbau, von dem diese Schichtabfolge betroffen wurde, belegt die Einengungstektonik während der alpidischen Gebirgsbildung, die in den späteren Bildungsphasen in bruchtektonische Hebung der Höhenzüge (Festlandsbedingung seit dem Eozän) und Absenkung der Tallandschaften übergeht. Der Ost-West verlaufende Saualpen-Südrand muß im Zusammenhang mit der Ausbildung einer jungtertiären Senke im Süden dieses Höhenzuges gesehen werden (Klagenfurter Becken). Diese Struktur wird durch die jüngeren Störungszonen des Görtschitztales, des Wölfnitztales und des Lavanttales abgeschnitten.

Das kleine, beiderseits von Brüchen gewaltiger Sprunghöhe begrenzte Lavanttaler Becken zeigt durch seine heutige isolierte Position im Südosten der Zentralalpen[9] eindrucksvoll die paläogeographische Veränderung in geologisch relativ kurzer Zeitspanne: Das Becken war mit seinen basalen Ablagerungen (Wildbachschutt) Teil des zusammenhängenden eozänen Festlandes, das in diesem Bereich aus dem südlichen inneralpinen Wiener Becken, dem steirischen Becken, der norischen Senke und dem Lavanttaler (bzw. Klagenfurter) Becken bestand; andererseits waren das mittlere und untere Lavanttal im Miozän für eine geologisch kurze Zeit ein Teil des Binnenmeeres des steirischen Beckens.

Die primär Ost-West verlaufende „Granitztaler Mulde“ wurde vorwiegend mit kristallinen Schottern aufgefüllt. Süßwasserfaunen und Wirbeltierreste belegen ein miozänes Alter (Ottnang-Baden?).

Im Karpat beginnen das mittlere und untere Lavanttal abzusinken (St. Stefaner Süßwassersenke) und entwickeln allmählich über Wiesenau eine Verbindung zur jungtertiären norischen Senke (Fohnsdorfer Becken).

Im Unterbaden drang das Meer über die Florianer Bucht des steirischen Beckens ins Lavanttal ein, d. h. die Koralpe bildete im Süden einen morphologisch unbedeutenden Höhenrücken. Über den brackisch-limnischen Schichten (Fischschiefer) folgen marine Seichtwassersedimente (Mühldorfer Schichten).

Der Dazittuff von Mühldorf und der basaltische Andesit von Kollnitz weisen auf die tektonische Unruhe des Beckens hin. Mit Ende des Unterbadens kam es bei weiterer Absenkung des unteren Lavanttales infolge einer Hebung des Koralpenzuges zu einer Aussüßung des Beckens.

Der neuerliche Meereseinbruch im Sarmat ist mit Kohlebildung verbunden gewesen. Terrestrische Tone, Mergel und Sande mit dem Kuchler Kohlenflöz sowie hangende kristalline Schotter belegen die endgültige Abtrennung vom steirischen Becken.

Refraktionsseismische Untersuchungen haben für das untere Lavanttal (Stefaner Mulde) eine Tiefe von etwa 1300 m nachgewiesen[10], so daß eine relative Hebung der Koralpe um mindestens 3000 m als sicher angesehen werden kann; in der Literatur wird eine Sprunghöhe von 4000 bis 5000 m angegeben.

Die Lavanttaler Störung ist die nördliche Fortsetzung der Donatilinie und setzt sich über die Obdacher Störung und Pölslinie bis zu den nördlichen Kalkalpen des Ennstales fort.

D. Zur wirtschaftlichen Bedeutung der geologischen Gegebenheiten

Die an die Marmore gebundenen Eisenspatvorkommen mit ihrem „eisernen Hut“ (Verwitterungszone mit Brauneisenstein) wurden im Hüttenberger Raum bereits von den Kelten beschürft und waren wegen ihrer Qualität als „Norisches Eisen“ im Altertum ein überaus begehrtes Handelsgut. Im Mittelalter wurden an die 60 Vorkommen zwischen Innerkrems und Pack[11] abgebaut, von denen heute nur mehr die Waldensteiner Lagerstätte bergbaulich genutzt wird. Dort wird allerdings nicht mehr Eisenspat für die Stahlerzeugung gewonnen, sondern der bis 1872 noch nicht verhüttete Eisenglimmer (Hämatit), der die Herstellung hochwertiger Rostschutzfarben ermöglicht.

Die an die Marmore gebundenen Eisenspatvorkommen, die auch in der Wölch und bei Loben (Bad St. Leonhard) beschürft wurden, waren eine der Grundlagen für die wirtschaftliche Hochblüte des Lavanttales im Mittelalter. Quarz-Ankeritgänge im Kliening-Fenster lieferten neben Gold führenden Pyrit und Arsenkies (bzw. Kupferkies) auch gediegenes Gold. Ein ähnliches Vorkommen wurde im Weißenbachtal bei Wolfsberg bebaut. Der Goldbergbau in der Kliening erlebte seine bergbauliche Hochblüte im 16. Jahrhundert.

Von den Magnetkies-Kupferkies-Vorkommen, die an den Kontakt Marmor/Nebengestein (Glimmerschiefer, Gneise, Pegmatite) gebunden sind und deren Brauneisensteinbildungen in der Verwitterungszone zur Eisenerzeugung genutzt wurden, ist das Vorkommen von Lamprechtsberg zu erwähnen, das vom Stift St. Paul ab 1647 beschürft wurde. 1786 wurde mit der Kupfervitriol-Gewinnung begonnen, die aber bereits 1791 wegen Erzmangels wieder eingestellt werden mußte.[12] Nach mehreren Abbauversuchen im 19. und 20. Jahrhundert wurde der Bergbau durch das Stift St. Paul 1932 endgültig stillgelegt. Die seit 1845 bekannten jungtertiären Braunkohlevorkommen des Lavanttales wurden seit der zweiten Hälfte des 19. Jahrhunderts abgebaut. Der Braunkohleabbau in mehreren Flözhorizonten des Sarmats erfolgte im mittleren Lavanttal bis 1968. Er wurde nach einem Wassereinbruch und einem Grubenbrand eingestellt. Zuvor schon waren die kleineren Abbaue im Wiesenauer Revier (oberes Lavanttal) und bei Andersdorf (unteres Lavanttal) aufgegeben worden. Jungtertiäre Tone, die für die Kärntner Schwarzhafnerei (Abbau am Dachberg) genutzt wurden, werden heute noch für die Ziegelindustrie verwendet.[13] Marmore und Kalke, Grüngesteine, der Basalt von Kollnitz (St. Paul) und Gneise wurden für bautechnische Zwecke verwendet. Stellvertretend für diese Nutzungen und Abbaue[14] ist der römische Marmorsteinbruch am Spitzelofen (Kaltenwinkel, Koralpe) zu erwähnen. Seit 1970 wurden im Lavanttal Prospektionsarbeiten auf Kohle und auf der Koralpe auf Lithiumerz vorgenommen. Sie bestätigten große Rohstoffreserven[15], die immer wieder die Hoffnung auf eine wirtschaftliche Belebung des Lavanttales durch neuerliche Bergbautätigkeit aufkommen lassen. Die Realisierung scheitert aber derzeit an den niedrigen Rohstoffpreisen.

Auch die Untersuchungen der Disthen-Vorkommen auf dem Krakaberg mit seinen Disthen führenden Gneisen ergaben, daß sich der Abbau des Tonerdesilikatminerals, das für Hochfeuerfest-Keramik genutzt werden kann, auch nicht lohnen würde.

Anmerkungen

1. R. TRÜMPY, Plattentektonik und die Entstehung der Alpen, Naturforschende Gesellschaft 129 (1985), S. 1–47.
2. F. THIEDIG, Die Entwicklung des postvariszischen Deckengebirges in der Umgebung der Saualpe, Clausthaler Geologische Abhandlungen, Sonderband 1 (1975), S. 175–186.
3. P. BECK-MANNAGETTA, Ein tertiärer Wildbach im Granitztal (Ostkärnten) und die Geschichte seiner Landschaft, Geologie und Bauwesen 20 (1953), S. 139–144.
4. D. SCHILLIG, Geomorphologische Untersuchungen in der Saualpe, Tübinger Geographische Studien 21 (1966), S. 1–81.
5. E. CLAR, Die Stellung der Saualpe im Rahmen der Ostalpen, Clausthaler Geologische Abhandlungen, Sonderband 1 (1975), S. 187–198.
6. P. BECK-MANNAGETTA, Der geologische Aufbau Österreichs. Die Koralpe (1980).
7. F. KAHLER, Der Bau der Karawanken und des Klagenfurter Beckens, Car. II, Sonderheft 16 (1953), S. 1–78.
8. F. THIEDIG, M. CHAIR, P. DENSCH, D. KLUSSMANN, M. SEEGER, Jungpaläozoikum und Trias in den St. Pauler und Griffener Bergen Ostkärntens – Österreich, Verhandlungen der Geologischen Bundesanstalt Wien 2/3 (1975), S. 269–279.
9. R. OBERHAUSER, Der geologische Aufbau Österreichs (1980).
10. F. KAHLER, U. HERZOG, Geologische Ergebnisse geophysikalischer Messungen im Kohlentertiär südlich von Wolfsberg im Lavanttal (Kärnten), Car. II 168 (1978), S. 47–97.
11. O. M. FRIEDRICH, Planungsatlas Lavanttal. Lagerstätten (1958).
12. H. J. KÖSTLER, M. WANK, Zur jüngeren Geschichte des ehemaligen Kupfererzbergbaues Lamprechtsberg im Lavanttal (Kärnten), (1989), H. 3, S. 3–8.
13. F. KAHLER, Planungsatlas Lavanttal, Lagerstätten der Steine und Erden (1958).
14. A. KIESLINGER, Die nutzbaren Gesteine Kärntens, (Car. II, Sonderheft 17, 1956).
15. G. STERK, Der österreichische Bergbau, BM GHI, Sektion IV, Rohstoff und Grundstoffe, Sonderheft 2 (1986), S. 1–255.

(1986), S. 1–255.

Das Lavanttal in urgeschichtlicher und römischer Zeit

WALTER MODRIJAN †, ergänzt von GERNOT PICCOTTINI

In der Publikation „Das Lavanttal – Wirtschaftsperle Kärntens“ (1952), hrsg. vom Druck- und Verlagshaus Ploetz und Theiss, Wolfsberg, hat der aus Kärnten gebürtige Archäologe und nachmalige Direktor des Steiermärkischen Landesmuseums Joanneum in Graz, Univ.-Prof. Dr. Walter Modrijan, innerhalb seiner beiden Beiträge „Urgeschichtliches aus dem Lavanttal“ und „Das Lavanttal in römischer Zeit“ erschöpfend die urgeschichtliche und römerzeitliche Vergangenheit dieses Gebietes behandelt und ebenso auch das reiche, dort herstammende Fundmaterial der einzelnen Epochen vorgelegt. Für den hier vorgegebenen Zweck erscheint es daher durchaus müßig, eine neuerliche Bearbeitung dieses Themenbereiches vorzunehmen, weshalb auch in dankbarem Gedenken an W. Modrijan Auszüge seiner beiden vorgenannten Arbeiten, versehen mit geringen redaktionellen Änderungen und einzelnen, Neufunde nach 1951 betreffenden Ergänzungen, im folgenden wieder abgedruckt werden sollen. Dem Druck- und Verlagshaus E. Ploetz Ges.m.b.H., Wolfsberg, wird für die diesbezügliche Genehmigung gedankt.

Bekanntlich sind wir für die Erforschung der sogenannten vorgeschichtlichen Zeit großteils auf die Bodenfunde angewiesen. Ein berühmter Erforscher des klassischen Altertums hat daher die Prähistorie die „Wissenschaft der Analphabeten“ genannt. Das soll uns nicht allzusehr kränken.

Gewiß sind die Quellen zur Erforschung dieser fernen Zeiten einseitig. Die besterhaltenen Stücke unserer Museen stammen aus Gräbern, und auch die Bruchstücke aus Stein und Ton, die uns aus zerstörten oder verlassenen Siedlungen zukommen, stellen nur eine Seite der materiellen Kultur einer Zeit dar. Ganz selten – z. B. bei Moorfunden – legt der Spaten auch hölzerne Gegenstände, Flechtwerk oder gar Reste von Kleidungsstücken frei. Vieles muß die Phantasie ergänzen, und zweifellos tut sie es manchmal allzusehr nach den gerade modernen Weltanschauungen oder Auffassungen. Aber durch ständiges Sichten und Vergleichen der urgeschichtlichen Bodenfunde und durch Anknüpfen an solche Stücke, deren zeitliche Stellung bereits gesichert ist, weiters durch Zuhilfenahme von Untersuchungsmethoden aus dem Bereiche der Naturwissenschaften, konnte eine chronologische Ordnung geschaffen werden, die zumindest für eine Zeit bis zu 10.000 Jahren vor der unseren, das ist bis zum Abschmelzen des großen Eises, auf halbwegs festem Boden steht. Die Kenntnis der urgeschichtlichen Entwicklung des Lavanttales ist durch den Kärntner Geschichtsverein trotz der geringen Geldmittel sehr gefördert worden. Weiters war daran vor allem das kulturelle Strahlungszentrum des Tales, das Benediktinerstift St. Paul, maßgebend beteiligt. Der im Jahre 1940 verstorbene Abt Dr. Richard Strelli hat, ebenso wie sein Vorgänger Dr. Odilo

Frankl, unermüdlich der Forschung gedient und dadurch dem Stiftsmuseum bedeutende Bestände zugeführt. Beachtliche Funde aus dem Lavanttale bewahrt auch das Landesmuseum in Klagenfurt. Bei ihrer Sammlung konnte es sich auf die bewährte Unterstützung der Lavanttaler Mitarbeiter stützen.

Wenn man von den einst vorhanden gewesenen Ansätzen einer planmäßigen Durchforschung des Gebietes absieht, sind es vorzugsweise Zufallsfunde, die uns über das Leben der vorgeschichtlichen Lavanttaler berichten. Aber die Zeiten sind längst vorüber, wo archäologische Grabungen hauptsächlich Kuriositäten für unsere Museen zu erbringen hatten. Wir wollen wissen, „wie es wirklich war“, und daher muß unser Augenmerk auf die Erschließung der Siedlungsverhältnisse gerichtet sein.

Man war einst durch lange Zeit hindurch der irrigen Meinung, daß der Mensch des Eiszeitalters die Alpengebiete überhaupt gemieden hat. Dies entsprach der Auffassung, daß eine starre, ununterbrochene Vereisung keine Lebensmöglichkeit zuließ. Der Wissenschaft ist es längst gelungen, diese Lehrmeinung zu erschüttern und nachzuweisen, daß Zwischeneiszeiten von jahrtausendelanger Dauer und kürzere, vorübergehende Rückzüge des Eises manche Alpengebiete zeitweilig geradezu zu einem Paradies für den Jäger werden ließen. Selbst in über 2000 m hoch gelegenen Höhlen, z. B. in der Schweiz oder im Dachsteingebiet, sind Stationen des eiszeitlichen Jägers gefunden und erforscht worden.

Im heutigen Bundesland Kärnten wurden allerdings bisher noch keine eindeutigen Funde aus dieser Zeit gemacht, deren Um und Auf die Jagd und das Sammeln von Früchten war, die weiters dadurch gekennzeichnet ist, daß Geräte und Waffen vorwiegend aus Stein gefertigt wurden – solche aus Knochen erscheinen nach und nach erst nach dem Verschwinden urtümlicher Menschenrassen (Neandertaler) – und den nomadisierenden Menschen zur Wohnstätte meist natürliche Unterschlupfmöglichkeiten wie überhängende Felsen oder Höhlen genügten.

Und so ist es derzeit auch nicht möglich, über den Eiszeitjäger im Lavanttal Näheres zu sagen, obwohl wir aus dem von der Geologie entworfenen Bild wissen, daß die Lebensverhältnisse für ihn hier günstige waren. Die reichen Funde in der sich nach Süden öffnenden, in 1700 m Höhe liegenden Potoschkahöhle in den Karawanken und die Ausbeute aus den steirischen Höhlen oberhalb von Graz belehren uns außerdem, daß der späterhin oft benützte Weg aus dem Südosten drauaufwärts auch in das Lavanttal Zuwanderer gebracht haben wird. Wir können daher im Lavanttal auch Funde dort erwarten, wo sich geschützte natürliche Wohnmöglichkeiten mit Wassernähe und Wildwechsel verbinden. Die ältesten, bisher aus dem Lavanttal bekannten Bodenfunde führen uns in das dritte Jahrtausend v. Chr., also in eine Zeit, die von der oben geschilderten eiszeitlichen Periode völlig verschieden war. Die Wissenschaft bezeichnet sie als die Jüngere Steinzeit oder Neolithikum.

Der Mensch, dessen Aussehen dem unseren glich, hatte sich von der Großwildjagd längst abwenden müssen, und die Beschäftigung mit Viehzucht und Ackerbau ließ ihn seßhaft werden. Sein Haus war im allgemeinen aus Holz gut gefügt und mit anderen zu dauernden dörflichen Siedlungen vereint. Aus der hiedurch notwendigen Arbeitsteilung erwuchsen Fertigkeiten wie Flechten und Weben. Auch die Beziehungen zu dem Unfaßbaren über uns und zum Totenkult mußten sich seit den Zeiten des schweifenden eiszeitlichen Jägers wandeln. Während gleichzeitig in anderen Teilen der Welt große städtische Kulturen ihren raffinierten Glanz verbreiten, entwickeln sich langsam die großen Bauernvölker Europas, um die Basis zu schaffen, auf der unsere heutige Kultur ruht.

Dies ist die Welt, in die uns die zahlreichen Fundstücke vom Strappelkogel am

Abb. 35: Gußlöffel vom Strappelkogel; 3. Jahrtausend v. Chr.

Forst nächst St. Margarethen bei Wolfsberg führen. Es sind Siedlungsfunde vom dritten vorchristlichen Jahrtausend an. Wir bezeichnen als Siedlungsfunde solche, die eindeutig auf das Vorhandensein einer Siedlungsanlage am Ort der Auffindung oder in unmittelbarer Nähe schließen lassen. Einzelfunde ohne solchen gesicherten Zusammenhang heißen Streufunde. Der Großteil der uns bekannten Fundstücke vom Strappelkogel ist ins Landesmuseum gekommen. Auch planmäßige Grabungen wurden 1931/32 und, durch den Zweiten Weltkrieg gestört, 1939 in Angriff genommen. Aber es scheint, daß die Ackerung schon so viel vernichtet hatte, daß keine wesentlich neuen Feststellungen mehr gemacht werden konnten. Was wir an Resten aus dieser großen bäuerlichen Siedlung noch sehen können, sind zahlreiche Fragmente von Tongefäßen, teils mit einer charakteristischen Verzierung, die freihändig vor dem Brennen der Töpfe meist mit Stäbchen oder auch mit den Fingern in den noch nassen Ton eingetieft wurden: Strichornamente, Dreiecke, Punktmuster, Tupfenleisten. Daneben erregen Tonlöffel unsere Aufmerksamkeit, die einen durchlochten Ansatz zur Aufnahme eines Stiels aufweisen. Man könnte sie als „Gußlöffel" bezeichnen, sie zeigen aber keine Gußspuren. Sie sind jedoch ein besonderes Kennzeichen einer jungsteinzeitlichen westungarischen, der sogenannten „Lengyelkultur". Man findet sie außer in Kärnten (Ettendorf, Steinkögelen bei Völkermarkt, bei Reifnitz, am Maria Saaler Berg bei Klagenfurt) auch in der Steiermark (Gleichenberg). Sie zeigen an, daß sie drauaufwärts ins Lavanttal gefunden haben. Ob als Ausdruck einer Zeitströmung oder durch eine Einwanderung, läßt sich wohl nicht entscheiden, doch weisen andere Anknüpfungspunkte in den mitteleuropäischen Osten darauf hin, daß eine Einwanderung wahrscheinlich ist.

Wenn wir noch den anderen Funden unser Augenmerk zuwenden, sehen wir noch Reste einer Tontrommel, eine Schöpfkelle, Tonspulen und Tonrädchen. Siebartig durchlochte Stücke von 2 cm Dicke stammen von einem Tongefäß, das wohl bei der Käseerzeugung Verwendung fand. Ein durchbohrtes Sandsteingewicht könnte auch der Fischerei (Netzbeschwerer) gedient haben.

Die zahlreichen Steinbeile oder Steinhämmer aus Serpentin, Diabas, Amphibolit, Dioritschiefer, Hornblende, Chloritschiefer usw. sind ein weiteres Charakteristikum dieser Periode. Man unterscheidet Loch- und Flachbeile. Die Lochbeile wurden wie unsere heutigen über einen Holzschaft geschoben. Die größeren Exemplare unter ihnen können wir auch als Pflugscharen ansprechen und erinnern uns dabei wieder, daß wir bereits in einer Zeit seßhafter Ackerbauern sind. Die Urform der Flachbei-

Abb. 36:
Loch- und Flachbeile
vom Strappelkogel;
3. Jahrtausend v. Chr.

le liegt weiter zurück, sie wurden aber auch noch in den ersten Perioden der Metallzeit in Bronze nachgeahmt. Zur Schäftung diente ein Stück Stammholz mit ansetzendem Astteil, der in der Hand lag. In einen Spalt des Stammteiles schob man das flache Beil und sicherte es durch Bast und andere Bindemittel. Auch Hirschgeweihzwingen sind uns aus dieser Zeit bekannt.

Ein Schleifstein aus Sandstein mit Schleifrinne, ein sogenannter „Pfeilglätter", vom Strappelkogel ist das Gerät, womit wir uns die Beilschneiden von Zeit zu Zeit nachgeschärft denken müssen.

Außer Pfeilspitzen und Messerchen aus Feuerstein hat uns der Strappelkogel auch Schmuck in Form von Stein- und Ringperlen geliefert. Die uns bekannten Sammlungen enthalten gewiß nicht alles, was am Strappel ans Tageslicht kam. Das eine oder andere schöne Stück wird sich noch in Privatbesitz befinden oder unter einer anderen Fundortbezeichnung irgendwo liegen.

Die Ansiedlung am Strappelkogel, deren steinzeitliche Grundlagen ins dritte vorchristliche Jahrtausend reichen, ist die reichhaltigste, die wir bisher aus dem Lavanttal kennen. Wenn wir es den Funden ansehen, daß die damals hier herrschende Kultur ihre Impulse aus der östlichen bandkeramischen (Ungarn), der westlichen Pfahlbau- (Schweiz) und der Laibacher Moorkultur empfangen hat, so heißt das selbstverständlich nicht, daß die gefundenen Gegenstände von dorther eingeführt wurden; sie sind natürlich heimisches Erzeugnis. Daß der Lavanttaler Boden für Zuwanderer aus allen diesen Gegenden genügend Anziehungskraft besaß, ist in Anbetracht der Forderungen der jungsteinzeitlichen Wirtschaft verständlich, die vor allem leichtbearbeitbaren Boden und leichterreichbares Rohmaterial für die Töpferei und die Geräteerzeugung benötigte. Und diese Grundlagen sind in Kärnten, das keinen Löß und nur spärliche Tonlagen hat, nicht überall vorhanden. In dieser Hinsicht ist das Lavanttal ganz besonders begünstigt.

Eine andere Niederlassung aus der Wende zwischen der Stein- zur Bronzezeit wurde auf dem Kulm bei Ettendorf im Jahre 1929 untersucht.

Erfreulicherweise haben wir es hier einmal nicht mit Zufallsfunden zu tun, sondern mit einer planmäßigen Grabung. Zu bedauern ist lediglich, daß die Besiedlung auf dieser Höhe nur eine vorübergehende war, so daß instruktive Hausgrundrisse nicht aufgedeckt werden konnten.

Der Kulm ist ein Waldhügel nahe der Lavant mit ziemlich steilen Hängen nach allen Seiten und einem Plateau von

Abb. 37: Henkelkrüglein vom Kulm bei Ettendorf; 2. Jahrtausend v. Chr.

rund 120 mal 80 m. Es wurden zwei Herdstellen freigelegt, aber keine Steinwerkzeuge oder Spuren von einem Pfostenbau gefunden. Topfscherben, teils mit eingeritzten und beistrichartigen eingestochenen Verzierungen geschmückt, kamen zum Vorschein, ebenso ein Henkelkrüglein und auch Reste der bekannten Tonlöffel, die mit Keramik vergesellschaftet waren, die wir von anderen Fundorten als bronzezeitlich kennen. Die Annahme ist daher naheliegend, daß wir es mit einer Siedlung zu tun haben, die langlebiges Kulturgut aus dem dritten Jahrtausend noch im bronzezeitlichen zweiten Jahrtausend verwendet. Eine gewisse Abgeschlossenheit und die Lage abseits der großen Kulturzentren und -straßen hat auch in anderen Teilen Mitteleuropas solche Rückständigkeitserscheinungen hervorgerufen. Die enge Verwandtschaft dieser Kulm-Keramik mit der vom Strappelkogel und der Steiermark überrascht nicht, interessant sind jedoch die Einflüsse aus dem Norden, aus dem Gebiet der oberen Drau, die hier noch hinzukommen.

Ein Siedlungsplatz von größter Bedeutung ist auch Reisberg. Am Übergang zwischen dem Lavant- und Görtschitztal gelegen, hat hier die Besiedlung seit dem dritten Jahrtausend keine Unterbrechung erfahren, wie die Funde zeigen. Aus dem Neolithikum kennen wir von dieser hochgelegenen Siedlung einen sogenannten Rillenschlägel, ein Steingerät, das auf einer plattenförmigen Verbreiterung eines Holzschaftes so befestigt war, daß das Steinbeil durch kreuzweise über die Rille laufende Verschnürungen festgehalten wurde. Auch eine gebrochene Lochaxt und eine Perle aus Serpentin stammen von dort.

Aus St. Leonhard kennen wir ein kleines Steinbeil und einen Schmuckring aus Stein. 1926 hat der Geschichtsverein ein Lochbeil aus Amphibolit erworben, das vom Gertrusk (Saualpe) stammt und bei Kote 2038 m nächst der sogenannten „Jakobpaulischwaig“ gefunden wurde. Es ist uns bekannt, daß sowohl im Neolithikum als auch in der Bronzezeit das bei uns herrschende Klima ein besseres war als heute. Auch in anderen Teilen Kärntens fanden sich aus diesen Zeiten Gegenstände auf hochgelegenen Almgebieten, so daß man sie ungezwungen bereits in Zusammenhang mit Almwirtschaft bringen kann. 1935 wurden auch in St. Margarethen bei Wolfsberg in der Nähe des „Keltengrabes“ jungsteinzeitliche Gefäßreste gefunden. Aus Lading ist uns das Fragment eines Serpentin-Flachbeiles bekannt, aus Hattendorf stammt eine ovale, feingelochte Steinperle. Auch der Chloritschiefer-Steinring aus Rasing dürfte in diese Zeit zu setzen sein; eine gelochte Perle stammt gleichfalls aus der Gegend. Aus St. Stefan kennen wir ein Hammerbeil und aus Michaelsdorf am Fuße der Koralpe eine rötlich-graue Syenit-Lochaxt; sie lag angeblich in einer mit einer Steinplatte zugedeckten Höhlung; was daneben lag, wurde leider weggeworfen. Das Bruchstück eines Lochbeils aus Jakling bei St. Andrä gehört hierher sowie ein gut erhaltener Lochhammer aus St. Andrä. Aus Matschenbloch in der kulturell so ergiebigen St. Pauler Gegend stammt ein Lochbeil aus Serpentin, das bis vor rund 50 Jahren in einem dortigen Bauernhaus als unverwüstlicher Wetzstein diente. In Achalm, Katastralgemeinde Hart, Gemeinde Lavamünd, wurde 1937 in einer

Gartenecke des vlg. „Veidl" ein Steinbeil der späten Jungsteinzeit ausgegraben, das aus einem Geschiebestück angefertigt ist. Es zeigte an beiden Enden deutliche Klopfspuren und war im oberen Drittel durchlocht. Schließlich ist in das Landesmuseum auch das Bruchstück eines Steinbeils vom Magdalensberg bei Lavamünd gekommen.

Eine größere Siedlung dieser Epoche ist inzwischen auch auf dem felsigen Rabenstein südlich von Lavamünd durch reiche Keramik- und Steingerätefunde festgestellt worden. Bald nach der Wende vom dritten zum zweiten Jahrtausend hat Europa die Bekanntschaft mit einem neuen Werkstoff für Waffen und Geräte gemacht, nämlich mit der Bronze. Das zweite Jahrtausend v. Chr. wird auch im großen und ganzen als Bronzezeit bezeichnet. Bronze ist eine Mischung von Kupfer und Zinn, wobei das günstigste Mischungsergebnis bei 90 Prozent Kupfer und 10 Prozent Zinn erreicht wird. Anfänglich hat man auch Geräte aus bloßem Kupfer gegossen, aber diese Zeit währte nicht lange, weil man die Nachteile reiner Kupferwerkzeuge wohl erkannt hat.

Über das bronzezeitliche Leben in Kärnten und somit auch des Lavanttales läßt sich leider nur sehr Fragmentarisches sagen. Die Bronzezeit hatte ihre kulturellen Höhepunkte außerhalb des eigentlichen Mitteleuropa, so daß es begreiflich ist, daß bei uns jungsteinzeitliches Kulturgut noch recht lange weiterlebt und nur hier und dort Spuren der neuen Zeit auftauchen, die aber nicht ausreichend sind, um eine eigenständige Kulturprovinz zu schaffen. Während sich im Norden, Westen und Osten Europas die Völkergruppen der Germanen, Illyrer und Kelten endgültig bilden, ändert sich bei uns die Bevölkerung kaum. Ob und wo bei uns Kupfer bergmännisch gewonnen wurde, läßt sich schwer sagen, weil die Erforschung des vorgeschichtlichen Bergbaues in Kärnten eigentlich noch gar nicht begonnen hat, Zinnvorkommen sind ja in Kärnten keine festgestellt. Jedenfalls wurden die beiden Metalle in Kärnten gehandelt, wie die im Jahre 1922 in Unterkrähwald am Christofberg bei Klagenfurt gefundenen Klumpen Kupfer (480 g) und Zinn (100 g) belegen, die gemäß einer chemischen Untersuchung nicht durch bloßes Niederschmelzen gewonnen werden konnten. Man kann also annehmen, daß die meisten Bronzegegenstände im Lande selbst erzeugt wurden. Kupfer gab es ja allenthalben, aber woher kam das Zinn?

Von den bereits erwähnten Lavanttaler Siedlungen haben gewiß jene vom Strappelkogel und am Rabenstein weiterbestanden und dürften recht lange das jungsteinzeitliche Leben weitergeführt haben. Die Gefäßformen zeigen jedenfalls erst allmählich und in geringem Ausmaß Anklänge an die scharf profilierten bronzezeitlichen Formen. Aber der Fund eines Schmelztiegels, eines Kupfergußkuchens und einer spätbronzezeitlichen Speerspitze zeigen den Fortbestand der dortigen Siedlung; auch Schlackenreste kennt man von dort. Östlich gegenüber dem Strappelkogel ist im Bereiche von Oberleidenberg 1988 ein bronzezeitliches Absatzbeil als Oberflächenfund aufgelesen worden.

Am Reisberg hat die Besiedlung gleichfalls keine längere Unterbrechung erfahren. Ein mittelständiges Lappenbeil, eine Dolchspitze, zwei Nadeln u. a. sind uns von dieser Gegend bekannt geworden.

Die meisten Lavanttaler Bronzezeitfunde gehören einer verhältnismäßig späten Periode an. Aus diesem Rahmen fällt das Kupferbeil aus Goding auf der Koralpe, eine einfache Nachahmung der steinernen Flachbeile, wie sie in der frühen Metallzeit allenthalben vorkommen. Mit der Zeit bekommen diese Flachbeile zur leichteren Befestigung an einen knieförmigen Schaft Randleisten und später sogenannte „Schaftlappen", die in der mittleren Bronzezeit noch in der Beilmitte sitzen und daher als mittelständig bezeichnet werden. Die Lage der Schaftlappen kann also über die Zeitstellung eines gefundenen Stückes etwas aussagen. Aus Twimberg ist uns eine Bronzelanzenspitze bekannt, von Lading stammt ein Bronzebeil mit mittelständigen Schaftlappen, und von Priel bei Wolfsberg kennen wir ein spätbronzezeitliches, 65,5 cm langes Schwert, das 1907 vom Besitzer Konrad Keller beim Schottergraben neben dem Flußbett gefunden wurde. An dieser Stelle machte die Lavant früher große Krümmungen. Das Schwert dürfte einst durch ein Hochwasser dorthin geschwemmt worden sein, da es nur einen halben Meter unter der heutigen Bodenoberfläche lag. Es wurde an das Landesmuseum verkauft. Hier sei auch erwähnt, daß das Römisch-Germanische Zentralmuseum in Mainz 1929 im Kärntner Kunsthandel ein bronzezeitliches Schwert erworben hat, das angeblich aus dem Lavanttal stammt. Weiters kennen wir eine bronzezeitliche Lanzenspitze aus St. Stefan bei Wolfsberg, eine mittelständige Lappenaxt aus dem „Salzburger Wald", eine Speerspitze aus Maria Rojach, eine weitere aus Farrach, einen geperlten Bronze-Armreifen aus Pfaffendorf, Gemeinde St. Georgen, eine spätbronzezeitliche Lanzenspitze aus St. Georgen. Die Art der Funde gestattet es nicht, über das bronzezeitliche Leben mehr auszusagen, als daß das Gebiet viel begangen war. Wir können bei diesen Zufallsfunden auch nie sagen, ob nicht der Großteil der Lanzenspitzen aus Depotfunden stammt und dann vielleicht schon an den Übergang von der Bronze- zur Eiszeit zu setzen ist. Daher wollen wir gleich zur Besprechung dieser recht aufschlußreichen Epoche übergehen.

Der Beginn des ersten Jahrtausends v. Chr. steht auch in unserem Lande im Zeichen von Zuwanderern. Die Gebiete, von denen aus sie am Ende des zweiten Jahrtausends zu ihren Wanderungen aufbrechen, um großen Teilen Europas ihren Stempel aufzudrücken, erstrecken sich im großen gesehen zwischen Polen und dem Balkan. Ihre Kultur ist besonders durch die einheitliche Totenfürsorge gekennzeichnet. Sie bestatten in Brandgräbern, die manchmal große Felder bedecken. Daher kommt die Bezeichnung Urnenfelderkultur. Mit diesen Urnenfelderleuten kommt die Kenntnis von der Gewinnung und Verarbeitung des Eisens zu uns. Aber man darf nicht glauben, daß dieses neue Werkzeugmetall sogleich umwälzend gewirkt hat. Man kannte noch lange kein Gußeisen, und es verstrichen viele Jahrhunderte, ehe die Macht des Eisens richtig erkannt und – leider – kriegerisch genützt wurde. Vorerst ist auch die „Erste Eisenzeit" technisch gesehen eine Bronzezeit geblieben. Die Neuankömmlinge suchten zweierlei: Bauernland und verhüttbare Erze. Und demgemäß sind auch ihre Tätigkeiten: Handwerker-Händler und Bauern. Es erscheint daher auch wahrscheinlich, daß die zahlreichen Verwahrfunde aus dieser Zeit hauptsächlich Metallhandwerkern und Händlern zu verdanken sind.

Die oberständige Lappenaxt aus der Schlucht des Rabensteiner Burgfelsens in der Gemeinde Legerbuch dürfte aus dieser Übergangszeit stammen; ebenso wird der am Gößlerberg gefundene Oberteil eines oberständigen Lappenbeiles Teil eines Depots aus dieser Zeit gewesen sein. Viele Depots bestehen ja aus Bruchstücken von Metallgeräten, die der wandernde Metallgießer gesammelt hatte, um sie zu neuen Geräten zu verarbeiten.

Aber auch zwei Siedlungen aus dieser Zeit können wir aus Funden erschließen. Einmal im oberen Tal die vom Galgenbichl nächst Wiesenau, woher Gefäßscherben und das Bruchstück einer Lanzenspitze stammen – auch ein verlassener Bergstollen ist in der Nähe, dessen Anlegung aber zeitlich nicht festzustellen ist –, und die andere in der Nähe von St. Paul. Bei Grabungen, die Dr. Strelli 1909–1911 beim „Meier am Hof" nächst der Haltestelle St. Georgen durchführte, wurden innerhalb einer römischen Anlage auch Steinsetzungen und Gefäßreste aus der Urnenfelderzeit gefunden: dickwandige Scherben von

Abb. 38: Tongefäß vom „Meier am Hof" bei St. Georgen/Lavanttal; 1. Jahrtausend v. Chr.

Abb. 39: Tongefäß vom „Meier am Hof" bei St. Georgen/Lavanttal; 1. Jahrtausend v. Chr.

weitmündigen Gefäßen mit ausladendem Rand; der Ton ist stark mit Steinchen abgemagert; weiters solche mit Fingertupfenleisten, Fingerstrichaufrauhung und gedrehten Henkeln. Auch das Kulturkontinuum am Rabenstein bei Lavamünd weist während der Urnenfelderzeit eine größere Siedlung nach. Um 750 v. Chr. erlebt Mitteleuropa den Beginn einer Entwicklung, die unter dem Begriff der „Hallstattkultur" zusammengefaßt wird. Hallstatt selbst war nicht etwa ein kulturelles Strahlungszentrum, sondern ein besonders wohlhabender Repräsentant dieser Zeit, die Wagnis und Unternehmungslust mehr in die Erschließung neuer Handelswege und -möglichkeiten als in kriegerische Unternehmen investierte. Damals sind neue Zuwanderer nach Kärnten gekommen. Sie zogen drauaufwärts wie ihre bandkeramischen Vorfahren in der Jüngeren Steinzeit. Kärnten wurde besonders die Drau entlang dicht besiedelt und hatte erfreulichen Anteil an den Vorteilen des Handels mit Italien, der damals erstmals ein wesentliches Merkmal der heimischen Wirtschaft wurde. Über Kärnten gelangten die Waren nach der Steiermark, wo sich u. a. im Sulmtal eine reiche Kultur entwickelte, und weiter nach Niederösterreich und Westungarn. Wie Hallstatt durch seinen Salzreichtum zu Wohlstand gelangte, so Kärnten durch seinen Bleireichtum. Daneben blühte die Pferdezucht.

Es ist verwunderlich, daß aus dieser für unsere Heimat so erfreulichen Zeit die Funde aus dem Lavanttal so spärlich sind. Denn, wenn überhaupt, so hat damals die Straße der Lavant entlang eine Rolle gespielt. Die aufschlußreichste Fundstelle bleibt Reisberg. Spinnwirtel aus Ton, eine dreischneidige eiserne Pfeilspitze mit Widerhaken, eine Bronzepfeilspitze mit Tülle, Widerhaken und Gußzapfen und eine Spiralfibel aus Bronze wurden bei der dortigen Schloßruine gefunden; weiters eine Tonperle, eine Nadel mit reich profiliertem und durch eingeschlagene Muster weiter verziertem Kopf und eine Fibel aus dem fünften Jahrhundert, nebst Bruchstücken von solchen. (Unter Fibel versteht man eine Gewandhafte von der Art unserer Sicherheitsnadeln; sie waren aber damals vielgestaltig und oft reich verziert.) Auch der Strappelkogel muß noch einmal erwähnt werden. Die wenigen Fundstücke aber, die wir von dort kennen, stammen spätestens aus dem sechsten Jahrhundert: Tonwirtel, durchlochte Tongewichte und Spulen und ein Tüllenbeil, ein oberständiges Lappenbeil, ein Gürtelhaken und ein schön geschweiftes Messer aus Bronze. Nach dieser Zeit ist uns von einer Besiedlung des Strappelkogels nichts mehr bekannt. Auch von der Ruine Twimberg kennen wir eine Bronze-Pfeilspitze. Allem Anschein nach ist auch auf dem Mundi-Felde bei St. Paul Hallstattzeitliches zum Vorschein gekommen, wie aus dem

Bericht über eine Grabung von 1909 zu entnehmen ist (Steinsetzungen, Urnen, Gefäßreste, Bronzenadeln und Leichenbrandreste).

Im fünften Jahrhundert v. Chr. geht die Zeit relativen Friedens zu Ende. Diesmal hatte ein Volk des europäischen Westens eine Entwicklungsschwelle überschritten, war sich seiner Kraft bewußt geworden und drängte in schnellem Zuge ostwärts. Es waren die Kelten, die in verhältnismäßig raschem Vordringen in Italien festen Fuß faßten und der Donau entlang bis nach Kleinasien gelangten. Die Kultur, die ihren Vormarsch begleitet, heißt die La-Tène-Kultur, benannt nach einem berühmten Fundort in der französischen Schweiz. Aus ihren Gräbern kennen wir eine Keramik, die hallstattzeitliche Formen weiterbildet, und sehr viel Eisen, vor allem Waffen. Unsere Heimat lag naturgemäß nicht im unmittelbaren Blickfeld der keltischen Invasion. Im Laufe der Zeit erreichten sie aber auch Kärnten; nach Ausweis der Funde kann es nicht vor dem dritten Jahrhundert v. Chr. gewesen sein.

Die Ankömmlinge waren in keine üble Gegend geraten. Der bereits von der hallstattzeitlichen Bevölkerung sehr gepflegte Italienhandel verstärkte sich mit dem Aufkommen des Römerreiches.

Man kann im übrigen ruhig sagen, daß das Leben der Alpenkelten durchaus im Schatten der römischen Politik stand. Dazu war wichtig, daß Kärnten außer Eisen – die Qualitäten des norischen Stahls wurden im Römischen Reich allgemein gerühmt – auch Kupfer, Gold und Blei birgt und daher außer den bäuerlichen Landesprodukten auch bergbauliche liefern konnte. Von der Nähe Hüttenbergs ganz abgesehen, spielte hiebei das Lavanttal eine gute Rolle, bedingt auch durch den Gold- und Silberreichtum des Tales in der Gegend von Reichenfels und St. Leonhard, in der Kliening, in Waldenstein, Klippitzbach, Theißenegg, Limberg, Wölch, St. Gertraud, Pressinggraben, Lading, St. Margarethen bei Wolfsberg, Reisberg, Pölling. Aber auch unter den goldsandführenden Flüssen Kärntens ist die Lavant zu nennen, und die Erzählung des Polybius über die Schwemmgoldfunde im Lande der Taurisker (nördliches Slowenien) hätte sich ebensogut auf das Gebiet der Latobiker – so hieß die beiderseits der Koralpe siedelnde keltisch-illyrische Mischbevölkerung – also auf das Lavanttal, beziehen können.

Ein besonderes Ereignis für unsere Gebiete war sicherlich das Erscheinen der germanischen Kimbern, die im Jahre 113 v. Chr. bei Noreia den ersten Zusammenstoß mit den Römern hatten und diese besiegten. Festungen wie Noreia, auf Anhöhen und umgeben von Wällen und Palisaden (*castella Norica in tumulis*), müssen wir uns im Alpenland mehrere vorstellen. Wieweit das Auftauchen der Germanen auch auf abgelegene Gegenden wie das Lavanttal gewirkt hat, läßt sich nicht sagen. Das Zusammengehörigkeitsgefühl der Gesamtbevölkerung wurde durch solche Ereignisse gewiß gestärkt.

Über das Entstehen und die Organisation des um die Mitte des zweiten Jahrhunderts v. Chr. entstandenen Norischen Königreichs unter Führung des norischen Stammes sind wir nicht ausreichend orientiert. Es wird ein ziemlich loses Gefüge gewesen sein, mit reichlich unabhängigen Gaufürstentümern. Aber es ist die erste uns bekannte größere politische Organisation, die das Lavanttal einschließt. Die wichtigste politische Verbindung dieses Reiches war zweifellos die Anlehnung an Rom. Ihr verdankt es im großen gesehen auch die Münzprägung, die auf Nachahmung aufgebaut war. Ein keltisches Währungssystem ist nicht feststellbar, wohl aber sind auf vielen Münzen die Namen einzelner Stammesfürsten zu unterscheiden. So trägt z. B. eine bei Lavamünd gefundene Silbermünze den Fürstennamen Adnamat. Neben Prägungen mit Atta oder Nemet gehört diese zu den jüngsten norischen Prägungen, die zwischen Lavamünd und Lienz der Drau entlang sehr häufig vorkommen. Keltische Münzen kennen wir auch aus Reisberg – aus der Zeit um 60 v. Chr. – und aus St. Margarethen bei St. Paul aus ungefähr derselben Zeit. Ein *hospitium publicum* mit dem mächtigen nachbarlichen Römerreich war vielleicht nur der diplomatische Ausdruck für eine gewisse Hörigkeit, die irgendeinmal die Begehrlichkeit steigern mußte. Die Ostalpenländer sind nicht nur ein unerläßlicher Grenzschutz für Italien, sondern auch der Schlüssel zum südosteuropäischen Bereich. Als unter Augustus 15 v. Chr. Norikum von Rom besetzt wurde, beschritten die römischen Soldaten fast ohne Kampf gewissermaßen Straßen, die der römische Kaufmann längst kannte. Während dieser Okkupationszeit befand sich das römische Verwaltungszentrum für Norikum in der Stadt auf dem Magdalensberg am Nordostrande des Zollfeldes.

Rund 60 Jahre später wurde unter Kaiser Claudius (41 – 54 n. Chr.) Norikum römische Provinz unter einem Statthalter (*Procurator*) aus dem Ritterstande. Von einer Legionsbesatzung hatte man in Anbetracht der friedlichen Verhältnisse abgesehen. Ganz Ostkärnten und somit auch das Lavanttal gehörten verwaltungsmäßig zu Virunum am Zollfeld, der Hauptstadt Norikums.

Selten hat der Wandel eines Regimes einem Lande so viele zivilisatorische Vorteile gebracht wie die römische Okkupation bzw. Provinzialisierung dem unseren.

Selbstverständlich blieb im allgemeinen und in abgelegenen Tälern im besonderen die bäuerliche Grundlage der Wirtschaft erhalten. Von ein paar großen Gutshöfen zu Repräsentationszwecken vielleicht abgesehen, war sie durchaus in einheimischen Händen. Es gab nur geringen artfremden Zuzug, da bei uns weder Garnisonen noch ausgedehnte Sklavenwirtschaften lagen. Die Städte und das ausgezeichnete Verkehrswesen sicherten einen guten Absatz der Landeserzeugnisse. So breitete sich mit der allmählichen Romanisierung eine gewisse Wohlhabenheit aus, die nicht etwa auf die Städte beschränkt blieb. Der Erz-, Vieh- und Holzreichtum, auch die Schafwolle oder die daraus erzeugten einfachen Kleidungsstücke usw. bildeten die wirtschaftlichen Grundlagen und bewirkten eine verhältnismäßig dichte Besiedlung. – In der großen Politik spielte unsere Heimat eine durchaus passive Rolle. – Wohl war Latein die alleinige Schriftsprache – wir kennen keine Inschriften mit einheimischem Text – aber Umgangssprache, Religion, Tracht und Sitten und Gebräuche blieben der einheimisch-keltischen Überlieferung verhaftet. Dies zeigt sich besonders an den Grab- und Inschriftsteinen, die in nachrömischer Zeit oft verschiedenen Verwendungszwecken zugeführt wurden und im Lavanttal häufig sind.

Wenn wir im oberen Tal beginnen, können wir gleich auf einen Inschriftstein mit einheimischem Namen hinweisen, der im Jahre 1882 in einem Hause in St. Peter bei Reichenfels „unter der Laube“ entdeckt wurde.

Aus St. Leonhard kennen wir das im Gemeindehaus eingemauerte Bruchstück eines Gedenksteines für eine im 30. Lebensjahr verstorbene Frau, und bei der Grundgrabung einer Wasserwehr beim Eisenhammer in der Nähe St. Leonhards ist ein Teil eines Gedenksteines für Geminus gefunden worden; im Schloß Ehrenfels trägt ein anderer Votivstein die Namen Vercaius, seiner Gattin Diacun und seiner Tochter Fusca – alles einheimische Namen; in Ehrenfels ist auch noch ein anderer Römerstein eingemauert. Auf der Preblalpe bei St. Leonhard bildet ein Römerstein den Ausgußboden in der Sakristei. Es ist klar, daß solche Steine nicht von allzuweit hergeholt wurden und man daher damit rechnen kann, daß einst römische Friedhöfe und Siedlungen in der Nähe waren, deren Reste noch der Boden bewahrt.

Auch von Wiesenau sind uns Reste von Funden aus Gräbern (Bronzespitze, Keramik, menschliche Knochen,

Bronze-Stierkopf) und ein römischer Mühlstein bekannt.

Der umfangreichste Fundbestand ergab sich jedoch 1956 bis 1958, als man im Bereiche des sog. Galgenbichls am Austritt des Klieninggrabens auf mehrere hundert Baustücke römerzeitlicher Grabdenkmäler stieß. Darunter befanden sich Grabinschriften, die Skulptur eines Trauergenius, Reliefplatten mit Lebensbaumdarstellungen und sonstigem vegetabilem Schmuck sowie Friesbalken mit Darstellungen von Meerfabelwesen. Aus den vorhandenen Resten ließen sich auch einzelne Typen von Grabdenkmälern rekonstruieren. Insgesamt konnte der Nachweis erbracht werden, daß sich nördlich des Schlosses Wiesenau das Gräberfeld einer römerzeitlichen Siedlung befunden hatte, welche wohl im Zusammenhang mit den Goldvorkommen im Klieninggraben gesehen werden muß. Als man im 16. Jahrhundert goldhältige Sandablagerungen des Klieningbaches abbaute, war man vermutlich auf die Reste dieses römischen Friedhofes gestoßen und hatte die Steindenkmäler mit dem übrigen tauben Gestein seitlich der Waschgänge abgelagert. In Anbetracht der Lage Twimbergs an einer wichtigen Straße ist es nicht verwunderlich, daß wir dort den Fund einer Bronze-Lanzenspitze kennen. Auf der anderen Seite der Lavant, in Prebl, wurden drei Inschrift- und Gedenksteine gefunden; einer, früher als Pflasterstein benützt und nun in der Friedhofsmauer befindlich, ist der Gedenkstein eines Sohnes für seine (einheimischen) Eltern Albinus und Coma. An der Westseite der Kirche von Prebl entdeckte man 1971 ein Grabinschriftfragment mit Namen aus der einheimischen Bevölkerung, wie Sonnius, Counertus und Maccona.

Über einen Grabstein aus Gräbern soll später in anderem Zusammenhang gesprochen werden.

Sehr reichhaltig ist die Ausbeute aus St. Primus am Preims. Auf der Rückseite des Hochaltars ist der Gedenkstein des Surus Briccio für sich, seine Frau Tertia und seinen Sohn Quartus. Ein Stein mit einer Vase mit doppeltem Henkel und Epheu – einst gab es drei solche dort – ist auch eingemauert, weiters über der Eingangstüre das Bruchstück einer Kopfdarstellung. Ein Stein ist im Altar eingebaut und „durch eine Nische teilweise zu lesen". Ein interessanter Gedenkstein, der aber bereits seit 100 Jahren verschwunden ist, war einst an einem Stallgebäude des Buchbauers am Leidenberge zu sehen, mit den einheimischen Namen Reburrus, Asseda, Atobit, Goutan, Aticin. Es ist überhaupt eine Gegend, die besser durchforscht werden sollte. Was bedeutet z. B. das nächst Kote 1022 am Leidenberger Rücken befindliche kleine Bodendenkmal, ein von zwei konzentrischen Wällen umringtes Rund von 17 m Durchmesser? Die prächtige Lage mit dem Blick über das ganze Tal und der Übergang über das Klippitztörl ins Görtschitztal machen die Stelle wichtig. Interessehalber sei auch darauf hingewiesen, daß zum Haus Nr. 61 in der Ortschaft Auen, Gemeinde St. Margarethen bei Wolfsberg, ein „Heidenkogl" und ein „Heidenbusch" gehören. Solche Bezeichnungen weisen auf alte Friedhöfe oder Siedlungen hin. Auch auf der Wölch bei Wolfsberg wurde einst eine römische Silbermünze aus dem vierten Jahrhundert verloren, die unsere Zeit wieder ans Tageslicht befördert hat.

In St. Margarethen bei Wolfsberg befindet sich das Bruchstück eines Schriftsteines in der Friedhofsmauer; 1904 wurde an der Südseite des Gasthofes vulgo Stoff beim Ausheben eines Kanals ein Römerstein geborgen, auf dem noch Arioni . . . zu lesen war. 1848 kam ein abgescheuerter Inschriftstein aus dem frühen zweiten Jahrhundert n. Chr. aus der Friedhofsmauer an die Nordseite der Kirche St. Jakob nördl. Wolfsbergs. Sein Schriftinhalt besagt, daß „Cantius Darbius hat (das Grab) bei Lebzeiten machen lassen für sich und Risia, Tochter des Tertius, seine Gattin und für den Sohn Terentius und für Vercilla, die Tochter des Viaus". An diesem Text kann man besonders schön die allmähliche Romanisierung ablesen. Einheimische illyrische (Darbius, Viaus, Risia) und keltische Namen (Cantius, Vercilla) stehen neben solchen aus Italien stammenden, wie Tertius oder Terentius. In der Friedhofsmauer befindet sich der ziemlich verwitterte Stein mit der Darstellung einer Frau mit Spiegel. Wir haben auf diesen Grabsteinen die ersten Zeugen der einheimisch-keltischen Volkstracht in der Römerzeit vor uns, vor allem der Frauentracht, die viel konservativer war, da die Männer durch Militär und Beruf schneller romanisiert wurden. Das ärmellose Kleid ist ein langes, weites Oberkleid aus ziemlich schwerem Stoff, das in viele senkrechte Falten fällt. Es ist nahtlos und wird an den Schultern durch zwei schwere Flügelfibeln aus Bronze zusammengehalten. Der Halsausschnitt ist meist viereckig. Über das Kleid kommt ein Umhängetuch. Unsere Darstellung läßt Fibel und Armreifschmuck kaum mehr erkennen, wohl aber den Halsring mit einem mondförmigen Anhänger (*Lunula*), den (Leder-)gürtel mit herabhängendem Band, das metallbeschlagen und mit Metallquasten versehen ist. Beim Kimono ist der Gürtel schmäler. Das Unterkleid, meist 10 bis 15 cm vorstehend, kann auch ein Unterrock allein sein; beim ärmellosen Kleid ist aber wohl an Rock und Leibchen zu denken. Auch hinter dem Hochaltar der Kirche St. Michael bei Wolfsberg befindet sich ein Inschriftenstein, ebenso auf der Südseite des Turmes St. Bartholomä in Aichberg. Aus Wolfsberg selbst kennen wir zahlreiche Römersteine, die allerdings nicht mehr vorhanden sind. An der nördlichen Außenwand der Stadtpfarrkirche befindet sich ein Stein mit der Darstellung eines bejahrten Mannes mit einer Toga und einem Papier oder Buch in den Händen, während an der Westseite der Stadtpfarrkirche in 18 m Höhe ein Inschriftstein als Einfassung eines Rundfensters dient.

In Gries Nr. 13 wurde in 60 bis 80 cm Tiefe ein wohl aus dem zweiten Jahrhundert n. Chr. stammender Grabstein mit Schlangendarstellung gefunden. Die Bauparzelle Trieb nördlich der evangelischen Kirche hat uns eine gerahmte Platte aus Spitzelofener Marmor geliefert, die durch die ausgezeichnete Schrift ins frühe erste Jahrhundert n. Chr. zu datieren ist. In Rieding ist 1908 in einer Schottergrube die Spitze einer römischen Wurfpflanze gefunden worden; dort wurden aber schon früher ähnliche Funde gemacht. In St. Thomas, Gemeinde St. Marein, ackerte 1931 der Besitzer Th. Loibnegger vulgo Müller Hoisl südlich des Ortes einen etwa aus der Mitte des zweiten Jahrhunderts stammenden Inschriftstein aus Leidenberger Kalkstein aus. Ein seichter Grabhügel darüber war noch zu erkennen, und wir haben vielleicht eine Hügelbestattung vor uns, wie wir sie auch aus der Steiermark, Niederösterreich und Burgenland kennen. Aus dem gleichen Acker stammt auch eine Bronzeplatte, mit stilisiertem Blattmuster geschmückt. Östlich der Kirche, beiderseits des von Wolfsberg nach Kleinedling führenden Weges, gab es noch 1 bis 3 m hohe Grabhügel. Es wird vermutet, daß im Wald zwischen St. Thomas und Kleinedling einst eine römische Siedlung stand. In St. Johann bei Wolfsberg befindet sich ober dem Haupteingang der Kirche das Bruchstück eines Inschriftsteines. Ein recht interessanter Römerstein ist an der nördlichen Außenwand der Pfarrkirche St. Marein zu sehen: eine Bacchantin im Tanzschritt, rechts hinschreitend, zurückblickend; das reichbewegte Kleid glitt im Tanzwirbel herunter und läßt eine Brust frei; in der rechten Hand trägt das Mädchen das Schallblech, in der linken den Thyrsosstab. Da der Dionysoskult in der antiken Jenseitsvorstellung eine große Rolle spielte, dürfte der Stein von einem Grabbau stammen. Ebendort ist ein weiteres Relief zu sehen, eine Arbeit aus dem vierten Jahrhundert n. Chr.: ein stilisierter Lebensbaum endet in einem Medaillon, das einen Kopf umrahmt; den leeren Raum füllen Weinblattranken. Wir haben damit ein sehr schönes Bindeglied von der Antike zum Mittelalter vor uns. Nahe dem Eingang, in der südlichen Kirchenmauer von St. Oswald auf der Rieding (Filialkirche von St. Marein), trägt ein Grabstein die einheimischen Namen einer Familie, daneben nennt ein Stein Sextilius und seine Gattin Terentia. In der Kirche von St. Stefan bei Wolfsberg befindet sich ober der Wölbung unter dem Dache ein Gedenkstein, auch aus Kleinwinklern, Gemeinde St. Stefan, sind Reste römischer Steine bekannt geworden. Ebenso kamen 1932 in Grafendorf, Gemeinde St. Stefan, Gräberreste zutage. Vom Reisberg, wo auch ein keltisches Heiligtum und eine keltische Siedlung vermutet werden können, kennen wir aus der Kirche St. Peter und Paul einige Römersteine. So bestehen z. B. die Deckkappen der drei Strebepfeiler aus solchen. Ein 62 cm hoher Weihealtar aus Kalkstein ist ins Klagenfurter Museum gekommen. Er war dem Ianus Geminus – dem doppelköpfigen Janus – von einem Consutius Januarius geweiht. Der herrliche Aussichtspunkt wird einem Ianustempel Platz geboten haben. Einst (1832!) gab es bei der Kirche viel mehr Inschriftsteine, Säulentrümmer und behauene Werksteine. Doch dann wurden Mesnerhaus und Kirche erneuert, und dabei wurde das meiste mitverarbeitet. Außer Gefäßscherben, Bronzefibeln u. ä. wurden auch Münzen der Kaiser Aurelian (270 – 275 n. Chr.), Diokletian (284 – 305), Constantius II. (337 – 340) und Theodosius (379 – 395) gefunden. Erwähnenswert ist noch der Gedenkstein eines Freigelassenen mit dem einheimischen Namen Biracon. Ein nur zum Teil leserlicher Inschriftstein befindet sich auch in der Kirche St. Margarethen in Tschrietes bei Pustritz. An der Westseite eines Bauernhofes in Lamm, Gemeinde Pustritz, ist ein Stein verkehrt eingemauert. Weiters wurden auf der Parzelle 117 des Johann Töfferl in Langegg, Gemeinde Granitztal, das Bruchstück eines Inschriftsteines und eine Münze aus der Zeit des Antoninus Pius

Abb. 40: Vorratstöpfe aus St. Paul im Lavanttal; 2. Jahrhundert n. Chr.

Abb. 41: Vorratstopf aus Langegg; 2. Jahrhundert n. Chr.

(138 – 161) gefunden. Grabungen stellten einen römischen Schmelzplatz aus der ersten Hälfte des zweiten Jahrhunderts fest. Durch einen Kalkofen aus späterer Zeit wurde die Anlage zerstört. Es wurden große Vorratstöpfe, Teller, Dreifußschalen, Bronzefibeln usw. gefunden. Einer späteren Fundzeit entspricht die Grabinschrift für den Sklaven Graecus und seine geliebte Frau, die Sklavin Iunia. Auch in St. Andrä gibt es allenthalben eingemauerte Römersteine, besonders in der ehemaligen bischöflichen Residenz. Auf einem Felde ober dem Dorfe Jakling bei St. Andrä fand man Bronzegegenstände, vermutlich aus einem Grabe. Mauerreste und Mahlsteine aus römischer Zeit aus Höfern ob Jakling bei St. Andrä weisen auf eine römische Siedlung hin. Beim Gehöft Sumper in Burgstall bei St. Andrä fand man 1967 eine Grabinschrift. Aus Eitweg, Gemeinde St. Andrä, verwahrt das Landesmuseum ein Bronze-Medaillon mit der Darstellung der Leda mit dem Schwan. Auch ein Inschriftstein, auf dem nur mehr *Herculi* zu lesen ist, wurde dort gefunden. Auf Grund von oberflächlichen Untersuchungen im Gelände wird an den Äckern südlich des Ortes eine Siedlung vermutet. Auf dem Grunde des Peter Radl in Gemmersdorf fand man Gefäßreste aus römischer Zeit. 1933 erfolgte die Feststellung einer römischen Siedlung am Fuße der Koralpe, die einst durch eine Mure aus dem Brunnbauergraben verschüttet worden sein dürfte.

Diese vermutete Siedlung liegt auf der Linie der durch Straßen verbundenen römischen Siedlungen am sonnigen Westhang der Koralpe (Oberes Tal – Wolfsberg – Maria Rojach [Lindhof] – St. Georgen – Burgstall – Ettendorf). Durch das Lavanttal führte keine Staatsstraße, aber wir können ohne Bedenken sagen, daß dem lokalen Verkehr ausreichende Fürsorge zuteil wurde. Die Pflege bezog sich ja selbst auf Landwege und Karawanenstraßen. Auch in spätrömischer Zeit wurde schon aus militärischen Gründen den Verkehrswegen größtes Augenmerk zugewendet, und man braucht nicht von dem zunehmenden Verfall des Geisteslebens auf den Kunststraßenbau zu schließen. Die Peutingerische Tafel weist keine Straße durch das Lavanttal aus, wohl aber die Route, die von Virunum (Zollfeld) nach Juenna (Globasnitz), Colatio (bei Windisch Graz) und weiter nach Celeia (Cilli) führte; dazu ist jeweils die Entfernung in Meilen so angegeben, wie es den tatsächlichen Verhältnissen entspricht. Gewiß führte auch am rechten Lavantufer eine Straße – hochwasserfrei – weiter. Nordöstlich von Wolfsberg heißt oder hieß ein Stück unbenützten Straßendamms im Volksmund „Römerstraße“; die gedachte Verlängerung führt ungefähr nach Gries im Süden Wolfsbergs, von wo ein allgemein als einstige Römerstraße bekannter Weg gegen St. Johann führt. Es scheint, daß von Wolfsberg aus ein „Römerweg“ über Jager am Eck (in der Nähe fand man eine römische Hacke) und die Rasing zur Grillitschhütte und weiter ins Steirische führt. Auf dem Wege liegen mehrere Grabhügel, die Kleinfunde lieferten; 1910 wurde bei Anlegung eines neuen Weges ein Hügel angegraben, wobei eine Inschrift zum Vorschein kam.

Auf einem Grundstück in Oberpichling, Kat.-Gemeinde Paierdorf, Gemeinde St. Georgen, wurden 1937 Keramikreste aus dem ersten und zweiten Jahrhundert gefunden. Aus Dachberg stammen römische Bronzefibeln und ein Stein mit der Aufschrift Tertullus. In Lindhof, Gemeinde Maria Rojach, wurde 1936 ein größerer römischer Gutshof festgestellt. Schon früher wurden beim Ackern Römersteine und Keramik ausgebaut und – weggeworfen oder verbaut. Die Probegrabungen auf den Parzellen 35, 36/2, 37/2 und 3 zeigten Trockenmauern, Reste einer Straße, ein Grab mit Bronzeresten, Tierknochen, Kohle und Gefäßen. Es wurden im übrigen Scherben von rund 50 Töpfen ans Tageslicht gefördert, und auch die Anrainer bauen immer wieder Kleinfunde aus. An der Ostseite des Glashauses des

Gutes Farrach, Gemeinde Maria Rojach, wurde ein Bruchstück eines Steins mit einem Adler im Dreiecksgiebel festgestellt. In der Kirchhofsmauer in St. Georgen am Steinberg befindet sich der Gedenkstein des Primus, Sohn des Suron (einheimischer Name!), den er für sich und seine Gattin Tertia errichten ließ. Erwähnenswert ist auch der Gedenkstein des Sirus für sich und seine Gattin Prima auf einem gemauerten Wegkreuz beim Weiler Gundischberg ob St. Georgen unter Stein. Eine römische Ansiedlung (Bauernhof) wird auch in der Kat.-Gemeinde St. Georgen-Hartneidstein, Gemeinde St. Georgen, vermutet. Spuren keltisch-römischer Besiedlung hat der Boden weiters in St. Jakob ob Kollnitz geliefert; aus Kollnitz kennen wir zumindest römische Ziegel.

Ein besonders interessantes Denkmal aus römischer Zeit befindet sich auf der mächtigen Spitzelofen-Wand, Gemeinde Maria Rojach, zweieinhalb Stunden von St. Paul entfernt. Im Koralpen-Urgesteinszug finden sich mächtige Kalklager eingesprengt, die, von der Saualpe herüberstreichend, beim Lavantdurchbruch zwischen St. Leonhard und Wolfsberg in die Koralpe übergehen. Die Kleinalpe sendet nach Westen einen Ausläufer, den Steinberg, wo in 1100 m Höhe der Spitzelofen als weithin

Allersdorf, Gesamtplan der Gutshofanlage

sichtbare Felswand in Erscheinung tritt. Wir haben einen antiken Steinbruch vor uns, wie eine in 12 m Höhe eingemeißelte Inschrift beweist. Besonders findige Schatzgräber hatten bereits vor 80 Jahren versucht, die Wand zu sprengen. Später wurden Grabungen durchgeführt, die zahlreiche Arbeitsspuren aus römischer Zeit feststellten; sogar zwei Holzkeile vom römischen Steinbruch wurden gefunden. Mit Hilfe einer vom Besitzer Dr. Schütte vermittelten dänischen Unterstützung wurden 1930 unter Leitung von Dr. Jantsch vom Kärntner Geschichtsverein weitere Forschungen durchgeführt. Man hatte einst die Abbaumethoden genau dem geologischen Aufbau angepaßt; es wurden bis zu 20 m hohe Abbaustufen festgestellt. Der grobkristallinische, blauschimmernde und gut bearbeitete Stein lieferte schöne, fehlerfreie Blöcke. Einen nach einer im zweiten bis dritten Jahrhundert n. Chr. üblichen Art behauenen Block fand man noch an Ort und Stelle. Und unter einem schützenden Felsdach zeigten Schwarztongefäße, Tierknochen und ein Messer das Lager der Steinbrucharbeiter an. Im Schutt fanden sich zwei eiserne Spitzschlägel der gleichen Art wie im Steinbruch von Gummern; mit ihrem kurzen Stiel dienten sie zum Hauen der Rillen. Auch ein Eisenhammer mit stark abgenützter Schlagseite kam ans Tageslicht. Als bislang höchstgelegener Fundort einer römerzeitlichen Inschrift in Norikum erwies sich der Steinschneider, einer der Gipfel der Koralpe, mit 2070 m Seehöhe. Hier ist 1962 ein kleiner Weihealtar an eine vermutlich einheimische und mit dem römischen Reichsgott Iupiter interpretierte Wettergottheit gefunden worden.

In Allersdorf, Gemeinde St. Paul, wurde erstmals auf Kärntner Boden das Wohn- und Wirtschaftsgebäude eines Großgrundbesitzers aus römischer Zeit festgestellt. Daß hierher der Arm der Hauptstadt Virunum reichte, lehrt uns eine Inschrift, wonach hier von einem Bürgermeister aus Virunum, einem ausgezeichneten höheren Offizier mit Namen Junianus, ein Gedenkstein gesetzt wurde. Die Grabungen in Allersdorf wurden 1934 abgeschlossen. Der römische Gutshof bedeckte eine Fläche von rund 10.000 m^2, war rechteckig und Ost-West gerichtet; stellenweise umgab ihn eine meterstarke Mauer. In der Mitte der Anlage befanden sich Torbau und Herrenhaus. Dieses war mit einer vorzüglichen Badeanlage ausgestattet. Die Heizanlagen, den Auskleideraum, das Warm- und Kaltwasserbad und den Ableitungskanal konnte man noch unterscheiden. In die vier Ecken des großen Gutshofes waren reichgegliederte Wohn- und Wirtschaftsgebäude eingebaut. Es wurden Keramik, Münzen – vorwiegend aus dem einstigen Wasserbecken im umbauten Hof –, Bronzefibeln, ein Eisenring, Glasperlen und das Bruchstück eines mächtigen Grabsteins, der die XXI. Legion nennt, geborgen. Die Kleinfunde lassen zusammen mit der Mauertechnik und dem Bauplan auf zwei Bauperioden schließen. Die erste Anlage ist in die Zeit von Hadrian (117–138) bis Marc Aurel (161–180) zu setzen. Etwas verändert scheint dann um die Mitte des dritten Jahrhunderts der Gutshof wieder aufgebaut worden zu sein und stand dann bis zum Ende des vierten Jahrhunderts. Dazwischen deuten Brandschichten auf eine Zerstörung hin, die wir mit einem Ereignis in Zusammenhang bringen können, das jäh den langen Frieden in diesem stillen Winkel des Römischen Reiches unterbrochen hat und das Weltreich zur Zeit Marc Aurels 14 Jahre in Atem hielt.

Es ist der Markomannensturm. Schon wiederholt ist erörtert worden, warum Rom erst so spät Schritte unternahm, um einer Bedrohung aus Norden – woher einst u. a. die Kimbern gekommen waren – kräftigen Widerstand entgegenzusetzen. Die Gefahr, die zwischen Rhein und Donau lag, scheint ihm entgangen zu sein. Erst Augustus hat der Grenzsicherung sein Augenmerk besonders zugewendet. So kam der bereits erwähnte Stoß nach Norden im Jahre 16 v. Chr. zustande, der unter Führung von Drusus und Tiberius u. a. fast kampflos Norikum unterwarf. Mit einem Schlage war damit die Nordgrenze des Reiches an der Donau. Man legte in weiterer Folge in die Provinz Norikum, im ersten und zweiten Jahrhundert einer der blühendsten Teile des Reiches, keine Legionsbesatzung, hielt jedoch in dem am meisten gefährdeten Westungarn drei, später sogar vier Legionen. Allein der von 165 bis 180 dauernde Markomannenkrieg begann mit einem Angriff auf der ganzen Breite der Donaufront und noch dazu zu einem Zeitpunkt, da Rom auch im Orient engagiert war. Die Wirkung war dementsprechend. Markomannen und Quaden drangen bis nach Italien vor. In den Kriegswirren, in denen u. a. die Stadt Flavia Solva jenseits der Koralpe in Flammen aufging, hat auch das Lavanttal gelitten. Der Krieg hatte Pest und Hungersnot auch im römischen Heer zur Folge.

Wohl kam es im dritten Jahrhundert zu einer neuen Blüte, aber das Gefühl der Ruhe und Sicherheit war dahin. Noch unter Kaiser Marc Aurel wurde die neugebildete II. italische Legion an die Nordgrenze Norikums gelegt, wo sie dann in einem festen Standlager in Lauriacum (Lorch) verblieb. Norikum wurde kaiserliche Provinz unter einem senatorischen Statthalter, dem jeweiligen Kommandanten der II. Legion. Virunum war keine Residenz mehr, beherbergte aber weiterhin mehrere zentrale Ämter. Aber die Sorgen und Nöte des Reiches wuchsen gegen Ende des dritten Jahrhunderts unermeßlich. Da griff ein Kaiser illyrischer Abstammung, Diokletian (284 – 305), mit der nötigen Phantasielosigkeit durch und rettete zweifellos, was noch zu retten war. An der Art, in der er es tat, und an den Methoden mag sich erfreuen, wer will. Neben zahlreichen anderen Reglements wurden auch die Preise der Bodenprodukte, der persönlichen Arbeit, des Gewerbefleißes usw. geregelt und nicht gerade nach den Maßen der hochentwickelten Teile des Landes. Für unsere Gegenden hatten seine Maßnahmen als sichtbarstes Ergebnis eine Teilung Norikums in eine uferländische (*ripense*) und eine Binnen-Provinz (*mediterraneum*) zur Folge. Das Herzland Binnennorikums war Kärnten, und seine Hauptstadt war wiederum Virunum.

Und nun wollen wir unsere Wanderung im Gebiet von St. Paul fortsetzen. Mehrere Römersteine kennen wir aus dem Benediktinerstift. Zu Ehren des Gottes Latobius hat auf Grund eines Gelübdes die Mutter Antonia Ubra für das Wohlergehen ihrer Kinder einen Stein gestiftet. Zu Ehren des Gottes Latobius kennen wir auch einen Gelübdestein des Lucius Caesernius Avitus. Ein weiterer Stein nennt den Q. Aurelius Primus und seine einheimische Gattin. Auch Teile einer Kalkstein-Sarkophagwand kamen ins Landesmuseum. 1938 wurden im Garten des Mag. Manner römische Gefäßscherben gefunden. 1932 kam auf Parzelle 311/3, dem Kreuzacker des Hrn. Kronegger Nr. 42, ein aus dem dritten Jahrhundert stammender Töpferofen zum Vorschein. Auch die Aschen- und Abfallgrube wurde gefunden und enthielt Asche, Sand, Rötel, Kalk, Kohle, gebrannten Lehm, Gefäßstücke und Knochen. Eine halbe Stunde südöstlich von St. Paul ergab im Jahre 1910 eine Ausgrabung auf dem Mundiacker: Gefäße, vier Fibeln, drei Münzen (ein Hadrian und zwei Antoninus Pius); behauenen, teilweise ornamentierten Kalkstein vom Spitzelofen. 1911 wurden gefunden: Keramikreste und römische Ziegel. Die Ansiedlung dürfte erst im fünften Jahrhundert ausgelöscht worden sein. In Niederhof konnte beim Anwesen vlg. Achatz 1979 noch der Rest einer Grabstele aus der Zeit um 100 n. Chr. geborgen werden.

In den Jahren 1909 bis 1911 wurden eine halbe Stunde von St. Paul entfernt, nahe der Haltestelle St. Georgen, an der Bahn Zeltweg – Lavamünd, beim „Meier am Hof" am Fuße des 685 m hohen Josefsbergs, Ausgrabungen durchgeführt. Im Westen führt entlang der Hochfläche eine Römerstraße, deren erste Spuren bereits 1888 bei Allersdorf entdeckt wurden. Es wurden schon früher „Schatzgrabungen" durchgeführt, im Jahre 1909 ist man aber vor allem deshalb darangegangen, weil die lichten Streifen im Getreide auf Mauerzüge unter der verdünnten Humusschichte schließen ließen. Unter den prähistorischen Funden, von denen schon die Rede war, fand man auch Keramik aus der späten La-Tène-Zeit (zweites bis erstes Jahrhundert v. Chr.). Aus römischer Zeit – in der hier übrigens noch die gleiche Tonpaste für die Gefäße verwendet wurde wie in keltischer – fand man Tongefäße samt Deckel und Fibeln. Die viereckigen Steinsetzungen mit Umfriedungsmauer haben ihre nächste Parallele in Colatio (Altenmarkt bei Windisch Graz), wo auch ähnliche Funde gemacht wurden. Auch die einheimische Art, die Gefäße mit einer Steinsetzung zu umgeben und mit einem Erdhügel zu überdecken, fand man dort. Ein Tempel für die offiziellen Reichsgötter durfte nicht fehlen, für *Jupiter optimus maximus*, für *Mars Augustus* und für *Jupiter Depulsor,* den Schützer der Grenze, der wohl im dritten Jahrhundert anläßlich des drohenden Goteneinfalles besonders verehrt worden war.

Südlich von St. Paul erhebt sich der 600 m hohe Johannesberg, Gemeinde Legerbuch, auf dessen Höhe sich eine Kirche befindet. Nach Norden hat man einen prächtigen Ausblick ins Lavanttal. Durch Grabungen im Jahre 1928 konnte festgestellt werden, daß die östliche Hälfte künstlich aufgeschüttet ist. Ob die Anlage noch aus vorrömischer Zeit stammt und ob sie einem Kult- oder Profanbau angehörte, konnte der Zerstörung wegen nicht mehr ausfindig gemacht werden; die gefundenen Gefäßscherben sind frührömisch. Der Johannesberg trägt heute überhaupt keine geschlossene Dorfsiedlung, sondern nur zerstreut Gehöfte. Südlich des Kirchleins, gegen den Josefsberg zu, fanden sich Gräber; der beackerte Hang ließ allerdings keine Feststellung mehr zu, ob einst Hügel darüber waren. Unverbrannte Menschenknochen und Gefäßscherben aus römischer Zeit kamen zum Vorschein. Die Bauart der Gräber entsprach jener der Stammverwandten in der Steiermark. An der südöstlichen Abdachung wurde bereits 1913 nahe der Schottergrube beim Meßner am Johannesberg ein römisches Skelettgrab freigelegt, das durch eine spätrömische Fibel zeitlich fixiert erscheint.

Auf dem Plateau östlich des Josefsbergs bei St. Paul wurde 1902 eine alte Wegspur aufgegraben. Unter rund 15 cm Humus kam eine 16 cm starke Beschotterung, darunter eine Bruchsteinpflasterung von 20 cm Mächtigkeit; in rund einem halben Meter Tiefe stieß man wieder auf den gewachsenen Boden. Bemerkenswert ist, daß in der Pflasterung, die 2,40 m breit war, deutliche „Geleise" im Abstand von 1,12 m eingetieft waren.

Am gegenüberliegenden Lavantufer kennen wir vom Lamprechtsberg den Grabstein des Primus, des Sohnes des Celsus. In Ettendorf wurden römische Bronzefibeln gefunden, in der Kirche ist ein Eckblock aus einem Grabbau eingemauert, dessen reliefverzierte Flächen einen Schreiber mit Schriftrolle und ein pflanzliches Ziermotiv zeigen. Am Fuße des Kulm bei Ettendorf (Lavantseite), den wir als prähistorischen Fundort kennen, wurden anläßlich einer Grabung im Jahre 1929 Teile einer 40 cm breiten Bruchsteinmauer aufgedeckt, die allem Anschein nach als Sockel für einen Holzoberbau gedient hat. Wahrscheinlich haben wir es mit den Resten eines römischen Wirtschaftsgebäudes und eines Turmes zu tun. Im Inneren der Gebäudereste gab es reichlich Holzkohle, Tonscherben (auch solche aus *Terra sigillata*) und das Randstück einer Schüssel in Barbotinetechnik. Unter Barbotinetechnik verstehen wir das Schmücken von Tongefäßen mit plastischen Verzierungen auf die gleiche Art, wie es heute noch die Zuckerbäcker beim Beschreiben von Geburtstagstorten u. ä. machen.

Zum Abschluß wollen wir uns mit den interessanten Ergebnissen – vor allem über das religiöse Leben im Tale in römischer Zeit – befassen, die die Ausgrabungen auf dem Burgstall-Hügel bei St. Margarethen, Gemeinde Ettendorf, erbrachten. Sie wurden im Jahre 1926 durch Univ.-Prof. Dr. Rudolf Egger durchgeführt, dem die bedeutsamsten Ergebnisse über das römische Kärnten überhaupt zu verdanken sind. 1938 wurden unter Leitung von Univ.-Prof. Dr. E. Swoboda am Fuße des Hügels weitere ergebnisreiche Untersuchungen durchgeführt.

Auf der Hochfläche wurde der Grundriß eines 9,80 m im Quadrat messenden Heiligtums aufgedeckt, mit einem offenen Umgang und einem größeren Hof, der das Ganze auf drei Seiten umschloß. Einleitend sollen einige Sätze über das damalige religiöse Leben gesagt werden. Es spiegelt das Schicksal der einheimischen Kelto-Illyrer im Romanisierungsprozeß wider. Mit *Interpretatio Romana*, ein der *Germania* des Tacitus entlehnter Ausdruck, der soviel besagt wie „nach römischer Auslegung", wird das den Römern eigentümliche Verhalten gegenüber Göttern einer

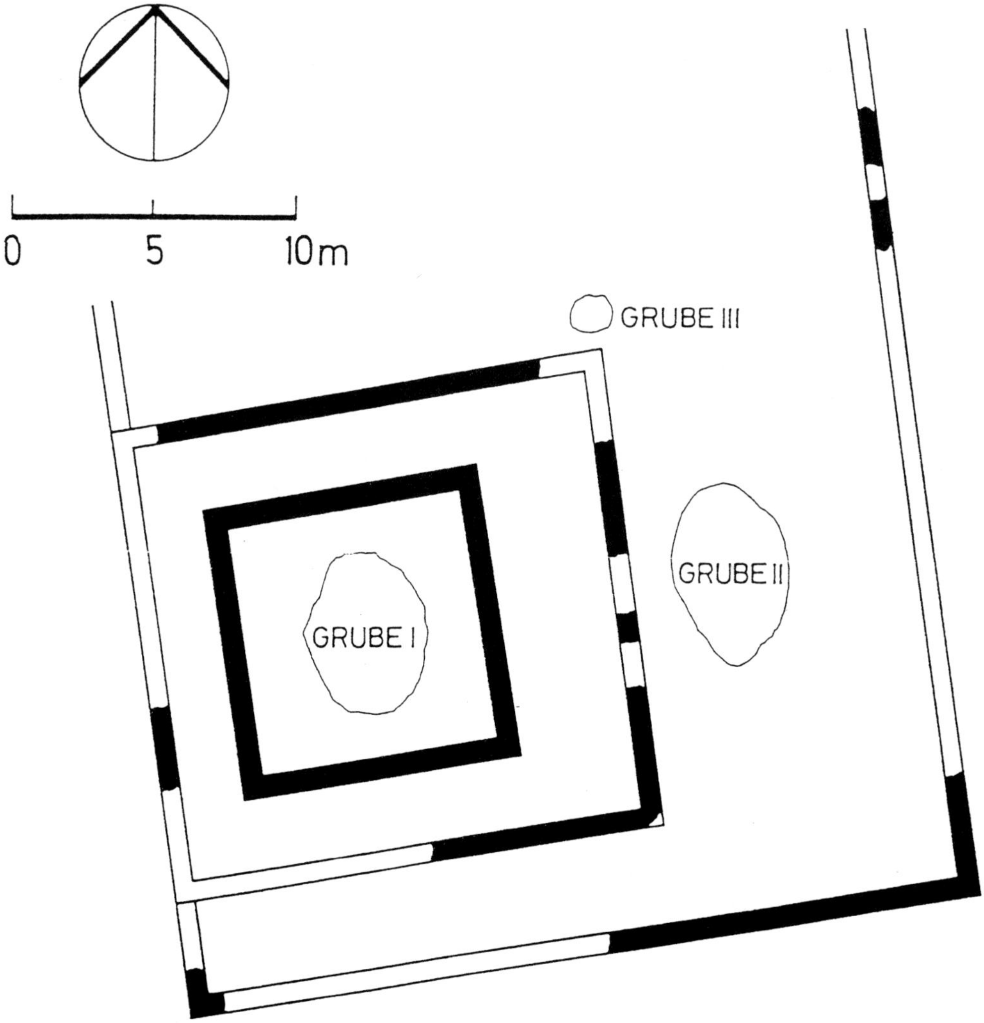

St. Margarethen-Burgstall, Grundriß des Mars-Latobius-Heiligtumes

fremden Nation bezeichnet. Eine sogenannte Religionspolitik haben die Römer nicht betrieben. Sie ist im allgemeinen nur jenen Religionen eigen, die ihren Schwerpunkt im Jenseits haben, und davon war die römische sehr weit entfernt. Für die Griechen wie für die Römer galt es als selbstverständlich, daß die Götter fremder Völker ihrem Wesen nach von den eigenen nicht unterschieden und lediglich anders bezeichnet werden. Das ist zwar eine bestechend praktische Auffassung, sie verschleiert aber vielfach das Wesen des fremden Gottes. Wenn z. B. die norische Stammesgottheit Noreia der Isis gleichgesetzt wurde, so können die Gründe hiefür sehr äußerliche, nur in der Kulthandlung selbst begründete, gewesen sein. Die Rückschlüsse von den zur Römerzeit üblichen Verehrungen auf vorrömische Kulturen muß daher mangelhaft bleiben. Vom eingeführten römischen Staats- und Kaiserkult abgesehen, der sozusagen das religiöse Pflichtpensum darstellte, war also Religion im Grunde genommen Privatsache. Wir brauchen in diesem Zusammenhang nicht tiefer in die Probleme eindringen. Wir haben für das Lavanttal bereits einen Tempel des Janus Geminus festgestellt, und die Verehrung des Steinbruchgottes Saxanus, die auch aus dem Bacherngebirge bekannt ist. Auch ein Stein mit der Inschrift *Herculi* dürfte sich darauf beziehen. Hercules Saxanus kommt z. B. im Maingebiet vor. Eine zentrale Verehrung beiderseits der Koralpe wird dem Mars mit dem Beinamen Latobius, dem Stammgott der Latobiker, zugekommen sein, wobei wir, ohne die vorrömische Bedeutung seines Kultes ausschöpfen zu können, eher an einen Heils- als an einen Kriegsgott denken müssen. Eine 1981 auf einem der Äcker in St. Margarethen – Burgstall gefundene Weiheinschrift läßt erkennen, daß er auch unter einem seiner vielen Beinamen als *Marmogius* (der Großmächtige) Verehrung erfuhr, wobei die Stifter sich als *magistri vici*, als Vorsteher eines begrenzten Verwaltungsbereiches, bezeichnen. Ihm ist auch der Tempel auf dem Burgstall geweiht. Wir haben es hier gewiß mit einem alten Wallfahrtsort der Landbevölkerung zu tun. Darauf weisen sowohl der Fund einer keltischen Silbermünze, die ja in römischer Zeit keinen Kurswert mehr hatte, als auch die unklassische Bauweise hin. Die aufgefundene Bauinschrift nennt ein Ehepaar, das die Wiederherstellung in der zweiten Hälfte des zweiten Jahrhunderts durchführen ließ und damit wohl ein privates, religiöses Bedürfnis befriedigt hat. Auch die Inschrift eines Altars weist auf diese Zeit.

Die Bauinschrift bezeichnet auch das Heiligtum als *Navale*. Das ist ein Ausdruck der Kultsprache und bedeutet soviel wie Schiffshaus, Bootshaus. Das Schiff spielte vermutlich im Latobiuskult eine Rolle.

Es konnten auch noch die Reste eines älteren Tempels aus dem ersten Jahrhundert darunter festgestellt werden. Dieser hatte 80 bis 90 cm starke Mauern, während die *Cella* des späteren Heiligtums nicht so mächtige Mauern besaß. Die Mauerbreite von 80 cm erscheint wieder bei der zum Latobiustempel gehörenden Anlage am Fuße des Hügels im Westen. Da diese auch in der Bauinschrift nicht erwähnt wird, scheint sie auch schon aus dem ersten Jahrhundert zu stammen. Anläßlich der im Zuge der Lavantregulierung vorgenommenen Steinbrucharbeiten kam ungefähr 15 m hangaufwärts eine gemauerte Treppe zutage. Die vermutlich überdachte Stiege führte direkt zu einem Brunnen und war nicht etwa ein Abkürzungsweg (40 Grad Steigung). Der Brunnen war in die schmale Uferterrasse eingebaut und von Mauerwerk umgeben. Brunnen und Tempel gehören zusammen, und ihre Beziehung gründet sich auf die universalen Kräfte, die das Altertum dem Wasser zubilligte. Lebenselixier, Todestrunk und Taufe sind in diesem Zusammenhang zu erwähnen. Im übrigen ist ein massives Wasserbecken als Tempelinventar festgestellt worden. Am südlichen Teil des Hügels wurden die Reste eines Wohnhauses gefunden und beim

Abb. 42: St. Margarethen-Burgstall, Inschrift aus dem Mars-Latobius-Heiligtum; 2. Hälfte des 2. Jahrhunderts n. Chr.

Ausheben eines Kellers auf dem Besitz des J. Ninaus insg. Tschnegger – der Fundplatz gehört zum Tempelbezirk – Gefäßscherben und eine Münze des Tiberius Claudius Drusus.

Schöne Funde konnte Prof. Egger aus zwei Gruben bergen – eine innerhalb des Tempels und eine an seiner Front gelegen – die die Bruchstücke von mindestens vier gewaltsam zerstörten Statuen aus dem einheimischen Marmor enthielten.

Weiters ist noch der plastische Schmuck zweier Opfertische erhalten, dem wohl die klassische Gestaltung zugrunde liegt, der Steinmetz war eher ein Einheimischer, wie die Ausführung zeigt. Bartlose, maskenartige Köpfchen und ein dicker, hundeähnlicher Löwenkopf sind die Frucht der heimischen Auseinandersetzung mit den klassischen Vorbildern.

Über die Zeit der Zerstörung dieses Tempels gibt eine fast neue Münze des Kaisers Arcadius Auskunft, die 395 n. Chr. in Aquileia geprägt wurde. Damals hat das aufkommende Christentum den Tempel zerstört, die Figuren zertrümmert, in Gruben geworfen und das Ganze angezündet. Dieser eindrucksvolle Fund aus dem Lavanttal, aus dem wir noch keine frühchristliche Kirche kennen – die nächstgelegenen wurden am Hemmaberg bei Globasnitz gefunden – gibt die Veranlassung, etwas über das frühe Christentum bei uns zu sagen.

Ehe dieses bei uns wirklich festen Fuß faßte, hatten östliche Mysterienkulte und das Sektenwesen Eingang gefunden, die im Gegensatz zu den Westreligionen einen ausgeklügelten Kultapparat und eine ausgebildete Priesterschaft mitbrachten. Wohl nicht auf dem flachen Lande, aber sehr stark beim Militär, das fromm und abergläubisch zugleich war, und bei der unter seinem Einfluß stehenden Bevölkerung hatte ganz besonders der Mithraskult viele Anhänger. Über eine eventuelle Verbreitung dieses Kults im Lavanttal läßt sich nichts Bestimmtes sagen. Lediglich eine Darstellung auf einem in Preblau gefundenen Römerstein scheint damit in Zusammenhang zu stehen. Da viele Veteranen im Tale siedelten und in spätrömischer Zeit auch kleine Truppenabteilungen als strategische Reserven hier stationiert gewesen sein dürften, kann eine Verbreitung nicht ganz ausgeschlossen werden. Die Ausbreitung des Christentums ging in den ersten Jahrhunderten n. Chr. nur sehr langsam vor sich. Vor 300 n. Chr. gibt es jedenfalls hier in unseren Gebieten keine archäologischen Zeugen. Erst nach Konstantin und sei-

Abb. 43: St. Margarethen-Burgstall, Fragment einer Jupiterstatue, Vorder- und Rückseite

nen Nachfolgern wird es zusehends besser. Aber noch um 400 n. Chr. wurden Missionare im Alpenland von heidnischen Bauern erschlagen. Die Kämpfe und die Not, die im 4. Jahrhundert einsetzten und das Städteleben fast zum Erliegen brachten, bewirkten Armut und einen starken Bevölkerungsrückgang.

Für das fünfte und sechste Jahrhundert, die Zeit, in der die antike Welt endgültig zu Ende geht, haben wir aus dem Lavanttal kaum nennenswerte archäologische Funde. Wenn wir uns nach den wenigen Funden umblicken, läßt uns auch für diese Epoche der Wirren die Höhenstation Reisberg nicht im Stich, woher wir eine spätantike Gürtelschließe und eine Goldmünze des byzantinischen Kaisers Anastasius (491 – 518 n. Chr.) kennen. Für diese Zeit kommen im allgemeinen als Fundorte nur die Höhen am Westrande des Lavanttales zwischen St. Andrä und St. Paul in Frage. Aus St. Paul stammt auch der Fund eines byzantinischen Gold-Triens aus der Zeit Justinians I. (527 – 565).

Mit der slawischen Landnahme im Burgenland, der Steiermark sowie in Kärnten und Krain im ausgehenden sechsten Jahrhundert versinkt endgültig die Antike. Der eingedrungenen slawischen Übermacht wurden erst in Osttirol Grenzen gesetzt.

Aus der nachfolgenden Epoche des frühen Mittelalters, gekennzeichnet durch die sogenannte „Köttlach-Karantanische Kultur“, sind uns aus dem Lavanttal nur einige Skelettgräber aus St. Georgen unter Stein sowie ein Einzelfund aus Prebl, nämlich ein bronzener Schleifenring, bisher bekannt geworden, wobei als Datierung die Zeit um 850 in Frage kommt.

Die Besitzgeschichte des Klosters St. Paul und die Organisation der Grundherrschaft

BARBARA FELSNER

Das Kloster St. Paul wurde 1091[1] von Graf Engelbert von Spanheim im unteren Lavanttal gegründet. Seinen Besitzstand, der im Mittelalter fast ausschließlich auf Schenkungen der Spanheimer bis 1200 zurückging und erst im 17. Jahrhundert eine bedeutende Erweiterung erfuhr, konnte das Kloster im großen und ganzen bis zu seiner Aufhebung 1787 halten.

Die Ländereien der Spanheimer waren im 11. Jahrhundert kaum wirtschaftlich genutzt und dünn besiedelt. Erst das Kloster St. Paul begann mit der Rodung, dem Siedlungsausbau und der kirchlichen und wirtschaftlichen Organisation. Im Unterschied zum 1072 gegründeten Bistum Gurk, das über eine Anzahl bürgerlicher Siedlungen verfügte, verdankte dem Kloster im Lavanttal nur der eher unbedeutende Markt St. Paul am Fuße des Klosterhügels seine Entstehung.

Die nachfolgende Zusammenstellung versucht im Rahmen eines umfangmäßig eingeschränkten Katalogbeitrages einen kurzen Überblick der grundherrschaftlichen Organisation sowie der Besitzentwicklung zu geben. Als Grundlage dienten u. a. die noch immer aktuellen Arbeiten von Walter Fresacher[2], Beda Schroll[3] und Otto Lamprecht[4].

Die Besitzgeschichte

Aus dem anfänglich eher bescheidenen Klosterbesitz entwickelte sich durch die Jahrhunderte eine ausgedehnte Grundherrschaft. Die Ausstattung des Klosters mit liegenden Gütern erfolgte etwa bis 1300. Daneben ging ein Verlust von jeweils kleineren Besitzeinheiten einher. Vom 14. bis 16. Jahrhundert gab es für St. Paul eine wirtschaftliche Krise, die nicht zuletzt durch Besitzeinbußen vor allem in der Steiermark hervorgerufen wurde. Nach dieser Zeit des Stillstandes und Abstieges kam es im 17. Jahrhundert zum eigentlichen Ausbau der Herrschaft im Lavanttal.

Graf Engelbert I. von Spanheim, der Stifter des Klosters, gab dem ersten Abt Wezilo aus Hirsau in Schwaben als Ausstattungsgüter die unmittelbare Umgebung des Klosters und einige Höfe und Güter im unteren Lavanttal[5]. Die außerhalb dieses Gebietes gelegenen Besitzeinheiten waren für die Bewirtschaftung durch das Kloster umständlich und nicht besonders ertragreich. Die wirtschaftliche Grundlage im Mittelalter bildeten die zuerst geschenkten Güter am Außenrand der St. Pauler Berge, bis hinauf zum Südrücken der Saualpe (Zeil, Gorentschach, Griffen, Haberberg, Pustritz). Vom Kloster aus konnte man sie auf Zugangswegen durch das Granitztal erreichen.[6] Am Fuße des Klosterhügels entstand der Markt St. Paul.[7]

Eine der größten Schenkungen an das Kloster in Kärnten vollzog 1123[8] Herzog Heinrich IV. von Spanheim. Er übergab ihm das *predium* Möchling (sö. Grafenstein), den Hof und die Eigenkirche mit allen Zugehörungen. Dieser Hof wurde zum Kern des ziemlich geschlossenen Amtes Möchling.

Eine Besitzvergrößerung, wenn auch nur in geringem Ausmaß, bedeuteten die zahlreichen Jahrtagsstiftungen und Schenkungen zum Seelenheil der Stifterfamilie. Viele Huben, zum Teil weit vom Lavanttal entfernt, kamen auf diese Weise zum Kloster. Die religiös motivierten Schenkungen nahmen seit dem 13. Jahrhundert immer mehr ab.[9]

Durch Lehensvergaben kam es wieder zu Verkleinerungen des Besitzausmaßes. Kaiser Friedrich II. verbot dem Kloster 1226[10], Lehen auszugeben. Dieses Verbot war vor allem gegen die Bestrebungen der Spanheimer gerichtet, die, durch die Annahme von St. Pauler Lehen um Völkermarkt, diesen Ort an sich bringen wollten. Wie wenig diese Anordnung beachtet wurde, zeigen die Aktivlehen, die noch zum Zeitpunkt der Klosteraufhebung bestanden haben.[11]

Aufgrund seiner weitverstreuten Besitzungen war das Kloster bemüht, die weiter entfernten Güter mit nähergelegenen einzutauschen und somit den um das Stift gelegenen Besitz abzurunden. Einen Tauschpartner, der die gleichen Ziele verfolgte, fand es im Bistum Bamberg. Im 12. Jahrhundert[12] gab St. Paul dem Bistum Bamberg Güter um Griffen und erhielt dafür Güter im Lavanttal.

Nachdem das Kloster sich bis etwa 1300 eine weitgehende wirtschaftliche Grundlage geschaffen hatte, folgte bis zum 16. Jahrhundert ein allgemeiner Niedergang.

Durch den Verlust von Völkermarkt 1340 – Völkermarkt war 1147[13] aufgrund der kinderlosen Ehe des Grafen Bernhard von Spanheim an St. Paul gekommen – büßte St. Paul einen bedeutungsvollen Stützpunkt ein. In Völkermarkt verblieb ihm fortan nur mehr der Zollhof und im Umland vereinzelte Besitzungen und Mühlen um Mühlbach.[14]

Im 15. Jahrhundert wurde dem Kloster durch den Kampf König Friedrichs III. mit den Grafen von Cilli (1435), in den auch Abt Johann (1432 – 1446) hineingezogen worden war, und durch die Türkeneinfälle 1473 – 1484 schwerer Schaden zugefügt. Das Land war verwüstet und konnte den gewohnten Ertrag nicht mehr erbringen. Dadurch ergab sich ein großer Verlust bei den Einnahmen.

Für diese landesfürstlichen Kriege mußte das Kloster einerseits die Kosten für eine gerüstete Mannschaft tragen und andererseits bedeutende Steuern erlegen.[15] Im 16. Jahrhundert forderte der Kaiser für seine Auseinandersetzungen mit den Türken von allen Klöstern und Gotteshäusern den vierten Teil (Quart) ihres Besitzes.[16] Durch diese hohen Geldleistungen sah sich das Kloster gezwungen, Güter zu veräußern. 1552[17] wurde der Kohlhof (w. Völkermarkt) völlig zins-, steuer- und zehentfrei aus der Hand gegeben. Im Jahre 1530[18] verkaufte es Güter aus dem Klosterbesitz zu Möchling, Drauhofen, Ströglach, das Dorf Stadlern[19] sowie verstreute Besitzungen um das Kloster[20]. Ein anderes Mittel, um die vom Kaiser geforderten Summen aufzubringen, war die Verpfändung. Besonders das weitentfernte Amt Möchling wurde dafür herangezogen.[21]

Das 17. Jahrhundert brachte wieder einen enormen Aufschwung. Die Äbte Hieronymus Marchstaller (1616 – 1638), Paul Memminger (1638 – 1660) und Philipp Rottenhäusler (1661 – 1677) erwirtschafteten ein Vermögen, mit dem sie den Klosterbesitz im Lavanttal beträchtlich erweiterten.

Abt Hieronymus Marchstaller kaufte 1619[22] das Haus des landschaftlichen Bauzahlmeisters Max Schiek am heutigen Heiligengeistplatz in Klagenfurt (Gutenberghaus), nachdem er als Landstand (seit 1616) oft länger in Klagenfurt bleiben mußte. Außerdem wollte er hier Wein aus den steirischen Weingärten verkaufen.[23]

Im Lavanttal brachte das Kloster die vier großen umliegenden Herrschaften an sich. 1629[24] kaufte es die Herrschaften Rabenstein und Unterdrauburg. Um den Kaufpreis für Rabenstein aufzutreiben, veräußerte das Kloster die weitentfernten steirischen Ämter St.

Georgen an der Pössnitz und Gamlitz und nahm ein Darlehen auf. Die unmittelbar angrenzende Herrschaft Rabenstein war ein großer Gewinn für St. Paul. Es gewann dadurch viele Huben im Süden der St. Pauler Berge, Weingärten, Güter an der Lavant, im Nordosten des Stiftes und im Granitztal. Durch den Ankauf der Herrschaft Kollnitz 1651[25] kamen wertvolle Ländereien im Nordwesten des Klosters, im Granitztal und im mittleren Lavanttal an St. Paul. Das Goding-Amt aus dem Besitz der ausgewanderten Freiberger ging 1656[26] durch Kauf an das Kloster über. Für das kaum mit Almen ausgestattete Kloster war dieses almenreiche Amt von großer wirtschaftlicher Bedeutung. Fünf Jahre später, 1661[27], kaufte Abt Philipp vom Freisassen Adam Gollner den Gollner-Hof. Schließlich wurde das Kloster St. Paul mit der Erwerbung der Herrschaften Lavamünd und Loschental, im Süden und besonders südöstlichen Teil des Lavanttales, im Jahre 1667, mit Ausnahme des salzburgischen Steinberges, die einzige Grundherrschaft im unteren Lavanttal. Der Waldreichtum der Herrschaft Lavamünd ist für das Kloster bis heute sehr wertvoll geblieben. In diesem Gebiet entstanden die Glashütte St. Vinzenz, der Kupferbergbau auf dem Lamprechtsberg und zahlreiche Hammerwerke.[28]

Im Jahre 1668[29] erfolgte ein Gütertausch. Graf Andre von Rosenberg gab Abt Philipp die Wurmbrandtischen Güter – teils Untertanen im mittleren Lavanttal, teils Zehente und Bergrechte, aber auch Lehensgüter von Salzburg und Bamberg – gegen Klosterbesitzungen im Amt Möchling, im Tainacher Feld, zu Mauern, Ströglach und St. Philippen an der Gurk, die der rosenbergischen Herrschaft Höhenbergen sehr nahe lagen[30]. Wenige Tage später, am 25. 4. 1668[31] kaufte der Abt von Hans Franz Freiherrn von Dietrichstein die Gülte Mosern (ö. St. Andrä). Dazu gehörten Lehensgüter des Bistums Lavant und des Bistums Bamberg. St. Paul wurde damit Passiv-Lehensträger dieser Bistümer. Es handelte sich dabei um verstreute Huben auf den östlichen Hängen der Saualpe (Forst) und im nördlichen Teil des mittleren Lavanttales.[32]

Mit diesen Erwerbungen schuf sich St. Paul einen einigermaßen geschlossenen Besitz rund um das Kloster.

Die Besitzungen ausserhalb Kärntens

Der umfangmäßig größte Teil des Klosterbesitzes lag aber nicht im Lavanttal, sondern im angrenzenden Draugebiet, am Bacher und Posruck, in den Windischen Büheln (Slovenske Gorice) bis zur Mur und auf dem oberen Draufeld südwärts bis zum Pulsgaubach. Dieses große Gebiet übergab die Stifterfamilie dem Kloster St. Paul zwischen 1091[33] und etwa 1200[34].

Der älteste Klosterbesitz in der Steiermark war die *villa Rouste*[35] (Ruše) mit Umgebung, am Verkehrsweg südlich der Drau (nw. vom Markt St. Lorenzen, Sv. Lovrenc na Pohorju). Von hier aus rodete St. Paul bis zu den Höhen des Bacher Gebirges (Pohorje) und schuf das Amt St. Lorenzen in der Wüste[36].

Im westlichen Waldland war der Besitz zuerst innerhalb der Pfarren St. Lorenzen (Sv. Lovrenc), Fresen (Bresje) und Kappel (Zgornja Kapla) (Amt Remschnig, Remšnik), Zellnitz (Selnica ob Dravi) und Gams (Kamnica) westlich von Marburg (Kamnica) geschlossen. Später splitterte er durch die häufige Vergabe von Lehen immer mehr auf. Streubesitz, bedingt durch Lehen, hatte das Kloster auch in den Windischen Büheln und auf dem Draufeld.

Schon im 14. Jahrhundert verlor das Kloster die großen Waldherrschaften Saldenhofen (Vuzenica) (1374) und Mahrenberg (Marenberg) (1312). Das Schloß Schmirnberg gelangte 1439 an den Landesfürsten. Seit 1456 hatte der Landesfürst schließlich alle drei Herrschaften als Eigengut inne.

Im Jahre 1480[37] besaß das Kloster St. Paul in der Steiermark die Ämter St. Lorenzen (Sv. Lovrenc), Wurmat (Vurmat), Walz (Voč), Fürst (Slemen), Schober (Šober), St. Georgen in den Windischen Büheln (Jurijob Pesnici), Jellentschen (Jelenče), Zellnitz bei der Mur, Gamlitz, Zellnitz bei der Drau (Selnica ob Dravi) und Maria Rast (Ruše)[38]. Das Amt Remschnig mußte Abt Matthias 1537 an Wilhelm von Gera verkaufen, dessen endgültiges Eigen es erst 1582 wurde.[39]

Das Amt St. Georgen an der Pößnitz (Jurij ob Pesnici) wurde im Zuge der Erwerbung der Herrschaft Rabenstein 1629 an Johann Ulrich Fürst Eggenberg verkauft. Dadurch verlor das Kloster endgültig alle Besitzungen an der oberen Pößnitz (Pesnica)[40].

Die übrigen steirischen Güter wurden in der Herrschaft Faal (bei Sv. Lovrenc na Pohorju) vereinigt. Der Ausgangspunkt dieser Herrschaft war das geschlossene Amt St. Lorenzen[41].

Im Jahre 1289/90 hatte das Kloster St. Paul in Kärnten 387 und in der Steiermark 632 Mansen und Huben. Bei der Aufhebung des Stiftes 1787 betrug der Wert der Kärntner Güter 510.700 Gulden und jener in der Steiermark 170.000 Gulden.[42]

Man kann zusammenfassend feststellen, daß das Kloster St. Paul die weitentfernten steirischen Besitzungen veräußerte, um die kärntnerischen erhalten zu können.

Der Klosterbesitz in Krain und Friaul

Ulrich II. von Spanheim übergab als Herzog von Kärnten dem Kloster St. Paul 1200[43] geringen Besitz in der Umgebung von Laibach. Diesen Besitz verkaufte es aber bereits 1314[44] an einen Laibacher Bürger.

Umfangreicher waren die Besitzungen St. Pauls in Friaul. Im Urbar von 1289/90 finden sie keine Erwähnung, obwohl sie in dieser Zeit bereits dem Kloster gehörten. Das Urbar von 1371/72 zählt sie aber auf.[45]

Die Güter in Friaul gingen ebenfalls auf spanheimische Schenkungen zurück. Es waren dies „Kazlinsdorph"[46], heute Villacaccia (sw. Udine), Domains und Vivaro (nö. Pordenone) sowie Vendoglio und Colloredo (nw. Udine). Bereits 1091 erhielt das Kloster zur Ausstattung die später nicht mehr erwähnte „villa Lipnik" (1184 als Libinich bestätigt) und die Burg „Retin" (Artegna nö. Udine), die nur dieses eine Mal im Besitz des Klosters erscheint. Der Friauler Besitz wird zuletzt 1402/03[47] erwähnt.

Von der Aufhebung des Klosters bis ins 20. Jahrhundert

Seit 1783 bildete der Besitz des Klosters die Religionsfondsherrschaft St. Paul. Bis auf die St. Pauler Häuser in Lavamünd, Völkermarkt und Klagenfurt, die verkauft werden mußten, und die Meierei Kollnitz, die als Beschäl-Departement (Gestüt) an das Militär verpachtet wurde, blieb der Besitz nach der Aufhebung 1787 beisammen.

In den Klosteraufhebungsakten im Kärntner Landesarchiv[48] befindet sich eine Zusammenstellung der zu diesem Zeitpunkt zum Kloster St. Paul gehörenden Herrschaften in Kärnten und Steiermark, mit einer genauen Beschreibung der Hubenanzahl und der Erträgnisse.

Es waren dies in Kärnten die Herrschaften St. Paul (mit den Ämtern Wieternig, Eis, Granitztal, Haberberg, Pustritz, Framrach, Hartlsberg, Goding, Lavanttal, Wurmbrand, Hornburg und Markt St. Paul), Rabenstein, Lavamünd, Loschental, Kollnitz, Möchling, Unterdrauburg und die Gülte Mosern. In der Steiermark besaß das Kloster die verpachteten Herrschaften Faal und Lembach.

1809 übernahmen die Benediktiner aus St. Blasien im Schwarzwald das Kloster St. Paul, nachdem sie zuvor im aufgehobenen Chorherrenstift Spital am Pyhrn (OÖ) ansässig gewesen waren. Ihre Hauptaufgabe sollte die Lehrtätigkeit sein. Sie mußten ein zweites Gymnasium in Kärnten halten und mit der Zeit ein Konvikt (Stift, Heim für Theologiestudenten) errichten. Für ihre Ausstattung erhielten sie die Religionsfondsherrschaft St. Paul, die Studienfondsherrschaft Eberndorf mit der Meierei Wasserhofen und die kleineren Einnahmen aus dem Franziskanervermögen in Klagenfurt. In Zahlen ausgedrückt bedeutete das: 28.000 Gulden jährliche Dotation.

Um diese Dotationssumme entbrannte ein Streit zwischen dem Abt und dem Kaiser, der sich bis 1820 hinzog. Die übergebenen Güter hatten nicht den gewünschten Ertrag von 28.000 Gulden. Im Jahre 1816 wurde dem Kloster auf Betreiben des Fürstabtes Berthold wieder die Meierei Kollnitz übergeben. Zur Ergänzung der Dotation bekam das Stift 1817 schließlich noch die Güter der Herrschaft Leonstein (Pörtschach) und der Gülte Viktringhof in Marburg (Jugoslawien).

Ein einschneidendes Ereignis stellte die Grundentlastung von 1848 dar. Anstatt der jährlichen Abgaben erhielt das Stift ein großes Kapital, das durch die fortschreitende Geldentwertung und Notzeiten, in denen es zum Wirtschaften herangezogen werden mußte, allmählich sehr angegriffen wurde. Aus diesem Grunde kam es 1920 zum Verkauf des Benediktinerklosters in Klagenfurt an die Diözese Gurk und 1910 zum Verkauf des Gutes Leonstein an die Gemeinde Pörtschach und die Eigentümer des Warmbades Villach.

Eine bedeutende Einnahmequelle stellte für das Kloster schon immer der Weinverkauf aus seinen untersteirischen Weingärten dar. Nach dem ersten Weltkrieg verlor es einen Teil davon. Mit dem Jahre 1945 büßte es sämtliche Besitzungen in Jugoslawien ein.[49]

Wie aus der Besitzübersicht hervorgeht, gab es für das Kloster St. Paul seit seiner Gründung 1091 so manche Besitzstandsveränderung. Im großen und ganzen blieb aber sein ursprüngliches Besitzausmaß in Kärnten erhalten.

Die Organisation der Grundherrschaft

Die Erschließung des Lavanttales begann erst am Ende des 11. Jahrhunderts. Das Land wurde überwiegend vom Kloster selbst gerodet. Als Siedlungsform scheint fast durchwegs die Einzelhofsiedlung (Hube) auf.

Der Besitz des Klosters St. Paul erstreckte sich beiderseits der Drau von der Gegend um Villach bis zur kroatischen und ungarischen Grenze. Für die Verwaltung dieser weitläufigen Ländereien und der großen Zahl bäuerlicher Untertanen (*coloni*) war eine territoriale Unterteilung notwendig.

Die beiden für die Forschung grundlegenden Urbare aus den Jahren 1289/90[50] und 1371/72[51] weisen eine genaue räumliche Gliederung in Ämtern (*officia*) auf. Meistens wurde ein bereits bestehender Hof im Mittelpunkt eines größeren Güterkomplexes zum Ausgangspunkt des Amtes. Die Entstehung dieser Höfe, die am Ende des 13. Jahrhunderts bereits in kleinere Besitzeinheiten (*mansus* = Hube) aufgesplittert waren, fiel fast ausschließlich in die Zeit der Spanheimer. Die Ämter stellten eine rein verwaltungstechnische Einheit dar und entstanden später als die Pfarren und Gerichte. Nur vereinzelt gab es eine weitestgehende Übereinstimmung wie im Falle von Möchling, Drauhofen und in der Steiermark St. Lorenzen und Remschnig.[52]

Das größte St. Pauler Amt, gemessen an der Anzahl der Bauerngüter, war in Kärnten das Amt Möchling (n. Gallizien) mit über 80 Besitzeinheiten; das kleinste war das nur im Urbar von 1371/72[53] genau beschriebene Amt Weinberg mit weniger als 30 Gütern. In der Steiermark lagen im umfangreichsten Amt St. Lorenzen 140 Besitzeinheiten und im Amt Walz nur 15 bis 16.[54]

Die oberste Verwaltung war zweigeteilt. In Kärnten stellte den Verwaltungsmittelpunkt das Kloster selbst dar, in der Steiermark hatte der oberste Beamte (*officialis*) seinen Sitz in Zellnitz/Drau[55].

Wie die grundherrschaftliche Verwaltung im Detail funktionierte, kann auch aufgrund der Urbare nicht genau gesagt werden. Allein die Bezeichnung der Beamten – *officialis, preco, supanus, iudex, procurator, decanus, villicus* – war in Kärnten und in der Steiermark, aber auch innerhalb dieser Länder nicht einheitlich.

Der Amtmann wird im Urbar 1289 meistens *preco* genannt. Im jüngeren Urbar 1371 wird der Ausdruck *officialis* sehr oft verwendet. In der Steiermark ist damit der *supanus*, der oft *procurator* oder *officialis*, oder in Ämtern, die gleichzeitig die hohe Gerichtsbarkeit innehatten, auch *iudex* genannt wurde, gleichzusetzen. Auf den Klosterbesitzungen um Marburg ist von einem *officialis, preco* oder *supanus* die Rede. In Friaul heißt er *decanus*. Der Aufgabenbereich dieser bevorrechteten Beamten, die für ihre Dienste meist einen *mansus* zinsfrei bearbeiteten, wird aus den Urbaren nicht deutlich.[56] Ihre Hauptaufgabe bestand in der Vertretung des Grundherrn als Vermittler zwischen diesem und den Untertanen auf richterliche, polizeiliche und grundherrliche Weise.

Diese Angestellten entsprachen den späteren Oberbeamten des Stiftes (Pfleger, Schaffer, Hofrichter). Die *officiales* (Amtleute) der späteren Zeit bezeichnet W. Fresacher als „niedere“ im Gegensatz zu den „höheren“ und älteren. Der Aufgabenbereich bzw. die Rechte und Pflichten eines Schaffers am Ende des 15. Jahrhunderts (1480) sind in der Anstellungsurkunde des Georg Rosenberger als Schaffer der steirischen Herrschaft Faal sehr schön zu sehen.[57]

Die bäuerlichen Untertanen

Ein selbständiges Bauerntum, das seinen eigenen Grund und Boden bearbeitete, gab es bis zum Jahre 1848 mit wenigen Ausnahmen (in Kärnten: Edlinger, bäuerliche Lehen) nicht. Die Bauern waren nur Nutznießer eines Gutes, das einem Grundherrn gehörte. Dieser zerteilte seinen großen Eigenbesitz (Dominikalgut) und überließ ihn den Bauern zur Bewirtschaftung, blieb aber Obereigentümer.

Über die persönliche Stellung der bäuerlichen Untertanen des Klosters St. Paul in Kärnten und Steiermark erfährt man aus den Urbaren nur wenig. Freie Bauern gab es vermutlich nicht.

Der *mansus* und die Hube waren, wie aus den Urbaren hervorgeht, die gebräuchlichsten Besitzeinheiten. Von ihrem Ertrag und ihrer Beschaffenheit konnte ein Bauer mit seiner Familie leben.[58]

Die bevorzugten Besitzrechte waren auch hier Freistift (*libera institutio*) und Kaufrecht (*empticium*). Im Unterschied zur Freistift hatten die Inhaber von Kaufrechtsgütern eine schwächere leibherrliche Bindung zum Grundherrn. In der Steiermark läßt sich aufgrund der Verteilung erkennen, daß in den altbesiedelten Gegenden an der Drau das Freistiftrecht vorkam, während in den jüngeren Rodungsgebieten nördlich und südlich der Drau das Kaufrecht bestand.[59]

Das Lehensrecht (*ius feodale*) als Besitzrecht kommt nur sehr selten vor. Der oberste Beamte (*officialis*) auf den Klosterbesitzungen in der Steiermark besaß einen *mansus* zu Zins und einen *iure feodali*[60].

Eine bevorrechtete Stellung nahmen jene Beamten ein, die einen Weingarten zu bebauen hatten. Diese Güter (*predii*) wurden auch meist als Lehen bezeichnet, und von ihnen wurde zum Teil nur der halbe Zins (Bergrecht) eingehoben.[61]

Die bäuerlichen Leistungen und Abgaben

Die bäuerlichen Untertanen hatten ihre Besitzungen nur zum Nutzgenuß, für den sie dem Grundherrn verschiedene Dienste leisten mußten, inne. Diese Dienste setzten sich in der Regel aus dem Zins (*census*) und verschiedenen Abgaben (Geld, Getreide, Kleinrechte, Holz, Flachs etc.) zusammen. Außerdem mußten sie körperliche Arbeiten (Robot) für den Grundherrn verrichten. Zudem waren sie verpflichtet, für die Beamten bestimmte Leistungen zu erbringen und den Zehent (= *decima* = der 10. Teil des jährlichen Ertrages) an die Kirche abzuliefern.

Die Inhaber von Bauerngütern in Kärnten lieferten hauptsächlich Getreide (v. a. Roggen, aber auch Gerste, Hafer, Hopfen) ab.

In der Steiermark hingegen standen die Geldleistungen im Vordergrund. Ausschlaggebend dafür war der umständliche Naturalientransport von der Steiermark ins Lavanttal.

Eine wertvolle Abgabe für das Kloster war in der Steiermark, neben den vorrangigen Geldleistungen, der Wein. Er kam vor allem aus dem Gebiet nördlich und südlich der Drau innerhalb des Drauwaldes. In Kärnten wurde, in vergleichsweise geringem Ausmaß, Wein westlich von St. Andrä (Agsdorf) und östlich von St. Paul (Weinberg) angebaut.[62]

Das Kloster St. Paul als Gewerke

Die verbesserte finanzielle Situation im 17. Jahrhundert veranlaßte das Kloster St. Paul, nach Erzen zu schürfen und gewerbliche Anlagen zu errichten. 1679 kaufte es Anteile in Hüttenberg, die es aber 10 Jahre später wieder verkaufte. Es begann an der Goding (1696/97) und am Lamprechtsberg (1647/48) Eisenerz abzubauen.[63] Im Jahre 1696 erwarb das Kloster Bleierzgruben am Hochobir und bei Klein St. Paul im Bereich des adeligen Damenstiftes St. Georgen am Längsee. Zur selben Zeit bekam das Kloster eine Grube für silberhältiges Kieserz bei St. Paul unter Hornburg verliehen. Um sich von der Abbauwürdigkeit zu überzeugen, schickte man Erzstücke an verschiedene Sachverständige zur Untersuchung. Die Proben fielen durchwegs so aus, daß ein gewinnbringender Bergbaubetrieb nicht auf Dauer möglich gewesen wäre. Im Jahre 1700 stellte das Kloster schließlich den Abbau von Blei- und Silbererzen ein.[64]

Der vergebliche Versuch, am Lamprechtsberg (1766 – 1791) Kupfererz abzubauen, bedeutete für das Kloster eine große finanzielle Einbuße. Gerade an diesem Beispiel sieht man die Unfähigkeit des Stiftes, wirtschaftlichen Gewinn aus gewerblichen Unternehmungen zu ziehen.[65] Der einzige St. Pauler Betrieb mit Langzeitcharakter blieb die Glashütte St. Vinzenz in 1000 m Höhe in den Lavamünder Waldungen. Diese Glashütte bestand bis 1878.[66]

ANMERKUNGEN

1. MC 3, Nr. 496; siehe v. a. den Beitrag hier S. 69 ff.
2. W. FRESACHER, Der Besitz des Klosters St. Paul in Kärnten, Car. I 149 (1959), S. 337–378; DERS., Das Benediktinerkloster St. Paul in Kärnten (Geschichtlicher Überblick), in: ÖKT 37 (1969), S. 15–31; DERS., Die mittelalterlichen Urbare des Benediktinerstiftes St. Paul in Kärnten (Österreichische Urbare, Bd. 3, 2. Tl., 1968); DERS., Bäuerliches Besitzrecht bei der Herrschaft St. Paul im ersten Viertel des 16. Jahrhunderts, Car. I 146 (1956), S. 132–140; DERS., Hof, Burgfried, Hofgericht und Markt St. Paul, Car. I 149 (1959), S. 671–714; DERS., Geschichte des Marktes St. Paul im Lavanttal (AVGT 57, 1961).
3. B. SCHROLL, Das Benediktinerstift St. Paul, Car. 66 (1876), S. 57, S. 89, S. 121, S. 169, S. 217, S. 265; DERS., UB St. Paul; DERS., Lehensverzeichnisse des Benediktiner-Stiftes St. Paul in Kärnten (1865); DERS., Hieronymus Marchstaller (1891).
4. O. LAMPRECHT, Der älteste Besitz des Stiftes St. Paul im steirischen Draulande, ZS des Historischen Vereins für Steiermark 46 (1955), S. 112–124; DERS., Die Besiedlung des Remschnigberglandes, ebd., 47 (1956), S. 20–27; DERS., Der mittelalterliche Besitz des Stiftes St. Paul i. L. auf dem Remschnik, Car. I 147 (1957), S. 334–349; DERS., Der mittelalterliche Besitzstand des Stiftes St. Paul i. L. an der Pößnitz, Car. I 149 (1959), S. 379–388; DERS., Der Besitz des Stiftes St. Paul i. L. in der Mark hinter dem Drauwalde, Car. I 151 (1961), S. 520–533; DERS., Wo lag „Vollenanger", Blätter für Heimatkunde 31 (1957), S. 65–70; DERS., Die „Fünfhuben" bei Schmiernberg, Blätter für Heimatkunde 32 (1958), S. 2–7; DERS., Gemeinerschaften auf dem mittelalterlichen Besitz des Stiftes St. Paul i. L., ZS des Historischen Vereins für Steiermark 53 (1962), S. 29–35.
5. MC 3, Nr. 496, siehe auch hier S. 72 ff.
6. W. FRESACHER, Geschichte der Gemeinde Granitztal in Kärnten (1971).
7. DERS., Markt St. Paul (wie Anm. 2), W. NEUMANN, Die Rechtsstellung der Klostermärkte in Kärnten, in: Symposium zur Geschichte von Millstatt und Kärnten (1982), o. S.
8. MC 3, Nr. 574.
9. FRESACHER, Besitz (wie Anm. 2), S. 346; K. SONNLEITNER, Schenkungen und Stiftungen zum Kloster St. Paul in Kärnten (bis 1500), MIÖG 86 (1986), S. 341ff.
10. MC 4/1, Nr. 1902.
11. FRESACHER, Urbare (wie Anm. 2), S. SVIIff.; DERS., Besitz (wie Anm. 2), S. 337ff.
12. MC 3, Nr. 543, Nr. 1461.
13. EBD., Nr. 838.
14. W. FRESACHER, Die Marktverleihung an St. Paul im Lavanttal, Car. I 146 (1956), S. 123f, K. DINKLAGE, Kleine Geschichte von Völkermarkt. Mit einem Anhang Völkermarkt zwischen Abt und Herzog aus den MIÖG (1960).
15. UB ST. PAUL, Nrn. 462, 464, 467, 566, 577.
16. FRESACHER, Besitz (wie Anm. 2), S. 354.
17. STA, 21. 3. 1552.
18. EBD., 1530, Augsburg.
19. EBD, 20. 3. 1530, Augsburg.
20. EBD., 9. 10. 1530.
21. EBD., 29. 12. 1556, Regensburg, und 12. 11. 1580, Graz.
22. SCHROLL, Marchstaller (wie Anm. 3), S. 111ff., Anm. 92.
23. E. ZENEGG-SCHARFENSTEIN, Geschichtliches vom Gutenberg-Haus, Klagenfurter Zeitung, 4. 8. 1910.
24. STA, 7. 2. 1629, Salzburg; 8. 6. 1629, Graz; 24. 6. 1629, Graz (im Pack 50, 320).
25. EBD., 4. 4. 1651 (im Pack 47, 296 und HS 303).
26. EBD., 23. 11. 1656.
27. EBD., 24. 3. 1661.
28. FRESACHER, Besitz (wie Anm. 2), S. 45ff.
29. STA, 25. 4. 1668 (Abschrift im Pack 53, 335).
30. EBD., 10. 4. 1668, Klagenfurt (Abschrift).
31. EBD., 25. 4. 1668 (Abschrift im Pack 53, 335).
32. FRESACHER, Besitz (wie Anm. 2), S. 49.
33. LAMPRECHT, Der älteste Besitz (wie Anm. 4).
34. H. PIRCHEGGER, Der Besitz der Kärntner Klöster und Pfarren in der Steiermark, Car. I 151 (1961), S. 514–519.
35. MC 3, Nr. 496; vgl. dazu LAMPRECHT, Der älteste Besitz (wie Anm. 4), S. 112ff.; UB ST. PAUL, S. 8, Anm. 21; J. v. ZAHN, Ortsnamenbuch der Steiermark im Mittelalter (1893).
36. FRESACHER, Urbare (wie Anm. 2), S. XXIIf.
37. UB ST. PAUL, Nr. 614.
38. PIRCHEGGER, Besitz (wie Anm. 34), S. 516.
39. LAMPRECHT, Remschnik (wie Anm. 4), S. 348.
40. DERS., Pößnitz (wie Anm. 4), S. 384.
41. FRESACHER, Urbare (wie Anm. 2), S. XLIII.
42. PIRCHEGGER, Besitz (wie Anm. 34), S. 516.
43. MC 3, Nr. 1469.
44. MC 8, Nr. 212.
45. FRESACHER, Urbare (wie Anm. 2).
46. MC 3, Nr. 1308.
47. UB ST. PAUL, Nrn. 328, 333, 336, 337, 338.
48. KLA, Klosteraufhebungsakten, Fasz. IV.
49. FRESACHER, Besitz (wie Anm. 2), S. 56ff.; SCHROLL, Benedictiner-Stift (wie Anm. 3), S. 267ff.
50. STA, HS 284; FRESACHER, Urbare (wie Anm. 2), S. 1ff.
51. EBD., HS 285; EBD, S. 101ff.
52. FRESACHER, Urbare (wie Anm. 2), S. XVIIff.
53. EBD., S. 183ff.
54. EBD., S. XLIII.
55. EBD., S. XXXVII.
56. EBD., S. XXXVI.
57. EBD., S. XXXVII, Anm. 77; A. MELL, Grundriß der Verfassungs- und Verwaltungsgeschichte des Landes Steiermark (1929), S. 279; UB ST. PAUL, Nrn. 613, 614.
58. FRESACHER, Urbare (wie Anm. 2), S. LVff.
59. EBD., S. XLVII.
60. EBD., S. L.
61. EBD., S. XLIVff.
62. EBD., S. LXXIff.
63. FRESACHER, Besitz (wie Anm. 2), S. 365.
64. J. KLAUSBERGER, Das Eisenbergwerk am Lamprechtsberg (1647–1648) und an der Goding (1696–1697), Montanistische Rundschau 29 (1937), Nr. 24; DERS., St. Pauls Blei- und Silberbergbauversuche am Hochobir und bei Klein St. Paul im Görtschitztal im Jahre 1696–1700, ebd., Nr. 87; DERS., St. Pauls Kupferbergwerk am Lamprechtsberg (1766–1791), JbSP (1935/36), S. 3–37.
65. DERS., Kupferbergwerk (wie Anm. 64); FRESACHER, Besitz (wie Anm. 2), S. 365; siehe auch hier S. 197 ff.
66. FRESACHER, Besitz (wie Anm. 2), S. 365f.; A. v. JAKSCH, Glashütten in Kärnten, Car. I 113 (1923), S. 1–8.

Der Markt St. Paul – Stift und Markt

ULRIKE BAUMGARTNER-WALTEN

Während sich das Stift St. Paul bald nach seiner Gründung 1091 zum bedeutendsten Benediktinerstift Kärntens entwickelte und nach seiner Wiederbesiedlung zu Beginn des 19. Jahrhunderts durch die Errichtung eines Gymnasiums zu einem Mittelpunkt der geisteswissenschaftlichen Forschung in Kärnten wurde, führte der „Markt" St. Paul ein „Schattendasein" sozusagen zu Füßen der beherrschenden Stiftsanlage.

Die Beziehungen zwischen Stift und Markt St. Paul lassen sich im großen und ganzen auf einen Nenner bringen: Der Markt St. Paul war in jeder Hinsicht vom Kloster und seinen Äbten als Grundherrschaft abhängig. Und obwohl sich St. Paul als Markt nie vollständig aus dieser Abhängigkeit lösen konnte, wäre vor allem der wirtschaftliche Stand des Klosters ohne eine sich bildende Ansiedlung ein ungleich schwererer gewesen.[1]

Der heutige Markt St. Paul ist sicherlich nicht aufgrund einer verkehrsmäßig günstigen Lage entstanden wie viele andere Märkte im Lande. Auch in politischer Hinsicht gab es zu seiner Begründung keinen wirklichen Anlaß. Dazu kommt, daß sich das Stift St. Paul erst durch den Kauf der rundum gelegenen Herrschaften Rabenstein (1629), Kollnitz (1651), Loschental und Lavamünd (beide 1667) im Laufe des 17. Jahrhunderts zum Mittelpunkt eines geschlossenen Herrschafts- und Wirtschaftsgebietes entwickeln konnte. 1091[2] übergab der Stifter des Klosters, Graf Engelbert I. von Spanheim, dem ersten Abt Wezilo den „Hof, genannt zu St. Paul" in der Gegend Lavant mit dem dabeiliegenden Höflein „Brugga" (*in territorio Lauentino curiam ipsam, que dicitur ad sanctum Paulum, cum adiacenti villula, que vocatur Brugga*). Es wird jedoch nicht näher bezeichnet, wo der benannte Hof lag und welches Gebiet er umfaßte. Er bildete jedenfalls den Mittelpunkt des Stiftsbesitzes.

Rund hundert Jahre später wird der Ort bereits *forum* (Marktstätte) genannt.[3] Trotzdem läßt sich eine echte Marktrechtsverleihung weder für diesen noch für einen späteren Zeitpunkt urkundlich nachweisen. Das heute als „Markt" bezeichnete St. Paul ist eine Schöpfung des Klosters, das sich durch die Bezeichnung der Ansiedlung als „Markt" eine wirtschaftliche Besserstellung erhoffte.[4]

Durch den Einschub in eine echte Urkunde aus dem Jahre 1255[5], der jedoch nicht vor 1335 zu datieren ist, gewährte Herzog Bernhard dem Kloster und mit ihm dem darunter gelegenen Markt gerichtliche Rechte. Darin heißt es, daß St. Paul dieselben Rechte und Freiheiten genießen sollte, wie der dem Stift gehörende Markt St. Lorenzen in der Wüste in Untersteiermark, heute Slowenien. Der Markt wird zu dieser Zeit, also frühestens 1335, erstmals mit seinem Namen genannt und entsprach in seiner damaligen Lage im Grunde der des heutigen Marktes St. Paul. Bis ins 14. Jahrhundert lag St. Paul beinahe zur

Gänze rechts des Granitzbaches und bestand aus dem heute sogenannten „Schwarzen Viertel".[6] Erst in späterer Zeit wurden auch weiter unten entlang des Granitzbaches Häuser errichtet. Jedenfalls dürfte während des gesamten Mittelalters der Markt aus dem als „Schwarzes Viertel" bezeichneten Teil der Siedlung bestanden haben. Die Besiedlung des oberen Teiles setzte wohl kaum vor Beginn des 16. Jahrhunderts ein. Danach aber verlor das „Schwarze Viertel" seine ursprüngliche Funktion als Kern des Marktes St. Paul.

Auch nach der genannten Erweiterung des Marktes änderten sich die Anzahl der Häuser und die Einwohnerzahlen kaum. So nennt uns das älteste Urbar des Stiftes aus dem Jahr 1289 60 Hofstätten (*area*) mit ihren Besitzern.[7] In einem Verzeichnis von 1458 werden knapp 50 Bewohner angeführt[8] und 1573 sind es 65 Häuser bzw. Hofstätten, die mit ihren Besitzern urkundlich erwähnt werden.[9] Die gute Quellenlage zur Geschichte der Bürgerschaft im Markte gibt uns weiters Auskunft über die Verhältnisse der späteren Zeit. So werden für das Jahr 1621 im Markt 68 Häuser genannt[10], von denen jedoch einige als Keuschen bezeichnet werden. Es dürften zu dieser Zeit zwischen 400 und 450 Einwohner in St. Paul gelebt haben.[11] Aus dem 18. Jahrhundert gibt es jedenfalls mehrere Verzeichnisse[12], die um die 50 Häuser im Markt anführen. Um den Zustand einzelner Häuser war es jedoch sehr schlecht bestellt.[13] Erst zu Beginn des 20. Jahrhunderts überschritten die Bevölkerungszahlen die Zahl 1000. Der Markt selbst hat von seiner baulichen Gestaltung her bis in unsere Zeit die Form eines „Dorfes" beibehalten, denn nur an wenigen Stellen wuchsen die Häuser miteinander zusammen, ohne das dorfähnliche Aussehen des Marktes zu verändern. Mit dazu beigetragen hat sicherlich auch das Fehlen einer Ummauerung, die ein Zusammenrücken der Häuserreihen nicht notwendig werden ließ. Diese und einige andere Besonderheiten im Markt St. Paul, die ihn von anderen Märkten und Städten im Land unterscheiden, ergaben sich aus der starken Bindung zum Stift und dem geistlichen Grundherrn und prägen bis heute das äußere Erscheinungsbild und die innere Struktur des Marktes.

Überhaupt läßt sich für den Markt St. Paul eine Blütezeit weder in wirtschaftlicher noch in sonstiger Hinsicht feststellen. Dazu war er zu sehr abhängig von der Grundherrschaft des Stiftes und deren wirtschaftlicher Entwicklung, die direkte Folgen für den Markt hatte. Die Auflösung des Stiftes stellte den Markt und seine Bewohner vor große wirtschaftliche Probleme.[14] Nachdem durch die Staatsherrschaft keine Besserung herbeigeführt werden konnte, brachte erst die Wiederbesiedlung des Stiftes allmählichen Aufschwung.

Das Stift selbst behandelte den Markt und seine Bürger nach Hofrecht, was wiederum für das Kloster nicht unbedingt von Vorteil gewesen ist. Wohl wahrte man seitens des Stiftes die Abhängigkeit des Marktes zu seinem Grundherrn, doch ergaben sich hinsichtlich der Besteuerung für den Markt selbst erhebliche steuerliche Nachteile. Während selbständige Städte und Märkte gegenüber anderen Grundherrschaften Begünstigungen bei der Besteuerung genossen, fiel St. Paul ja unter die Steuerpflicht des Stiftes. Trotzdem gab es im Markt selbst kaum nennenswerte Bestrebungen, sich gegen den mächtigen Grundherrn aufzulehnen.[15]

Der Markt St. Paul bildete nie ein selbständiges Marktgericht aus, sondern war Bestandteil des Hofgerichtes, zusammen mit dem Kloster und der nächsten Umgebung. Das Hofgericht St. Paul ging aus dem Burgfried hervor und lag zur Gänze rechts von der Lavant.[16] Es war, wie bereits erwähnt, eng umschlossen von fremden Herrschaften, die erst im Verlauf des 17. Jahrhunderts in das Herrschaftsgebiet des Stiftes einbezogen wurden.

St. Paul als Markt besaß auch niemals einen selbständigen Burgfried und somit keine Gerichtsbarkeit im eigentlichen Sinn. Für die Jahre 1460[17] und 1461[18] wird ausdrücklich ein „Marktrichter" urkundlich mehrmals genannt, und auch für spätere Zeiten sind Richter im Markte nachzuweisen. Echte richterliche Befugnisse wurden von diesen aber nicht ausgeübt. Der in den Urkunden bezeichnete „Marktrichter" ist deshalb in seiner Stellung und in seinem rechtlichen Aufgabenbereich scharf vom Marktrichter der neueren Zeit zu unterscheiden.[19] Im Laufe des 16. Jahrhunderts schied der Markt St. Paul aus dem Burgfried aus, doch auch dann konnte er sich nicht aus der Abhängigkeit des Stiftes lösen.

Unter den Beamten des Stiftes übernahm mit der Zeit der sogenannte „Schaffer" die Befugnisse eines Richters und wurde zum Hofrichter[20], zum Richter und Anwalt des Stiftes im Markte. Der Markt erhielt zwar seinen eigenen Marktrichter, doch war sein Aufgabenbereich eingeschränkt auf die Ausübung polizeilicher Rechte. Alle strafgerichtlichen Angelegenheiten waren in Händen des Hofrichters als Vertreter des Abtes im Markte, ohne dessen Wissen nicht gehandelt werden konnte.[21]

Nach der Auflösung des Stiftes wurde für die Staatsherrschaft St. Paul ein Oberpfleger eingesetzt. Dieser stellte für den Markt St. Paul fest, daß es keine eigene Gerichtsbarkeit gab.[22] Der Marktrichter erscheint in dessen Beschreibung lediglich als „Hilfskraft" des Hofrichters.

Der Marktrichter bildete die Spitze des Gemeinwesens im Markte St. Paul und wurde ab dem 17. Jahrhundert mit Sicherheit durch die Bürger des Marktes gewählt. Nachweise über Marktrichterwahlen im einzelnen liegen jedoch nicht vor. Neben dem Richter werden auch sogenannte Ratsbürger urkundlich genannt, wobei sich in St. Paul seit dem 18. Jahrhundert für die Gemeinschaft zwischen Richter und Rat der Ausdruck „Magistrat" erhalten hat. Über die Bestellung der Ratsbürger und die Zusammensetzung des „Magistrats" sind jedoch keinerlei urkundliche Nachrichten überliefert.[23]

Der Magistrat hatte wie der Richter im Markt kaum nennenswerte Aufgaben. Eine der Hauptaufgaben lag in der Errichtung der Inventare verstorbener Bürger im Markte, in der Abhaltung von Erbschafts- und Vormundschaftsangelegenheiten sowie in der Abwicklung von Geldgeschäften von geringer Höhe. Es gab jedoch kaum etwas im Markte, worüber nicht der Abt oder sein Stellvertreter, der Hofrichter, ihre Anordnungen getroffen hätten. Und da die dem Magistrat angehörenden Bürger in der Regel dem Handwerkerstand entstammten und keine oder nur geringe Bildung genossen hatten, war die Kontrolle der Grundherrschaft notwendig. Neben Unregelmäßigkeiten in den dem Magistrat anvertrauten Verwaltungsangelegenheiten kam es wiederholt zu Fällen von Eigennützigkeit bei der Errichtung der Inventare, bei Schätzungen und ähnlichem.[24]

Wie stark die Stellung des Klosters und seiner Äbte dem Markt gegenüber war, zeigte sich auch in der Verleihung des Rechtes zur Abhaltung eines Jahrmarktes. Abt Hieronymus Marchstaller konnte im Jahre 1622 für St. Paul die Abhaltung eines Jahrmarktes erwirken.[25] Bezeichnenderweise wurde dieser Jahrmarkt wiederum nur dem Stift St. Paul und nicht der Ansiedlung unter diesem verliehen. Ein echter Jahrmarkt, zu dem auch der traditionelle Kirchtag gehörte, ist jedoch für St. Paul urkundlich nicht nachzuweisen. Die hier erwähnten Wochenmärkte gehören der jüngeren Vergangenheit an und spielen für die Abwicklung der Kaufmannsgeschäfte eine nur untergeordnete Rolle. Fernhandelskaufleute sind in St. Paul ebenfalls nicht genannt. Galt es doch lediglich die Bedürfnisse des Stiftes und seines unmittelbaren Umlandes zu befriedigen.

Das Verhältnis zwischen dem Markt und seinem Grundherrn wurde durch die Auflösung des Stiftes natürlich in seinen Grundfesten erschüttert. In einer schriftlichen Nachricht legte nach der Auflassung des Klosters der Oberpfleger der neuen Staatsherrschaft St. Paul, der bisherige Hofrichter namens Sablatnig, eindeutig die Abhängigkeit des Marktes vom Stifte dar. Er war es auch, der jegliche Selbständigkeitsbestrebungen des Marktes auf das schärfste bekämpfte. Unter ihm verzichtete man seitens der Bürgerschaft sogar auf die Stelle eines Richters im Markte. Sablatnig dürfte jedoch seine Funktion nicht zuletzt der Differenzen mit den Bürgern des Marktes wegen eingebüßt haben. Unter seinen Nachfolgern kam es jedenfalls wieder zur Bestellung eines Richters für den Markt St. Paul.[26]

Die Lage des Marktes verschlechterte sich nach der Auflösung des Stiftes vor allem in wirtschaftlicher Hinsicht erheblich. Die Äbte des Stiftes St. Paul hatten in „ihrem Markt“ eine Handelsstätte errichtet, die die Bedürfnisse des Stiftes und seines unmittelbaren Umlandes zufriedenstellen sollte. Im Markte wohnten Handwerker, die in erster Linie für das Kloster tätig waren. Hier lebten aber auch die stiftischen Beamten und Diener. Vor allem die höheren und niederen Beamten des Klosters wohnten im Markte, wo sie zumeist im Besitz eines Hauses waren und den übrigen Bewohnern gegenüber entsprechend höheres Ansehen genossen. Das schon erwähnte Urbar des Stiftes St. Paul von 1289[27] gibt uns relativ guten Aufschluß über die Zusammensetzung der Einwohnerschaft des Marktes St. Paul in der Frühzeit. Darin werden über 60 *area* (Hofstätten) und zwei *domus* genannt. Zumindest eines der beiden vermutlich gemauerten Häuser, das *domus Wichpotonis* war mit Sicherheit im Besitz eines stiftischen Beamten.[28]

Wohl besaßen die Bewohner der einzelnen Hofstätten bei ihren Behausungen ein wenig Ackergrund, doch Landwirtschaft im eigentlichen Sinn wurde im Markt selbst nicht betrieben. Es waren keine Bauern in St. Paul ansässig, weshalb von einer bäuerlichen Siedlung St. Paul nicht die Rede sein kann.

Trotz zahlreicher Aufzeichnungen über die Häuser und Bewohner des Marktes kann kaum Auskunft über den Wert der einzelnen Besitzungen gegeben werden. Die Aufzeichnungen im Stiftsarchiv St. Paul beurkunden zwar die Kaufhandlungen zwischen den Äbten des Stiftes und den Bewohnern des Marktes, doch ist dabei auffallend, daß bei Verkäufen des Abtes bzw. an diesen oder zwischen den Bürgern von St. Paul niemals eine Kaufsumme genannt wird.

St. Paul war ja kein Markt in rechtlicher Hinsicht, wohl aber ein „Wirtschaftsmarkt, den das Kloster errichtet hatte, und für den es die Stellung eines Marktes zu erreichen strebte, ohne ihn aber aus seiner grundherrschaftlichen Abhängigkeit zu entlassen“.[29]

Die Bedeutung des Marktes St. Paul liegt in seiner Funktion als Handwerkersiedlung, in der die hier ansässigen Handwerker ihre Waren für das Stift und die nähere Umgebung erzeugten. Schon das Urbar von 1289 nennt uns die verschiedensten handwerklichen Berufe und Gewerbe, deren Vorhandensein sich zum Teil bis in unsere Zeit verfolgen läßt. Allein die Vulgarnamen der Häuser im heutigen Markt St. Paul, wie sie im alten Grundbuch noch erscheinen, lassen Rückschlüsse auf ihre ehemaligen Besitzer und deren Tätigkeiten zu. Die außerordentliche Vielfalt der handwerklichen Berufe mag auch darin begründet liegen, daß schon bei der Besiedlung und ebenso in späterer Zeit im Gefolge der Äbte und Mönche, die nach St. Paul kamen und aus den verschiedensten Ländern stammten, auch häufig Leute mitkamen, die sich in der Umgebung des Stiftes und im Markt niederließen und hier seßhaft wurden.[30]

Bemerkenswert ist das Besitzrecht im Markt St. Paul, dem zufolge schon 1289 fast ausnahmslos alle Bürger im Markte in ihrem Besitz gleichgestellt waren. Sie genossen ihre Häuser, Hofstätten und dabeiliegenden Grundstücke als Eigentum. Dieses Besitzrecht galt auch für Nichtbürger, die ein Haus im Markt erwarben. Aus zahlreichen Urkunden seit dem 15. Jahrhundert läßt sich ersehen, daß der Abt wie ein Grundherr bäuerlichen Gutes Herr des Besitzes im Markt war. Die Besitzungen der Bürger waren erblich und auch Frauen erscheinen als Mitbesitzerinnen[31], was als deutliches Kennzeichen bürgerlichen Besitzes gelten kann. Ob Frauen auch zu Lebzeiten des Gatten ein echtes Mitbestimmungsrecht am Hausbesitz hatten, ist urkundlich nicht nachzuweisen. Meist trat die Witwe nach dem Tod ihres Mannes als Gerhabin (Vormund) ihrer Kinder in Erscheinung.[32]

An diesen besitzrechtlichen Verhältnissen änderte sich nichts, solange das Kloster bestand, und selbst dann gab es in dieser Hinsicht keine nennenswerten Veränderungen. Die St. Pauler Bürger waren in ihrer Stellung gegenüber dem Grundherrn ursprünglich unfrei, wodurch sie sich nicht von anderen, bäuerlichen Grundholden unterschieden. Dennoch kann St. Paul weder in seiner geschichtlichen Vergangenheit noch heute als Dorf bezeichnet werden. Ohne echte rechtliche Grundlage war es seit seinem Bestehen ein Markt, der stets mit dem Stift und für das Stift lebte, in dem sich aber über Jahrhunderte seiner Topographie nach ein dorfähnlicher Charakter erhalten hat.

Anmerkungen

1. Vgl. dazu und zum Folgenden W. FRESACHER, Geschichte des Marktes St. Paul im Lavanttal (AVGT 57, 1961), S. 10–13. Neben dieser grundlegenden Arbeit zur Entstehung und Geschichte des Marktes St. Paul siehe auch W. FRESACHER, Hof, Burgfried, Hofgericht und Markt St. Paul, Car. I 149 (1959), S. 359–402.
2. MC 3, Nr. 496.
3. MC 3, Nr. 1308.
4. Vgl. dazu FRESACHER, Geschichte (wie Anm. 1), S. 15 ff.
5. MC 4/1, Nr. 2605. Die Fälschung der Nachricht über die Verleihung gerichtlicher Rechte an St. Paul wurde schon von Jaksch festgestellt.
6. Diese Bezeichnung ist jüngeren Datums und läßt sich ihrer Herkunft nach nicht eindeutig zuordnen. Wie schon FRESACHER, Hof (wie Anm. 1), S. 363, vermutete, könnte es eine „Erinnerung" an die Zeit des „Schwarzen Todes", der Pest, oder aber an das Handwerk der Schwarzhafner im Markt St. Paul bedeuten.
7. STA, HS 284.
8. STA, HS 184.
9. STA, HS 287.
10. STA, Pack 128.501.
11. Vgl. dazu FRESACHER, Geschichte (wie Anm. 1), S. 65.
12. Diese im STA, Pack 207.621 vom Jahre 1762, Pack 129.506 von 1785 und Pack 129.506 von 1789.
13. Eine ausführliche Übersicht und Darstellung dieser erhaltenen Bürger- und Häuserverzeichnisse findet sich bei FRESACHER, Geschichte (wie Anm. 1), S. 62–68.
14. Im STA, Pack 128.503 ist das Majestätsgesuch der Bürgerschaft des Marktes erhalten, welches nach der Aufhebung des Stiftes über die mißliche Lage der Bewohner St. Pauls Auskunft gibt. So bezeichneten sich diesem Gesuch zufolge die Bürger selbst als ihrer wirtschaftlichen Grundlage „beraubt" und völlig „gewerbe- und brotlos". Siehe dazu auch FRESACHER, Geschichte (wie Anm. 1), S. 21 f.
15. Von einer Auflehnung des Marktes gegen die mächtige Grundherrschaft wird urkundlich nur 1757 berichtet, wobei es um den freien Weinbezug ging. Die Bürger des Marktes mußten ihren Wein ebenso wie die Bäcker ihr Mehl vom Stift beziehen, das dadurch die Abhängigkeit nur zusätzlich verstärkte. STA, Pack 128.501.
16. Zu den Begriffen „Burgfried" und „Hofgericht" siehe ausführlich FRESACHER, Hof (wie Anm. 1).
17. UB ST. PAUL, Nr. 536, nennt Kunz Weiß als Marktrichter zu St. Paul. Derselbe wird auch im UB ST. PAUL, Nr. 523 für 1459 und wieder in Nr. 611 für 1479 genannt.
18. UB ST. PAUL, Nr. 538–544 und 546 f. nennt Lorenz Gruber als Marktrichter zu St. Paul.
19. Vgl. FRESACHER, Hof (wie Anm. 1), S. 382 f.
20. EBD., S. 387 und besonders Anm. 147.
21. Die HS 293/4 im STA, S. 337 gibt Aufschluß über den Aufgabenbereich des Marktrichters.
22. STA, Pack 131.512 vom Jahre 1789.
23. Vgl. dazu FRESACHER, Geschichte (wie Anm. 1), S. 40–44.
24. So gab es 1756 nachweislich Einspruch seitens der Bürgerschaft gegen die Errichtung von Inventaren durch die Mitglieder des Magistrats. Siehe STA, Pack 131.513/2.
25. UK von 1622 I 21, Wien.
26. Dazu siehe FRESACHER, Geschichte (wie Anm. 1), S. 50–55.
27. STA, HS 284.
28. STA, HS 284, fol. 21 v. Der in Kärnten unübliche und kaum verwendete Ausdruck „Wichpoto", auch „Weichbote", kann als Vorläufer für die Bezeichnung des späteren Marktrichters angesehen werden. Dazu vgl. auch W. FRESACHER (Hrsg.), Die mittelalterlichen Urbare des Benediktinerstiftes St. Paul in Kärnten 1289/90 und 1371/72 (Die mittelalterlichen Stiftsurbare Kärntens 2, 1968), S. 41.
29. FRESACHER, Hof (wie Anm. 1), S. 394.
30. Eine gute Zusammenstellung der Besitzerlisten der Häuser im Markte St. Paul findet sich bei FRESACHER, Geschichte (wie Anm. 1), S. 117–136.
31. Vgl. FRESACHER, Hof (wie Anm. 1), S. 399 ff.
32. Dazu auch FRESACHER, Geschichte (wie Anm. 1), S. 36 f.

Zeugnisse des St. Pauler Wirkens in seiner Umgebung[1]

WALTRAUD KRASSNIG

Vom Besitzstand des Stiftes St. Paul zur Zeit seiner Aufhebung ausgehend, sollen im folgenden vor allem die zahlreich erhaltenen sakralen Baudenkmäler betrachtet werden, die profanen Gebäude sind weitestgehend abgekommen.

In der nächsten Umgebung des Stiftes treffen wir zunächst auf die Kirchen auf dem Johannes- und auf dem Josefsberg.

Die auf dem Vorsprung eines Berghanges südöstlich vom Stift gelegene Filialkirche *St. Johann auf dem Johannesberg*[2] ist bereits 1184 zum ersten Mal erwähnt, 1375 ist uns eine Weihe belegt. Der wohl aus dieser Zeit stammende kleine gotische Bau, von dem noch der Chor und seine Strebepfeiler zeugen, präsentiert sich uns nach starken Veränderungen Ende des 17. Jahrhunderts in barockem Gesicht und – als eine Besonderheit – bestehend aus Ober- und Unterkirche.

In unmittelbarer Nähe, südöstlich auf einer Bergkuppe, befindet sich die Filialkirche *St. Josef auf dem Josefsberg*[3], die von Abt Albert Reichart an der Stelle der 1590 bereits verfallenen Burg *Loschental*[4] errichtet worden ist und 1687 fertiggestellt wurde; zehn Jahre zuvor hatte das Stift die Herrschaft Loschental erworben. Durch die Zunahme an Wallfahrern wurde bald ein vergrößerter Neubau (1716–1720) wie auch eine umfangreiche Wiederherstellung nach einem Brand im ersten Aufhebungsjahr 1782 notwendig. Diese einschiffige Kirche mit etwas eingezogenem, halbkreisförmig geschlossenem Chor und einem beherrschenden, sechsgeschossigen Westturm kann mit einigen äußerst bemerkenswerten Kunstwerken aufwarten. Michael Hönel, der Meister des Gurker Hochaltars, von Abt Hieronymus Marchstaller auch in umfangreichem Ausmaß für St. Paul verpflichtet, ist der Künstler der vier lebensgroßen Figuren der beiden hl. Johannes und des hl. Joachim und hl. Hieronymus am spätbarocken Hochaltar. Diese stammen vom ehemaligen, 1705 abgebrochenen Hochaltar der St. Pauler Stiftskirche. Sie tragen, wie auch die Statue der hl. Maria Magdalena nördlich unter dem Triumphbogen, die charakteristischen Merkmale seiner Gestaltungsweise und sind in der Intensität des Ausdrucks Meisterwerke aus Hönels bester Zeit (1625–1628).[5] Neben dem an der westlichen Triumphbogenwand um 1720 entstandenen qualitätsvollen, vielfigurigen, an Tintoretto gemahnenden Ölgemälde sind auch die Malereien Franz Xaver Heigels an den Wänden und im Gewölbe, entstanden nach dem Brand 1782, zu nennen, wobei er die Sujets am Chor- und Schiffgewölbe in illusionistischem Perspektivismus abzuhandeln versucht.

„Gleichsam als Gegenstück"[6] zur heute verschwundenen Burg Loschental erhob sich westlich von ihr auf einem steilen Felshügel die Burg *Rabenstein*, die zur Zeit der Gründung des Stiftes zu dessen Schutz erbaut wurde. Abt Hieronymus Marchstaller erwarb 1629 die zu einem Schloß im Stil der Renaissance ausgebaute Burg und barockisierte die Kapelle. Aber bereits 1636 fiel das Schloß einem Brand zum Opfer, worauf es mit Ausnahme der Meiereigebäude nicht mehr aufgebaut wurde; die Kapelle war weitgehend verschont geblieben. Von der ehemals ausgedehnten Anlage sind heute noch Reste des Bergfrieds, des Wehrturms und der Burgkapelle erhalten.

Gegenüber dem Josefsberg, jenseits der Lavant am Rainkogel, baute Abt Philipp Rottenhäusler die Filialkirche *St. Benedikt und Scholastika auf dem Weinberg*[7] 1669 als eine von F. X. Kohla bezeichnete „schale Zeichentischtype"[8] neu auf; von Vorgängerbauten der bereits Ende des 12. Jahrhunderts als der Pfarre St. Paul unterstellt genannten Kirche ist nichts mehr vorhanden. Der mittelgroße barocke Bau mit kreuzgewölbtem Schiff und gleich breitem, in drei Seiten eines Achtecks schließendem Chor besitzt einen in seinen mittleren drei Geschossen eigenartig belichteten Westturm; kreisrunde Fenster werden von rechteckigen, in den Putz vertieften Feldern gerahmt.

Auch die Filialkirche *St. Margarethen*[9] am Hang des Lubitschkogels südlich der Weinbergkirche wurde um diese Zeit neu erbaut. Urkundlich zwar schon zwischen 1193 und 1220 bezeugt, ist davon aber nichts mehr zu sehen. Außen über dem profilierten Sturz des Nordtores liest man die Jahreszahl 1658. Der Chor ist gleich breit und hoch wie das stichkappentonnenüberwölbte Langhaus, dem ein massiver Westturm vorgestellt ist.

Bleiben wir auf dieser Seite der Lavant, gehen aber ein Stück nach Norden, so treffen wir auf die Pfarrkirche *St. Georgen unter Stein*[10], gelegen am Fuße der Koralpe, die 1485 dem Stift St. Paul inkorporiert wurde, um die in der Türkennot stark gefallenen Einkünfte des Stiftes aufzubessern. Patronat und Vogtei waren schon 1245 an das Stift gekommen. 1194 erstmals erwähnt, besitzt sie noch einen romanischen Ostturm mit Zwillingsfenstern im Glockengeschoß, dessen Erdgeschoß als Chor dient (Chorturmkirche), der im 14. Jahrhundert mit einem auf figürlichen Konsolen ruhenden Kreuzrippengewölbe versehen wurde. Das durch einen rundbogigen Triumphbogen vom Chor abgesetzte Langhaus wurde im Barock verlängert und flachgedeckt. Zur Pfarre gehörte auch die Katharinenkapelle im Schlosse Stein. Südlich der Kirche steht der romanische Rundbau des Karners mit Kegeldach und barockem Zwiebelhelm.

Schwenken wir jetzt wieder hinüber auf die westliche Seite der Lavant und sehen, was von der nördlich, unweit des Stiftes gelegenen *Herrschaft Kollnitz* geblieben ist, die das Stift unter Abt Paul Memminger 1651 von Wolf Raimund Graf Paradeiser erworben hatte.[11] Das, was sich unseren Augen heute präsentiert, ist der unterhalb der verschwundenen Burg Kollnitz gelegene Meierhof, über dessen Eingangstor ein Wappenstein mit den Wappen des Stiftes und des Abtes Memminger mit der Jahreszahl 1651 angebracht ist. Nordöstlich davon befand sich das Schloß Kollnitz auf der höchsten Stelle des in jüngster Zeit völlig abgetragenen Basalthügels. Ein Deckfarbenbild von 1653 vermittelt uns einen Eindruck von einer der bedeutendsten Burgen des Lavanttales[12], die 1761 einem Brand zum Opfer fiel und nicht mehr aufgebaut wurde. Allerdings war das Schloß 20 Jahre später, zwar als baufällig bezeichnet, noch bewohnbar, da wir auf Dienstpersonal im Schloß stoßen. Es wurde zu diesem Zeitpunkt mit 300 fl bewertet.[13]

Nach der Aufhebung bis zur Übergabe des Stiftes an die neu eingezogenen St. Blasier Mönche befand sich hier ein Gestüt des Militärs.[14] Zum Wiederaufbau der 1790 abgebrannten Stallungen des Gestütes und zum Bau des Kollnitzerhammers 1792 wurde dann das alte Schloß abgetragen.[15]

Im Südwesten der Burg befand sich eine Kapelle St. Pankraz und St. Florian, die unter Kaiser Joseph II. zu St. Paul geschlagen wurde. Durch den

Abb. 44: St. Radegund am Eis

Abbruch der Burg verschwand auch die Kapelle.

Südwestlich von St. Paul erhöht über dem Ort St. Martin im Granitztal erhebt sich dessen Pfarrkirche *St. Martin*, in deren Besitz St. Paul 1145 durch den Salzburger Erzbischof kam, der sie von Amelbert von Kollnitz erhalten hatte, welcher diese um 1140 gegründet hatte. Das schlichte, im Barock umgebaute Langhaus mündet in einen niedrigeren gotischen Chor mit Strebepfeilern, belichtet durch große spitzbogige Fenster. Der massive Südturm mit Pyramidendach und schmalen, spitzbogigen Drillingsfenstern im Glockengeschoß ist ebenfalls gotisch. Beiderseits des Westportals fallen zwei eigenartige, derb gearbeitete figürliche Steinreliefs auf, die in der Literatur recht unterschiedlich datiert werden.[16] Einerseits als Büsten von Bischöfen[17], andererseits als Grabsteine angesehen werden, wobei letzterer Funktion auch die Personen namentlich – Abt Heinrich II. Harder (1356/57) und Abt Ulrich II. (1357–1359)[18] – zugewiesen werden, sei R. Milesi gefolgt, der sie in die zweite Hälfte des 13. Jahrhunderts setzt.[19] Im Inneren sind weitere Besonderheiten der Grabplastik zu finden, der figürliche Grabstein des Leonhard von Kholniz (1587), wie auch der Totenschild dieses letzten Kollnitzers, eine der qualitätsvollsten Arbeiten dieser Art in Kärnten.[20]

Bei der ehemaligen Filialkirche von St. Martin, *St. Radegund am Eis*, urkundlich 1091 zum erstenmal erwähnt, fällt die Ähnlichkeit der Turmgestaltung mit der Kirche St. Benedikt und Scholastika auf dem Weinberg ins Auge.[21] Auch hier sind die mittleren drei Turmgeschosse durch kreisförmige Fenster in rechteckigen und vierpaßförmigen Blendfeldern belichtet, wie auch im Glockengeschoß die Fenster romanisierend gekuppelt sind. Hier wie dort war Abt Philipp Rottenhäusler der Federführende, der diese Bauten kurz nacheinander, 1668[22] und 1669[23], ins Werk setzte.

Auch die kleine Kirche zum *hl. Koloman* im gleichnamigen Dorf am Fuße des Haberberges, über die wir bereits 1196 als dem Stift gehörig Kunde haben, hatte zur Zeit des Abtes Marchstaller einen Neubau notwendig, den sein Nachfolger Memminger laut Inschrift über dem Westportal 1643 in gotischem Typus fertigstellte.

Die Filialkirche *St. Nikolaus am Windischen Weinberg*[24] (Haberberg) gelangte, 1184 zum erstenmal erwähnt, Anfang des 13. Jahrhunderts an das Stift. Der kleine, im Kern romanische Bau mit barocken Veränderungen besitzt ebenso wie St. Koloman einen durch einen rundbogigen Triumphbogen vom Langhaus geschiedenen, polygonalen, einjochigen Chor sowie einen Dachreiter.

Auf einem gegen Osten vorspringenden Bergrücken der Saualpe liegt die mächtige Pfarr- und Wallfahrtskirche *Mariae Himmelfahrt in Pustritz*[25], die wahrscheinlich vom Stift im 12. Jahrhundert im Zusammenhang mit der Schenkung Neubrüche bei „Pusters“

(1091) erbaut worden ist; 1196 wird sie jedenfalls als dem Stift gehörig bezeichnet. Der heute sich präsentierende spätgotische, im Kern romanische Bau mit barocken Veränderungen wurde laut Inschrift am nordwestlichen Strebepfeiler 1430 begonnen und fand erst gegen 1516, wieder laut Inschrift an der Chornordseite hinter dem Altar, seinen Abschluß. Durch das Erdgeschoß des mächtigen Westturmes, das als Vorhalle dient, betritt man das Innere, belichtet durch zweibahnige Fenster, in der Chorschlußwand durch ein dreibahniges, mit unterschiedlich gestaltetem Maßwerk, das in einen etwas aus der Längsachse nach Süden verschobenen, leicht eingezogenen Chor mit $^{5}/_{8}$-Schluß mündet, der ein prächtiges Netzrippengewölbe besitzt, dessen sich überschneidende Ansätze ohne Dienste oder Konsolen aus der Wand wachsen. Es kann erst im beginnenden 16. Jahrhundert geschaffen worden sein. An der Chorsüdseite, über der mit Astwerk bekrönten Sitznische, begegnet uns das Wappen des Abtes Jöbstl von Jöbstlberg (1488–1498), ebenso in der Sakristei, deren Portal ein Meisterwerk der heimischen Schmiedekunst um 1520 ist. Eines der wenigen erhaltenen Werke sakraler Renaissancekunst in Kärnten ist das Sakramentshäuschen von 1523.[26] 1480 entstanden die Wandmalereien an der Langhausnordwand, die den Judaskuß und die Ölbergszene darstellen. Das Wappen des Abtes Philipp Rottenhäusler krönt den prächtigen barocken Hochaltar, den entweder Abt Hieronymus Marchstaller oder Abt Paul Memminger gestiftet und der erstgenannte vollendet hat. Mit seinen gedrehten, vertikal geschlitzten Säulen gehört er zu den frühesten Barockaltären mit seitlichen Opfergangsportalen.[27]

Von Pustritz über die Saualpe nach Nordwest führt uns der Weg in die Pfarre *Klein St. Paul* im Görtschitztal[28], die 1506 bzw. 1513 dem Stift inkorporiert wurde. Die gotische Pfarrkirche, die in den Mauern noch romanisch ist, besitzt einen mächtigen Sakristeiturm im Sü-

Abb. 45: Klein St. Paul

den und einen eingezogenen, polygonal gebrochenen Chor mit einem Netzrippengewölbe aus dem 15. Jahrhundert mit reliefierten Schlußsteinen und halbrunden Vorlagen an den Wänden. Zwei Kapellen sind nördlich angebaut, eine spätgotische an den Chor und eine barocke an das Langhaus.

Südlich der Drau in Möchling steht auf einer Terrasse des Drautales ein Ensemble von Kirche mit umgebendem Friedhof und Mauer, Schloß und Meierhof, das in seinen Ursprüngen auf Herzog Heinrich IV. von Kärnten zurückgeht, der 1123 die Kirche und sein Gut „Mochilich" dem Kloster St. Paul schenkte.[29] Die heutige *Pfarrkirche St. Paul* ist ein spätgotischer Bau; Beschädigungen aus der Türkenzeit mögen ihren Neubau veranlaßt haben.[30] Zwei Inschriften im Erdgeschoß des Westturmes (1521, 1514), der fast die Breite des Langhauses erreicht, zeugen von der Erbauungszeit. Ein Netzrippengewölbe, im Langhaus über Wappenkonsolen,

Abb. 46: St. Peter- und Pauls-Kirche in Möchling

überzieht auch den gleich breiten und hohen, in drei Seiten eines Achtecks schließenden Chor, der wahrscheinlich in der Mitte des 16. Jahrhunderts fertiggestellt wurde. In der südlichen Seitenkapelle finden wir aus deren Erbauungszeit 1665 einen von Abt Philipp Rottenhäusler gestifteten Altar mit einem vorzüglichen spätgotischen Pietàrelief um 1520/30. Ehemals befand sich in dieser Seitenkapelle der berühmte Möchlinger Schrein, ein Schnitzwerk von beachtlichen Ausmaßen in der Form einer gotischen Kirche aus der ersten Hälfte des 15. Jahrhunderts, angeblich von einem St. Pauler Mönch verfertigt, das, seit 1873 im Wiener Kunsthistorischen Museum, bei der Auslagerung 1945 verbrannte.[31]

Nördlich neben der Kirche liegt das Schloß, der Sitz des St. Pauler Pflegers, der Nachfolgebau einer hochmittelalterlichen Burg. Der heutige einfache, rechteckige, dreigeschossige Bau aus der zweiten Hälfte des 17. Jahrhunderts birgt noch einen mittelalterlichen Kern. Rundum ist das Gebäude durch Lisenen auf Basen, die die drei Geschosse zusammenfassen, unregelmäßig gegliedert, die Horizontale markieren einfache Gesimse. Ochsenaugen belichten das als Schüttboden für das Getreide dienende dritte Geschoß. Im Saal des ersten Stockes gibt es Stukkaturen aus der zweiten Hälfte des 17. Jahrhunderts wie auch Fresken mit Szenen aus dem Leben der hl. Hildegard. 1782, als die Kameralgüteradministration bei Aufhebung des Stiftes die Herrschaft Möchling übernahm, die vorher von einem St. Pauler Pater verwaltet worden war, wurde das Schloß mit 200 fl bewertet.[32]

Eine frühere Filiale von Möchling war die heutige Pfarrkirche *St. Leonhard in Abtei,* die in der ersten Hälfte des 16. Jahrhunderts neu erbaut wurde (1561 Weihe); ein Vorgängerbau existierte wahrscheinlich schon 1289. Darin befand sich einst ein Tafelgemälde des Meisters Thomas von Villach, nach 1490 wohl für die Stiftskirche geschaffen, das nach 1561 nach Abtei gebracht wurde (heute dort Kopie, Original im Kärntner Landesmuseum). Es ist dies eine Beweinung Christi, die neben Anregungen aus dem italienischen Trecento auch niederländische Einflüsse erkennen läßt. Es weist Abt Jöbstl von Jöbstlberg, der links unten mit seinem Wappen kniet, als Stifter aus.[33]

Das unscheinbare Haus Kirchengasse Nr. 16 in *Völkermarkt* südlich der Stadtpfarrkirche ist durch eine rechts vom Eingang angebrachte Inschrifttafel mit einem Wappenstein darüber als St. Pauler Zollhof ausgewiesen. Dieser und andere kleinere Besitzeinheiten waren dem Stift geblieben, als der Mitte des 13. Jahrhunderts zur Stadt erhobene Markt, den Graf Bernhard von Spanheim 1147 dem Stift geschenkt hatte, seit 1290 wieder in der Hand des Landesfürsten war.[34] Nach Bränden 1622 und 1636 war dieses Haus zur Zeit der Stiftsaufhebung in recht gutem Zustand und wurde auf 600 fl geschätzt.[35] Da es jedoch keinen Zins abwarf, drängte der

Abb. 47:
St. Leonhard in Abtei

Aufhebungskommissar auf einen Verkauf.[36] 1792 wurde es um 625 fl versteigert.[37]

Natürlich besaß St. Paul auch in *Klagenfurt* ein Haus, von dem man heute noch das Wappen mit der Jahreszahl 1646 am Haus Pernhartgasse/Ecke Dr.-Herrmann-Straße sehen kann. 1619 und 1645 wurden hier zwei Nachbarhäuser vom Stift erworben und vereinigt und 1745 unter großen Unkosten umgebaut. 1623 wurde auch eine Hauskapelle eingerichtet. 1782 schätzte der landschaftliche Architekt Hagenauer das zweigeschossige, in recht gutem Zustand befindliche Gebäude samt Garten auf 8500 fl.[38] 1789 wurde es um 5825 fl an Elisabeth Freiin von Schlangenburg versteigert und zu Beginn unseres Jahrhunderts in altdeutschem Stil gänzlich umgebaut.[39]

In *Lavamünd* besaß das Stift St. Paul das Haus Nr. 11, den sogenannten „Stock" auf der Landzunge zwischen Drau und Lavant, wo heute mehrere moderne Wohnblocks stehen. Es wurde 1968 abgerissen.[40]

Auf dem Weg zu den ehemaligen untersteirischen Besitzungen des Stiftes liegt Unterdrauburg. Vom Schlosse *Unterdrauburg* – die Herrschaft Unterdrauburg hatte das Stift 1629 vom Fürstbischof von Gurk erworben[41] – findet der nach St. Pauler Spuren Suchende heute nur mehr Ruinen am Hügel nördlich über dem Markt. Valvasor gibt uns einen zwar etwas ungenauen Eindruck vom Schloß, wie es 50 Jahre nach der Erwerbung durch St. Paul aussah[42], doch können wir uns mit Hilfe Otto Pipers[43], der noch zu Beginn dieses Jahrhunderts heute bereits verschwundene größere Mauerreste vorfand, ein umrißhaftes Bild von dem Schloß machen: eine unregelmäßige, langgestreckte Anlage, deren nordwestlicher Turm, der bei Valvasor eine zwiebelbekrönte Laterne trägt, wohl der Wohnturm gewesen ist; einzig von ihm ragt noch eine einsame Mauer auf. Bald nach dem Kauf, 1631, hatte Abt Marchstaller eine Marienkapelle errichten lassen. Doch dürften die Äbte in der Folgezeit wenig Sorge für das Schloß getragen haben, denn zur Zeit der Aufhebung befand es sich in einem erbärmlichen Zustand, wurde auch nur mit 150 fl bewertet und dem Verfall auch in Zukunft kein Riegel vorgeschoben.[44]

Als erstes ist in der Untersteiermark die Herrschaft *Faal* (slow. Fala) zu nennen, deren Grundlage schon bei und

Abb. 48: Inschrifttafel am Zollhof in Völkermarkt, Kirchengasse 16

Abb. 49: Schloß Faal

kurz nach der Gründung des Stiftes gelegt wurde.[45] Das alte Schloß Faal, erstmals 1245 genannt[46], wurde um 1407 zerstört. Ebenfalls am rechten Ufer, aber drauabwärts, auf einem in den Fluß ragenden Felsen, entstand das neue Schloß Faal. Gegenüber der wahrscheinlich ältesten, allerdings nur skizzenhaften Ansicht des Schlosses von J. Clobucciarich, zwischen 1601 und 1605 entstanden[47], zeigt uns Vischer 1681 eine wesentlich erweiterte langgestreckte Anlage, ein Gefüge aus drei unterschiedlich hohen Gebäudeteilen, der mittlere und größte dreigeschossig, der rechte mit barockem Dachreiter und Eckturm, das ganze von Teilen einer Ringmauer umschlossen.[48] Das Urbar von 1638 beschreibt es innen: „Es hölt in sich drey schöne Stuben, drey grosse Khämer, ein Saal, zween Kheeler, gewölbte Kuchel und Khuchel gewölb, gesinnt Stuben und dann ein zimblich grosse Capell zu St. Niclas."[49] 1626 befand sich letztere in schlechtem Zustand, war feucht, der Hochaltar profaniert, der zweite zwar konsekriert, der Altarstein aber gebrochen. 1641 wurde sie neu geweiht.[50] Sie zeigt sich uns heute noch mit einer barocken Fassadenlösung, die das ihr aufgesetzte, zwiebelhelmbekrönte Türmchen mittels eines vermittelnden, rundbogigen Architekturteiles integriert. Dieser ist der mit einem geraden, profilierten Gebälk abgeschlossenen Fassade aufgesetzt. Die Lisenen, die links und rechts die Eckpunkte des Türmchens betonen, laufen im unteren Teil in Voluten aus und kommen auf diesem Architekturteil zu liegen.

1782 wird das ziegelgedeckte Schloßgebäude samt Kapelle auf 2500 fl geschätzt.[51] Es war damals an Johann Michael Pramberger verpachtet, wurde dann Staatsherrschaft, die 1820 an Martin Liebmann, dann an die Freiherren aus der Kettenburg'schen Familie verkauft wurde.[52]

Von Schloß und Kapelle der Herrschaft *Lembach* (Limbuš), die das Stift

Abb. 50: St. Lorenzen in der Wüste

Abb. 51: Maria Rast, Ostseite

1666 gekauft hatte[53], ist heute leider nichts mehr vorhanden. Seit 1782 mit dem Viktringerhof Staatsherrschaft und 1817 bzw. 1820 dem neu erstandenen Stift St. Paul als Dotationsergänzung zugewiesen[54], wurde das Schloß schon 1790 verlassen[55] und 1797 wegen zu hoher Erhaltungskosten abgetragen[56].

Wie so oft war auch bei der Kirche *Maria Hilf in der Wüste* (Puškava)[57] oder am Radel in der Untersteiermark Abt Hieronymus Marchstaller der Erbauer, wovon ein Gedenkstein mit seinem und des Stiftes Wappen an der nördlichen Außenwand kündet. 1627 begonnen und 1641 geweiht, wurde sie eine beliebte Wallfahrtskirche und dafür bald zu klein. Dies und die Baufälligkeit bewogen Abt Philipp Rottenhäusler 1672, die Kirche *e fundamentis* neu aufzubauen.[58]

Das unscheinbare Äußere mit einem völlig ungegliederten Langhaus mit zwei Reihen von halbmondförmigen Fenstern übereinander läßt keineswegs auf das großartige Innere schließen, das, ob des sichtbaren norditalienischen Einflusses, einen Baumeister aus diesem Raum vermuten läßt. Es handelt sich um eine dreischiffige Pfeilerbasilika – das basilikale Schema tritt am Außenbau nicht in Erscheinung – mit apsidal schließenden Querschiffarmen und Chor. Die Arkaden des Mittelschiffs ruhen auf quadratischen Pfeilern, deren Pilastervorlagen mit korinthischen Kapitellen die Mittelschiffwände hochsteigen und zum horizontal umlaufenden, sich verkröpfenden, reich profilierten Gebälk vermitteln. Darüber setzen breite Gurtbögen an, die die Joche des kreuzgratgewölbten Schiffes markieren. Vischer hat uns kurz nach der Erbauung zwei Stiche dieser Kirche überliefert[59], deren Details aber nicht mit dem heutigen Aussehen übereinstimmen. Ob später Veränderungen vorgenommen wurden oder ob Vischer seine Vorlage ziem-

Abb. 52: Maria Rast, Blick zur Orgel

Abb. 53: St. Georgen am Remschnig

lich frei variierte, muß vorläufig offenbleiben.

Wahrscheinlich ist es die Kirche *St. Lorenzen in der Wüste* (Lovrenc)[60], die 1184 als *ecclesia Redmil* unter dem Besitz des Stiftes St. Paul aufscheint und die kurz vorher vom Patriarchen von Aquileja dem Stift geschenkt worden war. Die heute stattliche Ausmaße aufweisende Kirche wurde 1766 ganz neu aufgebaut und 1811 geweiht. Der 1738 abgetragene Turm wurde schon 1742 begonnen. Die westtürmige, querschifflose Anlage mit rundschließendem, in der Dachlinie etwas vom Langhaus abgesetzten Chor besitzt niedrigere, durch zwei Reihen rechteckiger und rundbogiger Fenster übereinander belichtete Seitenschiffe mit Pultdächern, die etwas unter der Trauflinie an das Mittelschiff stoßen.

Die Pfarr- und Wallfahrtskirche *Maria Rast* (Ruše)[61] wurde unter Abt Konrad Neuhauser (1358 – 1391) 1387 errichtet. Die gotische Anlage mit abgestuften Strebepfeilern am Langhaus und am dreiseitig abschließenden Chor hat in der Barockzeit eine durchgreifende Umgestaltung erfahren. Dem mächtigen rechteckigen Südturm wurde ein oktogonales Glockengeschoß aufgesetzt. Im Inneren wurden 1710 und 1721 Chor und Langhaus neu eingewölbt und mit reichen Stukkaturen von Peter Zaar und insgesamt 30 Freskenfeldern von Johann Chrysostomus Vogl (1728 – 1735) versehen.

Die Pfarrkirche zur *hl. Maria in Fresen* (Brezno)[62], 1184 im Besitz des Stiftes bestätigt, stammt hauptsächlich aus der Barockzeit; der viergeschossige Turm mit Spitzhelm aus dem Jahre 1671 und das Langhaus wurde laut Chronogramm 1710 nach einem Brand wiedererrichtet. Lediglich das Rippengewölbe des Chores deutet auf die ursprüngliche Anlage hin.

Zum Schluß sei noch die Pfarrkirche *St. Georgen am Remschnig*[63] (na Remsniku) erwähnt, die eine Gründung St. Pauls aus dem Jahre 1201 ist. Sie besitzt noch ein kleines, im gotischen Stil erbautes Presbyterium und einen Westturm, der nach 1774 und 1864 stark erneuert wurde. Zu St. Georgen gehörte auch die Kirche *St. Katharina in Kappel* (Kapla), die 1795 eine eigene Lokalie wurde, und deren Schiff und Turm ebenfalls aus der Barockzeit stammen.

Die Zeit von der Mitte des 17. Jahrhunderts bis etwas über die Mitte des 18. Jahrhunderts war von reicher Bautätigkeit geprägt. Von den insgesamt 19 Kirchenbauten, die hier betrachtet wurden, stammen sechs aus dieser Zeit. Unter ihnen ist Maria Hilf in der Wüste zweifellos die interessanteste. Die übrigen sind gotische Anlagen, die mehr oder weniger barock umgestaltet wurden. Es ist hier vor allem der spätgotische Bau der Pustritzer Kirche zu nennen, aber auch die Kirche Maria Rast mit ihren eindrucksvollen Dimensionen und einer aufwendigen Barockausstattung.

Auch hinsichtlich der Schlösser und Häuser kann ab dem zweiten Viertel des 17. Jahrhunderts eine rege Erwerbs-, Bau- und Umbautätigkeit des Stiftes festgestellt werden. Die interessantesten Anlagen, wie Rabenstein oder Kollnitz, sind aber leider nur als Ruine oder überhaupt nicht mehr erhalten.

ANMERKUNGEN

1. Grundlegende Literatur, die nicht eigens zitiert wird: DEHIO-HANDBUCH. Die Kunstdenkmäler Österreichs, Kärnten (1976); ERLÄUTERUNGEN ZUM HISTORISCHEN ATLAS der österreichischen Alpenländer II. Abt.: Die Kirchen- und Grafschaftskarte, Teil 8, 1. Kärnten südlich der Drau (^{2}1966) und Teil 8, 2. Ost- und Mittelkärnten nördlich der Drau (AVGT 52, 1958); K. GINHART (Hrsg.), Die Kunstdenkmäler Kärntens 6, 2 – 8 (1933); DERS., Die Kunstdenkmäler des Benediktinerstiftes S. Paul im Lavanttal und seiner Filialkirchen (ÖKT 37, 1969); G. GUGITZ, Österreichs Gnadenstätten in Kult und Brauch, 4. Kärnten und Steiermark (1956); H. HENCKEL, Burgen und Schlösser in Kärnten, 2 Bde. (1964); F. X. KOHLA, G. A. v. METNITZ, G. MORO, Kärntner Burgenkunde, 2 Bde. (Aus Forschung und Kunst 17/1 u. 17/2, 1973); B. SCHROLL, Das Benediktinerstift St. Paul, Car. 66 (1876), S. 57 – 73, S. 89 – 104, S. 121 – 137, S. 169 – 184, S. 217 – 227, S. 265 – 276; DERS., Hieronymus Marchstaller (1891); H. WIESSNER, G. SEEBACH, Kärntens Burgen und Schlösser 1 (^{2}1977), 2 (^{2}1980). Literatur zum Einzelfall und -problem sowie Archivalien an entsprechender Stelle.
2. W. MÜNZER, Die Filialkirche St. Johann auf dem Johannesberg, JbSP (1982/83), S. 37 f.
3. W. MÜNZER, Die Filialkirche St. Josef auf dem Josefsberg, JbSP (1981/82), S. 41 – 43.
4. H. WIESSNER, Zur Geschichte der Burgen Rabenstein und Loschental, Car. I 149 (1959), S. 403 – 419.
5. K. GINHART, Michael Hönel und seine Beziehungen zum Stifte St. Paul i. L., Car. I 149 (1959), S. 489 – 490.
6. WIESSNER, Rabenstein (wie Anm. 4), S. 415.
7. Ch. POTOTSCHNIG, Die Filialkirche St. Benedikt und Scholastika auf dem Weinberg, JbSP (1983/84), S. 33 f.
8. F. X. KOHLA, Der Rainkogel im unteren Lavanttal. Eine Wandernotiz, Car. I 149 (1959), S. 357.
9. W. MÜNZER, Die Filialkirche St. Margarethen, JbSP (1984/85), S. 45 f.
10. L. KULL, Wie kam vor 500 Jahren die Pfarre St. Georgen an das Stift St. Paul, Pfarrblatt der St. Pauler Stiftspfarren 6 (1985), Nr. 2, S. 1ff.; DERS., Die Pfarrkirche St. Georgen im Lavanttal, JbSP (1988/89), S. 42 f.
11. W. FRESACHER, Der Besitz des Klosters St. Paul in Kärnten, Car. I 149 (1959), S. 358.
12. Kollnitzer Urbar 1653, STA, Cod. 303/0; ÖKT 37 (1969), S. 359, Abb. 671.
13. KLA, Regierungsakten, Fasz. II, Nr. 12 und Nr. 52.
14. FRESACHER, Besitz (wie Anm. 11), S. 368.
15. T. RASCHL, Aufhebung und Neubegründung des Stiftes St. Paul (1782 – 1809), 3. Tl., JbSP (1928/29), S. 15, Anm. 24.
16. Mitte oder zweite Hälfte des 13. Jahrhunderts – R. MILESI, Romanische und ritterliche Grabplastik Kärntens (Buchreihe des Landesmuseums für

Kärnten 14, 1963), S. 13; um 1300 – ÖKT 37 (1969), S. 1021; 17. Jahrhundert – DEHIO Kärnten (wie Anm. 1), S. 567.
17. DEHIO Kärnten (wie Anm. 1), S. 567.
18. B. RADER, Die Geschichte der Äbte von St. Paul, 2. Tl., JbSP (1981/82), S. 16.
19. MILESI, Grabplastik (wie Anm. 16), S. 13.
20. H. HENCKEL-DONNERSMARCK, Der Kollnitzer Totenschild in St. Martin im Granitztal, Car. I 149 (1959), S. 732–735. Vgl. R. MILESI, Barock und Klassizismus in der Grabplastik Kärntens (Buchreihe des Landesmuseums für Kärnten 18, 1965), S. 9.
21. Siehe hier S. 354.
22. Laut Inschrift an der äußeren Langhaussüdwand.
23. Wie Anm. 21.
24. In B. RADER, Die Geschichte der Äbte von St. Paul, 3. Tl., JbSP (1982/83), S. 26 die falsche Kirche (St. Nikolai, südlich von Ruden) dazu abgebildet.
25. S. HARTWAGNER, Pfarrkirche Pustritz (o. J.); L. KULL, Die Pfarrkirche Pustritz, JbSP (1987/88), S. 40–42.
26. A. FRITZ, M. EBERNIGG, Sakrale Kunst in Kärnten (1967), S. 187 f.
27. RECLAMS KUNSTFÜHRER Österreich 2 (^{5}1981), S. 517.
28. S. HARTWAGNER, Kärnten. Der Bezirk St. Veit an der Glan (Österreichische Kunstmonographie 8, 1977), S. 126 f.
29. MC 3, Nr. 574.
30. K. KAFKA, Wehrkirchen Kärntens, Bd. 2 (1972), S. 11.
31. St. SINGER, Kultur- und Kirchengeschichte des Jauntales. Dekanat Eberndorf (1938), S. 332; vgl. A. R. v. GALLENSTEIN, Schreinwerk in der Pfarrkirche zu Möchling im Jaunthale in Kärnten, Mitteilungen der k. k. Central-Commission zur Erforschung und Erhaltung der Baudenkmale 17 (1872), S. 37–39.
32. Gebäude, Inventar, Vieh, Getreide auf 3423 fl 41 kr 3 d. KLA, Regierungsakten, Fasz. II, Nr. 16.
33. J. HÖFLER, Die Tafelmalerei der Gotik in Kärnten (1420–1500) (Aus Forschung und Kunst 24, 1987), S. 68 f.
34. K. DINKLAGE, Völkermarkt zwischen Abt und Herzog. Ein Beitrag zur Gründungsgeschichte mittelalterlicher Städte, MIÖG 67 (1959), S. 280, S. 305.
35. KLA, Regierungsakten, Fasz. II, Nr. 15. Das Inventar auf 34 fl 2¼ kr. EBD., Nr. 23.
36. KLA, Regierungsakten, Fasz. V, 196/1. Relation vom 30. I. 1783, Nr. 40. Unentgeltlich wohnte darin der Kreisphysicus Dr. Kögl.
37. T. RASCHL, Aufhebung und Neubegründung des Stiftes St. Paul (1782–1809), 1. Tl., JbSP (1926/27), S. 29.
38. KLA, Regierungsakten, Fasz. II, Nr. 17. Bei der zweiten Aufhebung des Stiftes auf 5400 fl geschätzt. EBD., Fasz. XXIII, 8411.
39. T. RASCHL, Aufhebung (wie Anm. 37), S. 30. Besitzerfolge in E. v. ZENEGG, Geschichtliches vom Gutenberghaus, Klagenfurter Zeitung vom 14. 8. 1910, S. 1093.
40. Mitteilung des Gemeindeamtes Lavamünd. Bei WIESSNER, Burgen 1 (wie Anm. 1), S. 158, 1977 noch als bestehend. Ansichten des 1656 auf Resten des alten Schlosses Lavamünd erbauten Stockgebäudes: um 1670 auf einer Kartenskizze des Marktes und der Herrschaft Lavamünd (Abb. in K. DINKLAGE, Geschichte von Lavamünd, in: Grenzmarkt Lavamünd, Kärnten. Ein Heimatbuch (1964, zw. S. 24 u. S. 25), 1679 Aquarell (STA, HS 310. Abb. in DINKLAGE, Lavamünd zw. S. 72 u. S. 73; vgl. EBD., S. 49, Anm. 67); 1688 bei VALVASOR, *Topographia Archiducatus Carinthiae,* S. 113 und Federzeichnung von 1714 (Abb. in DINKLAGE, Lavamünd, zw. S. 24 u. S. 25).
41. FRESACHER, Besitz (wie Anm. 11), S. 357.
42. J. W. VALVASOR, *Topographia Achiducatus Carinthiae* (1688), S. 193.
43. O. PIPER, Österreichische Burgen, Bd. 5 (1907), S. 9–11.
44. KLA, Regierungsakten, Fasz. V, 196/1, Relation vom 30. I. 1783, Nr. 30. Insgesamt für Gebäude, deren Inventar, Gärten 323 fl 45 kr. EBD., Fasz. II, Nr. 13.
45. Vgl. H. PIRCHEGGER, Die Untersteiermark in der Geschichte ihrer Herrschaften und Gülten, Städte und Märkte (Buchreihe der Südostdeutschen Historischen Kommission 10, 1962), S. 11.
46. MC 4/1, Nr. 2294; vgl. dazu PIRCHEGGER, Untersteiermark (wie Anm. 45), S. 113, Anm. 43.
47. F. POPELKA, Die Landesaufnahme Innerösterreichs von Johannes Clobucciarich 1601–1605 (1924), S. 29–30, Abb. 89 auf Tafel XXIII.
48. G. M. VISCHER, *Topographia Ducatus Stiriae* (1681), S. 62.
49. I. OROŽEN, Das Bisthum und die Diözese Lavant, Bd. 1 (1875), S. 426 f.
50. EBD., S. 432.
51. Mit anderen Wirtschaftsgebäuden 3430 fl. KLA, Regierungsakten, Fasz. II, Nr. 18.
52. J. A. JANISCH, Topographisch-statistisches Lexikon von Steiermark mit historischen Notizen und Anmerkungen, Bd. 1 (1878), S. 173.
53. SCHROLL, Benediktinerstift (wie Anm. 1), S. 182; JANISCH, Lexikon, Bd. 2 (wie Anm. 52), S. 53. Von Clobucciarich 1601–1605 wahrscheinlich älteste Ansicht („Lempoh"): POPELKA, Landesaufnahme (wie Anm. 47), S. 30, Abb. 90 auf Tafel XXIII.
54. FRESACHER, Besitz (wie Anm. 11), S. 58 f.; RASCHL, Aufhebung (wie Anm. 15), S. 21.
55. OROŽEN, Bisthum, Bd. 1 (wie Anm. 49), S. 353.
56. PIRCHEGGER, Untersteiermark (wie Anm. 45), S. 110; J. C. HOFRICHTER, Viktring und Viktringhof, St. Paul und Lembach, Car. 47 (1857), S. 97–99.
57. OROŽEN, Bisthum, Bd. 1 (wie Anm. 49), S. 417–426, und St. Maria in der Wüste, Der Kirchenschmuck. Blätter des christlichen Kunstvereines der Diözese Seckau 30 (1899), Nr. 4, S. 41–49.
58. Aufzeichnung des Paters Albert Reichart von 1672, Kirchenschmuck 30 (wie Anm. 57), S. 46.
59. VISCHER, Topographia (Exemplar der Universitätsbibliothek Salzburg G I 543) (wie Anm. 48), „Mariae Hilf In der Wüesten Nechst der fall an der Draw denen PP. Benedictinern zu S. Paul in Kärnthen gehörig" (= Gesamtansicht, Nr. 104), „Maria Hif in der Wuesten Nev Erbavte Kirch Wie Si in wendig zusechen" (= Innenansicht, Nr. 105).
60. OROŽEN, Bisthum, Bd. 1 (wie Anm. 49), S. 390–416.
61. EBD., St. 364–390. Vgl. W. FRESACHER (Hrsg.), Die mittelalterlichen Urbare des Benediktinerstiftes St. Paul in Kärnten 1289/90 und 1371/72 (Die Mittelalterlichen Stiftsurbare Kärntens 2, 1968), S. XXXIII.
62. OROŽEN, Bisthum, Bd. 1 (wie Anm. 49), S. 133–138, S. 606 f.
63. EBD., S. 126–133, S. 603–606.

Die Burg Rabenstein in der Hand der Familie Fohnsdorf-Rabenstein

GABRIELE LAZANSKY

Die ritterbürtige Familie „Fohnsdorf-Rabenstein“ ist von 1254 bis 1450 urkundlich in der Steiermark und in Kärnten nachweisbar.[1] Ihre Familienmitglieder waren nicht nur erzbischöflich-salzburgische Lehensleute, sondern hatten noch weitere Lehen vom Herzog, den Pfannbergern, Heunburgern, Grafen von Cilli und vom Kloster St. Paul im Lavanttal inne. Die Familie Fohnsdorf-Rabenstein war mit jener „von Praitenfurt“, aus der Erzbischof Konrad IV. (* 1254? 1275 – 1312; Erzbischof von 1291 – 1312) von Salzburg hervorging, versippt. Die Zerstörung der Burg Fohnsdorf in der Steiermark 1292 durch Herzog Albrecht I. dürfte die Ursache für die Abwanderung der Familie aus Fohnsdorf gewesen sein. Am 16. Mai 1300 wurde Rudolf II. von Fohnsdorf (1282 – † vor 1305 VIII 10) von Graf Ulrich IV. von Pfannberg mit dem „haus dazz Ramstein“ bei St. Paul im Lavanttal und den dazugehörenden Weiden, Wäldern und Bauten belehnt. Seine Nachkommen, die später den Beinamen „von Rabenstein“ annahmen, versuchten, ihren Besitz zu erweitern. Dieses Streben war Anlaß zu zahlreichen Fehden zwischen den streitbaren Familienangehörigen und dem Kloster St. Paul. Bezeichnenderweise erhielten im Laufe der Zeit umstrittene Gründe den vielsagenden Beinamen „Streitwieserl“ oder „Streitackerl“.

Die Tatsache, daß vier Burgen den Namen „Rabenstein“ trugen und zwei davon in der Hand der Pfannberger waren, nämlich Rabenstein bei Frohnleiten und Rabenstein bei St. Paul, erschwert eine Untersuchung. Diese Schwierigkeiten finden auch in der Literatur und in den dort ausgebreiteten Forschungsergebnissen ihren Niederschlag.

H. Wiessner[2] und H. Dopsch[3] vermuten, daß Feste und Herrschaft Rabenstein bei St. Paul durch Wechselheiraten zwischen Heunburg und Pfannberg in den Besitz der Pfannberger gekommen waren. K. Tangl[4], A. Jaksch[5], H. Pirchegger[6], H. Henckel-Donnersmarck[7], K. Ginhart[8] und W. Fresacher[9] vertraten folgende Meinung: Die ehemalige Spanheimerburg Rabenstein kam nach dem Aussterben der Spanheimer an die Grafen von Lebenau. Die namentlich unbekannte Erbtochter der Grafen von Lebenau brachte durch ihre Ehe mit Ulrich I. von Peggau, Grafen von Pfannberg (1237 – 1246), unter anderem auch die Burgen Loschental, Lavamünd und Rabenstein bei St. Paul in den Besitz der Pfannberger. Durch die ehelichen Verbindungen zwischen Pfannberg und Heunburg erhielten die Grafen von Heunburg Anteil an Rabenstein.

Diese Ansicht teile auch ich. Als Katharina von Pfannberg, Tochter Ulrichs I. von Pfannberg und der Erbgräfin von Lebenau, den Heunburger Grafen Ulrich II. (1237 – 1269) heiratete, hatte Katharina wahrscheinlich Anteile an Rabenstein als Heiratsgut bekommen. Sicher ist, daß Graf Hermann von Pfannberg († 1282) der Enkel Graf

Abb. 54: Ruine Rabenstein, alte Ansicht von 1936

Ulrichs I. war. Hermann stellte die Mitgift seiner Frau Elisabeth, Tochter des Grafen Ulrich III. von Heunburg, in der Höhe von 80 Mark Gülten landesfürstlichen Lehens im Lavanttal auf der Burg Rabenstein sicher. Auch Graf Ulrich IV. von Pfannberg († nach 1318), Hermanns Bruder, versicherte die Morgengabe seiner Frau Margarete von Heunburg, Elisabeths Schwester, auf Rabenstein. Als 1282 Graf Hermann von Pfannberg starb, zog Graf Ulrich III. von Heunburg Elisabeths Sicherungsanteil an Rabenstein ein und belehnte damit Rudolf II. von Fohnsdorf. Anscheinend war Graf Ulrich IV. von Pfannberg nach 1282 durch Kauf Eigentümer der obgenannten Lavanttaler Gülten geworden. 1302 gab er diese und die Burg Rabenstein dem Erzbischof von Salzburg auf.[10]

Ab 1300 ergibt sich folgende Besitzabfolge:

Am 16. Mai 1300 belehnte Graf Ulrich IV. von Pfannberg Rudolf II. von Fohnsdorf mit der Burg Rabenstein bei St. Paul und den dazugehörenden Wäldern und Nebengebäuden.[11] Bereits am 18. Mai 1300 verkaufte Graf Ulrich IV. von Pfannberg dem Erzbischof Konrad IV. von Salzburg die Burgen Loschental, Lavamünd und Rabenstein bei St. Paul und erhielt diese wieder als Lehen vom Erzbischof.[12]

Den Verkauf der vorgenannten Burgen an den Salzburger Erzbischof durch Graf Ulrich IV. von Pfannberg kann man folgendermaßen erklären: Graf Ulrich III. von Heunburg, der Schwiegervater des Grafen Ulrich IV. von Pfannberg, war auch an der Fehde zwischen Erzbischof Konrad IV. von Salzburg und Herzog Albrecht I. von Österreich beteiligt. Ulrich III. von Heunburg kam in Gefangenschaft; die Macht der Heunburger war damit gebrochen.[13]

A. Jaksch vermutete, daß Graf Ulrich IV. von Pfannberg seinen Schwiegervater unterstützte und dadurch in finanzielle Schwierigkeiten geriet – der Verkauf der drei Burgen war die Folge.[14] Vielleicht fürchtete Graf Ulrich IV. von Pfannberg, daß seine Güter konfisziert werden könnten, und stellte sie deshalb in den Schutz der Kirche.[15]

Rudolf II. von Fohnsdorf und Ritter Nikolaus von Graz bürgten gegenüber dem Erzbischof Konrad von Salzburg, daß Graf Ulrich IV. von Pfannberg seine Verpflichtungen, die er als Lehensmann des Salzburger Erzbischofs eingegangen war, halten werde.[16] Schließlich gab auch am 6. Oktober 1300 Gräfin Margarete von Heunburg ihre Zustim-

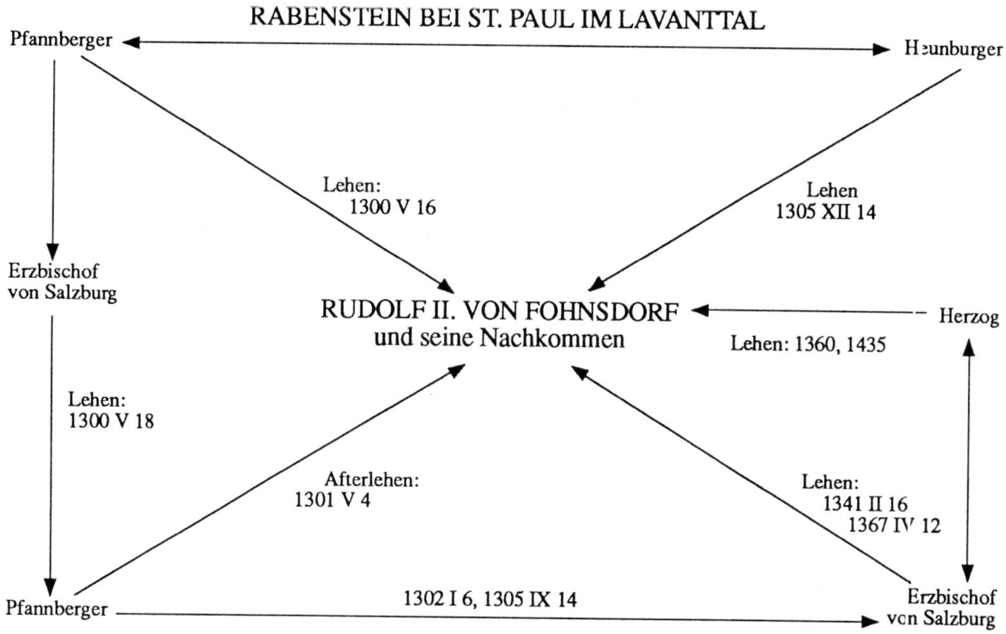

mung, daß ihr Gatte, Graf Ulrich IV. von Pfannberg, die Burgen Rabenstein, Loschental und Lavamünd in Kärnten dem Erzbischof Konrad IV. von Salzburg aufgibt und als Lehen von diesem wiedererhält. Gleichzeitig entsagte Gräfin Margarete für sich und ihren Sohn Ulrich V. aller ihrer Gerechtigkeiten, die sie als Morgengabe von ihrem Mann erhalten hatte.[17]

1301 wurde Rudolf II. von Fohnsdorf von Graf Ulrich IV. von Pfannberg erneut mit dem Haus „dazz Ramstein daz in dem Lauent (. . .)“, dem dazugehörenden Wald und den Nebengebäuden belehnt.[18] Rudolf II. von Fohnsdorf hatte mit Rabenstein ein erzbischöflich-salzburgisches Afterlehen inne. Graf Ulrich IV. von Pfannberg gab 1302 den Herzögen Rudolf III. und Friedrich I. von Österreich die Burgen Loschental und Lavamünd[19] und dem Erzbischof Konrad IV. von Salzburg die Burg Rabenstein und 80 Mark Gülten im Lavanttal auf. Die Bedingung für die Rückgabe der Burg Rabenstein und der 80 Mark Gülten an Erzbischof Konrad IV. war, daß diese an Rudolf II. von Fohnsdorf verliehen werden sollten.[20] Ob diese Belehnung stattfand, bleibt unbekannt. Am 14. September 1305 verpfändete Graf Ulrich IV. von Pfannberg ohne Wissen des Erzbischofs von Salzburg Rabenstein an Friedrich von Stubenberg. Am gleichen Tag gab Graf Ulrich IV. von Pfannberg die Burg Rabenstein dem Salzburger Erzbischof auf und versprach, die Zustimmung seiner Frau und seines Sohnes einzuholen.[21] Dadurch hatte Graf Ulrich IV. von Pfannberg keinerlei Rechte mehr auf Rabenstein.

Rudolf IV. von Fohnsdorf hatte 1305 nach dem Tod seines Vaters, Rudolf II. von Fohnsdorf, vom Grafen Ulrich IV. von Pfannberg die Burg Rabenstein und 50 Mark Gülten käuflich erworben. Am 14. Dezember 1305 gab Rudolf IV. von Fohnsdorf den Grafen Ulrich IV. und Friedrich von Heunburg die Burg Rabenstein auf und empfing diese wieder als Lehen. Gleichzeitig versprachen die Heunburger Grafen, auf alle ihre einstigen Rechte zu verzichten[22]. Dieser Verzicht bezog sich auf die durch Wechselheiraten entstandenen Anteile.

Nach dem Tod der Grafen Ulrich IV. († 1318) und Friedrich († 1317) von

Heunburg dürfte die Burg Rabenstein an den Erzbischof von Salzburg gekommen sein, denn am 16. Februar 1341 wurden Rudolf VII., Erhard, Heinrich und Burghard I. von Rabenstein mit der Burg Rabenstein vom Erzbischof Heinrich von Salzburg belehnt.[23]

Im Vergleich zwischen den genannten Brüdern und dem Salzburger Erzbischof von 1341 wurde von einem „newe paw vor Rabenstein" gesprochen[24]. Vielleicht bezieht sich dieser „newe paw" auf die 1328 von Herzog Heinrich von Kärnten gegebene Erlaubnis, daß Rudolf IV. an einem freien Platz im Lavanttal eine Burg bauen dürfe. An den Burgenbau waren zwei Bedingungen geknüpft: Erstens, die neue Burg müsse landesfürstliches Lehen bleiben, und zweitens, der St. Pauler Abt müsse mit der Wahl des Bauplatzes einverstanden sein.[25] Besonders der zweite Punkt zeigt, daß der Neubau in der Nähe des Herrschaftsbereiches des Klosters St. Paul vorgesehen war. K. Ginhart[26] und H. Henckel-Donnersmarck[27] sind der Meinung, daß 1307 im Kampf um die böhmische Krone zwischen Herzog Albrecht I. und dem Salzburger Erzbistum gegen Herzog Heinrich von Kärnten die Burg Rabenstein zerstört worden sei und sich die Bauerlaubnis auf eine Wiedererrichtung der Burg beziehe. Dies ist sehr unwahrscheinlich, da die Burg Rabenstein bei St. Paul dem Salzburger Erzbischof gehörte und dieser an der Seite König Albrechts I. gegen Herzog Heinrich von Kärnten kämpfte. Der Feldzug richtete sich gegen Herzog Heinrich von Kärnten und die herzogliche Feste Rabenstein bei Althofen, die 1307 endgültig zerstört wurde[28].

Die Erlaubnis von 1328, die sich eindeutig auf die im Lavanttal seßhaften Rabensteiner bezog, konnte nie oder nur zum Teil verwirklicht werden.

Wirtschaftliche Bedrängnis war 1344 der Grund dafür, daß Guta und ihre Söhne Rudolf VII., Erhard, Heinrich und Burghard I. ihr „rechtes lehen", die Feste Rabenstein bei St. Paul und was zur Burg gehörte, dem Erzbischof Ortolf von Salzburg um 2000 Gulden verpfänden mußten.[29] Nur in dieser Urkunde führen Rudolf VII., Erhard, Heinrich und Burghard I. den Beinamen „von Fohnsdorf". Über das Geschick der Burg in der Hand des Erzbischofs in den folgenden zwanzig Jahren konnte nichts in Erfahrung gebracht werden. Erst zu 1360 erfahren wir, daß die Burg Rabenstein auf Grund alter Urkunden – wie Heinrich und Burghard I. von Rabenstein bestätigen – Eigen Herzog Rudolfs IV. von Österreich war. Heinrich und Burghard I. von Rabenstein gaben Herzog Rudolf IV. von Österreich die Burg und 80 Mark Gülten im Lavanttal auf und erhielten diese wieder zu Lehen.[30]

Die Besitzansprüche Herzog Rudolfs IV. lassen sich vielleicht von jenen landesfürstlichen Lehen von 80 Mark Gülten im Lavanttal, die Elisabeth von Heunburg ihrem Gatten Hermann von Pfannberg mit in die Ehe brachte und die in den Besitz Rabenstein einverleibt wurden, ableiten. Es wäre auch möglich, daß der Salzburger Erzbischof Rabenstein zwischen 1344 und 1360 an den Herzog Rudolf IV. verliehen oder verpfändet hatte. 1367 war wieder der Salzburger Erzbischof im Besitz der Burg und der Gülten, als er diese an Burghard I. von Rabenstein verlieh.

Burghard I. ging die Verpflichtung ein, zehn Jahre lang dem Salzburger Erzbischof mit Rabenstein zu dienen.[31] Burghard I. war 1366 auch im Besitz Rabensteins, denn er versprach, mit seiner Feste Rabenstein seinen Herren, den Grafen Ulrich und Hermann von Cilli, zu dienen.[32]

Nach dem Tod Burghards I. versprachen am 11. September 1368 seine Witwe Ursula und sein Sohn Burghard II., alle jene Bündnisse, die Burghard I. mit dem Salzburger Erzbischof eingegangen war, halten zu wollen.[33]

Burghard II. von Rabenstein gelobte 1385 dem Grafen Meinhard VII. von Görz[34] und 1387 dem Bischof Lambrecht von Bamberg, mit seiner Feste Rabenstein zu dienen, wofür Bischof

Abb. 55: Grabstein des Hans Han von Hanperg, 1518; Stift St. Paul, Rabensteinerkapelle, außen

Abb. 56: Grabmal des Seyfried von Dietrichstein († 1583); Stift St. Paul, Westtrakt

Lambrecht 40 Pfund Wiener Pfennig zahlen werde.[35]

In seinem Testament vom 20. Juni 1425 bestimmte Burghard II., die Feste Rabenstein an die Söhne seiner Schwester Agnes, die Ortolf den Gossen heiratete, zu übergeben[36]. Tatsächlich kam Georg Goss zum Rabenstein in den Genuß der Erbschaft. 1435 belehnte ihn Herzog Friedrich V. mit Rabenstein und 80 Mark Gülten.[37]

Noch zu Lebzeiten Dorotheas von Herberstein, der Gattin Georgs des Gossen zum Rabenstein, hören wir von einem Pfleger auf Rabenstein; es war Thomas von Rotenstein, der Agnes, die Tochter Georgs und Dorotheas, zur Gattin hatte.[38] Daraus schließt H. Wiessner, daß Dorothea nach dem Tod ihres Gatten Georg 1452 abgefunden wurde.[39] Der große Besitzkomplex wurde aufgeteilt; Bernhard Gradner[40] verkaufte am 21. Dezember 1459 Kaiser Friedrich III. zwei Teile am Schloß Rabenstein sowie Burgfried, Vogtei, Meierhöfe und dazugehörende Güter[41]. Auf welche Art die Familie Gradner in den Besitz Rabensteins gekommen war, ist ungeklärt. H. Wiessner glaubt, daß die Familie Gradner durch Verwandtschaft mit Agnes und Thomas Rotenstein erbberechtigt war[42]. Die Familie Gradner übernahm auch das Wappen der Rabensteiner[43]. Den dritten Teil des vorgenannten Besitzkomplexes brachte Agnes, Tochter Georgs und Dorotheas, ihrem Gatten Thomas von Rotenstein mit in die Ehe. Schließlich verkaufte

Stammtafel der Familie Fohnsdorf-Rabenstein

I

NN ⚭ NN

II

OTTO von Fohnsdorf
1281 – 1285 I 12

HEINRICH von Fohnsdorf
1254 – 1298, 1304 ? 1305 ?

KONRAD I. von Fohnsdorf
1281 – + vor 1325
⚭ (gen. 1325) Irmgard
1285 „her“

EBERHARD von Fohnsdorf
1285 – 1300

RUDOLF II. von Fohnsdorf
1282 – + vor 1305 VIII 10
⚭ (gen. 1282 IX 30) Margerete
1290 I 11 – 1299 IX 29, eb. Vizedom in Friesach
1297 IX 24 Ritter
1300 I 7 „verus dominus“
1300 V 16 Belehnung mit Rabenstein im Lavanttal

III

Schwester **NN**
⚭ Rudolf dem Ruede von Altenburg ?

RUDOLF IV. von Fohnsdorf
1297 – + vor 1346 IV 21
⚭ (gen. 1312 X 9) Guta von Ellerbach
Witwe 1346 IV 21
1297 IX 24, 1301 III 7 Ritter
1314 VIII 24 „her“
1305 XII 14 Belehnung mit Rabenstein im Lavattal

RUDOLF V. von Fohnsdorf
(* 1287?) 1301 – 1344
⚭ NN
1349 Ritter
1323 „her Rudolf der Jung von Vansdorf“

IV

RUDOLF VII. von Rabenstein von Fohnsdorf (1344)
1337 – 1347 IX 25

ERHARD von Rabenstein von Fohnsdorf (1344)
1340 – 1344

HEINRICH von Rabenstein von Fohnsdorf (1344)
1340 – 1360
⚭ (gen. 1355 VI 5) NN

BURGHARD I. von Rabenstein von Fohnsdorf (1344)
1340 – + vor 1368 IX 11
⚭ (gen. 1368 IX 11) Ursula von Weisbriach

RUDOLF VIII. von Fohnsdorf
1339 – 1377 IX 23
1346 Ritter
1365 „erber ritter her“
1367, 1377 Ritter Richter zu St. Andrä im Lavanttal

V

BURGHARD II von Rabenstein
(* 1354 ?) 1368 – + vor 1425 VI 20
⚭ 1. NN Windischgrätzer ?
⚭ 2. (gen. 1425 VI 20) Ursula von Ungnad
1381, 1387 „erber“ Ritter
1387 I 21 Burggraf von Heunburg

WILHELM I. von Rabenstein
1375 – + vor 1423 VI 29
1381 „erber ritter”

THOMAS von Rabenstein
1385 VII 6

AGNES von Rabenstein
1425 – + vor 1429 IV 4
⚭ (gen. 1425 VI 20) Ortolf der Goss

DIE GROSSEN ZUM RABENSTEIN

VI

AGNES von Rabenstein
1425 VI 20

WILHELM von Rabenstein

PARZIVAL von Rabenstein von Sonnegg (ab 1433)
1425 – ca. 1446
ca. 1446 Ritter

GEORG
1425 – + vor 1452 II 16
⚭ (gen. 1452 II 16) Dorothea
Witwe 1452 II 16
1446 Ritter

WILHELM II.
1425 – 1430
⚭ NN von Kollnitz ?

VII

AGNES
1462 II 13
⚭ (gen. 1462 II 13) Thomas von Rotenstein

auch sie ihren Anteil 1462 an Kaiser Friedrich III.[44] Damit war der letzte Teil eines großen und bedeutenden Erbes in fremde Hände gelangt. Bis 1469 konnte Thomas von Rotenstein noch als Pfleger auf Rabenstein verbleiben.[45] Danach bestellte Kaiser Friedrich III. eine Reihe neuer Pfleger auf Rabenstein: Stefan Kling[46], Heinrich Marschall von Pappenheim[47] und Ulrich von Weisbriach[48].

1481 wurde Rabenstein im Besitz Kaiser Friedrichs III. „Gschloß" genannt[49]. Bis 1514 fungierte Hans Han als Pfleger auf Rabenstein[50]. Am 5. April 1514 belehnte Kaiser Maximilian Siegmund von Dietrichstein mit Rabenstein, in dessen Familienbesitz die Burg ungefähr 100 Jahre verblieb[51]. Aus einer Klage des Abtes von St. Paul erfahren wir, daß 1627 Georg Pacher kaiserlicher Pfleger auf Rabenstein war[52], ehe Rabenstein 1628 von Ferdinand II. an den Fürsten Johann Ulrich von Eggenberg verkauft wurde[53].

Schon lange hegte das Kloster St. Paul den Wunsch, Rabenstein in seinen Besitz zu bekommen, doch solange ein so mächtiges Geschlecht wie die Rabensteiner die Burg besaßen und auch beherrschten, war ein Kauf der Burg nicht möglich. Auch während der hundertjährigen Herrschaft der Familie Dietrichstein gelang den St. Pauler Äbten kein Kauf.

Nach deren Aussterben faßte Abt Hieronymus Marchstaller den Entschluß, Rabenstein zu erwerben. Schließlich gab am 22. Juni 1629 Kaiser Ferdinand II. die Zustimmung zur Übergabe der Herrschaft Rabenstein von den Eggenbergern, die Rabenstein nur ein Jahr innehatten, an das Kloster St. Paul.[54]

Abt Hieronymus Marchstaller ließ in der Burg eine neue Kapelle erbauen, die

Abb. 57: Wappenstein der Familie Fohnsdorf-Rabenstein, „Schloßbauer" (falsch eingemauert)

dem hl. Kreuz geweiht wurde. Anscheinend war die ehemalige Kapelle, die bereits 1240[55] erstmals genannt wurde und in Burghards II. Testament erwähnt wird[56], nicht mehr vorhanden.

Nur sieben Jahre lang erfreute sich das Kloster St. Paul am Besitz der Burg Rabenstein, denn am 16. April 1636 fielen Burg und Meierhof einer Feuersbrunst zum Opfer.[57] Lediglich der Meierhof wurde wiederaufgebaut; die Burg selbst blieb Ruine. Nach der Aufhebung des Klosters St. Paul 1782 wurde die Burg in den Religionsfonds einbezogen, im 19. Jahrhundert kam sie in bäuerlichen Besitz. Ein auf dem Kopf stehender, in der Rückseite des Gehöftes vlg. „Schloßbauer" eingemauerter Wappenstein der Familie Fohnsdorf-Rabenstein erinnert noch heute an den Glanz vergangener Tage.[58]

Anmerkungen

1. Über die genannten Familien Praitenfurt und Fohnsdorf-Rabenstein vgl. G. Gaich-Fauster, Genealogie und Besitzgeschichte der Familie von Praitenfurt, Fohndsdorf-Rabenstein (Diss. Graz, 1976).
2. H. Wiessner, Zur Geschichte der Burgen Rabenstein und Loschenthal, Car. I 149 (1959), S. 720.
3. H. Dopsch, Die Grafen von Heunburg, Car. I 160 (1970), S. 326.
4. K. Tangl, Die Grafen von Pfannberg, AÖG 17 (1856), S. 210 f.
5. A. v. Jaksch, Geschichte Kärntens bis 1335, Bd. 2 (1929), S. 154.
6. H. Pirchegger, Landesfürst und Adel in Steiermark während des Mittelalters, 3 Bde. (Forschungen des Vereins für Geschichte des Steiermark 12, 13, 16, 1951, 1955, 1958), Bd. 1, S. 135.
7. H. Henckel-Donnersmarck, Burgen und Schlösser in Kärnten, Bd. 2 (1964), S. 138.
8. Ökt 37 (1969), S. 477.
9. Handbuch der historischen Stätten. Österreich, Bd. 2: Alpenländer mit Südtirol (1966), S. 269.
10. A. Lang, G. A. v. Metnitz (Bearb.), Die Salzburger Lehen in Kärnten (FRA II/79, 1971) 21/6 (1302 I 6, auf der Burg Pfannberg).
11. Mc 7, Nr. 32 (1300 V 16, Salzburg).
12. Sub 4, Nr. 217 (1300 V 18, Salzburg).
13. Siehe Dopsch, Heunburg (wie Anm. 3), S. 322.
14. Jaksch, Kärnten (wie Anm. 5), S. 154.
15. H. Ebner, Das freie Eigen. Ein Beitrag zur Verfassungsgeschichte des Mittelalters (Aus Forschung und Kunst 2, 1969), S. 48, S. 284.
16. F. Martin, Die Regesten der Erzbischöfe und des Domkapitels von Salzburg 1247–1343, 3 Bde. (1928–1934), Bd. 2, Nr. 510 (1300 VIII 17, Friesach).
17. HHStA, UK 1300 X 6, Frohnleiten; vgl. Ebner, Das freie Eigen (wie Anm. 15), S. 202.
18. StLA, UK 16210 (1301 V 4, Salzburg).
19. Martin, Regesten (wie Anm. 16), Nr. 593 (1302 V 12, Wien).
20. Lang, Metnitz, Lehen (wie Anm. 10) 21/6; A. Lang, Das Salzburger Lehen in Steiermark bis 1520, 2 Tle. (Veröffentlichungen der Historischen Landeskommission Steiermark 30, 31, 1937–1939), 148/7, 36/8 (1302 I 6, auf der Burg Pfannberg).
21. Lang, Metnitz, Lehen (wie Anm. 10) 21/8; Lang, Lehen in Steiermark (wie Anm. 20) 36/10 (1305 IX 14, Salzburg).
22. HHStA, UK 1305 XII 14, Bleiburg: MC 7, Nr. 315 (1305 XII 14, Bleiburg).
23. Martin, Regesten (wie Anm. 16), Bd. 3, 1233 (1341 II 16, Salzburg).
24. HHStA und KLA, Dietrichsteinarchiv, UK 4 (1341 II 17, Salzburg), zwei Originale.
25. Mc 9, Nr. 171 (1328 IV 28, Gries).
26. Ökt 37 (1969), S. 477.
27. Siehe Henckel-Donnersmarck, Burgen und Schlösser (wie Anm. 7), S. 138.
28. Vgl. dazu F. X. Kohla, G. A. v. Metnitz, G. Moro, Kärntner Burgenkunde, Ergebnisse und Hinweise in Übersicht. 1. Tl.: Kärnten, Burgen, Schlösser, Ansitze und wehrhafte Stätten (Aus Forschung und Kunst 17, 1973), S. 259.
29. HHStA, UK 1344 III 28, Salzburg.
30. HHStA, UK 1360 IV 4 (6), Laibach.
31. HHStA, UK 1367 IV 12, Friesach.
32. StLA, UK 2964b (1366 IX 6, St. Lambrecht).
33. Mc 10, Nr. 708 (1368 IX 6, Friesach).
34. HHStA, UK 1385 II. 3.
35. Mc 10, Nr. 943 (1387 I 14).
36. KLA, UK C 3350 (1425 VI 20).
37. Mc 11, Nr. 147 (1435 VII 27).
38. HHStA, UK 1455 IX 22.
39. Wiessner, Rabenstein (wie Anm. 2), S. 723.
40. Die Familie Gradner war eine Adelsfamilie, die auf der Burg Lankowitz bei Köflach lebte und auch St. Pauler Lehen innehatte. Siehe dazu M. Heissenberger, Die Adelswappen der Weststeiermark im Mittelalter (Diss. Graz, 1971), S. 47.
41. HHStA, UK 1459 XII 21.
42. Wiessner, Rabenstein (wie Anm. 2), S. 723.
43. Heissenberger, Adelswappen (wie Anm. 40), S. 49, Anm. 5.
44. K. Tangl, KLA, Genealogische Notizen, fol. 29v (1462 II 13, Graz).
45. Ub St. Paul, Nr. 548 (1461 VI 24, Graz); StA, UK 365 (1469 II 24, Völkermarkt).
46. Mc 11, Nr. 418 (1469 VIII 23, Graz).
47. Ub St. Paul, Nr. 603 (1478 I).
48. Tangl, Notizen (wie Anm. 44), fol. 30r (1488); siehe auch J. Unrest, Österreichische Chronik, hrsg. von K. Grossmann (MG SS NS XI, 1957), S. 179 (1489 nach VI 18); Codex Diplomaticus Episcopatus Lavantini (Xerokopien „Sammlung Hausmann", Institut für Geschichte der Universität Graz), fol. 284r–284v (1490 XI 30, Linz).
49. KLA, UK C 2953 (1481 V 16, Wien).
50. Ebd., A 1785 (1514 IV 5, Linz). Seit wann Hans Han das Amt des Pflegers innehatte, ist nicht bekannt.
51. Ebd., A 1785 (1514 IV 5, Linz); 1783 (1514 IV 5, Linz); StA, UK 791, 793 (1675 I 4, Graz); V. Thiel, Regesten aus dem k. k. Steiermärkischen Statthalterarchiv (1946/47), 16.398 (1599 V 6, Wien); KLA, HS 2/7 (Lehenbuch des Bistums Lavant, 1556–1791), fol. 13r, 14r.
52. FRA II/LX, Nr. 2394 (1627 VII 20).
53. StA, UK 1106 (1628 XII 22, Wien); siehe Wiessner, Rabenstein (wie Anm. 2), S. 725.
54. StA, UK 1108 (1629 II 7, Salzburg); 1119 (1629 VI 22, Wien); siehe Wiessner, Rabenstein (wie Anm. 2), S. 726; vgl. auch Kohla, Burgenkunde (wie Anm. 28), Bd. 2, S. 124.
55. Über „Hl. Kreuz" siehe H. J. Mezler-Andelberg, Akatholische Kirchen und Kirchentitel aus der Passion Christi. Ein Beitrag zur Patrozinienkunde der Steiermark, in: FS Karl Eder zum 70. Geburtstag (1959), S. 428; Ub St. Paul, Nr. 60 (1240 XII 6, Friesach).
56. KLA, UK C 3350 (1425 VI 20).
57. Siehe Wiessner, Rabenstein (wie Anm. 2), S. 726.
58. Siehe Henckel-Donnersmarck, Burgen und Schlösser (wie Anm. 7), S. 139.

Die Lateinschule des Benediktinerstiftes St. Paul bis zur Aufhebung 1782/87

WERNER THELIAN

Bereits im frühen Mittelalter – lange vor dem Einsetzen der großen Gründungswelle abendländischer Universitäten – gehörten die Klöster, vor allem die des traditionsreichen Benediktinerordens, zu den bedeutendsten Zentren des europäischen Kultur- und Geisteslebens. Vieles, was aus dieser Zeit auf uns gekommen ist, hat in ihnen seinen Ursprung oder wurde, aus älteren, oft nichtchristlichen Traditionen herrührend, von geistlichen Gelehrten in unermüdlicher Arbeit der Nachwelt überliefert. Über Jahrhunderte hinweg kannte der Wissensstand der Theologie, der Philosophie, der Geistes- und Naturwissenschaften überhaupt kaum eine andere Heimat als die Enge der schützenden Klostermauern, hinter denen im Namen Gottes nicht nur gebetet, gepredigt und handwerklich gearbeitet wurde, sondern eben auch studiert, gelehrt und aufgeschrieben.

In den mittelalterlichen Klöstern wurde die Beschäftigung mit Wissenschaft und Kunst, das intensive Studium der gelehrten Bücher, im Sinne des benediktinischen *ora et labora* als taugliches Mittel zur Annäherung an die Erkenntnis des wahren Gotteswortes empfunden und war daher in der eigentlichen Bedeutung des Wortes „Gottes-Dienst".

Gerade weil die klöstliche Pflege der Wissenschaften und Künste ihre Wurzeln im christlichen Weltbild hatte, weil die Bibliotheken und Skriptorien Stätten der gelehrten Gott-Suche waren, hielten Erziehung und Unterricht bald auch ihren Einzug in die mönchische Gemeinschaft und ihr großartiges, über die Erfordernisse des Tages hinausreichendes Werk.

Wollte man, dem Vorbild einzelner Geistesgrößen folgend, den klösterlichen Nachwuchs zu wissenschaftlichen und künstlerischen Leistungen erziehen, benötigte man Schulen, die die aufwendige Wissensvermittlung zu leisten und an die Qualität des Vergangenen anzuknüpfen imstande waren. Noch vor der Jahrtausendwende, lange bevor die Benediktinerabtei St. Paul im Lavanttal für das Kärntner Schulwesen Bedeutung erlangte, gab es in Europa bereits zahlreiche Kloster- und Domschulen, die es in Bildungsangelegenheiten zu großem Ansehen brachten: z. B. Tours und Corbie in Frankreich, Monte Cassino in Italien, Oxford, Cambridge und York in England, Fulda, Reichenau, St. Gallen und das süddeutsche Kloster Tegernsee.

Für das Gebiet des heutigen Österreich waren es dann vor allem die frühen Klostergründungen St. Peter in Salzburg, Mondsee, Mattsee, Kremsmünster und Melk, die – neben anderen Abteien – Unterricht und Bildung in das Zentrum ihrer Anliegen rückten.

In Kärnten gab es vermutlich schon bald nach der Gründung des Bistums Gurk (1072) dort auch eine eigene Domschule[1]; eine solche ist auch für das 1228 errichtete Bistum Lavant, mit dem Sitz in St. Andrä, wahrscheinlich (1307 wird dort ein Magister Hermann urkundlich erwähnt, der wohl eine Zeitlang Leiter dieser Bildungsanstalt war[2]. Eine Klosterschule war schließlich auch bei den Dominikanern in Friesach untergebracht.[3] Für das 1091 gegründete Stift St. Paul ist die Existenz einer Lateinschule seit der zweiten Hälfte des 12. Jahrhunderts nachzuweisen.

Für den Orden der Benediktiner, dessen Angehörige man „Erzieher Europas im Mittelalter" genannt hat, gehörte die pädagogische Aufgabenstellung von Anfang an zu den wichtigsten Tätigkeitsbereichen. Von den späteren Leistungen einzelner Mönche für Unterricht und Kunst (Notker der Deutsche, Otfried von Weißenburg, Alkuin usw.) einmal abgesehen, findet sich die erzieherische Ausrichtung in ihren ersten Ansätzen bereits beim Ordensvater Benedikt selbst, der von seinem Orden als einer „Schule für den Dienst des Herrn"[4] spricht. Benedikt verlangt von seinen Mönchen, daß sie sich im Lesen und Schreiben üben – den wichtigsten Voraussetzungen für das eigenhändige Verfassen und Unterzeichnen der Profeßurkunde[5], die geistliche Lesung im Chorgebet[6] und die Beschäftigung mit der Heiligen Schrift und den Büchern der Kirchengelehrten vor allem in der Fastenzeit[7].

Was mit der Regelschrift des heiligen Benedikt im 6. Jahrhundert seinen Anfang nahm, nämlich Bildung und Erziehung als wesentliche Bestandteile des Lebens hinter Klostermauern aufzufassen, und lange Zeit auf die auszubildenden Mönche beschränkt blieb, erfuhr gegen Ende des 8. Jahrhunderts eine nicht unwesentliche Erweiterung: Mit den Maßnahmen zur Bildungsreform Karls des Großen wurde auch den Benediktinern der Auftrag erteilt, die wichtigsten Grundlagen der schulischen Erziehung fortan auch weltlichen Schülern zugänglich zu machen.[8]

Obwohl noch 817 Benedikt von Aniane beim Reformkonzil von Aachen dafür eintreten konnte, nur jene in den Klöstern zu unterrichten, die für den geistlichen Beruf vorgesehen waren, ließ sich der kaiserliche Bildungsgedanke in seiner Verbreitung nicht mehr länger aufhalten, zumal er längst auch unter den Äbten der Klöster seine Befürworter gefunden hatte. Ab etwa 850 bildeten sich daher die sogenannten „Doppelschulen" aus, die Bildung und Unterricht sowohl geistlichen als auch weltlichen Schülern vermittelten. Daß, von den Frauenklöstern einmal abgesehen, die weibliche Jugend davon weiterhin ausgenommen blieb, versteht sich aus der auf weiten Strecken so frauenfeindlichen Haltung des Mittelalters von selbst.

In der *schola interna*, der inneren Schule, die im Klausurteil des Klosters untergebracht war, wurde der eigentliche Klosternachwuchs – die *pueri oblati* – von erfahrenen Mönchen in den Grundlagen des Ordenslebens unterrichtet. In der *schola externa*, der äußeren Schule, lehrten die Mönche vor meist adeligen Schülern der engeren und weiteren Umgebung, die dem Kloster nur für eine bestimmt Zeit anvertraut waren.

Den geistlichen und weltlichen Schülern wurden mehr oder weniger umfassende Kenntnisse der katholischen Theologie und Morallehre vermittelt – darüber hinaus aber fanden, ganz nach dem von der Antike übernommenen und mit christlichen Bildungsidealen angereicherten Lehrplan der *septem artes liberales*, der Wissensstand der Naturforschung, die schönen Künste und sprachliche Gewandtheit besondere Beachtung. Überhaupt war die möglichst vollkommene Beherrschung des Lateinischen, bis weit in das 17. Jahrhundert hinein die führende Sprache der Wissenschaften, vordringlichstes Ziel jeder schulischen Erziehung.

Waren die Schüler, nach ein- bis zweijährigem elementarem Unterricht im Lesen und Schreiben, mit den wichtigsten Grundlagen der Sprache vertraut, setzte das *Trivium* ein. Nun beschäftigte man sich etwa vier Jahre lang mit den Fächern Grammatik, Rhetorik und Dialektik. Danach blieben in der Regel noch zwei Jahre, um im Rahmen des *Quadriviums* Mathematik, Geometrie, Musik und Astronomie zu studieren. In einzelnen Fällen folgten weitere Ausbildungsjahre an einer der Universitäten, die in Mitteleuropa nach 1200 verstärkt eine Rolle zu spielen begannen.[9]

Mit dem weitgehend auf die Aneignung der lateinischen Sprache abgestimmten Lehrplan steht in Zusammenhang, daß – neben anderen Ordensgemeinschaften – auch die Benediktiner schon früh mit der Produktion eigener Dramen für das Schulspiel begannen. Vor allem für den Unterrichtsgebrauch bestimmt, wurden die Stücke von Lehrern und Schülern gelesen, einstudiert und manchmal sogar vor Publikum zur Aufführung gebracht. Damit sollten den Zöglingen neben dem Einblick in die biblische Geschichte und antike Mythologie ein besseres Gefühl für die Sprache und gesittete Umgangsformen vermittelt werden.[10]

Über den genaueren Verlauf der schulischen Erziehung in St. Paul ist nur wenig bekannt. Daß aber auch hier nach dem bewährten klassischen Lehrplan gelehrt und die Schule, den Gepflogenheiten der Zeit folgend, in eine innere und eine äußere unterteilt war, kann schon für die Frühphase mit einiger Berechtigung angenommen werden. Darüber hinaus ist es durchaus wahrscheinlich, daß der Schule von Anfang an ein Internat angeschlossen war, in dem die auswärtigen Zöglinge für die Dauer ihrer Schulzeit untergebracht waren.[11]

Daß die St. Pauler Lateinschule in der zweiten Hälfte des 12. Jahrhunderts bereits bestand, beweisen die urkundlichen Überlieferungen gleich mehrerer Schülernamen:

In der Amtszeit des Abtes Pilgrim (1150–1192) wurde um 1174 Ortlieb von Alpen von seinem Bruder Siegfried, einem Ministerialen des Grafen von Liebenau, der Spanheimerstiftung St. Paul *ad discendas litteras*[12] übergeben. Er dürfte seine Ausbildung zusammen mit einem zweiten dem Namen nach bekannten Schüler dieser Jahre erfahren haben – mit Dietrich von Tann, der der Schule von seinem Vater Heinrich anvertraut wurde[13]. Aus den Urkunden geht hervor, daß der Abtei damals für die beiden Neuzugänge Huben bei Gottingen und St. Thomas überlassen wurden.[14]

Über den weiteren Lebensweg dieser beiden Schüler ist weniger bekannt als über das Schicksal der gräflichen Brüder Gottfried und Dietrich von Kollnitz, die hier ebenfalls unter Pilgrim ihre Schulzeit verbrachten. Die Familie Kollnitz, dem Stift seit jeher eng verbunden, bedankte sich mit einer Hube bei Pustritz für die Aufnahme der Söhne.[15] Gottfried und Dietrich traten später als Novizen in den Orden ein und brachten es zu einigem Ansehen. Dietrich wurde 1179 sogar Bischof von Gurk, wobei die fundierte Ausbildung, die er in St. Paul genossen haben dürfte, sicher kein Hindernis war.

Erfuhr das geistige Leben unter Abt Pilgrim einen starken Aufschwung, über dem als äußeres Symbol der Neubau der Stiftskirche steht, lassen sich in dieser Zeit auch die ersten Spuren einer stiftseigenen Kanzlei verfolgen. Wie durch Pagitz[16] nachgewiesen werden konnte, sind die Urkundenschreiber von St. Paul in engem Zusammenhang mit der Klosterschule zu sehen. Die meisten von ihnen erhielten hier ihre Ausbildung im Lesen und Schreiben, ehe sie dann in den Benediktinerorden eintraten und als Schreiber für das Kloster und seinen Abt tätig waren. So mancher geistliche Urkundenschreiber – später waren auch weltliche in dieser Funktion tätig (z. B. Heinrich Langnacher im 14. Jahrhundert) – wird an der Schule, aus der er hervorgegangen ist, gelehrt haben.

In einer Urkunde aus dem Jahre 1213 scheint dann, ohne nähere Angaben zu seiner Person, ein gewisser Magister Albertus auf, der dieses amtliche Schreiben mit unterzeichnet hat.[17] Er gehörte zum Konvent und war wohl auch für die Lateinschule unter Pilgrims Nachfolger Ulrich I. (1192–1222) von einiger

Bedeutung. Vielleicht war er eine Zeitlang sogar in leitender Funktion tätig, zumal er auf Grund seiner universitären Ausbildung berechtigt war, den Titel „Magister“ zu führen.

Magister Albertus bekleidete daneben wohl auch andere klösterliche Ämter, wie Frater Georgius *Scholasticus*, auf den wir in einer Namensliste aus der Zeit des Abtes Conrad I. von Trixen (1222–1237) stoßen, die verstorbene Klosterangehörige aufzählt.[18] Sicher lehrte auch der Schulmeister Georgius bis weit in das 13. Jahrhundert hinein an der Lateinschule, für die dann 1291 auch der *Scholasticus* Martinus genannt wird.[19]

Wenn für das darauffolgende 14. Jahrhundert kaum noch Aufzeichnungen vorliegen, die auf die Existenz der vormals blühenden Schule hinweisen, so bedeutet das freilich nicht, daß Unterricht und Bildung während dieser Zeit keine Heimat mehr in St. Paul besaßen. Vielmehr waren es die zahlreichen äußeren und inneren Schwierigkeiten, unter denen Abt und Konvent litten, die das wissenschaftliche und kulturelle Leben für einige Zeit in den Hintergrund drängten. Sicher hatte die Schule auf dem Stiftshügel auch damals ihre Lehrer und wahrscheinlich gar nicht wenige Schüler.

Hätte man nicht selbst in schwersten Zeiten beständig die Grundsteine für das St. Pauler Schulwesen gelegt, es wäre kaum möglich gewesen, daß die Lateinschule schon in der zweiten Hälfte des 15. Jahrhunderts einen so guten Ruf besaß, daß hier nicht nur eines der heute bedeutendsten frühen Schulbücher entstand, sondern vermutlich auch der berühmte Paracelsus hier einige Jahre in Schule und Internat verbrachte.

Wenn aus Gründen der nicht gerade günstigen Quellenlage vieles über den mittelalterlichen Schulbetrieb in St. Paul im dunkeln bleiben muß, so erlaubt uns doch gerade das oben angesprochene Schulbuch einige Rückschlüsse auf Unterrichtsart und verwendete Schulliteratur.

Die in späterer Zeit auf uns unbekannten Wegen an die Nationalbibliothek in Wien gekommenen und dort unter der Signatur 12.840 registrierten 89 Papierblätter im Quartformat, die in den Jahren 1463, 1468 und 1472 von zwei St. Pauler Mönchen beschrieben wurden, dienten allem Anschein nach als „mittelalterliches Schulbuch für den Deutschunterricht“.[20]

Der ältere Teil besteht aus einem etwa zwanzig Seiten umfassenden lateinisch-deutschen Wörterbuch, das sicher eigens für den Unterricht angelegt wurde. Der jüngere, aus den Jahren 1468 und 1472 stammende Teil bildet eine relativ umfangreiche Zusammenstellung von Texten für den schulischen Gebrauch: lateinische Hexameter über Tiere und Pflanzen, Auszüge aus Konrad von Megenbergs „Buch der Natur“, eine Sammlung seltener lateinischer Vokabeln von Johann von Garlandia, ein ähnliches Werk von Otto von Lüneburg, lateinische Sentenzen und Notizen, deutsche Glossen und Übersetzungen finden sich hier ebenso wie die eingedeutschte Sammlung von 57 lateinischen Sprichwörtern zur moralischen Belehrung der Schüler.

Der zweite Schreiber, der in den Jahren 1468 und 1472 den Großteil dieser wertvollen Sammlung zusammentrug und teilweise wohl selbst verfaßte, nennt sich *Johannes monachus et professus*[21]. Er konnte als Johann III. Hechtl von Landau, späterer Abt von St. Paul (1483–1488), identifiziert werden.[22]

Unter Johann II. Ecklinger (1455–1483), in dessen Amtszeit der Schreiber Johannes als Schullehrer tätig war, scheint das Schulwesen insgesamt die Schwierigkeiten der vergangenen Jahrzehnte überwunden zu haben. Die Schülerzahlen waren im Ansteigen, so daß Abt Johann sich gezwungen sah, auch weltliche Lehrer an die Lateinschule zu berufen.[23]

1481 wurde der neue Schulmeister Leonhard mit demselben Gehalt eingestellt, das schon seine Vorgänger Andreas, Martin, Lorenz, Christof und Markus aus der Stiftskasse bezogen hatten (7 Pfund Pfennig)[24].

Dem guten Ruf der Schule unter Ecklinger und seinen Nachfolgern dürfte auch der vielleicht berühmteste Schüler von St. Paul, der spätere Philosoph, Naturwissenschaftler und begnadete Arzt Theophrastus Bombastus von Hohenheim, genannt Paracelsus, gefolgt sein. Im dritten Traktat des zweiten Buches seiner „Großen Wundarznei" von 1536 legt Paracelsus ein Zeugnis seiner geistigen Herkunft und Gelehrsamkeit ab und nennt an dieser Stelle auch „bischof Erhart und sein vorfaren von Lavanttal" als Lehrer seiner Jugendjahre[25].

Bischof Erhard Baumgartner, von 1487 bis 1508 Bischof von Lavant in St. Andrä, war ein gelehrter und aufgeschlossener Mann. Es läßt sich leicht vorstellen, daß er auf den begabten Schüler Paracelsus aufmerksam wurde und diesem vielleicht sogar eine Zeitlang Privatunterricht erteilte. Zwar wird St. Andrä damals längst eine eigene Domschule besessen haben, doch stand diese sicher weit hinter der Lateinschule von St. Paul zurück. Man hat daher angenommen, daß Paracelsus, der in seiner Geburtsstadt Einsiedeln das *Trivium* absolviert hatte und mit seinem Vater nach Villach übersiedelt war, nach 1500 nicht in St. Andrä selbst, sondern im unweit gelegenen St. Paul die Lateinschule besucht hat.[26]

In der zweiten Hälfte des 16. Jahrhunderts erwuchs der stiftseigenen Bildungsanstalt, die sehr unter den Folgen der Reformationszeit zu leiden hatte, mit dem protestantischen *Collegium pietatis et sapientiae* im ständisch gewordenen Klagenfurt eine ernstzunehmende Konkurrenz. Diese höhere Schule, deren Gründung auf das Jahr 1553 zurückgeht und die vorwiegend an Universitäten ausgebildete Lehrer beschäftigte, fiel erst 1601 der Gegenreformation zum Opfer.[27]

Als eine Folgeerscheinung der Wirren der Reformationszeit war, wie am Spannungsverhältnis von katholischen und protestantischen Schulen leicht erkennbar ist, eine grundlegende Neuordnung des Kärntner Schulwesens unumgänglich geworden. Die Notwendigkeit von Bildungsreformen wurde von kirchlichen und staatlichen Stellen gleichermaßen erkannt. Eine Regierungsverordnung von 1554 machte es jedem Stift im Lande zur Pflicht, mindestens acht Studenten an die theologischen Fakultäten, zunächst nach Wien, später aber auch nach Graz und Salzburg, zu entsenden.[28] Damit sollte eine Hebung des Ausbildungsniveaus erreicht werden, was sich im Falle von St. Paul tatsächlich in der Errichtung einer eigenen theologischen Hauslehranstalt niederschlug.[29]

Mit den Beschlüssen des Konzils von Trient (1545–1563) trug man auch von kirchlicher Seite dem immer lauter werdenden Ruf nach Reformen Rechnung. Den Diözesen wurde es zur Pflicht, eigene Priesterseminare einzurichten. In Kärnten war es vor allem das Bistum Gurk, das als Vorreiter für die Neugestaltung von Unterricht und Erziehung auftrat. Elementarschulen wurden zuerst in Straßburg, Grades, Weitensfeld, Gurk und Metnitz gegründet. In Gurk existierte neben der angesehenen Domschule für adelige Knaben auch eine allgemein zugängliche Schule, an der auch weiterhin Geistliche den Unterricht leiteten.[30]

Eine einschneidende Veränderung im Bildungswesen des Landes ergab sich 1604 mit der Ansiedlung der Jesuiten in Klagenfurt, die dort im Bürgerspital ein Gymnasium einrichteten und von hier aus einen immer stärker werdenden Einfluß auf geistige und politische Belange auszuüben begannen. Schon 1551 nach Österreich gekommen, gelang dem Orden eine ungeheure Ausweitung seines Machtbereiches dann vor allem in der Regierungszeit Kaiser Leopolds I. (1658–1705). Unter der schützenden und fördernden Hand des Kaisers, der selbst ein ehemaliger Jesuitenzögling war, konnte die Gesellschaft Jesu ihren Einfluß auf die höchste Politik ebenso wahrnehmen wie auf das Leben der Bevölkerung. Um im Rahmen der katholischen Gegenreformation auf das Bewußtsein möglichst vieler Menschen nachhaltig einwirken zu können, bedienten sich die Ordensbrüder nicht nur ihrer angestammten Funktion als Prediger und Beichtväter; mehr noch war es die geistig-sittliche Erziehung an den von ihnen geführten Gymnasien, die ihnen den Zugang vor allem zu den privilegierten Schichten der Bevölkerung eröffnete. Nicht umsonst erreichte auch das katholische Schulspiel, mit ideologischen Aussagen angereichert, unter den Jesuiten den Höhepunkt seiner Entwicklung.[31]

Obwohl der Jesuitenorden auch in Kärnten bis zu seiner Aufhebung im Jahre 1773 dominant blieb, gelang es dem Benediktinerstift St. Paul, die eigene Schultradition zu einer neuen Blüte zu führen. Nach einer schulischen Neuorientierung suchend, begab sich Abt Vinzenz Lechner (1583 – 1616) im Jahre 1608 nach Klagenfurt, um dort dem Jesuitengymnasium einen Besuch abzustatten, das als Modell für die neue Ära des St. Pauler Schulwesens in Betracht kam.[32] Unter seinem Nachfolger Hieronymus Marchstaller (1616 – 1638) kam eine große Anzahl von gelehrten und für den Unterricht qualifizierten Mönchen nach St. Paul. Marchstaller errichtete im Jahre 1631 eine neue Schule im Markt, die den Bürgerkindern die Teilnahme am Unterricht ermöglichen sollte[33], und entsandte Mitglieder des Konvents zu Lehr- und Studienzwecken an die Universitäten Wien, Graz und Salzburg. Das Stift war mit seinem „zweiten Gründer“ auch im Hinblick auf das Schulwesen in eine neue Phase eingetreten, die, trotz einiger Rückschläge in den folgenden Jahrzehnten bis hin zur Aufhebung der Abtei 1782/87, jenen erfolgreichen Weg vorbereitete, den das Benediktinerstift und seine Schule nach der Wiederbesiedelung im 19. Jahrhundert einschlagen sollten. Aber noch war es nicht soweit. Als 1773 der Jesuitenorden, der mehr als eineinhalb Jahrhunderte die Schul- und Bildungsangelegenheiten des Landes wesentlich bestimmt hatte, durch die Regierung der Kaiserin Maria Theresia aufgehoben wurde, ergab sich auch für die Benediktiner von St. Paul eine völlig neue Situation. Obwohl die ehemaligen Bildungsstätten der Jesuiten nun unter staatlicher Verwaltung standen, gab es nicht genug weltliche Lehrer, um den Schulbetrieb in gewohnter Qualität auch weiterhin aufrechtzuerhalten. Viele Exjesuiten wurden weiter beschäftigt, und auf die Benediktinermönche von St. Paul kamen neue Aufgaben zu. Die durch die Aufhebung der Gesellschaft Jesu entstandene katastrophale Situation konnte durch erste Maßnahmen nur teilweise bekämpft werden. Die Kaiserin sah sich schließlich genötigt, die 1760 gegründete „Studien-Hofkommission“ mit der Lösung der anstehenden Probleme zu beauftragen. In weiterer Folge erging von Seite der Regierung im Jahre 1777 an den St. Pauler Abt Anselm I. Passaucko (1748 – 1778) der Auftrag, die im Ordenshaus befindliche Lateinschule zu einem vollwertigen Gymnasium auszubauen und unter staatlicher Kontrolle weiterzuführen.[34] Sahen Abt und Konvent gerade darin die Möglichkeit, der aus wirtschaftlichen Gründen bereits seit einiger Zeit drohenden Aufhebung der Ordensgemeinschaft zu entgehen, waren letztendlich alle Hoffnungen doch vergebens. In der Regierungszeit des Abtes Anselm II. Edling (1778 – 1787) wurde im Jahre 1782 durch Kaiser Joseph II. die Aufhebung ausgesprochen. Sie konnte zwar noch einige Jahre hinausgezögert werden, wurde dann aber 1787 zur bitteren Wirklichkeit. Aus wirtschaftlichen Gründen wurde damals eine kulturell und geistig blühende Abtei aufgehoben, die jahrhundertelang für das Schul- und Bildungswesen des Landes von großer Bedeutung war. Aber gerade der Kraft dieser Tradition ist es letztlich auch zu verdanken, daß zwei Jahrzehnte später, als Mönche aus St. Blasien in St. Paul ihre neue Heimat fanden, das Schulleben hier abermals erblühte.

ANMERKUNGEN

1. Vgl. C. FRÄSS-EHRFELD, Geschichte Kärntens, Bd. 1: Das Mittelalter (1984), S. 488.
2. EBD., S. 489.
3. EBD., S. 491.
4. Die Benediktus-Regel. Lateinisch-deutsch, hrsg. von Basilius STEIDLE ([3]1978), S. 59.
5. EBD., S. 163.
6. EBD., S. 91ff.
7. EBD., S. 145ff.
8. Vgl. H. PEISSL, Von der Lateinschule zum Gymnasium, in: St. Paul 1091 – 1809 – 1959 (1959), S. 52 – 66, hier S. 52f.
9. Vgl. A. RENNER, E. v. TUNK, Europa im Hoch- und Spätmittelalter. Der Islam (1964), S. 109.
10. Vgl. R. F. ARNOLD, Das deutsche Drama ([2]1972), S. 154ff.
11. Vgl. PEISSL, Lateinschule (wie Anm. 8), S. 56.
12. UB ST. PAUL, S. 41, c. XLIII.
13. B. SCHROLL, Necrologium des Benediktinerstiftes St. Paul im Lavantthale, AVGT 10 (1866), S. 33 – 240, S. 108.
14. EBD.
15. EBD., S. 89.
16. F. PAGITZ, Die Urkundenschreiber der St. Pauler Klosterschule bis zum Jahre 1335, in: FG zur 150-Jahr-Feier der Wiederbesiedelung des Benediktinerstiftes St. Paul im Lavanttal durch die Mönche von St. Blasien im Schwarzwald (Car. I 149, 1959), S. 389 – 444.
17. Vgl. SCHROLL, Necrologium (wie Anm. 13), S. 103.
18. Vgl. B. SCHROLL, Das Benediktinerstift St. Paul, Car. 66 (1876), S. 57 – 73, S. 89 – 104, S. 121 – 137, S. 169 – 184, S. 217 – 227, S. 265 – 276, hier S. 65.
19. Vgl. UB ST. PAUL, S. 178.
20. H. MENHARDT, Eine lateinisch-deutsche Spruchsammlung aus St. Paul vom Jahre 1468. Bearb. von H. MAURER und E. ZIMMERMANN, JbSP (1979/80), S. 32 – 37, hier S. 32.
21. EBD.
22. EBD.
23. Vgl. PEISSL, Lateinschule (wie Anm. 8), S. 57.
24. Vgl. SCHROLL, Necrologium (wie Anm. 13), S. 35.
25. Zit. bei K. GOLDAMMER, Die geistlichen Lehrer des Theophrastus Paracelsus. Zu Hohenheims Bildungserlebnis und zur geistigen Welt seiner Jugend, Car. I 147 (1957), S. 525 – 559, hier S. 526.
26. Vgl. K. KADA, Theophrastus Paracelsus von Hohenheim und die Lateinschule des Benediktinerstiftes St. Paul, JbSP (1951/52), S. 9 – 12, hier S. 10.
27. Vgl. H. BRAUMÜLLER, Die kulturelle Sendung des Benediktinerstiftes St. Paul i. L., Car. I 149 (1959), S. 323 – 336, hier S. 328.
28. EBD., S. 329.
29. Vgl. PEISSL, Lateinschule (wie Anm. 8), S. 57.
30. Vgl. BRAUMÜLLER, Kulturelle Sendung des Benediktinerstiftes (wie Anm. 27), S. 328f.
31. Vgl. ARNOLD, Deutsches Drama (wie Anm. 10), S. 154ff.
32. Vgl. PEISSL, Lateinschule (wie Anm. 8), S. 57.
33. Vgl. W. FRESACHER, Geschichte des Marktes St. Paul im Lavanttal (AVGT 57, 1961), S. 22f.
34. Vgl. PEISSL, Lateinschule (wie Anm. 8), S. 57.

Das Stift St. Paul als Schulträger seit der Wiederbesiedlung 1809

JOSEF RÖCK

Wohl schon bald nach der im Jahre 1091 vom Kloster Hirsau im Schwarzwald aus erfolgten Gründung des Benediktinerstiftes St. Paul im Lavanttal dürfte es hier eine Lateinschule gegeben haben, da doch die meisten Klöster des Mittelalters in der Vermittlung von Bildung und Wissen eine ihrer zentralen Aufgaben sahen. Lange Zeit waren sie mehr oder weniger die einzigen Träger dieser wichtigen kulturellen Funktion. Die St. Pauler Lateinschule, urkundlich nachweisbar seit dem späteren 12. Jh. und besucht vor allem von angehenden Klerikern sowie von Adelskindern (um 1500 studierte hier auch der berühmte Naturarzt Paracelsus), wurde 1777 unter Maria Theresia durch ein Dekret der Studienhofkommission zur Einrichtung von „drey grammatical Klassen“[1] aufgefordert. Dieser Ausbau der jahrhundertealten Lavanttaler Bildungsstätte zu einem humanistischen Gymnasium wurde durch die Aufhebung des Stiftes St. Paul im Zuge der Reformen Josephs II. abrupt beendet.

Die Wiederbesiedlung der alten Benediktinerabtei im Jahre 1809 durch Mönche des säkularisierten Schwarzwaldstiftes St. Blasien war vom damaligen Kaiser Franz I. an die Bedingung geknüpft worden, „der Hauptzweck des Stiftes ist, daß es ein musterhaftes Lehrinstitut sei“[2]. In der diesbezüglichen Urkunde vom 3. Juli 1820 (mündlich vereinbart bereits 1807) heißt es dazu:

„Wir Franz I., von Gottes Gnaden Kaiser von Österreich etc. Nachdem Wir uns schon im Jahre Eintausend, Achthundert, Sieben, allergnädigst entschlossen haben, dem Fürstabten Berthold zu St. Blasien auf dem Schwarzwalde nach Aufhebung seines dortigen Stiftes (. . .) mit freiwilligen Mitgliedern (. . .) in Unsere Staaten einzuwandern (. . .), so haben Wir denselben St. Paul in Kärnten als den Sitz ihres künftigen Stiftes angewiesen und unter der Bedingung, dass dieses Stift durch fortwährende Zeiten in der Seelsorge und hauptsächlich bei öffentlichen Lehr- und Erziehungsanstalten erspriesliche Dienste leiste, (. . .) angemessene Dotationen in Realitäten allergnädigst zugesichert und einantworten lassen. (. . .) Insbesondere hat das Stift im allgemeinen vierunddreißig und wo möglich, (. . .) auch mehrere Individuen an öffentliche Gymnasien und höhere Lehranstalten zu stellen und zu erhalten. Das Stift St. Paul hat schon dermalen die Lehrer am Gymnasium zu St. Paul und am Gymnasium zu Klagenfurt (. . .) und für die Lehrkanzel der philosophischen und theologischen Lehranstalt zu stellen und zu unterhalten. (. . .) Endlich hat das Stift, sobald als thunlich, für die Errichtung eines Convictes und für dessen stete Aufrechterhaltung besorgt zu sein. (. . .)“[3]

Das Gymnasium und das Lyzeum in Klagenfurt

Gleich nach dem Eintreffen der St. Blasier Mönche unter Fürstabt Berthold Rottler im Chorherrenstift Spital am Pyhrn 1807 wurden gemäß der gegenüber dem obersten Landesherrn ein-

Abb. 58: Ehemaliges Gymnasium und Lyzeum in Klagenfurt

gegangenen Verpflichtung einige stiftliche Professoren an die Höheren Lehranstalten in Klagenfurt entsandt. Diese bestanden aus dem Gymnasium (vier Grammatikal- und zwei Humanitätsklassen) und dem Lyzeum, in welchem die neuen geistlichen Lehrer die theologische und philosophische Fakultät zu betreuen hatten. P. Ambros Eichhorn, der das Amt des Gymnasialpräfekten übernahm, und P. Thaddäus Natterer kamen als die ersten Vertreter der St. Blasier Schulmänner nach Klagenfurt. Zur Besetzung der Lehrkanzeln am Lyzeum entsandte Fürstabt Berthold Rottler bereits 1808 die ersten Konventualen zum Studium an die Wiener Universität und errichtete nach Übersiedlung nach St. Paul hier eine Hauslehranstalt für Philosophie und Theologie (bestand bis 1817), an der u. a. der große Urkundenforscher P. Trudpert Neugart (gest. 1825) tätig war. Als Wohnung diente den in Klagenfurt unterrichtenden Stiftslehrern das ehemalige Franziskanerkloster.

Die ersten Jahre der Tätigkeit der Benediktinerpatres an Gymnasium und Lyzeum waren geprägt von den napoleonischen Kriegen. Wiederholte Rekrutierungen, Flucht vor den herannahenden Franzosen u. dgl. ließen die Schülerzahl sehr schwanken; die Sprengung der Stadtmauern durch den Gegner hinterließ im nahegelegenen Gymnasialgebäude Risse. Einen erfreulichen Kontrast dazu bildete der 23. Oktober 1810, an dem Kaiser Franz I. das Klagenfurter Gymnasium besuchte und mit viel Lob bedachte. Joseph Rack (1800 – 1887), später ein bedeutender Jurist, war hier damals Schüler, ebenso wie etwas danach Adolf Ritter von Tschabuschnigg (1809 – 1877), der nachmalige Lyriker, Novellist, Reichsratsabgeordnete und Justizminister.

Präfekt des Gymnasiums in der unruhigen Zeit um 1810 – 1815 war P. Ambros Eichhorn (Direktor war der jeweilige Kreishauptmann), der auch als Historiker wirkte. P. Johann Baptist Mannhart und P. Franz Fritz bekleideten bis 1848 nach ihm dieses Amt. Letzterer war der erste Direktor des 1843 gegründeten „Historischen Vereines für Kärnten“; Nachfolger darin wurde der bedeutende Landeshistoriker Gottlieb Freiherr von Ankershofen. Hohen Besuch gab es unter Präfekt P. F. Fritz. Mit einem Fackelzug der Gymnasiasten und einer Hymne des Dichters P. Franz Kienreich, ihres Lehrers, wurde 1838 Kaiser Ferdinand I. begrüßt.

Die Professoren aus St. Paul erfreuten

sich bei ihren Schülern in Klagenfurt in der Regel großer Beliebtheit, z. B. P. Engelbert Pasler, für den eine Klassenvorstandsperiode im Jahre 1845 so ausklang: „Die wackeren Musensöhne veranstalteten dem geliebten Lehrer ein Abschiedsständchen, und ein Schüler, Johann Kleinfercher (der spätere Dichter Fercher von Steinwand, geb. 1828), gab der allgemeinen Verehrung für Professor P. Engelbert in einem Abschiedsgedichte Ausdruck, das die Bewunderung der Kollegen und der Familien Klagenfurts erregte."[4]

Die große Schulreform des Jahres 1849 wandelte die Klagenfurter Mittelschule in ein achtjähriges Vollgymnasium um. Die neue Oberstufe entstand aus der philosophischen Fakultät des nun aufgelösten Lyzeums. Im Schuljahr 1849/50, in dem erstmals die neu eingeführte Reifeprüfung abgehalten wurde, lehrten elf Professoren, nun nicht mehr im Klassen-, sondern im Fachlehrersystem und mit einem eigenen Direktor an der Spitze, und zwar dem weltlichen Naturgeschichteprofessor Dr. Johann Burger, in Ermangelung eines St. Pauler Konventualen. Der erhöhte Personalbedarf im Zuge des neuen Fachlehrersystems, Nachwuchssorgen, sich oft häufende Todesfälle usw. machten es den Stiftsäbten zunehmend schwierig, genügend Lehrer nach Klagenfurt zu entsenden, nicht zuletzt wohl auch deshalb, da auch das eigene Gymnasium in St. Paul zu betreuen war. Immer mehr weltliche Lehrkräfte wurden deshalb eingestellt, die das finanziell nicht gut gestellte Stift zu entlohnen hatte.

Trotz der wachsenden Personalprobleme in jener Zeit um 1860 erntete das k.k. Staatsgymnasium zu Klagenfurt auch weiterhin regelmäßig amtliches Lob für die geleistete Arbeit. Der große Kärntnerlied-Komponist Thomas Koschat (1845–1914) und der bekannte Augenarzt Dr. Alois Birnbacher verlebten damals an dieser Anstalt ihre Schulzeit, unterrichtet u. a. von P. Beda Schroll, dem verdienstvollen Landeshistoriker, und P. Dr. Karlmann Flor, ebenfalls Historiker und daneben Philologe von Rang.

1869 wurde mit P. Severin Christen der letzte St. Pauler Konventuale als Lehrer an das Klagenfurter Gymnasium entsandt, denn nach seit 1870 geführten Verhandlungen zwischen Stift und Ministerium wurde dieses mit 16. 6. 1871 verstaatlicht. 1868 neu in Kraft getretene schulische Bestimmungen, vor allem die von der Überkonfessionalität aller öffentlichen Schulen, bewirkten diese Entwicklung, der St. Paul in erster Linie auch deshalb zustimmen mußte, da es immer weniger in der Lage war, gemäß der 1807 eingegangenen Verpflichtung genügend Lehrer bereitzustellen; 1870/71 verschärfte sich dies durch vermehrte Todesfälle noch zusehends. Fortan brauchten keine Stiftslehrer mehr an das Gymnasium in Klagenfurt zu gehen, wohl aber noch an die theologische Lehranstalt (entstanden aus dem Lyzeum). 8000 bzw. später 5000 Gulden waren jährlich an einen Studienfonds zu zahlen. Mit der 1871 vom Staat geforderten und 1897/98 anlaufenden Schaffung eines achtjährigen Vollgymnasiums in St. Paul endeten auch diese Pflichten.

Rückblickend auf das segensreiche Wirken der Stiftspatres hieß es bei der Eröffnung des neuen Klagenfurter Gymnasiums 1891: „Es erfordert die heilige Pflicht geschichtlicher Pietät, (...) der langjährigen, edlen und aufopfernden Tätigkeit der Benediktiner von St. Paul zu gedenken. Generationen verdanken in Kärnten ihre humanitäre Bildung den Männern des Ordens, welche ihr bestes Selbst selbstlos der Jugend opferten, wahrhaft ein *Collegium sapientiae et pietatis*."[5]

Das Stiftsgymnasium St. Paul

1809 zogen die Mönche aus St. Blasien in der reaktivierten Benediktinerabtei St. Paul ein, und bereits im selben Jahr wurde hier im Sinne des Abkommens mit dem Staat eine Schule, das Caesa-

Abb. 59: Das Konvikt „Josephinum“ ohne Zubauten, erbaut 1889

reo-Regium-Gymnasium, installiert (untergebracht im Trakt hinter der Stiftskirche). Es war der Landes-Schuldirektion in Klagenfurt und dem Gubernium in Graz (später Laibach) unterstellt.

Im ersten Schuljahr, damals noch von November bis September dauernd („Mit Maria Geburt ziehen Schwalben und Studenten furt“), gab es fünf Klassen, die 31 Schüler aufwiesen. Von 1819 bis 1826 waren es die allgemein üblichen vier Grammatikal- und zwei Humanitätsklassen (1825 unterrichteten sechs Klassen- und ein Religionslehrer 103 Schüler), danach wegen sinkender Schülerzahl und anderer Probleme nur mehr die vier Grammatikalklassen.

Der erste Präfekt des St. Pauler Gymnasiums war P. Benedikt Brenzinger. Er konnte 1810 Erzherzog Johann und danach Kaiser Franz I. an der Anstalt begrüßen. Seit 1812 war hier der später bedeutsame Historiker Dr. Karlmann Tangl einer der Schüler. Diese wohnten meist in Privatquartieren des Ortes oder im 1817 begründeten Konvikt.

Durch die Unterrichtsreform 1849 wurde die Stiftsschule zum k.k. Untergymnasium mit einem Direktor (P. Vincenz Tschernig) an der Spitze sowie mit Fachlehrern. Neu im Stundenplan waren Physik, Slowenisch, Zeichnen usw.; Deutsch wurde auf Kosten von Latein forciert. Die Schülerzahl jedoch sank durch die 1848er Wirren auf unter 20. 1863, als Direktor P. V. Tschernig starb, waren es aber schon wieder 70 Schüler, die von acht geistlichen und in Gesang und Zeichnen von zwei weltlichen Lehrern unterrichtet wurden. In jener Zeit, von 1866 bis 1870, weilte Adolf Lorenz (gest. 1946), um 1900 weltberühmter Orthopädieprofessor in Wien, als armer Konviktist an der St. Pauler Schule. Der Vater von Nobelpreisträger Prof. Konrad Lorenz besuchte die Anstalt später oft (seinen Erzieher P. Eberhard Katz aber mied er dabei wegen eines seinerzeitigen Zwistes) und war ihr in den Notjahren nach 1918 ein großer Förderer. 1871 bis 1873 war Hugo Wolf aus dem nahen Windisch-Graz, der spätere geniale Liederkomponist, als eher schwacher Schüler am nunmehrigen „Öffentlichen Privat-Untergymnasium St. Paul“ (nicht mehr vom Staat unterstützt). Damals wurde nach jähem Tod einiger Professoren mit Anton Frass der erste geprüfte weltliche Gymnasiallehrer –

diese mußten seit 1856 Universitätsausbildung haben – eingestellt.

Nach P. Othmar Gachowetz und P. Ambros Pauler war seit 1885/86 P. Eberhard Katz Direktor. Im selben Jahr erschien der erste Jahresbericht der Anstalt. 1889 wurde für die stetig wachsende Schülerschaft internationaler Herkunft der großzügige Internatsbau des Josephinums geschaffen (1909 Erweiterung um zwei Flügelbauten für nun 200 Zöglinge). Die eine umfassende christlich-humanistische Bildung und Erziehung vermittelnde Einheit Gymnasium – Konvikt wurde so verstärkt. Breit war das Freizeitangebot, wie etwa Theaterspiel, Musik, große Bibliothek (hiefür z. B. 1895 staatlicher Erlaß gegen als verderblich angesehene Schriften) oder Sport aller Art (u. a. auch militärische Übungen, seit 1907 eines der ersten Hallenbäder Österreichs), vorbildlich die Hygiene zur Hintanhaltung von Krankheiten.

Auf die Errichtung des modernen Internates Josephinum außerhalb des Stiftes im Ortsbereich von St. Paul folgte dort kurz darauf bereits die Schaffung des imposanten Neubaues des Gymnasiums, der mit dem seit 1897/98 beginnenden sukzessiven Ausbau der Schule zum achtjährigen Vollgymnasium erforderlich wurde (Kostenpunkt: 350.000 Kronen). Am 3. Juli 1901 fand hier, nun „k.k. Stiftsgymnasium in St. Paul" heißend, erstmals eine Matura statt (15 Kandidaten traten an); zwei Tage später war die offizielle Einweihung des Gebäudes.

In den ersten Jahren des neuen Jahrhunderts leitete P. Ämilian Hribernig die Anstalt, wo 1907/08 Dr. Walther Fresacher, der bekannte Kärntner Landeshistoriker, unter ihm Lehrer war und im Jahr darauf P. Switbert Lobisser, der große Holzschnittkünstler und Graphiker, zu unterrichten begann. 1910/11 waren vom damals 16köpfigen Lehrkörper schon über 200 Schüler zu betreuen. Als Folge der wachsenden inneren und äußeren Krisen der Monarchie wurde man nun verstärkt mit patriotischen Feiern konfrontiert, seit 1911 sogar mit Schießunterricht. P. Dr. Siegfried Christian war jetzt Direktor, seit 1913 dann P. Dr. Richard Strelli, der nebenbei ein anerkannter Archäologe war. Von 1911 bis 1914 war Paul Hörbiger Student in St. Paul und erntete hier im Rahmen des schon seit jeher betonten Schultheaters als Knieriem in „Lumpazivagabundus" viel Beifall. In seinen Memoiren schrieb der nachmalige beliebte Volksschauspieler viel über jene Zeit, etwa über seinen Religionslehrer P. Odilo, von ihm „Wackel" genannt, vor dessen ihn unvorbereitet treffender Prüfung er von seinem schlagfertigen Mitschüler Hans Blumenthal einmal gerade noch „gerettet" wurde.[6]

„Wohl noch niemals wurde die Volkshymne unter so tiefer Bewegung der Versammelten gesungen", ist im Jahresbericht 1913/14 über die unter dem Eindruck des Mordes von Sarajewo stehende Schulschlußfeier von 1914 zu lesen.[7] Mit Beginn des Ersten Weltkrieges halfen St. Pauler Gymnasiasten auf umliegenden Bauernhöfen bei der Arbeit, in patriotischer Manier meldeten sich 30 Schüler als freiwillige Schützen, die am 13. Mai 1915 vor dem Gymnasium feierlich vereidigt und verabschiedet wurden. Wehrdienstpflichtige Studenten, etwa Paul Hörbiger, rückten nach laut Ausnahmegesetz vorverlegter Matura (keine eigene Prüfung, Wertung der letzten Leistungen) bereits 1914 ein. Auf die anfängliche Hochstimmung folgten bald allseits spürbare Not und schließlich das bittere Ende. 126 der 200 eingerückten St. Pauler Schulabsolventen waren gefallen. Mitten im Elend des Zusammenbruches begann dann der Kärntner Abwehrkampf. Schüler und Lehrer des Gymnasiums waren damit hautnah konfrontiert, vor allem während der jugoslawischen Besetzung St. Pauls vom 3. bis 27. 12. 1918.

Die Nachkriegsnot war allgegenwärtig, auch am „Stiftsgymnasium der Benediktiner in St. Paul", wie die Bildungsstätte mit Beginn der Republik hieß. Sehr hilfreich waren damals der von

Lehrern, Eltern, Schülern sowie Gönnern der Anstalt getragene Studentenunterstützungsverein (gegründet 1885) und namhafte Einzelspenden (vor allem von Prof. Dr. Adolf Lorenz). Etwa 200 Schüler galt es in jener Zeit zu unterrichten; seit 1917/18 waren erstmals auch Mädchen darunter. Im Zuge des neuen Mittelschulgesetzes von 1927/28 gab es vermehrt Deutsch, Mathematik u. dgl. und weniger Latein und Griechisch; ein neues Fach war Handarbeit. 1933/34 schließlich – inzwischen war seit 1929 P. Thiemo Raschl Direktor – trug man diesem realistischen Zeittrend mit Schaffung eines humanistischen und realistischen Ausbildungszweiges auch am St. Pauler Gymnasium Rechnung. Englisch, bereits ab 1917/18 von P. Dr. Hermann Peißl an der Anstalt gelehrt, wurde nun Pflichtfach. Zeitgemäßes Unterrichten, aber auch vielbeachtete Theater- und Musikaufführungen sowie zwei hohe Besuche (1924 Bundespräsident Dr. Michael Hainisch, 1936 Bundeskanzler Dr. Kurt Schuschnigg) prägten das Schulleben.

Im „Anschlußjahr" 1938 wurde das Stiftsgymnasium St. Paul, wo damals u. a. Wolfgang Köle, später ein bedeutender Chirurg, maturierte, nach Verweisung aller geistlichen Lehrer verstaatlicht. Die nunmehrige Oberschule für Jungen übersiedelte 1942 nach Wolfsberg. In Stift (1940 aufgehoben) und Gymnasium verblieb eine NS-Nachwuchsschule (NAPOLA).

Das Stiftsgymnasium nach 1945

Nach Kriegsende wurden Stift und Gymnasium wiedererrichtet. Unmittelbar nach ihrer Rückkehr aus dem erzwungenen mehrjährigen Exil an ihre alte Heimstätte im unteren Lavanttal gingen die St. Pauler Mönche sofort daran, das Gymnasium so schnell wie möglich wieder zu aktivieren. Die Setzung dieser Priorität vor anderen damals sicher ebenfalls sehr dringenden Aufbauarbeiten im Stiftsbereich stellte erneut das in Jahrhunderten gewachsene Verantwortungsbewußtsein der St. Pauler Abtei für die kulturelle Hege und Pflege der Jugend heraus.

Am 29. Mai 1945 beantragte Max Andrecs als Leiter der Staatlichen Oberschule in Wolfsberg, daß der Landesschulrat nach der bereits erfolgten Auflösung der Führer- bzw. Parteikaderschule N.P.E.A. Spanheim (= Nationalpolitische Erziehungsanstalt St. Paul) die von dieser 1942 verdrängten Oberschule bzw. das 1938 verstaatlichte Stiftsgymnasium wieder nach St. Paul zurückverlegen möge. Schon am 19. Juni 1945 beauftragte ihn dann die Bezirkshauptmannschaft Wolfsberg mit der Rückstellung des aus dem aufgehobenen Stiftsgymnasium stammenden Schulinventars nach St. Paul; mit 31. August 1945 wurde die Oberschule aufgelöst und das Dienstverhältnis ihrer Lehrer beendet. Die damals für Kärnten maßgebende britische Besatzungsmacht bestätigte am 16. Oktober 1945 diese bisherigen Maßnahmen, beglaubigte das Öffentlichkeitsrecht des Stiftsgymnasiums St. Paul und bewilligte für dieses fünf staatlich besoldete Lehrer. Ein Inserat der Gymnasialdirektion in den „Kärntner Nachrichten" vom 29. November 1945 meldete für Dezember 1945 die Eröffnung des Schulbetriebes, obwohl wegen Ablehnung zusätzlicher Bahnfahrten durch die Bundesbahndirektion sich für die künftigen St. Pauler Gymnasiasten und ihre Unterrichtszeit Schwierigkeiten ankündigten. Am 1. Dezember 1945 erfolgte die Aufnahmsprüfung in die ersten Klassen. Die Schüler der zweiten bis achten Klasse waren aus anderen Schulen, insbesondere aus der inzwischen aufgelassenen Oberschule für Jungen in Wolfsberg, ins wiedererrichtete St. Pauler Stiftsgymnasium übergetreten, nur vereinzelt stammten sie aus der ehemaligen N.P.E.A. in St. Paul. Am 3. Dezember

1945 wurde der Eröffnungsgottesdienst gefeiert, und am Tag darauf begann der geregelte Unterricht.

Wesentlich erleichtert wurde das schnelle Anlaufen des Unterrichtes am wiedererstandenen St. Pauler Stiftsgymnasium u. a. dadurch, daß neun der jetzt mit ihrer wichtigen Arbeit beginnenden 15 Gymnasiallehrer bereits der „Alten Garde" der Zeit vor 1938 angehörten und die Maturaklasse 1945/46 ihr erstes Mittelschuljahr noch am Stifts-Realgymnasium vor seiner Aufhebung absolviert hatte. Die NS-Zäsur war also nur kurz und demzufolge für die Kontinuität des St. Pauler Gymnasiallebens letzten Endes nicht sehr hemmend, obwohl gerade in dieser Zeit einige bedeutende St. Pauler Professoren verstarben, etwa Abt Dr. Richard Strelli, P. DDr. Josef Klausberger oder P. Dr. Hartmann Theus. Das in NS-Verleumdung und -Rufmord gegenüber den Ordensleuten fußende anfängliche Mißtrauen etlicher St. Pauler Nachkriegsgymnasiasten der ersten Stunde gegenüber ihren geistlichen Lehrern baute sich relativ rasch ab, vor allem auch durch das eindeutige Bekenntnis der weltlichen Lehrer zum religiös-humanitären Geist der Schule.

Das Stiftsgymnasium begann seinen Neubetrieb 1945 mit 277 Schülern, wovon bereits 90 weiblich waren. Mädchen und nichtkatholische Schüler waren öffentliche Schüler nur bis auf Widerruf. Nur noch ein schwacher Abglanz der Internationalität früherer Jahre war vorhanden: Kärnten dominierte mit 199 Schülern vor den übrigen Bundesländern. Immerhin kamen aber noch 18 Schüler aus Jugoslawien, vier aus Rumänien, zwei aus Deutschland und je einer aus Ungarn und der Tschechoslowakei. Weiters war das St. Pauler Gymnasium nun keine Domäne von Konviktisten und ortsnahen Schülern mehr. Die lokalen Schüler, 86 an der Zahl, wurden von den 191 Bahnschülern bereits deutlich in den Schatten gestellt, weil das Konvikt „Josephinum" von der englischen Besatzung nach dem Krieg

Abb. 60: Pater Dr. Hermann Peißl, 1947 bis 1967 Direktor des Gymnasiums St. Paul

vorerst beschlagnahmt und besetzt war. So war das Stiftsgymnasium keine Heimschule mehr wie vor 1938, sondern eine „Tagschule" für aus dem Bezirk Wolfsberg stammende oder hier zumindest während der Schulzeit wohnende auswärtige Schüler. Aus immer breiteren Volksschichten, zunehmend auch aus kleinstädtischen und dörflichen Bereichen, rekrutierten sich jetzt die Schüler, wie eine Schülerstatistik von 1948 aufzeigt: 12% Landwirte, 49% Arbeiter und 39% Angestellte und Beamte. Der bürgerliche Mittelstand mußte seinen früheren Vorrang an eine andere Volksschicht abtreten.[8]

In den ersten Schuljahren gab es arge Probleme wegen der oft ausfallenden Schülerzüge (Kohlemangel!), der fehlenden Schulbücher (NS-Literatur unbrauchbar!) und der Unterernährung vieler Schüler (segensreiche Schülerausspeisung mit englischer Hilfe). Direktor des neuerstandenen Gymnasiums war zunächst wieder P. Thiemo Raschl.

Nach dessen Tod wurde 1947 P. Dr. Hermann Peißl, bereits 68 Jahre alt, Schulleiter und sollte es 20 Jahre bleiben (1950 Hofrat). Günther Winkler, später ein bekannter Verfassungsjurist, maturierte damals in St. Paul, 1948 dann Siegfried Bauer, in den 60er und 70er Jahren führender NASA-Mitarbeiter in den USA. Fritjof Capra, heute ebenfalls ein bekannter Physiker und daneben Hauptinitiator der weltweiten New-Age-Bewegung, war von 1949 bis 1951 Schüler am Stiftsgymnasium.

1950 erfolgte die Wiedereröffnung des Konviktes, seit jeher ein zentraler Faktor im St. Pauler Gymnasialleben. Dieses wies in alter Tradition auch nach dem Krieg viele großangelegte Schulfeiern und Theateraufführungen auf, wovon hier nun zwei Beispiele näher ausgeführt werden sollen.

„Ihr naht euch wieder, schwankende Gestalten, / Die früh sich einst dem trüben Blick gezeigt. / Versuch ich wohl, euch diesmal festzuhalten? / Fühl ich mein Herz noch jenem Wahn geneigt? (. . .)“ Ehrfürchtig lauschte ein zahlreich erschienenes Publikum am 29. Oktober 1949 im Festsaal des eben erst von den Engländern geräumten Konviktes „Josephinum“ diesen vom Oktavaner Alois Fellner in getragener Weise gesprochenen Worten aus der „Zueignung“ von „Faust“. Sie gehörten zu einer großangelegten Feier anläßlich des 200. Geburtstages von Johann Wolfgang von Goethe. Nicht weniger als 25 Programmpunkte wurden geboten; entsprechend dem Goetheschen Universalgenie waren hier Dichtung, Musik, Rede- und Vortragskunst, Schauspielerei und Bildende Kunst vertreten. Der Oktavaner Josef Guetz (Tenor) sang den von Schubert vertonten „Harfenspieler“ aus Goethes „Wilhelm Meisters Lehrjahre“ und etwas später den „Erlkönig“. Auf der Bühne des Festsaales gelangte Prof. Ferdinand Greilachs Einakter „Symposion in Straßburg“ zur Aufführung. Goethe, gespielt von Arnold Sattler, später Arzt und Privatgelehrter in den USA, führte darin in einem Straßburger Gasthof 1771, vom Wein in Stimmung gebracht, mit Jung-Stilling (Alois Fellner), Franz Lerse (Franz Ambrosch) und drei Studenten hitzige Debatten über „Gott und die Welt“, die fast in einem Duell endeten. Euphorisch berichtete der zeitgenössische Jahresbericht über die Aktivitäten zum Goethe-Bizentenarium: „Nach dem Muster der kirchlichen Hochfeste, die in der Liturgie durch eine Oktave gefeiert werden, sollte auch der 200. Gedenk-Geburtstag Goethes, dieses Hochfest im Kulturkalender der Menschheit, (. . .), eine ganze Woche lang gefeiert werden. In dieser Festwoche waren die meisten Unterrichtsstunden bei der Vielseitigkeit des Weimarer Olympiers zu Goethe-Weihestunden gestaltet worden, (. . .)“[9]

Anläßlich des 150. Todestages von Friedrich Schiller nahm am 18. Juni 1955 eine vom rührigen Anstaltsgermanisten Prof. Dr. Hans Blumenthal, dem ehemaligen Mitschüler von Paul Hörbiger, vorbereitete und getragene Gedenkfeier bei der 1905 im Gedenken an das Ableben des großen deutschen Dichters hundert Jahre vorher gepflanzten „Schiller-Linde“ im Konviktspark zu Mittag ihren Anfang, um im stiftlichen Arkadenhof am Abend in der Aufführung der beiden Schlußakte der „Wallenstein-Tragödie“ ihren Höhepunkt zu finden. Die Leistung der Blumenthal-Schauspieltruppe vor einem illustren Publikum war so imponierend, daß Einladungen nach Wolfsberg und Lienz sowie eine Schenkung von im Buchhandel nicht erhältlichen seltenen Schiller-Ausgaben durch die Deutsche Schillergesellschaft, angeregt durch den bei der Feier als Ehrengast anwesenden Direktor der Württembergischen Landesbibliothek in Stuttgart, an die Hauptdarsteller (Emil Tellian, Walter Auer, Hans Mörz, Adolf Kieslinger usw.) folgten. Der damalige St. Pauler Jahresbericht lobt im Zusammenhang mit der Schillerfeier 1955 den Mut des Unterrichtsministeriums, das diese schon zu einer Zeit (18. 1. 1955) anordnete, „da ein Besat-

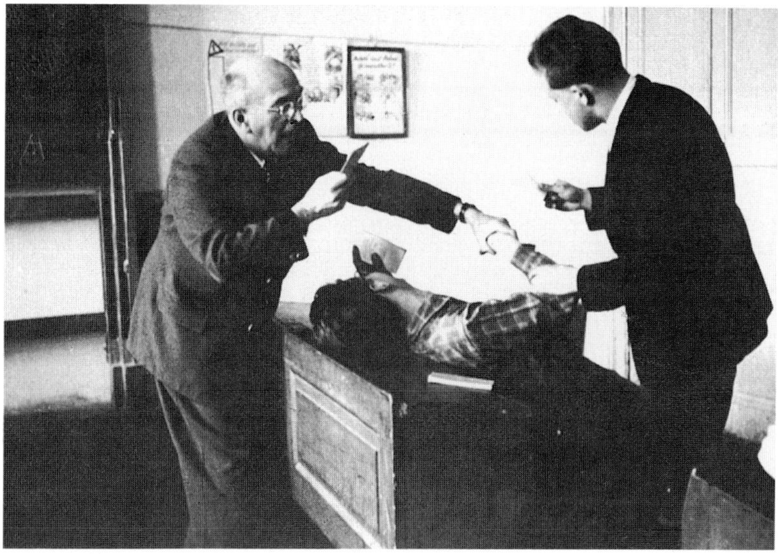

Abb. 61: Theaterprobe mit Dr. Hans Blumenthal, 1955

zungselement noch immer von einer neuerlichen Anschluß-Propaganda phantasierte". Es habe damit ein öffentliches Bekenntnis zum christlich-abendländischen Kulturkreis abgelegt sowie seinen Willen bekundet, „unserem Vaterlande den Ruf eines Trägers europäischer Geisteskultur zu erhalten und den vor zwei Jahren von Hochschullehrern geäußerten Befürchtungen zu begegnen, daß Österreich in Gefahr schwebe, sich in einen Körperkulturstaat zu entwickeln". Die Gedenkrede, gehalten vom Anstaltsleiter Hofrat P. Dr. Hermann Peißl, stand unter Goethes Motto: „So feiert ihn! Denn was dem Mann das Leben / Nur halb erteilt, soll ganz die Nachwelt geben!"[10] Angemerkt sei hier noch, daß die Kultur- und Theateraktivitäten des St. Pauler Gymnasiums immer wieder auch in verschiedenen Zeitungen nicht selten recht ausführlich und eingehend festgehalten und kommentiert wurden.

Im Schuljahr 1961/62 besuchten erstmals bereits mehr als 500 Schüler (davon 118 Mädchen) das Stiftsgymnasium, nun von meist staatlich besoldeten Lehrern („lebende Subvention" für Privatschulen) unterrichtet. Laut Privatschulgesetz vom Jahre 1962, Paragraph 19, entsprach dies 60 Prozent des Personalaufwandes. Nach einer Angabe des Finanzministeriums von 1969 betrug damals der Jahresaufwand pro Schüler beim Staat rund 10.600,– Schilling. Wie Direktor P. Dr. Bernhard Knapp, der Nachfolger von HR. P. Dr. Hermann Peißl (starb 1972 im hohen Alter von 93 Jahren) im Jahresbericht 1968/69 anführte, lag der Aufwand pro Kopf am Stiftsgymnasium jedoch um 30 bis 40 Prozent niedriger, wegen Wegfallens des gesamten Verwaltungsapparates, so daß sich der Staat allein durch die St. Pauler Anstalt jährlich ca. 4,160.000,– Schilling ersparte. Von 1964 bis 1968 hatte das Gymnasium 5,276.609,95 Schilling Ausgaben bei gleichzeitigen Einnahmen von 3,032.259,83 Schilling, was soviel bedeutete, daß das Stift in diesem Zeitraum für die Schüler der Anstalt mit 2,244.350,12 Schilling aufkommen mußte; dazu kamen noch Investitionen im Werte von 644.665,53 Schilling. Das Stift gab somit in fünf Jahren 4815,– Schilling pro Schüler aus. Zum Vergleich mit später: Eine nur unwesentlich darunterliegende Summe mußte allein für das Schuljahr 1985/86 von Schulerhalterseite, also dem Stift, aufgewendet werden. Vor allem im Hinblick auf die

Abb. 62: Das Konviktsgebäude heute, 1909 um zwei Flügelbauten erweitert

für die nächsten Jahre geplanten Investitionen in der Höhe von etwa 1,5 Millionen Schilling schrieb Direktor P. Dr. Knapp gegen Ende seines Finanzberichtes 1968/69: „Wie diese Summe aufgebracht werden kann, ist augenblicklich noch nicht geklärt. Jedenfalls wird es von seiten des Stiftes, der Elternschaft und des Staates größter Anstrengungen bedürfen, damit die Schule die wachsenden Aufgaben und Anforderungen erfüllen kann."

Das Vorhaben wurde schließlich allmählich realisiert, mit der Schaffung eines modernen Physik- und Chemiesaales, eines Allwettersportplatzes, der Renovierung der Klassenräume usw.; das Hallenbad im Konvikt konnte nach entsprechender Modernisierung (Einbau einer Filteranlage, einer Lärmschutzdecke usw.) gar schon am 24. Jänner 1969 im Rahmen einer kleinen Feier wieder voll dem Schulturnbetrieb zur Verfügung gestellt werden, so daß der seit einigen Jahren notwendig gewordene Nachmittagsunterricht wieder ausbleiben konnte.[11]

Während der Direktion von P. Dr. Bernhard Knapp (seit 1967) kam es weiters zur Einführung des Lehrsaal- bzw. Wanderklassenbetriebes, zum Bau einer großen Doppelturnhalle und, 1974/75, zur Installierung des neusprachlichen Zweiges.

Unter Prof. Mag. Rudolf Leitner, der 1976 der erste weltliche Leiter des Stiftsgymnasiums wurde (seit 1987 Hofrat), stieg die Schülerzahl 1979/80 auf fast 900. Für die in den letzten Jahrzehnten günstige Schülerzahlbilanz war sicherlich auch die Eröffnung der Jauntalbahn im Jahre 1964 mitverantwortlich. Seither bilden Schüler aus dem Raum Bleiburg – Ruden ein wichtiges Element in der Schülerschaft der St. Pauler Anstalt. Andererseits entstand dieser damals mit dem 1964/65 in Wolfsberg anlaufenden Musisch-Pädagogischen Realgymnasium (Grundlage des späteren Bundesschulzentrums) erstmals eine Konkurrenz im Tal. 1980/81 entstand am Stiftsgymnasium als Ersatz für das mit 1976/77 geschlossene Konvikt eine Tagesheimschule.

Modernes Unterrichten (dazu Beschaffung von EDV-Anlagen, einer neuen zentralen Schulbibliothek u. dgl.), regelmäßige Aktivitäten und Erfolge in Sport (in den letzten Jahren mehrmals Landesmeistertitel in Fußball, Handball, Basketball usw.), Musik, Kunsterziehung, Umweltkunde (1990 etwa große Anti-Müll-Aktion) usw. sowie hochfrequentierte erste Klassen bestimmen das derzeitige Bild der alten St. Pauler Bildungsstätte (1988/89 674 Schüler, davon 307 Mädchen sowie 67 Lehrkräfte), Faktoren, die auch hoffnungsvoll in die Zukunft blicken lassen.

Welch vielfältiges Spektrum an Bildungsbemühungen und -zielen das St. Pauler Stiftsgymnasium derzeit auch aufweisen mag, über alldem steht unverrückbar auch heute das katholisch-christliche Prinzip dieser Privatschule mit Öffentlichkeitsrecht, das u. a. in regelmäßigen religiösen Feiern (Advent, Fastenzeit, monatliche Frühmesse usw.) zum Ausdruck kommt. Vor allem versucht das Stiftsgymnasium als katholische Schule weiterhin humanistisch-wissenschaftlich-kulturelle Allgemeinbildung zu vermitteln. Der Schwerpunkt muß hier sicher im Bemühen liegen, der vielerorts doch sichtbaren gegenwärtigen religiösen Sinnkrise in der Jugend durch Vermittlung eines einsichtigen Lebenssinnes zu begegnen, der letzten Endes nur in der Transzendenz fußen kann. Abt Mag. Bruno Rader bemüht sich auf diesem Gebiet besonders stark (Anbieten von Meditationsabenden und religiösen Gesprächen, Tage der offenen Tür im Stift usw.).

In einer Zeit, wo einerseits Aggression, Teilnahmslosigkeit und Sinnlehre zunehmen, andererseits aber bereits Zweifel an der Sinnhaftigkeit von totalem Konsum, materiellem Leistungsstreben und bedingungslosem technischem Fortschritt merkbar werden, kommt dem christlichen Aspekt eine zentrale Aufgabe als Weg und Ziel zu. Aber nicht nur weltanschauliche Sicherheit, sondern auch eine solide Allgemeinbildung wird gerade jetzt, wo man im Zuge der rasanten Änderungen in den Berufsspektren immer öfter um- bzw. neulernen muß, zunehmend wichtig werden.

Die Zeichen der Zeit dürften für das Stiftsgymnasium St. Paul langfristig somit günstig stehen. Mit dem Leitgedanken *Viribus unitis* und der Kraft aus einer großen Tradition wird es die Zukunft meistern.[12]

ANMERKUNGEN

1. J. PÖTSCH, Die Geschichte des Stiftsgymnasiums St. Paul, JbSP (1979/80), S. 38.
2. E. KATZ, Geschichte des Gymnasiums zu St. Paul bis 1885, JbSP (1885/86), S. 6.
3. EBD., S. 5f.
4. R. STRELLI, E. OLBERT, Das Benediktinerstift St. Paul in Kärnten 1809 – 1909 (1910), S. 20.
5. EBD., S. 50.
6. J. RÖCK, 100 Jahre Jahresbericht am Stiftsgymnasium St. Paul. Ein Rückblick, Tl. 2 (1986/87), S. 82.
7. R. STRELLI, Chronik des Gymnasiums. 1914, JbSP (1914/15), S. 32.
8. RÖCK, 100 Jahre Jahresbericht (wie Anm. 6), S. 5f.
9. EBD., S. 16f.
10. EBD., S. 31.
11. EBD., S. 61f.
12. J. RÖCK, Das St. Pauler Stiftsgymnasium heute, in: FS anläßlich des 11. Pfingsttreffens (1986), S. 39f.

St. Paul und die bildende Kunst im 19. und 20. Jahrhundert*

HARTWIG PUCKER

Für Religiosität und soziales Leben, Landwirtschaft und Technik, geistiges Leben und künstlerisches Schaffen war das Stift St. Paul als Förderer, Initiator, Auftraggeber, als Sammler und Arbeitgeber und als geistliches Zentrum stets aktiv und ist es bis heute.

Die bildenden Künste brachten in der Verbindung mit der monastischen Institution seit dem Mittelalter bedeutende Denkmäler der spirituellen Verehrung hervor. Die architektonische Anlage von Kloster und Kirche selbst ist nur eines dieser Zeugnisse. Zur kulturschaffenden Kraft wurde das Kloster aber vor allem durch seine Aufgabenerfüllung als Bildungsinstitution. Daß man sich hier schon früh einem zukunftsweisenden Bildungsbegriff verpflichtet fühlte, darüber gibt z. B. die Breite der Kunstsammlungen des Stiftes Auskunft – etwa die Sammlung der graphischen Blätter.

Der im abschließenden Dokument zur Wiederbesiedelung 1820[1] formulierte Auftrag an die Mönche aus St. Blasien begründete die Fortführung der Schultradition in St. Paul. In Erfüllung dieses Auftrages sollte St. Paul erneut zu einem wichtigen und bis zum Ende der Monarchie auch überregional bedeutsamen Bildungszentrum werden.

Die Tatsache, daß St. Blasien bis zu seiner Aufhebung 1806 ein Zentrum wissenschaftlicher Forschung war, brachte es mit sich, daß in den Jahrzehnten nach der Wiederbesiedelung 1809 neben den schulischen Verpflichtungen auch die wissenschaftliche Arbeit weitergeführt wurde. In der zweiten Hälfte des Jahrhunderts – das Stiftsgymnasium erhielt 1874 das Öffentlichkeitsrecht – und vor allem im 20. Jahrhundert legten die St. Pauler Benediktiner dann den Schwerpunkt auf die Unterrichtstätigkeit. Mit dem Ausbau der Schule und der Zunahme der Lehrfächer bekam auch der Bereich der bildenden Kunst seinen Platz und durch die Tätigkeit bedeutender Lehrerpersönlichkeiten einen besonderen Stellenwert.

Zeichnen als solches war noch bis zum 18. Jahrhundert kein Unterrichtsfach an „Normalschulen". Die allgemeine Schulordnung des Augustiner-Chorherren Johann Ignaz von Felbiger aus dem Jahre 1774 enthält einen neuen Lehrgegenstand, der das Zeichnen aus freier Hand verlangt. Die Gymnasialreform von 1848/49 schuf einen Lehrplan für Zeichnen an Höheren Schulen und machte es vorerst zu einem für bestimmte Jahrgänge verpflichtenden Unterrichtsfach.

In der Schulchronik und den Jahresberichten des Stiftsgymnasiums St. Paul scheint als erster Zeichenlehrer Pater Franz Salesius Pirč (1841–1916) auf.[2] Er unterrichtete ab 1871 Freihandzeichnen; darunter verstand man damals noch das rein mechanische Abzeichnen von Vorlagen, Kopieren und Zeichnen von geometrischen Körpern sowie die Einführung in die mathematische Per-

* Mit einem Beitrag über Switbert Lobisser. Dieser Beitrag entstand unter Mitarbeit von Manfred A. Jelonek, Doris Petautschnig und Barbara Maier (S. 398ff.).

Abb. 63:
Pater Franz Salesius Pirč, 1885

spektive. Von den Schülern wurde weniger eigenständige Kreativität erwartet, sondern vielmehr Genauigkeit und Sauberkeit in der Ausführung verlangt. Neben dem Fach Zeichnen unterrichtete Pirč auch Slowenisch und hatte als Konviktspräfekt den Liederkomponisten Hugo Wolf unter seinen Zöglingen.

Pirčs Nachfolger waren Pater Aemilian Hribernig (1844–1920) und Pater Othmar Müller (1864–1938), die außer Zeichnen noch Mathematik und Physik bzw. Naturgeschichte lehrten. Erst Pater Blasius Simetsberger (1866–1932) übernahm den Gegenstand als alleiniges Unterrichtsfach.

Nach einem Verordnungsblatt von 1891 war Freihandzeichnen – damals noch der unmittelbaren Köpererziehung zugeordnet – in vier Abteilungen gegliedert: „Erste Abteilung (I. Klasse), 3 Stunden: Zeichnung von einfachen Pflanzenformen nach der Natur, Stilisierung derselben und ornamentale Verwertung.

Übungen in der Flächengliederung. – Zweite Abteilung (II. Klasse), 3 Stunden. Lineare Perspektive mit Benützung von Modellen und teilweise Berücksichtigung des Landschaftlichen, perspektivisches Zeichnen im Freien. – Dritte Abteilung (III. und IV. Klasse), 2 Stunden. Wiederholung des perspektivischen Zeichnens mit Benutzung von Geräten und Gegenständen. Stilleben und Pflanzen nach der Natur. Zeichnen im Freien. – Vierte Abteilung (Obergymnasium), Zeichnen nach der Natur, Früchte, Blumenstücke, landschaftliches Zeichnen im Freien."[3]

Erst ab 1909 wurde Zeichnen aufgrund einer ministeriellen Verordnung in der Unterstufe zum verpflichtenden Gegenstand; für die Oberstufe blieb das Fach bis zum Ende der Ersten Republik Freigegenstand.

Dieser Lehrbereich wurde auch in den folgenden Jahren nur von Mitgliedern des St. Pauler Konventes getragen. Der erste an einer Akademie ausgebildete Zeichenlehrer war Pater Switbert Lobisser, der von 1908 bis 1932 am Gymnasium tätig war.

Hans Hetzendorfer (1910–1987), ein Schüler von Lobisser, übernahm 1933 als erster weltlicher Kunsterzieher am Stiftsgymnasium diesen Gegenstand. Auch er betätigte sich außerhalb des Unterrichts künstlerisch; besonders Gemälde mit landschaftlichen Motiven aus der Umgebung von St. Paul sind bekannt.

In den ersten Jahren nach dem Zweiten Weltkrieg – das Stift war von 1940 bis 1945 aufgehoben – schuf der begabte Pater Richard Wasserbacher (1910–1947) zahlreiche Aquarelle und Holzschnitte.

Nach seinem tragischen Unfalltod organisierte sein Kollege Hetzendorfer eine Gedenkausstellung; neben hundert Werken des verstorbenen Paters waren auch Arbeiten des Ehepaares Hetzendorfer sowie Blätter der begabtesten Schüler zu sehen.

Ein engagierter Lehrer und Künstler, Roland Walter (1923–1985), unterrichtete ab dem Schuljahr 1950/51 und sandte erstmals und sehr erfolgreich Werke seiner Schüler zu internationalen Wettbewerben. Er führte auch die von Lobisser begonnene Präsentation von Schülerarbeiten weiter. Anläßlich eines

Abb. 64: Hans Hetzendorfer: St.Paul, 1950

Jubiläums – das Gymnasium feierte das Jahr der 50. Reifeprüfung – improvisierte er eine Ausstellung des Alt-St. Paulers und in Brasilien lebenden Künstlers Hans Steiner.[4]

Diese Werkschau wurde 1952 im großen öffentlichen Rahmen wiederholt und mit Schülerarbeiten ergänzt. Roland Walter porträtierte – wie fast alle seine Fachkollegen – Mitglieder des Stiftskonventes und erhielt zahlreiche Aufträge für die künstlerische Gestaltung von Bauwerken.

In den fünfziger Jahren bemühten sich die Lehrer der musischen Fächer, die einem Pflichtfach gebührende Anerkennung zu erreichen. Damit hängt sicherlich eine Forderung der Kunsterzieher hinsichtlich der verstärkten Beziehung zwischen Schule und Leben im Bereich des Unterrichts zusammen: „Am Stiftsgymnasium St. Paul kam diese Intensivierung eines lebensnahen Kunstunterrichtes durch eine vermehrte Beteiligung der Schüler an in- und ausländischen Kunstausstellungen deutlich zum Ausdruck."[5]

Im Jahre 1957 wurde der akademische Maler Artur Hanzer als Lehrer an das Stiftsgymnasium bestellt. Die Jahresberichte der folgenden Jahrzehnte dokumentieren eine Vielzahl künstlerischer Initiativen und Projekte, die verdeutlichen, daß es Hanzer gelang, die Schüler über den Rahmen des Lehrplanes hinaus für die bildende Kunst zu begeistern. Umfangreiche Ausstellungen mit Arbeiten seiner Schüler fanden überregionale Anerkennungen und wurden auch in das Programm des St. Pauler Kultursommers aufgenommen;[6] mehrfach konzipierte er auch Sonderprojekte mit Werken der Klostersammlungen.[7]

Seine eigene künstlerische Tätigkeit – herausragend sind die Porträts in Öl – ist sehr vielseitig. Anläßlich der 1500-Jahr-Feier des Benediktinerordens erhielt er den Auftrag, unbemalte Stukkaturfelder einer Seitenkapelle in der Stiftskirche mit Szenen aus dem Leben des hl. Benedikt auszustatten.[8] Nach 26jähriger Unterrichtstätigkeit in St. Paul ging Hanzer 1983 nach Wolfsberg, wo er seinem ehemaligen Kollegen Roland Walter als Direktor des Bundesoberstufenrealgymnasiums nachfolgte.

Am Stiftsgymnasium St. Paul sind im Schuljahr 1990/91 drei Lehrpersonen für das Fach Bildnerische Erziehung zuständig. Dieter Wieltsch, ausgebildeter Graphiker und Schüler von Rudolf Hausner an der Akademie für Bildende

Abb. 65:
Pater Richard Wasserbacher, 1947

Künste in Wien, ist seit 1984 an der Schule und bekam unter anderem den Auftrag, die Porträtreihe der St. Pauler Äbte mit einem Gemälde von Abt Bruno Rader fortzusetzen.

Der promovierte Kunsthistoriker Manfred Jelonek ist neben der schulischen Arbeit auch wissenschaftlicher Betreuer der Ausstellungsprojekte des Stiftes. Seine Forschungsarbeit konnte nicht nur den hervorragenden Wert der St. Pauler Graphiksammlung bestätigen, sondern brachte auch die Lösung der Künstlerfrage beim großen Deckengemälde in der Stiftsbibliothek.

Klaus Hollauf studierte an der Hochschule Mozarteum und erhielt 1984 den Förderungspreis der Salzburger Landesregierung. Seine Werke[9] dokumentieren, wie es die Salzburger Jury formuliert, eine „hohe Eigenständigkeit der Bildsprache, verbunden mit einer überzeugenden Beherrschung des Materials, wobei trotz des Einsatzes sparsamer gestalterischer Mittel eine intensive Darstellung erreicht wird.“[10]

Viele Absolventen des Stiftsgymnasiums ergriffen künstlerisch orientierte Berufe.

Von jenen, die den Weg des freischaffenden Künstlers wählten, sei hier insbesonders Ingeborg Strobl erwähnt. Nach der Matura in St. Paul begann sie 1967 das Studium an der Hochschule für Angewandte Kunst in Wien und besuchte anschließend das Royal College of Art in London.

Der Bedeutung und dem besonderen Rang ihrer künstlerischen Tätigkeit – Wilfried Skreiner[11] von der Neuen Galerie in Graz bezeichnete ihre Arbeit einmal als „Manifestationen der Verweigerung“, als sparsame und elementare Bildzeichen, Hinweise und Offenlegungen – werden zahlreiche Personalausstellungen in Europa und Übersee sowie die Beteiligung bei wichtigen internationalen Gruppenausstellungen und Projekten gereicht.[12]

Neben der großen Aufgabe als Schulerhalter – wobei Stiftsangehörige u. a. den Bereich der bildenden Kunst über viele Jahrzehnte prägten – sorgte das Kloster St. Paul nicht nur für die Bewahrung seiner historischen Bausubstanz, sondern blieb auch bis in die Gegenwart wichtiger Auftraggeber und Förderer.

Als wohl bedeutendste Maßnahme auf diesem Gebiet darf die Restaurierung und Neugestaltung der heute als Konventskapelle dienenden spätgotischen Rabensteinerkapelle gelten. Ihre Fenster wurden nach Entwürfen des Malers Günther Kraus (1930–1988) in den Glaskunstwerkstätten des Stiftes Schlierbach hergestellt;[13] außerdem trägt die Neugestaltung des frühgotischen Karners in St. Martin die Handschrift dieses Künstlers.[14]

Stets war sich das Stift St. Paul als Bewahrer ungeheurer Kunstschätze auch seiner Verpflichtung gegenüber der Allgemeinheit bewußt. Ständig war es bemüht, die ihm anvertrauten Sammlungen aufzubereiten und der Öffentlichkeit zugänglich zu machen.

Abb. 66: Roland Walter: Pater Hartwig Labi, 1962

Abb. 67: Artur Hanzer: Abt Paulus Schneider, 1978

Sehr bald nach dem Ende des Zweiten Weltkrieges nahm das Kloster eine Neuordnung seiner Bestände vor, um für die Zukunft in einem kleinen Kunstkabinett eine Auswahl seiner Schätze zu präsentieren; die Vorarbeiten zur Herausgabe der Österreichischen Kunsttopographie über St. Paul[15] waren hierbei eine wertvolle Unterstützung.

Mit Hingabe widmeten sich Angehörige des Konventes ihrer Aufgabe als Kustode der Sammlungen; so z. B. in jüngster Zeit P. Wolfgang Schütz, P. Hartwig Labi, Fr. Christoph Widrich und heute P. Laurentius Kull.

Schon im Jahre 1885 hatte das Stift seine Schatzkammer im Rahmen einer großen Kärntner Landesausstellung in Klagenfurt der Öffentlichkeit zugänglich gemacht. Die „cultur- und kunsthistorische Abtheilung" präsentierte eine große Zahl bedeutender Kunstwerke, wobei „die kirchlichen Gegenstände, wenn auch nicht quantitativ, jedenfalls aber qualitativ präponderierten, zumal die Geistlichkeit und insbesondere das Stift St. Paul bereitwilligst ihre Schätze und Kostbarkeiten für Ausstellungszwecke zur Verfügung stellten."[16]

Im Bewußtsein seiner Verpflichtung auf kulturellem Gebiet war es für die St. Pauler Kommunität fast eine Selbstverständlichkeit im Rahmen der 900-Jahr-Feier seine Schätze erneut wissenschaftlich aufzuarbeiten und in der ersten Kärntner Landesausstellung des 20. Jahrhunderts der Öffentlichkeit umfassend vorzustellen.

Einen gewissen Anstoß für diese Unternehmungen gab im Jahre 1984 die Übernahme der historischen Ausstellung des Klosters St. Blasien aus dem Vorjahr;[17] im gleichen Jahr gelangte durch die Großzügigkeit von Univ.-Prof. Dr. Günther Winkler jene chinesische Kunstsammlung nach St. Paul, die heute als selbstverständlicher Bestandteil des Stiftsmuseums gelten darf.[18]

In den Jahren der Vorbereitung für das Jubiläumsjahr 1991 veranstaltete das Stift St. Paul eine Reihe vielbeachteter Sonderausstellungen, die einerseits den traditionellen Museumsbestand

Abb. 68: Wulf Bugatti, Ausstellung in St. Paul, 1989

zum Thema hatten, andererseits aber auch moderner Kunst gewidmet waren; diese eigenen Projekte konnten durch Übernahme anderwärts erarbeiteter Ausstellungen ergänzt werden.

Nach der Gruppenausstellung „Zeitgenössische Kunst“ im Jahr 1987[19], der international anerkannten Graphikausstellung „Von Albrecht Dürer bis Lovis Corinth“ im Jahre 1988 (1989 auch im Kunst- und Kulturzentrum Cankarjev dom/Laibach)[20] folgte als besonderer Höhepunkt die Präsentation der „Graphik des deutschen Expressionismus“ aus amerikanischem Privatbesitz.[21]

Mit Personalausstellungen waren u. a. die Künstler Manfred Gollowitsch, Erich Schuschnig, Anne Seifert[22] und Wulf Bugatti[23] im Stift St. Paul. Switbert Lobisser war 1985 eine große Ausstellung mit Holzschnitten, Aquarellen und Gemälden gewidmet.

Diese Aktivitäten waren durch die Entscheidung von Abt und Konvent, die Prälaturräume an eine andere Stelle des Stiftsgebäudes zu verlegen, ermöglicht worden; einem eigens geschaffenen Team wurden die Vorbereitungsarbeiten übertragen.

Im Anschluß an die Landesausstellung 1991 wird das Benediktinerstift St. Paul nicht nur nach modernsten Gesichtspunkten ausgestattete Sammlungsräume, sondern auch entsprechende Ausstellungsflächen für weitere Sonderprojekte besitzen.

Switbert Lobisser – Biographische Notizen

Switbert Lobisser wurde am 3. März 1878 in Tiffen als Sohn eines Lehrers geboren und mit weltlichem Namen Leo getauft. 1890 bis 1898 besuchte er das Marianum in Klagenfurt. 1899 trat er in das Benediktinerstift St. Paul ein und nahm den Namen Switbert an, mit dem er später als Künstler bekannt werden sollte. Er verbrachte als Novize zwei Jahre im Anselmianum, dem Benediktinerstift in Rom.

Aus diesen Studienjahren haben sich einige Aquarelle und Zeichnungen erhalten, Techniken, die nur einen kleinen Teil seines Werks ausmachen. Nach seiner Priesterweihe 1903 wurde er Präfekt am St. Pauler Konvikt, eine Tätigkeit, die ihm nach eigener Aussage wenig zusagte.

1904 ging er im Auftrag des Stifts nach Wien, um sich an der Akademie zum Zeichenlehrer auszubilden. Er besuchte die allgemeine Malerschule und erhielt beim abendlichen Aktzeichnen einen ersten Preis. Nach vier Jahren kehrte er nach St. Paul zurück, um seine Lehrtätigkeit am Gymnasium anzutreten.

Lobisser, selbst vom Studium der Natur begeistert, unternahm mit seinen Schülern zahlreiche Spaziergänge und Exkursionen in die Umgebung von St. Paul. Diese sind auch Paul Hörbiger in Erinnerung geblieben, der zwischen 1911 und 1914 Schüler von St. Paul war.

Abb. 69: Switbert Lobisser: Entwurf für ein Wandbild in der Konviktskapelle, 1920

Er schrieb darüber: „Unser Zeichenprofessor war der heute berühmte Kärntner Maler Suitbert Lobisser, und er hat mich im Kostüm der Laura (in Rinaldo Rinaldinis Fünffacher Mordsgeschichte) für alle Zeiten festgehalten (. . .) Suitbert Lobisser war bei uns Schülern überaus beliebt. Mit ihm unternahmen wir im Lavanttal ausgedehnte Wanderungen;“[24] 1913/14 organisierte Lobisser die erste Ausstellung von Schülerzeichnungen, eine Einrichtung, die später in St. Paul große Nachfolge finden sollte; einige der besten Zeichnungen wurden sogar angekauft, um eine Sammlung einzurichten.[25]

Als im Ersten Weltkrieg die Jäger des Stifts zum Kriegsdienst einberufen wurden, setzte man Lobisser als Förster ein und übertrug ihm die Verwaltung der klösterlichen Wälder. Das Jägerleben wurde zu einer wichtigen Quelle seiner Kunst, denn „kein anderer“, so schrieb er, „kann die Natursachen so kennenlernen, als der aufmerksame Jägersmann“.[26]

Als Künstler trat Lobisser erst in den zwanziger Jahren – vorerst mit Wandgemälden – in Erscheinung, wofür er anfänglich Kaseinfarben verwendete.

Sein erster Auftrag war die Ausmalung der Konviktskapelle von St. Paul. Bald darauf entstanden die Fresken für das Winterrefektorium. Etwa gleichzeitig beauftragte ihn ein Freund mit einer Geburtsanzeige in Holzschnitt, worauf Lobisser sich in dieser Technik ausbildete und damit schon bald ausgezeichnete Erfolge erzielte.[27]

Die zwanziger Jahre bedeuten einen Einschnitt in Lobissers Leben, das nun durch starkes künstlerisches Engagement seine Beschaulichkeit verlor und von intensiver Arbeit geprägt war.

Eine Mehrzahl seiner berühmten Holzschnitte entstand in St. Paul, wo er sich als Arbeitsstätte den Dachraum des Holzschuppens in der Nähe der Meierei einrichtete.

1932 verließ Lobisser St. Paul und das Stift und lebte mit seiner Lebensgefährtin Eva in Klagenfurt; sie kam aber schon wenige Monate später auf tragische Weise ums Leben. Lobisser blieb in Klagenfurt, wo er im Jahr 1943 starb.

Switbert Lobisser – Künstlerisches Wirken

Abt Strelli beauftragte Lobisser 1920 mit einem Wandbild für die Konviktskapelle. Den Entwurf widmete er dem Auftraggeber zu seinem 50. Geburtstag.

Abb. 70: Switbert Lobisser: Selbstporträt, 1927

Dieses Aquarell ist signiert und datiert. Um sich die Übertragung auf die Wandfläche zu erleichtern, rasterte Lobisser das Blatt. Es zeigt eine figurenreiche Epiphanie. Interessant ist, daß gleichzeitig die Hll. Drei Könige und die Hirten Christus anbeten, der von der stehenden Muttergottes im Arm gehalten wird und beide Hände zum Segensgestus erhebt. Lobisser verlegt ungewöhnlicherweise diese Anbetung in die offene Landschaft.

Der nächste Auftrag für St. Paul folgte 1923 mit den Fresken für das Gewölbe im Winterrefektorium. In vier Kartuschen der Stuckdecke sind die *quattour Genera monachorum* (die vier Arten der Benediktinermönche) dargestellt. Von Osten nach Westen sind der Anachoret (Einsiedler), der Zönebit (ständig in der Klostergemeinschaft lebender Mönch), der Sarabit (Prediger) und der Gyrorage (Wandermönch) gezeigt. – Lobisser hat sich hier selbst als Wandermönch porträtiert.

Der beliebte Künstler erhielt viele Aufträge in verschiedenen Orten Kärntens. In St. Paul freskierte er das sogenannte „Lobisser-Stöckl" neben seinem Atelier.

1931/32 schuf er die Fresken im Winterrefektorium. Dargestellt sind auf der östlichen Stirnwand der Einzug der ersten Mönche aus Hirsau in St. Paul 1091, auf der gegenüberliegenden Seite die Türkenbelagerung von 1476: Die Türken haben ihre Zelte vor dem befestigten Stift aufgeschlagen. Im Deckenbild mit dem Titel „Der Wein als Tröster" spielen Putti mit einer Weinranke.

Im gleichen Jahr entstand das große Fresko im Nordquerhaus der Stiftskirche. Bei den Vorbereitungen für das Wandbild wurde das Stifterbild des Meisters Thomas von Villach entdeckt.

In Lobissers Fresko sieht man Christus im Herz-Jesu-Typus, der segnend vom Kreuz herabsteigt. Zwei Engel halten die Krone über ihn. Ein Engelschor schließt das Fresko nach oben hin glockenförmig ab.

Seitlich von Christus folgen die drei kleineren Darstellungen, in denen Lobisser zeigt, wie jeder Mensch in seinem Beruf sein Kreuz zu tragen hat.[28]

1986 veranstaltete das Stift eine repräsentative Ausstellung von Lobissers Werk aus stiftseigenem Bestand und mit zahlreichen Leihgaben. Das Stift verwahrt heute die gesamte Holzschnittsammlung Lobissers, die 537 Folgen umfaßt. Diese Anzahl beweist seine besondere Wertschätzung in der Öffentlichkeit. Das Exlibris-Thema bildet neben Buchillustrationen, Glückwunschkarten, Hochzeits- und Geburtsanzeigen und anderen Gebrauchsgraphiken einen Hauptteil seiner Holzschnitte.

Lobisser hebt immer wieder die heimatliche Landschaft, die Menschen des Landes mit ihren Bräuchen, ihren Festen und ihrem Glauben hervor. Er war der Gestalter des Lebens seiner Zeit, in der Thematik aber ist er von den großen Kunstströmungen der ersten Hälfte des 20. Jahrhunderts unbeeinflußt geblieben. Er orientierte sich vielmehr an den

Abb. 71: Switbert Lobisser: Versuchung des hl. Antonius, Holzschnitt, 1924

Holzschnitten altdeutscher Meister, den pathetischen Gesten und Verkürzungen der Barockkünstler, an der Idyllenmalerei des 19. Jahrhunderts und an einem bäuerlichen Realismus, der „dem mit seiner Scholle verwachsenen Menschen heilige Würde verleiht".[29]

Die Machthaber des Dritten Reiches erblickten in seinen Werken „auch noch kulturpolitisch wertvolle und für ein neues völkisches Bewußtsein relevante Themen, wie Mythos der Scholle, Saft und Kraft des gesunden Bauernstandes, Verherrlichung der Mütter. Die Konsequenzen dieser Politisierung machen eine objektive Beurteilung des Werks sehr schwer."[30]

Lobisser signierte den Holzschnitt von 1924 „Die Versuchung des hl. Antonius" in der linken unteren Ecke mit seinem bekannten Monogramm; seine Initialen hängen wie ein Drahtgeflecht von einem Grashalm. Die Landschaft darin spiegelt den Heiligen eine dämonische Welt vor. Lobisser verbildlicht, wie Antonius furchterregende Fabelwesen abwehrt, die in Wirklichkeit fantastisch verformtes Geäst und Wurzelwerk sind. Unterhalb der Bildmitte reckt sich eine Wurzel dem Heiligen bedrohlich entgegen, deren obere Abspaltung gewehrlauf-, deren untere aber bajonetteartig gebildet ist. In knorpeligen Strukturen an entsprechenden Stellen entdeckt man bösartig blickende Augen. Auch im nächsten Bildelement, der Wurzel darüber, bei der man einen weit aufgerissenen Schnabel erblickt, der einem raubvogelartigen Gebilde entwächst. In der Nähe der Signatur entwächst der Hand des Künstlers ein Erdhügel als doggeähnlicher „Hundekopf", dem wie Hörner aussehende Wurzeln aufgesetzt sind. Die höhlenartige Öffnung darunter erweist sich als weit aufgerissenes Maul. Über diesem Untier ragt ein Baumstumpf schräg nach oben, dessen dürrer Ast krallenartig ausläuft. Das Ende des Baumstumpfs formt sich zu einer gnomenhafte Fratze. Immer wieder findet sich Ähnliches: Zerschundene Baumriesen mit gewundenen Ästen und Wurzeln verwandeln sich in Fabelwesen.

Die Metamorphosen der realen Gegenstände erinnern an surreales Vokabular. Verfremdung der Wirklichkeit ist das zentrale Thema dieses Blattes mit seiner expressiven Formensprache.

Märchenhafte Darstellungen finden sich noch in wenigen anderen Holzschnitten wie der „Walpurgisnacht" (1929) oder dem „Auszug der Hexe"

(1923). Die virtuose Gestaltung des Hell-Dunkels, die sich aus der Technik des Weißlinienschnittes herleitet, bewirkt den Reiz seiner Holzschnitte. Lobisser selbst hat sich zu ihrer Ausführung wie folgt geäußert: „Bezüglich der Technik dürfen meine Holzschnitte nicht mit denen der Alten verglichen werden. Diese zeichneten mit Feder auf das Holz. Der Formschneider schnitt das Weiße heraus, ließ den Strich stehen (. . .) Ich zeichne mit Feder, Blei, Pinsel, Kohle, weißer und schwarzer Farbe und arbeite nach Maßgabe des darzustellenden Materials die Lichter heraus, weiß auf schwarz, nicht schwarz auf weiß."[31]

Anmerkungen

1. Mündlich vereinbart bereits 1807 und endgültig formuliert in der Stiftungsurkunde vom 3. Juli 1820, STA, Pack 84/427; siehe hier S. 267f.
2. Vgl. Schulnachrichten, JbSP (1886), S. 26.
3. Nach Verordnungsblatt von 1891, S. 180–194; zitiert nach JbSP (1909), S. 40.
4. Vgl. Rückblick auf das Schuljahr 1950/51, JbSP (1950/51), S. 41.
5. Zeichenkünstlerische Wettbewerbe, JbSP (1955/56), S. 20.
6. A. Hanzer und seine Schüler, St. Pauler Kultursommer 1981, 1982, 1983.
7. U. a.: Switbert-Lobisser-Gedächtnisausstellung St. Paul 1978; Die Jagd – Graphik und Malerei aus den Beständen des Benediktinerstiftes, St. Pauler Kultursommer 1983.
8. A. Hanzer, Die Bemalung der Stukkaturdecke der Kapelle der Schmerzhaften Muttergottes in der St. Pauler Stiftskirche, JbSP (1980/81), S. 25–27.
9. Zuletzt bei „UNBEDINGT. Spirituelle Tendenzen in der jungen Kunst Österreichs", Kollegienkirche Salzburg, Mausoleum und Minoritenzentrum Graz, Votivkirche Wien, 1990/91. Ausstellungskatalog. Salzburg 1990.
10. J. Hörlsberger, in: Salzburger Kunstverein. 98. Jahresausstellung, Frühjahrssalon 16. Mai bis 10. Juni 1984.
11. W. Skreiner: Manifestation der Verweigerung, Zu den Arbeiten von Ingeborg Strobl, in: I. Strobl, erwachsen. Ausstellungskatalog. Graz 1985.
12. Ausstellungen u. a. in Wien, Köln, London, Bologna, Brüssel, Genf und San Francisco.
13. M. Herzele, JbSP (1985/86), S. 128.
14. M. A. Jelonek, Die Rabensteinerkapelle und ihre Ausmalung, JbSP (1984/85), S. 47–52.
15. ÖKT 37 (1969).
16. A. v. Jaksch, Die cultur- und kunsthistorische Abtheilung der kärntnerischen Landesausstellung 1885, Car. 75 (1885), S. 130.
17. Das Tausendjährige St. Blasien, 200jähriges Domjubiläum. Katalog zur Ausstellung, 2 Bde. (1983).
18. Kunstschätze aus China, Meisterwerke aus vier Jahrtausenden in Duplikaten und Originalen. Ausstellungskatalog. St. Paul 1984.
19. Zeitgenössische Kunst. Ausstellungskatalog. St. Paul 1987.
20. Von Albrecht Dürer bis Lovis Corinth, Graphik vom 15. bis zum 20. Jahrhundert. Ausstellungskatalog. St. Paul 1988.
21. S. Sabarsky (Hrsg.): Graphik des deutschen Expressionismus. Ausstellungskatalog. St. Paul 1989.
22. A. Seifert, Batik. Ausstellungskatalog. St. Paul 1989.
23. Vgl. M. Jelonek, H. Pucker, Faltbilder, Wulf Bugattis Entscheidungsprozesse am Bild nach dem Malen, in: Die Brücke (1989), S. 37–40.
24. P Hörbiger, Ich hab für euch gespielt. Erinnerungen (1979), S. 41 f.
25. Jahresbericht über das Schuljahr 1913/14, JbSP (1913/14) S. 13.
26. A. Hanzer, Switbert Lobisser, JbSP (1982/83), S. 48.
27. A. Bäumer, Aus dem Leben Switbert Lobissers, Switbert Lobisser 1878–1943 (1978), S. 16.
28. ÖKT 37 (1969), S. 110, S. 126.
29. Hanzer, Lobisser (wie Anm. 26).
30. Ebd., S. 44.
31. Bäumer, Lobisser (wie Anm. 27), S. 17.

Abb. 73: Benediktinerstift St. Paul, Ansicht von Süden.

Abb. 74: Stiftskirche, Blick zum Hochaltar.

Abb. 75: Stiftskirche, Westportal.

Abb. 76: Stiftskirche, Südportal.

Abb. 77: Stifterfresko des Thomas von Villach, 1492/93.

Abb. 78: Stiftskirche.
Gewölbefresken von Friedrich Pacher: Hl. Dreifaltigkeit (oben), Engel mit Wappen (unten).

Abb. 79: Stiftskirche,
nördliches Querhaus, Stiftergruppe vom Stifteraltar.

Abb. 80: Stift St. Paul,
Ansicht nach Idealplan aus Valvasors „Topographia Archiducatus Carinthiae" von 1688.

Abb. 81: Stift St. Paul,
Marien- oder Rabensteinerkapelle, Außenansicht.

Abb. 82:
Marien- oder Rabensteinerkapelle, Innenansicht.

Abb. 83: Stift St. Paul, Sommerrefektorium (oben) und Winterrefektorium (unten).

Abb. 84: St. Paul. Bibliothek.

Abb. 85: Psalterium der Abtei Ramsey (England) um 1300, STA, Cod. 58/1, fol. 17 v.

Abb. 86: Geert Groote (1340–1384), Getijdenboek, STA, Cod. 51/1, fol. 64 v

Abb. 87: Reliquienkreuz der Königin Adelheid, 11. Jahrhundert, Vorderseite.

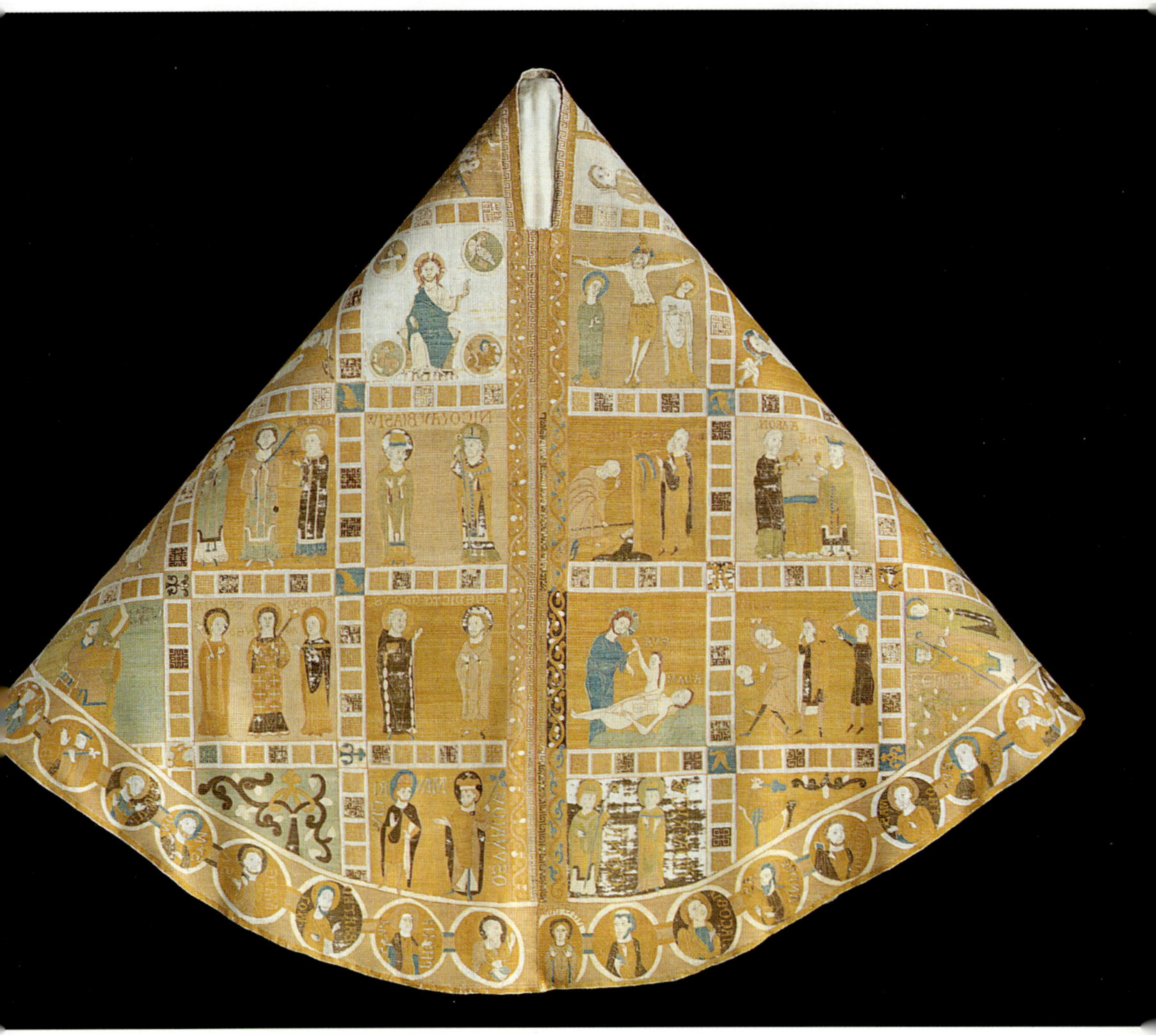

Abb. 88: Romanische Glockenkasel, zweites Viertel des 12. Jahrhunderts, Vorderseite.

Abb. 89: Marienkrönung, Kärntner Arbeit, um 1460.

Abb. 90: Der reiche Prasser und der arme Lazarus, oberrheinisch, Ende 15. Jahrhundert.

Abb. 91: Peter Paul Rubens:
Anbetung der Hirten, um 1621/22.

Abb. 92: Johann Martin Schmidt („Kremser-Schmidt"): Christus und die Samariterin am Brunnen, nach 1778.

Abb. 93: Albrecht Dürer: Gefangennahme Christi aus der „Großen Holzschnittpassion" 1510

Abb. 94: Rembrandt, Harmensz van Rijn (1606–1669): Die große Darstellung im Tempel, Radierung

Abb. 96:
Christoph Daniel Schenk:
Hl. Sebastian,
Buchsbaumholz-Statuette,
um 1670/75.

Abb. 97: Goldener Meßkelch, Stiftung Kaiser Karls VI., Augsburg, um 1719/20.

Abb. 98: Hausaltar, Augsburg, frühes 18. Jahrhundert.

Abb. 99: Ehemaliges Kloster St. Blasien im Schwarzwald,
im Mittelpunkt die gewaltige frühklassizistische Kuppelkirche.

Abb. 100: St. Paul, Konvikt „Josephinum".
Abb. 101: St. Paul, Stiftsgymnasium.

Abb. 102: St. Paul, Filialkirche St. Erhard

Abb. 103: Mönche beim Chorgebet in der Rabensteinerkapelle

Geistliches Leben und Seelsorge

Kirchliche Verhältnisse – Seelsorge – Pfarren und Filialkirchen, religiöses Brauchtum[1]

JOHANNES GUT

Einem mittelalterlichen Kloster, das eingebettet war in ganz komplexe Beziehungen geistlicher und weltlicher Art, kam ein vielfältiger Aufgabenbereich auf geistigem und kulturellem, aber auch wirtschaftlichem und politischem Gebiet zu, wobei diese Bereiche sich gegenseitig nicht nur berührten, sondern teilweise erheblich überschnitten. Hier steht die Seelsorge, gleichsam eine Brücke zwischen den nur scheinbar so gegensätzlichen Polen des benediktinischen *Ora et labora*, an vorderster Stelle. Das Stift St. Paul stellte sich seit seiner Gründung bewußt in den Dienst dieser Aufgabe, nahm sie nach der Wiederbesiedelung im Jahre 1809 erneut auf und zählt sie heute noch zu ihren vordringlichsten Anliegen.

Mit der Zeit entwickelten sich auch in Kärnten eine Fülle von nebeneinanderstehenden und sich überlagernden kirchlichen Zuständigkeiten, in die das Stift St. Paul eingebunden war und die erst durch die josephinischen Reformen des späten 18. Jahrhunderts zum großen Teil beseitigt wurden.

Die Christianisierung Kärntens

Das Christentum gelangte schon in den ersten nachchristlichen Jahrhunderten vor allem von Süden her in das Gebiet der damaligen römischen *Provinz Binnen-Noricum*; hierbei konnte vermutlich noch im fünften Jahrhundert der Metropolit von *Aquileia* immer größeren Einfluß gewinnen. Allerdings dürften die vier damaligen *Bischofssitze Aguntum* in Osttirol (am Nordrand des Lienzer Beckens), *Teurnia* in Oberkärnten (im Bereich des heutigen St. Peter in Holz bei Spittal), *Virunum* auf dem Zollfeld (zwischen St. Veit an der Glan und Klagenfurt) und *Iuenna* (auf dem heutigen Hemmaberg bei Globasnitz, südöstlich von Klagenfurt) die slawische Landnahme Karantaniens zu Ende des sechsten Jahrhunderts nicht überdauert haben.

Seit der Karantanerfürst *Boruth* im Jahre 743 den Baiernfürsten *Odilo II.* gegen die eindringenden Awaren zu Hilfe geholt und damit eine immer stärker werdende Abhängigkeit Karantaniens von Baiern und dem fränkischen Reichsverband eingeleitet hatte, setzte von Norden her eine zweite Welle der Christianisierung ein. Ihre geistlichen Hauptträger waren vor allem die auf die Kirchenorganisation des hl. Bonifatius von 739 zurückgehenden *Bistümer Salzburg* und *Freising* sowie das 1007 gegründete *Bistum Bamberg.* Alle drei konnten in Kärnten umfangreiche Besitzungen erwerben; die bischöflichen Rechte setzte hier im wesentlichen Salzburg durch, das seit seiner Erhebung zum Erzbistum im Jahre 798 auch die Metropolitanrechte ausübte. Zu gleicher Zeit drängte aber auch der Patriarch von *Aquileia* von Süden her in den karantanischen Raum. Dies führte zu wiederholten Streitigkeiten zwischen *Aquileia* und *Salzburg* über den Umfang des jeweiligen Jurisdiktionsgebietes, bis Karl der Große im Jahre 811 die *Drau* als Grenze in der Weise festlegte, daß nördlich *Salzburg*, südlich *Aquileia* zuständig war; diese Abgrenzung blieb durch die Jahrhunderte hindurch bis zu den theresianischen und josephinischen Reformen im 18. Jahrhundert bestehen.

Bischöfliche Sprengel auf Kärntner Boden

Um ihre Aufgaben in dem riesigen Diözesangebiet erfüllen zu können, bedienten sich die Salzburger Oberhirten schon bald sogenannter *Chorbischöfe*, die streng von Salzburg abhängig waren und eigentlich nur in deren Auftrag und Vertretung bischöfliche Funktionen ausübten. Der von dem großen Salzburger Bischof Virgil (746/47–784) entsandte *Chorbischof Modestus* errichtete um die Jahre 760/68 seinen Sitz dort, wo sich heute die ehrwürdige Kirche von *Maria Saal* erhebt; allerdings ist hier seit der Mitte des 10. Jahrhunderts kein Bischof mehr nachzuweisen.

Als dann Erzbischof Gebhard von Salzburg (1060–1088) im Jahre 1072 sein Kärntner *Eigenbistum Gurk* gründete[2], knüpfte er bewußt an jene ältere, zwischenzeitlich wohl aber erloschene Tradition der Chorbischöfe an: Die Gurker Bischöfe sollten in geistlichen und weltlichen Belangen vollkommen von Salzburg abhängig sein, dessen Erzbischof allein ihre Wahl, Ordination und Weihe vorbehalten war; sie sollten lediglich Helfer des Metropoliten bei der Seelsorge sein, ausgestattet mit bischöflicher Weihegewalt und Befugnissen eines Generalvikars. So war es nur folgerichtig, daß Gurk zunächst weder ein Domkapitel noch ein eigenes Diözesangebiet hatte; dies wurde den um ihre Selbständigkeit stets bemühten Gurker Bischöfen erst 1123 beziehungsweise 1131 nach langen Kämpfen zugestanden, wobei der Diözesanbezirk den bescheidenen Umfang von kaum zehn Pfarren nicht überstieg. Im Jahre 1145 folgte die päpstliche Gewährung der freien Bischofswahl durch das Domkapitel.

Es waren neben den seelsorglichen Bemühungen wohl auch diese für Salzburg unerwünschten Selbständigkeitsbestrebungen der Bischöfe von Gurk und die Furcht vor landesherrlichen Wünschen nach eigenen Landesbistümern, die Erzbischof Eberhard II. (1200–1246) ein Jahrzehnt nach der Errichtung des Bistums Seckau in der Steiermark bewogen, im Jahre 1228 in St. Andrä das *Bistum Lavant* als weiteres Eigenbistum auf Kärntner Boden zu gründen.[3] Auch hier bestand ein vollständiges Abhängigkeitsverhältnis der neuen Bischöfe zu Salzburg; ihre Wahl, Ernennung und Weihe standen allein dem Salzburger Erzbischof zu. Im Unterschied zum Bistum Gurk hatte das Bistum Lavant von Anfang an jedoch ein eigenes Kapitel. Im Jahre 1244 wurde ihm ein eigener, wenn auch wiederum sehr kleiner Diözesansprengel zugeteilt, der in eineinhalb Tagen der Länge nach durchreist werden konnte sowie lediglich die damaligen Pfarren St. Andrä, Lavamünd und Unterdrauburg, ferner – über die Koralpe hinweg in der Steiermark – Remschnig, St. Florian an der Laßnitz und einige weitere Kapellen umfaßte; dieser Bezirk wurde durch das Gebiet der im Jahre 1091 gegründeten *Abtei St. Paul* im Lavanttal durchschnitten, die schon bald direkt dem Papst unterstellt war, später jedoch in immer stärkere Abhängigkeit von Salzburg geriet, also nicht zur Diözese Lavant zählte. Der Bischof von Lavant hatte demnach von Anfang an die eigentümliche Doppelfunktion der Salzburger Eigenbischöfe in Kärnten: einerseits Helfer des Erzbischofs von Salzburg mit bischöflicher Weihe und den Aufgaben eines Generalvikars für ein weites Gebiet, andererseits Ordinarius in seiner eigenen kleinen Diözese.

Als weiteres *Bistum*, dessen Einfluß nach Kärnten reichte, ist *Laibach* zu erwähnen, das keinem Metropoliten, sondern direkt dem Papst unterstand.[4] Es wurde 1461 in dem Bestreben gegründet, einige Unzuträglichkeiten zu beseitigen, die für die österreichischen Gebiete des Patriarchats von Aquileia durch den Sitz des Metropoliten im Ausland entstanden waren; allerdings gelang dies nicht vollständig, sondern trug eher zu einer weiteren Unübersichtlichkeit der Zuständigkeiten bei, da nur einige Gebiete in Ober- und Unterkärnten, der Untersteiermark und Krain dem neuen Bistum zugewiesen wurden.

Die Bistumsverfassung in Kärnten erhielt eine zusätzliche Variante durch den *Bezirk Millstatt*[5]. So wurden dem Rektor der Jesuiten, denen Millstatt seit 1602 zugewiesen war, im Jahre 1659 Befugnisse eines Quasiordinarius eingeräumt. Dieser Bezirk wurde nach der Aufhebung des Jesuitenordens im Jahre 1773 dem Bistum Gurk zugeschlagen, einige ehemalige Jesuitenpfarren jedoch dem Erzbistum Salzburg.

Die kirchlichen Zuständigkeiten in Kärnten waren dadurch noch unüberschaubarer und schwer praktizierbar geworden, daß sowohl das Erzbistum Salzburg als auch das Patriarchat Aquileia und die Diözese Laibach in *Archidiakonatsbezirke* aufgeteilt waren, deren Archidiakonen oder Erzpriestern als Vertretern des Bischofs Aufgaben in der Diözesanverwaltung zukamen; das Bistum Lavant bildete insgesamt einen Archidiakonatsbezirk. Salzburg (dieses seit dem 17. Jahrhundert) und Aquileia besaßen als weitere (untere) Instanz *Dekanate*; Gurk war nur in Dekanatsbezirke aufgeteilt.[6]

Die Reformen Kaiser Josephs II.[7]

Bereits im Jahre 1574 war wegen der Unzuträglichkeiten infolge des im Ausland befindlichen Metropolitansitzes des *Patriarchats Aquileia* für dessen österreichische Gebiete das *Erzdiakonat Görz* gebildet worden. Dem folgte 1751 unter Kaiserin *Maria Theresia* (1740–1780) die Aufhebung des alten Patriarchats Aquileia und dessen Ersetzung durch die *Erzbistümer Görz* (für den überwiegenden Teil der habsburgischen Gebiete von Aquileia) und *Udine*. Aber erst Kaiser *Joseph II.* (1765/80–1790) ging daran, das fast unüberschaubar gewordene Geflecht kirchlicher Zuständigkeiten in allen seinen Erb- und Kronländern zu beseitigen, das allein in Kärnten zur Zuständigkeit von fünf Ordinarien (Salzburg, Aquileia beziehungsweise Görz, Gurk, Lavant und Laibach) mit einer Vielfalt von Mittel- und Unterbezirken geführt hatte. Ihn bewogen im Interesse der von ihm verstandenen Seelsorge vor allem die Beseitigung unübersehbarer Verhältnisse, Vereinfachung der Zuständigkeiten, Vermeidung der mit ausländischen Ordinarien verbundenen Schwierigkeiten (Salzburg gehörte damals nicht zu den österreichischen Landen), Schaffung österreichischer Bistümer und deren übersichtliche Organisation unter möglichster Anpassung an die einzelnen habsburgischen Länder; daß ihm dies nicht vollständig gelungen ist, liegt in vielerlei Rücksichtnahmen begründet.

Kärnten wurde zunächst unter den drei *Bistümern Gurk, Lavant* und *Görz* aufgeteilt. Zum größten Teil fiel es an das Bistum Gurk, dessen Bischof 1787 seinen Sitz nach *Klagenfurt* verlegte. Dem Bistum Lavant, dessen Sitz in St. Andrä verblieb, wurden der Kärntner Teil des Lavanttales, über den Kamm der Saualpe hinweg die ehemals Salzburger Pfarren im Völkermarkter Kreis sowie die Laibacher Anteile in Untersteiermark und Unterkärnten zugewiesen; allerdings mußte es seine bisherigen steirischen Pfarren nördlich der Drau an das *Bistum Seckau* abgeben. Aus dem *Bistum Görz* wurden erst 1789 dessen Gebiete in Kärnten an *Gurk/Klagenfurt* und *Lavant* übergeben. Die Metropolitangewalt über die nunmehr noch zwei Kärntner Bistümer Gurk und Lavant blieb bei Salzburg.

Ebenso radikal wie mit den alten Bistümern verfuhr Joseph II. mit den übrigen kirchlichen Organisationen: Allgemein wurden die Archidiakonate aufgehoben und durchgehend eine *Dekanats-*

verfassung eingeführt. Die *Pfarrorganisation* erhielt ein neues Aussehen, das geprägt war von den Grundsätzen einer seelsorgerlichen Übersichtlichkeit und Zweckmäßigkeit, wie sie Joseph II. verstand. Er ließ zwar viele alte Pfarren bestehen, hob jedoch andere, angeblich überflüssig gewordene, auf und errichtete neue; zahlreiche Filialkirchen ließ er schließen, da sie in seinem Konzept von Seelsorge keinen Platz mehr hatten. Gerade dies trug ihm von seiten des Volkes manche Ablehnung ein, während die Neuregelung der Bistumsverfassung durch die Bevölkerung im wesentlichen offensichtlich widerspruchslos hingenommen wurde.

Die josephinische Bistumsverfassung in Kärnten blieb bestehen, bis in den Jahren 1857/59 der slowenische Teil des ehemaligen Marburger Kreises von der steirischen Diözese Seckau an Lavant abgetreten, der *Sitz* des *Bistums Lavant* von St. Andrä nach *Marburg* (Untersteiermark) verlegt und der *Kärntner Teil* des *Bistums Lavant* der *Diözese Gurk/Klagenfurt* zugewiesen wurde.[8] Seither ist dieses als Landesbistum das einzige Bistum auf Kärntner Boden.

Zur kirchenrechtlichen Stellung des Stifts St. Paul[9]

Das im Jahre 1091 im Sprengel des Erzbistums Salzburg gegründete *Stift St. Paul* nahm innerhalb der geschilderten Kirchenorganisation eine bemerkenswerte und die Vielfalt nur noch vergrößernde Stellung ein. Sein Unterhalt war durch eine üppige Dotierung von seiten der Familie des Stifters Engelbert I. von Spanheim gesichert. Aber erst nach dessen Tod im Jahre 1096 festigten seine Söhne auch die rechtliche Seite in der Weise, daß sie (vermutlich 1098) die junge Gründung dem *Apostolischen Stuhl* in *Rom* übergaben. Dieser Akt, dem 1099 das erste päpstliche Schutzprivileg folgte, öffnete St. Paul den Schritt vom *spanheimischen Eigenkloster* zu einer *freien Abtei*. So gelangte das Stift St. Paul über zahlreiche weitere päpstliche Privilegien, zum Beispiel 1140, 1177, 1184 und 1195/96, in einer konsequenten Entwicklung bis zum Ende des 12. Jahrhunderts schließlich zu der Position eines von der bischöflichen Gewalt des Ordinarius weitgehend *exemten Klosters*, ein für den Bereich des Salzburger Erzbistums seltener Vorgang. Der besondere *päpstliche Schutz* für St. Paul beinhaltete nicht nur ganz allgemein eine Schutzfunktion von seiten des Papstes; er nahm darüberhinaus schon bald die rechtliche Bedeutung einer weitgehenden *Exemtion* an, die dem Abt eine *quasiepiskopale*, mit der bischöflichen Gewalt teilweise konkurrierende *Stellung* verschaffte. Dem Stift St. Paul war das (in der Benediktsregel festgelegte, aber durch Eingriffsmöglichkeiten des Ordinarius gefährdete) *Recht der freien Abtwahl* garantiert; die *Benediktion des Abtes* war dem Papst vorbehalten. Das Kloster war der *Strafgewalt des Ordinarius* (Erzbischof von Salzburg) entzogen, es unterlag nicht der *bischöflichen Visitation* und der *Verpflichtung zum Besuch der Diözesansynoden*; außerdem besaß es das *Appellationsrecht zum Apostolischen Stuhl*. Dem Erzbischof von Salzburg, dem im übrigen offizielle gottesdienstliche Handlungen und eine Verpflichtung der Mönche zur Teilnahme an liturgischen Handlungen versagt war, verblieb für das Stift St. Paul nur ein *Teil der Weihegewalt* (zum Beispiel Firmung, Priesterweihe, Weihe der Altäre und Friedhöfe).

Es leuchtet ein, daß den Salzburger Erzbischöfen diese Stellung des Klosters St. Paul innerhalb ihres eigenen Diözesansprengels recht bald ein Dorn im Auge war, was zu wiederholten und sich verstärkenden Versuchen Salzburgs führte, das Stift wieder näher an den Bistumsverband heranzuführen. Endgültig zu Gunsten von Salzburg war dieser Machtkampf wohl entschieden in der Zeit der beiden Gegenäbte *Hermann II. von Schwanberg* (1391–1399/1401) und *Kaspar Fürholzer* (1399–1401), als 1399 anstelle des Abtes Hermann wegen dessen weltlicher Lebensführung und schlechter Verwaltung auf Veranlassung des Erzbischofs von Salzburg durch den Bischof von Lavant Abt *Kaspar Fürholzer* eingesetzt wurde; 1401 konnte Salzburg sogar das *Bestätigungsrecht* für einen *neugewählten* Abt erlangen.[10] Damit war St. Paul wieder stärker in den *Diözesanverband von Salzburg* eingebunden, wenngleich der Papst noch gelegentlich, so etwa im Jahre 1455, auf alte Rechte pochte.[11] Die enge Annäherung an Salzburg fand später ihren Ausdruck auch darin, daß der große *Reformabt Hieronymus Marchstaller* (1616–1638) durch den Erzbischof von Salzburg im Jahre 1617 wegen Abwesenheit des Amtsinhabers zunächst vertretungsweise und ab 1625/26 endgültig zum wirklichen *salzburgischen Archidiakon* für das gesamte östliche Unterkärnten bestellt wurde[12]; es war dies eine Stellung, die der Abt (von einer ganz anderen Wurzel her) im Sprengel des Patriarchats von Aquileia seit alters ausschließlich für seine eigenen Pfarren innehatte. In gleiche Richtung weist die nach dem Tod des Bischofs von Lavant im Jahre 1618 erfolgte Bestellung des Abtes von St. Paul zum *Generalvikar* und *Administrator des Bistums Lavant* durch den Erzbischof von Salzburg.[13] Allerdings verstand es Hieronymus Marchstaller sehr wohl, noch verbliebene Rechte seines Klosters gegen eine allzu große Einflußnahme von salzburgischer Seite zu wahren.[14]

Anfänge des Kirchenbesitzes von St. Paul

Die Christianisierung der bei der Gründung des Klosters St. Paul bereits besiedelten Gegend war im Jahre 1091 schon lange abgeschlossen. Jedoch war die Erschließung des Gebietes zu jener Zeit noch in der Entwicklung begriffen, so daß dem Stift große Aufgaben im Ausbau des Landes, wozu auch die *Pfarrseelsorge* gehörte, zukam.

Die pfarrliche Betätigung der Abtei St. Paul kann nur auf dem Hintergrund der geschilderten verschiedenen örtlichen diözesanen Zuständigkeiten und der beschriebenen rechtlichen Stellung des Klosters selbst gesehen werden. So besaß das Stift St. Paul Pfarren im Bereich des Patriarchats Aquileia beziehungsweise (ab 1751) der Erzdiözese Görz sowie des Erzbistums Salzburg und der Diözese Lavant. Von der rechtlichen Stellung des Klosters als solchem war das Verhältnis seiner Pfarren zum jeweils zuständigen bischöflichen Ordinarius zu unterscheiden, wenn es auch gewisse gegenseitige Einflüsse gegeben haben mag. Unterschiedlich gestaltete sich die Beziehung zwischen den einzelnen Pfarren und dem Stift; wesentliche Elemente waren hierbei, ob die Pfarren auf *eigenem klösterlichen* oder *fremdem Grund und Boden* lagen, ob eine ursprüngliche *Eigenkirche* die Grundlage bildete und ob es sich um ein *Patronat* oder eine *Inkorporation* handelte. Allgemein ist jedenfalls festzuhalten, daß die päpstlichen Privilegien von 1140, 1177 und 1195 dem Abt offenbar das *Präsentationsrecht für seine Pfarren* gewährten.[15] Auch die weltlichen *Vogteirechte* über die einzelnen Pfarren und Kirchen konnten unterschiedlich geregelt sein. Im übrigen sind im Laufe der Jahrhunderte selbstverständlich auch beim Pfarr- und Kirchenbesitz Veränderungen zu beobachten.

Schon vor der Gründung des Klosters St. Paul stand auf dem späteren Stiftshügel eine *St. Ägidius-Kirche*, die bereits um die Wende vom 10. zum 11. Jahrhundert gewisse pfarrliche Rechte erhalten haben soll.[16] Dies kann eigentlich nur geschehen sein auf Kosten der viel älteren, wohl in karolingische Zeit zurückreichenden *Urpfarre* des Lavanttales *St. Andrä*, aus der früher wahrscheinlich auch die nur etwas jüngeren *Pfarren St. Marein* (nach Norden) und *Lavamünd* (nach Süden) hervorgegangen waren.[17] Mit der Stiftung des Klosters St. Paul im Jahre 1091 ging die Ägidiuskirche als Eigenkirche in den Besitz der Neugründung über, was auf eine Inkorporation hindeutet. Die Pfarre St. Ägidius war jedoch zunächst nur zuständig für die „Holden“ der klösterlichen Besitzungen; dies führte zu außerordentlichen Unzuträglichkeiten. Erst im Jahre 1319 erhielt sie nach langwierigen Streitigkeiten mit den hierdurch betroffenen Chorherren von St. Andrä aus dem Gebiet der alten Pfarre St. Andrä einen *eigenen Sprengel* zugewiesen.[18] In der zweiten Hälfte des 14. Jahrhunderts wurde die Pfarre auf die außerhalb des eigentlichen Klosterbezirks gelegene *Friedhofskapelle St. Erhard* (1405 als Pfarrkirche genannt) übertragen, bei der sie bis 1786/87 verblieb. Seither dient – mit Ausnahme der Zeit der Klosteraufhebung von 1940 bis 1945 – die Stiftskirche als Pfarrkirche. Die Ägidiuskirche, als deren weitere Patronin auch die hl. Maria Magdalena genannt wird und die zuletzt nur noch als Holzdepot diente, mußte im Jahre 1618 den Neubaumaßnahmen des Abtes Hieronymus Marchstaller weichen.[19]

Die *Stiftskirche* lag als Klosterkirche außerhalb der Pfarrorganisation. Graf *Siegfried von Spanheim* (gest. 1065) und seine Gemahlin *Richardis*, die Eltern des Klostergründers Engelbert I. (gest. 1096), hatten im Bereich ihrer Burg neben der *St. Ägidius-Kirche* eine zweite *Kirche* zu Ehren des *Apostels Paulus* erbauen lassen; dieses wohl vor der 1064 angetretenen Pilgerfahrt Graf Siegfrieds in das Heilige Land begonnene, nach 1065 vollendete Gotteshaus sollte als Familiengrabstätte der Spanheimer dienen.[20] Aus jener ersten Pauluskirche entstand nach der Gründung der Abtei im Jahre 1091 wohl die erste Klosterkirche, die 1093 eingeweiht wurde. Ihr Ende des 12./Anfang des 13. Jahrhunderts entstandener Nachfolgebau ist in seiner wesentlichen Erscheinung heute noch als Stiftskirche erhalten. Seit 1786/87 nimmt sie – mit einer nur kurzen Unterbrechung während der nationalsozialistischen Ära – auch die Funktion der Pfarrkirche wahr.

Sowohl der Stifter des Klosters, Graf Engelbert I., und seine Gemahlin, als auch seine Familie und deren Nachkommen statteten die Neugründung mit umfangreichen Güterschenkungen vor allem in Kärnten, in der Untersteiermark und Friaul aus; es fällt dabei auf, daß die Besitzungen in der unmittelbaren Klosternähe eher einen vergleichsweise bescheideneren Umfang aufwiesen. Auch andere Adelige bedachten die junge Abtei mit zahlreichen Zuwendungen. Von Anfang an befanden sich auf einigen dieser an das Kloster übergegangenen Besitzungen verschiedene Kirchen und Kapellen; aber auch auf fremdem Grund und Boden konnte das Kloster zu Rechten an Kirchen gelangen. Die Gotteshäuser lagen sowohl nördlich als auch südlich der Drau, also in den Sprengeln des Erzbistums Salzburg und des Patriarchats Aquileia.

Unter den im Jahre 1091 ausdrücklich genannten *Dotationsgütern* des Grafen *Engelbert I.* und seiner Gemahlin *Hadwiga* finden sich neben einer Kirche *St. Lamprecht* (wohl identisch mit dem heutigen *Johannesberg*) und einer Kirche zu *Gorentschach* (im Bereich *St. Radegund* nördlich der Drau) verschiedene Besitzungen nördlich der Drau in Kärnten um *Griffen*, am *Haberberg* und in *Pustritz* sowie in Steiermark am *Remschnig*, ferner südlich der Drau die Einöde *„Radimlahc“* mit einer angrenzenden *„villa Rouste“*; es sind dies Gebiete, in denen nach späteren Nachrichten von Anfang an Kirchen vorhanden waren oder bald entstanden.[21] Schon seit der Zeit der Gründung soll sich in der Einöde *„Radimlahc“* eine kleine mönchische Niederlassung des Klosters St. Paul befunden haben.[22]

Weitere Entwicklung nördlich der Drau

Anläßlich der Kirchweihe von 1093 schenkte Erzbischof Thiemo von Salzburg (1091–1101) der jungen Abtei neben anderem Zehnte zu *Gorentschach* und *Griffen*[23]; durch Erzbischof Hartwig von Magdeburg (1079–1102), einen Bruder des Klostergründers, erhielt das Stift den *Weinberg* im Lavanttal mit allem Zubehör, durch Kinder des Stifters Güter bei *St. Philippen* an der Gurk (bei Reinegg, nordwestlich von Völkermarkt)[24]. Graf Hartwig von Spanheim, ein Sohn Graf Engelberts I. und später Bischof von Regensburg (1105–1126), bedachte das Stift St. Paul noch vor 1105 mit dem Hof und der Kirche zu *Gams* an der Drau (heute *Kamnica* in Jugoslawien, oberhalb Marburg)[25]. Nur vorübergehend befand sich die Kirche *Glödnitz* (westlich von Gurk) im Besitz des Stifts St. Paul, die der frühere Bischof Berthold von Gurk im Jahre 1106 geschenkt hatte, die aber 1123 tauschweise an Markgraf Engelbert von Istrien gelangte und kurze Zeit später wieder an Gurk zurückkam.[26] Graf Bernhard von Spanheim, dritter Sohn des Klostergründers, übergab nach dem Tod seines Neffen Sieghart zu Beginn des 12. Jahrhunderts dem Stift eine Kirche zu *St. Martin*, nachdem Sieghart diese Kirche schon früher dem Kloster geschenkt, dann aber an seinen Onkel vertauscht hatte.[27] Im Jahre 1145 überließ Erzbischof Konrad I. von Salzburg (1106–1147) die Kirche *St. Martin im Granitztal* dem Kloster St. Paul, die er vorher von Amelbert von Kollnitz erhalten hatte; über diese ursprüngliche Eigenkirche der Herren von Kollnitz (Stiftung der Pfarre zwischen 1130 und 1140) erlangte das Stift St. Paul die Inkorporation.[28]

1147 fiel der Markt *Völkermarkt* endgültig an das Kloster St. Paul, der allerdings wahrscheinlich schon im Laufe des 13. Jahrhunderts wieder verlorenging.[29] Ob St. Paul hier, insbesondere über *St. Ruprecht*, pfarrliche Rechte besaß, scheint noch weitgehend ungeklärt zu sein; jedenfalls nennen päpstliche Bestätigungen aus den Jahren 1177 und 1184 die Kirche *St. Ruprecht* bei *Völkermarkt* im Besitz des Stiftes St. Paul.[30] Die im Bereich der Pfarre Völkermarkt liegenden Kirchen des Klosters St. Paul am Außenrand der *St. Pauler Berge* und auf dem südlichen Ausläufer der *Saualpe* (*Pustritz, St. Kollmann, St. Nikolaus am Haberberg* und *St. Radegund*) wurden wohl endgültig um das Jahr 1213 von der alten Pfarre *Völkermarkt* abgetrennt und als Filialen *St. Martin im Granitztal* zugeschlagen.[31] Ob der Abtei St. Paul in *Diex*, das ursprünglich einer Tochterpfarre von St. Ruprecht zugehörte und wo das Stift bis zum ausgehenden Mittelalter ansehnlichen Besitz hatte, kirchliche Rechte zustanden, scheint offen.[32]

Eine im Jahre 1148 vollzogene Schenkung der Zeit um 1141 brachte die Abtei St. Paul in den Besitz von *Fresen im Drauwald* am linken Ufer der Drau (heute *Brezno* in Jugoslawien); die Erwähnung einer (von Anfang an wohl inkorporierten) Kirche geschieht hier allerdings erst später.[33] Vor allem die päpstlichen Besitzbestätigungen des späten 12. Jahrhunderts (so 1177, 1184, 1195/96) sowie erzbischöflich-salzburgische Urkunden des beginnenden 13. Jahrhunderts (1213, 1240 und 1248) nennen ausdrücklich Kirchen und Kapellen des Klosters St. Paul am *Johannesberg*, am *Weinberg*, zu *St. Martin im Granitztal, St. Margarethen im Lavanttal, Fresen, St. Ruprecht bei Völkermarkt, Gorentschach, St. Radegund, St. Kollmann bei Griffen,* am *Windischen Weinberg,* zu *Pustritz, St. Michael in Corsich* (heute Unterbergen-Corsich bei Griffen) und *St. Philippen*[34]. Die verhältnismäßig weit entfernte Kirche *St. Philippen* an der Gurk scheint noch während des Mittelalters von St. Paul gelöst worden zu sein; der Ausgang eines Einigungsversuches zwischen dem Kapitel von *Maria Saal* und dem Stift St. Paul um den Besitz dieser Kirche aus dem Jahre 1261 ist nicht bekannt.[35]

In die Zeit des frühen 13. Jahrhunderts fiel der Erwerb pfarrlicher Rechte des Stifts St. Paul über *St. Georgen am Remschnig* (heute *Remšnik* in Jugoslawien), *St. Paul unter Hornburg* (im Görtschitztal; heute *Klein St. Paul*) und *St. Georgen unter Stein* (im Lavanttal). 1201 verlieh Erzbischof Eberhard II. von Salzburg der durch das Kloster neuerbauten *Kirche* am *Remschnig* unter Abtrennung von der *Mutterpfarre Lava-*

münd einen eigenen Pfarrbezirk[36]; eine Inkorporation scheint von Anfang an vorgelegen zu haben. Noch unklar ist, wann das Patronatsrecht über die alte Kirche und Pfarre *St. Paul unter Hornburg* (1077 als Eigenkirche des Pfalzgrafen Aribo genannt) an das Stift St. Paul gelangt ist; eine ältere Meinung setzt diesen Vorgang in die Zeit des Abtes Konrad I. von Trixen (1222–1237), während eine jüngere Meinung eine Schenkung der Kirche an den Erzbischof von Salzburg im Jahre 1237 hervorhebt.[37] Es wäre jedoch denkbar, daß der Erzbischof das Patronat unmittelbar nach Erhalt noch zu Lebzeiten des Abtes Konrad dem Stift St. Paul überließ.[38] Erzbischof Eberhard II. von Salzburg war es auch, der dem Abt von St. Paul im Jahre 1246 die im Vorjahre durch die Brüder Friedrich und Hartnid von Pettau gemachte Schenkung des Patronatsrechtes über die – möglicherweise erst jetzt entstandene – Pfarre *St. Georgen unter Stein* bestätigte; eine Kapelle ist hier erstmals für das Jahr 1184 erwähnt.[39] Doch erst in den Jahren 1485 (St. Georgen unter Stein) und 1506 (St. Paul unter Hornburg) konnte das Stift St. Paul, hauptsächlich aus finanziellen Gründen, die Inkorporation auch dieser beiden Pfarren erlangen; bei St. Georgen war dies mit erheblichem Widerstand von seiten des Propstes von St. Andrä verbunden.[40] Beim späteren Verkauf des Amtes Remschnig 1581/82 behielt sich Abt Andreas Schaffer (1576–1583) ausdrücklich die pfarrlichen Rechte vor.[41]

Die großen Erwerbungen des Stifts St. Paul im 17. Jahrhundert schlugen sich auch im Bereich von Kirchen und Pfarren nieder: 1631/32 ließ Abt Hieronymus Marchstaller auf der 1628/29 samt der Herrschaft erworbenen *Burg Rabenstein* die *Kapelle zum hl. Kreuz* grundlegend erneuern; beim Brand der Burg im Jahre 1636 scheint diese erhalten geblieben zu sein.[42] Inwieweit der Nachricht von einer erzbischöflich-salzburgischen Besitzbestätigung über die *Kapelle zu Rabenstein* zu Gunsten des Stifts St. Paul schon aus dem Jahre 1240[43] Glauben zu schenken ist, bedarf noch der Überprüfung. Mit der *Herrschaft Rabenstein* erwarb das Kloster St. Paul auch die Vogteirechte über die Pfarrkirche *Maria Rojach* und die Kapelle *St. Oswald* (nördlich beziehungsweise südöstlich von St. Paul), was unter Abt Paulus Memminger (1638–1660) zu einem, im Sinne des Abtes entschiedenen Streit mit dem Bischof von Lavant über Maria Rojach führte.[44] Einer kurzen Erwähnung bedarf auch die Einrichtung einer *Hauskapelle* in dem 1619 durch Abt Hieronymus Marchstaller als stiftliche *Niederlassung* erkauften Schiek'schen Hause zu *Klagenfurt*, das bei dem großen Stadtbrand von 1636 nahezu unversehrt geblieben sein soll.[45]

Die Entwicklung südlich der Drau

Noch der erste Abt des Klosters St. Paul, Wezilo (1091 – um 1115/1120), soll von Markgraf Engelbert von Istrien tauschweise dessen Erbgut in der Mark Pettau, *hoc est curtim et ecclesiam Razwei*, erhalten haben.[46] Herzog Heinrich IV. von Kärnten (1122–1124), der erste aus dem Hause Spanheim, überließ dem Stift neben anderem den Hof und die Kirche zu „*Saccah*"[47]. Außerdem schenkte er im Jahre 1123 umfangreiche Güter und die Kirche zu *Möchling* (im Jauntal) an das Kloster[48]; es handelte sich hierbei um den geschlossensten Besitz, den das Stift bis dahin in Kärnten besaß. Zwischen 1130 und 1140 schenkte Graf Ceizolf von Spanheim, ein Neffe Graf Engelberts I., dem Abt unter anderem den Hof und die Kirche *St. Michael im Sanntal* (heute Tal der *Savinija* in Jugoslawien)[49]. Diese Kirchen, die auf dem ursprünglichen Ausstattungsgut des Klosters in der Untersteiermark (Einöde *Radimlahc*) befindliche Kirche *St. Lorenzen in der Wüste* (heute *Lovrenc na Pohorju* in Jugoslawien) sowie die 1184 erstmals urkundlich faßbare Kirche *Maria Rast* (heute *Marija v Rušah* in Jugoslawien) werden wiederholt in den päpstlichen Besitzbestätigungen und in Urkunden der Patriarchen von Aquileia um die Wende vom 12. zum 13. Jahrhundert genannt.[50] Streitigkeiten des Abtes von St. Paul mit dem Propst von *Eberndorf* um die Kirche zu *Möchling* (1206) und dem Pfarrer von *Kötsch* bei Marburg (heute *Hoče* in Jugoslawien) um *St. Lorenzen in der Wüste* (1214) wurden von dem Patriarchen von Aquileia zu Gunsten des Stifts St. Paul entschieden.[51] Die früheren Inkorporationen von St. Lorenzen in der Wüste und Möchling wurden 1252 und 1257 durch den Patriarchen von Aquileia bestätigt.[52] Schon recht früh scheinen den Äbten von St. Paul durch die Patriarchen von Aquileia die Rechte eines *Archidiakons* über die südlich der Drau gelegenen stiftlichen Pfarren verliehen worden zu sein, wie eine Urkunde von 1257 für St. Lorenzen belegt.[53] Die dem Stift St. Paul gehörende Kirche *Maria Rast* war wohl eine Filialkirche der alten, nicht St. Paul unterstehenden Pfarre *Kötsch*, später der Kötscher Pfarrvikariate Maria Magdalena vor Marburg beziehungsweise St. Jakob in Lembach; 1625 wurde hier ein eigenes Vikariat errichtet.[54]

Wie bereits erwähnt, war die Pfarre von *St. Lorenzen* wohl seit der Gründungszeit des Stifts St. Paul mit einer *kleinen mönchischen Niederlassung* verbunden. Und noch 1616 äußerte Abt Hieronymus Marchstaller den Wunsch, daß dieser kleine Konvent wiederhergestellt werde, ein Anliegen, das dann im benachbarten *Schloß Faal* (heute *Fala* in Jugoslawien) verwirklicht wurde[55]; hier wird 1638 eine „zimblich grosse Capell" zu Ehren des *hl. Nikolaus* erwähnt[56]. Welche Bedeutung *St. Lorenzen* und *Rast* im allgemeinen besaßen, zeigt der Umstand, daß die Äbte von St. Paul durch Herzog Leopold VI. von Österreich und Steiermark (1194–1230) ein schon älteres Recht zur Abhaltung eines Marktes zu St. Lorenzen bestätigt (1222) und durch Kaiser Friedrich IV. (1440–1493) ein solches Recht für das Dorf Rast verliehen (1453) bekamen.[57]

1627 legte Abt Hieronymus Marchstaller zwischen St. Lorenzen und dem Schloß Faal angeblich an der Stelle einer früheren, allerdings nicht mehr bestehenden Wallfahrtskirche den Grundstein zu der Kirche *Maria Hilf in der Wüste* (*an der Radl*; heute *Devica Marija v Puščavi*), die 1628 vollendet, aber erst 1641 unter seinem Nachfolger eingeweiht und dem Stift inkorporiert wurde.[58] Nach der Erwerbung der Herrschaft Unterdrauburg im Jahre 1629 ließ er auch im *Schloß Drauburg* (heute *Dravograd* in Jugoslawien) 1631 eine *Kapelle* errichten.[59]

Die Pfarren und Filialkirchen zur Zeit des Abtes Hieronymus Marchstaller bis zur Klosteraufhebung

Im Laufe der Jahrhunderte hatten sich einige Veränderungen im Pfarr- und Kirchenbesitz des Stifts St. Paul ergeben, so daß der Bestand sich unter Abt Hieronymus Marchstaller (1616–1638) folgendermaßen darstellte[60]:

Inkorporierte Pfarre *St. Erhard* in St. Paul (Erzbistum Salzburg) mit den Filialkirchen und -kapellen *St. Benedikt und Scholastika auf dem Weinberg, St. Johann auf dem Johannesberg, St. Margarethen, Heilig Kreuz* auf *Burg Rabenstein, St. Oswald* bei St. Paul (1814 abgebrannt und nicht wieder aufgebaut), *Unsere liebe Frau* auf *Schloß Drauburg*.

Inkorporierte Pfarre *St. Martin im Granitztal* (Erzbistum Salzburg[61]) mit den Filialkirchen und -kapellen *Unsere liebe Frau zu Pustritz* (im Mittelalter selbständig), *St. Radegund am Eis, St. Kollmann am Haberberg, St. Nikolaus am Windischen Weinberg.*

Inkorporierte Pfarre *St. Paul unter Hornburg* im Görtschitztal (Erzbistum Salzburg)[62].

Hauskapelle zu Ehren *Unserer lieben Frau* in der *Niederlassung* des Stifts zu *Klagenfurt* (Erzbistum Salzburg).

Inkorporierte Pfarre *Unsere liebe Frau an der Fresen* (Bistum Lavant; heute *Brezno* in Jugoslawien) mit der Filialkirche *St. Oswald (heute Ožbalt* in Jugoslawien).

Inkorporierte Pfarre *St. Georgen am Remschnig* (Bistum Lavant; heute *Remšnik* in Jugoslawien) mit den Filialkirchen und -kapellen *St. Katharina in der Kappel* (heute *Kapla* in Jugoslawien) und *St. Pankraz am Radlach*[63].

Inkorporierte Pfarre *St. Georgen unter Stein* (Bistum Lavant) mit den Kapellen *St. Katharina* (im Schloß Stein) und *Maria Magdalena* (Karner auf dem Friedhof)[64].

Inkorporierte Pfarre *St. Peter und Paul zu Möchling* (Patriarchat Aquileia) mit der Filiale *St. Leonhard in der Abtei.*

Inkorporierte Pfarre *St. Laurentius zu St. Lorenzen in der Wüste* (Patriarchat Aquileia; heute *Lovrenc na Pohorju* in Jugoslawien) mit den Filialkirchen *St. Radegund* in St. Lorenzen und der Kapelle *St. Nikolaus* in *Schloß Faal* (heute *Fala* in Jugoslawien)[65].

Kirche *Maria Hilf in der Wüste* oder *an der Radl* (Patriarchat Aquileia; heute *Devica Marija v Puščavi*). Der Bau der nahegelegenen *St. Anna-Kapelle* ist für 1658/59 erwähnt.[66]

Kirche *Unserer lieben Frau zu Rast* (Patriarchat Aquileia; heute *Marija v Rušah*). 1625 wurde hier ein Vikariat errichtet.[67]

Die Vogtei über die genannten Pfarren und Kirchen stand, mit Ausnahme von St. Martin im Granitztal (insoweit war zu dieser Zeit die Herrschaft Kollnitz zuständig), der Abtei St. Paul zu.

In der Folgezeit erwarb das Stift St. Paul 1639 auch die Vogtei über die Kirche *St. Martin im Granitztal*, deren Pfarre seit der Mitte des 12. Jahrhunderts dem Kloster inkorporiert war; mit dem Erwerb der *Herrschaft Kollnitz* im Jahre 1651 fiel dem Stift außerdem die Vogtei über *Burg* und *Kapelle Kollnitz* (*St. Pankraz und Florian*) zu.[68] 1656 soll im Zusammenhang mit dem Kauf des Amtes *Goding* auch die dortige Kirche dem Kloster St. Paul inkorporiert worden sein.[69] Im Jahre 1685 löste sich die Pfarre *Pustritz* vom alten Pfarrverband St. Martin im Granitztal ab.[70] Nachdem Abt Philipp Rottenhäusler (1661–1677) im Jahre 1667 die *Herrschaften Lavamünd und Loschental* erworben hatte, ließ sein Nachfolger Albert Reichart (1677–1727) anstelle der verfallenen Burg Loschental eine *Kapelle zu Ehren des hl. Josef* erbauen, die 1687 eingeweiht und wohl der Pfarre St. Erhard als Filialkirche angegliedert wurde.[71] 1760 wurde *St. Radegund am Eis* (bisher Filiale von St. Martin im Granitztal) aus dem Einflußbereich des Stifts St. Paul herausgenommen und der neuerrichteten Kuratie St. Nikolaus in Gorentschach (bisher Filiale von St. Agnes bei Völkermarkt) inkorporiert.[72] Im Jahre 1786 gelangte die Filialkirche zum *Heiligen Kreuz* in *Andersdorf,* die bis dahin zur Pfarre Lavamünd gehört hatte, als Filiale an die *Pfarre St. Georgen unter Stein.*[73] Abgesehen hiervon erfuhr jedoch der Pfarrbestand des Stifts St. Paul bis zu dessen endgültiger Aufhebung im Jahre 1787 keine wesentlichen Änderungen.[74] 1783 hatte der Konvent noch 36 Mitglieder, von denen 14 auswärts in der Seelsorge tätig waren.[75]

Die Wiederbesiedelung

Den Ende September 1807 aus dem Schwarzwald ausgewanderten Mönchen von *St. Blasien* oblagen auch in ihrer Zwischenheimat *Spital am Pyhrn* neben ihren Lehraufgaben zu Klagenfurt seelsorgliche Verpflichtungen: Wohl nicht unmittelbar die Pfarren des Stiftes *Spital (Spital* selbst, *Windischgarsten, St. Pankraz, Vorder-* und *Hinterstoder).* Dagegen die *Seelsorgsaushilfe* in *Klagenfurt* „wie solche vorhin von dem *Franziskaner-Konvente* geleistet worden“ war[76]; war doch die Franziskanerniederlassung zu Klagenfurt eigens für die St. Blasier Zuwanderer aufgehoben worden. Die Übergabe des Stiftes St. Paul im Jahre 1809 an die St. Blasier Mönche entledigte diese zwar ihrer Spitaler Verpflichtungen, hatte jedoch zur

Folge, daß ihnen in ihrer endgültigen Heimat neue Pfarraufgaben erwuchsen.[77] Zum einen war dies die vollständige Übernahme von fünf der alten inkorporierten Pfarren nebst Filialkirchen (*Stiftspfarre, St. Martin im Granitztal, St. Georgen unter Stein, Pustritz* und *St. Paul unter Hornburg*). Zum anderen hatte das Stift zusammen mit den *Dotationsherrschaften St. Paul, Eberndorf* und *Leonstein zu Pörtschach* auch die auf diesen ruhenden *Patronatslasten* und *Vogteirechte* für weitere über 20 Pfarren auf sich zu nehmen. In der *Religionsfondsherrschaft St. Paul* deckte sich das *Patronat* mit den übernommenen fünf inkorporierten Pfarren nebst deren Filialkirchen; die *Vogtei* hatte das Stift hier jedoch nicht nur über diese Pfarren und Kirchen, sondern zusätzlich auch über die Kirchen *St. Kollmann bei Griffen* und *St. Radegund am Eis,* die Pfarrkirche *Maria Rojach*, die Filialkirche zur *Hl. Dreifaltigkeit in Lavamünd* und die Kuratiekirche *St. Oswald ob Hornburg* im Görtschitztal, deren Patronat von anderer Stelle ausgeübt wurde. In der *Studienfondsherrschaft Eberndorf* oblag dem Stift das *Patronat* über die Pfarren *St. Johann Baptist zu Ebriach, St. Michael in Eisenkappel, St. Oswald in Seeland*[78]*, St. Jakob zu Gallizien, St. Veit im Jauntal* und *St. Maria zu Gutenstein* oder *am See* (heute *Prevalje* in Jugoslawien), das Kuratbenefizium *St. Ägidius im Markt Gutenstein* (heute *Guštanj* in Jugoslawien), die Pfarre *St. Kanzian*, die Pfarre *St. Martin zu Leifling* (heute *Libeliče* in Jugoslawien), das Kuratbenefizium *St. Andreas und Jakob zu Tscherberg* (heute *Črneče* in Jugoslawien), die Pfarren *St. Lorenzen zu Stein im Jauntal, St. Helena zu Sittersdorf, St. Stephan zu Schwabegg* und *St. Maria zu Globasnitz,* die Kommendenpfarre *St. Bartholomä am Rechberg* und die Pfarre *St. Stefan unter Feuersberg*; zu den Vogteirechten über diese Kirchen nebst etwa 40 Filialkirchen trat noch die Vogtei über die *Propstei- und Pfarrkirche Eberndorf* mit neun Filialkirchen (das Patronatsrecht war seit 1775 landesfürstlich). Die *Studienfondsherrschaft Leonstein zu Pörtschach* war für das Stift St. Paul mit dem *Patronat* über folgende Pfarren, einschließlich insgesamt zehn Filialkirchen, verbunden: Pfarre *St. Primus und Felizian zu Maria Wörth, St. Michael zu Schiefling, St. Martin am Techelsberg* und *St. Georg zu Friedlach* sowie die Kuratie *St. Johann Baptist zu Pörtschach*; die *Vogteirechte* sind der Literatur nicht eindeutig zu entnehmen. Während die *Vogteirechte* wohl im Laufe des 19. Jahrhunderts verschwanden, verblieben dem Stift St. Paul die *Patronatsrechte* bis in das 20. Jahrhundert; die Abtei mußte sogar beim Verkauf der Herrschaft Leonstein zu Pörtschach im Jahre 1910 das Patronat über *Maria Wörth* behalten.[79] Erst im Jahre 1968 konnte das Stift sich von den alten *Patronatslasten* über *Maria Wörth* und die bis dahin noch verbliebenen Pfarren aus der ehemaligen *Herrschaft Eberndorf* befreien; im gleichen Jahre mußte es auch aus Personalmangel die verhältnismäßig weit entfernt gelegene Pfarre *St. Paul unter Hornburg* (*Klein St. Paul* im Görtschitztal) dem Bistum Klagenfurt-Gurk übergeben.[80] Die seelsorgerlichen Aufgaben des Stifts St. Paul zu Klagenfurt waren bereits mit dem Verkauf der Klagenfurter Niederlassung an das Bistum im Jahre 1902 entfallen.[81]

Bis heute erfüllt das Kloster St. Paul in den noch verbliebenen vier inkorporierten Pfarren *St. Paul, St. Georgen unter Stein, St. Martin im Granitztal* und *Pustritz* mit den angeschlossenen Filialkirchen wichtige Aufgaben in der modernen Seelsorge.

DIE STIFTSPFARRE UND IHRE FILIALEN

STIFTSKIRCHE[82]

(Patrozinium: Pauli Bekehrung, 25. Jänner)

Die mächtige *Stiftskirche* von St. Paul, eines der bedeutendsten und größten romanischen Gotteshäuser

Österreichs, ist nicht nur das Herzstück des seit 900 Jahren bestehenden Benediktinerklosters, sondern auch der geistige Mittelpunkt des Ortes St. Paul und seiner Umgebung. Seit 1786/87 trat sie als Pfarrkirche an die Stelle der Erhardikirche, eine Funktion, die lediglich während der Zeit der Klosteraufhebung von 1940 bis 1945 vorübergehend wieder auf St. Erhard überging.[83]

Zahlreiche *Kapellen* scharten sich im Laufe der Zeit um die Stiftskirche: Auf der Empore zwischen den beiden Türmen befand sich, wie in vielen alten Kirchen, seit alters eine *Michaelskapelle,* bis hier Anfang des 17. Jahrhunderts eine neue Orgel aufgestellt wurde.[84] Abt Heinrich I. Zoeck (1325–1356) ließ an der Südseite der Stiftskirche im Winkel zwischen Lang- und Querhaus die kleine *St. Jakobs-Kapelle* als Grabkapelle erbauen, die 1618 abgetragen wurde und von der heute nur noch die Gewölbeansätze zu erkennen sind.[85]

Die *Marienkapelle*, in der spätestens seit 1423 die Herren von Rabenstein ihre Begräbnisstätte hatten und die daher als *Rabensteinerkapelle* bekannt ist, stammt aus der Zeit nach dem großen Brand von 1367 und wurde in der Folgezeit mehrfach ausgeschmückt[86]; sie dient heute als *Konventskapelle* dem täglichen mönchischen Chorgebet, nachdem sie in den Jahren 1984/85 grundlegend restauriert und liturgiegerecht ausgestattet worden war.

Im Jahre 1618 erfolgte die Altarweihe der durch Abt Hieronymus Marchstaller in den Kreuzgang eingebauten heutigen *Kapelle zur Schmerzhaften Muttergottes*; an die Errichtung der Rosenkranzbruderschaft im Jahre 1619 erinnert noch heute die Ausmalung von 1621, die im Jahre 1980 ergänzt wurde. Unter Abt Albert Reichart (1677–1727) erhielt diese Kapelle ebenso wie die zur Gruftkapelle des Abtes ausersehene *Auferstehungskapelle* eine üppige hochbarocke Stuckierung.[87] Abt Albert Reichart war es auch, der über der Sakristei einen geräumigen *Winterchor* errichten ließ, in welchem die Christnacht 1687

Abb. 105:
Osternachtfeuer „IHS" am Johannesberg

das erste hl. Meßopfer erlebte und der noch im 19. Jahrhundert Ausschmückungen erfuhr.[88]

Die *Meßfeier* als Zentralpunkt des religiösen Lebens bietet in den Pfarren des Stifts St. Paul ebenso wie im gesamten Lavanttal und ganz Kärnten besonders an den Hochfesten des Kirchenjahres und an den Patrozinien die Gelegenheit zur Entfaltung lebendiger liturgischer Fülle. Darüber hinaus begleitet reiches *religiöses Brauchtum* mit Kirchtagen, Bittagen, Andachten, Prozessionen, Umgängen, Wallfahrten und anderen, oft uralten Bräuchen den Ablauf des Jahres.[89] Für St. Paul selbst seien vor allem drei Ereignisse beispielhaft hervorgehoben: Der *Pauli-Bekehr-Sonntag* (der dem Patrozinium nächstliegende Sonntag) wird als das große Stifts- und Pfarrfest gefeiert, zu dem auch die Nachbaräbte von St. Lambrecht und Admont erscheinen. Die *Hauptandacht* am *Fest des Dornengekrönten Hauptes Jesu Christi* (Montag nach dem fünften Fastensonntag) schließt wie im gesamten Kärnten eine gläubig begangene vorösterliche Gebetswoche ab. Den Höhepunkt jedoch stellt die *Osternacht* dar, wenn sich im Anschluß an die offizielle Liturgie die Gläubigen am prächtig geschmückten hl. Grab versammeln und unter Böllerschüssen nochmals das *österliche Halleluja* und das *Auferstehungslied* nach einer alten Kärntner Melodie erklingen. Unter Mitwirkung zahlreicher Trachtenvereine und -kapellen führt ein *Umzug* aus der Kirche auf die Südterrasse des Stiftshügels und wieder zurück in das Gotteshaus, währenddessen auf der gegenüberliegenden *Marleite* hinter der Meierei ein viele Meter langes Zeichen Christi als Symbol der österlichen Freude weithin sichtbar abgebrannt wird, das sogenannte *Abheizen Süßer Name Jesu.* Im Tal und auf den Bergen grüßen die unter Gebet und Tanz entzündeten Feuer der riesigen Haufen winterlichen Bruchholzes, das sogenannte *Osterhaufen-Heizen.* Die Geistlichkeit begibt sich schon am Vormittag des Karsamstags in das Tal, um an verschiedenen Stationen in der sogenannten *Fleischweihe* die Segnung der Osterspeisen vorzunehmen (Kärntner Reindling mit Schinken, Kren, Würsten und Eiern).

Abb. 106: Filialkirche St. Benedikt und Scholastika auf dem Weinberg

FILIALKIRCHE ST. ERHARD[90]
(Patrozinium: 8. Jänner)

Die alte Pfarrkirche *St. Erhard* zu Füßen des Stiftshügels geht in ihrer Bausubstanz auf die Zeit um 1400 zurück. Nach Zerstörungen durch die Soldaten des Grafen von Cilli in den Jahren 1439 und 1442 wiederaufgebaut, erfuhr die Kirche im Inneren 1623/25 eine durchgreifende Barockisierung. Gegen 1690 entstanden die beiden seitlichen Kapellen mit ihrem kräftigen barocken Stuck. Zahlreiche Ausstattungsstücke der 1864 und 1987/88 renovierten Kirche entstammen dem 18. Jahrhundert; der neugotische Hochaltar datiert von 1913. Spätgotische Freskenreste weisen in die Zeit um 1500.

Die Bedeutung dieser Kirche für den Ort St. Paul wird auch dadurch hervorgerufen, daß im Laufe des Kirchenjahres gut die Hälfte aller Gottesdienste hier wahrgenommen werden. *Hauptandacht, Maiandacht* und der *Oktober-Rosenkranz* sind besonders zu nennen.

Die Erhardikirche liegt am nördlichen Rand des alten Friedhofes. Hieran erinnern Grabsteine an den Kirchenwänden und die *Grabstätte* der 1809 eingewanderten *St. Blasier Mönche* an der Südseite der Friedhofsmauer.

FILIALKIRCHE ST. BENEDIKT UND SCHOLASTIKA AUF DEM WEINBERG[91]
(Patrozinium: 21. März, 10. Februar)

Die erste Nachricht eines „Winperch" mit einer Kapelle rührt aus dem Jahre 1184. Der heutige Bau der fast einsam auf dem 533 m hohen Rainkogel (Talsohle 370 m) östlich von St. Paul jenseits der Lavant gelegenen Filialkirche *St. Benedikt und Scholastika* wurde 1669 neu errichtet. Während die zarte, mit Blumensträußchen untermischte Ornamentbemalung des Inneren im Jah-

Abb. 107: Filialkirche St. Margarethen

Abb. 108: Filialkirche St. Johann auf dem Johannesberg

re 1770 entstanden ist, stammt der Altar im wesentlichen noch aus der Erbauungszeit.

Außer den in allen Pfarren und Filialkirchen üblichen *Bittagen* wird hier das *Fest Mariae vom Guten Rat* (26. April) besonders feierlich begangen. Am ersten Samstag im Monat (*Priestersamstag*) gedenkt man in diesem Kirchlein, das zwei großen Ordensleuten geweiht ist, während eines Gottesdienstes vor allem des Anliegens der Priester- und Ordensberufe. Am *Dreinagelfreitag* (zweiter Freitag nach Ostern) nimmt bei der Kirche auf dem Weinberg eine Dreibergewallfahrt (*Dreibergelauf*) ihren Ausgang, die in aller Frühe nach einem Gottesdienst in das Tal hinab, auf den Josefsberg und von da auf den Johannesberg führt, wo jeweils eine zweite und eine dritte hl. Messe gefeiert werden; es lehnt sich dies an die bekannten *Kärntner Vierbergeläufe* an.

FILIALKIRCHE ST. MARGARETHEN[92]

(Patrozinium: 20 Juli)

Südöstlich von St. Paul liegt auf der anderen Seite der Lavant 436 m hoch auf einem Berghang unweit des gleichnamigen Dorfes die *Kirche St. Margarethen.* Die erste urkundliche Nennung eines Gotteshauses an dieser Stelle geschieht zwischen 1193 und 1220. Der barocke Bau weist über dem Nordportal die Jahreszahl 1658 auf. Aus dieser Zeit stammt auch der Hochaltar; Statuen des hl. Benedikt und der hl. Apollonia an den Chorwänden weisen auf die Schule des Bildschnitzers Michael Hönel hin, der zwischen 1625 und 1629 für das Stift St. Paul tätig war.

Der *Umgang* an dem dem Patrozinium nächstliegenden Sonntag wird besonders feierlich gestaltet.

FILIALKIRCHE ST. JOHANN AUF DEM JOHANNESBERG[93]

(Patrozinien: beide Johannes, 24. Juni, 27. Dezember)

Die 1091 unter den Dotationsgütern des Klosters St. Paul genannte Kirche St. Lamprecht „auf dem südlich ansteigenden Berg“ dürfte wohl als Vorläufer der heutigen *Kirche* auf dem *Johannesberg* anzusehen sein.[94] Ein frommer Einsiedler namens Dietrich errichtete neben der ursprünglichen Kapelle seine Behausung. Notleidenden half er mit gemeinsamem Gebet und dem Wasser aus einer benachbarten Quelle, das sich in seinen Händen zu duftendem Öl verwandelte und so zum Einreiben der Kranken diente; eine Quelle unter der Johanneskirche heißt noch heute das „Ölbründl“ und erinnert an jene wundersamen Heilungen.

Der steinerne gotische Bau von 1375, geweiht den Heiligen Johannes dem Täufer und Johannes Evangelist sowie bestehend aus Ober- und Unterkirche, erhielt im oberen Teil seine heutige Gestalt während des 17. Jahrhunderts. Eine umfassende Renovierung erfolgte im Jahre 1878, eine erneute Außenrenovation im Jahre 1988. Aus einer Höhe von etwa 605 m grüßt der anmutig geschwungene Biedermeierhelm des Turmes mit der kleinen Laterne den zu Füßen des Berges sich ausbreitenden Markt St. Paul (Talsohle 370 m).

Dieses für besondere Anlässe beliebte Gotteshaus ist ein Ziel zahlreicher *Wallfahrten*, von denen diejenige der Frauen des Dekanates St. Andrä am *Fest Mariae Heimsuchung* (2. Juli) und diejenige am *Annatag* (26. Juli) hervorgehoben seien. Am ersten Sonntag im September (*Schutzengelsonntag*) beten hier zum Schuljahresbeginn vor allem die Eltern für ihre Kinder. Die *Weinweihe* am Fest des hl. Johannes Evangelist (27. Dezember) hat gerade am Johannesberg tiefere Bedeutung.

Abb. 109: Filialkirche St. Josef auf dem Josefsberg

FILIALKIRCHE AUF DEM JOSEFSBERG[95]

(Patrozinium: 19. März)

20 Jahre nach dem Erwerb der Burg und Herrschaft Loschental durch das Stift St. Paul weihte man im Jahre 1687 auf dem 685 m hohen Berg südöstlich von St. Paul an der Stelle der damals schon verfallenen Burg Loschental die erste *Kirche* zu Ehren des *hl. Josef* ein. Der 1720 eingeweihte vergrößerte Neubau, 1784/85 nach einem Brand von 1782 wiederhergestellt, wurde 1787 auf Befehl Kaiser Josephs II. als überflüssig geschlossen; das gläubige Volk erreichte jedoch 1796 die Wiederaufnahme der Gottesdienste. Der spätbarocke Hochaltar enthält einige Figuren des 1628 für die Stiftskirche St. Paul gelieferten mächtigen Hochaltars von Michael Hönel.

Ein zur letzten Hügelhöhe führender *Prozessionsweg* mit gemauerten Nischenstationen (Darstellungen aus dem Leben des hl. Josef) endet gegenüber dem Turm der Kirche vor einer nischenartigen Kapelle, die eine geschnitzte Kreuzigungsgruppe aus dem 18. Jahrhundert birgt.

Die vielbesuchte Wallfahrtskirche sieht besonders an drei Festen des Kirchenjahres große Scharen gläubigen Volkes aus dem gesamten Lavanttal: Am *Josefitag* (als Tag des ersten Landespatrons Kärntens schulfrei), am *Ostermontag* und *Pfingstmontag*; die Jugend erbittet sich hier den richtigen Ehepartner. Der jetzige Abt des Stifts St. Paul Bruno Rader rief zu Beginn des Jahres 1981 eine Bittprozession an jedem ersten Samstag im Monat (*Priestersamstag*) ins Leben, deren Anliegen die Priester- und Ordensberufe sind und die sich starken Interesses erfreut. Das hochgelegene Gotteshaus ist wie geschaffen für die wöchentlichen *Wettermessen* in der Zeit von Mitte Juli bis 24. August (hl. Bartholomäus), in denen um Schutz vor Katastrophen und um eine gute Ernte gebetet wird. Mit dem *Wetterläuten* künden die Glocken vom Herannahen eines Unwetters.

KAPELLE AUF DEM KALVARIENBERG[96]

Der *Kreuzweg* zu dem Felsen am südöstlichen Ausläufer des *Herzogberges* östlich von St. Paul jenseits der Lavant (Meereshöhe 440 m) wird bereits in der ersten Hälfte des 19. Jahrhunderts erwähnt. Eine zusätzliche gemauerte Kreuzwegstation enthält eine etwas unterlebensgroße Schnitzfigur des am Ölberg betenden Christus, eine in der Nähe befindliche Naturgrotte eine Plastik der büßenden Maria Magdalena, beides aus dem zweiten Viertel des 18. Jahrhunderts. Die zwölfte Stationskapelle wurde 1851 etwas vergrößert und mit einem Altar versehen, für den 1865 die Meßerlaubnis erteilt wurde. Eine 1866 angebaute Vorhalle wurde 1879 in

Abb. 110: Pfarrkirche St. Georgen unter Stein

ein kleines Langhaus verwandelt und mit der alten Kapelle in Verbindung gebracht. Die Bemalung stammt aus jener Zeit.

Gut besucht sind vor allem bei günstiger Witterung die, oft mit einem Vorfrühlingsausflug verbundenen, *Kreuzwegandachten* an allen Fastensonntagen. Die *Fastengottesdienste* an jedem Freitagnachmittag der Fastenzeit bereiten auf den Höhepunkt der *Kreuzwegandacht am Karfreitag* vor, bei der nach alter Tradition die zwölfte Station zur *Todesstunde des Herrn* um 15.00 Uhr gebetet wird, verbunden mit der Karfreitagspredigt. Das alte Kärntner *Judaslied* am Gründonnerstag geht von der Pfarre St. Georgen aus.

DIE PFARRE ST. GEORGEN IM LAVANTTAL

PFARRKIRCHE ST. GEORGEN[97]

(Patrozinium: 23. April)

Unterhalb der Burgruine Stein auf einem vorspringenden Felsen des Koralpenhanges breitet sich das Dorf St. Georgen (ehemals mit dem Beinamen „unter Stein“) aus. Im Vergleich

Abb. 111: Pfarrkirche St. Martin

Abb. 112: Filialkirche St. Nikolaus am Windischen Weinberg

zu anderen Orten erhielt das Stift St. Paul hier verhältnismäßig spät pfarrliche Rechte (1245/46 Patronat, 1485 Inkorporation). Während der mächtige Ostturm der *Pfarrkirche* in spätromanische Zeit zurückreicht, wurde das Langhaus in der Barockzeit verlängert; die Ausstattung entstammt meist der Zeit um 1720/30 und dem 19. Jahrhundert, die Ausmalung dem Jahr 1985.

Der spätromanische Karner mit Kegeldach und barockem Zwiebelhelm, früher der hl. Maria Magdalena geweiht, ist heute zu einer Fatimakapelle umgestaltet.

Unter den zahlreichen *Bittagen* und *Prozessionen* ragt vor allem die auf eine fromme Legende zurückzuführende *Buß- und Fußwallfahrt* nach *Maria Osterwitz* in der Steiermark (Gehzeit acht Stunden) am Wochenende um den 24. Juni (Johannes d. T., früher Sonnenwende) hervor, die samstags angetreten und sonntags beendet wird. Die *Prozessionen* an den sogenannten *drei kleinen Bittagen* (die drei unmittelbaren Tage vor Christi Himmelfahrt) und am sogenannten *großen Bittag* (Markustag, 25. April) führen zu benachbarten Pfarren und Kirchen, deren Gläubige umgekehrt auch nach St. Georgen kommen; sie stehen oft unter dem *Schutz des hl. Kreuzes.*

FILIALKIRCHE ZUM HL. KREUZ IN ANDERSDORF[98]

(Patrozinium: Kreuzerhöhung, 14. September)

Erst im Jahre 1786 wurde die *Filiale zum hl. Kreuz* in der nur 1 km entfernten Ortschaft *Andersdorf* der Pfarre St. Georgen einverleibt (vorher Pfarre Lavamünd). Eine Kirche ist hier 1497 erwähnt. Der heutige barocke Bau, renoviert 1963, besitzt eine Ausstattung aus der Mitte des 18. Jahrhunderts und eine Ausmalung aus dem 19. Jahrhundert.

DIE PFARRE ST. MARTIN IM GRANITZTAL

PFARRKIRCHE ST. MARTIN[99]

(Patrozinium: 11. November)

Weithin sichtbar erhebt sich auf einer niedrigen Anhöhe am Eingang des Granitztales die *Pfarrkirche St. Martin*, eine

Abb. 113: Prozession am Windischen Weinberg

ursprüngliche Eigenkirche der Herren von Kollnitz, die im Jahre 1145 über den Erzbischof von Salzburg an das Stift St. Paul gelangt ist. Der heutige Bau geht auf gotische Zeit zurück, wurde jedoch später barockisiert. An die Herren von Kollnitz, die hier ihre Grablege hatten, erinnern Epitaphien des ausgehenden 16. Jahrhunderts und ein prächtig geschnitzter Totenschild.

Der romanische Karner im Friedhof wurde 1985 zu einer modernen Kapelle umgestaltet.

Das *Martinifest* wird gerade hier mit einem *Laternenumzug* der Kinder am Vorabend des 11. November besonders prächtig eingeleitet. Wie anderwärts sind *Bittprozessionen* und *Wallfahrten* aus dem Leben der Gemeinde nicht wegzudenken; *verlobte Wallfahrten* (aus bestimmten Anlässen versprochen) führen am *Dreinagelfreitag* (zweiter Freitag nach Ostern) zum *hl. Grab bei Bleiburg* und am *Florianitag* (4. Mai) nach *Siebending* im Lavanttal. Als eindrucksvoller Brauch wird in St. Martin bei *Begräbnissen* die Messe noch zusammen mit dem Toten in der Kirche gefeiert. Die alte Sitte, daß der Pfarrer von St. Martin an dem dem *Radegundisfest* (13. August) nächstgelegenen Sonntag in *St. Radegund am Eis* den mit einem Umzug verbundenen Festgottesdienst feiert, erinnert an die Zeit früherer pfarrlicher Zusammengehörigkeit.

FILIALKIRCHE ST. NIKOLAUS AM WINDISCHEN WEINBERG[100]

(Patrozinium: 6. Dezember)

An einer Wegkehre vom Granitztal herauf nach Langegg liegt malerisch auf einer Waldwiese das dem *hl. Nikolaus* geweihte *Kirchlein*, das im Jahre 1184 erstmals als Kapelle namentlich in Erscheinung tritt. Ein 1279 eingeweihter Bau wurde im 15. Jahrhundert von den Türken zerstört, später aber von der Bevölkerung wiedererrichtet. Das Erscheinungsbild des heutigen Gotteshauses aus dem 17. Jahrhundert wird von den barocken Veränderungen geprägt.

Besonders beliebt in der Bevölkerung sind der Gottesdienst am sogenannten *Kleinostersonntag* (Sonntag nach Ostern) und die *Prozession* am *großen Bittag* (Markustag, 25. April). Nicht nur am *Patroziniumstag*, sondern auch

Abb. 114:
Pfarrkirche Mariae Heimsuchung in Pustritz

Abb. 115:
Pfarrkirche Pustritz, Blick zum Hochaltar

in der Zeit von den *Bittagen vor Christi Himmelfahrt* bis in den *Spätherbst* findet regelmäßig jeweils am letzten Sonntag im Monat hier eine hl. Messe statt.

Die Pfarre und Pfarrkirche Pustritz[101]

(Patrozinium: Mariae Heimsuchung, 2. Juli)

Die im Mittelalter wohl selbständige *Pfarre Pustritz* gelangte später als Filiale zu St. Martin im Granitztal, bis sie sich im Jahre 1685 von dort wieder löste.

Eine Marienkirche wird hier am Südosthang des Bergmassivs der Saualpe (786 m) spätestens 1196 ausdrücklich genannt. Die in ihrem Mauerbestand noch romanische, von Resten der ehemaligen Wehranlage umgebene Bergkirche erfuhr bis 1516 durchgreifende bauliche Veränderungen. Das spätgotische Netzrippengewölbe des Altarraumes dürfte auf die Zeit um 1500 zurückzuführen sein; das Tonnengewölbe des Kirchenschiffs ist eine Schöpfung des 19. Jahrhunderts. Die reiche Ausstattung aus der Zeit vom 16. Jahrhundert bis 19. Jahrhundert hängt wohl damit zusammen, daß Pustritz seit je ein beliebter Wallfahrtsort für die nähere und weitere Umgebung ist. Abt Albert Reichart von St. Paul (1677–1727), der Pustritz sehr geschätzt haben muß, ließ 1685 an der Nordseite der Kirche die Kapelle der Schmerzhaften Muttergottes erbauen, vor deren Altar im Boden sein Herz beigesetzt wurde.

Der schloßartige Pfarrhof, ehemals Wohnsitz der Adelsfamilie Prödl, kam 1685 schenkweise an das Stift St. Paul.

Seit 1988 betreut der Pfarrer von Pustritz als Pfarrer auch die benachbarte Pfarre Wölfnitz.

Ebenso wie das *Marienpatrozinium* ragen die Feste der beiden weiteren *Kirchenpatrone Valentin* (14. Februar) und

Katharina (25. November) im Kirchenjahr hervor. Vor allem an *Marienfeiertagen,* am sogenannten *Pustritzer Sonntag* (Sonntag vor Pfingsten) und am *Pfingstdienstag* finden auch heute noch zahlreiche Wallfahrer den Weg nach Pustritz. Die Pustritzer wallfahren an mehreren Tagen des Jahres umgekehrt zu Orten der weiteren Umgebung, so am *Dreinagelfreitag* zum *hl. Grab bei Bleiburg,* am *großen Bittag* zum *Windischen Weinberg* und am *Florianitag* nach *Griffen.* Der Gottesdienst mit *Kräuterweihe* am Sonntag vor *Mariae Himmelfahrt* (15. August) hat in Pustritz besondere Bedeutung.

Pfarren und Filialkirchen zur Zeit des Abtes Hieronymus Marchstaller

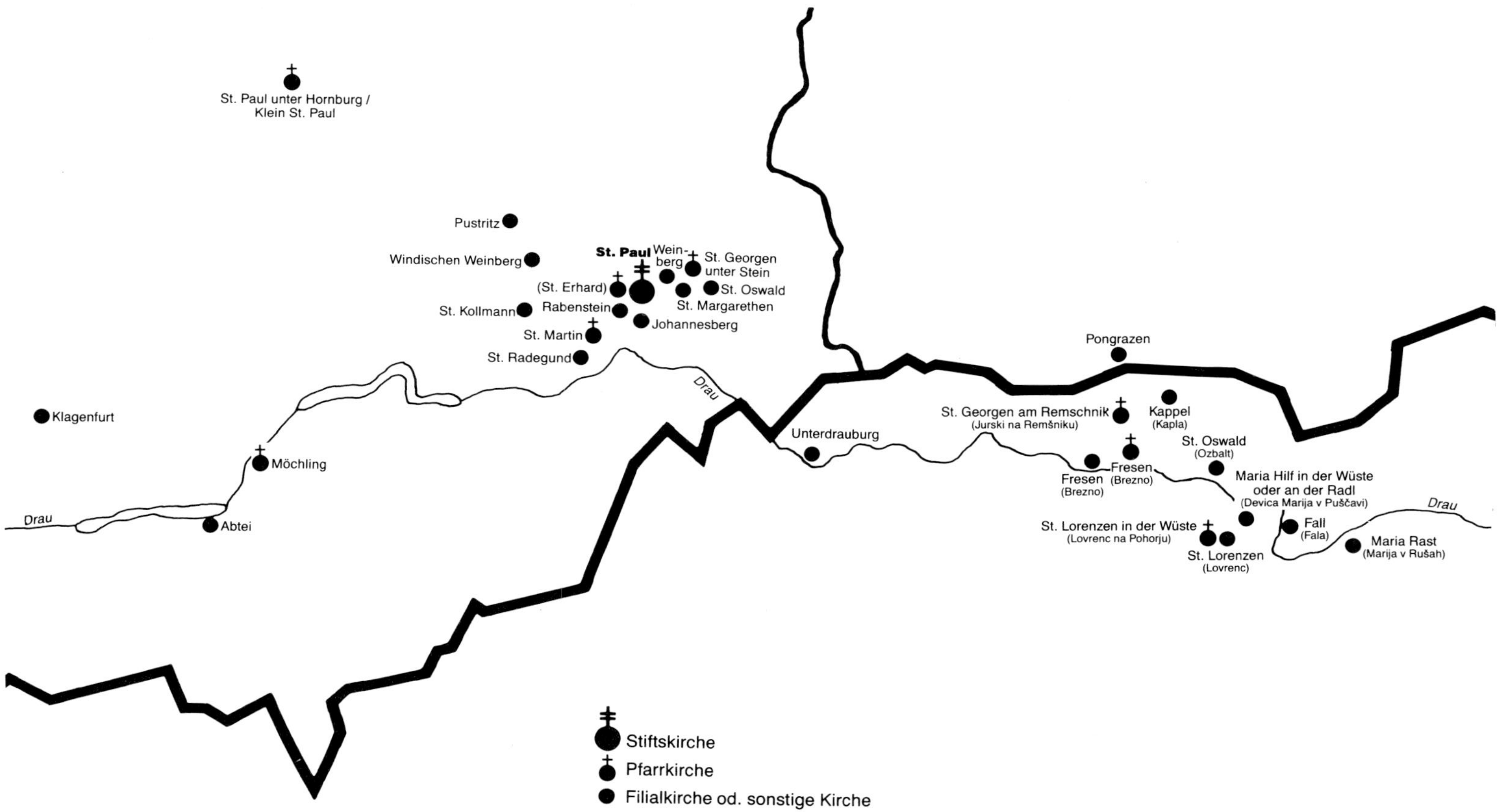

Pfarren und Patronate im 19. Jahrhundert

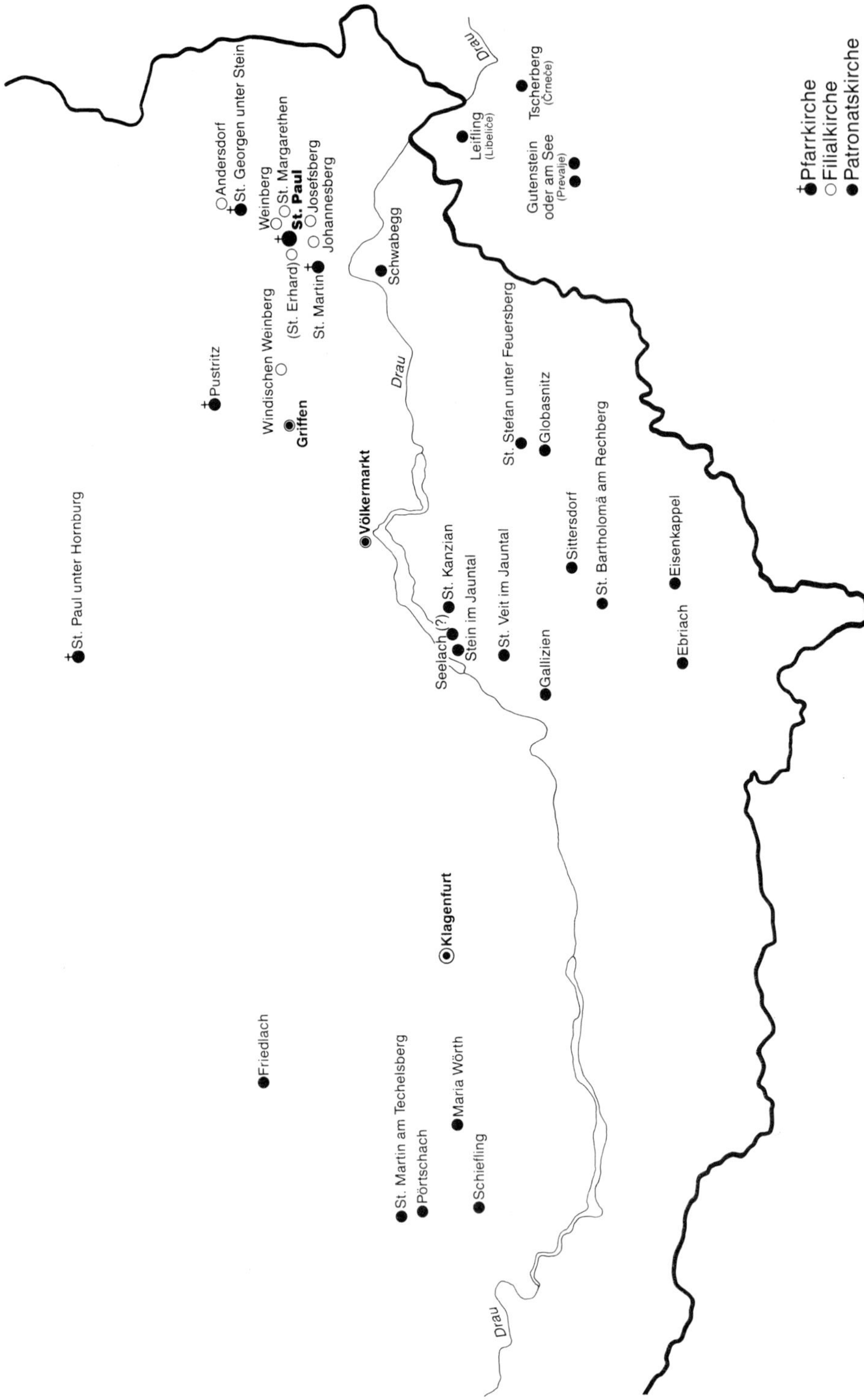

ANMERKUNGEN

1. Wegen des Ausfalles des ursprünglich vorgesehenen Bearbeiters hat der Verfasser kurzfristig der Bitte der Schriftleitung entsprochen, diesen Beitrag auszuarbeiten. Es war deshalb nur möglich, die wichtigste allgemeine Literatur durchzuarbeiten; auf ein ausführlicheres Studium von Quellen oder tiefergehender Spezialliteratur mußte verzichtet werden. So handelt es sich vorliegend mehr um eine (bisher offenbar fehlende) zusammenfassende allgemeine Darstellung der in der Literatur bereits bekannten kirchlichen und pfarrlichen Verhältnisse; auftauchende Probleme können nur angedeutet, nicht aber gelöst werden.
   Für die Darstellung der pfarrlichen Verhältnisse des Stifts St. Paul bis zur Aufhebung 1782/87 wurden im wesentlichen folgende Publikationen herangezogen: *Überörtlich:* ERLÄUTERUNGEN ZUM HISTORISCHEN ATLAS der österreichischen Alpenländer. II. Abteilung, Die Kirchen- und Grafschaftskarte, 8. Tl., Kärnten, 1. Kärnten südlich der Drau, AVGT 45 (1956); DASS., 2. Ost- und Mittelkärnten nördlich der Drau, AVGT 52 (1958); W. FRESACHER, Die ältesten Kirchen im Lavanttale, in: FG St. Paul (1959), S. 476–491; A. v. JAKSCH, Geschichte Kärntens bis 1335, 2. Bd., 1246–1335 (1929); E. KLEBEL, Zur Geschichte der Pfarren und Kirchen Kärntens, Car. I 115 (1925), S. 1–47; I. OROŽEN, Das Bisthum und die Diözese Lavant, in: Personalstand des Bisthums Lavant (1868–1874); H. PIRCHEGGER, Der Besitz der Kärntner Klöster und Pfarren in der Steiermark, Car. I 151 (1961), S. 514–519. – *St. Paul, allgemein:* ÖKT 37 (1969); B. SCHROLL, Necrologium des Benediktinerstiftes St. Paul im Lavantthale, Sd. aus AVGT 10 (1866), S. 33–240; DERS., UB St. Paul (1876); DERS., Das Benediktinerstift St. Paul, Car. 66 (1876), S. 57–73, S. 89–104, S. 121–137, S. 169–184, S. 217–227, S. 265–276 u. S. 287; DERS., Hieronymus Marchstaller, Abt des Benedictiner-Stiftes St. Paul im Lavantthale, 1616–1638 (1891); W. SCHÜTZ, Die kirchenrechtliche Stellung des Klosters St. Paul nach den Papsturkunden aus der Zeit von 1099 bis 1195, JbSP (1953/54), S. 3–6, (1954/55), S. 3–11. – *St. Paul, Besitz:* W. FRESACHER, Der Besitz des Klosters St. Paul in Kärnten, in: FG St. Paul (1959), S. 25–66; O. LAMPRECHT, Der älteste Besitz des Stiftes St. Paul im steirischen Draulande, ZS des Historischen Vereines Steiermark 46 (1955), S. 112–124; DERS., Der mittelalterliche Besitz des Stifts St. Paul auf dem Remschnik, Car. I 147 (1957), S. 334–349; DERS., Der mittelalterliche Besitzstand des Stiftes St. Paul im Lavanttal an der Pössnitz, in: FG St. Paul (1959), S. 67–76; DERS., Der Besitz des Stiftes St. Paul i. L. in der Mark hinter dem Drauwalde, Car. I 151 (1961), S. 520–533.
2. Zum Bistum Gurk u. a.: G. HÖDL, Vom Kloster zum Salzburger „Eigenbistum" – Die Gründung des Bistums Gurk 1072, in: Hemma von Gurk. Ausstellungskatalog Schloß Straßburg (1988), S. 39–48; hier im übrigen auch S. 450 u. S. 456; J. R. KUŠEY, Joseph II. und die äußere Kirchenverfassung Innerösterreichs, Kirchenrechtliche Abhandlungen 49 und 50 (1908; Nd. 1965), S. 106–115; J. OBERSTEINER, Bistum Gurk, in: Die Zeit der frühen Habsburger, Dome und Klöster 1279–1379. Ausstellungskatalog Wiener Neustadt (1979), S. 175–178.
3. Zum Bistum Lavant u. a.: KUŠEY, Joseph II. (wie Anm. 2), S. 115f; I. OROŽEN, Das Bisthum und die Diözese Lavant (wie Anm. 1); 750 Jahre Bistum Lavant, 1228–1978 (1978).
4. Zum Bistum Laibach u. a.: KUŠEY, Joseph II. (wie Anm. 2), S. 103–105.
5. Zum Bezirk Millstatt u. a.: EBD., S. 32.
6. Zu dieser Einteilung u. a.: EBD., S. 289–293.
7. Hierzu: EBD.
8. OROŽEN 1868 (wie Anm. 1), S. 140–142.
9. Zu diesem Abschnitt: SCHÜTZ, Kirchenrechtliche Stellung (wie Anm. 1), mit weiteren Hinweisen.
10. Zu diesen Vorgängen: SCHROLL, St. Paul (wie Anm. 1), S. 93f.
11. ÖKT 37 (1969), S. 22f.
12. SCHROLL, Marchstaller (wie Anm. 1), S. 165f., S. 227–234.
13. EBD., S. 166.
14. EBD., S. 108–110, S. 165–168, S. 170–187.
15. Vgl. SCHROLL, Necrolog (wie Anm. 1), S. 106, S. 117, S. 147; UB ST. PAUL, S. 83f., S. 90, S. 100.
16. HISTORISCHER ATLAS 2 (wie Anm. 1), S. 49; SCHÜTZ, Kirchenrechtliche Stellung 1953/54 (wie Anm. 1), S. 3.
17. Zu den frühen pfarrlichen Verhältnissen des Lavanttales: FRESACHER, Kirchen (wie Anm. 1), S. 476–491, mit weiteren Hinweisen; HISTORISCHER ATLAS 2 (wie Anm. 1), S. 33–39, S. 44.
18. ÖKT 37 (1969), S. 21; HISTORISCHER ATLAS 2 (wie Anm. 1), S. 49f.; UB ST. PAUL, S. 209–213; SCHROLL, St. Paul (wie Anm. 1), S. 72.
19. ÖKT 37 (1969), S. 44, S. 97; SCHROLL, Marchstaller (wie Anm. 1), S. 139f.
20. ÖKT 37 (1969), S. 44f.; SCHÜTZ, Kirchenrechtliche Stellung 1953/54 (wie Anm. 1), S. 3.
21. FRESACHER, Besitz Kärnten (wie Anm. 1), S. 28–30; ÖKT 37 (1969), S. 489; HISTORISCHER ATLAS 2 (wie Anm. 1), S. 65f. (dies nur für Gorentschach); OROŽEN (1874) (wie Anm. 1), S. 364f., S. 390f.; SCHROLL, Necrolog (wie Anm. 1), S. 119; UB ST. PAUL, S. 5–7.
   Bei der Lamprechtskirche kann es sich kaum um St. Lamprecht oberhalb Ettendorf gehandelt haben, da die Kirche *in monte quoque meridiem versus obposito* (also südlich vom Kloster) genannt wird (UB ST. PAUL, S. 6). Vielmehr wird allgemein angenommen, daß es sich um den heutigen Johannesberg handelt (FRESACHER und SCHROLL, ebd.). Anderer Ansicht wohl unzutreffenderweise HISTORISCHER ATLAS 2 (wie Anm. 1), S. 40.
   Gorentschach („Gorinsig") legt SCHROLL (ebd.) als St. Radegund aus; unklar HISTORISCHER ATLAS 2 (ebd.).
   Bei der *villa Rouste* handelt es sich nach LAMPRECHT, Besitz steir. Drauland (wie Anm. 1), S. 112, *nicht* um das erst ab 1184 genannte *Maria Rast* am Südrand des Draufeldes westlich von Marburg.
22. OROŽEN 1874 (wie Anm. 1), S. 391. SCHROLL, Necrolog (wie Anm. 1), S. 119. SCHROLL, Marchstaller (wie Anm. 1), S. 85, S. 100f.
23. SCHROLL, Necrolog (wie Anm. 1), S. 114; UB ST. PAUL, S. 8; SCHÜTZ, Kirchenrechtliche Stellung 1953/54 (wie Anm. 1), S. 4.
24. Zum Weinberg: SCHROLL, Necrolog (wie Anm. 1), S. 112; UB ST. PAUL, S. 11.
   Zu St. Philippen: FRESACHER, Besitz Kärnten (wie Anm. 1), S. 32; UB ST. PAUL, S. 24f.
   Möglicherweise hing mit dem frühen Besitz in St. Philippen auch zusammen, daß Abt Hieronymus Marchstaller Jahrhunderte später im Jahre 1627 auf dem *Christofberg* (südöstlich des Magdalensberges) den Grundstein zu einer Kirche legte; vgl. SCHROLL, Marchstaller (wie Anm. 1), S. 153 u. DEHIO-HANDBUCH Kärnten ([2]1981), S. 64f.
25. LAMPRECHT, Besitz hinter Drauwald (wie Anm. 1),

S. 522; SCHROLL, Necrolog (wie Anm. 1), S. 101; UB ST. PAUL, S. 26–29.

26. HISTORISCHER ATLAS 2 (wie Anm. 1), S. 202; JAKSCH, Kärnten (wie Anm. 1), S. 263.
27. SCHROLL, Necrolog (wie Anm. 1), S. 91f., S. 98f.; UB ST. PAUL, S. 19f.

    Es muß derzeit als offen gelten, um welches St. Martin es sich handelt. SCHROLL (Necrolog, ebd.) nimmt, allerdings ohne weiteren Nachweis, St. Martin bei Osterwitz in Untersteier an; an anderer Stelle (UB ST. PAUL, ebd.) bietet SCHROLL, unter Berufung auf andere Autoren, als weitere Möglichkeiten *St. Martin bei Windischgratz* (heute *Slovenigradec* in Jugoslawien), *St. Martin bei Osterwitz* in Kärnten oder *St. Martin im Kreis Cilli* (heute *Celje* in Jugoslawien) an. In Frage käme auch St. Martin am Ponfeld (nordwestlich von Klagenfurt), wo St. Paul umfangreicheren Besitz hatte; vgl. dazu HISTORISCHER ATLAS 2 (wie Anm. 1), S. 321f. Keinesfalls handelt es sich um *St. Martin im Granitztal*, da diese Kirche erst 1145 über den Erzbischof von Salzburg an das Stift St. Paul gelangt ist.
28. FRESACHER, Besitz Kärnten (wie Anm. 1), S. 33f.; HISTORISCHER ATLAS 2 (wie Anm. 1), S. 46f.; SCHROLL, Necrolog (wie Anm. 1), S. 120, S. 186; UB ST. PAUL, S. 84; SCHROLL, St. Paul (wie Anm. 1), S. 61; SCHÜTZ, Kirchenrechtliche Stellung 1954/55 (wie Anm. 1), S. 4.
29. FRESACHER, Besitz Kärnten (wie Anm. 1), S. 32.

    Hier wird angenommen, daß der Verlust um 1340 an die Habsburger erfolgte. Doch war es bereits 1240 im Streit mit Herzog Bernhard zur Scheidung zwischen herzoglichem und stiftlichem Markt gekommen; HISTORISCHER ATLAS 2 (wie Anm. 1), S. 97.
30. HISTORISCHER ATLAS 2 (wie Anm. 1), S. 83f.; SCHROLL, Necrolog (wie Anm. 1), S. 117; SCHÜTZ, Kirchenrechtliche Stellung 1954/55 (wie Anm. 1), S. 4.

    H. WIESSNER (Historischer Atlas, ebd.) geht davon aus, daß die Schenkung von *Völkermarkt* an das Stift St. Paul auch die Kirche *St. Ruprecht* umfaßt habe, betont aber, es sei mehr als zweifelhaft, „ob die Kirche faktisch im Besitze St. Pauls war". Tatsächlich errichtete auch Erzbischof Eberhard II. von Salzburg im Jahre 1231 ein Kapitel an St. Ruprecht (in der zweiten Hälfte des 13. Jahrhunderts an die 1240 gegründete Magdalenenkirche verlegt).
31. HISTORISCHER ATLAS (wie Anm. 1), S. 48, S. 56, S. 66, S. 78; KLEBEL, Pfarren und Kirchen (wie Anm. 1), S. 38; UB ST. PAUL, S. 109f.

    KLEBEL (ebd.) nimmt an, daß damit auch der gesamte westliche Teil des Pfarrgebietes von St. Martin aus der Pfarre Völkermarkt ausgeschieden worden sei. Dagegen H. WIESSNER (HISTORISCHER ATLAS, ebd., S. 48), wo der Kammverlauf der St. Pauler Berge als natürliche Grenze zwischen den Urpfarren Völkermarkt und St. Andrä angenommen wird.
32. Vgl. hierzu: FRESACHER, Besitz Kärnten (wie Anm. 1), S. 38f.; KLEBEL, Pfarren und Kirchen (wie Anm. 1), S. 30f.; HISTORISCHER ATLAS 2 (wie Anm. 1), S. 59–61, gibt hierfür nichts her.
33. LAMPRECHT, Besitz Remschnik (wie Anm. 1), S. 334f.; OROŽEN 1871 (wie Anm. 1), S. 133; SCHROLL, Necrolog (wie Anm. 1), S. 91f.; UB ST. PAUL, S. 29f.; SCHROLL, Marchstaller (wie Anm. 1), S. 2.
34. FRESACHER, Besitz Kärnten (wie Anm. 1), S. 34f.; ÖKT 37 (1969), S. 464, S. 467, S. 475, S. 489f.; HISTORISCHER ATLAS 2 (wie Anm. 1), S. 95; SCHROLL, Necrolog (wie Anm. 1), S. 117, S. 103f., S. 147, S. 148f.; UB ST. PAUL, S. 89–93, S. 100–102, S. 124f.; SCHROLL, St. Paul (wie Anm. 1), S. 66; SCHÜTZ, Kirchenrechtliche Stellung 1954/55 (wie Anm. 1), S. 4.

    Der Unterschied zwischen *Gorentschach* und *St. Radegund am Eis* ist nicht immer hinreichend deutlich zu erkennen. – Bewußt wird hier nicht auf die Frage der Fälschung des Privilegs des Papstes Cölestin III. von 1196 eingegangen; vgl. hierzu: FRESACHER, Besitz Kärnten (wie Anm. 1), S. 34 u. SCHÜTZ, Kirchenrechtliche Stellung 1954/55 (wie Anm. 1), S. 10.
35. HISTORISCHER ATLAS 2 (wie Anm. 1), S. 105–107; SCHROLL, Necrolog (wie Anm. 1), S. 171.
36. LAMPRECHT, Besitz Remschnik (wie Anm. 1), S. 335f.; OROŽEN 1871 (wie Anm. 1), S. 126; SCHROLL, Necrolog (wie Anm. 1), S. 148f.; UB ST. PAUL, S. 104–107; SCHROLL, St. Paul (wie Anm. 1), S. 62.
37. HISTORISCHER ATLAS 2 (wie Anm. 1), S. 152–154; KLEBEL, Pfarren und Kirchen (wie Anm. 1), S. 6, S. 40; SCHROLL, St. Paul (wie Anm. 1), S. 127f.; DERS., Marchstaller (wie Anm. 1), S. 6, S. 65.

    Die ältere Meinung vertritt SCHROLL (ebd.), während Jakob OBERSTEINER (Historischer Atlas, ebd.) die Schenkung an den Erzbischof in den Vordergrund stellt.
38. Die Schenkungsurkunde zugunsten des Erzbischofs von Salzburg trägt das Datum 8. März 1237; HISTORISCHER ATLAS 2 (wie Anm. 1), S. 152. Abt Konrad I. ist am 19. September 1237 verstorben; SCHROLL, Necrolog (wie Anm. 1), S. 70.
39. HISTORISCHER ATLAS 2 (wie Anm. 1), S. 41–43; SCHROLL, Necrolog (wie Anm. 1), S. 135, S. 148f.; UB ST. PAUL, S. 130–132; SCHROLL, St. Paul (wie Anm. 1), S. 66.
40. HISTORISCHER ATLAS 2 (wie Anm. 1), S. 41, S. 153; UB ST. PAUL, S. 488–493; SCHROLL, St. Paul (wie Anm. 1), S. 124, S. 127f.

    Die in ÖKT 37 (1969), S. 22 für St. Georgen unter Stein genannte Jahreszahl 1445 wäre richtigzustellen.
41. LAMPRECHT, Besitz Remschnik (wie Anm. 1), S. 347f.; SCHROLL, St. Paul (wie Anm. 1), S. 134.
42. ÖKT 37 (1969), S. 477; H. WIESSNER, Zur Geschichte der Burgen Rabenstein und Loschental, in: FG St. Paul 1959, S. 414f.; SCHROLL, Marchstaller (wie Anm. 1), S. 116–121, S. 152f., S. 162f.
43. UB ST. PAUL, S. 124f.; SCHROLL, St. Paul (wie Anm. 1), S. 66.
44. EBD., S. 178; SCHROLL, Marchstaller (wie Anm. 1), S. 54; zur Vogtei auch HISTORISCHER ATLAS 2 (wie Anm. 1), S. 57.
45. FRESACHER, Besitz Kärnten (wie Anm. 1), S. 44f.; SCHROLL, Marchstaller (wie Anm. 1), S. 72, S. 111f., S. 152f.
46. OROŽEN 1874 (wie Anm. 1), S. 287f.; SCHROLL, Necrolog (wie Anm. 1), S. 91; UB ST. PAUL, S. 21–23.

    Die Identifizierung ist allerdings unklar. Möglicherweise handelt es sich um *St. Michael in Roßwein* (heute *Razvina* in Jugoslawien); *Roßwein* bei Marburg nimmt auch Beda Schroll (ebd.) an.
47. SCHROLL, Necrolog (wie Anm. 1), S. 93f.; UB ST. PAUL, S. 28f.; SCHROLL, St. Paul (wie Anm. 1), S. 59f. Hier wird *Sackl im Sanntal* (heute Tal der *Savinja* in Jugoslawien, nordwestlich von *Cilli/Celje)* angenommen.
48. FRESACHER, Besitz Kärnten (wie Anm. 1), S. 33; HISTORISCHER ATLAS 1 (wie Anm. 1), S. 113f.; UB ST. PAUL, S. 80–82.

49. SCHROLL, Necrolog (wie Anm. 1), S. 99; UB ST. PAUL, S. 15–18 (hier *St. Michael in Frattmannsdorf*); JAKSCH, Kärnten (wie Anm. 1), S. 285, nimmt *St. Michael in Franz/Steiermark* an.
50. OROŽEN 1874 (wie Anm. 1), S. 391; SCHROLL, Necrolog (wie Anm. 1), S. 36, S. 117; UB ST. PAUL, S. 91–94, S. 100–102; SCHROLL, St. Paul (wie Anm. 1), S. 61; DERS., Marchstaller (wie Anm. 1), S. 73; SCHÜTZ, Kirchenrechtliche Stellung 1954/55 (wie Anm. 1), S. 4.
    Auch wenn es sich bei der 1091 genannten *villa Rouste* wohl *nicht* um das spätere *Maria Rast* handelt, so LAMPRECHT, Besitz steir. Drauland (wie Anm. 1), S. 112–115, so gehört dies doch gleichwohl zu den ältesten Besitzungen des Stifts St. Paul.
    Nach OROŽEN 1874 (wie Anm. 1), S. 277, S. 391–393, S. 397, soll die Pfarre *St. Lorenzen* samt der in der Nähe gelegenen Kirche *Maria in der Wüste (am Radl)* und der späteren Pfarre *Maria Rast* im Jahre 1190 von der untersteirischen Urpfarre *Kötsch* (heute *Hoče* in Jugoslawien) abgetrennt worden sein; ein genauer Nachweis ist nicht angegeben.
51. HISTORISCHER ATLAS 1 (wie Anm. 1), S. 113f.; OROŽEN 1874 (wie Anm. 1), S. 392f.; SCHROLL, Necrolog (wie Anm. 1), S. 153; UB ST. PAUL, S. 107f., S. 110f.; SCHROLL, St. Paul (wie Anm. 1), S. 62.
52. SCHROLL, Necrolog (wie Anm. 1), S. 171–173.
53. SCHROLL, Necrolog (wie Anm. 1), S. 172f.; UB ST. PAUL, S. 149f.
54. OROŽEN 1874 (wie Anm. 1), S. 365.
55. OROŽEN 1874 (wie Anm. 1), S. 391, S. 394–396, S. 427–431; SCHROLL, Marchstaller (wie Anm. 1), S. 100f.
56. OROŽEN 1874 (wie Anm. 1), S. 426f., S. 432f.
57. OROŽEN 1874 (wie Anm. 1), S. 367f.; SCHROLL, Necrolog (wie Anm. 1), S. 152, S. 184f.; DERS., St. Paul (wie Anm. 1), S. 101.
58. OROŽEN 1874 (wie Anm. 1), S. 417–421; SCHROLL, Marchstaller (wie Anm. 1), S. 85–87, S. 151f.
59. SCHROLL, Marchstaller, S. 152f.
60. Zusammenstellung EBD., S. 43–93.
61. Die Pfarre *St. Martin im Granitztal* gehörte nicht zu dem 1244 eingerichteten Sprengel des Bistums Lavant. Nach OROŽEN 1868 (wie Anm. 1), S. 140, wurde dieser Bezirk bis zur josephinischen Reform nicht verändert; es ist auch keine Quelle aufzufinden, die auf eine solche Veränderung hindeuten würde. Streitigkeiten zwischen den Bischöfen von Lavant und den Äbten von St. Paul zum Beispiel der Jahre 1421 und 1630 um die Bistumszugehörigkeit der Pfarre St. Martin im Granitztal – SCHROLL, St. Paul (wie Anm. 1), S. 98; DERS., Marchstaller (wie Anm. 1), S. 58–60 – sowie die Aufzählung von St. Martin unter der Diözese Lavant im Jahre 1754 – vgl. HISTORISCHER ATLAS 2 (wie Anm. 1), S. 36 – mögen eine Folge der immer unübersichtlicher gewordenen Bistumsverhältnisse in Kärnten und der Expansionsbestrebungen der Bischöfe von Lavant gewesen sein. Im Ergebnis wie hier: R. WANNER, in: HISTORISCHER ATLAS 2 (wie Anm. 1), S. 47f.
62. Ob *St. Oswald ob Hornburg* seinerzeit Filiale von *St. Paul unter Hornburg* war, bedarf wohl noch der Untersuchung (vgl. zu dieser Kirche ebd., S. 158f.).
63. Zwar bezeichnet SCHROLL, Marchstaller (wie Anm. 1), S. 91, in der Überschrift seiner Aufzählung diese Pfarre, im Unterschied zu den anderen Fällen, nicht ausdrücklich als inkorporiert, jedoch führt er an anderer Stelle (ebd., S. 300f.) diese Pfarre als inkorporiert an.
64. EBD., S. 214.
    Ob die Bezeichnung *filialis ecclesia* für die Kapelle auf der Burg in dem hier zitierten Visitationsprotokoll zutreffend ist, dürfte zweifelhaft sein.
65. Anläßlich einer Visitation von 1617 sind mehrere Kirchen und Kapellen im Bereich von St. Lorenzen genannt, von denen aber lediglich St. Radegund und St. Nikolaus ausdrücklich als *filia s. Laurentii* beziehungsweise *filialis s. Laurentii* bezeichnet werden (EBD., S. 80f.).
66. OROŽEN 1874 (wie Anm. 1), S. 421f.; SCHROLL, Marchstaller (wie Anm. 1), S. 180.
67. Siehe Anm. 54.
68. HISTORISCHER ATLAS 2 (wie Anm. 1), S. 46f., S. 38f.
    In diesem Zusammenhang ist interessant, daß im Jahre 1319 anläßlich der Zuweisung eines eigenen Pfarrsprengels an die Pfarre St. Ägidius in St. Paul sowohl das Stift St. Paul als auch die Pfarre St. Andrä *Burg und Kapelle Kollnitz* jeweils für sich beanspruchten, ein Streit, der durch den Erzbischof von Salzburg zugunsten von St. Andrä entschieden wurde.
69. EBD., S. 59.
70. L. KULL, Kirchen im Bereich des Stiftes St. Paul, 6. Tl., Die Pfarrkirche Pustritz, JbSP (1987/88), S. 40.
71. ÖKT 37 (1969), S. 457; SCHROLL, Necrolog (wie Anm. 1), S. 76, S. 181–183; WIESSNER, Zur Geschichte der Burgen Rabenstein und Loschental (wie Anm. 42), S. 419.
72. HISTORISCHER ATLAS 2 (wie Anm. 1), S. 66.
73. L. KULL, Kirchen im Bereich des Stiftes St. Paul, 7. Tl., Die Pfarrkirche St. Georgen im Lavanttal, JbSP (1988/89), S. 42f.
    Nicht ganz uninteressant mag sein, daß das Stift St. Paul schon seit seiner Gründung im Jahre 1091 in Andersdorf begütert war; FRESACHER, Besitz Kärnten (wie Anm. 1), S. 28, S. 34f. u. SCHÜTZ, Kirchenrechtliche Stellung 1953/54 (wie Anm. 1), S. 4.
74. Aufstellung bei TH. RASCHL, Aufhebung und Neubegründung des Stiftes St. Paul (1782–1809) 2. Tl., JbSP (1927/28), S. 29.
75. RASCHL, ebd., S. 3.
76. STA, Pack 91/449.
77. Die folgenden Ausführungen stützen sich auf: G.-J. LADSTÄTTER, Die Geschichte des Benediktinerstifts St. Paul im Lavanttal in Kärnten von 1809 bis 1848 (Diss. Wien, 1973), S. 37–39, S. 80f., S. 85, S. 277–280, S. 301, S. 312–314, S. 325, S. 331.
    Einige Abweichungen in den Patronats- und Vogteiverhältnissen enthält allerdings F. L. HOHENAUER, Kurze Kirchengeschichte von Kärnten (1850), so zum Beispiel S. 369 (*St. Radegund* und *St. Kollmann*), S. 368 (*Maria Rojach*), S. 303f. (*St. Paul unter Hornburg* und *St. Oswald ob Hornburg*), S. 373 (*St. Ägidius in Gutenstein*), S. 375 (*St. Bartholomäus am Rechberg* und *St. Stefan unter Feuersberg*), S. 270f. (*St. Martin am Techelsberg*), S. 281 (*St. Georgen zu Friedlach*).
    Die gelegentliche Erwähnung, das Stift St. Paul habe zu Beginn des 19. Jahrhunderts die Patronatslasten von 13 Pfarren übernehmen müssen – W. SCHÜTZ in: Das Lavanttaler Heimatbuch, Folge 25–29 (1954), S. 49 – läßt offensichtlich die Pfarren der 1910 verkauften Herrschaft Leonstein außer Betracht.
78. *St. Oswald in Seeland* war anhand des zur Verfügung stehenden Materials nicht zu identifizieren.
79. FRESACHER, Besitz Kärnten (wie Anm. 1), S. 61.
80. Diese Information verdanke ich einer Auskunft von Herrn Abt Bruno Rader OSB, Stift St. Paul und Herrn Archivar Dr. Peter Tropper vom Diözesanarchiv Klagenfurt.

81. Wie Anm. 79.
82. Zur Stiftskirche ganz allgemein: ÖKT 37 (1969), S. 44–167 (mit weiteren Hinweisen).
83. Die in HISTORISCHER ATLAS 2 (wie Anm. 1), S. 51, genannten pfarrlichen Verhältnisse dürften in dieser Form nicht zutreffend sein.
84. ÖKT 37 (1969), S. 97; SCHROLL, Marchstaller (wie Anm. 1), S. 138, S. 145.
85. Zur Jakobskapelle vor allem: ÖKT 37 (1969), S. 84f., S. 128; SCHROLL, Marchstaller (wie Anm. 1), S. 140.
86. Zur Rabensteinerkapelle vor allem: ÖKT 37 (1969), S. 95f., S. 104f., S. 121, S. 128f.; M. A. JELONEK, Die Rabensteinerkapelle und ihre Ausmalung, JbSP (1984/85), S. 47–52.
87. Zur Kapelle der Schmerzhaften Muttergottes und der Auferstehungskapelle vor allem: ÖKT 37 (1969), S. 97, S. 122, S. 124f., S. 144; SCHROLL, Marchstaller (wie Anm. 1), S. 142f.; A. HANZER, Die Bemalung der Stukkaturdecke der Kapelle der Schmerzhaften Muttergottes in der St. Pauler Stiftskirche, JbSP (1980/81), S. 25–27.
88. ÖKT 37 (1969), S. 98, S. 126, S. 144, S. 154, S. 488.
89. Die Ausführungen über das religiöse Brauchtum in St. Paul und den anderen Orten müssen sich aus Raumgründen auf Beispiele beschränken. Ich verdanke sie einem ausführlichen Gespräch mit Herrn Abt Bruno Rader und Einzelnachforschungen der Damen und Herren des Ausstellungsteams.
90. Zur Erhardikirche vor allem: ÖKT 37 (1969), S. 449–457; HISTORISCHER ATLAS 2 (wie Anm. 1), S. 49–51, S. 53.
91. Zur Filialkirche auf dem Weinberg vor allem: ÖKT 37 (1969), S. 467–472, S. 490; HISTORISCHER Atlas 2 (wie Anm. 1), S. 54; CH. POTOTSCHNIG, Kirchen im Bereich des Stiftes St. Paul, 3. Tl., Die Filialkirche St. Benedikt und Scholastika auf dem Weinberg, JbSP (1983/84), S. 33f.
92. Zur Filialkirche St. Margarethen vor allem: ÖKT 37 (1969), S. 474–477, S. 490; HISTORISCHER ATLAS 2 (wie Anm. 1), S. 53f.; W. MÜNZER, Kirchen im Bereich des Stifts St. Paul, 4. Tl., Die Filialkirche St. Margarethen, JbSP (1984/85), S. 45f.
93. Zur Kirche auf dem Johannesberg vor allem: ÖKT 37 (1969), S. 464–467, S. 489; HISTORISCHER ATLAS 2 (wie Anm. 1), S. 53; W. MÜNZER, Kirchen im Bereich des Stiftes St. Paul, 2. Tl., Die Filialkirche St. Johann auf dem Johannesberg, JbSP (1982/83), S. 37f.
94. Siehe oben Anm. 21.
95. Zur Kirche auf dem Josefsberg vor allem: ÖKT 37 (1969), S. 457–463, S. 489; HISTORISCHER ATLAS 2 (wie Anm. 1), S. 53; W. MÜNZER, Kirchen im Bereich des Stiftes St. Paul, 1. Tl., Die Filialkirche St. Josef auf dem Josefsberg, JbSP (1981/82), S. 41–43.
96. Zur Kapelle auf dem Kalvarienberg vor allem: ÖKT 37 (1969), S. 472f.
97. Zur Pfarrkirche St. Georgen vor allem: HISTORISCHER ATLAS 2 (wie Anm. 1), S. 41–43; L. KULL, Wie kam vor 500 Jahren die Pfarre St. Georgen an das Stift St. Paul?, in: Pfarrblatt der St. Pauler Stiftspfarren 6, Nr. 2 (Februar 1985); DERS., Die Pfarrkirche St. Georgen im Lavanttal, JbSP (1988/89), S. 42 f.
98. Wie Anm. 97.
99. Zur Pfarrkirche St. Martin vor allem: HISTORISCHER ATLAS 2 (wie Anm. 1), S. 46–48; L. KULL, Kirchen im Bereich des Stiftes St. Paul, 8. Tl., Die Pfarrkirche St. Martin im Granitztal, JbSP (1989/90), S. 45–47.
100. Wie Anm. 99.
101. Zur Pfarrkirche Pustritz vor allem: S. HARTWAGNER, Pfarrkirche Pustritz (o. J.); HISTORISCHER ATLAS 2 (wie Anm. 1), S. 56f.; KULL, Die Pfarrkirche Pustritz, ebd. (wie Anm. 70), S. 40–43.

Verbrüderungswesen und institutionalisiertes Totengedenken im Stift St. Paul

MARKUS J. WENNINGER

Unter den vielfältigen Aufgaben des Mönchtums nahmen die sogenannten Gebetsverbrüderungen[1] im Mittelalter und in der frühen Neuzeit eine wichtige, heute freilich nicht mehr ganz leicht nachvollziehbare Position ein. Sie ermöglichten ihren Mitgliedern, einander durch den Austausch von (geistlichen) Gaben, gegenseitiger Beherbergungspflicht und anderem Wohltaten zu erweisen und für ihr Seelenheil zu sorgen; dazu steigerten sie das Zusammengehörigkeitsgefühl der in sie eingebundenen Personen und Institutionen auf vielfältige Weise, nicht zuletzt dadurch, daß sie – da sie in Vertragsform abgeschlossen wurden – auch ein rechtliches Verhältnis zwischen ihnen begründeten. Dadurch waren sie aber auch Instrumente einer gegenseitigen sozialen Kontrolle und nicht zuletzt deshalb ungemein wichtig bei der Durchführung gemeinsamer geistlicher Anliegen, insbesondere bei den verschiedenen Reformbestrebungen. Darüber hinaus und manchmal vor allem waren sie eine Möglichkeit der Kleriker, ihnen bzw. ihren Kirchen oder Klöstern von Laien erwiesene Wohltaten (d. h. in der Regel Spenden und Stiftungen) in adäquater Form zu erwidern.[2] Klösterliches Leben diente damit nicht nur dem eigenen Seelenheil, sondern erhielt unter anderem dadurch gesellschaftliche Funktion, als es auch dem Seelenheil anderer Personen zugute kommen konnte.

Schon früh wurde im Christentum im Rahmen liturgischer Feiern auch abwesender, aber für die Gemeinschaft wichtiger Personen gedacht. Erhöhte Bedeutung hatte dieser Brauch naturgemäß an Orten, an denen man häufig Messen las und gemeinsam betete, also vor allem in Klöstern, wo er im Rahmen der Gemeinschaftspflege einen besonderen Rang einnahm. Denn Gedenken, *memoria*, bedeutete insbesondere im feierlichen Rahmen der Liturgie nicht nur die Erinnerung an den räumlich oder zeitlich (da schon verstorben) Entfernten, sondern durch die (korrekte!) Nennung seines Namens auch seine Vergegenwärtigung[3] und damit seine Einbindung in die feiernde Gruppe. Die *Memoria* konnte so eine Gemeinschaft der am Ort Gegenwärtigen mit Abwesenden herstellen; genannt wurden dabei vor allem für die Gruppe wichtige Personen wie Papst, Bischof, Kaiser[4], Stifter oder Verbrüderungsmitglieder. Sie konnte aber auch die in der christlichen Religion enthaltene Gemeinschaft der Lebenden und der Toten sinnfällig machen, indem der verstorbenen Mitglieder des eigenen Konvents oder verbrüderter Gemeinschaften oder auch bestimmter anderer Personen gedacht wurde.[5]

Gebete und damit verbundene Fürbitten wurden nicht nur als asketische Übung, als Gespräch der Betenden mit Gott oder überhaupt als etwas gesehen, was sich nur zwischen den Betenden und ihrem Gott abspielt, sondern wie andere sündentilgende Werke als etwas, was bei Gott Wirkung hervorzurufen imstande war, ja – da es eine Gabe an Gott darstellte – diese Wirkung im Sinn einer Gegengabe geradezu erzwingen konnte! Mit Gebet und Fürbitte, Fasten und Almosengeben konnte man demnach Gottes Beistand, Hilfe und Gnade beliebigen Personen, die dessen besonders bedurften, zukommen lassen, und zwar Lebenden wie Toten, deren Sünden auf diese Art noch nachträglich gesühnt werden konnten.[6]

Solcher Unterstützung bedurfte man vor allem in schwierigen Situationen. Keine Situation war aber für den einzelnen letztlich so schwierig wie der Tod, der Moment des Hintretens vor den gerechten, strengen und vor allem auch allwissenden Richter, der selbst noch um die geheimsten Sünden Bescheid wußte. In keiner Situation bedurfte er daher auch so sehr der Unterstützung, und das umso mehr, als er sich nun ja selbst nicht mehr helfen konnte. Mittelalterlichen Rechts- und Gerichtsvorstellungen entsprach es, in solchen Situationen für Personen, die einem nahestanden, als Fürsprech tätig zu werden und so den Zorn des Richters zu besänftigen und eine möglichst milde Strafe zu erreichen oder sie doch wenigstens nachträglich zu verringern. Analog dazu konnten eifriges Gebet und andere (stellvertretende) Buße auch eine bereits ausgesprochene Strafe zu zeitlicher Verdammnis – später entwickelte sich dafür der Begriff des Fegefeuers – verkürzen und so die Seele früher in den Himmel gelangen lassen.[7] Sinnvoll schien es daher, sich gerade für den Fall des Todes und die unmittelbar darauf folgende Zeit das Gedenken und damit die Hilfe möglichst vieler Personen zu sichern, da auch dafür der Grundsatz galt, daß ein höherer Einsatz mehr Wirkung zeige.

Schon im Frühmittelalter schlossen sich daher verschiedene Mönchsgruppen zu Gemeinschaften („Gebetsverbrüderungen") zusammen, deren Aufgabe vor allem im Gebet für jüngst verstorbene Mitglieder lag. Neben einigen bis in die heidnische Antike zurückreichenden Wurzeln (Totenmahl, Totengedächtnistage u. a.)[8] liegen ihnen die erwähnten Vorstellungen über Funktion und Wirkung des Gebets nach dem Prinzip von Gabe und Gegengabe zugrunde, die sich vor allem im angelsächsischen Raum herausgebildet zu haben scheinen, aber auch auf dem Kontinent noch im 8. Jahrhundert offensichtlich weite Verbreitung fanden.[9]

Durch die Wirkungen, welche Gebete und Fürbitten bei Gott hervorzurufen imstande waren, bekamen sie heilsmäßige Bedeutung. Insofern die Betenden diese Wirkungen ganz bestimmten Personen zukommen lassen konnten, konnten sie auch ein Geschenk oder eine (Gegen-)Gabe an diese Personen darstellen, mit welchem man z. B. auch erwiesene materielle Wohltaten vergelten konnte. Dadurch erhielten das Gebet wie der (berufsmäßig) Betende eine erhebliche soziale Bedeutung. Denn geistliche Gemeinschaften konnten sich nun einerseits auf der Basis von Gegenseitigkeit zu Gebet, Fürbitte, Meßfeier und anderen verdienstvollen Werken verpflichten (Gebetsverbrüderungen); bezeichnend für die Rolle, die diese noch Jahrhunderte später in der klösterlichen Welt spielten, ist der Kommentar von Abt Hieronymus Marchstaller (1616–1638) zu den zahlreichen Verbrüderungen, welche St. Paul unter Abt Johann II. (1455–1483) einging: *Omnes cupiebant participare de bonis operibus et meritis, quae tum temporibus fiebant a fratribus Monasterii S. Pauli, quorum odor bonae vitae et sanctae conversationis longe lateque diffundebatur* (Alle begehrten, an den guten Werken und Verdiensten teilzuhaben, die damals von den Mönchen des Klosters St. Paul getätigt wurden, deren Ruf sich wegen ihres vorbildlichen Lebens und heiligen Umgangs weit und breit verbreitete)[10]. Sie konnten aber andererseits auch die materiellen Gaben der Klosterstifter oder anderer Personen mit sozialen bzw. Heilsgaben vergelten. Was dabei zunächst als Möglichkeit erschien, sich für erwiesene Wohltaten erkenntlich zu zeigen, entwickelte sich bald zum geschäftlichen Usus, ja geradezu zum Zwang.

Abb. 116: Titelblatt von „De Fundatione" des Abtes Hieronymus Marchstaller, 1619; STA, Cod. 1/0

Denn nach nicht nur in der mittelalterlichen abendländischen Kultur verbreiteten Vorstellungen erwirbt man sich mit einer Gabe das Recht auf eine Gegengabe. Der Stifter eines Klosters, der *benefactor* (Wohltäter, Spender) einer geistlichen Gemeinschaft, erwarb sich durch seine Gabe also das Recht auf eine angemessene Gegenleistung. Dazu gewährte ihm das Kloster *plenam societatem fraternitatis nostre tam in ieiuniis quam orationibus et vigiliis* (die volle Teilhaberschaft an unserer Verbrüderung sowohl im Fasten wie in den täglichen und nächtlichen Gebeten)[11], und die Verdienste dieser guten Werke sollten seinem und seiner Familie Seelenheil zugute kommen, ebenso wie die Armenspeisung und andere Almosen, die üblicherweise mit einem Gedenktag verknüpft waren[12].

Aus diesen Gründen stieg die Zahl jener Personen, derer von den Konventmitgliedern einzeln oder in gemeinsamen religiösen Handlungen gedacht werden mußte, rasch an. Da deren Wirkungen die beabsichtigten Adressaten aber nur dann erreichen konnten, wenn sie mit genügender Eindeutigkeit genannt waren, wurden in den Klöstern entsprechende Verzeichnisse (*Libri Memoriales, Libri Vitae, Libri Viventium*) angelegt, die während der Meßfeier auf den Altar gelegt wurden und damit die Anwesenheit der in ihnen Eingetragenen symbolisierten. Vor allem im Kreis der Cluniazenser und der von ihnen abhängigen Reformbewegung ging man von diesem undifferenzierten Gruppengedenken zu einem individuellen Totengedenken über und legte dazu kalendarisch geordnete *Necrologia* an[13], die an jenem Tag, an dem einer bestimmten Person gedacht werden sollte, deren Namen und häufig auch erläuternde Zusätze enthielten. Dieses Datum war in der Regel der Todestag der betreffenden Person oder zumindest ein diesem naheliegender Tag, eventuell auch der Tag des Eintreffens der Todesnachricht[14] oder ein mit der Verbrüderung in Zusammenhang stehendes Datum[15].

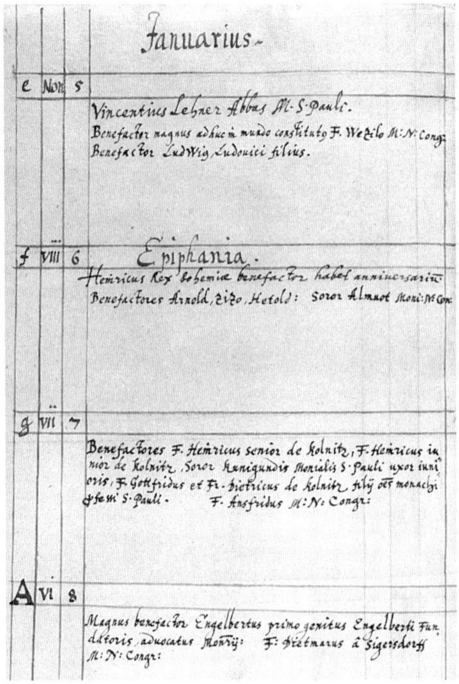
Januarius.
e Non 5
Vincentius Lehner Abbas M. S. Pauli.
Benefactor magnus adhuc in mundo constitutus F. Wezilo M: N: Congr:
Benefactor Ludwig, Ludouici filius.
f VIII 6 Epiphania.
Henricus Rex Bohemiae benefactor habet anniuersarium.
Benefactores Arnold, Zizo, Hetold: Soror Almuot Moni: N: Con:
g VII 7
Benefactores F. Henricus senior de Kolnitz, F. Henricus iunior de Kolnitz, Soror Kunigundis Monialis S. Pauli uxor iunioris, F. Gottfridus et Fr. Dietricus de Kolnitz filij oes monachi professi S. Pauli. F. Ansfridus M: N: Congr:
A VI 8
Magnus benefactor Engelbertus primo genitus Engelberti Fundatoris aduocatus Monrij: F: Dietmarus â Sigersdorff M: N: Congr:

Abb. 117: Nekrologseite aus „De Fundatione" des Abtes Hieronymus Marchstaller, 1619; STA, Cod. 1/0, fol. 118v

Aber auch eine Art Zufallsverteilung konnte mitunter eine Rolle spielen.[16]

Durch eine Analyse der in den Nekrologien genannten Personen können daher häufig verbrüderte Konvente mit dem ungefähren Datum der Verbrüderung, Stifter und ihre Familien oder andere für das Kloster wichtige Personen und damit auch entsprechende politische Bindungen[17] eruiert werden, auch wenn sonst keine Quellen mehr über sie vorhanden sind. Dagegen erlaubt eine Analyse der verbrüderten Klöster – auf die allein ich mich im folgenden beschränke, da die Stiftungen vor wenigen Jahren ausführlich behandelt wurden[18] – Rückschlüsse auf persönliche und institutionelle Bindungen eines Klosters, auf deren geographischen Umfang und zeitliche Abfolge und damit auch auf religiöse, kulturelle und politische Strömungen, die in einem Kloster wirkten.

Als Voraussetzung dieser Analyse ist eine Bestandsaufnahme der vom Stift

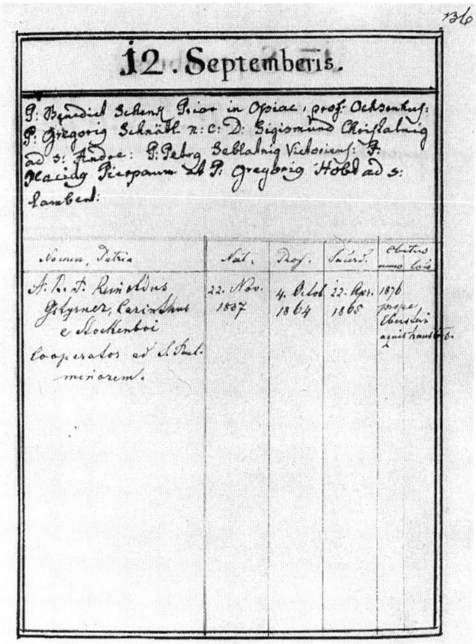

Abb. 118: Seite aus dem Nekrolog des Abtes Anselm Edling, 1780; STA, Cod. 1048/0, fol. 136r.

St. Paul geschlossenen institutionellen Verbrüderungen[19] unerläßlich, auch wenn klar ist, daß die so gewonnene Liste zumindest für das Mittelalter nicht vollständig sein kann, da viele Quellen verlorengegangen sind, insbesondere sämtliche Originale der Verbrüderungsurkunden und das mittelalterliche Nekrolog von St. Paul.

Als Hieronymus Marchstaller in den ersten Jahren seiner Tätigkeit in St. Paul auch an die Neuordnung des Archivs ging, fand er dort offensichtlich noch eine Reihe von Verbrüderungsurkunden vor, die es ihm zusammen mit anderen Quellen erlaubten, ein Nekrolog mit einem Teil der früher in St. Paul gehaltenen Gedenktage zu erstellen[20], dem er lateinische Regesten dieser Verbrüderungsurkunden in zeitlicher Reihenfolge voranstellte[21]. Ein im Archiv vorhandenes Heft mit Abschriften dieser Verbrüderungsurkunden[22] geht höchstwahrscheinlich ebenfalls auf ihn zurück.

Aus der Verwendung anderer Tinte und flüchtigerer Schrift sowie einem Handschriftenvergleich ist ersichtlich, daß zwar Marchstaller in dem von ihm angelegten Nekrolog nachträgliche Eintragungen vornahm, nicht jedoch seine Nachfolger. Erst 1780 wurden unter Abt Anselm II. von Edling die inzwischen hinzugekommenen Jahrtage zusammen mit den alten in einem neuen Nekrolog verzeichnet und diesem eine alphabetische Liste der damals noch existierenden verbrüderten Klöster (d. h. ohne die inzwischen aufgehobenen oder umgewandelten) vorangestellt.[23] Auch in diesem Nekrolog gibt es Nachträge, die einige Jahre über die Aufhebung von St. Paul 1782 hinausreichen[24], sowie weitere aus der zweiten Hälfte des 19. Jahrhunderts.[25]

Wir müssen davon ausgehen, daß St. Paul neben den durch diese Quellen bekannten noch eine Reihe weiterer Verbrüderungen geschlossen hat, und zwar auch schon im 12. Jahrhundert, der ersten Blütezeit des Verbrüderungswesens.[26] Tatsächlich lassen sich einige schon für diese frühe Zeit namentlich eruieren[27], und auch andere müssen schon vor der im folgenden genannten Zeit Verbrüderungen mit St. Paul eingegangen sein.[28]

Für zahlreiche Verbrüderungen bereits im ersten Jahrhundert des Bestehens von St. Paul spricht auch, daß gegen Ende des 12. Jahrhunderts die durch sie aufgelaufenen Verpflichtungen – allerdings nicht nur gegenüber anderen Klöstern, sondern ebenso gegenüber den diversen Stiftern – hier so zahlreich geworden waren, daß im Kloster entweder der Überblick verlorengegangen war oder der Wille, alle Gedenktage einzeln zu begehen (was eigentlich geschehen hätte müssen). Um 1193 richtete man nämlich am 9. Juli einen Jahrtag ein (. . .) *pro salute vivorum et pro remedio defunctorum ad nostram fraternitatem pertinentium generalis pro eis fiat elemosina, ut, si quid forte per tocius anni circulum in nostris elemosinis minus erogatum fuerat, talis celebratione elemosine suppleatur* (daß . . . für das Heil der Lebenden und als Hilfe für die zu unserer Brüderschaft gehörenden Hingeschiedenen ein allgemeines Gedenken für sie gemacht werde, damit, was vielleicht durch den Lauf des ganzen Jahres an unseren Gaben zuwenig verausgabt wurde, durch ein solches feierliches Gedächtnis ausgeglichen werde).[29] Die Sorge, seinen Verpflichtungen eventuell nicht genügend nachzukommen, spricht aus diesen Worten ebenso wie das Bewußtsein, daß die Wirkung der Gebetsleistung den Adressaten nur erreichen konnte, wenn man ihm zumindest in dieser allgemeinen Form einen eigenen Gedenktag einräumte.

Im folgenden werden die mit St. Paul verbrüderten Klöster und anderen geistlichen Institutionen in der zeitlichen Reihenfolge der Verbrüderungen aufgelistet; wurden mit einem Kloster im Lauf der Zeit mehrere Verbrüderungen geschlossen, erfolgt die Einordnung unter dem frühesten eindeutig festlegbaren Datum.[30] Zur Kennzeichnung, welche Verbrüderungen jeweils bekannt waren bzw. gepflegt wurden, werden die Namen der von Marchstaller in *De Fundatione* angeführten Klöster gesperrt gedruckt, die im Nekrolog von 1780 enthaltenen unterstrichen.

Jahr	Konvent(e)
ca. 1091	H i r s a u[31]
Mitte 12. Jh.	Melk[32], Traunkirchen (?)[33]
13. Jh. (?)	Lambach[34]
1305	St. Peter in Salzburg[35], Seckau[36], Erneuerung mit St. Lambrecht
1315 Feb. 2	G u r k[37]
1319 Jan. 18	M i l l s t a t t[38]
1335 Okt. 26	Kremsmünster[39]
1357 Mai 4	O b e r b u r g (Gornji Grad)[40]
1369 Juli 29	Tegernsee[41]
1377 Juni 9	E b e r n d o r f[42]
1380 – –	Ordensprovinz Deutschland der A u g u s t i n e r - E r e m i t e n[43]
1386 Juli 25	Oberaltaich[44]
1396 Aug. 14	Asbach
1459 – –	Vorau
1462 Mai 31	Michaelbeuern
1467 Juni 27	Viktring[45]
1474 – –	Arnoldstein
1474 Jan. 1	Seeon
1474 März 6	Reichenhall
1479 – –	Indersdorf[46]
1480 Jan. 1	E b e r s b e r g[47]
1480 Sept. 30	Griffen[48], Ossiach[49]
um 1480	Garsten[50], St. Nicolai/Passau[51]
1487/88 (?)	Klosterneuburg[52]
1494 Dez. 22	Admont[53]
1507 Juli 8	Formbach
1619 – 1638	Ochsenhausen[54]
nach 1619	Nonnberg, St. Pölten, Schottenstift (Wien)[55]
nach 1636	Montserrat[56]
1642 – –	St. Georgen a. Längsee[57]
1664 – –	Seitenstetten
um Mitte 17. Jh.	St. Veit a. d. Rott[58]
1680 – –	Erneuerung mit St. Andrä i. L.
1687 – –	Erneuerung mit Baumburg[59]
1691 – –	Gleink[60]
frühes 18. Jh.	Emaus/Prag[61], Raitenhaslach[62]
1. Hälfte 18. Jh.	Altenburg[63]
nach Mitte 18. Jh.	Göß[64], Niederaltaich[65]

Diese Liste von immerhin 46 verbrüderten Klöstern und einer Ordensprovinz ist allerdings kaum vollständig. Auf eine hohe Verlustrate der einschlägigen mittelalterlichen Quellen in St. Paul muß nämlich nicht nur aus den oben gezeigten Gründen geschlossen werden, sondern auch daraus, daß einige der angeführten Verbrüderungen deklarierterweise nur Erneuerungen von bereits früher einmal mit demselben Konvent geschlossenen Verbrüderungen sind, ohne daß uns diese letzteren bekannt wären. Schließlich belegt die Tatsache, daß etliche Verbrüderungen nur durch entsprechend zahlreiche Eintragungen von Mitgliedern des betreffenden Konvents im St. Pauler Nekrolog als gegeben angenommen werden müssen, ohne daß weitere Belege dazu vorhanden wären, einen nicht unbeträchtlichen Verlust solcher Urkunden auch noch in neuerer Zeit.

Eine Interpretation der hier dokumentierten Verbindungen und Aktivitäten des Stiftes St. Paul ist in mehrfacher Hinsicht möglich: durch Analyse und Vergleich der einzelnen Bestimmungen der verschiedenen Verbrüderungsurkunden, weiters unter eher kirchensoziologischen Gesichtspunkten nach der Ordenszugehörigkeit der verbrüderten Klöster, unter vorwiegend geographischen nach ihrer Lage und unter (kirchen-)geschichtlichen nach zeitlichen Schwankungen im Eingehen von Verbrüderungen.

Hinsichtlich ihrer Einzelelemente weisen die diversen Verbrüderungsurkunden beträchtliche Unterschiede auf. So versprach z. B. St. Peter den Mönchen von St. Paul, daß sie sich *plena fraternitate gaudeant in receptione chori, refectorii, dormitorii, ac si ex ipsis professis in eo loco essent* (der vollen Brüderlichkeit erfreuen [können] bei der Aufnahme im Chor, dem Refektorium und dem Dormitorium, gerade so, wie wenn sie am Ort die Profeß abgelegt hätten).[66] Durch die Aufnahme in das Refektorium und das Dormitorium, also in den Speise- und den Schlafsaal des Klosters, erhielten die St. Pauler in Salzburg freie Verpflegung und Unterkunft, was hier, am relativ häufig besuchten Bischofssitz, zweifellos von nicht zu unterschätzender Bedeutung war.

Die *plena fraternitas* (volle Verbrüderung) bzw. das *plenum ius fraternitatis* (volles Recht der Verbrüderung) bestand also, wie sich auch aus den anderen Urkunden erschließen läßt, darin, daß man sich nicht nur geistlichen, sondern auch leiblichen Beistand versprach. Bestimmungen entsprechenden Inhalts gab es auch in den Verbrüderungen mit Hirsau, St. Lambrecht, Seckau, Millstatt, Kremsmünster, Oberburg, Tegernsee, Eberndorf, Asbach, Viktring, Arnoldstein und Admont: Man versprach sich gegenseitig freundliche Aufnahme, die Brüder des jeweils anderen Konvents wie eigene zu behandeln oder ähnliches.

Aber auch die jeweiligen geistlichen Verpflichtungen unterschieden sich in charakteristischer Weise. Vor allem fällt bei einem Vergleich der Verbrüderungen des 14. und 15. Jahrhunderts ein Trend zu größerer Quantität und genauerer Festlegung der einzelnen Verpflichtungen auf. Denn während man sich im frühen 14. Jahrhundert ganz allgemein die gegenseitige Teilhabe an *orationibus, vigilis, eleemosinis, ieiuniis ac aliis bonis operibus* (täglichen und nächtlichen Gebeten, Almosen, Fasten und anderen guten Werken) versprach[67], wurden im weiteren Verlauf die einzelnen zu verrichtenden Handlungen immer genauer festgelegt. So verpflichteten sich die St. Pauler 1335 gegenüber den Kremsmünsterern, *ut (. . .) solennissime celebrent* (daß sie besonders feierlich begehen würden) *festum S. Agabidi[!] martyris Patroni in Krembsmünster,* und umgekehrt wollten diese am Fest Pauli Bekehrung das gleiche tun.[68]

In der Verbrüderung mit Oberburg taucht erstmals die in der Folge so oder so ähnlich übliche Bestimmung auf, daß, wenn ein Mitglied des einen Konvents stirbt und dies dem anderen mitgeteilt wird, dort sofort eine *commemoratio* abgehalten und jeder Priester drei Messen für den Verstorbenen lesen wird und daß darüber hinaus an einem bestimmten Tag *generale anniversarium in nostro Conventu pro fratribus vestris defunctis celebrabimus* (wir in unserem Konvent einen allgemeinen Jahrtag für eure verstorbenen Brüder feiern werden) und allen im Hause *solenne servitium in pane et vino et ceteris necessariis dabitur* (bei einem feierlichen Mahl Brot und Wein und übrige Lebensmittel gereicht werden).[69]

Seit der Verbrüderung mit Oberaltaich wurden teilweise neben den Priestern auch die Konversen zu Fürbitten für den Verstorbenen verpflichtet, indem sie eine bestimmte Anzahl (100, 140, 150) Paternoster für ihn beten mußten, in einigen Fällen zusätzlich die entsprechende Anzahl Ave Maria. Im 15. Jahrhundert wurde es schließlich üblich, auch die Verpflichtung, daß ein Kloster die ihm vom anderen mitgeteilten Namen der Verstorbenen in sein Nekrolog[70] einzutragen habe, in die Verbrüderungsurkunden mit aufzunehmen.

In dieser Entwicklung drückt sich jedenfalls die zunehmende Verschriftlichung aller Rechtsangelegenheiten während des Spätmittelalters aus, vielleicht aber auch eine damit zusammenhängende zunehmende Tendenz, eingegangene Verpflichtungen weniger dem Geist als dem Buchstaben nach zu erfüllen, so daß immer mehr Einzelheiten schriftlich geregelt wurden. Nicht umsonst mag in der Verbrüderung mit Reichenhall festgehalten worden sein, daß das Totengedenken *sine omni dilatione* (ohne jede Verzögerung) nach Eintreffen der Todesnachricht stattzufinden habe.[71]

Von den 46 mit St. Paul verbrüderten Klöstern gehören 32, also mehr als zwei Drittel, dem Benediktinerorden an (vier davon, Göß, Nonnberg, Traunkirchen und St. Georgen am Längsee, waren Nonnenklöster), elf den regulierten Chorherren, zwei (Raitenhaslach und Viktring) den Zisterziensern und eines (Griffen) den Prämonstratensern. Verbrüderungen erfolgten also in erster Linie innerhalb des eigenen (Männer-) Ordens und sollten vor allem dessen Zusammengehörigkeitsgefühl stärken, was bei Benediktinern und regulierten Chorherren von größerer Bedeutung war als bei den Zisterziensern und den jüngeren Orden, weil ihre Klöster in keinem so straffen Ordensverband zusammengefaßt waren wie die der letzteren.

Aber auch Gemeinsamkeiten in der Art des Totengedenkens dürften dabei von Bedeutung gewesen sein, denn während man im (benediktinischen) Reformmönchtum das individuelle Totengedenken förderte, wurde dieses von den Zisterziensern wieder auf ein pauschales, also ohne ausdrückliche Nennung einzelner Namen an einem bestimmten Tag, reduziert.[72] Durchaus bezeichnend sind gerade auch in diesem Zusammenhang die häufigen Verbrüderungen mit regulierten Chorherren, da dieser etwa gleichzeitig wie die benediktinischen Reformklöster und die Zisterzienser entstandene hochmittelalterliche Reformorden hinsichtlich Regel und Lebensweise den Benediktinern recht nahe stand, auch wenn seinen Angehörigen im Gegensatz zu jenen als eine ihrer Hauptaufgaben die öffentliche Seelsorge in den Pfarren gestellt war.

Da die Verbrüderungen mit Griffen, dem einzigen Prämonstratenserkloster in der Erzdiözese Salzburg[73], und Viktring sicher in erster Linie auf deren räumliche Nähe zu St. Paul zurückzuführen sind, bleibt als einzige, die wirklich aus dem Rahmen fällt, jene mit Raitenhaslach. Wahrscheinlich hat sie ihre Ursache in heute nicht mehr nachvollziehbaren persönlichen Beziehungen zwischen Angehörigen der beiden Klöster. Es mag aber auch eine Rolle gespielt haben, daß man in der Barockzeit anscheinend vom Prinzip der Gebundenheit an Klöster des eigenen Ordens etwas mehr abwich als früher.[74]

Wurden schon mit Zisterzienserklöstern nur in Ausnahmefällen Verbrüderungen geschlossen, so fehlen solche mit Angehörigen jüngerer Orden völlig, seien es nun Bettelorden, Jesuiten oder andere; nicht einmal zu den nahe gelegenen Klöstern der Franziskaner und später der Kapuziner in Wolfsberg oder der Dominikanerinnen in Mahrenberg suchte man eine entsprechende Verbindung. Hier scheint sich auch ein Klassenbewußtsein, vielleicht sogar ein Überheblichkeitsgefühl der alten Orden auszudrücken. Tatsächlich genossen sie vor allem im Mittelalter, aber auch später noch insofern eine gesellschaftliche

Vorrangstellung, als bevorzugt Angehörige der Oberschichten in sie eintraten und viele ihrer Stifte sogar ausschließlich Adeligen vorbehalten waren. Rechtlich wurden diese sogenannten Adelsstifte zwar im Zuge der klösterlichen Reform des 15. Jahrhunderts abgeschafft[75], aber die Praxis änderte sich nur langsam, zumal auch die Auffassung von streng unterschiedenen Aufgabenbereichen der einzelnen Orden weit verbreitet war und gerade Angehörige der jüngeren Orden oft eifersüchtig darüber wachten, daß diese Trennung aufrecht blieb. Nicht untypisch dafür ist die vom Dominikaner Domingo Soto auf dem Konzil von Trient 1546 dezidiert vertretene Meinung, „(. . .) es gebe bestimmte Orden (nämlich vor allem die Benediktiner und ihre Abkömmlinge), die dazu gegründet worden seien, sich ausschließlich der Meditation und dem Gebet für das christliche Volk zu widmen".[76] Auch im 17. Jahrhundert war das ordensgebundene Denken noch sehr stark, wie sich gerade zur Zeit Marchstallers bei einigen Versuchen, Benediktinerklöster zu überregionalen Kongregationen zusammenzufassen, zeigt, und ebenso im intensiven Bemühen, dem heruntergekommenen Kloster Arnoldstein wieder auf die Beine zu helfen, und zwar nicht zuletzt deshalb, weil es dem Benediktinerorden erhalten bleiben und nicht in die Hände der Jesuiten fallen sollte.[77] Es gab also, wenn auch aus unterschiedlichen Gründen, weder auf seiten der alten noch der neuen Orden besondere Ambitionen, miteinander in engere geistliche Beziehungen, wie sie Verbrüderungen darstellten, zu treten.

Geographisch ist bemerkenswert, daß die mit St. Paul verbrüderten Klöster zum allergrößten Teil in der Kirchenprovinz Salzburg bzw., politisch ausgedrückt, im bayrisch-österreichischen Raum lagen (siehe Karte), wobei kaum zu sagen ist, ob hierfür eher die kirchlichen oder die politischen Organisationsformen ausschlaggebend waren. Jedenfalls wurden diese Grenzen, abgesehen von der Verbindung mit dem Mutterkloster Hirsau, nach Westen und Norden nur je einmal (bei den Verbrüderungen mit Ochsenhausen bzw. Emaus) überschritten, wobei in beiden Fällen enge persönliche Beziehungen – die Herkunft eines St. Pauler Abtes aus Ochsenhausen bzw. eines Emauser Abtes aus St. Paul – ausschlaggebend waren.[78]

Nach Süden ist dagegen zwischen kirchlichen und politischen Grenzen zu differenzieren. Die Grenze zwischen den Kirchenprovinzen Salzburg und Aquileia bildete bis zur josephinischen Diözesanregulierung die nicht weit von St. Paul entfernte Drau, die aber gleichzeitig die Achse der innerösterreichischen habsburgischen Länder war. Trotzdem wurden nur mit wenigen südlich von ihr gelegenen Klöstern Verbrüderungen geschlossen, nämlich mit Arnoldstein, Eberndorf und Oberburg, d. h. mit den nächstgelegenen Stiften von Benediktinern und regulierten Chorherren. Eberndorf und Arnoldstein lagen nur knapp südlich der Drau in Kärnten, ihre Äbte gehörten daher ebenso wie der St. Pauler den Kärntner Landständen an, und das könnte mit ausschlaggebend für diese Verbrüderungen gewesen sein. Oberburg war dagegen nicht nur das nächste alte Stift im Süden, es lag vor allem am direkten Weg vom Lavanttal nach Krain und weiter nach Friaul, wo St. Paul mehrere Besitzungen hatte, und war daher für das Stift nicht ohne Bedeutung.

Auffällig ist schließlich auch das – jedenfalls nach Ausweis der vorhandenen Urkunden – völlige Fehlen von Verbrüderungen mit östlich von St. Paul, d. h. in der mittleren und unteren Steiermark gelegenen Klöstern. Das Fehlen von Benediktinerklöstern in diesem Gebiet mag dafür zwar mit ausschlaggebend sein, aber erstaunlicherweise wurde offensichtlich nicht einmal mit dem gleich jenseits der Koralpe gelegenen Chorherrenstift Stainz eine Verbrüderung geschlossen. Auch in den Südwesten der Kirchenprovinz Salzburg, in die Diözese Brixen, führten keinerlei Verbindungen.

Der weitaus größte Teil der mit St. Paul verbrüderten Klöster lag in einem Viereck mit den Eckpunkten Eberndorf, Wien, Oberaltaich und Tegernsee, also in Kärnten, der Obersteiermark (in diesen beiden Gebieten waren praktisch alle Benediktiner- und Chorherrenklöster miteingebunden), Salzburg, Österreich und dem südlichen und östlichen Bayern. St. Paul suchte also vor allem die Verbindung mit dem siedlungs- und missionsgeschichtlichen Hinterland, es sah sich auch nach Jahrhunderten seines Bestehens anscheinend noch als eine Art Vorposten im Südosten, der auch der ideellen Unterstützung und der Verbindung mit den nicht so grenznah gelegenen Klöstern bedurfte.

In der zeitlichen Abfolge der Verbrüderungen ist eine deutliche Wellenbewegung zu erkennen. So scheint es in der Anfangsphase des Klosters, also im 12. Jahrhundert und vor allem um dessen Mitte, eine Reihe von Verbrüderungen gegeben zu haben.[79] Das entspricht der aus anderen Klöstern bekannten Blüte des Verbrüderungswesens in dieser Zeit. Über das 13. Jahrhundert läßt sich mangels Quellen kaum etwas sagen; im 14. nahmen Verbrüderungen St. Pauls jedoch ab und kamen nach 1396 für gut sechs Jahrzehnte fast völlig zum Erliegen.[80] In der zweiten Hälfte des 15. Jahrhunderts erreichten sie jedoch einen umso deutlicheren Höhepunkt. Klar spiegelt sich in dieser Entwicklung die große Krise zur Zeit des päpstlichen Schismas bis hin zu den Reformkonzilen, aber auch der enorme Wiederaufschwung durch die klösterliche Reformbewegung des 15. Jahrhunderts, die gerade im südostdeutschen Raum mit der Melker Reform bei den Benediktinern und der Raudnitzer Reform bei den Chorherren zwei ihrer Höhepunkte erreichte.[81]

In St. Paul, das in der ersten Hälfte des 15. Jahrhunderts noch eine schwere Krise durchlebte, wirkte sich die Reform, die von St. Peter in Salzburg aus hierher verpflanzt wurde[82], freilich erst mit einigen Jahrzehnten Verspätung aus, obwohl schon 1428 Erzbischof Eberhard von Salzburg den Abt von St. Paul ermahnt hatte, sein Kloster zu reformieren – ein Zusammenhang dieser Bemühungen mit der für diese Zeit vermuteten Verbrüderung mit Kremsmünster wäre möglich – und 1451 eine (vorerst wenig erfolgreiche) Visitation stattgefunden hatte.[83] Dann brachte sie aber auch hier einen starken Aufschwung, der sich nicht nur in der großen Zahl von Verbrüderungen in dieser Zeit dokumentiert – vor allem mit Klöstern, die sich der Reformbewegung angeschlossen hatten; besonders bezeichnend dabei ist jene mit dem bayrischen Kloster Indersdorf, von dem aus die Raudnitzer Reform im bayrischen und österreichischen Raum verbreitet worden war[84] –, sondern auch in vielen Klostereintritten und reger Bautätigkeit. Das wieder gestiegene Interesse an Gebet und gegenseitiger Gebetshilfe zeigt sich auch in einem 1460 von St. Paul an das diesbezüglich anscheinend etwas nachlässige Kloster Millstatt gerichteten Schreiben, in welchem die Millstätter ermahnt wurden, für die Toten von St. Paul zu beten. Die Tatsache, daß die Millstätter drei Jahre später auch von Formbach eine entsprechende Mahnung erhielten[85], zeigt aber auch, daß die Verbrüderungen durch ihren Vertragscharakter zumindest ein gewisses Maß an gegenseitiger Kontrolle ermöglichten, die wohl nicht zuletzt bei der Verbreitung der verschiedenen Reformbewegungen von Bedeutung war.

Dieser neue Eifer mündete aber zunächst nicht in einer gesamtkirchlichen Reform, sondern in der Reformation. Für annähernd ein Jahrhundert setzte sich reformatorisches Gedankengut auch in Innerösterreich weitgehend durch und fand sogar im Kloster und unter den Äbten mehr oder weniger offene Anhänger. An eine aktive geistliche Tätigkeit der Mönche war deshalb lange kaum zu denken, bis – wie schon die

Melker Reform mit einer gewissen Verspätung – die mit der Gegenreformation verknüpfte sogenannte katholische Reform[86] in der Gestalt des aus Schwaben gekommenen Hieronymus Marchstaller (Abt 1616 – 1638) in St. Paul Fuß fassen konnte.

Barocke Frömmigkeit und neuer Reformeifer wurden nun ausschlaggebend. In diesem Zusammenhang reaktivierte Marchstaller nicht nur alte Verbrüderungen, wofür er als äußeres Zeichen ein neues Nekrolog anlegte[87], sondern unter ihm und seinen Nachfolgern wurden auch viele neue geschlossen. Dabei wurden die früher relativ engen Grenzen in mehrfacher Hinsicht überschritten: Verbrüderungen gab es nun auch mit Klöstern außerhalb des bayrisch-österreichischen Raumes (Ochsenhausen, Emaus/Prag)[88], mit Vertretern zumindest eines jüngeren Ordens (Zisterzienser von Raitenhaslach) und mit Frauenklöstern (Göß, Nonnberg, St. Georgen am Längsee). Die barocke Universalität blieb also auch auf die benediktinischen Klöster nicht ohne Auswirkung. Und wie schon früher kann auch nun wieder festgestellt werden, daß die aktive Verbrüderungspolitik eng mit einem quantitativen (hinsichtlich der Zahl der Klostereintritte)[89] wie qualitativen (strengere Beachtung der Ordensregeln, zahlreiche geistliche und geistige Aktivitäten)[90] Aufschwung des Klosters und einer regen Bautätigkeit[91] einhergeht.

So stellt sich nicht nur im Mittelalter, sondern auch in der früheren Neuzeit die Zahl und Art der von einem Kloster eingegangenen Verbrüderungen nicht nur als wichtiger Faktor der Religiosität seiner Mitglieder, sondern auch als recht sicherer Indikator der Aktivität und des Wohlergehens der klösterlichen Gemeinschaft dar.[92]

ANMERKUNGEN

1. Grundsätzliche Informationen dazu im LEXIKON DES MITTELALTERS, Bd. 2, Sp. 738ff.; W. SCHIEDER, Brüderlichkeit. Bruderschaft, Brüderschaft, Verbrüderung, Bruderliebe, in: Geschichtliche Grundbegriffe, Bd. 1 (1972), S. 552 – 581 (bes. S. 554f.); O. G. OEXLE, Memoria und Memorialüberlieferung im frühen Mittelalter, Frühmittelalterliche Studien 10 (1976), S. 70 – 95; A. ANGENENDT, *Missa specialis.* Zugleich ein Beitrag zur Entstehung der Privatmessen, ebd. 17 (1983), S. 153 – 221; in jeder Hinsicht gewichtig ist der Sammelband MEMORIA. Der geschichtliche Zeugniswert des liturgischen Gedenkens im Mittelalter, hrsg. von K. SCHMID und J. WOLLASCH, (Münstersche Mittelalterschriften 48, 1984); darin insbesondere J. WOLLASCH, Die mittelalterliche Lebensform der Verbrüderung, S. 215 – 232; mit besonderem Bezug auf das Kärntner Spätmittelalter J. GRABMAYER, Do, ut des. Studien zu Volksglauben und Volksfrömmigkeit im spätmittelalterlichen Kärnten. (Diss. Klagenfurt, 1986), S. 54ff.
2. OEXLE, Memoria (wie Anm. 1), S. 86ff.
3. Siehe ebd., S. 79ff. u. S. 84, sowie A. ANGENENDT, Theologie und Liturgie der mittelalterlichen Toten-Memoria, in: Memoria (wie Anm. 1), S. 190f.; alte – und teilweise bis in die Gegenwart tradierte – Vorstellungen über Namenmagie spielen hier eine wesentliche Rolle, nach denen der Name nicht nur Bezeichnung und Unterscheidungsmerkmal einer Person ist, sondern ein wesentlicher Bestandteil von ihr, so daß allein durch seine Nennung Einfluß auf sie ausgeübt werden kann. Deutlich werden solche Vorstellungen heute noch z. B. im Märchen vom „Rumpelstilzchen" oder (als Umkehrbeispiel) in der Bezeichnung des Teufels mittels umschreibender Ausdrücke wie „Gottseibeiuns", um ihn nicht durch Nennung seines Namens herbeizurufen.
4. Vgl. dazu H. HIRSCH, Der mittelalterliche Kaisergedanke in den liturgischen Gebeten, MIÖG 44 (1930), S. 1 – 20 (bes. S. 9).
5. Vgl. F. OHLY, Bemerkungen eines Philologen zur *Memoria,* in: Memoria (wie Anm. 1), S. 33.
6. ANGENENDT, *Missa* (wie Anm. 1), S. 208.
7. So daß, wie Caesarius von Arles schon im 6. Jahrhundert sagt, die Seele (. . .) *locum paenalem et gehenne ignem flammamque tartari in regione vivencium evadat,* siehe ANGENENDT, *Missa* (wie Anm. 1), S. 206f., bes. Anm. 285 mit einigen Beispielen von Wundererzählungen, in denen sich durch Meßfeiern befreite Seelen den Hinterbliebenen dafür erkenntlich zeigen; siehe auch DERS., Theologie (wie Anm. 3), bes. S. 158ff.
8. OEXLE, Memoria (wie Anm. 1), S. 72.
9. ANGENENDT, *Missa* (wie Anm. 1), S. 203f.
10. H. MARCHSTALLER, *De Fundatione, Rerum statu, Vita et Morte Fundatorum, Benefactorum, Abbatum et Monachorum Monasterii S. Pauli vallis Lavantinae.* 1619 (HS im STA), fol. 76v; Inhaltsbeschreibung der Handschrift bei B. SCHROLL, Hieronymus Marchstaller, Abt des Benedictiner-Stiftes St. Paul im Lavantthale, (. . .) 1616–1638, (1891), S. VI f.
11. So in einer Urkunde St. Pauls von 1218 für Wernhard von Windischgraetz, der dem Kloster einige Huben gestiftet hatte (MC 4/1, Nr. 1770); vgl. auch K. SONNLEITNER, Schenkungen und Stiftungen zum

Kloster St. Paul in Kärnten (bis 1500). Ein Beitrag zum Thema Frömmigkeit im Mittelalter, MIÖG 94 (1986), S. 341–379 (hier S. 349 u. S. 356).

12. Freilich kritisierten auch schon Zeitgenossen, wenn auch ohne viel Erfolg, daß in solchen Fällen das Gebet praktisch verkauft wurde, siehe WOLLASCH, Verbrüderung (wie Anm. 1), S. 230.
13. K. SCHMID, J. WOLLASCH, Die Gemeinschaft der Lebenden und Verstorbenen in Zeugnissen des Mittelalters, Frühmittelalterliche Studien 1 (1967), S. 365ff. u. S. 400; DIES., *Societas et Fraternitas*. Begründung eines kommentierten Quellenwerkes zur Erforschung der Personen und Personengruppen des Mittelalters, ebd. 9 (1975), S. 10; OEXLE, Memoria (wie Anm. 1), S. 71 u. S. 74.
14. So ausdrücklich festgehalten in den Verbrüderungsurkunden St. Pauls mit Reichenhall, Griffen und Ossiach (siehe STA, Pack 2/17a).
15. Das ist jedenfalls bei der Nennung Sigismunds und anderer St. Pauler Mönche in den Verbrüderungsbüchern von Indersdorf, Garsten, St. Nicolai und Klosterneuburg anzunehmen, da Sigismund – die übrigen Mönche können nicht näher identifiziert werden – ebenso wie der nur in Klosterneuburg genannte Bischof Erhard von Lavant zur Zeit seiner Eintragung in diese Verbrüderungsbücher sicher noch gelebt hat (vgl. dazu die Anm. 46 und 50–52).
16. Z. B. verteilte Hieronymus Marchstaller jene Gedenktage, die er keinem festen Datum mehr zuordnen konnte, ziemlich willkürlich über das von ihm zusammengestellte Nekrolog; vgl. B. SCHROLL (Bearb.), Necrologium des Benediktinerstiftes St. Paul im Lavantthale, AVGT 10 (1866), S. 33–240; S. 36.
17. Besonders ausführlich in dieser Richtung G. ALTHOFF, Adels- und Königsfamilien im Spiegel ihrer Memorialüberlieferung. Studien zum Totengedenken der Billunger und Ottonen (Münstersche Mittelalter-Schriften 47, 1984).
18. SONNLEITNER, Schenkungen (wie Anm. 11).
19. Nicht berücksichtigt werden in der folgenden Untersuchung daher die zahlreichen im Nekrolog verzeichneten Personen weltlichen Standes sowie jene Geistlichen, die keinem Konvent angehörten oder anscheinend nur als Einzelpersonen Aufnahme in das Nekrolog fanden, ohne daß eine Verbrüderung mit ihrem Kloster bestanden haben dürfte (wie z. B. P. Franz Aicher aus Benediktbeuern, Konrad Alopitius aus Garsten, Rudolf Marchstaller aus Weingarten u. a.).
20. Enthalten in *DE FUNDATIONE* (wie Anm. 10), fol. 117v–208v.
21. EBD., fol. 111r, 115v; aus der Reihe fällt nur die am Schluß nachgetragene Verbrüderung mit Oberburg, die Marchstaller offensichtlich erst nachträglich fand; sie ist auch als einzige nicht im 1618 ebenfalls von Marchstaller erstellten Archivregister (*Archivum Monasterii S. Pauli Vallis Lavantinae*) enthalten.
22. STA, Pack 2/17a; es ist nicht foliiert und muß nach *De Fundatione* geschrieben worden sein, da Oberburg hier zeitlich richtig eingeordnet wurde. Beigelegt ist ihm außerdem ein nicht datieres Blatt deutlich jüngeren Ursprungs, welches den Text der Verbrüderung mit dem Kloster Emaus in Prag enthält.
23. Ediert von SCHROLL, Necr. (wie Anm. 16), S. 39–80.
24. Vgl. die Eintragung über Abt Anselm am 21. April: *Anselmus Edlinger n(ostri), c(onventus) Abb(as) ultimus, Canonicus Leobiensis.* Kanonikus in Leoben war Anselm Edlinger aber erst nach 1791 – siehe SCHROLL, Necr. (wie Anm. 16), S. 122, Anm. 40.
25. Sie weisen, da sie erst aus der Zeit nach der Edition des Nekrologs stammen, über diese hinaus. Die Edition ist außerdem insofern ungenügend, als Schroll nur zwischen den beiden Nekrologen von 1619 bzw. 1780 unterscheidet, aber die jeweiligen Nachträge nicht kenntlich macht (vgl. EBD., S. 35).
26. LEXIKON DES MITTELALTERS, Bd. 2, Sp. 738.
27. Vgl. die folgende Liste und die Anm. zu St. Peter, Seckau, Millstatt und Kremsmünster.
28. Vgl. die Anm. zu Admont und Ossiach.
29. MC 3, Nr. 1413; *elemosina* bezeichnet zwar vorwiegend ein Almosen, aber auch ganz allgemein eine (milde) Gabe sowie den Akt des Gebens und kann daher auch, wie hier, für die geistigen Gaben des Gebets usw. stehen (siehe LEXIKON DES MITTELALTERS, Bd. 1, Sp. 451).
30. Soweit nicht durch eigene Anmerkungen ausgewiesen, entstammen die Angaben der von SCHROLL, Necr. (wie Anm. 16), S. 39–41, edierten Liste mit den zugehörigen Anmerkungen. Das ebenfalls von B. Schroll herausgegebene Urkundenbuch des Benedictiner-Stiftes St. Paul in Kärnten (1876) (FRA II, 39) enthält entgegen der Ankündigung in der Einleitung, nach der „alles minder Wichtige", darunter die Fraternitätsbriefe, „nur in kurzen Auszügen" ediert werden sollte, keine einzige Verbrüderungsurkunde.
31. Eine Verbrüderungsurkunde mit Hirsau lag Marchstaller anscheinend nicht vor, da er bei den Abschriften der Verbrüderungsurkunden (STA, Pack 2/17a) bezüglich Hirsaus nur ein Regest aufnahm, dessen Inhalt er wohl nur entsprechend seinen Vermutungen gestaltete. Er ging aber jedenfalls zu Recht davon aus, daß St. Paul kurz nach seiner Gründung eine Verbrüderung mit seinem Mutterkloster schloß.
32. In einem Melker Nekrolog nennen Einträge des 12. Jahrhunderts zum 10. Mai bzw. 19. Juli die St. Pauler Äbte Brun (um 1120–1138) und Werinher (1138–1150) (MG, Necrologia Germaniae [weiter MG Necr.] V, S. 554 u. S. 560).
33. Der im Traunkirchner Nekrolog zum 20. Juli ohne Ortszugehörigkeit genannte Abt Wernher (MG, Necr. IV, S. 432) ist jedenfalls ident mit dem Werinher der vorigen Anm.
34. Das Fragment eines Lambacher Nekrologs aus dem 13. Jahrhundert nennt zum 17. Jan. und 16. April auf St. Paul bezogene Eintragungen (MG, Necr. IV, S. 406–416).
35. Die Erwähnung des Klosters St. Paul im jüngeren Verbrüderungsbuch von St. Peter (MG, Necr. II, S. 52, sp. 25), das Eintragungen aus dem 11. und 12. Jahrhundert enthält (siehe ebd., S. 3), belegt eine Verbrüderung dieser beiden Klöster schon im 12. Jahrhundert.
36. Eine Liste der im Seckauer Nekrolog eingetragenen St. Pauler ist gedruckt in MG, Necr. II, S. 375, Nr. 77. Die Einträge gehören z. T. dem 12. und 13. Jahrhundert an, belegen also eine ältere Verbrüderung.
37. SCHROLL, Necr. (wie Anm. 16), S. 129, Anm. 46; Regest MC 8, Nr. 264.
38. SCHROLL, Necr. (wie Anm. 16), S. 129, Anm. 49; Regest MC 8, Nr. 457; bei E. WEINZIERL-FISCHER, Geschichte des Benediktinerklosters Millstatt in Kärnten (*AVGT 33*, 1951), S. 100, mit falschem Datum. Das Millstätter Necrologium enthält ebenfalls eine Reihe von auf St. Paul bezogenen Einträgen des 12. und 13. Jahrhunderts; die Verbrüderung von 1319 ist also ebenso nur als Erneuerung älterer Verbindungen zu sehen, wie eine schon 1338 April 18 erfolgte weitere Verbrüderung mit Millstatt; siehe B. SCHROLL, Geschichte des Benediktiner-Stiftes

Millstatt, AVGT 17 (1894), S. 31.
39. Urkunde gedruckt im URKUNDENBUCH des Landes ob der Enns, Bd. 6 (1872), Nr. CLXXVI, S. 182, und im URKUNDENBUCH für die Geschichte des Benedictiner Stiftes Kremsmünster 777 – 1400. Bearb. von Th. HAGN (1852), Nr. 202, S. 214f. In den älteren Teilen des Kremsmünsterer Nekrologs werden u. a. die St. Pauler Äbte Bruno und Wernher genannt (MG, Necr. IV, S. 198 u. S. 220; vgl. die Anm. zu Melk), was auf eine Verbrüderung schon um die Mitte des 12. Jahrhunderts schließen läßt. Eine Eintragung aus dem 15. Jahrhundert zum 2. Okt. nennt die Prioren Symon und Wilhelm, den Diakon Martin und weitere elf St. Pauler Mönche aus dem früheren 15. Jahrhundert; in dieser Zeit dürfte also eine Erneuerung der Verbrüderung erfolgt sein.
40. SCHROLL, Necr. (wie Anm. 16), S. 143, Anm. 40; Inhalt der Verbrüderungsurkunde wiedergegeben bei I. OROŽEN, Das Benediktiner-Stift Oberburg (1876) (Das Bisthum und die Diözese Lavant II, 1), S. 134. Oberburg im obersten Sanntal liegt heute in Slowenien; bis 1918 gehörte dieses Gebiet zur Steiermark.
41. *DE FUNDATIONE* (wie Anm. 10), fol. 112v, und MARCHSTALLER, *Archivum* (wie Anm. 21), fol. 33v/34r; SCHROLL, Necr. (wie Anm. 16), S. 83, Anm. 26, hat die falsche Jahreszahl 1360 von den Urkunden-Kopien im STA (Pack 2/17a) übernommen, wo sie aber offensichtlich verschrieben ist. Die Verbrüderung wurde 1481 August 6 erneuert.
42. SCHROLL, Necr. (wie Anm. 16), S. 170, Anm. 42; DERS. (Bearb.), Urkunden-Regesten des Augustiner-Chorherren-Stiftes Eberndorf im Jaunthale (1870), Nr. XXXIV; im Nekrolog von Eberndorf – B. SCHROLL (Bearb.), Necrologium des ehemaligen Augustiner-Chorherrenstiftes St. Maria in Juna oder Eberndorf in Kärnten (1886) –, das 1480 angelegt und bis zur Aufhebung des Stiftes 1603 fortgesetzt wurde, werden vor allem aus dem 15. Jahrhundert zahlreiche St. Pauler Äbte und Mönche genannt.
43. Die Verbrüderung erfolgte mit Nikolaus von Prag, Provinzial des Ordens *in Germania*, *DE FUNDATIONE* (wie Anm. 10), fol. 113r.
44. EBD., fol. 113v; MARCHSTALLER, *Archivum* (wie Anm. 21), fol. 37r; SCHROLL, Necr. (wie Anm. 16), S. 82, A. 16, hat eine falsche Jahreszahl (vgl. Anm. 41).
45. Die Verbrüderung wurde 1687 August 8 erneuert.
46. Das Nekrolog dieses Klosters enthält zum 24. Mai die Eintragung: *Sigismundi p(res)b(yter)i cum aliis sex fratribus infra sacerdocium ad S. Paulum vallis Laventinensis ordinis s. Benedicti Saltzburgensis diocesis 1479* (MG, Necr. III, S. 185). Jedenfalls derselbe Sigismund – es kann sich dabei nur um Sigmund Jöbstl von Jöbstlberg, damals Prior in St. Paul (siehe SCHROLL, Necr., wie Anm. 16, S. 161, Anm. 1) und von 1488 – 1498 Abt, handeln – sowie mehrere andere namentlich genannte Mönche tauchen in Eintragungen der Nekrologe von St. Nicolai in Passau und Garsten auf (siehe Anm. 50f.). Obwohl entgegen dem bei Verbrüderungen üblichen Brauch der damalige Abt von St. Paul, Johann, nicht genannt wird und umgekehrt die in den Nekrologien genannten Mönche im Urkundenbuch St. Pauls nicht nachweisbar sind, muß diesen Eintragungen doch eine Verbrüderung zugrunde liegen.
47. SCHROLL, Necr. (wie Anm. 16), S. 161, Anm. 1; schon im folgenden Jahr wurde die Verbrüderung – mit etwas geändertem Wortlaut – erneuert, anscheinend, weil in Ebersberg inzwischen ein Priorwechsel stattgefunden hatte.
48. Die Verbrüderung wurde 1627 erneuert.
49. Eine ältere Verbrüderung zwischen Ossiach und St. Paul ist durch die Nennung von St. Pauler Konventsmitgliedern im Ossiacher Nekrolog im 12. bis 14. Jahrhundert belegt (MG, Necr. II, S. 443 – 447).
50. Das recht ausführliche Garstner Nekrolog, das im 18. Jahrhundert nach älterer Vorlage geschrieben wurde, nennt eine Reihe von St. Pauler Mönchen, darunter am 23. Nov. den Diakon Wolfgang und am 25. Nov. den Priester Sigismund, beide wohl ident mit den bei St. Nicolai und Klosterneuburg genannten. Da Sigismund nicht Abt genannt wird, ist die Verbrüderung wahrscheinlich noch vor 1488 anzusetzen. Die Nennung des St. Pauler Abtes Vincentius (gest. 1616) zum 6. Januar könnte auf eine Erneuerung der Verbrüderung mit Garsten im frühen 17. Jahrhundert hindeuten (MG, Necr. IV, S. 326 – 380).
51. In einer Eintragung, welche sich an eine mit 1479 datierte anschließt, nennt das Nekrolog von St. Nicolai zum 20. Januar die St. Pauler Mönche *Sigismundus, Wolfgangus, Rudpertus, Erhardus (. . .) et multitudo fidelium* (MG, Necr. IV, S. 132); vgl. oben Anm. 46.
52. Ein Nachtrag zum Klosterneuburger Nekrolog aus dem früheren 16. Jahrhundert notiert zum 3. Mai: *Ex mon(aster)io S. Pauli vallis Laventini ob(iunt): d(ominus) Erharrdus ep(iscopu)s* (Bf. Erhard v. Lavant, 1487 – 1508), *Sigismundus, (. . .) Wolffgangus (. . .)* und 27 weitere Priester und Fratres (MG, Necr. V, S. 30; zu Sigismund und Wolfgang vgl. auch die Anm. 46 und 51) und teilweise dieselben sowie andere zum 4. Mai; die Verbrüderung selbst dürfte, da Erhard zwar Bischof, aber Sigismund noch nicht Abt genannt wird, 1487 oder 1488 abgeschlossen worden sein.
53. Hier gilt dasselbe wie bei Ossiach (MG, Necr. II, S. 287 – 309).
54. Die Verbrüderung mit dem Stift Ochsenhausen in Württemberg, das deutlich außerhalb des sonstigen St. Pauler Beziehungsgeflechtes lag, geht jedenfalls auf Hieronymus Marchstaller, der dort seine Profeß abgelegt hatte, zurück; belegt wird dies zusätzlich dadurch, daß im Nekrolog von St. Paul nur jene 4 Ochsenhausener Äbte verzeichnet sind, die Marchstaller persönlich gekannt haben muß (Johann Ernst, 1585 – 1593; Christoph Spies, 1593 – 1605; Urban Mayer, 1605 – 1613; Johann Lang, 1613 – 1618), siehe SCHROLL, Necr. (wie Anm. 16) zum 28. Dezember, 28. Juli, 30. Oktober u. 20. November. Sie kann aber frühestens 1619 erfolgt sein, da Marchstaller diese Äbte nicht schon bei der in diesem Jahr erfolgten Anlage des Nekrologs notierte, sondern erst zu einem späteren Zeitpunkt nachtrug. Eine Verbrüderungsurkunde ist nicht erhalten.
55. Die Verbrüderungen mit diesen drei Klöstern können zeitlich nicht näher eingeordnet werden, da weder die Eintragungen im St. Pauler Nekrolog noch andere eindeutige Hinweise ergeben. Immerhin reicht die Zahl der Einträge aus, um festzustellen, daß Verbrüderungen bestanden haben müssen, und da sie den jüngeren Zusätzen im Nekrolog angehören, können diese erst nach der Abfassung des Nekrologs durch Marchstaller 1619 – wahrscheinlich erst nach seinem Tod 1638 – eingegangen worden sein. Hinweise darauf sind auch das Fehlen von auf St. Paul bezogenen Eintragungen im freilich kurzen Nekrolog von Nonnberg (MG, Necr. II, S. 65 – 74) wie dem sehr umfangreichen von St. Pölten (EBD. V, S. 473 – 550; auch gedruckt in FRA II, 21, S. 441 – 753), die im späteren 15. bzw. frühen 14. Jahrhundert verfaßt und beide bis in das 17. Jahrhundert fortgeführt wurden.

56. Der Terminus post quem dieser Verbrüderung ergibt sich aus der im Jahr 1636 erfolgten Ansiedlung dieser aus dem Kloster Montserrat nordöstlich von Barcelona stammenden spanischen Benediktiner-Kongregation in Wien, die zum Unterschied von den einige Jahre später gekommenen weiß gewandeten Trinitariern Schwarzspanier genannt wurde (J. WODKA, Kirche in Österreich, 1959, S. 444).
57. SCHROLL, Necr. (wie Anm. 16), S. 105, Anm. 18.
58. Die vermutliche Zeit dieser Konföderation ergibt sich daraus, daß die beiden im St. Pauler Nekrolog genannten St. Veiter Äbte dieser Zeit angehören (Maurus, 1633–1653; Gregor, 1653–1687), siehe EBD. zum 28. Januar u. 16. Juni.
59. EBD., S. 189f., Anm. 12.
60. Erneuerung 1776.
61. Der Entwurf zu dieser Verbrüderungsurkunde, bei dem allerdings das Datum fehlt, teilweise gedruckt bei SCHROLL, Necr. (wie Anm. 16), S. 128, Anm. 38; siehe auch oben Anm. 22. Sie läßt sich zeitlich trotzdem eng eingrenzen, da sie mit dem als Abt nach Emaus berufenen St. Pauler Priester Maximilian Anton (P. Ernestus) Graf Schrattenbach abgeschlossen wurde.
62. Die Verbrüderung mit diesem Kloster erfolgte jedenfalls unter dem einzigen im St. Pauler Nekrolog genannten dortigen Abt (Emanuel, 1700–1733; siehe SCHROLL, Necr., wie Anm. 16, S. 139, Anm. 7). Wahrscheinlich wird dieser späte zeitliche Ansatz auch durch das Fehlen jedes Hinweises auf St. Paul im aus dem 15. Jahrhundert (mit späteren Zusätzen) stammenden Nekrolog von Raitenhaslach (gedruckt in MG, Necr. II, S. 255–283).
63. Ergibt sich daraus, daß im St. Pauler Nekrolog als einziger Altenburger Abt Placidus Much (1715–1756) genannt ist, SCHROLL, Necr. (wie Anm. 16), S. 149, Anm. 41, u. S. 200. Im sehr kurz gehaltenen, aber mit Nachträgen bis ins 19. Jahrhundert reichenden Nekrolog von Altenburg finden sich keine auf St. Paul bezogenen Eintragungen (MG, Necr. V, S. 339–346).
64. Jedenfalls lebte die einzige im St. Pauler Nekrolog erwähnte Gösser Äbtissin in dieser Zeit, SCHROLL, Necr. (wie Anm. 16), S. 193, Anm. 36.
65. „In der Barockzeit" bestand eine Verbrüderung zwischen St. Paul und Niederaltaich, nach der jeder Priester des einen Klosters für jeden Verstorbenen des anderen je eine Messe zu lesen hatte, G. STADTMÜLLER, Geschichte der Abtei Niederaltaich 741–1971 (1971), S. 462, während sich im bis ins 16. Jahrhundert reichenden ziemlich umfangreichen Nekrolog Niederaltaichs (gedruckt in MG, Necr. IV, S. 27–72) keinerlei Hinweise auf St. Paul finden. Aus der Amtszeit des einzigen erwähnten Niederaltaicher Abtes (Ignaz, 1751–1764) ergibt sich die wahrscheinliche Zeit der Verbrüderung.
66. *DE FUNDATIONE* (wie Anm. 10), fol. 111r.
67. So in der Verbrüderung mit Millstatt, ähnlich bei den übrigen; vgl. auch oben ad Anm. 11.
68. *DE FUNDATIONE* (wie Anm. 10), fol. 55r.
69. STA, Pack 2/17a.
70. Für das entsprechende Buch wurden sehr unterschiedliche Bezeichnungen gebraucht:
Die betreffenden Namen sollten *in nostris (libris) annalibus* eingetragen werden (Vorau, Admont, Formbach), *in nostris annalibus mortuorum libris* (Michaelbeuern), *nostris Kalendariis* (Arnoldstein), *Martyrologio* (Ebersberg); in den übrigen Fällen ist nur die Rede davon, daß die Namen der Verstorbenen aufgeschrieben werden sollen, ohne daß genauer gesagt wird, wo.
71. STA, Pack 2/17a.
72. SCHMID, WOLLASCH, Societas (wie Anm. 13), S. 10.
73. H. DOPSCH, Klöster und Stifte, in: ders. (Hrsg.), Geschichte Salzburgs. Stadt und Land, Bd. 1, 2 (1983), S. 1034f. und S. 1047.
74. Vergleiche dazu unten bei der historischen Interpretation.
75. WODKA, Kirche (wie Anm. 56), S. 163.
76. Vorlesungen über die Heilige Schrift, Predigten usw. sollten sie daher den Mendikantenorden überlassen; siehe K. GANZER, Monastische Reform und Bildung. Ein Traktat des Hieronymus Aliotti (1412–1480) über die Studien der Mönche, in: *Reformatio Ecclesiae.*
Beiträge zu kirchlichen Reformbemühungen von der Alten Kirche bis zur Neuzeit. FG für Erwin Iserloh, hrsg. von R. BÄUMER (1980), S. 181; ebd., S. 191–196, die wichtigsten zeitgenössischen Argumente pro und contra diese Ansicht.
77. SCHROLL, Marchstaller (wie Anm. 20), S. 179ff. und S. 250ff.
78. Siehe oben die Anmerkungen zu diesen beiden Klöstern.
79. Siehe dazu oben sowie die Anm. zu den Klöstern Lambach, St. Peter, Seckau, Millstatt und Kremsmünster; vielleicht gehören auch die ersten Verbrüderungen mit Ossiach und Admont schon in diese Zeit.
80. Nur die Verbrüderung mit Kremsmünster scheint im früheren 15. Jahrhundert erneuert worden zu sein, vgl. Anm. 39.
81. WODKA, Kirche (wie Anm. 56), S. 160–163; LEXIKON FÜR THEOLOGIE UND KIRCHE, Bd. 7, Sp. 259f.; DOPSCH (wie Anm. 73), S. 1039f. und S. 1042ff.;
I. ZIBERMAYR, Zur Geschichte der Raudnitzer Reform, MIÖG Erg.-Bd. 11 (1929, Nd. 1979), S. 323–353.
82. DOPSCH, Klöster (wie Anm. 73), S. 1012.
83. Vgl. MARCHSTALLER, *Archivum* (wie Anm. 21), fol. 44r und 48v.
84. ZIBERMAYR, Raudnitzer Reform (wie Anm. 81), S. 339f.
85. WEINZIERL, Millstatt (wie Anm. 38), S. 100f.
86. Dazu LEXIKON FÜR THEOLOGIE UND KIRCHE, Bd. 6, Sp. 84ff.
87. Ed. von SCHROLL, Necr. (wie Anm. 16); siehe auch DERS., Marchstaller (wie Anm. 20), S. VIf.; daß unter ihm tatsächlich viele der alten Verbrüderungen neu belebt wurden, ergibt sich daraus, daß sich unter den Nachträgen des Nekrologs viele auf sie zu beziehende Eintragungen finden (z. B. zu Admont, Arnoldstein, Asbach, Formbach, Kremsmünster, Michaelbeuern, Oberaltaich, St. Peter in Salzburg, St. Lambrecht, Seeon u. a.).
88. Der Anlaß war zwar jeweils die Berufung eines Abtes aus dem einen in das andere Kloster gewesen, aber es fügt sich trotzdem gut zu den übrigen Beobachtungen.
89. SCHROLL, Marchstaller (wie Anm. 20), S. 29ff.
90. EBD., passim.
91. EBD., S. 137–165.
92. Angemerkt sei, daß das Stift St. Paul nach wie vor eine 1756 zwischen den Klöstern St. Blasien und Einsiedeln (in der Schweiz) eingegangene Verbrüderung durch Mitteilung der jeweils Verstorbenen und besonderes Gebetsgedenken pflegt (siehe STA, Pack 1/1a, und die gültige, 1984 erstellte Hausordnung, ebd., S. 23).

Mit St. Paul verbrüderte Klöster

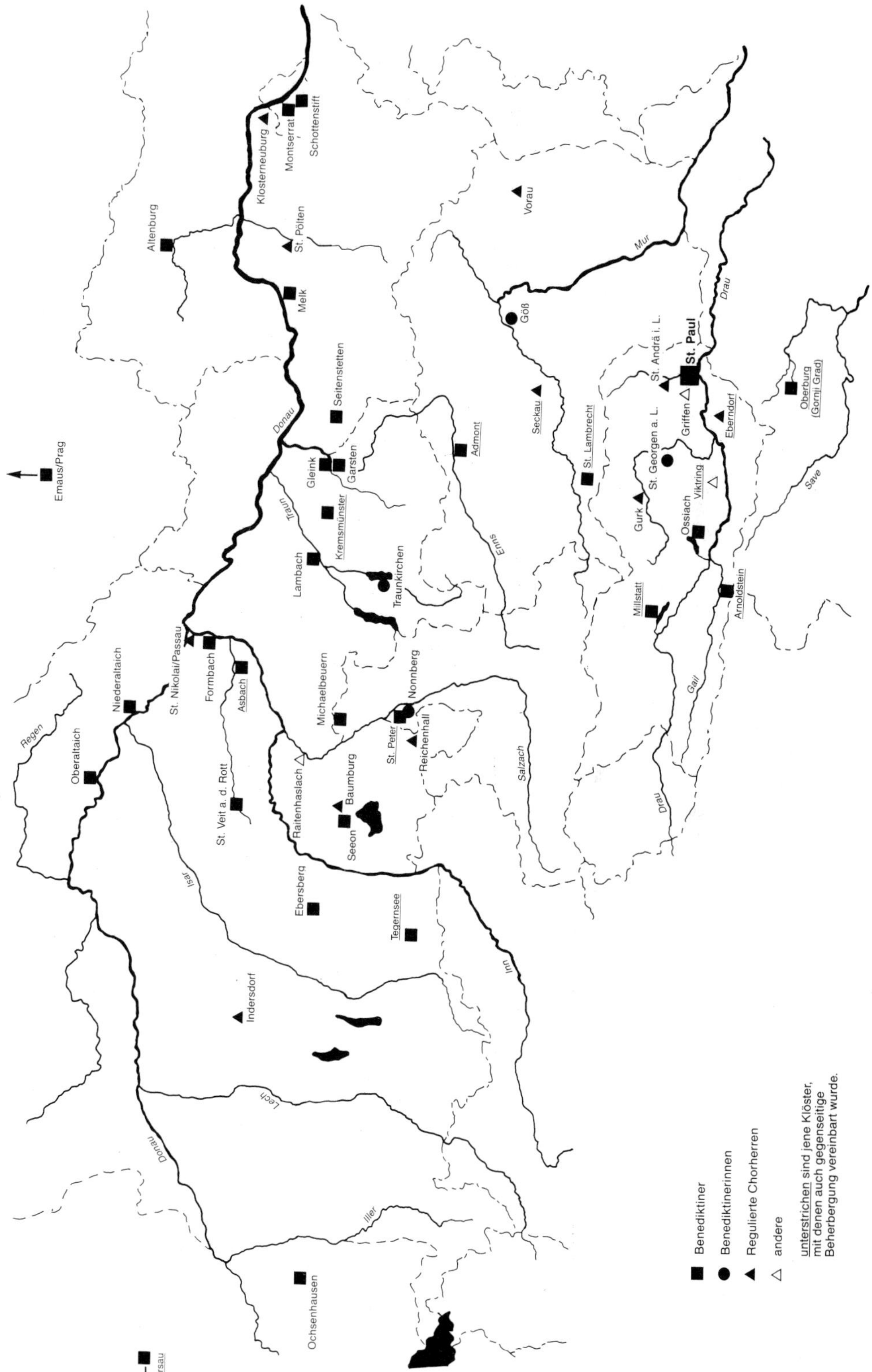

Abb. 119: Meßfeier in der Stiftskirche St. Paul

Die Stiftskirche: Herz und Mitte des Klosters

BRUNO RADER

I. Kirche ist beides

Kirche, das ist der Bau aus Steinen, das Haus Gottes, in dem sich die Gläubigen versammeln, um in Gebet und Feier der Sakramente, vornehmlich in der Eucharistie, Gott zu begegnen.

Kirche, das sind die Getauften, das Volk Gottes, verbunden mit den Heiligen, den Lebenden und Verstorbenen, eine Gemeinschaft des Gebetes, der Fürbitte füreinander und für alle, die sich dieser Gebetsgemeinschaft verbunden wissen.

Ursakrament nennen wir die Kirche. Wie jedes Sakrament ist sie sichtbares Zeichen und unsichtbare Heilswirklichkeit zugleich.

Jede Zeit hat auf ihre Weise durch die Kirchenbauten den Menschen eine Ahnung von der Herrlichkeit des Himmels zu geben versucht.

II. Das Herz des Klosters

Wo dein Herz ist, da bist du daheim. Das ganze Leben des Mönches soll ein Gottsuchen sein, so will es der hl. Benedikt. Gott suchen, das ist der Hauptberuf des Mönches, sein Lebenssinn und seine Daseinsberechtigung und zugleich sein Weg der Christusnachfolge. Gott ist überall: in der Welt nicht weniger als im Kloster; und dort an jedem Arbeitsplatz, in jedem Dienst, in jedem Mitbruder, in den Gästen und in den Unbekannten, die das Kloster besuchen. Der Mönch wird nie fertig, Gott zu suchen und Gott zu erleben. Besonders aber ist Gott in der Mitte, im Herzen des Mönches, im Herzen des Klosters, in der Kirche. Für den Mönch, wie für jeden Christen, ist alles auf Gott bezogen. Nichts und keiner ist Gott fern, von der Liebe Christi ausgeschlossen. Gott ist die Mitte, nicht das menschliche „Ich", nicht die Sorge um den Lebensunterhalt, die Karriere, das Glück oder die Zukunft. So steht auch sein Haus, die Kirche, in der Mitte des Klosters und aller Tätigkeiten der Mönche im Kloster.

III. Altar und Opfer

Der Altar ist das Zeichen für Christus, der zugleich Opfer und Priester ist. Sein Kreuzestod auf Golgotha ist das ein für allemal wirksame Opfer. Christus ist der Mittler zwischen Gott und den Menschen. Jeder Altar steht für Christus, auch wenn er einem bestimmten Heiligen gewidmet ist, wie die vielen Seitenaltäre unserer Klosterkirche. Die Mitte bildet der eine Altar, um den sich die Klostergemeinschaft in der Euchari-

Abb. 120: Meßfeier in der Stiftskirche St. Paul

stiefeier versammelt und sich als Gemeinde erfährt. Vor diesem Altar hat sich der Mönch in der Profeß niedergeworfen im Akt der Ganzhingabe an Gott. Auf diesem Altar hat er die von Hand geschriebene Profeßurkunde gelegt und sich somit dem Opfer Christi angeschlossen. Vor diesem Altar bringen die Mönche täglich mehrere Male Gott den Lobpreis dar und das Fürbittgebet, stellvertretend für die vielen und im Auftrag der Kirche. Und indem sie beten, singen und feiern, werden sie selbst immer mehr Gabe, Gott dargebracht, von ihm verwandelt und als geheiligt wieder empfangen.

Architektur und Bautätigkeit

St. Paul und die „Romanik" im Lavanttal

GOTTFRIED BIEDERMANN

Stellt man sich die Frage, welche Bedeutung das 1091 gegründete Benediktinerstift für Kärnten und für das große, damals wenig besiedelte Gebiet im Südosten besaß, dann werden Fragen und Probleme der Ordensgeschichte ebenso diskutiert werden müssen wie solche der Siedlungspolitik, der Wirtschaftsgeschichte und schließlich nicht zuletzt der Kunstgeschichte, die ja ihrerseits mit Macht, Anspruch, Besitz u. ä. zusammenhängt. Mittelalterliche Kunst existiert nicht als „l'art pour l'art" und um ihrer selbst wegen. Das Lavanttal kann in keiner Phase der Kunstentwicklung als eigene, nach allen Seiten hin abgeschlossene Kunstlandschaft gesehen werden. Dies hat schon deshalb keine reale Grundlage, weil die Besitzverhältnisse unübersichtlich und vielschichtig waren; das Bistum Bamberg, Salzburg, Gurk, Lavant, verschiedene Orden besaßen Grund und übten Einfluß aus, auch auf die Kunstentfaltung. Besonders die Baukunst vermag ein relativ zuverlässiges Bild der Wirklichkeit zu geben. Betrachtet man die Gründung von St. Paul als Willensäußerung der Stifterfamilie, nämlich der Grafen von Spanheim, die sich damit ein ewiges Gebetsandenken verschafften, dann wird hier schon ein Teil der Wirklichkeit erfaßt, die sich in gewisser Weise auch am Bau selbst (Krypta!) manifestiert. Die aus Hirsau kommenden Mönche haben dann ihre eigenen Reformvorstellungen in die Tat und konkret umgesetzt. Auch dies läßt sich an konkreten baulichen Gestaltungselementen nachweisen (*chorus minor*). Allein daran merkt man bereits, daß mittelalterliche Kunst, hier insbesondere die „Romanik", Ausdruck des gesellschaftlichen *ordo* war, und alle künstlerischen Äußerungen sich dem unterordneten. Die Burgen, nur mehr als Ruinen erhalten, sowie die Kirchen können für sich allein kaum mehr eine Vorstellung des Lebens in all seinen Facetten geben. Nicht einmal wenige Prozent des vorhandenen Bestandes sind auf uns gekommen. Man spürt nur die enorme Tradition des christlichen Geistes in dieser Zeit, der die gesamte Kunstgeschichte, jedes einzelne Werk, auch wenn es noch so profan wirkt oder aussieht, prägte. Im Laufe des 11. und 12. Jahrhunderts sind immer mehr Benediktiner ins Land gekommen, und sie haben neben den Zisterziensern (Viktring, 1142) und Augustiner-Chorherren ihre Ideen und Vorstellungen realisiert. Es waren Ziele und Aufgaben unter diesen kirchlichen Institutionen keineswegs dieselben. Nimmt man beispielsweise die Augustiner-Chorherren heraus, so wird man sowohl für Gurk wie für St. Andrä/Lavant den „langen Arm" des Salzburger Metropoliten erkennen können, der Einfluß auf und über die Eigenkirchen und das Pfarrkirchenwesen gewinnen wollte. Zwar schlug sich dies natürlich nicht unmittelbar auf die Baukunst nieder oder wird hier manifestiert, aber Ziel, Zweck und Funktion der Kirchen und der Kapitelgebäude werden erst dadurch wirklich verständlich. Portale haben die Funktion, die Eintretenden auf einen Lehrinhalt hinzuweisen, das Kirchengebäude zu markieren, es als „Himmlisches Jerusalem" kenntlich zu machen, Anfang und Ende der Welt zu verdeutlichen oder auch als Kulisse für Prozessionen und Magierspiele etc. zu dienen.

Alles dies zusammen oder nur einzelne Aufgaben konnten Kirchenportale durch die Jahrhunderte, aber besonders in der „Romanik", erfüllen. Die skulptierten Bogenfelder des West- bzw. Südportals in St. Paul gehören nach fast übereinstimmender Meinung derselben Stilphase der „Romanik" an und sind um 1240 entstanden. Das noch farbig wirkende Westtympanon zeigt den thronenden Gottessohn, ihm zur Seite die beiden Kirchenapostel und -patrone Petrus und Paulus. Es sind immer wieder Verbindungen zum Mutterkloster Hirsau feststellbar, hier aber lassen sich darüber nur Vermutungen anstellen. Auch mit den in und um Salzburg geschaffenen Portaltympana gibt es kaum Übereinstimmungen. Salzburg hat etwa zur selben Zeit Kontakte zu Oberitalien und zum Künstlerumkreis Benedetto Antelami gepflegt. St. Paul wurde davon nicht berührt.

Eine andere Linie, nämlich die nach Sachsen und Thüringen, ist phasenweise (besonders im 12. Jahrhundert) entscheidend gewesen. Zwar scheint die Verwandtschaft zwischen dem Portaltympanon der Südpforte und der sog. „Goldenen Pforte" in Freiberg in Sachsen augenscheinlich, es ist aber ein direkter Einfluß auf St. Paul eher nicht anzunehmen. Es kann hingegen nicht bestritten werden, daß es diese Nord-Süd- und Ost-West-Kontakte gegeben hat; die Künstler waren jedenfalls wesentlich mobiler, als wir uns dies vorstellen.

Aus dem Zusammenhang eines Lettners wurde jene (Apostel-)Figur gerissen, die sich heute in einer Nische des Westflügels in St. Paul befindet. Der Lettner wurde am Beginn des Barock funktionslos und deshalb abgetragen. Die erhaltene Figur zeigt jene für die späte „Romanik" so typische Drehung um die eigene Achse, sie löst sich bereits von ihrer Umgebung und wirkt selbständig. Allein steht sie aus dem Grunde, weil nichts Vergleichbares in Österreich vorhanden ist.

Die gesamten Skulpturen, sicher nur ein Bruchteil dessen, was einmal in St. Paul die Kirche schmückte, zeugen vom künstlerischen Potential, das sich wohl teils aus eigenen und teils aus fremden Kräften rekrutierte. (Der Geist der „Romanik" lebt in provinzieller Ausdrucksform allerdings noch länger, betrachtet man die flache Grabplatte des Abtes Heinrich I., 1326–1356, im nördlichen Seitenschiff.) Während man weder von der Buchproduktion noch von der Situation in der Schatzkunst viel weiß, die beide zum größeren Teil auch von Importen aus Schwesterklöstern bestimmt wurden, verhält es sich – so lassen es die wenigen Reste vermuten – in der Wandmalerei ein wenig anders. Erkennbare Spuren davon in der Hauptapsis hinter dem Hochaltar ergeben zwar kein Programm, zeigen aber unverkennbar jene Merkmale des in Kärnten an mehreren Stellen praktizierten „Zackenstils" (Gurk, Pisweg). Abbildungen bei Walter Frodl („Die romanische Wandmalerei in Kärnten", Abb. 68, 69) zeigen, in welchem Zustand diese Apsismalereien noch vor fünfzig Jahren waren. Der Stil scheint in der Nachfolge der Westemporefresken von Gurk zu stehen, das Programm wird sich wohl auch auf die Kirchenpatrone bezogen haben.

Der ganze Bezirk Wolfsberg oder das Lavanttal sind nicht mehr reich an romanischen Denkmälern. Die Kirchenbaukarte im Katalog der Ausstellung „Romanische Kunst in Österreich" (1964) zeigt zwar durchaus auch in diesem Gebiet eine gewisse Konzentration, sieht man sich den Bestand aber näher an, so handelt es sich doch zumeist nur mehr um Reste und Fragmente, die für sich allein kaum gelesen und verstanden werden können. Auffallend ist darüber hinaus eine Dichte in Niederösterreich, an der Donau und im östlichen Kärnten.

Ein kirchlicher Mittelpunkt neben St. Paul war St. Andrä, wo 1228 ein Bischofssitz errichtet wurde. Hier wurden zur selben Zeit Augustiner-Chorherren angesiedelt, deren Kloster auch als Domstift (wie in Salzburg) diente. Die doppeltürmige Silhouette der Kirche deutet zwar noch die überragende Position und Funktion der Anlage an, jedoch sind die Türme nicht symmetrisch an der Westfassade angebracht, zudem ist der nördliche Flankenturm jünger als der mächtige, noch mit einem romanischen Drillingsfenster versehene Westturm. Es ist möglich, daß man den „Einzelwestturm vielleicht als Reduktionsform einer Doppelturmfassade" interpretieren kann (Wilhelm Deuer). Ein eher unübliches Ostturmpaar (vgl. Göß), dessen Fundamente möglicherweise in die Spätromanik zurückgehen, zeigt St. Marein bei Wolfsberg.

Die Stadtpfarrkirche in Wolfsberg ist ein interessantes Beispiel der spätromanischen Baukunst in Österreich, weil hier offenbar Reste eines Ostturmpaares vorhanden sind. Möglicherweise kann dieses Motiv als bambergisch betrachtet werden, gehörte doch Wolfsberg zum Bistum Bamberg (wie übrigens auch Feldkirchen). Besonders hervorzuheben sind das Westportal und das Markusrelief an einem Pfeiler im Inneren der Kirche. Die Struktur des Portals zeigt einen sonst eher für die niederösterreichisch-ungarische Spätromanik typischen Formenapparat, der allerdings die hohe Qualität der vergleichbaren Portalgestaltungen (Wiener Neustadt) nicht erreicht. Der Stilzusammenhang mit dieser ostösterreichischen Gruppe scheint aber offensichtlich. (Es kann also nicht alles von der Auftraggeberseite her, hier Bamberg, begründet und erklärt werden.) Das ungefähr mit dem Portal gleichzeitig datierbare Relief mit dem Kopf des Evangelisten Markus und dem Löwensymbol könnte man im Funktionszusammenhang mit einem Ambo oder ähnlichem sehen. Dafür gibt es vor

Abb. 121: Wolfsberg, Stadtpfarrkirche, Westportal

allem genügend italienische Beispiele. Die seltsam wirkende Haube des Markus erinnert in ihrer Form an provinzial-römische Grabsteine, die ja gerade in Kärnten eine Bildquelle für die „Romanik" darstellten – was sich an mehreren Werken nachweisen läßt.

Der sogenannte Landkirchenbau – ein nicht ganz korrekter Begriff – läßt eine gewisse Typologie, die aber nirgendwo exakt und wörtlich eingehalten wurde, erkennen; es gibt allenthalben Varianten genug, die von der Norm oder vom Standardtypus abwichen. Am häufigsten scheint die Chorturmkirche vertreten gewesen zu sein, die zumeist ein mächtiges Schiff (Saalraum) mit Chorquadrat und Turm bzw. Apsisgliederung zeigt. In vielen später umgebauten Kirchen dieses Typus haben sich Grundriß, Fundamente, Mauerreste etc. erhalten. Beispiele sind: St. Nikolaus in Preitenegg, St. Georgen unter Stein, wahrscheinlich St. Leonhard.

Zu den Westturmkirchen, die ihr Vorbild wahrscheinlich in den wesentlich älteren karolingischen Bauten haben, gehören St. Peter bei Reichenfels (exi-

Abb. 122: Wolfsberg, Stadtpfarrkirche, Markusrelief

Abb. 123: St. Martin im Granitztal, Karner

stierte schon im 10. Jahrhundert) oder die außerhalb des Ortskerns liegende Pfarrkirche in Lavamünd.

An Karnern sind Kärnten, die Steiermark und weite Teile Niederösterreichs reich. Von ihrer Funktion her dienten diese zylinderartigen Bauten dem Totengedächtnis. Formal und typologisch lassen sie sich letzten Endes von der Grabesrotunde in Jerusalem, von antiken Mausoleen, von Martyrien etc. ableiten. Regional gesehen gibt es zwischen den einzelnen Karnern kaum nennenswerte Unterschiede. Zeitlich betrachtet hielten sie sich von etwa 1100 bis in die späte Gotik (allerdings wurde dann der Zylinder durch kubische, mehreckige Raumkörper ersetzt). Zu diesem Normtyp, der immer zweigeschossig war, weil Sekundärbegräbnisstätte und Totenkapelle kombiniert wurden, gehören etwa St. Peter im Lavanttal und St. Martin im Granitztal. Wie das erstere Beispiel zeigt, konnten die kleinen Apsiden („Chörlein") durchaus individuelle Ausformungen aufweisen. Auch nicht immer, wie das zweite Beispiel vor Augen führt, mußte der Zylinder dieselbe Form besitzen; hier hat er eben konisches Aussehen. Die Lage der Karner differiert von Nordost bis Südwest, allerdings wurde niemals die Achse der Kirche in Anspruch genommen oder die Orientierung nach Osten, zur aufgehenden Sonne, bevorzugt. Nicht nur hieran erkennt man deutlich, mit welcher Symbolik Kirchenbauten der „Romanik" (darüber hinaus des gesamten Mittelalters) umgeben waren.

Von den profanen Denkmälern, die viel stärker der Zerstörung und dem Verfall preisgegeben waren, sind nur ganz wenige im Lavanttal hervorzuheben. Spätromanischer Zeit gehört der Bergfried der Burgruine Hartneidstein, südlich von Wolfsberg gelegen, an. Erwähnenswert ist auch die Burgruine Stein im unteren Lavanttal. Hier lassen die Reste der Burgkapelle das ursprüngliche Aussehen erkennen; es handelte sich um einen Apsissaal, wie er für viele Burgkapellen in ganz Österreich typisch war. Ebenfalls noch Reste aus der „Romanik" zeigt die Burgkapelle der Ruine Rabenstein bei St. Paul.

Steinskulpturen und Holzbildwerke waren in größerer Anzahl sicher vorhanden und dienten verschiedenen Aufgaben der Glaubensvermittlung; sie waren an verschiedenen Orten eines Kirchen- bzw. Klosterbaus angebracht. Da Ansprüche, religiöse Anschauungen und mitunter sogar der Geschmack eines Auftraggebers einem Wandel in den Jahrhunderten unterlagen, darf es nicht wunder nehmen, wenn schon die „Go-

Abb. 124: Burg Hartneidstein 1688, Kupferstich aus Valvasors „Topographia Archiducatus Carinthiae"

tik" viele ältere, romanische Werke ausgewechselt hat und sie nicht in der heute zumeist üblichen denkmalpflegerischen Sorgsamkeit behandelte. Kurz: Sie sind zum großen Teil leider verlorengegangen. Neben den erwähnten Skulpturen in St. Paul und Wolfsberg bleiben Fragmente in Stift Griffen, in der Schloßkapelle Thalenstein und an der Fassade der Filiale St. Martin im Granitztal zu erwähnen. Diese bemerkenswerten, unterschiedlich bewerteten Stücke gehören werkstattmäßig zusammen. Im Kreuzgang des ehemaligen, im Jahre 1236 durch den Bischof von Bamberg gegründeten Prämonstratenserstiftes befindet sich eingemauert die linke Hälfte eines spätromanischen, wohl erst in der zweiten Hälfte des 13. Jahrhunderts entstandenen Tympanons, das wahrscheinlich an der ersten Stiftskirche („Alte Pfarrkirche") angebracht war. Die Kirche selbst ist ein interessantes Beispiel eines Chorturmsaales, wie er hauptsächlich für Pfarrkirchen Verwendung fand. Dieser Bau ist wenige Jahrzehnte später nicht erweitert, sondern durch einen größeren, unmittelbar benachbarten ersetzt worden. Trotz Barockisierung im späteren 17. Jahrhundert hat sich die dreischiffige, basilikale Anlage im Kern erhalten. Der Grundriß zeigt durchaus die bewußte Anlehnung an zisterziensische Vorbilder. Im Chor der eben erwähnten „Alten Pfarrkirche" finden sich ansehnliche Reste einer spätromanischen Ausmalung, die sowohl auf die Gründung von Bamberg hinweisen, wie auch christologische Szenen und Heilige zeigen. Vom genannten Anbetungsrelief, das zwar mit St. Paul in keiner Weise vergleichbar erscheint, aber die Beliebtheit des Themas im 13. Jahrhundert zeigt, weil ja eben gerade zu dieser Zeit die Verehrung der Hl. Drei Könige (Epiphanie) einsetzte und sich über ganz Europa verbreitete, ist eben der rechte Teil irgendwann von Griffen in Privatbesitz (Schloß Thalenstein, unweit Griffen) abgewandert. Beide Stücke fügen sich, wie die Ausstellung „Hemma von Gurk" (1988) in Straßburg gezeigt hat, zu einem bemerkenswerten Bogenfeld zusammen, das auch kunsthistorisch einige Bemerkungen verdient. Sowohl die Datierung wie die stilistische und funktionale Einordnung sind unterschiedlich, ja, wie dies bei provinziellen, nur lokal bedeutsamen Werken oft der Fall ist, diametral beurteilt worden. Ich möchte mich weder der Meinung K. Ginharts (Katalog „Romanische Kunst (. . .)", 1964, S. 153f., Nr. 107) noch der E. Bachers (Katalog „Hemma (. . .)", S. 355ff.) anschließen. Eine Datierung, wird sie mit einer

Abb. 125: Die Heiligen Drei Könige (ehemals Stift Griffen), heute Schloß Thalenstein bei Griffen

Kirchweihe in Verbindung gebracht, ist doch wohl am wahrscheinlichsten in der zweiten Hälfte des 13. Jahrhunderts. Daß beide Hälften ein Tympanon bilden, ist bei näherer Betrachtung wahrscheinlich. Parallelen zu bayerischen Werken (Steinskulpturen) sind zweifellos zu entdecken, aber nicht exakt nachzuweisen. Am ehesten handelt es sich um einen lokalen Laienkünstler, der möglicherweise auch für St. Paul gearbeitet hat. Hiermit sind wir schon bei den beiden, im Dehio-Handbuch Kärnten als „lebensgroße Büsten von Bischöfen 17. Jahrhundert (?)" bezeichneten Grabplatten, die weder lebensgroß noch in der ursprünglichen Form erhalten sind.

Abb. 126: Muttergottes mit Kind (ehemals Stift Griffen), heute Schloß Thalenstein

„Sie gehen in der plakativen, formal ins Dekorative und inhaltlich ins Volkstümliche übersetzten Sprache" – so schreibt E. Bacher über die Anbetungsgruppe in Griffen/Thalenstein – weit über das Romanische hinaus. Genau dieser Widerspruch der Form hat zu unterschiedlicher Beurteilung geführt. Dasselbe trifft für die beiden Abtsteine in St. Martin im Granitztal zu, die eine ebensolche Mischung von spätromanischer Formsprache, urtümlicher Wirkung und bestechender Provinzialität sind, wie sie kaum irgendwo sonst in Österreich, nur noch in Gurk („Hemmaköpfe") zu finden ist. Die großen Augen wirken tatsächlich magisch, eher fixieren sie ihr Gegenüber, als daß sie zur Betrachtung einladen. Diese Formen konnten doch nicht einmal von einem begabten Barockmeister erreicht oder gar übertroffen werden! Was also spricht gegen eine Datierung in das späteste 13. Jahrhundert?

Abb. 127: St. Martin im Granitztal, Westfassade, Abtsteine

BENUTZTE LITERATUR

K. GINHART, H. HENCKEL-DONNERSMARCK, L. SPENEDER, Die Kunstdenkmäler Kärntens, Bd. VIII: Bezirk Wolfsberg (1933).

W. FRODL, Die romanische Wandmalerei in Kärnten (1942).

A. MAIER, Kirchengeschichte von Kärnten, II. Teil: Mittelalter (1953).

R. MILESI, Romanische und ritterliche Grabplastik Kärntens (1963).

KATALOG der Ausstellung ,,Romanische Kunst in Österreich" in Krems/Stein (1964).

ÖKT 37 (1969).

DEHIO-Handbuch Kärnten (1976).

KATALOG der Ausstellung ,,Das tausendjährige St. Blasien", 2 Bde. (1983).

C. FRÄSS-EHRFELD, Geschichte Kärntens, Bd. 1: Das Mittelalter (1984).

KATALOG der Ausstellung ,,Hemma von Gurk", Straßburg/Kärnten (1988).

G. BIEDERMANN, Romanik in Österreich (1990).

Zur Baugeschichte des Klosters St. Paul im Lavanttal – Von den Anfängen bis gegen 1500[1]

WILHELM DEUER

Das klimatisch begünstigte Lavanttal ist uralter Siedlungsboden. Allein im Gebiet der Katastralgemeinde St. Paul hat man bislang Werkzeuge, Keramiken und Gräber von der Jungstein- bis zur Hallstattzeit aufgefunden. Im benachbarten Allersdorf konnte ein römischer Gutshof nachgewiesen werden, und am Johannesberg südöstlich des Stiftes entdeckte man Gräber und Kleinfunde aus der Römerzeit.[2] An der Westwand des Südturmes der Stiftskirche schließlich hat das spätrömische Relief einer von Blattranken einbegleiteten weiblichen Halbfigur eine Zweitverwendung gefunden; andere Römersteine im Mauerverband der Stiftsanlage sind nachgewiesen.[3]

Bautätigkeit der Romanik

Mit dem Zusammenbruch der spätrömischen Kultur versiegen für mehrere Jahrhunderte die lokalen siedlungsgeschichtlichen Quellen. So wissen wir nicht mit Bestimmtheit, wann und von wem die strategisch günstige, etwa 30 m über dem Talgrund der Lavant aufragende felsige Rückfallskuppe der südlich anschließenden Berge für eine dauernde befestigte Niederlassung ausersehen wurde. Nach der St. Pauler Gründungsüberlieferung[4] scheinen erst der Rheinfranke Siegfried aus dem Geschlecht der Spanheimer und seine Gattin Richardis, Tochter des Pustertaler Grafen Engelbert, vor 1064 eine Burg zum Schutz ihrer umfangreichen Lavanttaler Besitzungen angelegt zu haben.[5] Von dieser Burg haben sich anscheinend keine gesicherten Reste erhalten. Der an der aufwendigen Stiftsrestaurierung von 1935/36 mitbeteiligte Architekt Fritz Stanzel vermeinte, im langgestreckten Klosterwesttrakt die Grundmauern und sogar Gewölbeansätze eines rechteckigen, 47,7x10,7 m messenden Hauptgebäudes dieser Burg (von ihm bereits um 1000 datiert) entdeckt zu haben, doch stießen seine Vermutungen nur auf geringe Resonanz.[6] Aus topographisch-strategischen Überlegungen ist aber doch anzunehmen, daß sich die Kernbauten dieser Burg Lavant (*de Lavanda*) westlich bzw. anstelle der Stiftskirche und des Kreuzganges befunden haben müssen.

Wohl innerhalb des ummauerten Burgbereiches haben die Grafen von Lavant eine Eigenkirche zu Ehren der Heiligen Ägydius und Maria Magdalena erbauen lassen, die nach lokaler Überlieferung bereits von Erzbischof Hartwig (991–1023) mit Pfarrechten versehen worden sein soll[7] – ein wichtiges Indiz für die Datierung der Grafenburg, wollte man im genannten Hartwig nicht den Bruder Engelberts I. von Spanheim, den Erzbischof von Magdeburg (1079–1102), sehen, der in St. Paul begraben liegt. Die 1093 den Mönchen übergebene Kirche war ungeachtet ihrer nicht genau bestimmbaren

Abb. 128: Stiftskirche, Kapitell um 1100 vom Nordfenster des Südturmes

Bauzeit und trotz fehlender Baubeschreibungen nach lokalen Baugewohnheiten[8] mit hoher Wahrscheinlichkeit ein relativ geräumiger Apsissaal. Schon vor 1405 verlor sie ihre Pfarrechte an die Erhardikirche und wurde nach möglicherweise bereits mehrfachen Gotisierungen im Jahre 1618, mitten im Klosterhof stehend und den barocken Neuplanungen im Wege, abgerissen.[9]

Eine zweite, dem Apostel Paulus gewidmete Kirche im Burgbezirk ist schwieriger interpretierbar: Graf Siegfried hatte mit ihrem Bau vor dem Antritt einer Pilgerreise ins Heilige Land (1064) begonnen, von der er nicht zurückkehrte. Er und seine Witwe Richardis, die den Bau weiterführte bzw. vergrößerte, seine Leiche unter großem Aufwand von Bulgarien hierher überführen ließ und selbst auf einer Pilgerreise nach Santiago de Compostela starb, fanden in ihr die letzte Ruhestätte. Zweck, Größe und selbst die Lage dieser ersten Paulskirche bleiben aber völlig im dunkeln: So haben Grabungen im West- und Ostteil der heutigen Stiftskirche die naheliegende Vermutung, daß es sich um einen Vorgängerbau handle, nicht bestätigen können. Ein unter dem Presbyterium des Hauptschiffs freigelegter Rechteckraum mit gestelzter Apsis erwies sich zu klein für einen Kirchenraum (lichte Breite ca. 3,5 m) und war darüber hinaus derart exakt auf den darüberliegenden Chorraum abgestimmt, daß man heute auf eine mit der Klosterkirche zeitgleiche Stiftergruft schließen muß.[10] Im vorletzten Geschoß des Südturmes der Stiftskirche finden wir an der Nordseite ein gegenüber den anderen St. Pauler Kapitellen der Hoch- und Spätromanik auffallend abweichendes, etwas klobiges Kelchblockkapitell, das unter Umständen vom ersten (vor?-)klösterlichen Bau der Paulskirche stammen könnte.[11]

Innerhalb des heutigen Klosterbezirkes haben also bereits zwei frühromanische Sakralbauten bestanden, als Graf Engelbert I., Sohn des Siegfried und der Richardis, seinen gleichnamigen Sohn zum hochangesehenen Abt Wilhelm von Hirsau entsandte, um von ihm Mönche für eine Klosterneugründung auf dem Burgberg zu erbitten. Nach ihrem Eintreffen unter Führung des späteren Abtes Wezilo erfolgte im Mai 1091 vor Ort die förmliche Klosterstiftung mit Übergabe der gräflichen Burg sowie der beiden Kirchen. Die rasche Weihe einer Klosterkirche im Dezember 1093 durch Erzbischof Thiemo von Salzburg läßt zunächst auf eine bloße Adaptierung der obgenannten Paulskirche schließen[12]; allerdings setzen zwei weitere Schriftquellen eine Klosterweihe erst 1101 bzw. 1102 an[13], so daß wir schon zu diesem Zeitpunkt einen Neubau nicht ausschließen können. Über die Errichtung erster Klosterbauten fehlt jeglicher Hinweis, doch müssen die Klosterkirche wie die nördlich anschließenden Kreuzgangtrakte – das Herz der klösterlichen Gemeinschaft – direkt in die Burganlage hineingesetzt worden sein. Daß dabei

Teile der Burg (insbesondere Wirtschaftsgebäude und Stallungen) in die Stiftsanlage übernommen wurden und letztlich ein unregelmäßiger, den topographischen Gegebenheiten angepaßter Baukomplex entstand, können wir ungeachtet ergrabener Spuren annehmen.

Die Frage nach dem Zeitpunkt der Errichtung dieses Vorgängerbaues der heutigen Stiftskirche – er bewegt sich innerhalb einer Spanne von etwa 1064 bis 1102 – berührt wesentlich entwicklungsgeschichtliche Bereiche: So tritt Engelberts Bruder Hartwig, von 1079 bis 1102 Erzbischof von Magdeburg, sowohl durch Schenkungen von Kirchengerät und -gewändern als auch durch vielerlei sonstiges Engagement derart in Erscheinung, daß er im St. Pauler Nekrolog als *magnus benefactor et fundator secundus* bezeichnet wird.[14] Seine Persönlichkeit hätte ohne weiters z. B. niedersächsische Bauformen in die erste St. Pauler Stiftskirche einfließen lassen können.

Die aus der Reformbewegung der Cluniazenser hervorgegangene Hirsauer Kongregation hat sich primär gegen die weltliche und bischöfliche Vereinnahmung des Benediktinerordens gewandt – war also im Investiturstreit eine wichtige Stütze päpstlicher Interessen[15] –, erwies sich aber darüber hinaus auch als Reformator der klösterlichen Baukultur und hat in den beiden Hirsauer Kirchen St. Aurelius (1059 – 1071) und St. Peter und Paul (1082 – 1091) zwei „Normbauten" geschaffen, die, von regionalen Adaptierungen abgesehen, in verschiedenen Kunstlandschaften weite Verbreitung gefunden haben[16]. Zum erschlossenen Zeitpunkt des ersten St. Pauler Stiftskirchenbaues (im späten 11. Jahrhundert) war die Ausstrahlung dieser Reformbewegung sehr groß und müßte gerade hinsichtlich der Entsendung der Hirsauer Mönche auch architektonischen Niederschlag gefunden haben, auch wenn wir heute längst nicht mehr von einer förmlichen Hirsauer „Bauschule", sondern von der Verbreitung einer „Gesinnung" sprechen.

Die Forschung ist allerdings geteilter Meinung über die rekonstruierbaren Reste dieses St. Pauler Vorgängerbaues: Geht Rudolf Pühringer davon aus, daß beim hochromanischen Umbau der Stiftskirche wenigstens die alten Fundamente weiterverwendet wurden und den direkten Einfluß von St. Aurelius im Grundriß widerspiegeln könnten[17], so sieht Karl Ginhart auch in der Grundrißdisposition der heutigen Kirche bereits ein Werk der zweiten Hälfte des 12. Jahrhunderts[18]. Berücksichtigt man nun die instabile kirchenpolitische Situation des 11. Jahrhunderts – der Investiturstreit hatte besonders innerhalb des Erzbistums Salzburg tiefe Spuren hinterlassen – und zieht man annähernd zeitgleiche Klosterkirchen der näheren Umgebung als Vergleich heran (z. B. Millstatt[19]), so fällt die zu diesem Zeitpunkt ungebrochen starke lokale Tradition der dreischiffigen querschifflosen Basilika mit drei gleichfluchtigen Apsiden auf, die noch tief im 12. Jahrhundert auch an sehr repräsentativen Kirchenbauten (Gurker Dom, Seckau) Niederschlag gefunden hat. Ein kräftig vorspringendes Querhaus, ein gestaffelter Chor und ein Westturmpaar – alles „Markenzeichen" Hirsauer Baugewohnheiten – sind im Ostalpenraum vor der ab 1122 voll wirksamen Reform Erzbischof Konrads I. (1106 – 1147) kaum vorstellbar.[20] Die gegebenen Umstände sprechen also eher gegen einen Weiterbestand des frühromanischen Grundrisses im heutigen Bau, können aber einen Hirsauer „Vorstoß" in St. Paul vor oder um 1100 auch nicht völlig ausschließen.

Die mit Ende des Investiturstreites (1122) und aufgrund des Reformwerkes von Erzbischof Konrad I. und seinem Gurker Suffraganbischof Roman I. (1131 – 1167) einsetzende Baublüte, von der sowohl die meisten Stifts- als auch Pfarrkirchen betroffen waren[21], ging offenbar über ein halbes Jahrhundert spurlos an der St. Pauler Stiftskirche vorüber. Abgesehen von der auffälligen lokalen Quellenarmut im 12. Jahrhundert scheint das doch ein deutliches Indiz für einen soliden vorangegangenen St. Pauler Kirchen- und Klosterbau zu sein.[22]

Das als „Hauskloster" der Spanheimer gegründete St. Paul war wohl zunächst „repräsentativer politischer und geistiger Mittelpunkt" des Geschlechtes und diente seiner Verwurzelung in Kärnten und dem Ausbau seiner Macht.[23] Seit der Mitte des 12. Jahrhunderts aber flossen seine Wohltaten für St. Paul nicht mehr so reichlich. Hingegen dotierten die Spanheimer aus verkehrs- und machtpolitischen Gründen nach 1122 reichlich das Kloster Rosazzo südöstlich von Udine und zogen es St. Paul als Begräbnisstätte vor.[24] Herzog Bernhard von Spanheim stiftete 1142 für die Kolonisierung des Wörthersee-Ostufers in Viktring ein Zisterzienserkloster und berief dafür Mönche aus dem lothringischen Weiler-Bettnach. Die straffe Organisation des auch politisch ungemein wirksamen Reformordens, seine wirtschaftlichen und kolonisatorischen Fähigkeiten, nicht zuletzt aber auch seine aus burgundischen Traditionen erwachsene Baukultur mit vielen Neuerungen für den Ostalpenraum (darunter vor allem die Schiffswölbung und die geraden Chorschlüsse) stellten für das „alte" Spanheimerkloster St. Paul eine große Herausforderung dar, der auch auf architektonischem Weg begegnet werden mußte.

Keine direkte Schriftquelle kündet vom Beginn, dem Fortschreiten oder der Fertigstellung des beeindruckenden Neubaues der Stiftskirche, die Gottlieb von Ankershofen erstmals 1859 ausführlich dem Fachpublikum vorstellen konnte[25] und Rudolf Pühringer 1931 als das „entwicklungsgeschichtlich vielleicht interessanteste romanische Denkmal der Erzdiözese (Salzburg)" bezeichnet hat[26]. Die langen Regierungszeiten der Äbte Pilgrim (1159–1192) und Ulrich I. (1192–1212) und die damit verbundene stabile Entwicklung des Klosters bildeten den materiellen Hintergrund, zwei päpstliche Privilegien von 1177 und 1195, die dem Abt das Recht auf die Mitra und den Bischofsring verbrieften[27], aber eine ideelle Untermauerung des Großprojektes. Pühringer erschloß aus der stilistischen Einheitlichkeit der Kirche und insbesondere wegen des am ganzen Bau nur wenig variierenden „Steinmetzformulars" der Sockelzone eine relativ kurze Bauzeit zwischen etwa 1190 und 1210.[28] Die enge Verwandtschaft der außen aufwendig mit Blendarkaden und Friesen gestalteten Apsiden mit denen des Gurker Domes ist das auffälligste von mehreren Indizien für einen Zusammenhang beider Werkstätten: Gurker Bauleute – insbesondere Steinmetzen – könnten nach Beendigung ihrer dortigen Arbeit in St. Paul weitergearbeitet haben. Dafür spricht auch das urkundliche Auftreten des Gurker Malers Heinrich in St. Paul, dessen Rechtsgeschäft von drei Berufskollegen (Dietrich, dessen Sohn Hainrich und Rudger) bezeugt wird (1218).[29] Zu diesem Zeitpunkt war die bauliche Substanz bereits so weit fertiggestellt, daß man mit der Einrichtung begonnen hatte.

Die großartige, detailreich konzipierte und sehr sorgfältig ausgeführte fünfjochige Basilika mit Westturmpaar, ausladendem Querhaus und gestaffeltem Dreiapsidenchor ist immer wieder als weitum vollkommenste Verkörperung hirsauischen Gedankengutes hervorgehoben worden.[30] Insbesondere die Kombination von vorspringendem Querhaus, die um ein Chorquadrat östlich vorgeschobene Mittelapsis und der zwischen dem Querhaus und dem ersten Langhausjoch eingefügte *chorus minor*[31] für die des Chorgesanges nicht befähigten Laienbrüder ist im Ostalpenraum woanders kaum derart stilrein überliefert worden. Doch ist das direkte Einwirken Hirsaus auf die hochromanische Kirche von St. Paul auch von berufenster Seite vehement bestritten worden.[32] Tatsächlich ist im Umfeld der Reformen Erzbischof Konrads I. nach 1122 über verschiedene Kunstlandschaften (z. B. Niedersachsen oder Franken) viel ur-

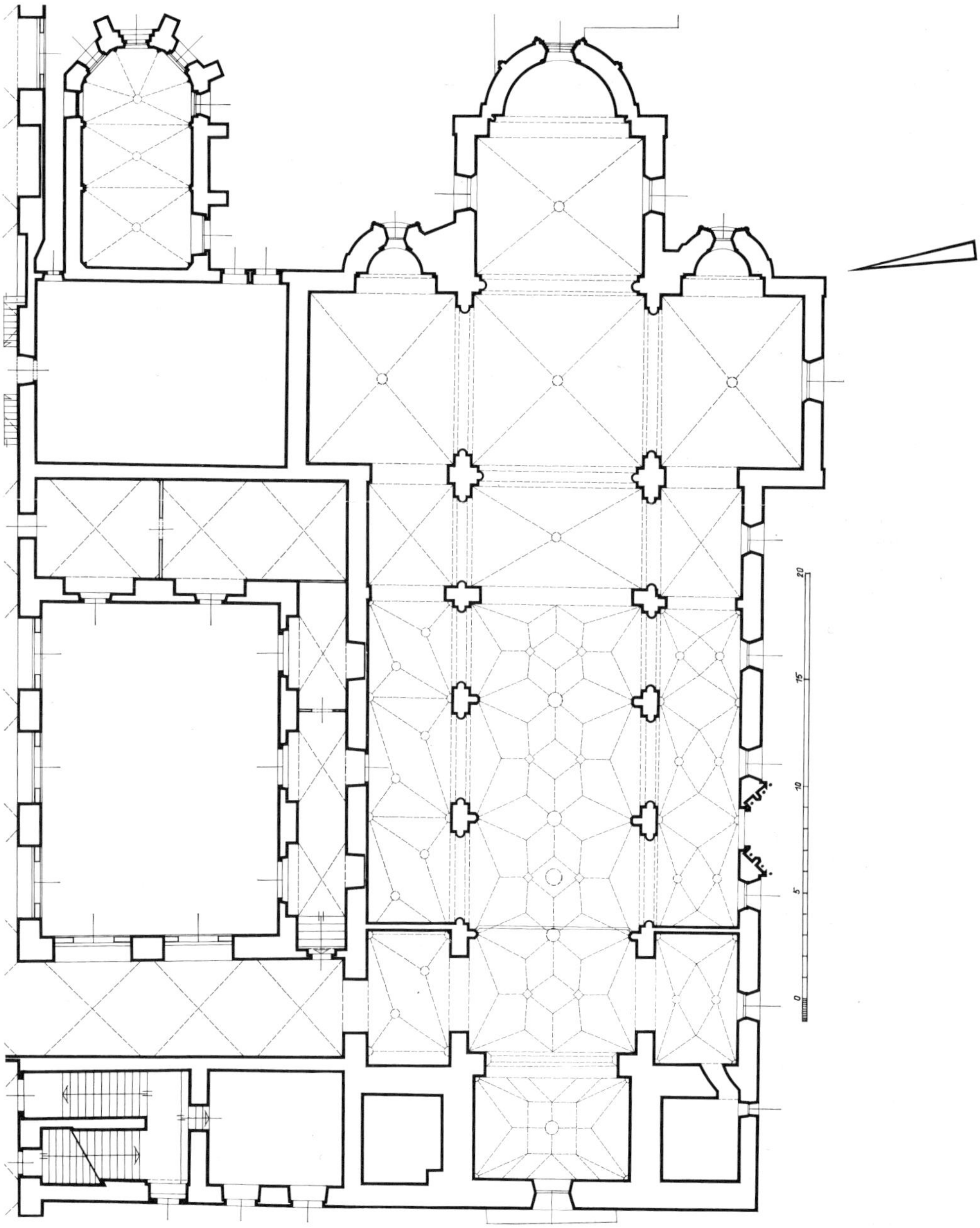

Grundriß der Stiftskirche St. Paul

Abb. 129: Stiftskirche, romanisches Kapitell vom linken Pfeiler der Nordreihe, Ostseite

Abb. 130: Stiftskirche, romanisches Kapitell vom südöstlichen Vierungspfeiler, Westseite

sprünglich hirsauisches Formengut in neuer „Motivation" sowohl im Passauer wie Salzburger Wirkungsbereich auch an Kirchen anderer klösterlicher Gemeinschaften (z. B. bei den Augustiner-Chorherren in Seckau) verbreitet worden, insbesondere das Westturmpaar und kurzzeitig auch das Querhaus.[33]

Form und Proportionen des Grund- und Aufrisses der St. Pauler Stiftskirche haben mit St. Aurelius in Hirsau viel gemeinsam, unterscheiden sich aber sehr deutlich vom „bodenständigen" Gurk: Als Maßeinheit fungiert die lichte Breite des Mittelschiffes, was (teilweise unter Einschluß der Mauerstärken) besonders in der Vierung, den Querhausarmen und im Hauptchor (Presbyterium) Niederschlag gefunden hat.[34] Auch die Seitenschiffe sind etwa halb so breit wie das Mittelschiff. Trotzdem können wir von keinem „gebundenen System" sprechen, weil weder Seiten- noch Mittelschiffjoche Quadratform haben. Die Kirche war mit Ausnahme der Seitenjoche des *chorus minor*, wo romanische Kreuzgratgewölbe erhalten blieben, und der Apsiskalotten mit flachen Holzdecken versehen – in diesem Punkt gingen Hirsauer Reform und bodenständige Bautraditionen weitgehend konform.

Die ungemein formen- und detailreichen Würfel- und Kelchkapitelle des Kircheninneren (eine „Musterkarte der romanischen Kapitellplastik des 12. und des frühen 13. Jahrhunderts"[35]) und die Apsidenaußengestaltungen – beide den asketischen Forderungen der Reformordensarchitektur eigentlich zuwiderlaufend – sowie die differenzierte Raumgestaltung insbesondere im Ostteil erweisen St. Paul letztlich als folgerichtige Weiterentwicklung und Höhepunkt regionaler Hochromanik. Wir können die Stiftskirche als Synthese verschiedener Quellen (unter denen die Hirsauer Baugewohnheiten, ob primär oder über Umwege vermittelt, eine große Rolle spielten) sehen, die sich bis ins späte 12. Jahrhundert längst zur blühenden Lokaltradition verfestigt hatten. Für diese Richtung stehen etwa Gurk,

Abb. 131:
Stiftskirche, südliche Seitenapsis

Abb. 132: Gotisches Türgewände
mit ehemaliger Lettnerfigur

Seckau und St. Paul, während in Viktring und (schwächer) am Millstätter Westbau fremde, gleichsam „importierte“ Baugesinnungen wirksam blieben.[36]

War das Kirchengebäude im wesentlichen gegen 1210 fertiggestellt und zogen sich die Ausstattungsarbeiten noch ein bis zwei Jahrzehnte hin, so kam es – aus dem stilistischen Befund der in Sekundärverwendung überlieferten Reste von Bauplastiken erschlossen – um 1240 zur Aufstellung einer bemerkenswerten Trennwand zwischen dem *chorus minor* und dem ersten, westlich anschließenden Langhausjoch, etwa in Kirchenmitte an der Stelle der heutigen Kanzel. Ein solcher „Lettner“[37], wie er seit der Spätromanik aufkam und in der Gotik weite Verbreitung erfuhr (bis er im Gefolge des Tridentinums außer Gebrauch kam und durch die Kanzeln abgelöst wurde), sollte die klösterliche Gemeinschaft auch in der Kirche von den Laien abschirmen[38].

Der St. Pauler Lettner könnte nach seiner Beschreibung von 1617 ein von Säulen getragener oder zumindest eingefaßter gewölbter Gang mit bühnenartigem oberem Abschluß gewesen sein. Davon blieben Knospenkapitelle der reifen Spätromanik, Reste eines Zickzackfrieses und zwei ausdrucksstarke Konsolfiguren im Kirchensüdportal erhalten, das der baufreudige Abt Hieronymus Marchstaller 1618 in einem Akt bemerkenswert einfühlsamen Historismus nach Abbruch des Lettners hatte aufführen lassen.[39] Von den drei Statuen, die ihn schmückten (Petrus, Paulus und eine Stifterfigur), blieb ein etwa zwei Meter hoher Torso erhalten, der in seiner raumgreifenden dynamischen Haltung hohes, bis nach Frankreich ausgreifendes künstlerisches Niveau erkennen läßt und möglicherweise erst zwischen 1256 und 1264 entstand (siehe unten). Er wurde in einem jüngst freigelegten gotischen Torgewände gegenüber dem Kirchenwestportal aufgestellt. Ob das einzelne Lisenenkapitell an der Hauptapsis mit seinen Maulbeerranken, die sich in ihrer Naturtreue auffallend vom übrigen bauplastischen Schmuck absetzen[40], ebenfalls 1240 oder kurz vor 1260 entstand, muß offen bleiben.

Längsschnitt der Stiftskirche St. Paul

Übergänge zwischen Romanik und Gotik

Die schwere Krise der traditionellen Landklöster feudaler Struktur seit der Mitte des 13. Jahrhunderts hat ihre Hauptursache österreichweit sicher im Interregnum – der Zeit der Machtkämpfe nach dem Erlöschen der Babenberger (1246) und der Staufer (Tod Kaiser Friedrichs II. 1250) bis zur Festigung der Macht König Rudolfs von Habsburg durch den Sieg über seinen Widersacher Přemysl Ottokar (1278). Auch Kärnten wurde in diese Ereignisse großer Rechtsunsicherheit, die die Gefahr von Übergriffen auf Kirchengut wesentlich vergrößerte, miteinbezogen. Eine Schlüsselrolle spielten dabei die beiden letzten Vertreter der Spanheimer, Herzog Ulrich († 1269) und sein Bruder Philipp, erwählter Erzbischof von Salzburg, der zehn Jahre später als anerkannter Herzog, de facto aber als Scheinregent von Rudolfs Gnaden, starb.[41] Gleichzeitig stieg die Bedeutung der Städte als Träger der Wirtschaft, aber auch der materiellen und geistigen Kultur sprunghaft an und mit ihnen die Anziehungskraft der neugegründeten Bettelorden.

St. Paul verdankt dieser nicht bloß politischen, sondern auch künstlerischen Übergangszeit zwischen Romanik und Gotik wahrscheinlich nicht nur Freskenreste an der Hauptapsis, den Schiffspfeilern und -wänden[42], sondern auch ein vollständig erhaltenes repräsentatives Portal sowie das Tympanon eines weiteren, deren *terminus ante quem* sich aus einer Kirchweihnotiz von 1264 ergibt[43]. Sieht Ginhart diese Weihe bloß als Abschluß restaurativer Maßnahmen, die durch Schäden am Kloster anläßlich der Ungarneinfälle 1259 notwendig geworden waren[44], so müssen doch auch repräsentative Maßnahmen nach dem Tod Herzog Bernhards, der am 10. Jänner 1256 in St. Paul beigesetzt worden war[45], angenommen werden. Daß das Stift in dieser Zeit die niedere Gerichtsbarkeit üben konnte[46] – es könnte im segnenden Christus des Tympanonfeldes am Westportal Niederschlag gefunden haben –, ist dafür nur ein zusätzliches Indiz.

Dieses Westportal ist in seiner Durchmischung von romanischen und gotischen Strukturen und Details (traditionelle Trichterform mit sehr altertümlichen attischen Basen, trocken-spröde Kelchknospenkapitelle, die in starkem Gegensatz zu denen des Südportales stehen, aber eine moderne Archivolte im Spitzbogen) derart widersprüchlich, daß es nur aus einem bewußten Zurückgreifen, ja einem „historisierenden“ Rückblick heraus erklärt werden kann. Die typisch romanischen Schachbrett- und Zickzackfriese, wie wir sie anhand der Reste am Südportal noch für den Lettner um 1240 rekonstruieren können, haben schon einfachen Karniesgesimsen Platz gemacht.

Das Portal nimmt entwicklungsgeschichtlich einen Platz zwischen denen der Stiftskirchen von St. Peter/Salzburg (zweites Viertel 13. Jahrhundert) und Lilienfeld (gew. 1263) ein. Lediglich im Tympanonfeld des segnenden, von zwei Engeln gesäumten Christus, zu dessen Füßen der hl. Paulus und ein Abt knien, schlägt das Pendel eindeutig zugunsten der Romanik aus. Es muß wie das gleichzeitige Tympanonfeld des Südportales – das die Anbetung durch die Heiligen Drei Könige zum Inhalt hat und entweder von einem vom Kreuzgang in die Kirche oder in eine Marienkapelle (Kapitelsaal?) führenden Portal stammen dürfte[47] – aus stilistischen Gründen vom Meister der Lettnerfigur geschaffen worden sein.

Abb. 133: Stiftskirche, Westportal

Abb. 134: Stiftskirche, Südportal – Detail: linkes Gewände

Veränderungen der Gotik

Gemessen an der kulturgeschichtlichen Bedeutung der hochromanischen St. Pauler Stiftskirche sind ihre spätmittelalterlichen Veränderungen quantitativ gering:

Im wesentlichen kam es zur schrittweisen Einwölbung aller Raumteile, wobei neben zweifellos wirksamen ästhetischen Kriterien der Feuerschutz die entscheidende Motivation darstellte – immerhin hatten dem Brand von 1367 alle romanischen Gewölbe (Apsiden, *chorus minor*) widerstanden. Selbst die unvermeidlichen „modisch" motivierten Veränderungen – in St. Paul die Erhöhung der Dachgiebel und Aufstockung der Westtürme – waren nicht zuletzt Folgeerscheinungen solch elementarer Katastrophen. Zwei hochgotische Kapellenräume des 14. Jahrhunderts (die Marien- oder Rabensteinerkapelle und die später abgetragene Jakobskapelle) sind die eher magere Ausbeute spätmittelalterlicher Sakralarchitektur im engeren Stiftsbereich.[48]

Als entscheidende materielle Ursache hiezu können wir, neben dem Aussterben der Stifterfamilie, ab etwa 1280 – also fast parallel zum Stilwechsel – eine Änderung im Stiftungsverhalten der Bevölkerung nachweisen: Anstelle großzügiger Schenkungen finden wir nun Jahrtagsstiftungen mit genau bezeichneten Gegenleistungen[49], die den Verfügungsspielraum des Klosters beschränkten und im Wechselspiel mit liturgischen Sonderentwicklungen[50] zu verstärkter Konzentration auf die Kirchenausstattung (z. B. Flügelaltäre mit Schnitzwerk und Tafel- oder Wandmalerei) Anlaß gaben.

Sehr schlecht sind wir allerdings über die übrige Bautätigkeit im Kloster unterrichtet. Der Barockumbau und spätere Adaptierungen haben mit bescheidenen Ausnahmen die mittelalterliche Bausubstanz derart konsequent beseitigt oder geschickt miteinbezogen, daß wir z. B. über den vorbarocken Kreuzgang (etwa Umfang und Charakter der Gotisierungen) keine verbindlichen stilistischen und chronologischen Aussagen treffen können.

Abt Heinrich (1325 – 1356) hat, wahrscheinlich erst in der zweiten Hälfte seiner Amtszeit, im Winkel zwischen Süd- und Querschiff am Außenbau der Stiftskirche eine Jakobskapelle anfügen lassen, für die er große Ablässe erwirkte, und in der er sich letztlich auch bestatten ließ.[51] Das zweijochige Gebäude wurde 1628 abgetragen, Spuren der Gewölbeansätze sowie eine Rippenkonsole mit Frauenkopf sind noch sichtbar.[52]

Ein Großbrand hat am Palmsonntag des Jahres 1367 das Kloster mit allen Kirchen, Kapellen und sonstigen Konventräumen (den „Hausstand") schwer in Mitleidenschaft gezogen und die gesamte Ausstattung zerstört. Abt Konrad (1359 – 1391) ließ die Kirche in würdiger Ausstattung wiederherstellen und dabei insbesondere das Mitteljoch des *chorus minor*, die Vierung, die Querhausseitenarme und das Presbyterium wölben.[53] Am 27. Mai 1375 konnte Bischof Heinrich Chrapf von Lavant die wiederhergestellte Kirche mit fünf Altären weihen.[54] Die vier zeittypischen Kreuzrippengewölbe hat eine aufgeschlossene Künstlerpersönlichkeit mit zum Teil individuell-naturalistischen Figurenkonsolen ausgestattet, die den Abt (Südostecke im nördlichen Querhaus), Mitglieder der Bauhütte (darunter einen hockenden Lehrbuben) und – in offenbar apotropäischer Funktion – Unholde und Unwesen darstellen. Die großflächigen Schlußsteine (der im *chorus minor* zeigt das Wappen Abt Konrads) fallen demgegenüber qualitativ deutlich ab.[55]

Der Brand hatte auch die Türme schwer in Mitleidenschaft gezogen, so daß in den folgenden Jahren wahrscheinlich zwei Obergeschosse abgetragen und stattdessen drei neue Geschosse in zeittypischem Bruchsteinmauerwerk

Abb. 135:
Stiftskirche, Ansicht der Ostapsiden

aufgesetzt wurden, das sich von den sorgfältig bearbeiteten Kalksteinquadern des romanischen Baues deutlich abhebt. Mehr Sorgfalt hat man dabei den Turmfenstergewänden – insbesondere den Drillingsfenstern im sechsten Geschoß – gewidmet. Zwischen den Türmen, in einem eigenen Raum über der Eingangshalle, dürfte sich schon im hochromanischen Kirchenbau eine Michaelskapelle befunden haben, die nach Abschluß der Restaurierungsarbeiten 1375 (neu?) geweiht wurde.[56] Solche Michaelskapellen sind entwicklungsgeschichtlich ein Relikt des karolingischen Westwerks; in ihnen wirkt das Motiv eines Reservats für den Kirchenherrn (Patron) nach, wenn sie auch deutlich apotropäisch bestimmt waren. Seit dem 12. Jahrhundert gehörten sie zum festen Repertoire der Stiftskirchen im Bereich der Erzdiözese.[57]

Dem zeittypischen gotischen Geschmack für Übersteilungen der Proportionen entsprach die Erhöhung der Dachgiebelmauern um etwa zwei Meter, was am südlichen Querschiffgiebel und über der Hauptapsis gut zu erkennen ist. Abt Konrad hat darüber hinaus auch die Wohnräume der Mönche zweckmäßig wiedererrichten lassen.[58] Genauere Angaben darüber besitzen wir allerdings nicht. Erst für das Jahr 1364 haben wir sichere Nachricht von einer St. Pauler Marienkapelle *in ambitu (. . .) sive in capitulo*[59], wie sie – oft in unmittelbarer Nähe zum Kapitelhaus (etwa in Cluny II um 1043)[60] – zum liturgisch-kultischen Grundrepertoire der abendländischen Klosterbaukunst gehörte. Gerade im 14. Jahrhundert gibt es einige Beispiele pretiöser Kapellenanbauten an Kapitelhäuser (siehe auch die Abb. 81 und 82 im Farbblock).

Der heutige Bau – aufgrund einer Ewiglichtstiftung der Brüder Burkhard und Wilhelm von Rabenstein aus dem Jahre 1423 und wegen späterer Bestattungen protestantischer Rabensteiner Pfleger auch „Rabensteinerkapelle" genannt[61] – entstammt allerdings erst dem letzten Viertel des 14. Jahrhunderts: Zum einen sind fünf von acht verschiedenen Steinmetzzeichen an den Turmobergeschossen auch an dieser Kapelle entdeckt worden, und außerdem erteilte Papst Bonifatius IX. 1391 allen, die *ad conservationem* der Marienkapelle Handdienste geleistet hatten, einen Ablaß.[62]

Die 10,5 x 5,4 m große Kapelle im Klosterosttrakt nördlich der Stiftskirche war ursprünglich dem nunmehr durch einen Sakristeiraum ersetzten Kapitelsaal vorgelegt und wurde von diesem aus betreten. Das zweijochige kreuzrippengewölbte Schiff mit 5/8-Chor wird außen durch hohe zweistufige Strebepfeiler harmonisch gegliedert. Von fünf hochgezogenen Fenstern zeigt nur mehr das nördlichste noch die alte Maßwerkgliederung; den inneren plastischen Schmuck besorgen drei Schlußsteine und die konsolartig endenden oder durchgängigen Gewölbedienste, deren Basen erst bei der Restaurierung von 1983 bis 1986 freigelegt werden konnten.

Während wir die Nachricht Marchstallers, wonach unter Abt Ulrich IV. Ecklinger (1414 – 1432) die Ostteile der Stiftskirche mit sehr schönen Gewölben versehen worden sein sollen, mit ziemlicher Wahrscheinlichkeit auf die reizvollen Gewölbemalereien beziehen müssen[63], gab es unter Abt Johann II. Eßlinger (1455 – 1483) sicher verstärkte Bautätigkeit. Vor allem ließ er zwischen dem 2. Feber und dem 29. September 1468 das Langhaus wölben. Die kurze Zeit für die doch über 22 m langen Wölbungen wird durch die Verwendung gebrannter, also vorgefertigter Rippen leichter verständlich.[64]

Trotz der gleichzeitigen Errichtung kamen sehr unterschiedliche Rippenfigurationen zur Ausführung: Besteht das Mittelschiff aus einem komplizierten Sterngewölbe, so hat man im Südschiff ein Netzrippen- und im Nordschiff ein originelles, unruhig wirkendes Springgewölbe (so genannt wegen der im Zickzack springenden Scheitelrippe und Schlußsteine) ausgeführt. Der unbekannte Baumeister hat hier noch vor der spätgotischen Bauwelle im Gefolge der Türken- und Ungarneinfälle gewissermaßen eine Art „lebenden Musterkatalog" der zeittypischen Wölberippenvariationen erstellt.

Abt Johann II. hat aber auch angesichts der unsicheren politischen Verhältnisse 1466 die Mauern und Tore des Stiftes befestigen lassen, so daß es zehn Jahre später von den Türken vergeblich belagert wurde.[65] Dabei scheint der mächtige mehrgeschossige Torturm errichtet worden zu sein, der auf der Stiftsansicht im Kollnitzer Urbar von 1653 auffällt und erst im 19. Jahrhundert abgetragen wurde.[66] Inwieweit damals am marktseitigen Westtrakt Umbauten vorgenommen wurden, kann nicht entschieden werden. Die Auffindung mehrerer spätgotischer Gewände im Jahr 1981, von denen man ein spitzbogiges

Abb. 136: Kollnitzer Urbar von 1653; STA, HS 303/0, fol. 5r, Ausschnitt: Stiftsansicht mit Torturm

Türgewände im Arkadengang, dem Kirchenwestportal gegenüber, sichtbar beließ und das heute die bekannte Lettnerfigur enthält, spricht dafür.

Unter Abt Sigmund Jöbstl (1488–1498) schließlich wurde der Kreuzgang umgebaut, wahrscheinlich (neu?) gewölbt.[67] Möglicherweise parallel dazu wurde bei Umbauten im Bereich von Küche und Refektorium auch der noch heute an der Nordfassade vorspringende polygonale Treppenturm errichtet.

Weitere punktuelle Freilegungen vorbarocker Bausubstanz im Kreuzgangbereich (im Westtrakt nördlich der Auferstehungskapelle und an der Westwand der Marien- oder Rabensteinerkapelle) geben Anlaß zur Hoffnung, daß sich die mittelalterliche Baugeschichte der St. Pauler Klostertrakte in den nächsten Jahren zunehmend aufhellen könnte.

Anmerkungen

1. Die Angaben folgen weitgehend, sofern nicht auf ältere Quellen oder (neuere) Spezialliteratur hingewiesen wird, der überaus gründlichen Bestandsaufnahme von Karl GINHART, in: ÖKT 37 (1969).
2. R. STRELLI, Die Ausgrabungen bei St. Paul in Kärnten, Mitteilungen der Anthropologischen Gesellschaft in Wien 58 (1928), S. 168 – 178; R. PAULSEN, Ausgrabungen und Funde, in: ÖKT 37 (1969), S. 442–446; G. MOSSLER, Die archäologische Sammlung des Stiftsgymnasiums, in: ebd., S. 446–448; G. PICCOTTINI, Archäologischer Atlas von Kärnten (1989), S. 23, Nr. 6; S. 38, Nr. 159; S. 61, Nr. 396.
3. Fotodokumentation (1981) im Bundesdenkmalamt/Landeskonservator für Kärnten. Der Verfasser dankt an dieser Stelle Herrn Dr. Ulrich Harb für seine wertvollen Hinweise.
4. UB ST. PAUL, S. 1ff.: A. *Codex traditionum*.
5. W. FRESACHER, Das Benediktinerkloster St. Paul in Kärnten (Geschichtlicher Überblick), in: ÖKT 37 (1969), S. 15f.
6. F. STANZEL, Die Gruft-Kapelle im Münster zu St. Paul im Lavanttal, ZS des deutschen Vereins für Kunstwissenschaft 5 (1938), S. 51 – 61. Nach Auskunft des Stiftskellermeisters Fr. Christoph, dem an dieser Stelle für seine tatkräftige Unterstützung gedankt sei, hat sich der Architekt von seiner ursprünglichen Annahme später distanziert.
7. UB ST. PAUL, S. 8f. (Cap. IV und Anm. 4); ÖKT 37 (1969), S. 44f. Dagegen spricht sich W. FRESACHER, Die Marktverleihung an St. Paul im Lavanttal, Car. I 146 (1956), S. 127, aus.
8. W. DEUER, Die romanische Sakralarchitektur Kärntens unter besonderer Berücksichtigung des Gurker Domes, in: Hemma von Gurk. Ausstellungskatalog (1988), S. 230f.
9. B. SCHROLL, Hieronymus Marchstaller (1616 – 1638) (1891), S. 139 (H. Marchstaller, Urbaria III f., S. 129: *in medio atrio intra muros monasterii*). Ein Ablaßbrief vom 14. 11. 1409, Original im STA; W. FRESACHER, Regesten zur Bau- und Kunstgeschichte des Stiftes, in: ÖKT 37 (1969), S. 482, läßt einen Umbau an der Wende der Hoch- zur Spätgotik vermuten, möglicherweise durch die Werkstätte, die zuvor die Marienkapelle neu erbaut hatte (siehe unten).
10. STANZEL, Gruftkapelle (wie Anm. 6), S. 51 – 61, mit Fotos und Lageplan. Er geht allerdings von einem dem Hauptbau vorgezogenen Kapellenbau aus.
11. ÖKT 37 (1969), S. 52 (Abb. 24; hier um 1200 datiert) und S. 92f. (hier dem 11. Jahrhundert zugeschrieben).
12. FRESACHER, Regesten (wie Anm. 9), S. 480: Thiemo ,,(. . .) *templi dedicatione sollempniter peracta concessit* (. . .)''; MC 3, Nr. 498. Aus vergleichenden Bauforschungen wissen wir, daß gerade (Pfarr-)Kirchen des späten 10. und 11. Jahrhunderts auffallend geräumig konzipiert waren (DEUER, Sakralarchitektur, wie Anm. 8, S. 230).
13. FRESACHER, Regesten (wie Anm. 9), S. 480.
14. UB ST. PAUL, S. 10f., und Anm. 2 (Cap. VII).
15. H. JAKOBS, Die Hirsauer. Ihre Ausbreitung und Rechtsstellung im Zeitalter des Investiturstreits (Kölner Historische Abhandlungen 4, 1961).
16. W. HOFFMANN, Hirsau und die ,,Hirsauer Bauschule'' (1950).
17. R. PÜHRINGER, Denkmäler der früh- und hochromanischen Baukunst in Österreich (Akademie der Wissenschaften, Phil.-hist. Klasse, Denkschriften, 70/1, 1931), S. 41.
18. ÖKT 37 (1969), S. 45f.
19. W. DEUER, Die Stiftskirche von Millstatt und ihre romanischen Umbauten, Car. I 174 (1984), S. 73 – 118. Die hiebei geäußerte Vermutung eines Staffelchores wie in St. Lambrecht hat bei Mauerwerksfreilegungen 1988 keine eindeutige Bestätigung gefunden. Die vor oder um 1100 fertiggestellte Kirche kann daher als Ostabschluß auch gleichfluchtige Apsiden gehabt haben.
20. DEUER, Sakralarchitektur (wie Anm. 8), S. 233 – 238; dazu auch: DERS., Die romanischen Klosterkirchen der Steiermark (Staatsprüfungsarbeit am Institut für österreichische Geschichtsforschung, 1980).
21. Konrads Biograph rühmt, daß in seiner Diözese kaum eine Kirche durch ihn nicht neu erbaut oder verbessert worden sei (MG SS XI, S. 44: *Vita Chuonradi*); König Konrad III. stellte anläßlich einer Reise 1149 fest, daß er merke, nicht mehr in Salzburg zu sein, weil die Kirchen nicht mehr so einen anmutigen Eindruck machten, EBD., c. 17, S. 73.
22. Im Vergleich dazu wurden etwa die Stiftskirchen von St. Peter in Salzburg, Admont oder St. Lambrecht um oder bald nach 1120 z. T. vollständig umgebaut oder vergrößert.
23. K. SONNLEITNER, Schenkungen und Stiftungen zum Kloster St. Paul in Kärnten (bis 1500), MIÖG 94 (1986), S. 341 – 379, hier bes. S. 344 – 346.
24. EBD., S. 346.
25. G. Frh. v. ANKERSHOFEN, Kärntens älteste kirchliche Denkmalbauten (1859), hier bes. S. 61 – 82.
26. PÜHRINGER, Denkmäler (wie Anm. 17), S. 31.
27. MC 3, Nrn. 1220, 1453; FRESACHER, Regesten (wie Anm. 9), S. 481; ÖKT 37 (1969), S. 45.
28. PÜHRINGER, Denkmäler (wie Anm. 17), S. 34, vgl. ebd., Tab. V – VI.
29. UB ST. PAUL, S. 113; MC 1, Nr. 475; PÜHRINGER, Denkmäler (wie Anm. 17), S. 32; ÖKT 37 (1969), S. 100.
30. HOFFMANN, Hirsau (wie Anm. 16), S. 29f., S. 130 u. a. Stellen; W. BUCHOWIECKI, Die Baukunst, in: Romanische Kunst in Österreich ([3]1974), S. 31; DEUER, Sakralarchitektur (wie Anm. 8), S. 235.
31. Er ist durch Scheidbögen in allen drei Schiffen vom Langhaus abgesondert und war zumindest in den Seitenschiffen von Anfang an kreuzgewölbt.
32. PÜHRINGER, Denkmäler (wie Anm. 17), S. 34ff.; ÖKT 37 (1969), S. 45ff.
33. Z. B. in Salzburg/St. Peter, Reichenhall/St. Zeno, Klosterneuburg.
34. PÜHRINGER, Denkmäler (wie Anm. 17), S. 39 und Tab. IV (bemerkenswert ist dabei der direkte Vergleich von St. Aurelius mit St. Paul).
35. ÖKT 37 (1969), S. 76.
36. DEUER, Millstatt (wie Anm. 19), S. 117f.; K. GINHART, Die vier Kärntner Seestifte, Heraklith-Rundschau 35 (1955), S. 33f.; vgl. dazu DEUER, Die teilweise Abtragung der ehemaligen Zisterzienserstiftskirche von Viktring im Jahre 1843 und ihre Motive, Car. I 175 (1985), bes. S. 283 – 286.
37. Vom lateinischen Wort *lectorium* (Lesepult). Ein solches Pult hat sich aus den frühchristlichen Chorschranken und dem Ambo entwickelt.
38. E. KIRCHNER-DOBERER, Die deutschen Lettner bis 1300 (Diss. Wien, 1946).
39. E. DOBERER, Studien zum Südportal der Kärntner Stiftskirche St. Paul, Wiener Jb. für Kunstgeschichte 23 (1970), S. 232 – 238; SCHROLL, Marchstaller (wie Anm. 9), S. 137 – 139.
40. ÖKT 37 (1969), S. 59f.

41. C. FRÄSS-EHRFELD, Geschichte Kärntens, Bd. 1 (1984), S. 315–338.
42. ÖKT 37 (1969), S. 84, S. 100–104.
43. Papst Urban IV. verlieh am 21. 2. 1264 auf Anzeige von Abt und Konvent, *ecclesiam eiusdem monasterii in proximo facere dedicari*, allen Besuchern am Weihetag einen Ablaß (Originalurkunde St. Paul); UB ST. PAUL, S. 155, Nr. 110; FRESACHER, Regesten (wie Anm. 9), S. 481; MC 4/2, Nr. 2829.
44. Wie Anm. 42.
45. UB ST. PAUL, S. 147, Nr. 94; MC 4/1, Nr. 2614; FRESACHER, Regesten (wie Anm. 9), S. 481 (Sterbetag war der 4. Jänner).
46. Die von Herzog Bernhard vorliegende Urkunde von 1255 (UB ST. PAUL Nr. 90) ist nach Jaksch (MC IV/1, Nr. 2605) eine Fälschung (nach 1335), de facto hatte der Abt offensichtlich unter Duldung des Herzogs die niedere Gerichtsbarkeit aber bereits inne. FRESACHER, Überblick (wie Anm. 5), S. 20.
47. GINHART, in: ÖKT 37 (1969), S. 62, hält es für das ursprüngliche Westportal; DOBERER (wie Anm. 39), S. 237, hingegen für einen Portalrest einer 1619 abgerissenen Marienkapelle.
48. Über die Pfarrkirche St. Erhard siehe den Beitrag hier S. 583 ff.
49. SONNLEITNER, Schenkungen (wie Anm. 23), S. 355ff.
50. Insbesondere der „stillen Messe", zu deren täglicher Abhaltung seit dem Spätmittelalter jeder Priestermönch verpflichtet war, was zu einer entscheidenden Vermehrung der Altäre führte.
51. UB ST. PAUL, S. 217, Anm. 1; FRESACHER, Regesten (wie Anm. 9), S. 481; (Quelle: Marchstaller, *De fundatione* 67b und 69b).
52. ÖKT 37 (1969), S. 84–86.
53. FRESACHER, Regesten (wie Anm. 9), S. 481 (Quelle: Marchstaller, *De fundatione* 70b).
54. UB ST. PAUL, S. 256, Nr. 275; FRESACHER, Regesten (wie Anm. 9), S. 481.
55. ÖKT 37 (1969), S. 87–91.
56. Wie Anm. 54 (*in medio turrium ecclesie prefate in honore sancti Michahelis Archangeli*). Die Kapelle ist spätestens bei der Transferierung der Orgel vom Lettner auf die Westempore 1617 zerstört worden, siehe SCHROLL, Marchstaller (wie Anm. 9), S. 137f.
57. G. BANDMANN, Mittelalterliche Architektur als Bedeutungsträger ([6]1979), S. 208, S. 218f.; vgl. DEUER, Millstatt (wie Anm. 19), S. 111–114; DERS., Sakralarchitektur (wie Anm. 8), S. 242f.
58. FRESACHER, Regesten (wie Anm. 9), S. 481, Quelle: Marchstaller, *De fundatione* 70b: (...) *habitationes pro fratribus utcunque commodas exstruxit* (...).
59. H. Marchstaller zit. nach ANKERSHOFEN, Denkmalbauten (wie Anm. 25), S. 65. Die Angaben bei GINHART, ÖKT 37 (1969), S. 95f., wonach bereits 1289 Abt Dietrich in einer Marienkapelle begraben worden sei und 1343 für eine solche Ablässe erteilt wurden, konnten nicht verifiziert werden.
60. W. BRAUNFELS, Abendländische Klosterbaukunst ([5]1985), Umschlagklappe.
61. UB ST. PAUL, S. 383; FRESACHER, Regesten (wie Anm. 9), S. 482; ÖKT 37 (1969), S. 95f. (nach Marchstaller).
62. UB ST. PAUL, S. 275, Nr. 307; FRESACHER, Regesten (wie Anm. 9), S. 481 (nach Marchstaller, *De fundatione* 70b).
63. EBD., S. 482; ÖKT 37 (1969), S. 87 (nach Marchstaller).
64. FRESACHER, Regesten (wie Anm. 9), S. 482; ÖKT 37 (1969), S. 96 (Quelle: ÖNB HS 12.840).
65. UB ST. PAUL, S. 425; FRESACHER, Regesten (wie Anm. 9), S. 482; ÖKT 37 (1969), S. 96 (nach Marchstaller, *De fundatione*, 77).
66. Form und Lage (beim Aufgang zur Kirche südlich vom Chorschluß) schließen einen Zusammenhang mit der alten Burganlage weitgehend aus.
67. FRESACHER, Regesten (wie Anm. 9), S. 482.

Die bauliche Anlage des Klosters St. Paul bis um 1500 – Versuch einer Rekonstruktion

WILHELM DEUER

Spätestens die langwierigen und entscheidenden Umbauten des tatkräftigen Abtes Hieronymus Marchstaller (1616–1638)[1] haben das Erscheinungsbild von St. Paul derart verändert, daß es fast unmöglich ist, aus ihnen auch nur annähernd die mittelalterliche Stiftsanlage herauszulesen – sieht man einmal von der wohlerhaltenen romanischen, in der Gotik gewölbten Stiftskirche ab. Den zumindest einige Jahrhunderte lang relativ konsequent eingehaltenen Baugewohnheiten der Reformorden und den minutiösen Aufzeichnungen Marchstallers sowohl zur Stiftsgeschichte als auch anläßlich der Umbauten[2], weniger den sonstigen urkundlichen Quellen[3] verdanken wir aber doch zahlreiche Indizien zur Lage und Funktion einiger vorbarocker Stiftsbauten und -räumlichkeiten.

Die umfassende Reglementierung des Klosterlebens nach den Vorstellungen des heiligen Benedikt verlangte von Anfang an durchdachte, nach streng funktionalen Kriterien aufgebaute Ordensbaugewohnheiten.[4] So ist bereits im berühmten Klosterplan von St. Gallen (um 820) das für Jahrhunderte verbindlich gebliebene Schema von Kirche, Kreuzgang und rasterförmig angefügten Nebengebäuden ausgebildet.[5] Die um die Jahrtausendwende einsetzende Klosterreform im burgundischen Cluny[6], darauf aufbauend die des schwäbischen Klosters Hirsau[7] und ganz besonders konsequent der neugegründete Zisterzienserorden[8] haben einer straffen Klosterbaukunst als sichtbaren und funktionsgerechten Ausdruck intensivierter klösterlicher Gemeinschaft großen Wert beigemessen. Ihre Baugewohnheiten blieben bis in die spätmittelalterliche Verfallszeit der Klosterkultur verbindlich; und erst die neuen architektonischen Wertmaßstäbe des Barocks – das die optische Geschlossenheit über die innere Funktionalität erhob oder wenigstens beide gleichzustellen versuchte – führten zu einer völligen Neuordnung der Klosterbaukunst[9].

Ein benediktinisches Reformkloster des Mittelalters umfaßte mindestens vier in Funktion und Wertigkeit getrennte Baubereiche: 1. die Kirche, 2. den Kreuzgang mit den Klausurräumen, 3. die außerhalb der Klausur befindlichen, aber mit dem Konventleben eng verbundenen Baulichkeiten (Abtwohnung, Kranken-, Gäste- und Novizentrakte) sowie 4. die Wirtschaftsgebäude und Wehranlagen.

1. Die mittelalterliche Klosterkirche war nicht nur kultisch-liturgischer Mittelpunkt der Mönchsgemeinschaft, sondern auch ein sehr sorgfältig durchdachtes Gefüge heilsgeschichtlicher Symbolik.[10] Stärker als heute erkennbar vereinigte sie unter einem gemeinsamen architektonischen Überbau Raumteile durchaus unterschiedlicher Funktion[11]: die Versammlungsräume (in hierarchischer Ordnung), dann die eigentlichen Sanktuarien für die Meßfeiern sowie sonstig motivierte Nebenräume. Die Symbolfunktion tritt in der St. Pauler

Doppelwestturmanlage besonders klar zutage: Bereits die wuchtigen karolingischen Westwerke (z. B. Corvey in Niedersachsen) sollten die Kirche gegen Sonnenuntergang abschirmen, wo man nach uralter Überlieferung die bösen Mächte und Dämonen vermutete. In dieser apotropäischen Tradition stand auch die für 1375 gesicherte Kapelle des Dämonenbekämpfers Michael über der Vorhalle zwischen den Türmen, die zahlreiche Pendants in anderen Stiftskirchen des Salzburger Erzbistums hatte und beim Einbau der Orgelempore 1617 zerstört wurde. In diesen Michaelsoratorien – besonders ausgeprägt in der Gurker Bischofskapelle – wirkt aber auch noch das karolingische Motiv eines Reservats für den Kirchenherrn (Patron) nach.[12]

Obwohl die Doppelwesttürme von Cluny aus ihren Siegeszug in Mitteleuropa angetreten haben, hängt ihre Verbreitung in Steiermark und Kärnten mit dem Reformwerk Erzbischof Konrads I. (1106–1147) und seines Gurker Suffragans und zeitweiligen Salzburger Administrators Roman I. (1131–1167) zusammen, die dieses Motiv – ähnlich dem Chorturm der Pfarrkirchen – offenbar ganz bewußt als Symbol der nach dem Investiturstreit wiedererstarkten Kirche gefördert haben.[13] Das Westturmpaar blieb im Ostalpenraum in der Folge charakteristisch für die klösterlichen Gemeinschaften feudaler Struktur (Benediktiner, Augustiner-Chorherren, aber auch einzelne Kollegiatsstifte wie St. Bartlmä in Friesach), während die Reformorden der Zisterzienser, Prämonstratenser und Kartäuser das Motiv ablehnten. Zusätzlich scheint in Kärnten die Diözesangrenze für das Turmmotiv wirksam gewesen zu sein: Sowohl in Arnoldstein als auch in Eberndorf (beide Stifte lagen im Sprengel des Patriarchates Aquileia) setzten sich Einzeltürme nach Art der oberitalienischen Campanili durch.

Das trichterförmige Westportal sollte den heilsuchenden Menschen aus der vom Bösen bedrohten diesseitigen Welt in die irdische Verkörperung der Himmelsstadt führen. Daß der Symbolgehalt des St. Pauler Portalgewändes – ein Werk des Überganges von der Romanik zur Gotik (um 1260) – bereits spürbar verflacht war, zeigen uns zwei Indizien: Im Gegensatz zum formal und inhaltlich reichen bauplastischen Schmuck des Millstätter Portals mit all seinen Dämonen und menschenbedrohenden Ungeheuern (2. Hälfte 12. Jahrhundert) ist die Formensprache des St. Pauler Portales sowohl im Gewände als auch in der Kapitellzone auffallend phantasieärmer. Darüber hinaus öffnet sich das Portal nicht wie sonst üblich von der Vorhalle ins Langhaus (Millstatt, Gurk, Seckau), sondern ist ein echtes Fassadenportal in die Vorhalle.

Der Ritus forderte in den Hirsauer Ordenskirchen eine weiträumige Vorhalle, die insbesondere bei Prozessionen eine wichtige Rolle spielte und in den Quellen gerne als *galiläa* überliefert wird.[14] Die zum Langhaus weitgehend gleichfluchtige Anordnung der Westtürme zwängte diese Vorhalle in St. Paul aber in ein recht bescheidenes Format. St. Paul steht demnach mit Gurk, Seckau und vielen anderen Klöstern der Kirchenprovinz (z. B. Admont oder Vorau, wahrscheinlich auch St. Lambrecht) in deutlicher Salzburger Tradition, und nur in Millstatt – einem architekturgeschichtlich bemerkenswerten Sonderfall[15] – wurde der kurzlebige Versuch unternommen, die geräumige Vorhalle nach Hirsauer Vorstellungen mit dem Westturmpaar zu verbinden.

Das vierjochige, bis ins 15. Jahrhundert in allen drei Schiffen flachgedeckte Langhaus ermöglichte nicht wie heute eine durchgehende Blickachse zum Hauptaltar, sondern wurde ein Joch vor der Vierung (vor dem *chorus minor*) durch eine oben bühnenartig breite Mauer in etwa halber Raumhöhe abgeschrankt. Ein solcher Lettner (vom lateinischen *lectorium* = Lesepult), wie er in den Klosterkirchen Mitteleuropas seit dem 12. Jahrhundert immer stärker in Gebrauch kam, sollte das den Laien zugängliche Langhaus vom Mönchschor und Presbyterium trennen.[16] In St. Paul ist er, soweit aus dem stilistischen Befund der Baureste erschließbar, offenbar erst knapp eine Generation nach Fertigstellung der Stiftskirche eingefügt worden (um 1240). Eine Kirchenvisitation im Jahr 1616, die in Befolgung der tridentinischen Liturgievorschriften die Abtragung des Lettners anordnete, beschrieb ihn als gewölbte, mit Säulen sowie den Statuen der beiden Apostelfürsten und eines Stifters versehene Portikusarchitektur und ordnete die Versetzung der Statuen an.[17]

Dadurch blieb wenigstens eine dieser überlebensgroßen Lettnerfiguren als Torso erhalten (heute in einem spätgotischen Torgewände im Stiftswesttrakt gegenüber dem Kirchenwestportal aufgestellt), und Marchstaller hat darüber hinaus Teile des bauplastischen Schmuckes sowie Überreste eines Kreuzgangportales (?) für den Neubau eines repräsentativen Südportales mitverwendet (1617/18). Der ausgesprochen romanisch-historisierende Charakter des Portales verblüfft umso mehr, zumal an dieser Stelle ein älterer Kircheneingang ausgeschlossen werden kann.[18]

Das Langhaus der Stiftskirche wurde von der Bevölkerung wohl nur an besonderen Festtagen und zu ganz bestimmten klösterlichen Anlässen kumulativ in Anspruch genommen, denn als Pfarr- oder Leutkirche diente – möglicherweise schon beträchtlich vor der Klostergründung – die 1618 abgetragene Ägidiuskirche im Innenhof, und von ihr waren die Pfarrechte schon vor 1405 an die Erhardikirche außerhalb der Stiftsmauern übergegangen.[19] Für die Messen und Andachtsübungen der Laiengemeinde genügte zunächst ein Kreuzaltar vor der Lettnerwand, doch bewirkte die zunehmende Heiligenverehrung noch im ausgehenden Mittelalter die Aufstellung von Altären an den Langhauspfeilern und vielleicht auch -wänden. Ein solcher gotischer Altarblock blieb am dritten Pfeiler der Nordreihe aus der Zeit um 1420/25 bis heute erhalten.[20]

An der Architektur des Langhauses ist die aufwendige Behandlung der Arkadenbögen durch die eingestellten Halbrundpfeiler mit ihren bemerkenswert abwechslungsreichen Würfel- und Topfkapitellen hervorzuheben.[21] Sie zeigen vielleicht am deutlichsten, daß die St. Pauler Stiftskirche zwar auf den Baugewohnheiten der Hirsauer fußte, aber auch den Errungenschaften der lokalen Spätromanik bereits aufgeschlossen gegenüberstand.

Das letzte (fünfte) Joch vor der Vierung ist ungeachtet seiner den Langhausjochen entsprechenden Raumtiefe und trotz der weitgehend gleichartigen Gestaltung der Arkadenbögen sowohl im Mittel- als auch in den Seitenschiffen durch kräftige Gurtbögen deutlich als eigener Raumteil ausgeschieden: Hier, ziemlich exakt in der Kirchenmitte, begann der mönchische Bereich, und an dieser Stelle bestand vom 13. Jahrhundert bis 1617 auch der Lettner.

Ein solcher *chorus minor* ist, ausgehend von der Hirsauer „Musterkirche" St. Peter und Paul (1082–1091), ein Charakteristikum dieses Reformordens geworden und sollte den Mönchen, die sich nicht aktiv am Chorgesang beteiligen konnten, als Aufenthaltsort während der Chorgebete dienen.[22] Die Abhängigkeit dieses Bauteils in St. Paul von Hirsauer Baugewohnheiten ist auch daran zu ersehen, daß die beiden Seitenschiffkompartimente des Joches als einziger Bereich der Kirche von Anfang an kreuzgewölbt waren – eine Reflexion auf die schwäbischen, über Hirsau weit verbreiteten Ostturmpaare, die sich an dieser Stelle zu erheben pflegten und deren Untergeschoße grundsätzlich gewölbt waren.[23] In dieses Joch mündete in St. Paul auch der Kreuzgangosttrakt (heute Kapelle der Schmerzhaften Muttergottes), weswegen wir für das Mittelalter an dieser Stelle auch ein (Stufen?-)Portal vermuten können.

An den *chorus minor* schließt das im

Außenbau mächtig vortretende Querhaus an, dessen Vierung – die Schnittstelle zwischen Mittel- und Querschiff – sinngemäß als *chorus maior*, als Aufenthaltsort und Sitzplatz des Konventes während der Gottesdienste und Chorgebete, diente.[24] Das Querhaus war fester Bestandteil der Cluniazenserbewegung und wurde im Ritus ausdrücklich gefordert[25], konnte sich aber im Ostalpenraum, wo eine jahrhundertealte Tradition der querschifflosen Basilika mit Dreiapsidenschluß verwurzelt war, keinesfalls generell durchsetzen.[26] Es gibt Beispiele für versuchte Kompromisse, etwa – soweit rekonstruierbar – in den Chorjochen von St. Lambrecht[27]. Daß in St. Paul ein derart „importiertes“ Querhaus allein auf ein Nachwirken der zu diesem Zeitpunkt schon erlahmenden Reformordensbewegung zurückzuführen wäre, muß bezweifelt werden. Es ist zwar schon ein Vorgängerbau mit Querhaus zu vermuten, doch hat vielleicht die Errichtung des Gurker Querhauses den Ausschlag für St. Paul gegeben.

Die beiden Querhausarme – davon aber notwendigerweise eigentlich nur der dem Kreuzgang zugewandte – erfüllten in der Reformordensliturgie vor allem die Funktion von Vorräumen (*ante chorum*) und waren mit Holzschranken von der Vierung getrennt.[28] Durch ihre Apsiden sind sie in St. Paul aber zweifelsfrei auch als Altarräume ausgewiesen, ohne daß wir über ihre ursprüngliche Funktion gesicherte Kenntnis hätten: Daß sich schon 1296 ein Vorgänger des heutigen (bis 1936 in der Apsis stehenden) Marienaltares im Südjoch befand, ist möglich;[29] der nördliche Abschnitt scheint schon früh den Stiftern gewidmet worden zu sein und wurde nach dem Brand von 1367 mit einem – heute nur mehr in Fragmenten erhaltenen – Tumbengrabmal versehen[30]. Die gegenüber dem Langhaus erhöhte symbolische Wertigkeit von Querhaus und Vierung ist gerade in St. Paul sehr gut sowohl an den apotropäischen Bauplastiken am Außenbau als auch an den überaus sorgfältig und reich ausgeformten Kapitellen der Vierung zu ersehen.[31]

Das an die Vierung östlich anschließende Presbyterium (Sanktuarium) war eigentlich der priesterlichen Meßfeier vorbehalten, doch wissen wir für St. Paul, daß sich hier schon im frühen 17. Jahrhundert die Chorstühle für die älteren Konventualen (Hochchor) befanden.[32] Ausgehend von St. Aurelius (1059–1071) haben eine ganze Reihe Hirsauer Reformklosterkirchen diese „gestaffelte“ Ostlösung mit vorspringendem Altarraum – der überdies oft die Ausmaße der Vierung besaß – übernommen.[33] Es scheint, als ob die damit verbundene, besonders im Außenbau wirksamere optische Hervorhebung dieses liturgisch gemeinsam mit der Apsis höchstrangigen Kirchenabschnittes die Verbreitung solcher Staffelchöre in der Reformordensarchitektur begünstigte, denn liturgisch waren sie nicht erforderlich: Die Kirchenbauten in der Nachfolge der Hirsauer Stiftskirche St. Peter und Paul verfügten nämlich über flache Chorschlüsse in allen drei Schiffen; das Mittelschiff ragte nur unwesentlich vor.

Die halbrunde Hauptapsis, unter deren Scheitel der gemauerte Block des Hochaltares aufgestellt zu werden pflegte, wurde in der mittelalterlichen Bausymbolik als (Rest der) Märtyrer- bzw. Grabeskirche des Titelheiligen interpretiert, die mit der Gemeindekirche verbunden war bzw. sich gegen dieselbe öffnete.[34] Aus diesem Grunde widmete man diesem Bauteil im Hochmittelalter größte architektonische Aufmerksamkeit: Die überaus reiche Außengliederung der St. Pauler Apsiden mit säulchengeschmückten Blendbögen und Friesen steht in lombardischer Tradition, hat aber zweifellos in Gurk das direkte Vorbild.[35]

Es ist verständlich, daß sich die Stifter wie auch deren Angehörige und Nachkommen Grablegen in der Nähe des Hochaltares – beim symbolischen Märtyrergrab – zu sichern suchten. Die Reformorden haben sich allerdings in ihrer Blütezeit diesen Wünschen konsequent entgegengestellt und weltliche Grablegen zunächst überhaupt aus der Kirche verbannt. Der 1936 unter dem östlichen Teil des St. Pauler Altarhauses freigelegte Rechteckraum mit gestelzter Apsis, dessen Baubefund für eine mit der Stiftskirche weitgehend gleichzeitige Errichtung spricht[36], kann aber von Anfang an nur als Stiftergrablege gedacht gewesen sein, da er für eine Krypta mit Altar zu klein war. Es hat den Anschein, als ob die St. Pauler Mönche angesichts der „drohenden" Konkurrenz der von den Spanheimern begünstigten Klöster Viktring und Rosazzo (Friaul)[37] schon im 12. Jahrhundert der Stifterfamilie in der Frage der Grablege stärker als in Reformklöstern sonst üblich entgegenkamen.

In den Kirchen der Cluniazenser und Hirsauer fehlten im übrigen die Krypten fast ausnahmslos, da die Reformordensbewegung dem Reliquienkult kritischer gegenüberstand[38] und darüber hinaus bis weit ins 13. Jahrhundert eine zu starke Aufteilung der Liturgie innerhalb des Kirchengebäudes möglichst zu vermeiden suchte. Selbst im Zentralalpenraum mit seiner lange anhaltenden Kryptentradition (von Göß/Anfang 11. Jahrhundert über Gurk bis zu den gotischen Krypten von Eberndorf und Maria Wörth) haben die Hirsauer, soweit bisher erforscht, in ihren Kirchen auf Krypten verzichtet (z. B. St. Lambrecht oder Millstatt).

Seit jeher waren die Altäre die kultisch-liturgischen Mittelpunkte des Kirchengebäudes. Im hochromanischen St. Pauler Kernbau sind deren höchstens fünf anzunehmen: der Hochaltar, die beiden flankierenden Altäre in den Apsiden der Querschiffarme (siehe oben), der dem Lettner vorgelagerte Kreuzaltar und eventuell schon damals ein Altar in der räumlich und funktional abgesonderten Michaelskapelle über der Eingangshalle zwischen den Türmen (1375 erstgenannt). Sie bestanden aus einer Platte (Mensa), die entweder auf mehreren Stützen (Tischaltar[39]) oder einem gemauerten Block (Blockaltar) aufruhte. In jedem geweihten Altar war ein Behälter mit in der Regel zahlreichen Reliquien eingelassen.[40]

Erst seit dem letzten Drittel des 13. Jahrhunderts nahm die Zahl der Altäre – parallel zur Veränderung des Stiftungsverhaltens bzw. mit der Zunahme der Jahrtags- und Seelgerätstiftungen, die auch in St. Paul deutlich feststellbar ist[41] – immer mehr zu und stieg hier bis ins frühe 17. Jahrhundert auf 15 an.[42] Die meisten von ihnen – wohl Blockaltäre wie der am dritten nördlichen Langhauspfeiler erhaltene, 1375 geweihte und zwischen 1420 und 1425 mit Malereien (u. a. der hl. Katharina) versehene[43] – wurden an der Westseite der Langhauspfeiler aufgestellt, manche vielleicht auch an den Seitenschiffwänden; eine eigene Taufkapelle dürfte sich im Südschiff des ersten Langhausjoches befunden haben.[44] Über die ursprüngliche Verkleidung dieser Altäre haben wir keinerlei Angaben; mit Retabelaufbauten – von denen sich mehrere nicht zusammengehörige Einzelteile erhalten haben – wurden sie wohl frühestens seit der zweiten Hälfte des 14. Jahrhunderts versehen.

Auch die unter Abt Heinrich (1325–1356) am Außenbau in den Winkel zwischen Südschiff und Querhaus eingefügte zweijochige Jakobskapelle (sie wurde 1628 abgetragen und ist nur mehr an ihren Wölbeansätzen an der Langhausaußenmauer erkennbar), spiegelt die spätmittelalterliche Vorliebe für immer mehr Altäre wider, aber auch für abgeschlossene „Privatkapellen". Der Abt hat sie letztlich auch als seine Grablege bestimmt.[45]

Von den übrigen Einrichtungsgegenständen wie Kandelaber, Bücher oder Meßgeschirr künden uns wohl Schriftquellen[46], doch blieb davon nichts bestehen. Die mittelalterlichen Fresken wiederum, die einen wesentlichen didaktischen wie gestalterischen Bestandteil der Ausstattung darstellten, werden ebenso wie die kulturgeschichtlich aufschlußreichen Grabdenkmäler im vorliegenden Band an anderer Stelle abgehandelt (siehe hier S. 517 ff. und 589 ff.).

2. Die Konventtrakte um den Kreuzgang: Das Schema der um einen quadratischen Kreuzgang angelegten wichtigsten klösterlichen Gemeinschaftsräume, deren nördlicher Arm zumeist von der Kirche gebildet wird, tritt uns bereits im St. Gallener Klosterplan um 820 entgegen und wurde in den Klosterbauten von Cluny II (um 1043) und III sowie in Hirsau konsequent übernommen.[47] Der geschlossene Vierflügelbau, der das *claustrum* vom Lärm der Welt abschirmen sollte, entsprach am besten den Vorstellungen der Zönobiten[48].

Üblicherweise schloß der Kreuzgang südlich an die Kirche an, doch entsprang diese Gewohnheit praktischen Bedürfnissen, insbesondere der ausreichenden Belichtung desselben. Wenn, wie in St. Paul, das Gelände gegen Süden abfiel, konnte der Normgrundriß gewissermaßen umgeklappt werden.[49] Dem Kreuzgang kamen viele Funktionen zu: Er diente der Meditation, für Andachten und erfüllte in frühester Zeit wohl auch die Aufgaben des Kapitelsaales. Darüber hinaus barg er wohl auch das Brunnenhaus, sofern der Brunnen nicht von Anfang an mitten im Kreuzgarten stand. In erster Linie war der Kreuzgang aber der Verteiler in alle anderen Räume und damit der am stärksten frequentierte Bauteil. Der romanische Kreuzgang von St. Paul – er mochte im Aussehen dem von Millstatt entsprochen haben – war bereits unter Abt Sigmund Jöbstl (1488–1498)[50] entscheidend umgebaut (zumindest gewölbt) worden, bevor ihn Abt Marchstaller unterteilen und abschnittweise vermauern ließ, wodurch er jedenfalls seine ursprünglichen Funktionen verlor.

Der westliche Kreuzgangstrakt beherbergte nach den Baugewohnheiten der Benediktiner im Erdgeschoß üblicherweise die Pforte, daneben vielleicht auch eine Zelle für den Almosenpfleger, vor allem aber das *Cellarium*, einen geräumigen Speicherraum für die lebensnotwendigen Vorräte des Klosters.[51] Diese Räume, von denen sich in St. Paul bestenfalls Grundmauern unter barocker Verkleidung erhalten haben dürften[52], gehörten noch nicht zur eigentlichen Klausur. An das *Cellarium* wird zweckmäßigerweise an der Nordwestecke der Küchentrakt angeschlossen haben.

Diese Abfolge, die an den meisten mittelalterlichen Klöstern – dort allerdings der Lage des Kreuzganges entsprechend nach Süden umgeklappt – zu beobachten ist[53], fand ihre logische Fortsetzung im Speisesaal der Mönche, dem *Refectorium*, das in St. Paul schon im Ursprungsbau wie auch noch heute einen erheblichen Teil des Erdgeschosses im Nordtrakt einnahm und bereits unter Abt Jöbstl (1488–1498) umgebaut worden war[54]. Der an der Nordfassade vorspringende polygonale Treppenturm dürfte auf diese Bautätigkeit zurückzuführen sein.

Ob an das *Refectorium* östlich wie in Cluny oder Hirsau eine Wärmestube (*Calefactorium*; lange Zeit der einzige beheizbare Raum des Klosters) und, als erste Räumlichkeit des Osttraktes, ein Sprechraum (*Auditorium* oder *Parlatorium*) anschloß, kann nur in Analogie vermutet, nicht jedoch aus dem Baubefund bewiesen werden. In manchen Reformklöstern – etwa in Alpirsbach – war der erste Raum des Osttraktes der Brudersaal (*Camera*), in dem die Kleider- und Wäschevorräte aufbewahrt wurden. Den Großteil des Obergeschosses (zumindest aber die nördliche Hälfte) nahm dann üblicherweise der gemeinsame große Schlafraum der Mönche, das *Dormitorium* ein, denn Einzelzellen kamen bei Benediktinern und Zisterziensern erst im Gefolge verschiedener Ordensreformen seit dem späten 15. Jahrhundert in Gebrauch.[55]

Der im Unterschoß südlich anschließende, meist quadratische Kapitelsaal, dessen Gewölbe oft von einer (wie in Zwettl) oder zwei Säulen (wie in Seckau) getragen wurde, war eines der Hauptstücke mittelalterlicher Reformordensarchitektur und diente als Versammlungs- und Veranstaltungsraum. Hier erfolgten die Unterweisungen des Abtes, hier wurden Bußübungen abgehalten, aber auch der neue Abt gewählt. Schon im Hochmittelalter setzte sich in den maßgeblichen Reformklöstern (Cluny, Hirsau[56]) die Gewohnheit durch, östlich an den Kapitelsaal anschließend – und damit am Außenbau deutlich vorspringend – eine Marienkapelle zu errichten, wie sie in St. Paul in der Rabensteinerkapelle[57] als einer der wenigen mittelalterlichen Bauteile des Konvents erhalten blieb. Die Verbindung zwischen Kapitelsaal und Stiftskirche stellten schließlich in St. Paul zwei offenbar übereinander liegende Sakristeien her, die Marchstaller abtragen und durch den geräumigen heutigen Sakristeiraum ersetzen ließ.[58] In diesem Bereich des Klosters wären auch die mittelalterliche Bibliothek und das Archiv (eigentlich die Rechtstitelsammlung des Klosters) zu vermuten, doch gibt es dafür keine sicheren Quellen.

In den Konventtrakten müssen sich auch schon vor 1500 mehrere Kapellen befunden haben, deren genaue Lage und Funktion aus den spärlichen Quellen aber nicht erschließbar ist.[59] Selbst die Lage der zumindest ins 11. Jahrhundert zurückreichenden alten Stiftspfarrkirche zu den Heiligen Ägydius und Maria Magdalena, die, wenngleich sie schon vor 1405 ihre Pfarrechte verlor, erst 1618 abgerissen wurde, bleibt unklar: Der *in medio atrio intra muros monasterii* offenbar bis zum Abbruch freistehend gebliebene, zuletzt profanierte Saalraum könnte sich sowohl (süd-)westlich als auch (süd-)östlich der Stiftskirche befunden haben.[60]

3. Konventbauten außerhalb des Klausurbereichs: Zu den klösterlichen Gebäuden im engeren Sinn, die traditionell außerhalb des Kreuzganggevierts errichtet zu werden pflegten, gehörte vor allem die Abtei (in der Neuzeit gerne Prälatur genannt) – die Wohn- und Arbeitsräume des Abtes. Verschiedene Indizien sprechen dafür, daß sie sich in St. Paul westlich der Stiftskirche erhob und in ihren Grundmauern in den barocken Neubau übernommen wurde.[61] Sie besaß bis zu den Um- und Neubauten Marchstallers ein eigenes Badhaus sowie eine durchgehende Wendeltreppe.[62] Auch die Gästetrakte werden wir, obwohl in den lokalen Quellen nicht eigens genannt, in diesem Teil der Klosteranlage zu vermuten haben.

Schwieriger zu beantworten ist die Frage nach der Lage des mittelalterlichen Novizentraktes, der sich gemäß benediktinischer Gepflogenheiten im Obergeschoß des Kreuzgangwest- oder -nordtraktes, also entweder über dem *Cellarium* oder Refektorium, vielleicht aber auch in einem eigenen Gebäude zwischen Abtei und Konvent (etwa anstelle des heutigen Nordwestflügels) befunden haben könnte.[63] Die gleichen Überlegungen zur Lage sind auch für das Priorat, die Wohn- und Amtsräume des Priors, anzustellen, wogegen sich die Krankenräume und -stuben mit einiger Wahrscheinlichkeit, soweit aus den Baugewohnheiten in Cluny und Hirsau erschließbar, östlich an den Konventbau angeschlossen haben müßten.[64]

4. Die übrigen Stiftsgebäude[65]: Ein Benediktinerkloster war nicht allein Stätte der Seelsorge und Erbauung, sondern in hohem Maße auch ein autarker, dazu möglichst weitgehend befestigter Wirtschaftskörper. Die vorbarocke St. Pauler Stiftsanlage war demgemäß nacheinander durch drei Tore gesichert, wovon das untere an der Stelle des heutigen Hauptportales lag. Die stumpfwinkelige, auf das Gelände abgestimmte Form des barocken Hofrichterbaues von 1619 läßt den Schluß zu, daß an dieser Stelle – abgesehen von Wirtschaftsgebäuden (genannt wird eine „alte Raderhütte")[66] – zuvor eine Ringmauer ansetzte.

Südlich der Stiftskirche, etwa am Beginn des heutigen Stiftshofplateaus, erhob sich ein massiver mehrgeschossiger Turm wahrscheinlich spätmittelalterlichen Ursprungs. Er war die wichtigste Verteidigungsanlage im Klosterbereich und barg in seinem Untergeschoß das obere (?) Tor; daneben befanden sich die alte Schaffnerei (für den Schaffner, den Verwalter der Stiftsmeierei) sowie eine Pförtnerwohnung. Das Aquarell im Kollnitzer Urbar von 1653[67] zeigt den erst kurz vor 1845 abgerissenen Turm und östlich anschließend ein ebenfalls nicht mehr erhaltenes stumpfwinkeliges Wirtschaftsgebäude, ansonsten aber im wesentlichen die Neubauten Marchstallers. Ein Lokalaugenschein verdeutlicht aber noch heute, daß das Plateau südlich der Stiftskirche sowie der Hofraum nördlich vom Stiftsportal und Hofrichterbau genügend Platz für die für einen Klosterbetrieb unentbehrlichen Gebäude (etwa für eine Bäckerei, eine Schmiede und den alten Marstall) boten. Deren genaue Lage wird letztlich aber nur durch Grabungen zu bestimmen sein.

Anmerkungen

1. B. Schroll, Hieronymus Marchstaller (1616–1638) (1891), insbesonders S. 137–165; vgl. hierzu auch den Beitrag hier S. 553 ff.
2. Handschriften im StA: *De fundatione, rerum statu prospero et adverso, vita et morte fundatorum et benefactorum, abbatum et monachorum monasterii s. Pauli vallis Lavantinae auctore rev.mo d.no Hieronymo abbate monasterii eiusdem a.d. MDCXIX;* Gedingbuch der Beamten, Diener und Handwerker in drei Bänden (1617–1637); alle ausgewertet bei Schroll, Marchstaller (wie Anm. 1) und im Beitrag hier, S. 553 ff.
3. Ub St. Paul; Mc 1–11; W. Fresacher, Regesten zur Bau- und Kunstgeschichte des Stiftes, in: ÖKT 37 (1969), S. 480ff.
4. Lediglich bei den irischen Mönchsgemeinschaften des Frühmittelalters finden wir eine scheinbar regellose Häufung kleiner, jeweils nur einem Mönch als Wohnraum dienenden Hütten um eine oder mehrere zentrale Kirchen und einen Flucht- und Glockenturm (z. B. Glendalough oder Monasterboice). Diese Bauweise kann jedoch nicht als Maßstab für die frühen irischen Klostergründungen am Kontinent (z. B. St. Gallen) gelten, siehe P. Verzone, Werdendes Abendland (1967), S. 245–250.
5. J. Duft (Hrsg.), Studien zum St. Galler Klosterplan (1962). Der Plan wurde offenbar vom Reichenauer Abt Heito als Orientierungshilfe für den Neubau des Schweizer Klosters zur Verfügung gestellt.
6. K. Hallinger, Gorze-Kluny. Studien zu den monastischen Lebensformen und Gegensätzen im Hochmittelalter (Studia Anselmina 22/25, 1950/51).
7. W. Hoffmann, Hirsau und die „Hirsauer Bauschule" (1950); H. Jakobs, Die Hirsauer. Ihre Ausbreitung und Rechtsstellung im Zeitalter des Investiturstreits (Kölner Historische Abhandlungen 4, 1961).
8. H. Hahn, Die frühe Kirchenbaukunst der Zisterzienser (1957); U. Schröder, Architektur der Zisterzienser, in: Die Zisterzienser – Ordensleben zwischen Ideal und Wirklichkeit. Ausstellungskatalog Aachen (1980), S. 311ff.
9. W. Braunfels, Abendländische Klosterbaukunst ([5]1985).
10. G. Bandmann, Mittelalterliche Architektur als Bedeutungsträger ([6]1979).
11. Das Konzil von Trient (1545–1563) und das Zweite Vatikanische Konzil (1962–1965) brachten u. a. grundlegende Änderungen der Liturgie mit sich, die auch in der Sakralarchitektur deutlichen Niederschlag fanden.
12. Ub St. Paul, S. 256, Nr. 275; Fresacher, Regesten (wie Anm. 3), S. 481; Bandmann, Architektur (wie Anm. 10), S. 208, S. 218f., vgl. auch meinen Beitrag hier S. 501, bes. Anm. 57.
13. W. Deuer, Die romanische Sakralarchitektur Kärntens unter besonderer Berücksichtigung des Gurker Domes, in: Hemma von Gurk. Ausstellungskatalog (1988), S. 231, S. 235.
14. Hoffmann, Hirsau (wie Anm. 7), S. 95ff. Eine besonders schöne Vorhalle hat sich in der Kirche des ehemaligen schwäbischen Reformklosters Alpirsbach erhalten.
15. W. Deuer, Die Stiftskirche von Millstatt und ihre romanischen Umbauten, Car. I 174 (1984), bes. S. 99ff.
16. E. Kirchner-Doberer, Die deutschen Lettner bis 1300 (Diss. Wien, 1946). Einen guten Eindruck von der Raumwirkung eines hochromanischen Lettners vermittelt noch heute die Stiftskirche von Maulbronn.
17. E. Doberer, Studien zum Südportal der Kärntner Stiftskirche St. Paul, Wiener Jb. für Kunstgeschichte 23 (1970), S. 232–238.
18. Ebd.
19. Siehe dazu meinen Beitrag hier, S. 492.
20. ÖKT 37 (1969), S. 108.
21. Ebd., S. 76ff.
22. Hoffmann, Hirsau (wie Anm. 7), S. 83ff.; R. Pühringer, Denkmäler der früh- und hochromanischen Baukunst in Österreich (Akademie der Wissenschaften, Phil.-hist. Klasse, Kleine Denkschriften, Bd. 70/1, 1931), S. 31–42, bes. S. 39.
23. Hoffmann, Hirsau (wie Anm. 7), S. 35ff. und S. 83ff.
24. In St. Paul bestand im frühen 17. Jahrhundert die Gewohnheit, daß in der Vierung die Junioren, im Presbyterium (Hochchor) aber die Senioren der Konventualen zu sitzen hatten, Schroll, Marchstaller (wie Anm. 1), S. 138, Quelle: Archivum III, 93.
25. Hoffmann, Hirsau (wie Anm. 7), S. 80f. Es spielt bezeichnenderweise in Hirsau sowohl in St. Aurelius als auch in der Stiftskirche St. Peter und Paul eine wichtige Rolle.
26. Von den Klosterkirchen mit Querhaus sind vor allem zwei Bauten mit engem Bezug zu Erzbischof Konrad I. zu nennen: St. Peter/Salzburg und St. Zeno/Reichenhall; an weiteren Kirchen seien Klosterneuburg und Gurk genannt, wobei letztere als Dom eigenen repräsentativen Maßstäben unterlag, siehe Deuer, Sakralarchitektur (wie Anm. 13), S. 238–243. Bei den querschifflosen Stiftskirchen verkörpern Göß, Seckau und Kremsmünster die Kontinuität vom 11. bis zum 13. Jahrhundert

27. O. WONISCH, Die Kunstdenkmäler des Stiftes St. Lambrecht, in: ÖKT 31 (1951), S. 21; W. DEUER, Die romanischen Klosterkirchen der Steiermark (Staatsprüfungsarbeit am Institut für österreichische Geschichtsforschung, 1980), S. 38.
28. HOFFMANN, Hirsau (wie Anm. 7), S. 80f.
29. UB ST. PAUL, S. 182, Nr. 146 (Stiftung eines ewigen Lichtes in der Kapelle Unserer Lieben Frau in der Klosterkirche am 2. 1. 1296; Originalurkunde im STA).
30. ÖKT 37 (1969), S. 155 – 158. Siehe dazu auch hier S. 518 f.
31. ÖKT 37 (1969), S. 52 – 56, S. 76, S. 85.
32. Wie Anm. 24.
33. HOFFMANN, Hirsau (wie Anm. 7), S. 27ff.
34. G. BANDMANN, Zur Bedeutung der romanischen Apsis, Wallraf-Richartz-Jb. 15 (1953), S. 28 – 46.
35. ÖKT 37 (1969), S. 55ff.; PÜHRINGER, Denkmäler (wie Anm. 22).
36. F. STANZEL, Die Gruftkapelle im Münster zu St. Paul im Lavanttal, ZS des deutschen Vereins für Kunstwissenschaft 5 (1938), S. 51 – 61.
37. Zur historischen Situation siehe K. SONNLEITNER, Schenkungen und Stiftungen zum Kloster St. Paul in Kärnten (bis 1500), MIÖG 94 (1986), S. 341ff., bes. S. 346.
38. HOFFMANN, Hirsau (wie Anm. 7), S. 81ff.
39. Z. B. der Modestusaltar in der Pfarr- und Wallfahrtskirche von Maria Saal.
40. Siehe dazu das grundlegende Werk von J. BRAUN, Der christliche Altar (1924) mit ausführlichen Literaturangaben.
41. SONNLEITNER, Schenkungen (wie Anm. 37), S. 355ff.
42. FRESACHER, Regesten (wie Anm. 3), S. 482 – 484 (Quelle: Visitationsprotokoll vom 24. 11. 1616).
43. ÖKT 37 (1969), S. 108.
44. Wie Anm. 42.
45. UB ST. PAUL, S. 217, Anm. 1; FRESACHER, Regesten (wie Anm. 3), S. 481. (Quelle: Marchstaller, *De fundatione* 67b und 69b); ÖKT 37 (1969), S. 84 – 86.
46. Z. B. von den wertvollen Stiftungen Erzbischof Hartwigs von Magdeburg, dem Bruder des Klosterstifters Graf Engelbert I. († 1102): UB ST. PAUL, S. 10f., und FRESACHER, Regesten (wie Anm. 3), S. 480f.
47. BRAUNFELS, Klosterbaukunst (wie Anm. 9), S. 39ff.; zu Hirsau siehe W. IRTENKAUF, Hirsau. Geschichte und Kultur (1978).
48. Im Gegensatz zu den Anachoreten (Einsiedlern) jene Mönche, die in einer Gemeinschaft ein gottgeweihtes Leben zu führen wünschten.
49. Als Beispiele für nördlich der Kirche angelegte Kreuzgänge seien willkürlich die nordfranzösische Abtei Fontanelle, in Österreich aber das Augustiner-Chorherrenstift Klosterneuburg oder die Benediktinerabtei Lambach genannt; besondere topographische Verhältnisse wie etwa ausgesprochene Berglagen führten zu noch größeren Freiheiten im Bauplan (z. B. Arnoldstein).
50. FRESACHER, Regesten (wie Anm. 3), S. 482.
51. Ein solches *Cellarium* hat sich, wenngleich mehrfach umgebaut, im Westtrakt des ehemaligen Benediktinerklosters Millstatt erhalten (heute Stiftsmuseum).
52. Laut freundlicher Mitteilung von Dipl.-Ing. Dr. Ulrich Harb vom Bundesdenkmalamt/Landeskonservator für Kärnten (Bilddokumentation ebendort).
53. Z. B. in Cluny oder Hirsau.
54. Wie Anm. 50. In diesem Bereiche lassen auch die Aufzeichnungen über die Umbauten Marchstallers einzelne Rückschlüsse über die vorbarocken Räumlichkeiten zu, wenngleich sie den Zustand im frühen 17. Jahrhundert widerspiegeln, siehe SCHROLL, Marchstaller (wie Anm. 1), S. 154ff.
55. Etwa in Alpirsbach unter Abt Hieronymus Hulzing (1479 – 1495).
56. Selbst in den spätmittelalterlichen Bettelmönchsklöstern der Städte wurde diese Gewohnheit teilweise übernommen.
57. ÖKT 37 (1969), S. 95f.
58. SCHROLL, Marchstaller (wie Anm. 1), S. 142; ÖKT 37 (1969), S. 97. Ob es sich bei der oberen alten Sakristei um eine Art Schatzkammer handelte, kann nicht mehr festgestellt werden.
59. So ist 1375 neben der Weihe mehrerer Altäre in der Stiftskirche auch von der Neuweihe eines Altarheiligen- und eines Andreasaltares *in predicto monasterio* die Rede, FRESACHER, Regesten (wie Anm. 3), S. 481: Originalurkunde im STA vom 27. 5. 1375.
60. SCHROLL, Marchstaller (wie Anm. 1), S. 139 (nach Marchstaller, Urbaria III, 129). Ein Ablaßbrief vom 14. 11. 1409, FRESACHER, Regesten (wie Anm. 3), S. 482, läßt einen Umbau an der Wende zur Spätgotik vermuten. Vgl. dazu auch meinen baugeschichtlichen Beitrag hier S. 491 ff. bes. Anm. 9.
61. MARCHSTALLER ließ 1618 den Stock bei Hof mit der Abtei renovieren, siehe SCHROLL, Marchstaller (wie Anm. 1), S. 154, womit nach GINHART, (ÖKT 37, 1969), S. 182, der Stiftswestflügel gemeint war. Die bei den Sanierungsarbeiten in diesem Trakt 1981 freigelegten spätgotischen Gewände (wohl aus der Amtszeit des Abtes Sigmund Jöbstl von 1488 – 1498 stammend) könnten Reste der mittelalterlichen Abtei sein.
62. SCHROLL, Marchstaller (wie Anm. 1), S. 156.
63. Wir wissen nur, daß das Noviziat 1621 anstelle des Cellariums in den Kreuzgangwesttrakt verlegt wurde, EBD., S. 159.
64. Wie noch heute gut an den ehemaligen Stiftsgebäuden von Mondsee zu ersehen, sollte der Krankentrakt weitgehend freistehend, gut belichtet und belüftet von den Konventbauten abgesetzt sein.
65. Dieser Abschnitt fußt hauptsächlich auf SCHROLL, ebd., S. 154ff. (weltliche Bauten) sowie auf topographisch-funktionalen Überlegungen zur heutigen Stiftsanlage.
66. SCHROLL, Marchstaller (wie Anm. 1), S. 156f.
67. Abbildung in ÖKT 37 (1969), S. 38, Nr. 5 (Original im STA HS 303/0 f. 5), siehe auch hier, Abb. 137.

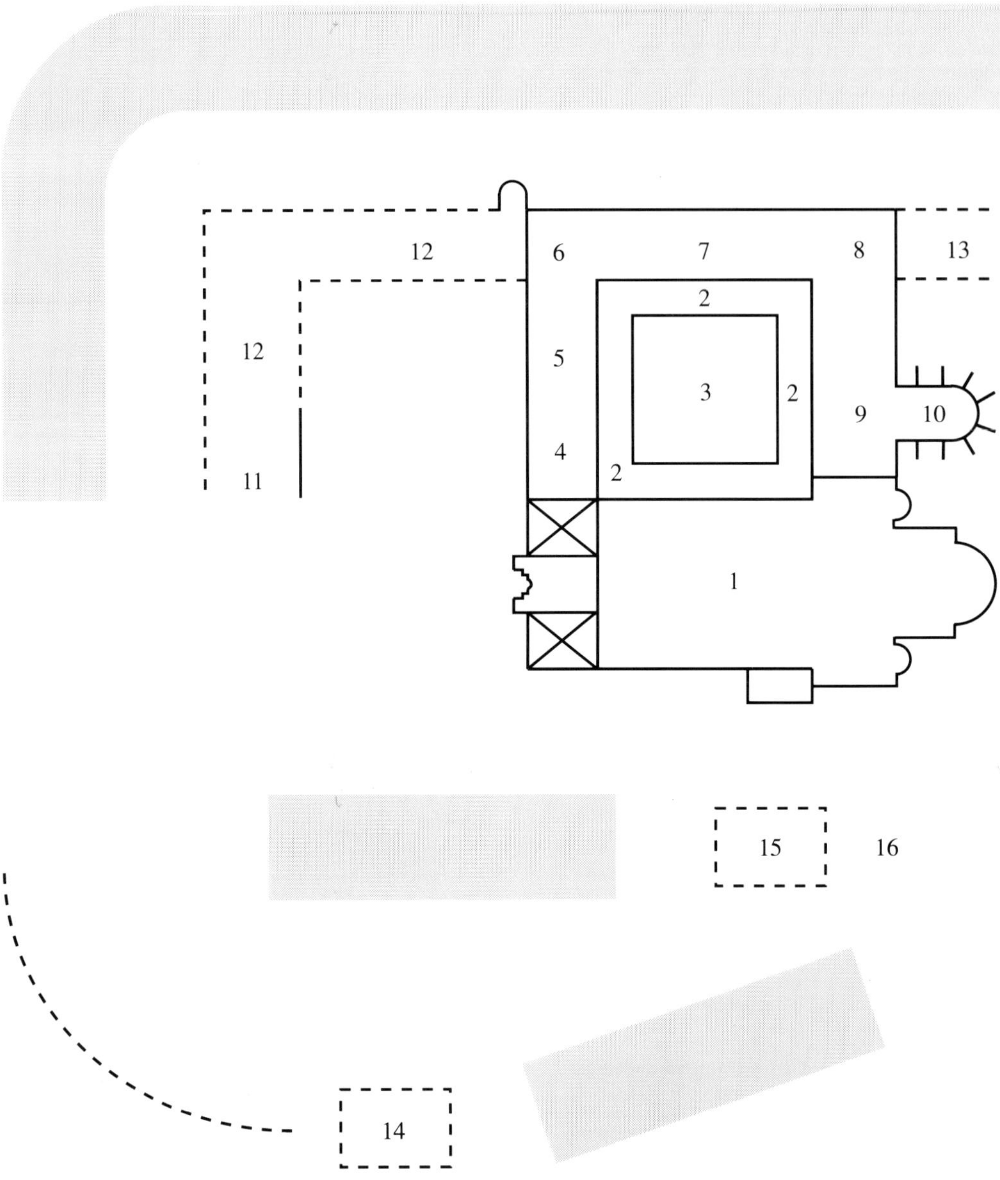

St. Paul i. L.: Rekonstruktionsversuch der mittelalterlichen Stiftsgebäude.

1) Stiftskirche, 2) Kreuzgang, 3) Kreuzgarten, 4) Pforte, 5) Cellarium, 6) Küche, 7) Refektorium, 8) Wärmestube, Sprechraum und Brudersaal (= Calefactorium, Auditorium und Camera) 9) Kapitelsaal, 10) Marien (= Rabensteiner-) kapelle, 11) Abtei, 12) Gäste- und/oder Novizentrakte, Priorat, 13) Krankentrakt, 14) Unteres Tor, 15) Turm mit (oberem ?) Tor, 16) Schaffnerei und Pförtnerwohnung

Stiftskirche St. Paul i. L.:
Architektonische bzw. funktionale Gliederung

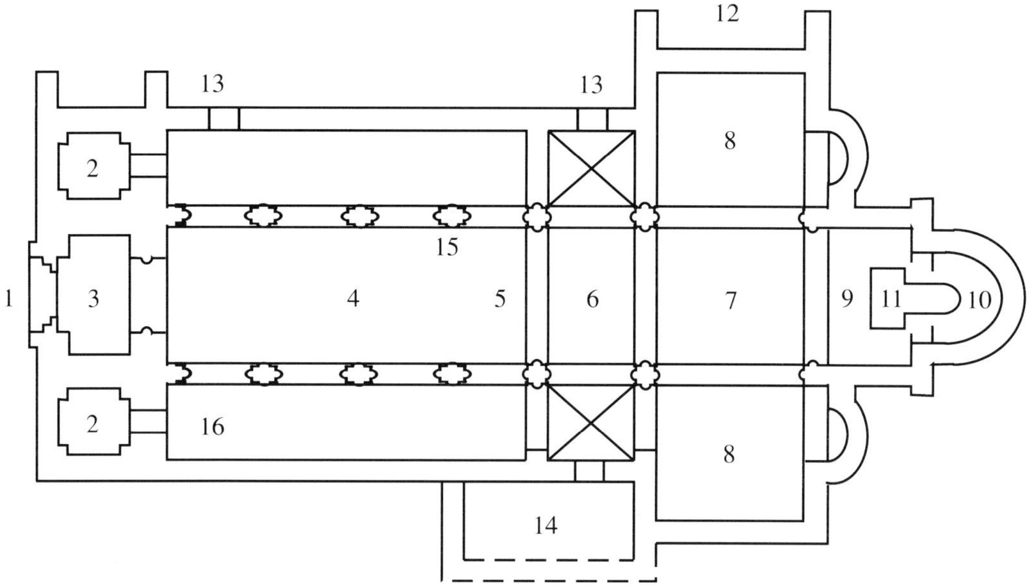

1) Westportal
2) Turmschächte
3) Vorhalle, darüber Michaelskapelle (n. e.)
4) Langhaus für die Laiengemeinde
5) Lettner mit Kreuzaltar (n. e.)
6) Chorus minor
7) Vierung (= Chorus maior)
8) Querhausarme (Vorräume „ante choro“: der nördliche mit Stifter-, der südliche mit Marienaltar)
9) Presbyterium (Sanktuarium)
10) Apsis mit Hochaltar
11) ursprüngliche Stiftergrablege
12) Sakristeien (über zwei Geschoße?)
13) Kreuzgang mit Portalen (n. e. Lage nicht gesichert)
14) Jakobskapelle (n. e.)
15) Gotischer Altarblock mit Malereiresten
16) Standort der mittelalterlichen Taufkapelle (?)

(n. e. = nicht erhalten)

Abb. 137: Stiftsansicht aus dem Kollmitzer Urbar von 1653; STA, HS 303/0, fol. 5r

Die Grablegen in der Stiftskirche St. Paul: Grab-, Gedenk- und Gedächtnisdenkmäler

FRIEDRICH WILHELM LEITNER

Die Grablege der Stifterfamilie

In Kärnten gehen zwei Klostergründungen auf die Spanheimer zurück: 1091 wurde von Graf Engelbert[1], Sohn des Siegfried von Spanheim und der Richardis, das Benediktinerstift St. Paul im Lavanttal begründet, 1142/43 von Graf Bernhard von Spanheim[2] das Zisterzienserkloster Viktring[3]. Während in Viktring selbst heute nichts mehr an die Gründerfamilie erinnert, wurde St. Paul als Familienkloster der Spanheimer zugleich auch deren Grablege.[4] Die Eltern des Klostergründers haben in St. Paul – erst in Zweitbestattung – ihre letzte Ruhestätte gefunden, da beide weit außerhalb von Kärnten gestorben sind: Graf Siegfried verstarb 1065 auf dem Rückweg vom Kreuzzug irgendwo in Bulgarien und scheint möglicherweise nach St. Paul überführt worden zu sein.[5] Die Mutter Richardis hingegen fand auf einer Pilgerfahrt nach Santiago de Compostela den Tod, wurde zuerst im rheinfränkischen Spanheim beigesetzt und auf Betreiben ihres Sohnes, Erzbischof Hartwigs von Magdeburg, nach dem Tode seines Bruders Engelbert, der 1096 gestorben ist und in St. Paul begraben wurde[6], ebenfalls nach St. Paul überführt und hier im Familiengrab der Stifter beigesetzt[7]. Neben den älteren Spanheimern[8] ruhen hier mehrere Kärntner Herzöge aus diesem Geschlecht. Es ist sehr wahrscheinlich, daß Herzog Heinrich IV.[9] als Sohn der Klostergründer hier seine letzte Ruhestätte gefunden hat, wenngleich dafür kein urkundlicher Hinweis überliefert ist. Sein Bruder und Nachfolger, Herzog Engelbert[10], hingegen hatte sich 1135 als Mönch in das bayerische Kloster Seeon bei Chiemsee zurückgezogen und wurde dort beigesetzt. Auch die beiden nachfolgenden Spanheimer Herzöge, Ulrich I. und Heinrich V., fanden außerhalb des Herzogtums den Tod. Beide liegen im Kloster Rosazzo, südöstlich von Udine in Friaul, begraben.[11] Erst bei Herzog Hermann[12], der am 4. Oktober 1181 gestorben ist, gilt es als sicher, daß er seine Ruhestätte im Kloster St. Paul gefunden hat. Wenngleich der gesicherte Hinweis fehlt, wurden wohl auch die beiden Söhne Herzog Hermanns, Herzog Ulrich II.[13] und Herzog Bernhard[14], in St. Paul in der Spanheimer Familiengruft beigesetzt. Das Fehlen entsprechender Grabinschriften hat mehrfach dazu geführt, die Grablege vor allem Herzog Bernhards in St. Paul in Frage zu stellen. Demnach soll er in dem von ihm begründeten Zisterzienserkloster Mariabrunn bei Landstraß[15] in Krain (Slowenien) begraben worden sein, was aber sehr unwahrscheinlich ist.[16] Eine von Heinrich Georg Hoff[17] kopial überlieferte „Stifterinschrift" ist wohl nicht als Beweis für die Grablege Herzog Bernhards in Landstraß heranzuziehen; die Inschrift lautet: *Anno domini MCCLII obiit Illustris Princeps Bernhardus Archi-*

dux Karinthiae in die epiphanie domini. In Sacrarium translatio ejusdem Principis atque cortoralis celebrata est deria tertia post festum Sancti Martini Episcopi, temporibus invictissimi Principis Friderici Romanorum Imperatoris 1468[18]. Tatsächlich liegt aber auch im Viktringer Tochterkloster Mariabrunn bei Landstraß ein Bernhard von Spanheim begraben, nämlich der gleichnamige Sohn des Herzogs[19]. Und auch Bernhards Gemahlin Jutta, Tochter des Böhmenkönigs Přemysl Ottokar I., gestorben um 1236[20], und seine Tochter Margarethe[21] liegen hier begraben.[22]

Der älteste Sohn und letzte amtsführende Spanheimer Herzog, Ulrich III., ist 1269 in Cividale gestorben und wurde dort in der Kapelle des hl. Johannes Baptista im Dom begraben.[23] Sein einziger Sohn, Heinrich, um 1258/59 gestorben, fand ebenfalls in Landstraß in Krain seine letzte Ruhestätte.[24]

Von keinem der Kärntner Herzöge aus dem Hause der Spanheimer hat sich im Lande selbst, also auch nicht im Familienkloster St. Paul, ein Grabdenkmal erhalten.

Nur vom Bruder Ulrichs III., Philipp, dem letzten Spanheimer, von 1236/37 bis 1246 Propst von Višehrad und Kanzler des Königreiches Böhmen, von 1247 bis 1256 erwählter Erzbischof von Salzburg, von 1269 bis 1272 erwählter Patriarch von Aquileia und schließlich von 1275 bis zu seinem Tode 1279 wenigstens dem Namen nach Herzog von Kärnten[25], ist in der ehemaligen Dominikanerkirche in Krems ein, wenn auch fast ein Jahrhundert nach seinem Tode entstandenes, gemaltes Grabgedächtnisdenkmal überliefert.[26]

Eine direkt auf die Stifterfamilie Bezug nehmende Grablege existiert also in der Stiftskirche nicht oder zumindest nicht mehr. Erhalten haben sich lediglich zwei Architekturteile eines ehemals tumbenartigen Grabmales und eine Inschriftplatte mit einer „Stifterinschrift". Dabei handelt es sich um drei Einzelfragmente, die zeitlich nicht übereinstimmen. Vor allem läßt sich im Hinblick auf ihre Entstehungszeit kein chronologischer Ansatz zum Gründungsdatum des Klosters im Jahre 1091[27] herstellen. Vielmehr erfordert jede der drei überlieferten Relief- bzw. Inschriftplatten einen anderen Datierungsansatz.

Die älteste Platte von dem ursprünglich als Tumba gestalteten Stiftergrabdenkmal ist die annähernd quadratische Stirnwandplatte (H 97 cm, B 105 cm) und zeigt nebeneinandergestellt zwei Reliefwappen: links das Wappen des Herzogtums Kärnten, als Helmzier auf dem Kübelhelm – mit Andeutung einer Helmdecke – schon die Büffelhörner[28], die erst nach 1363 neues Kleinod des Kärntner Wappens geworden sind[29]; rechts davon ist das geschachte Wappen der rheinfränkischen Spanheimer abgebildet, auf dem Stechhelm ein mit Schach belegter, geschlossener Flug, sicher aber wohl nicht als ein Pfauenstoß[30] zu sehen.

Beide Wappendarstellungen sind in einer für das 14. Jahrhundert charakteristischen heraldischen Bildung gemeißelt. Für die Datierung dieses älteren Werkstückes in die Zeit des Abtes Konrad III. (1359–1391) spricht auch der große Kirchenbrand im Jahre 1367, bei dem ein Großteil des Kircheninventars wohl zur Gänze zerstört worden ist. Kurz in die Zeit danach aber wird die Platte mit den beiden Wappendarstellungen zu datieren sein.

Die zweite Reliefplatte (H 97 cm, B 156 cm) ist nicht zur Gänze erhalten. Sie ist im rechten Bildfeld im Bereich der Klosterkirche gebrochen, wobei ein Teil der Kirchendarstellung verlorengegangen ist. Der links schreitende, gerüstete Stifter Engelbert von Spanheim[31] wie auch die links der Kirche stehende Stifterin Hedwig, seine Gemahlin, sind jeweils in von Blendmaßwerk überhöhte Nischen gestellt. Auch das Wappen links der Stifterin bekrönt eine spätgotisch anmutende Blendwerkarchitektur, die allerdings nur mehr teilweise erhalten ist; das rechte Drittel dieses Bildfeldes wurde – einer Rasur ähnlich – durch Abmeißelung zerstört. Interes-

Abb. 138: Stiftskirche, nördliches Querhaus: Stiftergrabmal, nach 1367

sant ist in diesem Zusammenhang wiederum die Wappendarstellung, die im Vergleich zur oben besprochenen Stirnwandplatte geradezu eine „primitive" plastische Nachbildung gefunden hat: Der schräggestellte geschachte Schild trägt einen recht plumpen gekrönten Stechhelm mit der Skizzierung einer wulstähnlichen Helmdecke; aus der Krone wachsend die Andeutung eines bzw. zweier kleiner, nebeneinandergestellter „Pfauenstöße". Auch am 1493 über dem Stiftergedächtnisdenkmal angebrachten Wandgemälde des Thomas von Villach – siehe unten – ist das Wappen der „Spanheimer" gemalt, bezeichnenderweise mit derselben Helmzier: ein gekrönter Bügelhelm, bestückt mit zwei prächtigen grünen Pfauenstößen. Diese Analogie der beiden Wappendarstellungen der „Spanheimer" kann durchaus zum Ansatz einer etwa gleichzeitigen Entstehung der beiden Kunstwerke, des Wandgemäldes wie auch der Reliefplatte mit der Darstellung der Stifter, herangezogen werden. Damit kann diese zweite Platte in dieser Form unter Abt Jöbstl von Jöbstlberg anläßlich einer generellen Neugestaltung des „Gedenkbereiches für die Spanheimer Stifter" entstanden sein.[32]

Besonderes Augenmerk verdient auch die heute erhaltene „Stifterinschrift", die sich durch auffallende Eigentümlichkeiten hinsichtlich der Formel der Inschrift wie auch der Schriftform selbst zeitlich ausgrenzt. Die Inschrift nimmt zwar auf die Stiftung Bezug, aber nicht als eine Originalinschrift aus der Zeit der Klostergründung, sondern vielmehr als eine Art Gedenkinschrift an dieses Ereignis aus wesentlich späterer Zeit. Auf der kleinen rechteckigen Platte, die in ihren Maßen (H ca. 50 cm, B ca. 105 cm) den vorbesprochenen Architekturteilen überhaupt nicht entspricht, ist durch zwei in einfacher Meißelung angedeutete Zierlinien das Schriftband markiert. Die Inschrift, in gotischer Minuskel mit Majuskelversalien gehalten, beginnt mit der Nennung des Stifters „Engelbert". Es folgt der Name seiner Mutter „Reyhart-Richardis". Der nachfolgende Name „Mechilt" ist sichtlich von einer anderen Hand gemeißelt worden, fügt sich auch dem durch die Schriftleisten vorgegebenen Schriftfeld nicht harmonisch ein, sondern geht darüber hinaus und zeigt über der Wortmitte Spuren einer möglichen Übermeißelung.[33] Auch genealogisch läßt sich der Name in dieser Abfolge nicht sofort mit der Stifterfamilie in Verbindung bringen. Das nun folgende *uxor* bezieht sich auf Hedwig, die Frau des Stifters, die einem führenden Adelsgeschlecht Friauls zugeordnet wird.[34] Diese Namensinschrift „haedweig" wurde inner-

Abb. 139: Stiftskirche, nördliches Querhaus: Stiftergrabplatte

halb der Schriftleiste beigefügt, wobei sich die Minuskelbuchstaben auffallend von der umlaufenden Beschriftung unterscheiden und hier sogar eine dritte Hand vermuten lassen. Es folgt abschließend ein *heinricus dux karinthiae*, der in einem genealogischen Zusammenhang zur vorerwähnten „Mechilt" stehen müßte. Die heute überlieferte Inschrift lautet:

+ *Engelber/tus.fu(n)dator.Reyhart. mater. <mechilt> / haedweig / uxor. h(ei)nr(icus)*[35] */ dux kari(n)thie. (et) corpora filior(um)eor(um) / .xix.*

Aus einer kopialen Überlieferung dieser „Stifterinschrift", dem Schriftbefund der gotischen Majuskelschrift, dem genealogischen Inhalt und der Größe der heute überlieferten Inschriftplatte im Vergleich zur Abmessung der Reliefplatten lassen sich neue Aspekte ableiten. Abt Hieronymus Marchstaller berichtete im Jahre 1619 von einer Stifterinschrift mit gotischen Majuskelbuchstaben *Inscriptio autem lapidis maiusculis literis* (. . .), die er anläßlich einer Graböffnung *in summo templo Monasterii S. Pauli iuxta chorum* (. . .)[36] gefunden hatte.[37] Diese Graböffnung ist mit dem Neubau der Sakristei im gleichen Jahr in Verbindung zu bringen, wobei beim Einbau des Sakristeiportales unter Verwendung von Werkstücken des nicht fertiggestellten Prunkgrabmales des Abtes Ulrich Pfinzing[38] auch ein Wandgemälde, das im Jahre 1931 freigelegt werden konnte, beeinträchtigt wurde, das unter Abt Jöbstl von Jöbstlberg (1488 – 1498) hier zur Ausschmückung der Wand über dem Stiftergrabdenkmal angebracht worden war. Abt Jöbstl war als Auftraggeber dieses dem Thomas Artula von Villach zugeschriebenen „Stifterfreskos"[39] durch sein Wappen und eine heute nicht mehr erhaltene Inschrift ausgewiesen: *Hoc monasterium fundatum seu aedificatum est in honore Sanctorum Pauli et Petri Apostolorum per Comitem Engelbertum de Spanhaim et Coniugem suam Hadwigam Ducissam Carinthiae, sub anno incarnationis Dominicae 1091, Pontificatus Domini Vrbani Apostolici Papae secundi, regnante Henrico Imperatore quarto: In cuius rei memoriam hanc picturam fecit fieri Reuerendus in Christo Pater et Dominus, Dominus Sigismundus Abbas, dictus Joebstl, Abbas 29, anno Domini 1493.*[40]

Damit ergeben sich zwei zeitliche Ansätze für Umgestaltungen des „Stiftergrabdenkmales" der Spanheimer, die auch die rechteckige Reliefplatte mit der Darstellung des Stifterpaares und die sogenannte „Stifterinschrift" betreffen können: Erstere würde gut in die spätgotische Zeit des Abtes Jöbstl passen[41], dem eine Graböffnung zugeschrieben wird[42]; letztere dem Schriftbild nach ebenfalls. Allein die von Abt Marchstaller in seinem Werk *„De Fundatione* (...)"[43] kopial überlieferte Inschrift ist dem 14. Jahrhundert eher verbunden als die bis heute erhalten gebliebene Platte.[44]

Eine inschriftenpaläographische Untersuchung wird hier allerdings kaum Rückschlüsse erbringen können, eher eine historische Kritik hinsichtlich der fraglichen „Beifügung" und genealogischen Zuordnung der auf der erhaltenen Gedenkplatte genannten „Mechilt". Ein Anhaltspunkt könnte die im Nekrolog von St. Paul angeführte *Benefactrix Mechtild Comitissa de Sultzbach*[45] sein, die von Abt Hieronymus Marchstaller wohl mit Judith von Baden, der Gemahlin des Spanheimer Herzogs Ulrich I. von Kärnten, verwechselt wurde; Mathilde von Sulzbach war mit Markgraf Engelbert III. verheiratet.[46] Ihr Sohn war Herzog Heinrich V. von Kärnten (1144–1161); der auf der Gedenkplatte im Anschluß an „Mechilt" aufgelistete *h(ei)nr(icus) / dux kari(n)thie* kann als „missing link" in dieser genealogischen Konstruktion aufgefaßt werden, wenngleich auf dem originalen Stifterstein wohl nur Herzog Heinrich IV. (1122–1123) gemeint sein konnte, der Sohn der Klosterstifter und zugleich der erste Spanheimer auf dem Kärntner Herzogsthron.

Man darf somit vermuten, daß der heute erhaltene Gedenkstein eine spätere Nachbildung – durchaus unter Abt Marchstaller oder später geschaffen, wenngleich sich dafür keine archivalischen Nachweise erbringen lassen – der verlorengegangenen ursprünglichen Stifterplatte darstellt und somit die kopial überlieferte Inschrift der „ursprünglichen Stifterinschrift" näherkommt, deren Text wie folgt wiederzugeben ist[47]:

+ ENGELBERTVS / FVNDATOR . RICHARDA MATER. HADWEIG / VXOR. HEINRIC(VS) / DVX KARINTHIE. CORPORA FILIORVM EORVM. / XIX.

Abt Albert Reichart (1677–1727) hatte sich dann zu Beginn des 18. Jahrhunderts erneut dieser „Spanheimer-Ecke" in der Stiftskirche angenommen. Im Jahre 1703 ließ er jene barocke Tumba[48] über der „Grablege" der Spanheimer – vermutlich bei gleichzeitiger Übertünchung des „Stifterfreskos" des Abtes Jöbstl von 1493 – errichten, die dann erst 1936 im Zuge der Restaurierung der Stiftskirche[49] wieder entfernt wurde.

In der Stiftskirche in St. Paul hat sich demnach kein originales Fragment eines Tumbengrabmales der Spanheimer – sofern ein solches überhaupt jemals existiert haben sollte – erhalten, sondern nur Bruchstücke eines Gedächtnisdenkmales an die Stifterfamilie aus späteren Epochen. Als Grablege wird das Kloster aber nicht nur für die frühen Angehörigen der Stifter selbst in Frage kommen, zumindest auch vier Herzöge aus dem Haus der Spanheimer dürften hier ihre letzte Ruhestätte gefunden haben.

Die frühen Habsburger und ihre bislang letzte Grablege

„Der ersten Habsburger letzte Ruhestätte" betitelte Abt Richard Strelli[50] im Jahre 1918 seine Darstellung über die Grablege der Habsburger in der Stiftskirche des Klosters St. Paul im Lavanttal. Und für die betroffenen Habsburger war es ein weiter Weg zu ihrer wohl endgültigen Ruhestätte, zeitlich – vom späten 13. bis zum Beginn des 19. Jahrhunderts – über sechs Jahrhunderte, räumlich von Königsfelden bzw. Basel über St. Blasien im Schwarzwald in das oberösterreichische Spital am Pyhrn und schließlich nach St. Paul in Kärnten.

Mit dem Übergang des Herzogtums Kärnten an die Habsburger im Jahre 1335[51] hat sich in Kärnten – nicht wie in den anderen österreichischen Ländern – keine landesfürstliche Residenz mit entsprechender Hofhaltung etabliert. Zentrum der innerösterreichischen Länder wurde Graz, in Kärnten selbst hat nie ein Habsburger residiert, sieht man von den wenigen Jahren ab, die Erzherzogin Maria-Anna nach dem Tode ihrer kaiserlichen Mutter Maria Theresia in Klagenfurt verbracht hat.[52] Und doch haben, auf vielen und geradezu merkwürdigen Umwegen, insgesamt vierzehn Angehörige der Habsburger der ersten bis vierten Generation in diesem Kronland ihre letzte Ruhestätte gefunden.[53] Das 1787 aufgehobene Benediktinerstift St. Paul im Lavanttal wurde 1809 von Kaiser Franz I. den unter Fürstabt Berthold Rottler (1793 – 1826) aus dem Kloster St. Blasien im Schwarzwald nach Österreich – erste Station war das Stift Spital am Pyhrn – zugewanderten Benediktinermönchen überlassen.[54] Mit den St. Blasier Mönchen kamen nicht nur die reichen Kunstschätze dieser Abtei nach Kärnten, sondern auch die unter Fürstabt Martin Gerbert (1764 – 1793) im Jahre 1770[55] nach St. Blasien überführten, teils aus dem Dom zu Basel, teils aus der Klosterkirche Königsfelden[56], der Erbbegräbnisstätte der ersten Habsburger, stammenden Särge.[57]

In der Stiftskirche zu St. Paul wurde als Begräbnisstätte vorerst die Gruft unter dem Hochaltar ausgewählt. Nach Fertigstellung eines Tumbengrabmales aus Marmor an der Ostwand der südlichen Seitenapsis im Jahre 1818, gefertigt von dem Udineser Baumeister Pietro Rudolfi, erfolgte die teilweise Verlagerung der einfachen Holzsärge in dieses Gedächtnisdenkmal.[58] Ein Jahrhundert später, im Oktober 1917, wurde unter Abt Odilo Frankl die Grablege der Habsburger neuerlich geöffnet und die großteils schon morschen Holzsärge durch neue Eichensärge ersetzt. Am 15. Juni 1918, 700 Jahre nach der Ge-

Abb. 140: Stiftskirche, südliches Querhaus: ehemalige Habsburgertumba

burt König Rudolfs I. von Habsburg[59], erfolgte die feierliche Neubeisetzung dieser vierzehn frühen Habsburger in der Stiftskirche. Im Jahre 1936 kamen im Zuge der Gesamtrestaurierung der Stiftskirche – die tumbenartige Gedenkstätte wurde am 4. September 1935[60] abgetragen – schließlich die einfachen hölzernen Sarkophage wiederum in die Gruft unter dem Hochaltar.[61]

Auf den Holzsärgen waren kleine Bleiplatten angebracht, auf denen in gotischer Majuskel- bzw. einmal auch in gotischer Minuskelschrift jeweils die Namen der insgesamt vierzehn Habsburger gegossen waren, die in Basel und Königsfelden beigesetzt wurden. Es sind dies Gertrud Anna Gräfin von Hohenberg, die erste Gemahlin Rudolfs von Habsburg[62] (geboren um 1225, gestorben am 16. 2. 1281 in Wien, im gleichen Jahr in der Domkirche zu Basel beigesetzt); Hartmann, zweitältester Sohn Rudolfs[63] (geboren um 1263 in Rheinfelden, 1281 im Rhein ertrunken, begraben zu Basel); Karl, der jüngste Sohn Rudolfs[64] (geboren am 14. 2. 1276 in Rheinfelden, hier am 12. 8. 1276 gestorben, begraben zu Basel); Elisabeth von Görz-Tirol, Gemahlin Albrechts I.[65] (geboren um 1263, gestorben am 28. 10. 1313 in Wien und erst 1316 in dem von ihr gestifteten Kloster Königsfelden[66] beigesetzt); Leopold I., der „Glorwürdige"[67] (geboren vor dem 4. 8. 1290, gestorben am 28. 2. 1326 in Straßburg und in Königsfelden begraben; er war 1315 im Feldzug gegen Schwyz bei Morgarten schwer geschlagen worden); Katharina von Savoyen, Gemahlin Leopolds I.[68] (geboren um 1298 in Brabant, gestorben am 30. 9. 1336 in Rheinfelden und in Königsfelden beigesetzt); Katharina, Tochter Leopolds I. und der Katharina von Savoyen, Gemahlin des Enguerrand de Coucy und in zweiter Ehe des Grafen Konrad von Hardegg[69] (gestorben 1349 und in Königsfelden begraben; aber als einzige ohne Inschrifttafel); Heinrich, der „Freundliche", Sohn Albrechts I. (geboren um 1299 in Wien, gestorben am 3. 2. 1327 in Bruck an der Mur und begraben in Königsfelden); Elisabeth von Virnenburg, Gemahlin Heinrichs[70] (geboren um 1298, gestorben am 14. 9. 1343 in Königsfelden und hier begraben); Agnes, Tochter Albrechts I., Gemahlin König Andreas' III. von Ungarn[71] (geboren am 18. 5. 1281 in Wien, gestorben am 10. 6. 1364 in Königsfelden); Elisabeth, Tochter Albrechts I., Gemahlin des Herzogs Friedrich III. von Lothringen[72] (geboren um 1285 in Wien, gestorben am 19. 5. 1352 in Nancy und begraben in Königsfelden; die bleierne Inschrifttafel auf ihrem Sarg war bei der Bergung bereits fast unlesbar); Gutta (Jutta), Tochter Albrechts I., Gemahlin des Grafen Ludwig VIII. von Oettingen[73] (geboren um 1300 in Wien, gestorben im März 1329 in Wien); Friedrich II., Sohn Herzog Friedrichs I.[74] (geboren um 1316 in Wien, gestorben um 1322 in Rheinfelden; von ihm fand sich am Sarg wohl die Bleiinschrift, der Sarg selbst aber war leer); Herzog Leopold III., Sohn Albrechts II. und Begründer der Leopoldinischen Linie[75] (geboren am 1. 11. 1351 in Wien, gestorben am 9. 7. 1386 in der Schlacht bei Sempach, beigesetzt in Königsfelden; bei ihm fand man keine Inschrifttafel aus Blei).

Kleine Inschrifttäfelchen aus Blei trugen demnach nur jene Särge, die ihre ursprüngliche Beisetzungsstätte in Königsfelden hatten. Folgende Inschriften haben sich in St. Paul original erhalten:

† 1313: *ELIZABET.REGINA. / ROMANORVM.*
† 1326: *LEOPOLD(VS). / DVX:AVSTRI(A)E*
† 1327: *HAINRICVS. / DVX AVSTRI(A)E*
† 1329: *[G]V[T]TA [COMI]/TISSA.DE.OTI(N)/GEN. SOROR.DV/CVM. ISTORVM*
† 1336: *CATHERINA + REL[ICTA] / QVOND[A]M [D(OMINI).LEOPOL/]DI. DVCIS.A[VSTRI(A)E]*
† 1343: *ANNO.D(OMI) NI.M.CCC. / XL.III.O(BIIT). D(OMI)NA. ELIZA/BETH. RELICTA.QVON/DA(M).D-(OMI)NI.HEI(N)RICI. DVCIS / AVSTRI(A)E.(ET). STIRI(A)E*

Nur mehr kopial überliefert sind[76]:

† 1321: *Fridericus.filius. / F(riderici). regis. romano(rum)*
† 1352: *ANNO.M.CCC.LII. ELISABETHA OBIIT LOTHARINGIE DVCISSA POTE(N)TIANE MARTYRIS [FESTO] +*[77]

Die kleinen Bleiplatten sind auf Grund der Sterbedaten in die Zeit zwischen 1313 und 1352 einzuordnen. Es lassen sich zwei Gruppen feststellen: eine Gruppe mit erhaben gegossenen Buchstaben (Elisabeth 1313, Leopold 1326, Heinrich 1327, Gutta 1329) und eine zweite mit eingeritzten bzw. eingeschnittenen Buchstaben (Katherina

1336, Elisabeth 1343). Bei der ersten Gruppe ergeben sich von der Form der Täfelchen und der Schrift drei Varianten: eine mit einer recht schmalen längsrechteckigen Platte mit zweizeiliger Beschriftung (1313), eine weitere mit einer etwas größeren rechteckigen Platte und auch größeren Buchstaben (1326/27) und eine dritte mit einer vierzeiligen Inschrift. Die Bleitäfelchen mit vertiefter Beschriftung (1336–1343) sind mehrzeilig und, soweit erhalten, fast quadratisch.

Die Grabdenkmäler der St. Pauler Äbte

Auch in St. Paul zeigt sich hinsichtlich der Grabplastik für Geistliche ein ähnliches Bild wie in anderen Kärntner Klöstern[78] und Kirchen. Entweder wurden kaum Grabdenkmäler – ganz im Gegenteil zu gleichrangigen Klöstern im mitteleuropäischen Raum – in Auftrag gegeben, oder es haben sich nur erstaunlich wenige erhalten, wobei viel für die erstere Annahme spricht. Nicht in St. Paul selbst, sondern in der Pfarrkirche St. Martin im Granitztal haben sich zwei sehr frühe Fragmente von Grabreliefs zweier St. Pauler Äbte[79] der zweiten Hälfte des 13. Jahrhunderts erhalten[80], beide leider ohne erklärende Inschrift. In Abwandlung eines besonders schmuckreich ornamentierten Typus der romanischen Grabplastik sind hier zwei Steine mit den Büsten der Äbte, ursprünglich wohl ganzfigurige Darstellungen, überliefert, die am wahrscheinlichsten den Äbten Hermann I. (1278–1283), Dietrich Pruchler (1284–1291) oder Konrad II. (1291–1302) zuzuordnen wären.[81]

*

Bis zum Ende des 15. Jahrhunderts findet sich in der Stiftskirche überhaupt nur eine Grabplatte eines Abtes, und es ist dies zugleich auch die erste dieser Art in ganz Kärnten. Es handelt sich

Abb. 141: Stiftskirche, nördlicher chorus minor; Grabstein des Abtes Heinrich I. (1325–1356)

dabei um die figurale Grabplatte des 17. Abtes des Benediktinerstiftes[82], Heinrich I. (1325–1356), innen an der Wand des nördlichen Seitenschiffes links vom Eingang in die Kapelle der Schmerzhaften Muttergottes[83]: Der Abt liegt auf einer hochrechteckigen Grablege, die von einer auffallend schmalen Schriftleiste gerahmt ist, in einer „retardiert spätromanischen“[84], reliefhaften Bildung, mit dem Ornat, der Mitra und dem Pedum. Richard Milesi hat in treffender Formulierung diese Grabplatte als „Inkunabel der geistlichen Steine Kärntens“[85] angesprochen und auf die besondere Wirkung durch die ungekonnte und primitive Darstellung verwiesen. Die umlaufende Inschrift – in einer späten gotischen Majuskelschrift – lautet:

† ANNO.D(OMI)NI/.MILESIMO.CCC.LVI.IN.OCTAVA.EPIPHANYE[86]./O(BIIT).D(OMI) N(V)S.H(EI)NRIC(VS).VE(NER)ABILIS.ABAS.MONASTE(RI)I.HVIVS

*

Die zeitlich nächste Grablege in der Reihe der geistlichen Grabsteine ist die rund 160 Jahre später entstandene figurale Grabplatte (H 233 cm, B 122 cm) des 31. Abtes, Johannes IV. Parenpichler (1500–1515)[87], in der Stiftskirche an den ersten Pfeiler des nördlichen Seitenschiffes gestellt.[88] Der in schlichter Gewandung gebildete Verstorbene ist auf ein einfaches, schmuckloses Totenkissen gebettet. Einfach erscheinen auch Mitra, Pektorale und Gebetbuch, nur das Pedum repliziert noch spätgotische Ornamenthaftigkeit. Die breite Rahmung gibt reichlich Platz für eine umlaufende Beschriftung in erhabenen, eng zusammengedrängten spätgotischen Minuskelbuchstaben mit ausgeprägten Majuskeln. In den vier Ecken des Grabsteines sind in kreisrunde Vertiefungen Wappenschilde eingefügt: links oben das Wappen des heiligen Benedikt (ein linksaufspringender Löwe), rechts oben das Stiftswappen (geschacht), links unten das persönliche Wappen des Abtes (eine Hausmarke: auf einem Dreiberg zwei Linien, die aufsteigend eine Doppelschlinge bilden und mit halbgepfeilten Enden rechts und links nach oben führen, dazwischen ein eingestellter Pfeil), rechts unten das Wappen seiner Mutter, einer geborenen Hundtpiss von Waldrams[89] (drei rechtsschreitende, gezungte Hunde übereinander). Abt Parenpichler ist am 21. Juli 1516 gestorben[90], nachdem er ein Jahr zuvor auf Wunsch Kaiser Maximilians I. zugunsten des Ulrich Pfinzing auf sein Amt verzichtet hatte[91]; er ist in folgender Grabinschrift dokumentiert:

Anno.d(omi)ni.M° / v°.xvj.in p(re)[92] festo. s(ancte).m(arie). Magdale(ne).obyt.v(e)n(erabi)l(is).d(omi)n(u)s / Joh(an)es. d(i)ct(u).pa/rnpuchler.abbas.t(ri)ce(simus).p(ri)m(us).h(uius). loci.pie.me(m)or(i)e

*

Das prächtigste Grabdenkmal in der Stiftskirche ist das Kenotaph des Abtes Ulrich V. Pfinzing (1515–1530)[93] innen an der Südwand des Querhauses[94]. Richard Milesi[95] hat dieses bedeutende renaissancezeitliche Kunstwerk mit Recht in die „vorderste Linie“ der Grabplastik in Kärnten gestellt. In seiner heutigen Aufstellung wirkt das Denkmal (H 398 cm, B 140 cm) mit seinem dreigeschossigen Aufbau überlängt und verlangt geradezu nach einer konzeptiven Nachkonstruktion der wohl ursprünglich geplanten prunkvollen Grablege.[96] Der Mittelteil beeindruckt durch seine feine reliefhafte Bildung und Architekturgestaltung: In eine Portalhalle, gebildet seitlich aus typischen Renaissancepilastern mit darübergestelltem kassettiertem Bogen, ist die lebensgroße Standfigur des gut vierzigjährigen Abtes eingestellt. Das mit der reich verzierten Mitra bedeckte Haupt teilt die mit Rosetten geschmückte Decke des Bogengewölbes und ist unterlegt von einem vegetabilen Fruchtgewinde, letzteres gleichsam

Abb. 142: St. Paul, Stiftskirche, linker, nordwestlicher Arkadenpfeiler: Grabstein des Abtes Johannes Parenpichler (1500–1515)

symbolhaft als lebensfreudig-dekorative Auflösung des sonst üblichen Totenkissens. Die Gewandung gibt die Musterung des aus Damaststoff geschnittenen Pluviale wieder, aber auch Infel, Pektorale, Pedum und Gebetbuch überzeugen als besonders dekorative Gestaltungselemente. Die Sockelzone erinnert an eine Predella und erfüllt im Zusammenhang mit der heraldischen zugleich auch eine genealogische Aussage: Auf dem kurzen Pilaster links das Wappen der Pfinzing (geteilt, zwei Helme; rechts zwei Büffelhörner, links ein offner Flug, dazwischen ein oberhalb Löwe) mit der darübergesetzten Inschrift *„ARMA / VLRICI / PHINCZING“*. Rechts ein geflügelter Puttokopf, dessen verbundene Augen und der mit einem Vorhängeschloß versperrte Mund wohl die mit drei darübergesetzten kapitalen Buchstaben „A D M“ die bislang nicht entschlüsselte „Devise“ des Abtes[97] versinnbildlichen sollen. Im vertieften Feld dieser „Predella“ wird ein Totenschädel seitlich von zwei Wappenschilden begleitet: links ein linksgerichteter Sparren, beschriftet darüber mit „HALLER“ (die Großmutter mütterlicherseits), rechts gespalten, belegt mit einem farbgewechselten, rechtsblickenden Steinbock, ebenfalls darüber beschriftet mit „ROPFF“ (Großmutter väterlicherseits). Zwei weitere, leicht schräggestellte Wappenschilde sind an den Pilastern des Bogenfeldes appliziert und reichen in die Kassettendecke hinein: links das Wappen des Vaters (geteilt), am glatten Bogenrand darüber beschriftet „PHINCZING“; rechts das der Mutter, einer geborenen Gruntherr (ein oberhalb rechtsblickender, gewaffneter und gekrönter Löwe), darüber steht „GRVNTHER“. Über dem diesen Mittelteil des Grabdenkmals bekrönenden Gesims ist in das Halbrund des Lünettenbogens mit Muscheldekor das Wappen des Benediktinerstiftes eingefügt. Den geschachten Schild ziert ein gekrönter Bügelhelm, darauf ein Pfauenstoß[98], flankiert von spätgotischen Flammenranken nachempfundenen Helmdecken. Die unterhalb des predellaartigen Sockels beigefügte achtzeilige Inschrifttafel wirkt trotz der seitlichen Dekorabschlüsse beim Anblick des Gesamtwerkes unpassend und scheint in der ursprünglichen Konzeption an anderer Stelle eingeplant gewesen zu sein.[99]

REVERENDVS VLRICVS PATRICIA APVD NOREMBERGAM / PHINZI(N)GORVM FAMILIA NATVS DIVI IMPERATORIS / MAXIMILIANI CONSILIARIVS ET THESAVRARIVS OB / SPECTATE FIDEI MERITA HVIC SACRO CENOBIO / ABBAS CONSTITVTVS POST BENE ADMINISTRATA(M) / PRELATVRAM

PIE IN CHR(IST)O OBDORMI-ENS HOC / TVMVLO CONTE-GITVR ANNO DOMI(NI) MILLE-SIMO / QVINGENTESI-MO< >[100]

Das Grabdenkmal des Ulrich Pfinzing ist in rosagrauem Marmor mit dunkelroter Äderung gearbeitet, mit glattpolierter Oberfläche. Aus dem gleichen Material bestehen aber auch die von Abt Hieronymus Marchstaller zur Fassung des 1619 errichteten Sakristeiportales verwendeten Werkstücke.[101] Aus der Materialgleichheit, aus der Übereinstimmung der Ornamentik an den vergleichbaren Werkstücken und vor allem wiederum dem geflügelten Puttokopf auf dem rechten Pilaster des Reliefbildnisses in der Supraporte, hier mit später weggemeißeltem Vorhängeschloß und den drei Buchstaben „A D M", erweisen sich diese von Marchstaller verwendeten Bauteile[102] ganz sicher als Arbeiten des nicht fertiggestellten Prunkgrabmales Ulrich Pfinzings. Wir gewinnen keine korrekte Vorstellung über die tatsächlich geplante Grablege dieses Abtes. Dem Grabdenkmal werden auch zwei Steinstatuen zugeordnet, die heute im Triumphbogenbereich auf Konsolen aufgestellt sind, nämlich eine Plastik der Anna Selbdritt und eine Darstellung der Muttergottes mit Kind.[103]

Auch die Zuweisung an eine Werkstätte scheint der kunsthistorischen Kritik bislang nicht einwandfrei gelungen zu sein. Erstmals hat Fritz Dworschak schon 1926 das Kunstwerk dem Eichstätter Bildhauer Loy Hering zugeschrieben.[104] Auch Richard Milesi[105] sieht in Loy Hering den Meister dieses großartigen Kenotaphs.[106] Ihrer Argumentation schlossen sich nachfolgend viele Kunsthistoriker an, so u. a. auch Karl Ginhart[107]. In jüngster Zeit wird das Grabmal des Ulrich Pfinzing auch dem Œuvre des Augsburger Bildhauers Hans Daucher[108] zugeordnet.

Für die Datierung wäre einerseits die gesicherte Zuweisung an eine bestimmte Werkstätte dienlich, andererseits lassen sich durch das Unvollendetsein dieser monumental konzipierten Auftragsarbeit Anhaltspunkte finden. Als terminus ante quem bietet sich 1516 als das Jahr von Pfinzings Priesterweihe an, als terminus post quem wäre im äußersten Falle das Jahr seiner Resignation anzugeben, welches auch sein Todesjahr war. Ein entscheidender Einschnitt in seiner Laufbahn war wohl der Tod seines großen Gönners und Förderers Kaiser Maximilian I. 1519, der aber seine Stellung im Kloster nicht derart eingeengt haben konnte, daß damit die Einstellung der Arbeiten am Grabmonument notwendig gewesen wäre. Demnach scheint ein Zeitansatz nach 1519/20 bis um 1523 am wahrscheinlichsten, in den wenigen von Ulrich Pfinzing noch voll als „Abt der Renaissance" durchlebten Jahren des ausgehenden ersten Viertels des 16. Jahrhunderts.

Ulrich Pfinzing resignierte 1530 als 32. Abt von St. Paul[109], zog sich in sein Schloß Haimburg bei Völkermarkt zurück und ist hier am 30. Dezember 1530[110] gestorben. Er wurde in der Marienkapelle der Stadtpfarrkirche Maria Magdalena zu Völkermarkt beigesetzt. In dieser Kirche erinnert, verglichen mit dem Prunkgrabmal in St. Paul, nur ein recht einfacher Wappengrabstein an ihn:

Der Erwirdig / vnnd Edl herr ulrich phinzing / Ist aus willen des almechtigen / gestorben an freitag nach dem / heilige(n) Cristag im 1530 . iar / Gott sei vnns allen genedig

*

In der Stiftskirche haben sich von drei weiteren Äbten des 16. Jahrhunderts Grabdenkmäler erhalten. An der Westseite des ersten südwestlichen Pfeilers steht das Grabmonument (H 208 cm, B 94 cm) des Abtes Mathias Furtner (1530 – 1550).[111] Die Ganzfigur des Abtes ist in vollem Ornat mit Mitra, Pektorale, Gebetbuch, das Pedum mit der linken Hand haltend, in eine Portalarchitektur gestellt, gebildet seitlich aus kannelierten Pilastern mit jonischen Kapitellen und aufgesetztem Rundbogen, wobei die Mitra bis ins Bogenfeld hinaufreicht. In den Zwickeln darüber sind zwei Reliefwappen eingearbeitet, links das Stiftswappen (geschacht), rechts das persönliche Wappen Furtners (aus einem Ast ein Dreiblatt wachsend). Er war der 34. Abt[112] und starb am 11. April 1550[113]. Eine Grabinschrift, sofern eine Inschriftplatte überhaupt vorhanden war, hat sich nicht erhalten.

*

Die figurale Grabplatte des Abtes Jakob Pachler (1550 – 1558)[114] ist in der Südwand des Querhauses eingemauert und wird von dem 1936 vorgestellten Marienaltar ganz verdeckt.[115] Die Grabplatte (H 228 cm, B 87 cm) aus hellgrauem Marmor bildet den Verstorbenen im vollen Ornat in Ganzfigur ab. Der Stein ist im oberen Teil stellenweise abgesplittert, Gesicht und Bereiche des Oberkörpers sind nicht mehr vorhanden. Auch die Beschriftung hat an manchen Stellen gelitten und ist nicht mehr einwandfrei zu lesen. Zu Füßen des Verstorbenen sind zwei Reliefwappen dargestellt, links das Stiftswappen (geschacht), rechts das persönliche Wappen des Abtes (ein Arm mit einem Krummsäbel). Als Todesdatum dieses 35. St. Pauler Abtes ist in der Grabinschrift der 21. Juli 1558 angegeben.

ANNO A NATO CHRISTO MDLVIII IN VIGILIA S(ANCTAE) MARIAE MAGDALENAE[116] OBIIT REVEREND(ISSIMUS) IN CHR(IST)O P(ATE)R [DOMI]NVS IACOBVS DICT(VS) PACHLER HVIVS LOCI [ABBAS] TRICESIM(VS) QVINT(VS) CVI EFFIGIES HOC [.........] MEMORIAM EST EXCVLPTA

*

Auch bei dem Grabdenkmal des Abtes Thomas Mur (1558 – 1576)[117] ist keine entsprechende Inschrift überliefert. Die geschickt in die Blattkapitelle eingearbeitete Jahreszahl „1575" weist dieses Grabdenkmal (H 214 cm, B 105 cm)[118], heute an den ersten nordwestlichen Pfeiler der Stiftskirche gestellt, als eine Arbeit aus, die noch zu Lebzeiten des Abtes in Auftrag gegeben worden ist. Abt Thomas ist in etwas gedrungener Ganzfigur in einer Nischenarchitektur dargestellt, in vollem Ornat: mit Mitra, Pektorale, aufgeschlagenem Gebetbuch und dem Pedum in der Linken. Die seitliche Säulenarchitektur wirkt weniger harmonisch als beim früheren Grabdenkmal des Abtes Mathias Furtner. Auf überlängten Pfeilerpostamenten stehen gedrungene Balustersäulen mit zu kleinen Blattkapitellen. Der sich darüberspannende schmale Bogen drückt mit dem eingestellten Muschelornament der Bogennische zu stark auf die Figur des Geistlichen. Die Deckplatten der Kapitelle bekrönt je ein Wappenschild, links mit dem Stiftswappen (geschacht), rechts mit dem seitenverkehrt gearbeiteten Kärntner Landeswappen; zu Füßen des Abtes ist ein dritter Schild mit seinem persönlichen Wappen (gespalten, belegt mit zwei Brotwecken übereinander) gestellt. Dieser 36. Abt von St. Paul ist am 8. Juni 1576 verstorben.[119]

*

Im Vergleich zu seinen Vorgängern wurde dem bedeutendsten Abt der neuzeitlichen Epoche des Klosters, dem zu Recht als „zweiten Stifter" und wichtigsten Bauherrn apostrophierten Hieronymus Marchstaller (1616 – 1638)[120], ein recht einfaches Grabdenkmal errichtet. Die in rotem Adneter Marmor gearbeitete Wappengrabplatte (H 138 cm, B 130 cm) zeigt oben im vertieften Bildfeld den hochovalen Wappenschild mit Rollwerkrahmung, überhöht von der Mitra mit Inful und Pedum: von einem Balken geteilt, belegt mit einem szepter- bzw. lanzenartigen Stab, der einen aufgesetzten breitrandigen Hut durchbohrt und am Griff bzw. in der Mitte von einer Hand mit Armstumpf gehalten wird.[121] Die Inschrift beginnt oben im

Bildfeld mit drei durch das Reliefwappen getrennten Zeilen und setzt sich darunter im eigentlichen Schriftfeld fort, ist allerdings sehr stark abgetreten und verschliffen und nicht mehr überall lesbar. Die Grabplatte befand sich ursprünglich beim früher dort aufgestellten Kreuzaltar und wurde erst in diesem Jahrhundert – vermutlich bei der Restaurierung im Jahre 1935/36 – in die Mitte des Langhauses verlagert. Abt Hieronymus war der 40. Abt des Benediktinerstiftes St. Paul und ist hier nach 22jährigem, äußerst verdienstvollem Wirken am 25. August 1638 verstorben.[122]

HIERONYM(VS) ABBAS S(ANCTI) PAVLI / OPO[RTET COR]RVPTIBILE HOC[123] / INDVERE IN CORRVPTIONEM[124]

IVXTA CRVCE(M) CV(M) MATRE D(OMI)N(I) [M]E SISTO / SVB CRVCE TVA CHR(IST)E IE[S]V REQ(V)IESCO / IN TVIS VVLNERIBVS ME ABSCONDO / EXTREMI IVDICIJ DIEM EXPECTO / VENI[T]E BENEDICTI P(AT)RIS, AVDIRE DESIDERO / IN COELIS[125] AETERNVM VIVERE SPERO / IVVATE PRECIB(VS) MISSAEQ(VE) SACRIFICIO / ESTOTE PARATI O(MN)ES MOX EXPECTO / HIERONYM(US) ABBAS NVNC CINIS CLA[M]O / A(NN)O M D CXXXVIII AD SUP(ER)OS TRANSEO / ME[NSE AV]G[VSTI DIE] X[XV]

*

Im Boden des Querhauses beim südlichen Triumphbogenpfeiler des Chores, rechts vor der Seitenapsis, hat sich die Wappengrabplatte des Abtes Paul Memminger (1638–1660)[126] erhalten, allerdings in sehr stark abgetretenem Zustand. Sowohl das Wappen des Abtes (geteilt durch einen Balken, oben ein auf dem Balken sitzender Pelikan mit offenem Flug, belegt mit drei Sternen, unten auf einer gefußten Steinplatte ein aufgerichteter Dolch, auf der Spitze eine Krone[127]) als auch die Beschriftung der graurosafarbenen Marmorplatte (H 240 cm, B 120 cm) sind schon bedenklich verschliffen, die Inschrift daher nur mehr schwer lesbar. Er starb als 41. Abt am 27. November 1660.[128]

PAVLVS ABBAS / MON(ASTE)RY S(ANCTI) PAVLI / CINIS CINERI

Q(VI)DQ(VI)D HABENT VRBES ORBESQ(VE) SOLV(M)Q(VE) SALVMQ(VE) / Q(VI)DQ(VI)D SPLENDORIS Q(VI)DQ(VI)D AMORIS HABENT / O VALEANT ABEANT VACVAS NON PRENDIMVS AVRAS / NIL MIHI VOBISCVM SI MEVS ABSIT AMOR. / TV MIHI TERRA DEVS, MIHI TV MARE TV MIHI COELVM / DENIQ(VE) CVNCTA MIHI ES TE SINE CVNCTA NIHIL. / COMMISSA MEA PAVESCO ET ANTE TE[129] ERVBESCO / DVM VENERIS IVDICARE SAECVLVM PER IGNEM / LIBERA ME D(OMI)NE ET PO[N]E ME IVXTA TE. / IOB 17.[130]

OBYT DIE 27. MENSE NOVE[M](BRIS) ANNO [. . . .]

*

An der Wand des südlichen Seitenschiffes befindet sich der Wappengrabstein des Abtes Philipp Rottenhäusler (1661–1677)[131], eine einfache grauviolette Marmorplatte (H 203 cm, B 105 cm) mit weißer Äderung.[132] Über der 16zeiligen Grabinschrift ist in einer rechteckigen Vertiefung das persönliche Wappen des Abtes in recht derber Ausführung dargestellt: durch eine Wellenlinie geteilt, oben ein Haus, unten im Wasser ein Fisch[133]. Philipp Rottenhäusler ist als 42. Abt des Klosters St. Paul am 25. Juli 1677 gestorben.[134]

QVIESCE VIATOR AD QVIETIS LECTVLVM / IN QVO PHI-

LIPPVS. S(ANCTI). PAVLI ABBAS / PEDO MITRA ET VITA EXVTVS / IN DOMINO QVIESCIT / POST LABORES ET SVDORES HERCVLEOS / QVOS POTIVS SVIS QVAM SIBI / XVII IMPENDIT ANNIS / SED TV VIATOR ASPIRA / VT QVI CESSANS AB OMNI OPERE EXPIRAVIT / RESPIRET / IN REGIONE VIVORVM / CAPIATQVE PRO MERCEDE CAELLVM / QVI MVNDVM VLEM PORTIONEM / DESENCIT[135] / ANNO DOMINI.M.DC. LXXVII / XXV IVLIO

*

In der Auferstehungskapelle ist im Fußboden eine Wappengrabplatte (H 240 cm, B 120 cm) eingesetzt, die leider schon stark abgetreten und deren Grabinschrift teilweise bis zur Unlesbarkeit verschliffen ist. Es handelt sich um das Grabdenkmal des Abtes Albert Reichart (1677 – 1727)[136], des 43. Abtes des Benediktinerstiftes. Die graurosafarbene Marmorplatte zeigt in der unteren Steinhälfte noch Spuren eines Doppelwappens (links wohl das geschachte Wappen des Stiftes, rechts geviert mit Herzschild, darin auf Dreiberg ein rechtsschreitendes Lamm; 1 und 4 auf Dreiberg ein rechtsschreitender, aufrechter Löwe mit einem Kreuz in den Vorderpranken, 2 und 3 sechsmal geteilt[137], darüber Kreuz, Mitra und Pedum). Abt Albert Reichart ist am 27. Mai 1727 in St. Paul gestorben[138].

VIATOR / QVI NV[NQVAM IN] EODEM / SI[.......]NES / MORARE AD [.............. T]VMBAM / HI[C PIE] / PRECIBVS [CEV] PRE[CI]O SOLVAS / PRO ANIMA CVIVS OSSA CALCAS / ALBERTI ABBATIS / MILLE TALENTA / DEBENTIS / VT EXALTATVS OLIM / IN CRUCE REDEMPTOR / OMNIA AD SE IPSVM TRAXIT / ITA MODO / EX LACV PROFVNDI ANI[M]AM / IN DIE NOVISSIMO ETIAM / ADVOCET CVM BENEDICTIS / QVI VENIT ETIAM VOCARE PECCATORES / ANIMATA CARNE / OSSA HVMILIATA

DEFVNCTVS EST <   > SI [...]OSBER[...]I ORBIS / MILLE SEPTINGENT[I] VI(GINTI) <   > I[...]I API[.....]IO TRES ET / IIII <   > MENSE MAIO DIE 27

Von den nachfolgenden Äbten existieren in der Stiftskirche keine Grabdenkmäler mehr. Wohl auf Grund der schlechten Wirtschaftslage des Klosters erfolgte ihre Beisetzung ohne eigene Grabschriften im Gruftraum in der Mitte des Langhauses. Teilweise sind sie überhaupt außerhalb des Stiftes gestorben und liegen an anderen Orten begraben. Mit dem Zuzug der Blasier Mönche wurde dann als neue Begräbnisstätte eine Grablege bei der Erhardikirche östlich der ehemaligen Friedhofsmauern eingerichtet.

Der Adel in der Grabplastik von St. Paul

Der erste Grabstein eines Adeligen scheint auf den ersten Blick ebenfalls aus der Mitte des 14. Jahrhunderts zu stammen. Es handelt sich dabei um einen Wappengrabstein für Rudolf (IV.) von Rabenstein-Fohnsdorf und seinen Sohn Burghard (I.). Genannt sind auch ihre Ehefrauen, nämlich Jutta von Ellerbach – zugleich Mutter des Letztgenannten – und Ursula von Weispriach. Die in der Grabinschrift festgehaltene Jahreszahl „1350“ trifft aber auf keinen der beiden Rabensteiner als Todesdatum zu. Rudolf (IV.) ist vor 1346 gestorben[139], sein Sohn Burghard (I.) vor 1368[140]. Nicht die am Grabstein angegebene Datierung wird für die zeitliche

Zuordnung maßgebend sein[141], sondern rein kunsthistorische und auch epigraphische Kriterien. Von der Beschriftung her ist dieser Wappengrabstein frühestens in das ausgehende 14., sehr wahrscheinlich aber erst in die erste Hälfte des 15. Jahrhunderts einzuordnen. Aber auch eine kunsthistorische Bewertung spricht für einen derartigen Zeitansatz: Vor 1400 wäre ein Wappenstein in dieser Form für Kärnten äußerst unwahrscheinlich, wohl aber würde er stilistisch in die erste Hälfte des 15. Jahrhunderts passen. In der Kunsttopographie von 1889[142] wird kritiklos die am Grabstein angeführte Jahreszahl wiedergegeben. Karl Ginhart[143] datiert den Wappengrabstein wohl nach kunsthistorischen Kriterien richtig in die Zeit des 15. Jahrhunderts, allein die offensichtlich später gegebene mangelhafte Lesbarkeit der Inschrift verschuldete eine falsche Datumswiedergabe mit „145. [letzte Ziffer ausgelassen]".

Unter Berücksichtigung all der vorgeschilderten Umstände muß man eine Neubewertung dieser Grablege vornehmen. Die Formel der Inschrift entspricht nicht der einer Grabinschrift um 1350, sondern erinnert in ihrer Aufzählung eher an ein „genealogisches Dokument". Die Schriftform dieser Zeit ist in der Grabplatte des Abtes Heinrich I. in bester Form einer späten gotischen Majuskel vorgegeben. Die Stiftung einer Marienkapelle in der heute bestehenden gotischen Architektur erfolgte durch die Rabensteiner wohl erst im letzten Viertel des 14. Jahrhunderts[144], nicht zuletzt auch als Grablege für ihre Familie. Ursprünglich wird diese Wappengrabplatte vermutlich außen an der Westfassade der Rabensteinerkapelle bzw. im östlichen Kreuzgangbereich gestanden haben, und zwar nicht als Denkmal für eine direkte Grablege, sondern als ein „Familiendenkmal" der Stifter dieser Kapelle. Unter Abt Hieronymus Marchstaller wurde 1619 in Verbindung zur Rabensteinerkapelle eine neue Sakristei eingerichtet und daran anschließend – im ostseitigen Kreuzgangflügel – 1621 eine neue Marienkapelle, die Kapelle der Schmerzhaften Muttergottes[145], erbaut: Hierher wurde damals auch der Wappengrabstein des Rudolf und Burghard von Rabenstein übertragen. Heute steht dieser Wappengrabstein an der Wand im nördlichen Seitenschiff beim Eingang in die vorerwähnte Kapelle.

Wer kommt nun aber als Auftraggeber für diese schöne Wappengrabplatte in Frage? Dieser oder diese werden unter den Kindern des am Grabstein genannten Burghard (I.) von Rabenstein und seiner Frau Ursula von Weispriach zu suchen sein: Burghard (II.), Wilhelm (I.), Thomas und Agnes.[146] Im Zusammenhang mit dem Kloster St. Paul treten vor allem Burghard (II.) und Wilhelm (I.) mehrfach in Erscheinung[147], negativ im Zusammenhang mit Streitigkeiten mit den Äbten, positiv als wahrscheinliche Stifter der Rabensteinerkapelle, aber auch durch andere Stiftungen[148]. Wilhelm ist vor dem 29. Juni 1423, Burghard vor dem 20. Juni 1425 verstorben. Letzterer, aber auch beide gemeinsam, dürfen nun als Auftraggeber für den Wappengrabstein genannt werden. Die am Grabstein festgehaltene Datierung könnte als ein fragmentarisch stehengelassenes Todesdatum – die tatsächlichen Sterbedaten waren wohl nicht mehr bekannt – für die Großeltern gelten. Die weitere Zeile mit den Sterbedaten der Eltern ist aus ungeklärten Gründen unbeschriftet geblieben.[149]

Von Interesse für die Zuweisung der Stiftung ist auch das im vertieften, oben mit Dreipaß gebildeten Feld dargestellte Wappen[150]: eine auf drei Ringen aufgehängte, dreimal gelappte Kirchenfahne; auf dem Stechhelm, seitlich begleitet von der stilisierten Helmdecke, findet sich ein hochgestülpter Hut, bestückt mit einem Federbusch. Mit diesem Wappenbild, der dreimal gelappten Fahne, siegelt erstmals Rudolf (II.) von Fohnsdorf[151]. Sein auf dem Wappengrabstein genannter Sohn Rudolf (IV.) wie auch der Enkelsohn Burghard (I.) verwenden ein geändertes Siegelbild: eine schrägrechte, vierlappige, gestielte wehende Fahne, belegt mit einer Borte.[152] Dieses Wappen im Siegel der Fohnsdorf-Rabensteiner tradiert sich bis Burghard (II.), der erst ganz spät, um 1423, wiederum auf die Wappendarstellung zurückgreift, wie sie sein Urgroßvater Rudolf (II.) verwendet hat und wie sie sich dann auch auf dem Grabstein findet.[153] Im Zwickel sind oben links das Wappen der Weispriach (gespalten, vorne ledig, hinten drei waagrechte Spitzen) und rechts das Wappen der Ellerbach (geviert) für die Ahnenreihe Mutter und Großmutter angebracht. Der Wappenstein (H 198 cm, B 101 cm) ist aus bräunlich getöntem Marmor gefertigt, mit einer auf der Schriftleiste umlaufenden Inschrift in gotischer Minuskelschrift mit Majuskel-Versalien; die fragliche Jahresdatierung setzt sich unter der Kopfleiste in zweiter Zeile fort:

Hye.leit.h(er)r.rudolf.und / h(er)r. purkchart. von rabenstain. und.ire weib.fraw / gut.von.ellerbach. / u(n)d. fraw.ursula.von.weyspriach.anno d(omi)ni.Mil(lesimo) / ccc°.1°.

*

Beim Eingang in die Kapelle der Schmerzhaften Muttergottes steht die Grabplatte des am 18. April 1502 verstorbenen Hans Parenpichler.[154] Dieses Grabdenkmal (H 176 cm, B 77 cm) ist in der Manier der Wappengrabsteine gehalten; das untere Bildfeld zeigt über einem Astwerkornament einen leicht eingravierten Schild mit einer ebenfalls nur in einfachen Linien skizzierten Hausmarke (auf einem dreigeteilten Dreiberg zwei Linien, die aufsteigend sich kreuzen, je eine Schlinge ziehen und, sich erneut kreuzend, mit halbgepfeiltem Ende rechts und links nach oben führen, mit einem am oberen Kreuzungspunkt eingestellten Pfeil). Die am Steinrand umlaufende Inschrift setzt sich über dem Wappenschild in sechs Zeilen fort und ist in späten gotischen Minuskelbuchstaben mit Versalien gesetzt. Hans Parenpichler war der Vater des von 1500 bis 1515 regierenden St. Pauler Abtes Johannes IV., der ihm auch diese Grabplatte zu „löblicher" Erinnerung gestiftet hat.

Anno.d(omi)ni.m.(q)v(ingen)t(esimo)[155]. / ij.iar.am.montag.nach.tiburcii.ist. / gestorbe(n).hans / .parenpüchler.des.hochwirdigen. / herr(e)n. her(e)n / ioha(n)s(e)n.abbt / zu.s-(anct).p(aul). va/ter.löblicher / gedachnvs[156] / de(m).got.gnad

*

Die figurale Grabplatte des Hans Han von Hanberg befand sich vermutlich bis zur Renovierung der Stiftskirche im Jahre 1936 im Inneren der Rabensteinerkapelle und wurde erst damals an der Außenwand des Chorschlusses der Kapelle angebracht. Das in einheimischem Sandstein gearbeitete Grabdenkmal[157] (H 225 cm, B 115 cm) hat durch diese Verlagerung leider stark gelitten und ist durch Umwelteinflüsse heute stellenweise schon derart stark angegriffen, daß eine lückenlose Wiedergabe der Inschriften nicht mehr möglich ist. Die Grabplatte steht am Übergang von der Spätgotik zur Renaissance: Der lebensgroße gerüstete Ritter ist dem spätgotisch-plastischen Standbild noch stark verbunden, die rahmende Architektur mit der Muschellünette ist renaissancezeitlich. Die beiden Wappen in den Zwickeln über dem Rundbogen werden von spätgotischen Flammenranken dekoriert: links oben das Wappen der Han von Hanberg (auf einem Dreiberg ein Hahn; gekrönter Helm, daraus wachsend der Hahn) und rechts das der Raffenberg[158] (?), (dreimal schrägrechts gespalten; gekrönter Helm, darauf Büffelhörner). Auf den Basen der beiden Säulen finden sich zwei weitere Wappen, links schräggeviert (Käl, Köl[159]), rechts ein lediger Schild im Wappen (Wehrburg[160]). Hans Han von Hanberg entstammt der gleichnamigen steirischen Familie, die bei Unter-Zeiring das Schloß Hanfelden[161] besaß und unter

Kaiser Maximilian I. auch im Silberbergbau von Oberzeiring tätig war. Hans Han wurde – der Zeitpunkt seiner Bestellung ist nicht überliefert – von Maximilian I. zum kaiserlichen Pfleger auf Burg Rabenstein bestellt und wird in dieser Funktion urkundlich 1514[162] letztmals erwähnt. Der Grabinschrift nach – auch diese kann als historische Quelle dienen – verblieb er in diesem Amt bis zu seinem Tode am 2. April 1517.[163] Die Belehnung Siegmunds von Dietrichstein mit der Burg Rabenstein am 5. April 1514[164] wird seine Pflegerfunktion nicht betroffen haben. Das Grabdenkmal wurde nach seinem Tode gefertigt und ist mit der Jahreszahl 1518 datiert. Die Inschrift in gotischen Minuskeln beginnt am linken Säulenschaft, führt über das Rundbogenfeld weiter und setzt sich am rechten Säulenschaft fort:

.Anno d(omi)ni.M.ccccc.vnd Im xvii. Jar Am.freitag.nach sant Rueprechtstag ist der / Edl vnd vest Hanns han / von / hanperg die zeyt Pfleger auf Rabn/stain gestorb(e)n der hier vor be[graben ligt dem g]ott.genadig sey. Amen.

Oben in der Mitte ist eine Gebetsinschrift in frühhumanistischer Kapitalis auf einer leicht erhabenen Schrifttafel im Scheitel des Bogenfeldes angebracht:

O DV ALLERHEILIGISTER HER IE(S)V CRIST / DV VND DEIN ALLERLIEBSTE MVETER M/ARIA SEYT VNS ALLN GENEDIG VN(D) / PARMHERCZIG EWIGKLICH.

Auf der Sockelleiste steht:

DES.KAYSER.M(AXIMILIAN). SCHNI[. . . . .]DOLD

*

Auch das Epitaph des Seyfried von Dietrichstein auf Rabenstein wurde von seinem ursprünglichen Standort in der Rabensteinerkapelle transferiert und befindet sich heute im Gang des westlichen Stiftsgebäudes, rechts vom Aufgang zum Obergeschoß. Das Epitaph (H 385 cm, B 153 cm) zählt zu den besten Beispielen protestantischer Grabmalplastik des 16. Jahrhunderts in Kärnten. Der mit Rollwerkrahmung und flankierenden Löwen gestaltete Sockelteil trägt die Grabinschrift. Von beachtlicher Qualität ist der Mittelteil des dreigeschossigen Grabmalaufbaues: Der gerüstete Ritter mit der Lehensfahne kniet betend vor dem Gekreuzigten. Vor ihm der Helm, unter dem Kruzifix das Wappen der Dietrichstein: schrägrechts geteilt[165], belegt mit zwei Winzermessern. In der Mitte des Bildfeldes zeigen zwei Schrifttafeln mit den Bibelstellen aus Hiob 19, 25–27 und dem Römerbrief 7, 24–25 die protestantische Tradition des geschriebenen Wortes gegenüber der bildlichen Darstellung. Seitlich begrenzen zwei Pilaster mit Kariathydhermen mit jonischen Kapitellen den Mittelteil[166], die linke Terme ist als *FORTITVDO* beschriftet, die rechte als *IVSTITIA*. Am abschließenden Gesims finden sich drei Wappen: links Frau(e)nberg[167] (ein Pfahl), in der Mitte Neuhaus[168] (geviert, 1 und 4 ein Rabe mit einem Ring im Schnabel und mit offenem Flug, 2 u. 3 durch eine rechte Spitze geteilt), rechts Leisser[169] (zwei nach außen gekehrte Monde). Der gestelzte Halbkreisbogen des Aufsatzes zeigt die Erlösung von Adam und Eva aus der Vorhölle durch Jesus. Der Bogenrand trägt die Inschrift *HVMANI GENERIS REDEMTIO*. Die den Aufsatz flankierenden weiblichen Statuetten sind ebenfalls beschriftet: links *SPES*, rechts *CARITAS*. Und eine dritte am Scheitel des Bogenfeldes ist als *FIDES* ausgewiesen.

Kaiser Maximilian belehnte Siegmund von Dietrichstein am 5. April 1514 „phanndt- und phlegweis" mit der Feste Rabenstein[170]. Mit der Weitergabe dieses Pfandbesitzes an seinen Bruder Franz begründete sich hier die Linie der „Dietrichstein auf Rabenstein". Erster

Besitznachfolger war des Franz von Dietrichstein Sohn Seyfried. Dieser war kaiserlicher Rat und Inhaber des Erbschenkenamtes im Herzogtum Kärnten. Nach Karl Ginhart[171] war er dreimal verheiratet: in erster Ehe mit Margarethe von Frauenberg[172], dann mit der in der Grabinschrift genannten „ander eelich Gemahel" Katharina von Neuhaus[173], die 1570 verstorben ist. Seine dritte Ehefrau hieß Anna Leisser (Leysser), die auch das Grabdenkmal 1583 oder kurz darauf in Auftrag gegeben haben könnte. Seyfried von Dietrichstein ist am 21. Jänner 1583 (geboren um 1516) im Alter von 67 Jahren gestorben.

Hie ligt begraben der Edl und Gestreng Herr Seyfridt vo(n) / Dietrichstain auf Rabenstain Erbschenkh[174] In Karndten / Weiland Röm(isch) Kay(serlicher) und Künig(licher) May(estät) Ferdinandi / Hochseligister gedechtniß gewester Kriegs Rath auf der / Windischen Grenitzen: und neben Im sein ander eelich / Gemahel fraw Khaterina geborne von Neuhauß welche / Baide: Sy Anno Lxx. Er aber Hernach als er seines / Alters Lxvii Jar alt worden den xxi tag January An(n)o Domi(ni)/M.D.Lxxxiii seligtlich in Christo dem Herrn entschlaffen. / Gott verleihe Inen baiden ein fröliche aufferstehung Ame(n).

Inschrift nach Hiob 19, 25–27:

IOB XIX / SCIO ENIM QVOD REDEM/PTOR MEVS VIVIT ET IN NO/VISSIMO DIE DE TERRA RE-/SVRRECTVRVS SVM ET RVRSVM / CIRCVNDABOR[175] PELLE MEA ET IN / CARNE MEA VIDEBO DEVM, QVEM / VISVRVS SVM EGO IPSE ET OCVLI / ME CONSPECTVRI SVNT ET NON ALIVS. / REPOSITA EST HAEC SPES / MEA, IN SINV MEO

Inschrift nach dem Römerbrief 7, 24–25:

ROM. VII / IN FOELIX[176] EGO HOMO / QVIS ME LIBERABIT DE / CORPORE MORTIS HVI(VS) / GRATIA DEI PER IESUM / CHR(IST)VM DOMINVM NOSTR(V)M / AMEN

*

Ein kleines Epitaph-Fragment[177], ursprünglich wohl ebenfalls in der Rabensteinerkapelle aufgestellt, nun aber im westlichen Gang des Stiftsgebäudes neben dem vorerwähnten Grabdenkmal des Seyfried von Dietrichstein eingemauert, steht ganz offensichtlich auch in einem genealogischen Zusammenhang zu diesem. Die annähernd quadratische Marmorplatte (H 66 cm, B 53 cm) ist in der Manier der Epitaphien des 16. Jahrhunderts mit knienden Beterreihen der Stifter bzw. der Verstorbenen gestaltet, allerdings nur fragmentarisch und vor allem ohne Inschrift erhalten. Zu Füßen des Gekreuzigten knien rechts eine Frau, links drei gerüstete Knaben. Ein Wappenschild vor der Verstorbenen (ein Pfahl) weist diese mit großer Wahrscheinlichkeit als erste Ehefrau des Seyfried von Dietrichstein aus, nämlich die schon oben erwähnte Margarethe von Frauenberg. Das Epitaph ist in die Zeit um 1560 zu datieren.

*

Das zeitlich jüngste Grabdenkmal eines Adeligen in der Stiftskirche von St. Paul ist der Wappengrabstein (H 168 cm, B 76 cm) des Georg Friedrich von und zu Jormanstorff, Freiherr zu Epperstorff[178], der 1691 verstorben ist. Er war um 1689[179] landschaftlicher Obereinnehmer des Herzogtums Kärnten in Unterdrauburg und wird in dieser Funktion als *SVPREMVS CONFINIVM QVAESTOR* auch in der Grabinschrift genannt. Er ist als „Herr auf Gämbsenegg und Freydenberg" betitelt und besaß u. a. bis 1687 das Schloß Freudenberg[180]. Verheiratet war er mit Eva Maria von Ruesdorf[181]. Über der

14zeiligen Inschrift ist in ein Rundmedaillon in Hochrelief das Wappen der Jormanstorff eingestellt[182]: geviert mit Herzschild, darin ein schrägrechts gerichteter Pfeil, oben und unten von je einem achtstrahligen Stern begleitet; 1 und 4 ein oberhalb gerüsteter und mit einem Schwert bewehrter Mann, 2 und 3 zwei gekreuzte Sturmfahnen; drei gekrönte Helme, rechts aus der Krone wachsend der oberhalb gerüstete Mann mit Schwert, Mitte ein offener Flug, jeweils belegt mit dem schräggerichteten, von je einem Stern seitlich begleiteten Pfeil, links eine Mitra, belegt mit den gekreuzten Sturmfahnen.

NE FORTE OFFENDAS AD LAPIDEM / PEDEM TVVM; / MANE AD MANES VIATOR; / HIC ENIM EST LAPIS OFFENSIONIS, / QVO PREMITVR CARINTHIS CORINT(VS) / NAM MVLTIS CORRVMPITVR, / QVIA SVBEO CORRVMPITVR / ILLVST(RISSI)MVS D(OMINVS) D(OMINVS) GEORGIVS FRIDERICVS / DOMINVS AB ET IN IORMANSTORFF / L(IBER) B(ARO) IN EPPERSTORFF / SVPREMVS CONFINIVM QVAESTOR, / QVI IN HOC SACRO SACELLO / AVXILIO VIRGINIS MARIAE / REQVIESCIT IN PACE[183]

*

Neben diesen Grablegen finden sich im Boden der Stiftskirche von St. Paul noch einige sehr stark abgetretene Grabsteine und Fragmente, von denen abschließend ein besser erhaltenes Grabdenkmal noch erwähnt werden soll, stellvertretend für alle übrigen, nicht mehr genauer zu klassifizierenden Steine. In der Auferstehungskapelle ist im Boden ein kleiner Wappengrabstein (H 96 cm, B 60 cm) eingefügt, dessen Inschrift noch zu lesen ist, die darübergesetzten gekrönten Doppelwappen aber bereits bis zur Unkenntlichkeit verschliffen sind. Das inhaltliche Zusammenwirken von Wappen und Inschrift an diesem Sepulkraldenkmal dokumentiert auch hier die für die Geschichte des Benediktinerstiftes St. Paul so wichtige Verbindung von Adel und Kirche über einen Zeitraum von vielen Jahrhunderten. Die Inschrift lautet:

PERILLVSTRIS DOM/INA MARGARETH PRVG/GMAYRIN CONGREGAT/IONIS AGONIAE CHRISTI / BENEFACTRIX PIE IN / DOMINO OBYT III / DEC(EMBRIS) MDCCI

ANMERKUNGEN

1. A. v. JAKSCH, Eine Genealogie der kärntnerischen Spanheimer und der ursprüngliche Traditionscodex von St. Paul, MIÖG, Erg.-Bd. 6 (1901), S. 127–208; DERS., Abhandlung über die Genealogie der Spanheimer, ZS für die Geschichte des Oberrheins, NF 25 (1910), S. 538ff.; DERS., Geschichte Kärntens bis 1335, Bd. 1 (1928), S. 249ff.; C. FRÄSS-EHRFELD, Geschichte Kärntens, Bd. 1: Das Mittelalter (1984), S. 109ff.; H. WITTE, Über die älteren Grafen von Spanheim und verwandte Geschlechter, ZS für die Geschichte des Oberrheins, NF 11 (1896), S. 161–229; B. SCHROLL, Die Herzoge aus dem Hause Spanheim, Car. 63 (1873), S. 48f., S. 201–213, S. 257–267 u. S. 299–315; E. KLEBEL, Die Ahnen der Herzoge von Kärnten aus dem Hause der Spanheimer, in: Beiträge zur Geschichte und Kulturgeschichte Kärntens. FG für Dr. Martin Wutte zum 60. Geburtstag, AVGT 24/25 (1936), S. 47–66; K. NEUBAUER, Das Kloster St. Paul im Lavantthale in den Jahren 1091 bis 1159 (1882), S. 3ff.; E. AELSCHKER, Das Benediktinerstift St. Paul in Kärnten (1880), S. 5ff.
2. Er starb am 16. XI. 1147 beim Kreuzzug in Kleinasien, vgl. JAKSCH, Geschichte (wie Anm. 1), S. 278.
3. MC 3, Nr. 749; M. ROSCHER, Geschichte der Cistercienserabtei Viktring in Kärnten in der Zeit von 1142–1534 (Diss. Wien, 1953), S. 29ff.; O. REISINGER, Aus Viktrings Vergangenheit (1971), S. 15; JAKSCH, Geschichte (wie Anm. 1), S. 257; FRÄSS-EHRFELD, Geschichte (wie Anm. 1), S. 205; K. GINHART, Die vier Kärntner Seestifte, Heraklith-Rundschau 35 (1955), S. 32ff.
4. K.-E. KLAAR, Die Herrschaft der Eppensteiner in Kärnten, AVGT 61 (1966), S. 119; K. TANGL, Die Grafen, Markgrafen und Herzoge aus dem Hause der Eppensteiner, AKÖG XII (1854), S. 177; H. DOPSCH, Adel und Kirche als gestaltende Kräfte in der frühen Geschichte des Südostalpenraumes, Car. I 166 (1976), S. 44; vgl. auch MC 4/2, Nr. 760.
5. MC 3, Nr. 499; JAKSCH, Geschichte (wie Anm. 1), S. 199: hier wird Siegfried allerdings „fern von der Heimat begraben".
6. MC 3, Nr. 499; JAKSCH, Geschichte (wie Anm. 1), S. 234 u. S. 317.
7. MC 3, Nr. 499.
8. JAKSCH, Geschichte (wie Anm. 1), S. 317.
9. Er starb am 13. 12. 1123; vgl. MC 3, Nr. 581 (auch Nr. 574); JAKSCH, Geschichte (wie Anm. 1), S. 250; SCHROLL, Herzoge (wie Anm. 1), S. 2.
10. JAKSCH, Geschichte (wie Anm. 1), S. 264; SCHROLL, Herzoge (wie Anm. 1), S. 4.
11. Ulrich I. starb am 7. 4. 1144 in Rosazzo, Heinrich V. ertrank am 12. 10. 1161 im Tagliamento, vgl. MC 3, Nr. 780 bzw. Nr. 1030; JAKSCH, Geschichte (wie Anm. 1), S. 271 bzw. S. 293; DERS., Die Gründung des Klosters Rosazzo in Friaul, Studien und Mitteilungen zur Geschichte des Benediktinerordens und seiner Zweige, NF 1 (1911), S. 229ff. Die Gemahlin Herzog Ulrichs I., Jutta, sowie ihre Tochter Judith fanden im Frauenkloster St. Georgen am Längsee ihr Begräbnis, siehe SCHROLL, Herzoge (wie Anm. 1), S. 5 bzw. S. 10; W. BAUM, Die Gründung des Klosters Rosazzo und die Anfänge der Grafen von Görz, in: Symposium Millstatt (1986), S. 77ff.
12. MC 3, Nr. 1279; JAKSCH, Geschichte (wie Anm. 1), S. 317; SCHROLL, Herzoge (wie Anm. 1), S. 14.
13. Gestorben am 10. 8. 1202 im jugendlichen Alter von knapp 27 Jahren, siehe MC 4/1, Nr. 1535, u. JAKSCH, Geschichte (wie Anm. 1), S. 330; FRÄSS-EHRFELD, Geschichte (wie Anm. 1), S. 319ff.; SCHROLL, Herzoge (wie Anm. 1), S. 17; DERS., Necrologium des Benediktinerstiftes St. Paul im Lavantthale, AVGT 10 (1866), S. 173ff.
14. Er ist am 4. 1. 1256 – vermutlich in Völkermarkt – im hohen Alter von fast 80 Jahren (geboren um 1178) gestorben und dürfte um den 10. 1. 1256 in St. Paul beigesetzt worden sein; an diesem Tag urkundete sein Sohn und Nachfolger Ulrich III. in St. Paul, vgl. MC 4/1, Nr. 2614 u. Nr. 2618; JAKSCH, Geschichte Kärntens, Bd. 2 (1929), S. 21f.; FRÄSS-EHRFELD, Geschichte (wie Anm. 1), S. 323; SCHROLL, Herzoge (wie Anm. 1), S. 30.
15. JAKSCH, Geschichte (wie Anm. 14), S. 8.
16. W. BAUM, Deutsche und Slowenen in Krain. Eine historische Betrachtung (1981), S. 89ff.; die hier zitierte Urkunde Ulrichs III. vom 10. 1. 1256 ist im Original erhalten (MC 4/1, Nr. 2618, nicht Nr. 2617) und nicht nach einer „nicht mehr erhaltenen Quelle", zitiert von P. Trudpert NEUGART, Historia Monasterii Ord. S. Benedicti ad S. Paulum in valle inferioris Carinthiae Lavantina (1848), S. 90ff.; A. DIMITZ, Geschichte Krains von der ältesten Zeit bis auf das Jahr 1813, 1. Tl. (1874), S. 171ff. – repliziert die gemeinsame Beisetzung mit seiner Gemahlin Jutta nach Johann Weichard Frh. v. VALVASOR, Die Ehre des Herzogthums Krain, Bd. 3, 11. Buch (1689), S. 335, der zwei widersprüchliche Textstellen von Hieronymus MEGISER, Annales Carinthiae, Das ist Chronica Deß Loeblichen Ertzhertzogthumbs Kharndten (. . .), 8. Buch (1612), S. 842: „ligt/ zusampt seinem Gemahel Guta/ zu S. Pauls im Lavantthal begraben (. . .)" bzw. S. 868: „ligt zu sampt seinem Ehegemahel Guta/ in dem Closter zu Landtrost in Crayn ehrlich begraben (. . .)" zitiert.
17. H. G. HOFF, Historisch statistisch-topographisches Gemälde vom Herzogthume Krain, und demselben einverleibten Istrien. Ein Beitrag zur Völker- und Länderkunde. 2. Tl. (1808), S. 33.
18. Für die Textformel um 1468 spricht nicht nur die Benennung Herzog Bernhards als „Archidux Karinthiae", vgl. zur „Erzherzogtumstheorie" W. NEUMANN, Die kulturelle Entwicklung Kärntens im 16. und 17. Jahrhundert, in: Bausteine zur Kärntner Geschichte (Das Kärntner Landesarchiv 12, 1985), S. 547ff.; DERS., Wirklichkeit und Idee des windischen Erzherzogtums Kärnten, Südostdeutsches Archiv 3 (1960), S. 141ff., sondern u. a. auch die nicht mehr korrekten Angaben des Todesdatums: „(. . .) *MCCLII* (. . .) *in die epiphanie domini*" (wäre: 6. 1. 1252 statt richtig: 4. 1. 1256); MC 4/1, Nr. 2614; siehe E. STEINDL, Lateinische Inschriften von Kärnten (1976), S. 112 (hier irrtümlich nach Landfrass ob Gmünd verlegt!);
BAUM, Deutsche und Slowenen (wie Anm. 16), S. 90ff.
19. Gestorben nach 1245, vgl. JAKSCH, Geschichte (wie Anm. 14), S. 8.
20. EBD.
21. Siehe NEUGART, Historia (wie Anm. 16), S. 90.
22. Allein daß drei enge Familienmitglieder Herzog Bernhards in Landstraß beigesetzt wurden, würde auch folgerichtig für seine Beisetzung in diesem von ihm gegründeten Kloster sprechen, wird aber trotzdem wohl nicht zutreffend sein, siehe hier Anm. 14.
23. MC 4/2, Nr. 3025; siehe SCHROLL, Herzoge (wie Anm. 1), S. 36; DERS., Necrologium St. Paul (wie Anm. 13), S. 175ff.; JAKSCH, Geschichte (wie

Anm. 14), S. 59; FRÄSS-EHRFELD, Geschichte (wie Anm. 1), S. 319ff.
24. JAKSCH, Geschichte (wie Anm. 14), S. 38; BAUM, Deutsche und Slowenen (wie Anm. 16), S. 91ff.
25. JAKSCH, Geschichte (wie Anm. 14), S. 74; FRÄSS-EHRFELD, Geschichte (wie Anm. 1), S. 331.
26. JAKSCH, Geschichte (wie Anm. 14), S. 88f. (Abb.); A. OGRIS, Der Kampf König Ottokars II. von Böhmen um das Herzogtum Kärnten und die Anfänge der Landeshauptmannschaft, Car. I 169 (1979), S. 110, A. 344; W. STELZER, Zum gemalten Epitaph Herzog Philipps von Kärnten in Krems, Unsere Heimat 44 (1973), S. 44–55; H. KÜHNEL, Die gemalten Grabdenkmäler von Herzog Philipp von Kärnten und Heinrich Graf von Salm im Chor der ehemaligen Dominikanerkirche in Krems, Österreichische ZS für Kunst und Denkmalpflege 21/2 (1967), S. 100–105.
27. ÖKT 37 (1969), S. 155ff. u. Abb. 207–208b.
28. Hier noch ohne die schmückenden Stäbchen und Lindenblätter, siehe A. R. A. v. SIEGENFELD, Das Landeswappen der Steiermark, in: Forschungen zur Verfassungs- und Verwaltungsgeschichte der Steiermark, Bd. 3 (1900), S. 244ff.; H. APPELT, Zur Frage der Entstehung des Kärntner Landeswappens, in: Pirchegger-FS (ZS des historischen Vereines für Steiermark XLVI, 1955), S. 50ff.; G. MORO, Wappen und Farben Kärntens, in: Kärntner Kalender 1952 (1952), S. 47f.; H. WIESSNER, Abriß der historischen Entwicklung des Kärntner Wappens, Kärntner Gemeindeblatt 77 (1956), S. 22ff.
29. SIEGENFELD, Landeswappen (wie Anm. 28), S. 266; MORO, Wappen (wie Anm. 28), S. 48 (erst nach der Erwerbung Tirols durch die Habsburger!); siehe auch F. HUTER, Der Eintritt Tirols in die „Herrschaft zu Österreich" 1363, Tiroler Heimat 26 (1962), S. 13ff.
30. Als Herzog Ulrich III. nach dem Tode seines Vaters wieder den alten „Schild mit dem Panther" annahm, kam als Helmzier auf den gekrönten Topfhelm ein „mächtiger Pfauenstoß als Kleinod"; siehe dazu SIEGENFELD, Landeswappen (wie Anm. 28), S. 245f.; vgl. dazu auch H. P. v. HENRIQUEZ, Heraldisches Wandgemälde um 1493 in Kärnten, Adler 12 (1935–1938), S. 202ff.
31. Siehe dazu ÖKT 37 (1969), S. 158: Nicht Siegfried von Spanheim und seine Frau Richardis von Lavant sind hier abgebildet, sondern wohl die Stifter des Klosters; K. GINHART, Das Stift St. Paul im Lavanttal (⁶1968), S. 20; P. GRUEBER, Aus St. Paul, Mittheilungen der k. k. Central-Commission für Erforschung und Erhaltung der Kunst- und historischen Denkmale, NF 24 (1898), S. 186f.; R. MILESI, Romanische und ritterliche Grabplastik Kärntens (1963), S. 19ff.
32. Siehe auch B. RADER, Die Geschichte der Äbte von St. Paul. 5. und letzter Tl.: Vom 51. bis zum 55. Abt (1866–1979), JbSP (1984/85), S. 26: Hier wird als Entstehungszeit der Reliefplatte das Jahr 1375 (!) angegeben, was wohl nur für die ersterwähnte Wappenplatte stimmen könnte.
33. Siehe auch STA, HS 1/0: *Nasci Pati Mori/ Hoc est/ De Fundatione/ Rerum statu/ Prospero Adverso/ Vita et Morte/ Fundatorum (et) Benefactoru(m)/ Abbatum et Monachorum/ Monasterij S(ancti) Pauli vallis Lauantinae/ Auctore/ R(everendissi)mo D(omi)no Hieronymo Abbate / Monasterij eiusdem / Anno D(omi)ni.M.DC.XIX.*
34. JAKSCH, Geschichte (wie Anm. 1), S. 248; siehe dazu W. FRESACHER, Das Benediktiner-Kloster St. Paul in Kärnten (Geschichtlicher Überblick), in: ÖKT 37 (1969), S. 16f. KLEBEL, Spanheimer (wie Anm. 1), S. 61ff.; F. HAUSMANN, Siegfried, Markgraf der „Ungarnmark" und die Anfänge der Spanheimer in Kärnten und im Rheinland, Jb. für Landeskunde von Niederösterreich 43 (1977), S. 150f.; siehe auch den Beitrag hier, S. 52.
35. Die Namenskürzung „hnr" für „Heinricus" ist für das 14. und 15. Jahrhundert durchaus belegt.
36. STA, HS 1/0, fol. 27: (. . .) *hoc sepulchrum, ut maiorem noticiam de fundatorum rebus habere possit, anno domini 1619, 10. Julii aperuit, ipsemetque debita reverentia apertum inspexit. In superiori parte sepulchri, in ea scilicet, quae supra terram eleuata, eaque concava est, invenit ossa mirae magnitudinis, femur unum duorum cum dimidio pedum, quae ad partem sepulchri reverenter reposita; invenit lapidem sepulchralem longum quartuor vel quinque pedum, qui contegebat inferiorem partem sive fossam trium pedum longitudine latidudine duorum concameratam, profundam tribus vel quartuor pedibus, in qua invenit crania integra novem, totam autem fossam plenam ossibus prioris magnitudinis. Haec ossa, quia ordinatim valde et in cumulo quasi in strue inventa erant, coniicere licet, ipsa post templi conflagrationem fuisse ex aliis tumulis fundatorum hinc inde collecta, et in hunc locum simul reposita (. . .).* Vgl. SCHROLL, Necrologium (wie Anm. 13), S. 97.
37. B. SCHROLL, Hieronymus Marchstaller. 1616–1638 (1891), S. 144.
38. ÖKT 37 (1969), S. 122ff.
39. J. HÖFLER, Die gotische Malerei Villachs. Villacher Maler und Malerwerkstätten des 15. Jahrhunderts, 1. Tl., Darstellung, Neues aus Alt-Villach 18 (1981), S. 171ff.; O. DEMUS, Der Meister vom Gerlamoos, Jb. der Kunsthistorischen Sammlung in Wien, NF 11 (1937), S. 49ff., u. 12 (1938), S. 77f.; G. HOPFMÜLLER, Neue Studien zu Thomas von Villach (Diss. Graz, 1979); W. NEUMANN, Wer war Thomas von Villach, Neues aus Alt-Villach 1 (1964), S. 183ff.; DERS., Der bedeutendste Maler der Kärntner Spätgotik – Thomas Artula von Villach. Neue Funde zu seiner Lebensgeschichte, Neues aus Alt-Villach 20 (1983), S. 59ff.
40. NB Wien, HS 5497, fol 12ʳ; SCHROLL, Necrologium St. Paul (wie Anm. 13), S. 97; auch W. FRESACHER, Regesten zur Bau- und Kunstgeschichte des Stiftes, in: ÖKT 37 (1969), S. 486.
41. SCHROLL, Marchstaller (wie Anm. 37), S. 143.
42. ÖKT 37 (1969), S. 158.
43. Wie Anm. 36.
44. SCHROLL, Necrologium St. Paul (wie Anm. 13), S. 98; DERS., Marchstaller (wie Anm. 37), S. 143.
45. DERS., Necrologium St. Paul (wie Anm. 13), S. 44.
46. EBD., S. 99, A. 53, u. S. 169, A. 34; FRESACHER, Benediktinerkloster (wie Anm. 34), S. 16; HAUSMANN, Siegfried (wie Anm. 40), S. 168 bzw. Stammtafel.
47. SCHROLL, Necrologium St. Paul (wie Anm. 13), S. 98.
48. T. RASCHL, R. STRELLI, Das Benediktinerstift St. Paul in Kärnten (1922), S. 11; KUNST-TOPOGRAPHIE des Herzogthums Kärnten, in: Österreichische Kunst-Topographie, Bd. 1: Herzogthum Kärnten (1889), S. 262ff.
49. Siehe RADER, Geschichte der Äbte (wie Anm. 32), S. 26.
50. R. STRELLI, St. Paul, der ersten Habsburger letzte Ruhestätte (1918), S. 3ff.
51. M. WUTTE, Zur Geschichte Kärntens in den ersten zwei Jahrhunderten habsburgischer Herrschaft, Car. I 125 (1935), S. 11ff.; A. LHOTSKY, Geschichte Österreichs seit der Mitte des 13. Jahrhunderts

(1281–1358) (1967), S. 318ff.; W. NEUMANN, Das Jahr 1335 im Rückblick, Car. I 176 (1986), S. 157ff.
52. E. NUSSBAUMER, Geistiges Kärnten. Literatur- und Geistesgeschichte des Landes (1956), S. 249ff. Hier auch weiterführende Literaturangaben.
53. Siehe STRELLI, Habsburger (wie Anm. 50), S. 3ff.; KUNST-TOPOGRAPHIE Kärnten (wie Anm. 48), S. 264ff.
54. G. MORO, Zur 150-Jahr-Feier der Wiederbesiedlung des Benediktinerstiftes St. Paul im Lavanttal, Car. I 149 (1959), S. 315–322; H. BRAUMÜLLER, Die kulturelle Sendung des Benediktinerstiftes St. Paul im Lavanttal, Car. I 149 (1959), S. 323ff.; FRESACHER, Benediktinerkloster (wie Anm. 34), S. 15ff.; siehe dazu auch den Beitrag hier, S. 237 ff.
55. L. SCHEICHENBERGER, Die Gruft der Erlauchten Habsburger zu St. Paul in Kärnten, KZ. 1 (1818), S. 21; DERS., Die Fürstengruft im Benediktiner-Stift St. Paul in Kärnten, Car. 4 (1814), Nr. 47.
56. Die nicht mehr erhaltene Inschrift an der Habsburger-Gruft im Kloster Königsfelden – das Kloster wurde nach seinem allmählichen Verfall im 16. Jahrhundert aufgelöst – lautete nach STRELLI, Habsburger (wie Anm. 50), S. 4: (außen) „† In disem Grab . ligend von vnserer Hochgebornen Herrschafftt . von Oesterrich . Die Edlen / Frouwen . vnd Herren . die Hie nach geschriben stond . Zum ersten . F. Elizabetha . geborne von Kerndten . Künig Albrechts . von / Rome . gemachell . der vff der Hofstat . verlor sin Leben . Demnoch . F. Agnes . Iro / tochter . wylund Künigin ze Vngern . Ferner auch unser Genediger Herr . Hertzog Lüpoldt der ze Sempach verlor . 1386". (innen) „Herzog Lüpold . der altt vnd fro Catharina sin Gemahel . geborne von Saphoy . vnd fro Catharina iro tochter / Herzogin von Cussin (Coucy). Herzog Heinrich . vnd fro Elizabeth . sin Gemahel geborne von Virnenburg . Herzog Friderich Künig Friedreichs Son von Rome . Fro Elizabeth Herzogin / von Luthringen . Fro Gutta Grauin von Öthingen . deren gedenken thund . Ward ernüwert im 1600". Siehe auch SCHEICHENBERGER, Habsburger (wie Anm. 55), S. 38.
57. FEYERLICHE UEBERSETZUNG der Kaiserlich-Koeniglich- auch Herzoglich-Oesterreichischen Hoechsten Leichen aus ihren Grabstaedten Basel, und Koenigsfelden in der Schweiz nach dem Fuerstlichen Stift St. Blasien auf dem Schwarzwald den 14ten Wintermonats 1770. Gedruckt in St. Blasien; M. HERRGOTT – R. HEER, Monumenta augustae Domus Austriacae (1750–1760).
58. STRELLI, Habsburger (wie Anm. 50), S. 18f.
59. R. REIFENSCHEID, Die Habsburger in Lebensbildern. Von Rudolf I. bis Karl I. (³1987), S. 14; STRELLI, Habsburger (wie Anm. 50), S. 31ff.
60. RADER, Geschichte der Äbte (wie Anm. 32), S. 28.
61. ÖKT 37 (1969), S. 99; K. GINHART, Die Restaurierung der Stiftskirche von St. Paul im Lavanttal, Deutsche Kunst- und Denkmalpflege 14 (1941), S. 1ff.; A. K. ZIEGER, die Wiederherstellungsarbeiten in der Stiftskirche zu St. Paul. Sd. des „Kärntner Tagblattes" vom 24. 12. 1935 (o. S.); K. HOLEY, Die Wiederherstellung der Abteikirche zu St. Paul i. L., Kärntner Tagblatt vom 25. 10. 1936; O. DEMUS, Die Restaurierung der Stiftskirche von St. Paul im Lavanttal, Freie Stimmen vom 28. 10. 1938.
62. LHOTSKY, Geschichte (wie Anm. 51), S. 42; REIFENSCHEID, Habsburger (wie Anm. 59), S. 14; SCHEICHENBERGER, Habsburger (wie Anm. 55), S. 25ff.
63. LHOTSKY, Geschichte (wie Anm. 51), S. 22, Anm. 29; REIFENSCHEID, Habsburger (wie Anm. 59), S. 23.
64. EBD., S. 24.
65. EBD., S. 26; LHOTSKY, Geschichte (wie Anm. 51), S. 218, u. A. 216.
66. STRELLI, Habsburger (wie Anm. 50), S. 3, A. 1: Das Kloster wurde von Königin Elisabeth an jener Stelle errichtet, wo 1308 König Albrecht I. ermordet wurde; SCHEICHENBERGER, Habsburger (wie Anm. 55), S. 34.
67. LHOTSKY, Geschichte (wie Anm. 51), S. 293, u. A. 639; REIFENSCHEID, Habsburger (wie Anm. 59), S. 30.
68. EBD., S. 31; LHOTSKY, Geschichte (wie Anm. 51), S. 328.
69. EBD., S. 353, A. 199; SCHEICHENBERGER, Habsburger (wie A. 55), S. 33ff.; STRELLI, Habsburger (wie Anm. 50), S. 23ff.
70. EBD., S. 26ff.; LHOTSKY, Geschichte (wie Anm. 51), S. 300, A. 669; REIFENSCHEID, Habsburger (wie Anm. 59), S. 31.
71. EBD., S. 32; LHOTSKY, Geschichte (wie Anm. 51), S. 118 u. a.
72. EBD., S. 210, A. 187; REIFENSCHEID, Habsburger (wie Anm. 59), S. 33.
73. EBD., LHOTSKY, Geschichte (wie Anm. 51), S. 208, u. A. 182.
74. EBD., S. 242; REIFENSCHEID, Habsburger (wie Anm. 59), S. 40.
75. EBD., S. 47; LHOTSKY, Geschichte (wie Anm. 51), S. 368; STRELLI, Habsburger (wie Anm. 50), S. 29.
76. Textwiedergabe nach STRELLI, Habsburger (wie Anm. 50), S. 27ff.; vgl. auch FEYERLICHE UEBERSETZUNG (wie Anm. 57), S. 19, S. 22.
77. Von ihr existierte in Königsfelden eine „Sterbetafel" mit der Inschrift: *DOMINA ELISABETHA QVONDAM DVCISSA LOTHARINGAE FILIA INCLYTI PRINCIPIS DOMINI ALBERTI REGIS ROMANORUM ANNO DOMINI M CCC LII. IN DIE S. POTENTIANAE VIRGINIS.* Siehe FEYERLICHE UEBERSETZUNG (wie Anm. 57), S. 19.
78. Siehe dazu F. W. LEITNER, Inschriftendenkmäler als historische Quelle für die Landesgeschichtsforschung. Fachtagung für mittelalterliche und neuzeitliche Epigraphik, in: Veröffentlichungen der Kommission für die Herausgabe der Inschriften des deutschen Mittelalters Nr. 2, red. von W. Koch (Österr. Akademie der Wissenschaften, Phil.-hist. Klasse, Denkschriften, Bd. 1990, im Druck).
79. MILESI, Grabplastik (wie Anm. 31), S. 12ff.
80. Vgl. dazu: Die Kunstdenkmäler Österreichs. Kärnten. DEHIO-HANDBUCH (²1981), S. 567: hier mit „(?)" ins 17. Jahrhundert datiert.
81. Siehe B. RADER, Die Geschichte der Äbte von St. Paul, 2. Tl.: Vom 16. bis zum 30. Abt (1314–1499), JbSP (1981/82), S. 16: hier werden die Äbte Heinrich II. (1356–1357) und Ulrich II. (1357–1359) angesprochen.
82. EBD., S. 14.
83. Hierher wurde diese Grabplatte erst im Zuge der Restaurierungsarbeiten im Jahre 1936 verlagert, siehe dazu STA, HS 17/0 *„Archivum Mon(aste)ry S(ancti) Pauli / Vallis Lavantinae / Registratu(m) / Per / R(everen)diss(imum) D(ominum) Hieronymu(m) Abbatum / S(ancti) Pauli / Anno 1618"*, fol. 32': *Anno Dni 1356 obyt Venerabilis Henricus Abbas Mon(aste)ry S. Pauli, qui sepult(us) in Sacello s. Jacobi iuxta summu(m) templum quod a R(everendissimo) D(omi)no HIERONYMO Abbate ob certas causas destructo, illius vero ossa in summu(m) templum translata, honorifice conduntur;* siehe auch RADER, Geschichte der Äbte (wie Anm. 32), S. 28.

84. MILESI, Grabplastik (wie Anm. 31), S. 14.
85. EBD.
86. *OCTAVA EPIPHANIE* = 13. Jänner.
87. STA, HS 17/0, fol. 62; A. LEITNER, Abt Johann IV. Parnpichler (1500–1515), JbSP (1966/67), S. 5; siehe dazu B. RADER, Die Geschichte der Äbte von St. Paul, 3. Tl.: Vom 31. bis zum 40. Abt (1500–1638), JbSP (1982/83), S. 14.
88. Hierher wurde diese Grabplatte erst im Zuge der Restaurierungsarbeiten im Jahre 1936 verlagert, vgl. RADER, Geschichte der Äbte (wie Anm. 32), S. 28.
89. ÖKT 37 (1969), S. 159, u. Anm. 1.
90. Siehe SCHROLL, Necrologium St. Paul (wie Anm. 13), S. 64, S. 142.
91. FRESACHER, Benediktinerkloster (wie Anm. 34), S. 25.
92. Wohl zu ergänzen „*in [die] p(rae)* bzw. *p(ro) festo*"; „*inp*" als Kürzung hier, etwa für „*inp(artiale)*".
93. STA, HS 17/0, fol. 64; siehe RADER, Geschichte der Äbte (wie Anm. 87), S. 15ff.
94. Das Grabdenkmal stand vorher näher in der Ecke der Südwestwand des Querhauses, direkt neben dem heute vom Marienaltar verdeckten Grabstein des Abtes Jakob Pachler, und wurde erst im Zuge der Restaurierungsarbeiten im Jahre 1936 weiter östlich – in diese ungünstige Lage mit dem Gegenlicht – verlagert; vgl. RADER, Geschichte der Äbte (wie Anm. 32), S. 28.
95. R. MILESI, Loy Hering und das Grabmal des Abtes Ulrich Pfinzing, Car. I 149 (1959), S. 133ff.; DERS., Grabplastik (wie Anm. 31), S. 16ff.
96. F. DWORSCHAK, Die Werke des Loy Hering in Österreich, Wiener Jb. für Kunstgeschichte 4 (1926), S. 86ff.; R. STRELLI, Das Stift St. Paul in Kärnten unter Abt Ulrich Pfinzing, Studien und Mitteilungen des Benediktinerordens, NF 36, 5 (1915), S. 93ff. (bzw. S. A. S. 3ff.); ÖKT 37 (1969), S. 160ff. u. Abb. 211, 213, 214.
97. Eine mögliche Auflösung wäre *A(BSIT) D(OLUS) M(ALUS) [HOC MONVMENTO]*. Es könnte sich dabei aber auch um ein Meistermonogramm handeln, was aber eher unwahrscheinlich ist; siehe dazu DEHIO-Kärnten (wie Anm. 80), S. 586, S. 821.
98. Es ist dies m. W. die letzte vollständige Wiedergabe des „Spanheimer Wappens" mit Helmzier.
99. Siehe MILESI, Pfinzing (wie Anm. 95), S. 447ff.
100. Das Todesdatum wurde nicht nachgetragen.
101. ÖKT 37 (1969), S. 97, S. 122ff.
102. Auf dem linken Pilaster über dem Sakristeieingang wurde das ursprüngliche Bild – wie vermutlich auch das Schriftfeld – ausgemeißelt und neu gestaltet. Unter der Inschrift „*HIERO/NYMUS / ABBAS / F(IERI) F(ECIT) / AN(NO) 1619*" ist nun das persönliche Wappen Marchstallers angebracht; darunter kann man aber unschwer auf eine frühere Wappendarstellung schließen, wohl das Wappen Pfinzings. Erkennbar ist von der ursprünglichen Beschriftung ein darübergesetztes *[ARMA]*.
103. ÖKT 37 (1969), S. 150 u. Abb. 194–195; GINHART, Stift St. Paul (wie Anm. 31), S. 30.
104. Siehe Anm. 96.
105. Siehe Anm. 95.
106. Siehe dazu auch die Arbeit von F. MADER, Loy Hering (1905).
107. ÖKT 37 (1969), S. 160ff.
108. Siehe DEHIO-Kärnten (wie Anm. 80), S. 588.
109. STRELLI, Pfinzing (wie Anm. 96), S. 15.
110. Siehe SCHROLL, Necrologium St. Paul (wie Anm. 13), S. 63, S. 140. (Anm. 17): hier ist der 13. VI. angegeben, im Kommentar richtig der 30. XII. 1530.
111. STA, HS 17/0, fol. 66'; ÖKT 37 (1969), S. 163 u. Abb. 215.
112. Siehe RADER, Geschichte der Äbte (wie Anm. 87), S. 18.
113. Siehe SCHROLL, Necrologium St. Paul (wie Anm. 13), S. 53, S. 121 (Anm. 19).
114. STA, HS 17/0, fol. 67'; siehe RADER, Geschichte der Äbte (wie Anm. 87), S. 19.
115. ÖKT 37 (1969), S. 163ff.; siehe Rader, Geschichte der Äbte (wie Anm. 32), S. 28.
116. *IN VIGILIA S: MARIAE MAGDALENAE:* 21. Juni; SCHROLL, Necrologium St. Paul (wie Anm. 13), S. 64, S. 142 (Anm. 27).
117. Vgl. RADER, Geschichte der Äbte (wie Anm. 87), S. 19; J. OBERSTEINER, Die Bittschrift des Abtes Thomas Mur vom Jahre 1570 an den Landesfürsten, Car. I 149 (1959), S. 459ff.
118. ÖKT 37 (1969), S. 164ff. u. Abb. 216.
119. SCHROLL, Necrologium St. Paul (wie Anm. 13), S. 60, S. 133 (Anm. 12).
120. STA, HS 17/0, fol. 76ff.; siehe SCHROLL, Marchstaller (wie Anm. 37), S. 306ff.; ÖKT 37 (1969), S. 167; siehe auch RADER, Geschichte der Äbte (wie Anm. 87), S. 22ff.
121. Siehe KLA; Wappenbuch B, fol. 33: In Blau ein silberner Balken, belegt mit einem kurzen naturfarbenen, szepter- oder lanzenartigen Stab, unten am Griff von einer Hand mit einem Armstumpf gehalten, oben ein aufgesetzter schwarzer Hut, geziert auf der Krempe mit einer rot-weißen Kordel.
122. Siehe SCHROLL, Necrologium St. Paul (wie Anm. 13), S. 67 u. S. 153 (Anm. 57).
123. Enklave „C" in „O".
124. STA, HS 32/0: „*ALBVM BENEDICTINO-SAN-PAVLENSE/ in quo / MONASTERII S. PAVLI ORD. S. P. BENEDICTI / in valle Lavantina Carinthiae" [1682]*, fol. 60; Textergänzung nach SCHROLL, Marchstaller (wie Anm. 37), S. 306ff.
125. Bei SCHROLL, ebd., S. 307: *In coelum* (. . .).
126. ÖKT 37 (1969), S. 167; B. RADER; Die Geschichte der Äbte von St. Paul. 4. Tl.: Vom 41. bis zum 50. Abt (1638–1866), JbSP (1983/84), S. 9ff.
127. Siehe KLA, Wappenbuch B, fol. 44: In Schwarz ein silberner Balken, oben ein silberner Pelikan mit offenem Flug, belegt mit drei roten Sternen, unten ein weißes, aufgeschlagenes Buch, belegt mit einem silbernen Dolch mit goldenem Griff, überhöht von einer goldenen Helmkrone.
128. SCHROLL, Necrologium St. Paul (wie Anm. 13), S. 76 u. S. 184 (Anm. 65).
129. Ligatur TE oder ET.
130. Vgl. Job 17, 3: *Libera me, Domine, et pone me juxta te, et cujusvis manus pugnet contra me.*
131. ÖKT 37 (1969), S. 167; RADER, Geschichte der Äbte (wie Anm. 126), S. 11ff.
132. Hierher wurde diese Grabplatte erst im Zuge der Restaurierungsarbeiten im Jahre 1936 verlagert; siehe RADER, Geschichte der Äbte (wie Anm. 32), S. 28.
133. Siehe KLA, Wappenbuch B, fol. 60: Geteilt von Silber und Blau; oben hinter einer weißen Mauer mit roter Ziegelabdeckung ein weißes Haus mit rotem Dach, unten auf dem Wasser ein naturfarbener Fisch.
134. Vgl. SCHROLL, Necrologium St. Paul (wie Anm. 13), S. 64, S. 142 (Anm. 36).
135. Das Wort zeigt Spuren einer Übermeißelung: *DESCECIT* oder richtig wohl *DES{C}ENXIT*.
136. A. LEITNER, Abt Albert Reichart (1677–1727), JbSP (1967/68), S. 5; ÖKT 37 (1969), S. 167; RADER, Geschichte der Äbte (wie Anm. 126), S. 12ff.

137. Siehe KLA, Wappenbuch B, fol. 69: Geviert mit Herzschild, darin in Silber auf einem naturfarbenen Dreiberg ein rechtsschreitendes naturfarbenes (?) Lamm; 1 und 4 auf grünem Dreiberg ein rechtsschreitender aufrechter goldener Löwe, ein goldenes Kreuz in den Vorderpranken haltend; 2 und 3 von Rot und Silber sechsmal geteilt.
138. Siehe SCHROLL, Necrologium St. Paul (wie Anm. 13), S. 58, S. 131 (Anm. 63).
139. G. GAICH-FAUSTER, Genealogie und Besitzgeschichte der Familien von Praitenfurt, Fohnsdorf-Rabenstein (Diss. Graz, 1976), S. 91ff.; A. WEISS, Kärnthens Adel bis zum Jahre 1300 (1869), S. 122.
140. GAICH-FAUSTER, Fohnsdorf-Rabenstein (wie Anm. 139), S. 104ff.
141. ÖKT 37 (1969), S. 155; J. KLAUSBERGER, Das Rabensteinergrabmal in der Stiftskirche von St. Paul, Car. I 126 (1936), S. 122–125; V. POGATSCHNIGG, Purkhard und Wilhelm von Rabenstein, Car. 49 (1859), S. 148–150; DERS., Nochmals die Rabensteiner, Car. 59 (1869), S. 175.
142. KUNST-TOPOGRAPHIE Kärnten (wie Anm. 48), S. 264: Die Jahreszahl „Mil.ccc°.I°." wird hier kommentarlos wiedergegeben, bei der Lesung der Inschrift gibt es Leerstellen wie „(. . .) gut.von (. . .)". Siehe GAICH-FAUSTER, Fohnsdorf-Rabenstein (wie Anm. 139), S. 106; B. RAINER, Die Adelswappen des östlichen Kärnten im Mittelalter (Diss. Graz, 1971), S. 71–73; H. WIESSNER, Zur Geschichte der Burgen Rabenstein und Loschental, Car. I 149 (1959), S. 721.
143. Die Kunstdenkmäler des politischen Bezirkes Wolfsberg. Von K. GINHART, H. Graf HENCKEL-DONNERSMARCK, L. SPENEDER, in: Die Kunstdenkmäler Kärntens, Bd. 8 (1933), S. 76.
144. ÖKT 37 (1969), S. 95f.; GINHART, Stift St. Paul (wie Anm. 31), S. 28.
145. ÖKT 37 (1969), S. 97 u. S. 155.
146. GAICH-FAUSTER, Fohnsdorf-Rabenstein (wie Anm. 139), S. 106ff., S. 114ff., S. 116ff.; Die Salzburger Lehen in Kärnten bis 1520. Bearb. von A. LANG, G. A. v. METNITZ; hrsg. von G. MORO, in: FRA II/79 (1971), S. 79 u. S. 214, Nr. 228.
147. GAICH-FAUSTER, Fohnsdorf-Rabenstein (wie Anm. 139), S. 106ff., S. 114ff.; B. SCHROLL, Lehensverzeichnisse des Benedictinerstiftes St. Paul in Kärnten aus dem XV. Jahrhunderte; AÖG 34 (1865), Nr. III/1; E. WEBERNIG, Landeshauptmannschaft und Vizedomamt in Kärnten bis zum Beginn der Neuzeit (Das Kärntner Landesarchiv 10, 1983), S. 152.
148. So im Jahre 1423 *Burckard et Wilhalm de Rabenstain fratres donant monasterio magnam summam pecuniae (. . .) ea obligatione, ut perpetuum lumen in sacello b. virginis, u b i s e p u l t u r a m* (Sperrung durch den Autor) *habent* (. . .); siehe STA, HS 1/0 (wie Anm. 36), fol. 73b; auch UB ST. PAUL, S. 343, Nr. 383; FRESACHER, Regesten (wie Anm. 40), S. 482.
149. Der Sohn Wilhelms und letzte Rabensteiner, Parzival, gestorben um/nach 1446, ist als Auftraggeber nicht in Erwägung zu ziehen: Er hätte sicherlich auch seine Eltern auf diesem „Familiengrabstein" verewigt. Siehe dazu GAICH-FAUSTER, Fohnsdorf-Rabenstein (wie Anm. 139), S. 118ff.
150. J. KRASSLER, Steirischer Wappenschlüssel, Veröffentlichungen des Steiermärkischen Landesarchives 6 (1968), S. 127; P. W. ROTH, Die Adelswappen der westlichen Obersteiermark im Mittelalter (Diss. Graz, 1965), S. 107–109; RAINER, Adelswappen in Kärnten (wie Anm. 142), S. 69–73.
151. GAICH-FAUSTER, Fohnsdorf-Rabenstein (wie Anm. 139), S. 201f.
152. EBD., S. 202; RAINER, Adelswappen in Kärnten (wie Anm. 142), S. 70.
153. Über die Ursache der neuerlichen Wappenänderung durch Burghard (II.) siehe GAICH-FAUSTER, Fohnsdorf-Rabenstein (wie Anm. 139), S. 208.
154. ÖKT 37 (1969), S. 158; LEITNER, Parnpichler (wie Anm. 87), S. 5.
155. Ungewöhnliche Kürzung: *(q)u(ingen)t(esimo)*, wobei das „*v*" für die Ziffer 5 steht; t ist hochgestellt.
156. Von späterer Hand wurde nach dem „ch" ein kleines „t" beigefügt.
157. ÖKT 37 (1969), S. 159ff.; A. KIESLINGER, Die nutzbaren Gesteine Kärntens (1956), S. 103.
158. ÖKT 37 (1969), S. 160: Wenn „Raffenberg", dann kann es sich hier auf Grund der heraldischen Wappenordnung auf Grabsteinen wohl nur um die Ehefrau oder die Mutter des Verstorbenen handeln, kaum um die Großmutter väterlicherseits.
159. EBD., S. 160 u. Anm. 1.
160. EBD.
161. R. BARAVALLE, Burgen und Schlösser der Steiermark (1961), S. 257; 1459 ist ein „Pangratz Han zu Klein-Edling" genannt; ob eine verwandtschaftliche Beziehung zum Rabensteiner Pfleger besteht, ist nicht geklärt; siehe UB ST. PAUL, S. 429, Nr. 521 (1459 VII 8); siehe auch den Grabstein der Martha Mager geb. Hanin in der Stadtpfarrkirche Maria Magdalena zu Völkermarkt, gestorben im Jahre 1599; sie könnte durchaus eine Tochter des Hans Han gewesen sein.
162. KLA, Allgemeine Urkundenreihe (= AUR) A 1785 (1514 IV 5); GAICH-FAUSTER, Fohnsdorf-Rabenstein (wie Anm. 139), S. 174.
163. EBD.
164. KLA, AUR A 1784 (1514 IV 5); GAICH-FAUSTER, Fohnsdorf-Rabenstein (wie Anm. 139), S. 174, A. 903.
165. Hier: schräglinks.
166. R. MILESI, Manierismus in Kärnten. Zur Kunst des späten 16. Jahrhunderts (1973), S. 52 u. Abb. 78–79.
167. KRASSLER, Wappenschlüssel (wie Anm. 150), S. 23.
168. Steiermärkisches Wappenbuch von Z. BARTSCH (1567). Facsimile-Ausgabe mit historischen und heraldischen Anmerkungen von J. v. ZAHN und A. Ritter v. SIEGENFELD (1893), S. 79ff; M. M. v. WEITTENHILLER, Der Salzburger Adel. J. Siebmacher's großes Wappenbuch, Bd. 4, 6. Abt. (1883), S. 44 u. Tafel 18; KRASSLER, Wappenschlüssel (wie Anm. 150), S. 226.
169. EBD., S. 111.
170. KLA, AUR A 1784 (1514 IV 5); GAICH-FAUSTER, Fohnsdorf-Rabenstein (wie Anm. 139), S. 174, A. 903; W. FRESACHER, Der Übergang der Herrschaft Finkenstein und Hollenburg an den Weichselstätter Zweig der Herren von Dietrichstein, Car. I 167 (1977), S. 120; K. v. MOLTKE, Siegmund von Dietrichstein. Die Anfänge ständischer Institutionen und das Eindringen des Protestantismus in die Steiermark zur Zeit Maximilians I. und Ferdinands I., Veröffentlichungen des Max-Planck-Instituts für Geschichte 29 (1970), S. 28; WIESSNER, Rabenstein und Loschental (wie Anm. 142), S. 724; siehe dazu auch H. HENCKEL, Burgen und Schlösser in Kärnten, Bd. 2 (1964), S. 139; G. A. v. METNITZ, Quellen- und Literaturhinweise zur geschichtlichen und rechtlichen Stellung der Burgen, Schlösser und Ansitze in Kärnten sowie ihrer Besitzer, in: Kärntner Burgenkunde, Bd. 2 (1973), S. 124; WEISS, Adel (wie Anm. 139), S. 301; A. E. v. BENEDIKT, Die Burg und die Herren von Dietrich-

stein, Car. 25 (1835), S. 3–5, S. 15–17, S. 19–21, S. 23–25, S. 36f., S. 43–45.

171. ÖKT 37 (1969), S. 166.

172. Eigenartigerweise wird sie in der Grabinschrift namentlich nicht erwähnt, StLA, UK 1550 VIII 16: Hier wird sie als Gemahlin des Siegfried von Dietrichstein erwähnt, vgl. M. STURMBERGER, Die Welzer. Genealogie und Besitzgeschichte einer steierischen Adelsfamilie (Diss. Graz, 1979), S. 150, A. 655.

173. METNITZ, Burgenkunde (wie Anm. 170), S. 124.

174. Mit diesem Kärntner Hofamt wurde Siegmund von Dietrichstein, Onkel des Seyfried von Dietrichstein auf Rabenstein, am 28. XII. 1506 durch Kaiser Maximilian I. ausgezeichnet, siehe KLA, AUR C 3469 u. Archiv Hollenburg-Dietrichstein, UK 74b (1506 XII 28); auch FRESACHER, Dietrichstein (wie Anm. 170), S. 117, u. MOLTKE, Dietrichstein (wie Anm. 170), S. 32 u. A. 21.

175. *CIRCVMDABOR.*

176. Richtig: *INFELIX.*

177. ÖKT 37 (1969), S. 166ff. u. Abb. 220.

178. EBD., S. 167.

179. STA, UK 1378 (1689 XII 31); siehe auch Nr. 1262 (1666 V 20) bis 1625 (1666 V 22), 1295 (1671 IV 1); Regesten aus Lehen-Urkunden des Benedictiner-Stiftes St. Paul vom XVI. bis XVIII. Jahrhunderte. Mitgetheilt von B. SCHROLL, Tl. 2, AVGT 12 (1872), S. 118, Nr. 312 (1689 XII 31).

180. HENCKEL, Burgen und Schlösser (wie Anm. 170), S. 47; METNITZ, Burgenkunde (wie Anm. 170), S. 38.

181. SCHROLL, Regesten St. Paul (wie Anm. 179), S. 200, Nr. 321 (1692 XII 29); STA, Leh. Prot. III, fol. 58.

182. Siehe dazu KLA, Wappenbuch A, fol. 68 und C, fol. 101a.

183. Die drei letzten Zeilen enthalten ein Chronogramm, welches die Jahreszahl „1691" wiedergibt.

Die Stiftsgebäude der Barockzeit und die künstlerische Ausstattung der Bibliothek

MANFRED A. JELONEK

Abt Hieronymus Marchstaller (1616–1638) begann, wie im folgenden Beitrag ausgeführt (siehe S. 553 ff.), mit dem Neu- und Vergrößerungsbau des Klosters. Zum neuen Konvent legte er 1637 den Grundstein. Seine Entwurfsplanung hat sich nicht erhalten. Die begonnenen Bauten vollendeten seine unmittelbaren Amtsnachfolger, änderten aber vermutlich bestimmte Teile des Vorgängerentwurfes ab, um in den Neubauten die neu bestimmte Funktion der nun erstehenden Räume entsprechend nutzen zu können.

Abt Paul Memminger (1638–1660) ließ 1640 den östlichen Teil des Nordflügels fertigstellen und den westlichen Teil davon beginnen, der dann allerdings erst unter Abt Philipp Rottenhäusler (1661–1677) beendet wurde. Die von Abt Albert Reichart (1677–1727) beauftragten Baumeister vollendeten die damals noch im Rohbau befindlichen Konventsbauten und gestalteten noch vorhandene ältere Bauteile, die ins neue Konzept einbezogen wurden, entsprechend um. Vornehmlich betrifft es die Bereiche, denen aufgrund ihrer neuen Funktion eine herausragende Bedeutung zukommen sollte, insbesondere das Obergeschoß des südlichen Westflügels mit dem dazugehörenden Laubengang[1], der Prälatur (die Wohnung des Abtes) und die daran angrenzende, auch von hier aus direkt zugängliche Bibliothek. Von diesem Bauteil ist sicher, daß er 1653, nach einem Aquarell im Urbar der Herrschaft Kollnitz von 1653, in der heutigen, nach 1680 ausgeführten Form und dabei im besonderen die des beginnenden Südflügels, noch nicht errichtet war.[2]

Abt Marchstaller war „von der Kärntner Landsmannschaft bestellter Baumeister (wohl mit Bauaufsicht Betrauter)“ gewesen.[3] Diverse Aufzeichnungen berichten, daß er Abrisse den von ihm beauftragten Meistern übergab, nach denen sie seine Aufträge auszuführen hatten.[4] Es ist daher auch anzunehmen, daß seine Nachfolger im Amt eine ähnliche Praxis ausübten, auch wenn Detailliertes darüber die Quellen nicht vermerken.[5]

Abt Reichart war Assistent an der von Benediktinern gegründeten Universität Salzburg zwischen 1681 und 1684; außerdem war er Rat des Kaisers und der Bischöfe von Salzburg und Bamberg, dazu noch Ständischer Abgeordneter des Landes Kärnten ab 1691. Kaiser Leopold I. ersuchte ihn mehrmals in persönlichen Briefen, dieses Amt weiterzubehalten. Weiters erteilte ihm die päpstliche Inquisition die Erlaubnis, zum Zweck der Widerlegung häretische Bücher zu lesen. Offensichtlich war der Abt ausgebildeter Historiker, zumindest aber mit der Geschichte sehr vertraut, denn er verfaßte vor seiner Abtwahl das *Brevarium historiae Carinthiacae.* Darüber hinaus unterhielt er freundschaftliche Kontakte zu Johann Weichard Freiherr von Valvasor, dem Autor der *Topographia Archiducatus Carinthiae* (1688), der den Abt 1681 sogar ermuntert hatte,

„eine kurze Description denkwürdiger Geschichten zur Kärntnerischen Topographie (zu) componieren".[6] Früher schon, im August 1680, notierte der Abt in sein Tagebuch, daß ihn Valvasor ersucht habe, alle Kupferstiche für die Topographie zu beschreiben.[7] Offensichtlich war Valvasor damals längere Zeit Gast des Stiftes.[8] Im Oktober berichtet der Abt vom Empfang eines Briefes von Valvasor „in causa der Cärntherischen Topographia".[9] Im März 1681, bei einem Kurzbesuch Valvasors in St. Paul, „verehrt" der Abt dem Gast einen Betrag von „6 Fugger": für in Kupfer gestochene Ansichten des St. Pauler Stiftes.[10] Valvasor zeichnete nach eigenen Angaben die Klosteransichten eigenhändig nach der Natur,[11] die er für die Publikation in Kupfer stechen ließ. Eine der beiden Ansichten ist mit dem Wappen Abt Reicharts geschmückt, die der Graphiker Andreas Trost signierte.[12] Die damals wohl noch nicht begonnenen oder nicht vollendeten Bauteile des Stifts ergänzte Valvasor zu einem „Idealplan", entweder nach einer ihm vom Abt ausgehändigten Planvorlage oder doch in intensiver Absprache und Beratung mit dem gelehrten Abt; denn dieser „Idealplan" nimmt den Typus eines „Escorials" auf, mit vier mächtigen Ecktürmen und einem kleineren Torturm über dem eigentlichen Klostereingang, der ebenso nicht ausgeführt wurde wie drei Ecktürme. Diesem in leichter Aufsicht wiedergegebenen perspektivischen Plan fehlt die Einzeichnung des Firstes der sogenannten Rabensteinerkapelle.[13]

Vermutlich hat Abt Reichart einen umfangreicheren Auftraggeber-Anteil an der Um- und Ausgestaltung des Stiftes als bisher angenommen. Sein Wappen in der einen Ansicht weist ihn jedenfalls als gewichtigen Bauherrn aus. Allerdings wird sich sein individueller Anteil an Planung oder Planumänderung im Bauverlauf ohne genaue Quellenangabe mit ausreichender Sicherheit nicht mehr feststellen lassen.[14]

Die Bibliothek spielt in der Zeit des Barock eine wichtige gesellschaftliche Rolle. Mehrere Beispiele belegen ihre in dieser Zeit prunkvoll gestaltete architektonische Form. Abt Reichart setzte kontinuierlich die Aktivitäten seiner Vorgänger fort, als er die Stiftsbibliothek 1683/84 im Sinne dieser Epoche ausbauen ließ. Beispielsweise hatte Abt Rottenhäusler 1673 eine philosophisch-theologische Hauslehranstalt gegründet. Des weiteren ließ er den schon unter Abt Marchstaller errichteten, einzigen Eckturm aufstocken, damit in dessen oberstem Geschoß ein allseitiger Ausblick gewährleistet werden konnte.[15] Der Aufbau dieses Stockwerks diente damals gewiß weniger der genießerischen Entspannung beim selbstzweckhaften Betrachten der Landschaft, sondern vielmehr der militärischen Beobachtung zur frühzeitigen Gefahrerkennung, und wesentlicher noch, der Erforschung der Sterne, oder wie es in Abt Reicharts Terminologie heißt, deren „Observierung".[16] Für die Ausgestaltung der Bibliothek sind somit wichtige Voraussetzungen gegeben. Das bereits fertige Erdgeschoß bestimmte zwar die Raumgröße und die Raumabfolge, aber die Wahl, Bibliothek und Prälatur an dieser Stelle einzurichten, beruhte auf Abt Reicharts Entscheidung.

Die Stiftsbibliothek befindet sich im *piano nobile* am Südende des Westflügels, aber rechtwinkelig davon abgesetzt, so daß dieser mehrstöckige Gebäudeteil den Anfang des Südflügels andeutet, den Abt Reichart erstmals in Angriff nahm. Er wurde jedoch nicht weiter fortgeführt, um den Klosterkomplex vierflügelig abzuschließen, wie es der Idealplan von 1681 vorsieht. Die Ausmaße des Bibliothekraums sind eher bescheiden: etwa 15 m lang und etwa 8 m breit. Die Ostwand wird von zwei, die Südwand von vier Fenstern, die Westwand nur von einer Tür, dem Zugang zur Prälatur, durchbrochen, während die Nordwand eine architektonische Gliederung mit zwei Türen aufweist.[17] Die Bücherstellagen entlang der Wände mit den davon rechtwinkelig in

Abb. 143:
Bibliothek mit Deckenfresko
von Wolfgang Bernard Veldner, 1683

den Raum eingestellten unterteilen den Saal in kleinere Kompartimente. Sie reichen fast bis zur Decke hinauf und entstammen ihrer Form nach dem 19. Jahrhundert.

Allein die Bibliotheksdecke ließ der Abt künstlerisch ausgestalten. Zwei große Kreise, zwei medaillonartige Zwikkel zwischen ihnen und vier kleinere Zwickel in den Deckenecken, füllen mit plastisch kräftig durchgebildeten Stuckrahmen die gesamte Decke, die fast genau nach den vier Himmelsrichtungen orientiert ist.

Die Wandbilder in den Deckenfeldern werden lediglich in der Kunsttopographie kurz beschrieben.[18] In die Kreisflächen freskierte der Künstler, allerdings teilweise mit Weißhöhungen secco übermalt, die östliche und die westliche Hemisphäre des Sternenhimmels. Traditionelle Sternbilder und Tierkreiszeichen heben sich vom satten Blau des Himmelsgewölbes, des „Alls", ab und figurieren die in sie eingesetzten, gold-gelb gemalten Sterne. An den Kreisgrenzen der östlichen und westlichen Hemisphäre werden einige Sternbilder und Tierkreiszeichen getrennt, so daß Teile davon in beiden Hälften sichtbar sind.

Den Nordpol der östlichen Hälfte markiert der Polarstern, am Schwanzende des Sternbildes „Kleiner Bär" eingezeichnet. Lediglich der Schwanz des Sternbildes „Großer Bär" ragt in den östlichen Teil, während dessen massige Gestalt denNorden der westlichen Hälfte dominiert. Mit anderen Sternbildern wird ähnlich verfahren. Den Südpol kennzeichnet, wie in der Realität, kein dezidiertes Sternbild; geteilt sind hier neben anderen die Sternbilder „Südliche Wasserschlange" und „Phönix". Die Sternbilder „Pegasus" (Flügelrosse) und „Walfisch" führen am östlichen und westlichen Punkt des Äquators dominant jeweils in beide Sphären ein. Getrennt, und deshalb in beiden Kreisen je zur Hälfte vorkommend, sind die Tierkreiszeichen „Jungfrau" und „Fische". Das Zeichen „Jungfrau" überbrückt beide Kreise an ihrem Berührungspunkt, während das Zeichen „Fische" mit je einem Fisch, beide durch ein Band verbunden, die entferntesten Punkte des Äquators in beiden Kreisen bezeichnet, somit beide Sphären abschließt und gleichzeitig zusammenbindet.

Den Himmelsäquator gibt eine rotweiß-karierte Linie an. Eine grün-weißkarierte Linie bezeichnet die Ekliptik, die in der östlichen Hälfte nach Süden, in der westlichen Hälfte nach Norden geneigt ist. Beide Kreise unterteilen je nördlich des Äquators drei, je südlich des Äquators zwei verschiedenfarbige, breitengradähnlich gekrümmte Linien. Zum Stuckrahmen hin sind beide Himmelssphären mit einem breiteren gelbschwarz gemalten Zahnschnitt umrandet. Um ihn, wie auch um den Äquator und die Ekliptik, sind Gradeinteilungen eingetragen. Dokumentiert wird auf solche Weise wissenschaftliches Interesse. Wahrscheinlich diente ein Himmelsglobus, wahrscheinlicher noch ein „Himmelsatlas" als Vorlage für das Fresko. Geographische Gesichtspunkte spielten dabei wohl keine Rolle, denn sonst hätte der Künstler oder der Auftraggeber eher die nördliche und südliche Sphäre bevorzugt. Vorlagen dazu gab es bereits. Dürer hatte schon 1515 eine solche Graphik hergestellt, die der Abt vermutlich auch gekannt haben dürfte.[19] Ausschlaggebend war vielmehr ein politischer Gesichtspunkt, wobei vielleicht östliche und westliche Sphäre soviel wie „Alte" und „Neue" Welt symbolisieren könnten. Andererseits verweisen die dominierenden Sternbilder im westlichen Himmelsgewölbe, etwa der „Große Bär", unterhalb von ihm das Tierkreiszeichen „Löwe" und weiter darunter das imponierende Sternbild „Puppis" (Schiff), das wohl mehrere Sternbilder zusammenfaßt,[20] auf eine politische Sinngebung, etwa als Anspruch des Habsburg-Kaisers auf diesen Teil, oder als versteckte Anspielung auf einen Ausspruch Karls V., daß in seinem Reich die Sonne nicht untergehe.[21] Offenkundige Hinweise auf eine astrologische Botschaft fehlen, ebenso Attribute, die eine führende Persönlichkeit kenntlich machen, für die ein Horoskop gestellt wurde.

Von den 88 Sternbildern übertrug der Maler 62 in die beiden Sphären des Himmelsgewölbes, genau an den Stellen, an denen sich diese Sternbilder in Wirklichkeit befinden. An den Gradeinteilungen und Breitengradunterteilungen ist der präzise Standort ablesbar. Die Tierkreiszeichen gruppieren sich um die Ekliptik. Die Milchstraße ist entsprechend ihrer Lage als gelber Streifen in den Globus gemalt, die Zeichen „Antinous", „Canopus Sohel" und „Hirunda Marino" personifizieren möglicherweise die hellsten Sterne im entsprechenden Sternbild.

Die Zwickel in den Deckenecken füllen Abbildungen von Tierkreiszeichen mit jeweils einem in der Landschaft sitzenden Mann, wobei die Zeichen nicht zufällig gewählt sind, sondern gesetzmäßigen Bedingungen unterliegen. Im Nordwesten: Widder; ein am Ende einer Gartenmauer hockender männlicher Akt in jugendlichem Alter hebt ein gefülltes Rotweinglas; aus der Mauer sprießen einige Blumen, hinter der Mauer erhebt sich ein blühendes Gebüsch.[22] Der Eintritt der Sonne in das Tierkreiszeichen Widder erfolgt im Frühling. Im Nordosten: Krebs; in einer Landschaft sitzt ein reiferer Mann als im vorigen Zwickel, der mit einer Hand auf ein Getreidefeld weist und in der anderen ein Schwert hält; ein Pfeil am Himmel muß wohl als Blitzsymbol gedeutet werden. Das Tierkreiszeichen Krebs symbolisiert den Sommeranfang (Sonnenwende). Im Südosten: Waage; ein im mittleren Alter befindlicher, erwachsener Mann kauert in einer Landschaft vor einem Weinberg und hält ein aufgeschlagenes Buch in den Händen. Das Tierkreiszeichen Waage steht für den Herbstanfang. Im Südwesten: Steinbock; ein in einer Winterlandschaft kniender älterer, greiser Mann stützt seinen Ellenbogen auf ein angehobenes Knie, um in diese Hand sein Haupt zu legen, eine Geste, die ihn quasi in „Denkerpose" situiert; Weißhöhungen deuten schnee- und eisbedeckte Steinoberflächen an; die felsigen Berge im Hintergrund wirken wie in Eis erstarrt. Das Tierkreiszeichen Steinbock verweist auf den Winteranfang (Sonnenwende). Diese vier Tierkreiszeichen symbolisieren, entsprechend der scheinbaren Jahresbahn der Sonne um die Erde, die vier Jahreszeiten. Die Landschaftsausschnitte unterstützen die Jahreszeitangaben ebenso wie das jeweilige Alter der männlichen Figuren: den Frühling betont der blühende Garten mit dem an einen „Bachus" erinnernden jugendlichen Mann; den Sommer das Gewitter, das Getreidefeld mit dem reiferen und kriegstüchtigen, weil mit einem Schwert spielenden jungen Mann; den Herbst der Weinberg mit dem erwachsenen Mann; ebenso den Winter die Winterlandschaft mit dem greisen Mann, der wie die anderen männlichen Figuren verschiedenen Alters den Zeitenwechsel unterstreicht.

Abb. 144: Bibliotheksdecke, Detail mit verschiedenen Stern- und Tierkreiszeichen

Beziehen sich die beiden Hauptfresken darstellerisch auf das Himmelsgewölbe, das All schlechthin, das von der Erde entsprechend dem jeweiligen Standort eingesehen, beobachtet und erforscht werden kann, so geben die vier Eckzwickel die Jahreszeiten wieder, wie sie auf der Erde erfahren werden. Ähnlich verhält sich auch die Darstellung im nördlichen Zwickel zwischen den beiden Kreisen: die Mitte nimmt eine blaue Kreisfläche ein, in der ein Pfeil exakt

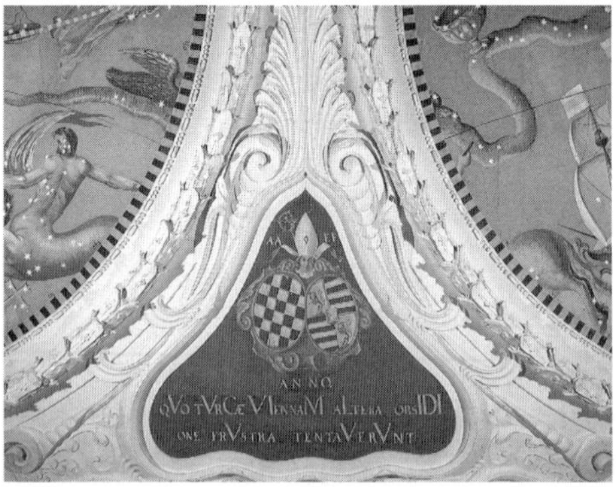

Abb. 145: Bibliotheksdecke, Detail mit Wappen und Signatur des Auftraggebers Abt Albert Reichart

die Nord-Süd-Richtung anzeigt. Um diesen Kreis gruppieren sich sechzehn Puttiköpfe, die blasende Winde aus allen Weltrichtungen symbolisieren. Alle Himmelsrichtungen und die klimatischen Bedingungen werden so festgehalten. Anders hingegen die Ausmalung des südlichen Zwickels zwischen beiden Kreisen: wiedergegeben ist das Wappen des Stiftes und das von Abt Reichart, daneben die Buchstaben: AA FF, das heißt *Albertus Abbas Fieri Fecit*, die Abt Reichart als Auftraggeber anführen. Unter das Wappen ließ der Abt eine lateinische Inschrift schreiben, die den politischen Charakter, zumindest dessen Grundzug versinnbildlicht: *anno qVo tVrCae VIennaM aLtera obsIDIone frVstra tentaVerVnt.* Die sinngemäße Übersetzung verweist auf das Jahr, in dem die Türken vergeblich Wien belagerten. Die Großbuchstaben in richtiger Reihenfolge ergeben die römische Zahl: MDCLVVVVVVIII, das ist das Jahresdatum 1683, das Jahr der Türkenbelagerung Wiens. Der Entscheidungskampf gegen die Türken fand am 12. September 1683 statt.

Daraus ergibt sich ein Terminus ante quem für die Entstehung des Deckengemäldes, nämlich Ende 1683/Anfang 1684. Ferner enthält das Fresko die Signatur des Künstlers.[23] Im südöstlichen Zwickel mit dem Tierkreiszeichen Waage steht auf der aufgeschlagenen Buchseite der Name: *Wolff: Bernard Veldner Pictoris Wolfbergis.* Einige Wolfsberger Urkunden geben uns Nachricht von diesem Maler. Die erste Eintragung steht im Trauungsbuch unter dem 24. März 1684, in der er als „Burger und Maller zu St. Paul" bezeichnet wird.[24] Die Steuerregister weisen aus, daß er sich erst nach 1679 in Wolfsberg angesiedelt hatte.[25] Das Sterbebuch vermerkt den Tod des 74jährigen am 12. April 1726. Es betitelt ihn als *Ecclesiae Syndicus*, etwa Kirchenpropst, dem vorzüglicherweise die Ehre zuteil wurde, *in Ecclesia*, also „in" (!) der Kirche begraben worden zu sein.[26] Seine Trauzeugen und die Taufpaten seiner Kinder bekleideten führende Funktionen in der Region Wolfsberg. Einer von ihnen wird in den Matrikelbüchern als „Baumeister", ein anderer beispielsweise als „Stadtrichter" geführt. Veldners guter Ruf gründet größtenteils sicherlich in seinen Aufträgen für das Stift St. Paul. Daß er 1684 als „Maller zu St. Paul" beurkundet ist, bestätigt die Richtigkeit von Datierung und Signierung der Bibliotheksdecke.

Das Thema des Deckengemäldes ist wohl keine alleinige Invention des Künstlers. Wir können getrost davon ausgehen, daß der gelehrte Abt, der mit dem Kaiser sowie mit anderen politisch führenden Kräften, etwa den Landeshauptmännern, in persönlichem Kontakt stand, und in der fraglichen Zeit auch für die Salzburger Universität tätig war, dezidiert diesen Auftrag vergab. Ohne allerdings genau ermitteln zu können, welchen Anteil der Abt selbst oder von ihm beauftragte Mönche und welchen Anteil Veldner an der Invention zu diesem kosmographischen Thema beigetragen haben. Immerhin gab es um die Jahreswende 1680/81 eine vieldiskutierte astronomische Erscheinung in der Sternenwelt: ein Comet umkreiste die Erde. An dessen Beobachtung („Observierung") nahm der Abt regen Anteil.[27] Der vielgereiste, wissenschaftlich und künstlerisch höchst interessierte aktive Abt kannte von seinen bekundeten Romreisen her möglicherweise den Himmelsglobus in der *Bibliotheca Apo-*

Abb. 146: Winterrefektorium, Stuckdecke von Kilian Pittner, 1720–1725; mit Fresken von Switbert Lobisser, 1932

stolica im Vatikan, den Vanosino herstellte; möglicherweise kannte er auch das Deckengemälde desselben Künstlers aus dem Jahr 1573 im päpstlichen Palast in Caprarola, dem Palazzo Farnese, das ebenfalls einen Sternenhimmel darstellt.[28] Die Antinous-Sternbilder im Vatikanischen und Caprarolischen Himmelsglobus ähneln dem des in St. Paul dargestellten so sehr, daß man von einer Abhängigkeit ausgehen muß. Entweder dienten diese Darstellungen selbst als Vorlagen, oder vielleicht zutreffender, es wurde für St. Paul eine Vorlage gewählt, die von den Vanosinischen Sternhimmeln stark beeinflußt war. Der wichtigste Unterschied zum Himmelsglobus in Caprarola besteht darin, daß er dort in ein Oval, einer im Manierismus beliebten Bildform, eingepaßt war, während in St. Paul zwei Hemisphären gewählt wurden. Die Stiftsbibliothek verfügte damals wahrscheinlich über einen Himmelsglobus.[29] Himmelsatlanten besaß die Stiftsbibliothek mit Sicherheit,[30] einer davon dürfte von Veldner, mit dem Beistand des Abtes, als Vorlage benutzt worden sein.

In St. Paul fehlt eine ideologische Überhöhung der Darstellung, die propagandistische Deutungen zuließe. Nicht eine Persönlichkeit, sondern ein politisches Ereignis wird in den kosmologischen Kontext gerückt, eher in objektivierender als astrologisierender Weise. Welchen Kriegshelden der „Sieg“ über die Türken in jenen Tagen zuzuschreiben ist, mag hier unberücksichtigt bleiben. Fest steht, daß er in die Regierungszeit Kaiser Leopolds I. fällt, dessen Rat Abt Reichart war. Man hat den Eindruck, daß die Ausmalung der Bibliotheksdecke einen Raum konkretisierte, der sich vergleichen läßt mit den „Kaisersälen“ anderer Klöster und Stifte im Reich.

Die plastisch-kräftigen, weißen Stuckrahmen um die Fresken der Bibliotheksdecke ließ Abt Reichart vom Stukkateur Gabriel Wittini ausführen. Sie sind ihrer Form nach ein Übergang spätmanieristischen Knorpelwerks zum barocken Laubwerk.[31]

Vermutlich war später noch ein weiterer Stukkateur unter Abt Reichart im Stift tätig, Kilian Pittner, der zwischen 1720 und 1725 das Winterrefektorium mit naturnahem Laubwerk, Ranken, Blättern und Blumen stukkierte.[32] Das Sommerrefektorium wie auch das Turmkabinett ließ erst Abt Benedikt Hasler (1743–1748) um 1744 vom Sohn, Marx Josef Pittner, stuckieren, die nicht mehr dem klassischen Laubwerk, son-

Abb. 147:
Winterrefektorium, Stuckdecke – Detail

Abb. 148: Sommerrefektorium, Stuckdecke
von Max Josef Pittner um 1744, Detail

Abb. 149: Kachelofen aus Stift Griffen,
Winterrefektorium, um 1700;
1961 vom Stift St. Paul erworben

Abb. 150: Paulusbrunnen, vermutlich von
Simon Reischl, mit Wappen des Auftrag-
gebers Abt Albert Reichart, 1719

dern dem verspielt graziösen Rokoko-Ornament angehören.[33]

Erwähnenswert ist noch ein schmiedeeisernes Gitter am Stiegenportal im Obergeschoß des Westflügels, das Abt Reichart um 1680 anfertigen ließ, und ein Kachelofen, etwa um 1700, der zwar aus der Zeit Abt Reicharts stammt, aber für das Prämonstratenserstift Griffen gefertigt wurde und erst 1961 nach St. Paul kam.[34]

Abt Reichart ließ 1719 von der südwestlichen Ecke der Stiftskirche nur wenige Meter entfernt einen Paulusbrunnen anbringen. Auf einer Säule in der Mitte des Brunnens stehend überragt der Heilige den sechseckigen Beckenrand, gegen den Himmel blikkend. An einer gut sichtbaren Beckenwand ist das Wappen Abt Reicharts mit den schon bekannten Buchstaben AA FF und der Jahreszahl 1719 angebracht. Als Bildhauer kommt Simon Reischl in Betracht,[35] der in typisch barockem Gestus den Heiligen aus Marmor meißelte und ihn derart situierte, daß er zwischen dem unter Marchstaller errichteten Südportal und dem eigentlichen Hauptportal im Westen der Stiftskirche vermittelt.

ANMERKUNGEN

1. ÖKT 37 (1969), S. 180 f.: Die Daten zur Baugeschichte werden im folgenden, wenn nicht besonders vermerkt, dieser Kunsttopographie entnommen.
2. ÖKT 37 (1969), S. 37, Nr. 2a: dieses Aquarell kann als gutes Dokument für die Baugeschichte zur Zeit Abt Marchstallers verwendet werden und gibt uns deutliche Aufschlüsse über die Leistung im Baugeschehen unter Abt Reichart.
3. ÖKT 37 (1969), S. 193.
4. ÖKT 37 (1969), S. 194.
5. Allgemein zur Praxis zwischen Auftraggebern und Baumeistern in der Barockzeit vgl.: M. A. JELONEK, Franz Jänggl – Ein unbekannter Wiener Barockbaumeister. Eine architektur- und kulturhistorische Studie zu seinem Hauptwerk, der Piaristenkirche Maria Treu in Wien (1984). Der mit Bauaufsicht Beauftragte („Baudirektor") hatte damals Kenntnisse und Erfahrung im Planen und Entwerfen von Architektur. Dieses Fachgebiet zählte zum „Profil" leitender Persönlichkeiten, bis es von der Durchsetzung der spezialisierten Arbeitsteilung zwischen planendem Architekten und ausführendem Baumeister nach der Mitte des 18. Jahrhunderts verdrängt wurde.
6. B. RADER, Die Geschichte der Äbte von St. Paul JbSP (1983/84), S. 12 ff.
7. *Diarium Monastery S: Pauli,* oder Tägliche Geschichten, die sich bey dem Closter St: Paül In undterKärndten begeben haben. Colligiert von Alberto Abbten Zü St: Paül, von May Anno 1680 biß 1682 exclusive, fol. 10 r.
8. P. v. RADICS, Valvasor in Kärnten, in: Johann Weichard Freiherr von Valvasor, Das Erz-Herzogthum Kärndten (1688, ²1882), S. V. Radics nennt Abt Reichart „Kaiserlichen Rat".
9. *Diarium Monastery* (wie Anm. 7), fol. 16 v.
10. EBD., fol. 66 r: „(. . .) deme verehre ich 6 Fugger: Umb Willen er daß Closter abgebildet."
11. VALVASOR, Kärndten (wie Anm. 8), in Valvasors Vorwort vom 31. 3. 1688, S. IX; *Diarium Monastery* (wie Anm. 7), fol. 39 r: „Herr Valvasor überschikht mir daß Kärndten in Kupferstichen."
12. EBD., Fig. 138.
13. Dieser Plan (wie in Anm. 12) zeigt im Vergleich mit dem Aquarell aus dem Kollnitzer Urbar, siehe Abb. 137, den wesentlichen Unterschied in der barocken Bauauffassung und verdeutlicht die Auftraggeberleistung Abt Reicharts.
14. Teils fehlen die Quellen ganz, oder in den vorhandenen „Tagebüchern" werden Bauabsichten, Planänderungen nicht behandelt.
15. ÖKT 37 (1969), S. 183.
16. *Diarium Monastery* (wie Anm. 7), fol. 36 r: Konnte der „(Comet stern) Wegen des (. . .) Gewölkhs und Triebe des Himmels nicht woll mathematisch (. . .) observiert werden". Weiter unten in dieser Textstelle heißt es dann, daß der Comet vom „Nordstern bey 70 Grad entlegen" sei, oder weiters, daß sein Streif „bis zu der linken Hand der Andromeda sich erstrecket (. . .)". Dies sind nur beispielhafte Notizen aus dem Kontext; fol. 39 v: „Der Comet ist nit mehr observiert worden."
17. In der Nordwand führen zwei Türen auf den Laubengang. Es sind von außen her schlichte, nicht repräsentativ gestaltete Eingänge, einer davon innen

sogar mit Bücherstellagen verstellt.

18. ÖKT 37 (1969), S. 194 f. Dort ist die Beschreibung der Decke teils oberflächlich, teils irrig. Sie wird hier präzisiert und berichtigt.
19. Dürer widmet die nördliche und südliche Hemisphäre Kaiser Maximilian. Die Abbildung davon entnahm ich der Zeitschrift „Art Dossier": GIOIA Mori, Arte e Astrologia (1987), S. 60.
20. Vgl. dazu den Katalogband: Zusammenfassung der Sternbilder Puppis, Carina, Vela und Pyxis.
21. Attribute, die auf eine bestimmte Herrscherpersönlichkeit verweisen, fehlen. Möglicherweise ist damit auch keine politische Sinngebung gemeint, sondern nur ein „wissenschaftlich" fundiertes Abbild des Himmelsgewölbes.
22. Das Gemälde zeigt einen sehr unsicheren Duktus, vielleicht ist es die Arbeit eines Gehilfen. Statt „Gartenmauer" könnte man es auch als „Gartenbeete" auffassen, aber dann stimmt meines Erachtens die perspektivische Darstellungsweise noch weniger.
23. Vgl. dazu ÖKT 37 (1969), S. 195: „Eine Signatur des Malers ist nirgends zu entdecken." Das ist irrig; sie ist kaum zu übersehen!
    Die Annahme, daß Johann Adam Claus die Decke gemalt habe, entbehrt jeglicher objektivierender Argumentation!
24. Archiv der Diözese Gurk (ADG), Pfarrarchiv Wolfsberg, Trauungsbuch HS 21. Das Taufmatrikelbuch (HS 2) nennt drei Kinder von Bernhard Veldner mit den Namen der Taufpaten.
25. KLA, Steuerregister der Stadt Wolfsberg 1695, fol. 18 v; 1720, fol. 18 v. Im Steuerregister von 1679 ist Veldner noch nicht geführt; es folgt eine Lücke bis 1695. Das nächste Steuerregister datiert erst wieder 1720, die nächste Lücke dauert bis 1734.
26. ADG (wie Anm. 24), Sterbebuch, HS 30.
27. *Diarium Monastery* (wie Anm. 7). Zwischen Dezember 1680 und Februar 1681 erfolgen fast täglich Vermerke über die Cometenerscheinung.
28. Abb. davon bei GIOIA, Astrologia (wie Anm. 19), S. 58–61. Abt Reichart korrespondierte auch mit Rom, siehe: *Diarium Monastery* (wie Anm. 7), fol. 41 v: „(. . .) von Rom an khomen ein Abriß (. . .) an Welchen ein Comet und andere Sterne und flamben golt gebildet" (am 5. Februarius 1681).
29. Bei der berichteten Beobachtungspraxis wäre es unwahrscheinlich gewesen, hätte ein solcher gefehlt; außerdem gehörte ein solches Instrument zur Standardausrüstung der Bibliotheken dieser Zeit. Am 17. Februarius notiert Abt Reichart ins Diarium, „(. . .) instrumentum Geometricem von Wien gekauft, wie es sich der Kaiser hat machen lassen", fol. 44 v, möglicherweise ebenfalls ein Globus.
30. Die Klosterbibliothek St. Blasien, deren Bestand jetzt die Stiftsbibliothek St. Paul führt, sammelte eine ganze Serie solcher Cosmographien; in der St. Pauler Bibliothek dürfte es sich ähnlich verhalten haben, so daß die Bestände an beiden Orten ähnlich ausgesehen haben. Ein Band aus jener Zeit, der jetzt in St. Paul verwahrt wird, ist betitelt: *Harmoniam Macrocosmia seu Atlas Universalis et Novus Totius Universi Creati Cosmographiam Generalem et Novam Exhibus, Amsteldamo 1680,* Abb. z. B. auf fol. 186 ff.
31. ÖKT 37 (1969), S. 195.
32. EBD., S. 183 f.
33. EBD., S. 184.
34. EBD., S. 184.
35. EBD., S. 195 f.

Bautätigkeit und künstlerische Ausstattung unter Abt Hieronymus Marchstaller

FRIEDRICH WILHELM LEITNER

Bauten und Umbauten im Stiftsbereich

Die seit der Wende zum 17. Jahrhundert notwendigen Baumaßnahmen betrafen nicht nur die Klosterkirche, sondern auch das stark baufällige Stiftsgebäude und die Wirtschaftsbauten. Auf den bedenklichen Bauzustand der Kirche und des Klosters hatte der Propst von Völkermarkt, Erzpriester Johann Franz Gentilotti[1], in seinem Visitationsbericht vom 24. November 1616 hingewiesen. So war es verständlich, daß Abt Marchstaller sogleich nach seiner Benediktion am 28. August 1616 mit den Arbeiten am Kloster und an der Stiftskirche beginnen ließ, die er in einem „Übelstandt" und in einer derartigen „Confusion"[2] vorgefunden hatte, daß er zutiefst betroffen war.

Wie Abt Hieronymus Marchstaller in der Vorrede zu dem „Gedingbuch für Beamte und Diener 1617–1621"[3] festgehalten hat, bestand seine erste Aufgabe vor der Inangriffnahme der Restaurierungsarbeiten darin, die Handwerker zufriedenzustellen bzw. die noch von den verstorbenen Vorgängern übernommenen Schulden und Aushaftungen einzulösen.

Als vordringlich renovierungsbedürftig erwies sich das Kirchendach, das neu eingedeckt wurde. Die Zimmermannsarbeiten erledigte großteils der aus St. Lambrecht stammende Hans Leittner.[4] Auch die beiden Türme erhielten eine neue Bedeckung und wurden außerdem mit Kreuzen[5] bekrönt.

Für das Jahr 1616 sind zwei Maurer genannt, die für das Stift Arbeiten geleistet hatten: Meister Anthoni Schitt, einer ehrsamen Landschaft in Kärnten „Paumeister", war im Meierhof und im Kloster beschäftigt. Er erneuerte u. a. im alten Refektorium den Ofen. Während dieser Zeit wurde im „Schlafsaal der Junioren" gegessen und im Priorate[6] unterrichtet. Der alte, stark verfallene Meierhof südlich des Klosters bei der Erhardikirche mußte fast zur Gänze abgetragen werden und wurde in den nächsten elf Jahren durch einen großen, befestigten Neubau ersetzt[7], mit quadratischem Grundriß und hohen Außenmauern. Im November erhielt Meister Anthoni den Auftrag, den Schöpf- bzw. Zisternenbrunnen im Kreuzgang zu erneuern, wofür ihm insgesamt 109 Gulden bezahlt wurden.[8] Ebenfalls mit Maurerarbeiten im Kloster war Veith Creizer aus St. Andrä i. L. beauftragt.[9] Im Zuge dieser Arbeiten[10] wurde die Außenfassade der Kirche ausgebessert und neu getüncht.

Im nächsten Jahr erfolgte die Innenrestaurierung, verbunden mit ersten Umbauten, die das Aussehen der Stiftskirche wesentlich verändert haben. Die beiden Brüder Hans und Peter, „die Leoben" aus St. Andrä, erhielten den Auftrag, die „Porkirchen" (Empore) und acht Altäre abzutragen, fünf Fenster auszubrechen und zu vergrößern.[11]

Unterstützung fanden die beiden durch ihren Vetter „Angelus Leoben". Im Querhaus herrschten zu dieser Zeit derart schlechte Lichtverhältnisse, daß der „Convent zur Vesperzeit im Chor das Brevier nicht mehr lesen und die Noten zum Singen nicht mehr sehen konnte".[12] Es handelte sich dabei um die fünf kleinen romanischen Rundbogenfenster in der Südmauer des Querhauses und des Altarhauses der Stiftskirche, die nun zugemauert und durch frühbarocke, große, hochrechteckige Fenster ersetzt wurden. Unter Abt Ferdinand Steinringer kam es im Jahre 1852[13] anläßlich einer neuerlichen Kirchenrenovierung wieder zu einer Abänderung. Aus dieser Zeit sind sie bis heute überliefert, lassen aber noch gut die vermauerten romanischen Fenster erkennen. Die Brüder „Leoben" besserten weiters das Mauerwerk im Kircheninneren aus und tünchten die Wände mit weißem Kalk.

Die Klosterkirche, also das Querhaus, war bis zu diesen Umbauten von der Laienkirche, dem Längsschiff, noch immer durch eine Mauer, den Lettner, getrennt. Die Höhe dieser Trennmauer wurde stark verringert, die hier eingestellten spätromanischen Lettnerfiguren dabei offensichtlich entfernt. Erhalten hat sich jedenfalls nur mehr eine stark abgeschlagene Statue, die heute im Laubengang des westlichen Stiftsflügels aufgestellt ist.[14] Eine für die Predigt bestimmte Empore wurde abgetragen, der Chor selbst erhöht.[15] Die Stufen und der Boden wurden mit Marmorplatten aus Pörtschach neu gepflastert[16] und das Querhaus mit Gittern gegen das Langhaus abgeschlossen.

Die Orgel hatte bisher im Querhaus gestanden und wurde im Zuge der Umbauten auf die Empore zwischen den beiden Türmen versetzt, wo sich eine Michaelskapelle befunden hatte.[17] Der Auftrag zur Übertragung und Wiederinstandsetzung erging im März 1617[18] an den Orgelmacher Peter Lilling.

Im Herbst 1617 verpflichtete man den Tischlermeister Conradt Scherer, einen Prälatenstuhl[19] für den Abt im Chor anzufertigen. Im November erhielt er dann den Auftrag für die Herstellung von 28 Kirchenstühlen (Bänken), vier davon mit einem dekorativen Oberteil, etwa vergleichbar den Stühlen im Chor.[20] Auch die neuen Kirchentore[21] könnten aus der Werkstätte dieses Tischlermeisters stammen.

Ein Steinmetz (Steinhauer) aus St. Andrä, Johann Baptist Pelzer, errichtete dann gegen Jahresende den Stiegenaufgang zur Kirche. Unter den zahlreichen Handwerkern, die sich um die Neugestaltung der Stiftskirche verdingten, wird ein „Hofmaler" Andre Stettner[22] erwähnt, der seit 1602 im Markt St. Paul auch als Hausbesitzer bekannt war.

Meister Johann Angelo errichtete Anfang des Jahres 1617 für den P. Prior[23] beim „Schlaffhauß" ein „Stübl" und eine Kammer aus Ziegelmauer. Er mauerte im Sommer beim „hohen Saal" neben der ehemaligen Konventsküche zwei Rauchfänge[24] auf und pflasterte im September die Apsiden („obseiten") der Kirche neu und erhielt dafür 12 Gulden. Hans Leoben war im Sommer 1617[25] im Konvent mit Maurerarbeiten beschäftigt und setzte vier neue Altäre[26] auf. Der Ziegler Simon Wegmacher[27] lieferte für diese Bauarbeiten schon im März Pflaster- und Gewölbeziegel.

Die Arbeiten bezogen sich, wie mehrfach belegt, auch auf den später so genannten „Hofrichterbau" mit den dazugehörigen Wirtschaftsgebäuden, die im umliegenden Klosterbereich gelegene, 1618 ausdrücklich so bezeichnete „Meierschaft". Im Mai 1617 erhielt der Zimmermann Wolfgang Schodenigg den Auftrag, umfassende Renovierungsarbeiten an der stiftseigenen Mühle an der Lavant[28] vorzunehmen, wobei ein neues Gerinne und auch neue Räder eingebaut wurden. Der schon mehrfach erwähnte Maurermeister Veith Creizer begann im Sommer mit dem Bau der Mauer um das Kloster und mit den Bauarbeiten beim ehemaligen „Heustadl, wo vorher die Pferde gestanden hatten".[29]

Pater Mathias Rör, Prior des Benediktinerklosters St. Paul, konnte im September 1617 seinem Abt hinsichtlich des Fortschreitens der Bauarbeiten folgenden Bericht liefern[30]: *Pergit pictor in ornandis cancellis et scilicet maestro Angelo in suo labore muratoria. Aperuimus sepulchrum, ubi putubatur sepultus eremita, sed non comperimus; fuerunt ibi mera ossa reperta, ocreae ut principis, equitis aut alterius magni viri. De hac re poterit P. Wanzl oretenus referre. Alter lapis tumularis, quem vestra rev. Paternitas iussit ante altare collocare, cum sit d(omi)ni abbatis Schrimph[31], qui ibi adhuc apparet tumulatus, et sepulchrum sit concameratum, relictus est ad rev. vestrae Paternitatis reditum. Alter vero, qui ante altare iacuerat, cum inscriptione cereret, reservetur, si vest. rev. Pat. veluti velit vel in certum locum transferre.*

Im Mai 1618 erhielt Meister Angelo auch den Auftrag zum Bau eines neuen Refektoriums („Revent"), welches nun zwischen dem alten Refektorium und der Stiftsküche errichtet wurde; dieser Bau sollte im Parterre ebenso wie im Obergeschoß je sechs Fenster haben.[32] Darüberliegend plante man das neue Dormitorium. Für die Fensterfassungen wurde wiederum mehrfach der schon erwähnte Steinmetzmeister Pelzer aus St. Andrä herangezogen. Der Tischlermeister Conrad hatte nicht nur die Fußböden für diese neuen Räume zu liefern, sondern auch den „oberen Boden (...) mit gehängter Arbeit"[33], demnach wohl die Holzdecken.

Im Bereich der neuen Meierei errichtete Meister Angelo die Seitenmauern, und Meister Johann Baptist Pelzer sollte um zehn Gulden für die Meierei einen Wappenstein fertigen, der allerdings nicht erhalten ist.[34] Meister Pelzer erhielt auch den Auftrag, einen weiteren Marmorstein zu beschriften.[35] Dieser wurde über dem romanischen Rundbogen des unter Abt Marchstaller neu zusammengefügten Südportales eingemauert[36] und, der historischen Stiftertradition entsprechend, die erst Marchstaller mit seiner Gründungsgeschichte[37] wieder aktualisiert hatte, mit einer zehnzeiligen Inschrift versehen:

DEO OPT(IMO) MAX(IMO) S(ANCTAE)[38] DEIPARAE VIRGINI(S) S(ANCTO) PAVLO AP(OSTO)LO / SVAE POPVLIQVE DEVOTIONI. / SIGFRIDVS SPANHEIMENSIS.RICHARDA LAVANTINA CONIVNX / COMITES. / ANNO 1080 HOC TEMPLVM EREXERVNT. / HARTWIC(VS) ARCH(I)EP(ISCOPV)S MAGDEBVRG(ENSIS) ENGELBERTVS DVX / HADWIGA CONIVNX.LIBERI PYSSIMI.CARINTIAE DVCES / PRO ORDINE S(ANCTI) BENEDICTI. / ANNO 1091 COENOBIVM FVNDARVNT / FVNDATORIB(VS) GRAT(VS) HIERONYM(VS) ABBAS AN(NO) 1618.POSVIT[39]

Als ein wichtiges Bauereignis des Jahres 1618 ist die Abtragung der dem heiligen Ägidius geweihten[40], bereits stark verfallenen ehemaligen Pfarrkirche zu erwähnen, die als romanischer Bau sehr wahrscheinlich in die Zeit vor der Klostergründung zurückging. Die im St. Pauler Traditionskodex[41] überlieferte Nachricht, daß eine Kirche auf dem Burghügel von St. Paul vom Salzburger Erzbischof Hartwig (991–1023) mit pfarrkirchlichen Rechten ausgestattet worden sei[42], ist wohl nicht zutreffend. Vielmehr scheint es sich hier um eine Spanheimer Eigenkirche gehandelt zu haben, die zumindest in das 11. Jahrhundert zu datieren ist. Daneben entstand in der zweiten Hälfte dieses Jahrhunderts innerhalb der Burganlage eine zweite Kirche[43] als Grablege für die Spanheimer. Diese dem hl. Paulus geweihte Kirche wurde mit der Klostergründung 1091[44] zum eigentlichen kirchlichen Mittelpunkt und zugleich für Stift und Ort namengebend. Im Dezember 1093[45] wurde anläßlich der Weihe der Klosterkirche durch Erzbischof Thiemo von Salzburg auch das Pfarr- und Begräbnisrecht im Klosterbereich angesprochen, wobei sich eine Zuweisung dieser Rechte an eine der beiden Kirchen aus dem Text des Traditionskodexes[46] nicht ableiten läßt. Erst im Jahre 1240 wird die Spanheimer Eigenkirche als Pfarrkirche[47] ausgewiesen und zugleich erstmals der Kirchenpatron, der hl. Ägidius, genannt. Die Pfarrkirchenrechte gingen Ende des 14. Jahrhunderts an die außerhalb der Klostermauern errichtete Friedhofskirche St. Erhardi über. Diese wird 1405 urkundlich erstmals als *Parrochia sancti Erhardi*[48] genannt. Die Spanheimer Eigenkirche St. Ägidius stand innerhalb der mittelalterlichen Klostermauern im Vorhof des Stiftes – *in medio atrio intra muros monasterii*[49] – und diente zum Zeitpunkt des Abbruches, bereits profaniert, als „Holzdepot".[50] Der Auftrag dazu erging im Dezember 1618 an den Maurermeister Veith (Creizer), wobei von einer „Capelle, so am hof stehet, daß er selbe ganz und gar soll abprechen"[51] die Rede war, um „das Closter im Grundt von der undtern Seite" zu retten. Abgetragen wurde auch die Mauer zwischen dieser kleinen Kirche und dem „Fleischkasten", zuvor ein Turm „ob der Pad stuben".[52] Alle diese Baumaßnahmen dienten sichtlich der Erweiterung des südwestlichen Klostervorhofes, um für den geplanten Ausbau der Klosteranlage den notwendigen Raum zu schaffen.

Ein wesentlicher Eingriff in die Bauarchitektur der Stiftskirche im selben Jahr ist im „Gedingbuch" nicht vermerkt: die Abtragung einer am südlichen Seitenschiff bzw. Querhaus angebauten Kapelle[53], um damit die Kirche hier im Süden zur Gänze freizustellen. Abt Marchstaller überlieferte in seiner Gründungsgeschichte[54] den vermutlich korrekten historischen Hintergrund, indem er diesen Kapellenbau dem Abt Heinrich I. (1325–1356)[55] zuschrieb. Als Patron der Kapelle, in der Abt Heinrich in Erstbestattung begraben wurde, ist der hl. Jakob angegeben: (. . .) *aedificavit sacellum s. Jacobi in capitulo*[56] bzw. (. . .) *Obiit hic venerabilis abbas bonis operibus plenus, sepelitur vero in sacello s. Jacobi ab ipso aedificato iuxta summum templum, quo ab domine abbate Hieronymo a(nno) 1618 destructo ob certas causas, illius ossa ad summum templum translata honorifice conduntur*[57]. Die neue Grablege fand Abt Heinrich I. nach der Abtragung der Kapelle im Chor der Stiftskirche. Es ist eigenartig, daß Abt Marchstaller diese doch eingreifenden Arbeiten im Kirchenbereich in seinen ansonst sehr gewissenhaft geführten Aufzeichnungen über alle Bautätigkeiten[58] nicht erwähnt. Eine durchaus plausible Erklärung könnten innerklösterliche Gegebenheiten liefern: der Niedergang des Benediktinerstiftes im 16. Jahrhundert. In diesem Zusammenhang ist es augenscheinlich, daß Abt Marchstaller alles unternommen hat, um den dafür in seinen Augen Hauptverantwortlichen, Abt Ulrich Pfinzing (1515–1530)[59], gänzlich aus dem Bewußtsein des Klosters und seiner Geschichte zu eliminieren. In seinem Werk *De Fundatione (. . .)*[60] apostrophierte er ihn als *miserabilis Abbas*[61] und vermerkte *Sic aut(em) Abbas Vlricus non p(er) ostium ingressus in ovile ovium, non venit pascere, sed perdere et mactare, nam ex malo non nisi malum p(ro)venire podest (. . .)*.[62] Auf den Beisetzungsort dieses „unwürdigen Abtes" Bezug nehmend, verweist er nur auf dessen einfache Grablege in Völkermarkt „*Sepelitur autem in sum(mo) templo Volckenmarcktensi in abside templi congrega(ti)onis B(eatae) M(ariae) V(irginis) hoc posito Epitaphio (. . .)*[63], erwähnt aber mit keinem Wort dessen prächtiges Grabdenkmal in der Stiftskirche, das zu dieser Zeit noch in seiner ursprünglichen Ausführung bestanden haben wird.[64] Nachdem die Frage des ersten Standortes dieses prächtigen Renaissancedenkmals der Kärntner Sepulkralplastik nicht nachzuweisen, andererseits eine „Zerstörung" der Grablege durch Abt Marchstaller aber als sehr wahrscheinlich anzusehen ist, kann hier die Vermutung geäußert werden, daß sich Ulrich Pfinzing das großartige Gedächtnisdenkmal in der vorerwähnten Jakobskapelle hatte aufstellen lassen.[65] Der Aufbau spricht gegen ein Hochgrab, wohl aber für ein an die Wand gestelltes, mit reichem Architekturdekor besonders ausgestattetes Kenotaph. Im gleichen Jahr begannen die Arbeiten für eine neue Kapelle[66] im südöstlichen Bereich des Kreuzganges, der damit seine ursprüngliche Funktion schon allein aus der geänderten Architektur verlor. Diese Marienkapelle, in den Gedingbüchern als „Unser lieben Frauen Kapelle" bezeichnet[67], wurde einem großen Raum vorgebaut, der zu dieser Zeit sicher schon als Neue Sakristei geplant war, in seiner früheren Verwendung allerdings nicht klar zu bestimmen ist. Möglicherweise handelt es sich dabei um den alten Kapitelsaal, etwa im Bereich zwischen dem Kreuzgang, dem Querhaus der Klosterkirche, der alten Prälatur und der alten Marienkapelle (Rabensteinerkapelle), in der bis dahin das *capitulum culpae*[68] gehalten wurde. Dem Maler Anton Pluemantel, richtigerweise wohl „Blumental"[69], fiel dabei die Aufgabe zu, den Innenraum der Kapelle auszumalen.[70] Die neue Bestuhlung der „Capellen"[71] hatte schon im Sommer 1618 der Tischlermeister Conrad (aus Velden) übernommen.

Für Abt Marchstaller bedeutete der Neubau der Marienkapelle nicht nur die Weiterführung eines großen baulichen Konzeptes zur Neugestaltung und Erneuerung der gesamten Kirchenanlage, sondern er verband damit auch den Wunsch nach einer Belebung des Klosters mit neuem religiösen Leben. Seinem Wunsche entsprechend sollte hier eine Rosenkranzbruderschaft[72] eingerichtet werden, was von der Generalprokuratur des Dominikanerordens zu Friesach über Vermittlung des Gurker Weihbischofs Sixtus Carcanus, der selbst diesem Orden angehörte[73], im Jahre 1619 auch gestattet wurde.

Von Anton Pluemantel[74] (Blumental) wurden auch die zwei Kirchentüren samt den Portalfassungen „angestrichen", ebenso das „Horn" (?), drei Fenster vor der Prälatur, das „Topfl" des Weihwasserbeckens, das „Stiftergrabmal" und ein Bild des hl. Andreas.

Im Sommer 1618[75] waren die wichtigsten Umbauten im Bereich der Stiftskirche so weit abgeschlossen, daß die sieben neuen Altäre vom Lavanter Bischof Georg III. Stobaeus von Palmberg[76] (1584–1618) geweiht werden konnten: der Hochaltar, der Kreuzaltar in der Kirchenmitte, der Altar der 14 Nothelfer beim Kircheneingang, der Johannesaltar beim Taufbecken, der Maria-Magdalena-Altar im Turmbereich. Aufgezählt werden noch zwei Marienaltäre: der eine in der alten Marienkapelle nahe dem *capitulo*, der andere in der neuerbauten Marienkapelle, die zu diesem Zeitpunkt noch nicht als Kapelle der Schmerzhaften Muttergottes bezeichnet wurde. Zwei Altäre waren unverändert geblieben, nämlich der Stifteraltar beim „Stiftergrabmal der Spanheimer" und ein Altar im Chor, der hl. Katharina und den Heiligen Drei Königen[77] geweiht.

Aus der Zeit des Abtes Pfinzing existierte noch die „alte Badstube" mit einem Turm, dessen „Schneckenstiege" auf die Höhe der Stiftskirche hinaufgeführt hatte. Der Turm[78] wurde abgetragen, die beim ehemaligen Einfahrtstor vorhandene alte Schafferei mit den Wohnräumen des Schaffers (Stiftsverwalters) wurde teilweise abgetragen und als neue Pförtnerwohnung adaptiert.[79] Der Turm über dem Tor, gemeint ist wohl das von Abt Marchstaller ausgebaute „Mittlere Tor", wurde renoviert und hierher vom Kirchenturm das Hofsignalhorn[80] – *cornu seu organum monasterium aulicum* – übertragen.

Das wichtigste Bauvorhaben des Jahres 1619 war der Ausbau der Sakristei, die als Raum zwischen den beiden erwähnten Marienkapellen schon vorhanden war. Am 30. März 1619 erhielt der Klagenfurter Maurermeister Adam Kholnigg den Auftrag[81], in der Sakristei drei Fenster und eine Tür einzubauen und den Raum einzuwölben. Ferner mußte er die Mauer vor der „Capellen"[82] ausbrechen, eine Tür und Fenster einsetzen und den Raum frisch verputzen und weißen. In der Kapelle hatte er den Altartisch wieder aufzumauern. Die Steinfüllungen der Sakristeifenster machte der Steinhauer Johann Baptist Pelzer aus St. Andrä. Der Glasermeister Georg wurde für die Verglasung der Fenster in der Marienkapelle wie auch in der Sakristei, zwei hinaus zum Kreuzgang und eines nach Osten, mit einem Betrag von 36 Gulden und 25 Kreuzer entlohnt.[83] Den Altar selbst sollte der aus Klagenfurt stammende Bildhauer Martin Pacobello[84] bis zum Osterfest 1620 anfertigen, der Bestellung nach 16 Schuh hoch und 9 Schuh breit. Schon am 7. Jänner 1620[85] konnte dieser neue Altar zu Ehren der hl. Maria, der Heiligen Johannes des Täufers, Antonius, Basilius, Benedictus, Scholastica, Maurus und Placidus sowie aller hl. Mönche des Benediktinerordens eingeweiht werden.

Beim Meister Pacobello wurde auch ein neuer Taufstein[86] für die Stiftskirche bestellt, der heute im Westende des südlichen Seitenschiffes steht. Das aus weißem Marmor gefertigte achteckige Taufbecken trägt auf dem vorderen Beckenrand die Jahreszahl 1619, darunter das von einem geflügelten Puttokopf verbundene Dopppelwappen des Stiftes (geschacht) und des Auftraggebers, Abt Marchstaller (von einem Balken geteilt, belegt mit einem szepterartigen Stab, der einen aufgesetzten breitrandigen Hut durchbohrt und am Griff bzw. an der Stabmitte von einer Hand mit Armstumpf gehalten wird[87]). Auf dem Schalenrand finden sich neben weiteren Reliefdarstellungen auch zwei gekürzte *Nomina sacra: IHS* für *IE(SU)S* und *M(A)R(I)A*. Der künstlerisch sehr beachtenswerte Aufsatz aus Nußholz ist ebenfalls in die Zeit um 1620 zu datieren und wird dem mehrfach in den Gedingbüchern erwähnten „Tischler aus Velden", der möglicherweise mit dem in den Aufzeichnungen der Jahre von 1617 und 1627 genannten Konrad Scherer identisch ist, zugeschrieben.[88] Weiters war Martin Pacobello beauftragt, für die Marienkapelle als Assistenzfiguren für das Cruzifix Statuen der Maria und des hl. Johannes zu schnitzen.

Auch die Arbeiten am neuen Sakristeiportal im Jahre 1619 werden in dem „Gedingbuch"[89] kurz erwähnt, wobei dem Steinhauer Johann Baptist Pelzer aus St. Andrä der Auftrag zur Portalfassung erteilt wurde. Mit keinem Wort erwähnt wird allerdings die Herkunft der dabei verwendeten Werkstücke. Diese hängen aber ganz offensichtlich eng mit dem Abbruch der Jakobskapelle bzw. der Verlagerung des Grabmals des Abtes Ulrich Pfinzing zusammen. Die einzelnen Werkstücke, die bei der Portalfassung verwendet wurden, stammen ganz sicher vom Pfinzinggrabmal. Dafür spricht nicht nur die Materialgleichheit, sondern insbesondere die dem Pfinzingkenotaph augenscheinlich zugehörige, unverfälschte Renaissanceornamentik. Ungeklärt ist die Frage, ob und wie weit Pfinzings Grablege auch tatsächlich fertiggestellt wurde. Sicher sind die einzelnen Werkstücke nicht fast einhundert Jahre „im Stift verwahrt"[90] worden, ehe sie Abt Marchstaller „wiederentdeckte" und von seinem Steinmetz Pelzer zur Fassung des Sakristeieinganges[91] einbauen ließ. Um auch hier die Spuren zu Pfinzing auszulöschen, ließ Abt Marchstaller auf dem linken Pilaster über dem Eingang das renaissancezeitliche Bild- und Schriftfeld ausmeißeln und neu gestalten: Unter der nun hinzugefügten Inschrift *HIERO/ NYMVS / ABBAS / F(IERI) F(ECIT) / AN(NO) 1619* wurde auch das persönliche Wappen des Abtes angebracht. Unter dieser Darstellung kann man aber unschwer auf eine frühere Wappenmeißelung schließen und die darübergesetzte Inschrift [*ARMA*][92] noch erkennen. Auch die Reliefdarstellung des geflügelten Puttokopfes auf dem rechten Pilaster in der Supraporta zeigt eine neuzeitliche Veränderung durch das Wegmeißeln des „symbolisierenden Vorhangschlosses"[93], das in Verbindung zur darübergesetzten Devise (?) Ulrich Pfinzings „ADM" zu deuten ist.

Wie schon erwähnt, war auch die alte

Marienkapelle vom Neubau der Sakristei in mehrfacher Weise betroffen. Die Westfassade der Kapelle mußte umgestaltet werden, wobei einige Grabdenkmäler, die hier an der Wand gestanden waren, verlagert wurden: so der Wappengrabstein der Rudolf und Burghard von Rabenstein[94], wahrscheinlich auch die figurale Grabplatte des Hans Han von Hanperg[95] und vermutlich auch das Epitaph des Seyfried von Dietrichstein[96]. Die aus der Gründungszeit der Marienkapelle stammende Malerei im Chor wird um 1350 zu datieren sein. Ins 15. Jahrhundert gehört ein Fragment eines Gemäldes mit der Abbildung von Stifterfiguren. Ein renaissancezeitliches Wandgemälde im vorderen Joch der Südwand ist mit 1549 datiert, ein zweites im gegenüberliegenden nördlichen Joch mit der Darstellung des Jüngsten Gerichtes ist auf Grund der dem Stifterpaar (links der gerüstete Mann mit einem Sohn, rechts seine Ehefrau mit einer Tochter) beigefügten Wappen[97] ebenfalls in die erste Hälfte des 16. Jahrhunderts einzuordnen.[98] Die bisherige Datierung des Wandgemäldes in das frühe 17. Jahrhundert[99] und die Zuordnung zu dem im „Gedingbuch“[100] genannten Anton Pluemantel bzw. manchmal auch zu dem Hofmaler des Abtes Marchstaller, Jakob Lorenz Glaber, ist damit richtiggestellt.

Gleichfalls im Zusammenhang mit dem Neubau der Sakristei stand die von Abt Hieronymus Marchstaller am 10. Juli 1619 angeordnete Öffnung des „Stiftergrabes der Spanheimer“[101]: in dieser ursprünglich wohl gruftartig angelegten Begräbnisstätte im nördlichen Querschiff befand sich die Grablege der in St. Paul bestatteten Spanheimer, wenn auch aus dem 12. und 13. Jahrhundert keine auf die Stifter Bezug nehmenden Grab- oder Inschriftplatten mehr vorhanden sind. Weitere Grabfunde machte man beim Bau der Sakristei und beim Hochaltar, wie Abt Marchstaller selbst berichtete[102]: (. . .) *nova Sacristia aedificaretur iuxta sepulchrum Fundatoris, in muro inventum est aliud corpus sine dubio alicuius familia Fundatorum, et in renovatione templi prope summum altare apertum aliud sepulchrum, in quo ossa et de sericis vestibus fila serica et aurea inventa* (. . .).

Die Einbauten in der neuen Sakristei zur Aufbewahrung der Meßgewänder, Kelche und anderer liturgischer Geräte, die sich bis heute erhalten haben, besorgte im Jahre 1620 der aus Velden stammende Tischlermeister (Konrad Scherer?).[103] Außerdem arbeitete er an drei schönen hölzernen Türfassungen für die obere „Hofstube“[104]. Im September 1619 verdingte sich der Maurermeister Veith, die beiden Kirchtürme von den „gehauenen Steinen“[105] aufwärts zu verputzen und zu weißen, außen an der Kirche die Fugen zwischen dem Steinmauerwerk auszumörteln und die Langhausmauer über dem Dach des Seitenschiffes zu renovieren.

Auch im Klosterbereich schritten die Bauarbeiten rasch voran. Im August 1618 fertigte der Tischlermeister Conrad die hölzernen Deckenkonstruktionen im „Neuen Revent“[106]. Am 20. Juni 1618 erhielt der Steinhauer Pelzer den Auftrag, vom Kreuzgang aus einen neuen Stiegenaufgang in das im Obergeschoß gelegene „Schlafhaus“ der Benediktiner zu errichten. Im September 1619 übertrug ihm Abt Marchstaller einen weiteren großen Auftrag, der allerdings nicht verwirklicht wurde, wie dies eine Eintragung im „Gedingbuch“ am 25. November 1624[107] bestätigte. Er sollte ein großes Tor aus gehauenen Steinblöcken machen, in der Höhe samt dem Gesims 31 Schuh, in der Breite „samt den gehauten Stück“ 13 Schuh, mit einer inneren Torhöhe von 16 Schuh und einer Breite von 9 Schuh; die gehauenen Steine für die Portalfassung sollten 2 Schuh breit sein und 1½ Schuh in der Tiefe betragen.[108] Über dem Gesimsstein sollten das Wappen des Klosters und das persönliche Wappen des Abtes angebracht werden, dekoriert mit Infel und Stab. Zusätzlich sollte im Giebelfeld eine Inschrift, „wie mans im angeben wirt“[109], eingemeißelt werden. Als

Fertigstellungstermin waren die Weihnachtsfeiertage 1619 angemerkt. Nicht angegeben war der Standort dieser großen Toranlage, möglicherweise aber handelte es sich dabei um einen ersten Entwurf für ein Eingangsportal in das Kloster selbst, etwa als monumentale Portalfassung für den Stiegenaufgang in das Obergeschoß.

Ein größerer Arbeitsauftrag erging am 13. Mai 1619 an den Klagenfurter Maurermeister Adam Kholnigg. Er sollte über dem Neuen Revent (Refektorium) fünf Kammern mit Türen einbauen, durch vier Trennmauern aus Ziegel eine neue Raumaufteilung schaffen und diese Räume verputzen und ausweißen. Bei einer Kammer des Priorates mußte er die Mauer bis zum Dachboden hochziehen, zwei Fenster einsetzen[110] und den Raum ebenfalls verputzen und weißen. Im Bereich der inneren Wirtschaftsgebäude hatte er einen Reitstall für zwanzig Pferde an jener Stelle aufzubauen, wo die alte „Raderhütte" beim Tor gestanden hatte.[111] Dieser Stall wurde eingewölbt, wobei das Gewölbe innen auf Pfeilern bzw. Säulen aufsaß. In den Reitstall wurden Fenster eingebaut, das Eingangstor vergrößert und verbreitert. Diese Stallungen (hier befindet sich nun das Lavanttaler Obstbaumuseum) mit den darüberliegenden, wohl später aufgebauten Schüttböden haben sich bis heute gut erhalten. Schließlich wurde der Reitstall noch mit einem neuen Dach versehen.

Die an den Reitstall anschließende Mauer wurde bis zum Einfahrtstor des Klosters bis zu einer Höhe aufgemauert, daß man eine Stube und eine Kammer für die Reitknechte einbauen konnte, darüber eine Schlafkammer. An diese Reitknechtsstube fügte man kleine Wohnräume für den Torwart hinzu, ebenfalls mit einem Gewölbe und einem Rauchfang sowohl in der Küche als auch in der Stube. Von den Fenstern ging eines in den Garten hinaus, ein zweites zum Einfahrtstor hin und ein drittes in Richtung Torzufahrt, also gegen Süden. Auch eine Mauer, die von der Gartenecke, wo die „Schießstätte" war, zum Tor hinaufführte, wurde verputzt und geweißt. Das Einfahrtstor oder „unterste Tor" mußte zur Gänze abgetragen und erneuert werden. Die Mauer vom mittleren Tor bis zum Konventsgarten war zu renovieren und mit einem Ziegeldach einzudecken.[112] Das mittlere Tor wurde ebenfalls renoviert. Die alte Torfassung wurde abgetragen, die neue Portalanlage aus gehauenen Steinen aufgemauert und oben mit einem „Schwipogen" (Schwibbogen[113]) abgeschlossen. Das Dach wurde erneuert und mit Steinplatten gedeckt, ebenso wie die Mauer zum Gartentürchen mit „stain blädtlen"[114] gepflastert wurde. Auch die Mauer von der alten „Schafferei" wurde erneuert und mit Ziegeln gedeckt. Das „Padstübl" wurde außen verputzt und geweißt und die davor befindliche Mauer abgetragen, der Kamin höher aufgeführt, sowie das Dach erneuert. Neben dem Raum ober dem „Padstübl" errichtete man ein zweisitziges „Secret". Beim Kloster wurden zwei Zimmer abgetragen, dafür die beiden Gänge ausgebaut, wobei der obere auf Säulen gestellt, der untere aber mit Schwibbögen versehen wurde. Beide Gänge erhielten anschließend ein Gewölbe. Vom unteren Gang wurde die Stiege zum „Secret" und zur Badstube erneuert.[115] Johann Baptist Pelzer war mit dem Stiegenaufgang zum „Saal" der Abtei beschäftigt, der Klagenfurter Maurer Adam Kholnigg mit der Stiege vom Kreuzgang hinauf zum neuen Dormitorium.

Auch in den folgenden Jahren 1620 und 1621 wurden dem Steinmetzmeister Johann Baptist Pelzer wieder große Arbeitsaufträge erteilt. Für das neue Konventsgebäude lieferte er Steinfassungen für sieben Fenster und drei „Thürgericht"[116]. Die weitere Lieferliste gibt an[117]: fünf Fenster, ein kleineres Fenster, zwei Steinfassungen für die Ofentürchen, eine Säule für ein Gewölbe, drei Klafter Steinplatten für eine Stiege; ein Türgewände für den Meiereihof, dazu vier Fensterfassungen und ein

Wappenstein.[118] Dieser Wappenstein hat sich außen an der südlichen Fassade des Wirtschaftsbaues, an der Kante zum „Hofrichterbau", erhalten, zeigt das Stiftswappen und das persönliche Wappen des Abtes Marchstaller und ist mit dem Baudatum „1619" bezeichnet.

Bis zum Jahre 1621 finden wir im „Gedingbuch"[119] immer wieder zahlreiche Hinweise auf Fenster- und Türeinbauten innerhalb des Klosters, insbesondere des Konventsgebäudes, vermerkt.

Neben dem Meiereihof hatte Marchstaller einen Obstgarten anlegen lassen, den er im Jahre 1620 noch vergrößerte. Ein daran angrenzendes Haus wurde vom Kloster erworben und abgetragen und das Grundstück mit dem bestehenden „Baumgarten" verbunden.

Der Maurermeister Adam Kholnigg erhielt am 20. März 1620[120] den Auftrag, beim Badhaus eine Tür mit einem Schwibbogen zu machen, zum unteren Gang vom Hof aus eine Stiege aufzuführen, im Gang bei der Prälatur selbst ein „Thürgericht" und einen Schwibbogen zu setzen. Auch in der „Tischlerstube" war ein Schwibbogen notwendig, weiters eine neue Tür und die Zumauerung der alten Tür. Die alte Stiege am „Platz" wurde abgetragen und neu gemauert und mit Eisenstangen gesichert. Der alte Eingang in die Küche wurde bis zur Mitte zugemauert, der Raum eingewölbt und mit zwei Fenstern versehen. Die zwei alten Stiegen im Kloster wurden beseitigt und durch neue Steinstufen ersetzt. Eine gemauerte Stiege führte nun von der Kammer beim „Fürstenzimmer" zur Küche hinunter. Im ganzen oberen Stock ging man daran, die alten Gewölbe abzutragen, neue Räume wie ein großes Zimmer, einen großen Saal etc. einzubauen und diese zu wölben.[121] Als neue Aufgänge entstanden breite Stiegenbauten mit Steinpflasterung. Im „großen Zimmer" wurden analog zum Prälatenzimmer vier große Fenster mit Steinfassungen eingemauert, die Tür in den Saal versetzt und die Dächer auf das Bauniveau herabgezogen. Die Tür und das Fenster vom Saal auf den Gang wurden zugemauert, dafür aber zum „großen Zimmer" eine neue Verbindung geschaffen. Auch die Mauer hin zum Prälatenzimmer wurde abgetragen und die neuen Räume eingewölbt. Das Gewölbe im Prälatenzimmer wurde wie die anderen Räume frisch geweißt, die hier eingestellte Säule weggebrochen.[122] Die notwendigen Kamine wurden bis zur neuen Dachhöhe emporgezogen, die Dachflächen eingedeckt. In die Küche und die „Hofstube" baute man „schöne fournierte Türen"[123] des Tischlers aus Velden ein. Für das Silbergeschirr lieferte er um 24 Gulden einen Kasten.

Während Adam Kholnigg mit dem Klosterbau beschäftigt war, übertrug man dem schon bekannten Veith Khreuzer (Creuzer) den weiteren Ausund Umbau des Meiereihofes. Ein „Neuer Stadl"[124] entstand, das Tor beim alten Reitstall wurde mit gehauenen Steinen versetzt, der alte Reitstall selbst zu einem Kastengebäude mit einem auf zwei Säulen in der Mitte ruhenden Gewölbe umgestaltet, um darin das Getreide zu lagern. Der weitere Ausbau des Meiereihofes wurde abgesprochen: Der untere Stock mußte gewölbt, die notwendigen Kammern für das Gesinde gebaut, Gänge, Lauben, Trennmauern und Gewölbe eingeplant werden.

Im Zuge dieser umfassenden Bauarbeiten kam es im nahe gelegenen Steinbruch bei der Burg Rabenstein zu einem interessanten Ereignis: 1620 wurde beim Abbau im Steinbruch „ein stainerne Manns Person mit allen Gliedermassen, auch ein Hutt auff mitsambt einer Schnur umb den Huet, Formb und Gestalt wie ain bekhlaitter Mann"[125] aufgefunden. Bei der Freilegung soll das Skelett herabgefallen und in Stücke zerbrochen sein, „bei welchen zu sehen, gleich wann das Gepain inwendig in Stain verkhert und allenthalben in den Leib quasi *parvi pori generis humani.* Dieses Stuckh haben viel weltlich und geistliche, auch Herr Prälat selbst mit großer Verwunderung gesehen (. . .)".

Der „Hofmaler" des Abtes Hieronymus Marchstaller, Jakob Lorenz Glaber, wird erstmals im Jahre 1621 in dem „Gedingbuch" angeführt. Am 8. Jänner 1621 übernahm er den Malauftrag zu einem Bild der „Hl. Peter und Paul" in „velliger gresß".[126] Ein fast doppelt so großes Gemälde behandelte die „Bekehrung des hl. Paul". Für beide Bilder, an denen er sechs Wochen zu arbeiten hatte, erhielt er 34 Gulden. Dies dürfte der erste Malauftrag gewesen sein, da frühere Hinweise und Eintragungen fehlen. Die Zuweisung des Veronikabildes auf der Sakristeitür an den Maler Glaber[127] kann zeitlich und stilistisch nur mit einigem Vorbehalt erfolgen, eher könnte es mit dem ab 1618 mit Malarbeiten in der Kirche beschäftigten Anton Pluemantel (Blumental)[128] in Zusammenhang stehen. Noch im April erhielt Glaber einen weiteren Auftrag, nämlich ein „Ölbergbild" und ein Bild der „Maria Magdalena"[129]. Für die bildliche Darstellung des „Mirakels zu Wolfsberg"[130], ein Auftrag vom 6. Mai 1621, erhielt er zwölf Gulden, für ein Bild des „Hl. Wilhelm"[131] vier Gulden und drei Kreuzer. Mit dem Gemälde des Hirsauer Abtes Wilhelm, der auf Ersuchen des Klostergründers Engelbert I. von Spanheim im Jahre 1091 die ersten Mönche nach St. Paul entsandte, begann er im Auftrage des Abtes Marchstaller eine Serie von „historischen Bildern", die sich auf die Stifterfamilie und die Klostergründung beziehen und durchwegs in sehr schlechtem Zustand bis heute überliefert sind. Weder in den „Gedingbüchern" noch in den Archivalien aus der Zeit Marchstallers finden sich detaillierte Auftragserteilungen, so daß die Hand des Jakob Lorenz Glaber bei dieser Bilderreihe nicht eindeutig nachzuweisen, wohl aber sehr wahrscheinlich ist. Sie beginnt mit dem eigentlichen „Stifterbild", das in der Bildmitte die gerade erst fertiggestellte Stiftskirche mit dem 1618 neugestalteten Südportal[132] zeigt, die Stifterfamilie und die Halbfiguren der Muttergottes, der Heiligen Benedikt, Paulus, Petrus und Scholastika, sowie vier weitere Heilige über einem Wolkenband. Interessant ist am rechten Bildrand die Klosteransicht auf einem Felshügel, die als Idealansicht des Bauzustandes um 1620 zu werten ist. Die unter dem Gemälde auf einer weißen Schriftfläche beigefügte Inschrift entspricht der textlichen Überlieferung der Gründungsgeschichte des Abtes Hieronymus Marchstaller[133]: *MONASTERIVM S(ANCTI) PAVLI EST FVNDATVM ANNO DOMINI 1091 CAL(ENDAS) MAIY[134] H(IERONYMVS) A(BBAS) 1620.* Die übrigen erhaltenen, heute im Klausurgang aufgehängten „Idealbildnisse"[135] von Angehörigen der Spanheimer Stifterfamilie lassen sich stilistisch und von ihrer Beschriftung her in zwei Gruppen teilen. Zur ersten Gruppe gehören wohl die Gemälde des Hartwig[136], Erzbischof von Salzburg, und des Thiemo[137], ebenfalls Salzburger Erzbischof, der 1093 die Klosterkirche geweiht hat.[138] In dieselbe Zeit fällt sichtlich auch das Bild des Eremiten Dietrich[139], wenngleich er nicht der Stifterfamilie zuzurechnen ist. Einer zweiten Gruppe zugehörig scheinen die Bilder der Richardis[140], ihres Sohnes Graf Engelbert[141], seiner Frau Hedwig[142] und seines Bruders Hartwig[143], Erzbischof von Magdeburg (1079 – 1102). Sie dürften alle in der ersten Hälfte des zweiten Jahrzehnts des 17. Jahrhunderts entstanden sein. Summarisch erhielt Jakob Lorenz Glaber etwa im Jahre 1623[144] für nicht detailliert aufgeschlüsselte Malerarbeiten den beachtlichen Betrag von 438 Gulden.

Im Juni 1621 malte er die „Capelle an dem oberen Kreuzgang", womit die erst vor kurzem errichtete Kapelle der Schmerzhaften Muttergottes gemeint war.[145] Es handelte sich dabei um Gewölbemalereien[146], die einzigen, die sich von Glaber erhalten haben. In acht kleinen Medaillons stehen die weitgehend bis heute erhaltenen Darstellungen inhaltlich mit den Geheimnissen des Rosenkranzes – Abt Marchstaller hatte diese Kapelle der Rosenkranzbruderschaft geweiht[147] – in Verbindung. Im größeren Medaillon des Mittelbildes empfängt der hl. Dominikus das Skapulier, das breitovale Medaillon an der Ostwand stellt einen knienden Papst dar, der eine Pergamentrolle in den Händen hält.[148] Erst im späten 17. Jahrhundert erhielten sie die Stuckrahmung, die den landschaftlichen Stukkateuren Gabriel und Johann Peter Wittini zugeschrieben wird.[149] Glaber malte um diese Zeit auch noch ein „Marienbild“. Es ist ebenfalls erhalten, gehört in die frühe Reihe der oben beschriebenen „Ideal-Stifterbilder“ und trägt im unteren Bildfeld die Inschrift: *ECCE MATER TVA*[150]*, H(IERONYMVS) A(BBAS) S(ANCTI) PAVLI.* Aber auch die Orgel und die zwei „Porkhirchen“ (Emporen) wurden von ihm 1621 neu bemalt.[151] Am 2. Jänner 1622 wurde ihm aufgetragen, ein großes Altarbild mit der Geburt Christi zu malen, dann ein Bild des Abtes Hieronymus Marchstaller[152], etwa in der Größe des vorbestellten Altarbildes und unter Verwendung der noch übriggebliebenen Ölfarben.[153] Weiters malte Glaber einen „Englischen Gruß“[154] und ein Bild „Mariae Himmelfahrt“.

Nach einer mehrjährigen Pause – Glaber hielt sich eine Zeitlang zu Studienzwecken in Venedig auf[155] – entstanden dann die zwei großflächigsten und für St. Paul repräsentativsten Gemälde in den Jahren 1625 und 1627: zwei übergroße Darstellungen (H 305 cm, B 204 cm o .R.) mit dem Martyrium des hl. Paulus und der Kreuzigung des hl. Petrus. Beide Gemälde zeigen, gewissermaßen als „Stifterbilder“, das persönliche Wappen des Abtes, jeweils mit beigefügter Inschrift *H(IERONYMUS) A(BBAS) S(ANCTI) P(AULI) F(IERI)F(ECIT)* bzw. *H(IERONYMUS) A(BBAS) S(ANCTI) P(AULI) / 1.6. 27. F(IERI) F(ECIT)*. Das Bild des hl. Paulus hat unten in der Mitte in Rollwerkrahmung eine Inschrifttafel mit der Inschrift *CVRSVM CONSVMAVI, FIDE(M) SERVAVI, DE RE-/ LIQVO REPOSITA EST MIHI CORONA IVSTITIAE, / 2 TIM 4 ANNO 1625*[156], das des hl. Petrus eine einfache, auf die Leinwand applizierte Schriftfläche mit dem Text *D(OMI)NE TV O(MN)IA NOSTI: / TV SCIS QVIA AMO TE.* / IOAN(NES) 21.[157] Die beiden vielfigurigen Gemälde sind signiert[158] und damit sicher dem Œuvre Glabers zuzuzählen. 1627 entstanden als ganzfigure Gegenstücke dazu die beiden Gemälde „Christus an der Geißelsäule“[159] und 1628 die „Schmerzhafte Muttergottes“[160]. Ein Jahr später malte Glaber ein zweites Bild des Abtes Marchstaller. Die originale siebenzeilige Beschriftung wurde – wohl anläßlich einer späteren „Restaurierung“ im 18. Jahrhundert – übermalt und inhaltlich verändert.[161] Original überliefert ist in der rechten oberen Ecke unter dem persönlichen Wappen des Abtes eine zweizeilige Inschrift, die zugleich auch zur Datierung des Bildes herangezogen werden kann: *AETATIS SVAE. LIIII. / AN(N)O M.DCXXIX.*[162] Richard Milesi[163] ordnete dieses Abtbild der Reihe der Gurker Bischofsporträts des 17. Jahrhunderts zu und verwies auf den in Venedig anläßlich seiner Reise nach Rom[164] erstandenen, im Bild dargestellten Brokatornat. Im Porträtvergleich der bäuerlich-energisch wirkenden Physiognomie des Abtes erkannte Richard Milesi dessen Antlitz „in der rechten Assistenzfigur des Vordergrundes“[165] am Altarbild mit dem Pfingstwunder in der Heiligengeistkirche in Klagenfurt wieder, eine Malerei auf Kupferplatten, die ebenfalls Jakob Lorenz Glaber zugeschrieben wird. Es war dies eine Auftragsarbeit der Ständisch-Verordneten für ihre ständische Kirche beim Landhaus. Die Verbindung zu Glaber stellte in diesem Fall wohl der kunstsinnige Abt Marchstaller als geistlicher Landstand und ständiger Auftraggeber und Förderer des „St. Pauler Hofmalers“ her. Aus dem Jahre 1631 ist ein drittes Bild des Abtes erhalten[166], fraglich, ob von Jakob Lorenz Glaber gemalt.

Im Jahre 1621 ließ Abt Marchstaller neben der Prälatur eine Hauskapelle einrichten. Weiters wurde der „ganze Stock bei Hof“[167] erneuert, drei Keller neu angelegt und eingewölbt, Fensterstöcke mit Steinfassungen versehen. Im „mittleren Stock" entstand eine neue Stube, genannt die „neue Malerei", daran anschließend eine gewölbte Kanzlei und die ebenfalls gewölbte „Hofstube". Das „Fürstenzimmer" im Obergeschoß fand eine besondere räumliche Ausgestaltung, und auch die angrenzenden Kammern und Räume wurden renoviert. Die Holzarbeiten leistete nach wie vor der Tischler aus Velden, die Maurerarbeiten teilten sich der Klagenfurter Adam Kholnigg und der aus St. Andrä stammende Veit Khreuzer. Letzterer errichtete im Kellergeschoß unter dem Konventsbau ein eigenes Noviziat[168] mit mehreren Stuben und Kammern, mit zwei Fenstern zum hier abfallenden Vorgarten („Anger") und einer Tür zum Kreuzgang. Die Steinmetzarbeiten, wie Tür- und Fensterstöcke, stammten wiederum von Johann Baptist Pelzer, die Verglasung erledigte der Glasermeister Hanns Roscher. Es folgten der Stiegeneinbau in den Speisekeller und die Pflasterung des Kreuzganges von der „neuen unteren Hofstube" bis zur Küche. Bis zum Jahre 1622 war der Westtrakt, unter Miteinbeziehung alter und ältester Bauelemente, sichtlich bis zum heutigen Stiegenaufgang in das Obergeschoß gediehen. Fertiggestellt war jedenfalls im ebenerdigen Laubengang das Refektorium. Man geht nicht fehl in der Annahme, daß der heutige Eingang in die Räume des Stiftsarchives auf Grund der über dem Eingang in die Steinfassung eingemeißelten Inschrift *REFICERE: NE GRAVABERE.1622* einen Zugang zum Speisesaal dokumentiert. Allein für die Baumeisterarbeiten in den Jahren 1621 und 1622 erhielt Veit Khreuzer einen Betrag von 774 Gulden 36 Kreuzern[169], woraus das umfangreiche Bauvolumen leicht zu erkennen ist. 1623 weist das „Gedingbuch" ganz enorme Ausgaben auf[170]: für den Maler Jakob Lorenz Glaber 438 Gulden, den Maurermeister Veit Khreuzer 346 Gulden und den Völkermarkter Glasermeister 142 Gulden 54 Kreuzer.

Ein Bildschnitzer aus Völkermarkt erhielt 1621[171] den Auftrag zur Fertigung zweier neuer Altäre, einen für die hl. Katharina und einen für die vierzehn Nothelfer. Einen weiteren Altar bestellte Abt Marchstaller 1622 beim Bildhauer Georg Thessel aus Marburg, der als „Stifteraltar"[172] deklariert war. Auch die Orgel[173] wurde neu gestimmt, diesmal von den Orgelmachern Jakob und Hanns Schlekhwin.

Es ist bemerkenswert und spricht für das Kunstverständnis des Abtes, daß er schon 1625 dem aus Pirna in Sachsen stammenden Bildhauer Michael Hönel[174] einen großen Altarauftrag erteilte, schon ein Jahr vor dem Vertrag zwischen dem Gurker Dompropst Georg Vizdom mit dem „Bildhauer und Inwohner zu Gurgg Michael Heonell"[175] zur Ausführung des großartigen Gurker Hauptaltares.

Zur Aufstellung des bei Michael Hönel in Auftrag stehenden Hochaltares übertrug Abt Marchstaller seinem Steinhauer Johann Baptist Pelzer am 11. Juli 1626 eine weitere Arbeit: Er sollte einen Altaraufsatz[176] aus Marmor schaffen, 10 Schuh lang und 4 breit. Der bestehende Hochaltar wurde vom Maurermeister Veit Khreuzer abgetragen, darunter ein Gruftraum mit einem Gewölbe eingebaut. Zudem wurde die Pflasterung im Querhaus erneuert. Der obere Chor (Altarbereich) wurde durch zwei Stufen erhöht und mit viereckigen Platten – vermutlich wiederum Pörtschacher Marmor, die der Steinhauer Ruep aus Klagenfurt[177] geliefert hatte – 1629 neu gepflastert. Der Tischler von Velden fertigte 1627 für das Presbyterium neben Arbeiten am Altaraufbau einen Sessel und drei Stühle.

Die bestens gelungene Arbeit Hönels wurde am 29. April 1629 geweiht und fand bei Marchstaller derartige Anerkennung, daß er ihn mit zwei weiteren Aufträgen auszeichnete. Hönel erhielt noch im Mai 1629[178] den Auftrag zur Schaffung eines Kreuzaltares und eines Prälatenstuhles aus Nußholz.

Am 18. Juli 1625 wurde neuerlich

Veit Khreuzer[179] vertraglich beschäftigt. Er hatte die zwei alten Pferdeställe mit den Getreideschüttböden abzubrechen und neu herzustellen. Ein Jahr später entstand im Anschluß an den Konvent ein Turm – der heute für die Stiftsansicht von Norden so charakteristische Eckturm – mit eingebautem *Cellarium*, zwei Badstuben und einem Raum, der wegen seiner Aussicht als „freundlicher Aufenthaltsraum für die Conventualen"[180] verwendet wurde. Der Konventsgarten selbst wurde vergrößert und ummauert. Bis zum Jahre 1631 erfaßte diese Mauer den gesamten Stiftshügel mit den umliegenden Gärten. Die annähernd zwei Klafter hohe Mauer hatte damals eine Länge von 1300 Klaftern und fand am 10. Juli 1631 ihren baulichen Abschluß. Als eine Art „Schlußstein" für diese Arbeiten findet sich neben dem Garteneingang im Westen beim Haus Nr. 4 im Markt St. Paul[181] eine Inschrifttafel:

S(ANCTVM) PAVLVM PATRONVM OPTIMV(M) / HOC CINGVLO ORNAVIT / HIERONYMVS ABBAS
S(ANCTI) PAVLI / ANNO M. DCXXXI.

Am 5. Juni 1631[182] wurde auch der Grundstein für das großartig geplante und auch ausgeführte Hauptportal des Stiftes gelegt. Der Südflügel des Wirtschaftsgebäudes und damit der äußere Klosterbereich waren bereits fertiggestellt, und es fehlte als krönender baulicher Abschluß nur noch dieses „Neue Stiftstor". Die Portalanlage wurde durch die doppelte Säulenädikula dreiteilig gegliedert[183]: in der Mitte durch das Hauptportal als Zufahrtstor mit einer bemerkenswerten manieristischen Rustikafassung[184], seitlich durch je eine rechteckige Fußgängerpforte. An den darüberliegenden Gebälken wurden Inschriften angebracht, die inhaltlich wiederum an den Stiftungsakt des Klosters anknüpfen. Richard Milesi[185] spricht diesem Hauptportal „unter den Portalen des Landes" mit Recht eine ganz besondere, einzigartige Stellung zu.

Links:
ABBATIA S(ANCTI) PAVLI APOSTOLI
Mitte:
AD DEI O(PTIMI) M(AXIMI) B(EATISSIMAE) V(I)RG(INIS) MARIAE S(ANCTI) PETRI ET PAVLI HONORE(M) / AD ORDINIS S(ANCTI) BENEDICTI VSVM ET DECOREM
Rechts:
FVNDATA AN(NO) 1091 CAL(ENDAS) MAY
Darüber:
ENGELBERTO COMITI DE SPANHAIM / ET LAVA(N)T FVNDATORI. INCLYTO. / CONIVGI[186]*. FRATRI MAGD(EBVRGENSIS) ARCHIEP(ISCOP)O / LIBERIS: POSTERISQVE.BENEFACTORIBVS: / POST DXXXXII A FVNDATIONE ANNOS*[187] */ HANC PORTAM HAEC MOENIA / MEMORIAE ET OBSERVANTIAE ERGO / HIERONYMVS ABBAS SANCTI PAVLI. / ANNO MDC XXXIII F(IERI) F(ECIT)*

Abt Marchstallers Baupläne waren mit dieser nun schon prächtigen neuzeitlichen Klosteranlage aber noch nicht beendet. Noch ein Jahr vor seinem Tode plante er den Neubau eines eigenen Konventsgebäudes[188] – hier möglicherweise mit der Aufführung eines Südtraktes zur Schließung des inneren Klosterbezirkes mit quadratischem Grundriß –, in dem 24 Zimmer für die Konventualen, Kammern, Krankenwohnungen, aber darüber hinausgehend auch eine Bibliothek, ein naturwissenschaftliches Laboratorium, ein Balneum und ein Kreuzgang eingeplant waren. Überliefert haben sich von diesem großen Projekt keine Baupläne, und auch die Ausführung ist in dieser Form nicht zustande gekommen. Wenngleich Abt Marchstaller noch am 17. Juni 1637 den Grundstein dazu gelegt hat, erlebte er wohl die ersten Baumaßnahmen nicht mehr. Eine teilweise Durchführung haben seine Nachfolger, wie dann etwa Abt Albert Reichart (1677–1727), mit dem quergestellten Bau der heutigen Bibliothek in Angriff genommen. Eine Inschrifttafel im Obergeschoß nahe dem Bibliothekseingang verweist auf die Tätigkeit des angesprochenen Abtes Albert.[189]

Baumassnahmen ausserhalb des Stiftes

Besonderes Augenmerk widmete Abt Marchstaller auch der Pfarrkirche von St. Paul, der Erhardikirche, östlich des Meiereihofes gelegen. Seit dem Ende des 14. Jahrhunderts waren die pfarrlichen Rechte von der ehemaligen Spanheimer Eigenkirche St. Ägidius auf die außerhalb der Klostermauern errichtete Friedhofskirche St. Erhardi übergegangen. Erstmals wurde diese Kirche dann urkundlich 1405 als *Parrochia sancti Erhardi*[190] bezeichnet. Auch hier fand 1623 der Maurermeister Veit Khreuzer Beschäftigung[191]. Vorerst wurde der Friedhof erweitert und die Friedhofsmauer erneuert. Nach der Neueindeckung der Türme und des Kirchendaches wurde die Kirche außen frisch verputzt und geweißt, mit dem sorgetragenden Vermerk Marchstallers im „Gedingbuch"[192], dabei aber die Gemälde nicht zu beeinträchtigen. Bedeutender waren die Innenrestaurierungen. Chor und Langhaus wurden eingewölbt, beim Turm „eine gewölbte Sängerempore auf zwei gehauenen Säulen"[193] errichtet, die heute noch Marchstallers Initialen und das Baudatum tragen: *H(IERONYMUS) A(BBAS) S(ANCTI) P(AVLI) / 1624.* Die gleiche Jahreszahl findet sich auch im Türsturz des Sakristeiportales. Der Kirchenboden wurde neu gepflastert und das Chorgewölbe mit Jakob Lorenz Glaber[194] zugeschriebenen Malereien dekoriert, die leider nicht mehr erhalten sind. Da auch die Altäre von den Umbauten betroffen waren, wurde die Pfarrkirche am 19. April 1626 vom Bischof Leonhard II. Goetz von Lavant (1619–1640) neu geweiht. Bei der Erhardikirche entstand im Auftrag Marchstallers[195] auch ein neues Spital.

Größere Veränderungen ließ Abt Marchstaller bei der zu St. Paul gehörenden Kirche St. Martin im Granitztal vornehmen. Das baufällige Meiereihaus wurde 1624 ebenso wie der Pfarrhof umgebaut[196], die Pfarrkirche einer weitgehenden Restaurierung unterzogen.

Zu den Neubauten zählt die Kirche Maria Hilf in der Wüste, genannt auch am Radel, in der Steiermark. Die Grundsteinlegung erfolgte hier schon am 28. August 1627[197], die Konsekrierung aber erst nach dem Tode Marchstallers unter Abt Paul Memminger im Jahre 1641.[198] Auch die Filialkirche St. Christophorus am Christofberg, südöstlich vom Magdalensberg, geht auf Abt Marchstaller[199] zurück, der hier am 18. Juli 1627 den Grundstein gelegt hat.

In dem am 30. Jänner 1619 für das Stift in Klagenfurt gekauften Haus, dem sogenannten Schickh'schen Haus[200] beim Villacher Tor (heute ein Teil des sog. Gutenberghauses am Heiligengeistplatz), ließ Abt Marchstaller 1623 eine Kapelle einbauen. Auch die Schloßkapellen auf Rabenstein und in Unterdrauburg wurden erneuert. Von Adam Lindtner, Ratsbürger zu Unterdrauburg, kaufte er im Jahre 1631[201] ein Haus für das Stift. Die Häuser des Stiftes in Völkermarkt und in Marburg wurden bei Bränden im Jahre 1622[202] großteils zerstört und unter Abt Marchstaller wieder aufgebaut bzw. restauriert.

In seiner Funktion als Kärntner Landstand war es ihm ein großes Anliegen, die nahe dem Landhaus befindliche und bereits stark baufällige landständische Heiligengeistkirche wieder neu aufzubauen. Nicht zuletzt wegen seines persönlichen Einsatzes ernannten ihn die Ständisch-Verordneten zum „Baumeister" dieser Kirche. So konnte Abt

Marchstaller mit Genugtuung am 24. Juni 1630[203] vor versammeltem Landtag und unter Beisein der Stadtbevölkerung hier den Grundstein legen. Den Auftrag zur Fertigung eines großen Altarbildes mit der Darstellung des Pfingstwunders erhielt sein „Hofmaler" Jakob Lorenz Glaber.[204] Wenngleich die Kirche beim großen Stadtbrand von Klagenfurt am 2. Juni 1636 fast unbeschädigt geblieben war und die Bauarbeiten weitergingen, erlebte Abt Marchstaller auch hier die Konsekrierung nicht mehr, die erst 1639 vom Lavanter Bischof Leonhard II. Goetz vorgenommen wurde.

Als eifriger Förderer von Klosterbauten war Abt Marchstaller auch mehrfach bemüht, der Gegenreformation in Kärnten und im besonderen im Lavanttal durch die Neugründung von Klöstern zu dienen. So hat er in den frühen dreißiger Jahren des 17. Jahrhunderts mit besonderem Eifer die Erbauung eines Kapuzinerklosters in Wolfsberg unterstützt und konnte am 17. September 1634[205] den Grundstein zum Neubau legen.

Neben dem Neubau der ständischen Heiligengeistkirche war Abt Marchstaller auch bemüht, den Ständisch-Verordneten die Errichtung eines Jungfrauenklosters in Klagenfurt zu empfehlen. Seine diesbezüglichen Unterlagen und Gutachten fanden durchaus das Wohlwollen der Landstände.

Zur Verwirklichung dieser Anregung kam es allerdings erst lange nach Marchstallers Tod, nämlich im Jahre 1670, mit der Einrichtung eines Ursulinenklosters[206] bei der Heiligengeistkirche.

Anmerkungen

1. B. Schroll, Hieronymus Marchstaller, Abt des Benedictiner-Stiftes St. Paul im Lavantthale (. . .) 1616–1638 (1891), S. 137.
2. StA, HS 81a/0, fol. 1 (Vorrede v. 19. I. 1617).
3. Ebd.
4. Ebd., fol. 67'.
5. StA, HS 17/0, fol. 93: Hier steht über einen merkwürdigen Blitzschlag folgendes: *Mirabile est, quod ante haec tempora saepino fulmen a coelo in turres illapsum fuerit tempestatibus ortis, adeo ut semel Vincentius abbas, cuius cubiculum contiguum tirribus noctu e lecto prorupuerit, cum fulmen illapsum non tantum turrim, sed etiam cubiculum illius et argentarium invaserit. Modernus abbas cubiculum illius et argentariuam invaserit. Modernus abbas* (gemeint: Hieronymus) *hoc remedium excogitat, novis crucibus utrique turri impositis imponit simul supra deauratum nomen Jesu et Mariae et apicibus includit agnus Dei et reliquias. Terribilibus aëreis tempestatibus illaque hoc anno in festo Petri et Pauli terribili tempestate orta aliquot fulmina circa monasterium, et ut aliquot asserunt, iuxta turrim unam illapsum et non valens cruces et sacra nomina Jesu et Mariae, flectunt cruces et incurvant, non tamen deiciunt; quae tamen postea ferro potius firmatae, iterum sunt erectae. Amanuensis dns. Bernhardus suis oculis vidit et testatus factum.* Vgl. Schroll, Marchstaller (wie Anm. 1), S. 137, A. 1.
6. Schroll, Marchstaller (wie Anm. 1), S. 155.
7. Ebd., S. 154.
8. StA, HS 81a/0, fol. 97.
9. Ebd., fol. 29ff.
10. Schroll, Marchstaller (wie Anm. 1), S. 137ff.
11. StA, HS 81a/0, fol. 95'; W. Fresacher, Regesten zur Bau- und Kunstgeschichte des Stiftes, in: ÖKT 37 (1969), S. 484.
12. StA, HS 17/0, fol. 93; Schroll, Marchstaller (wie Anm. 1), S. 138.
13. Ebd.
14. ÖKT 37 (1969), S. 68 u. S. 97.
15. Schroll, Marchstaller (wie Anm. 1), S. 138.
16. StA, HS 81a/0, fol. 96; vgl. auch Schroll, Marchstaller (wie Anm. 1), S. 138.
17. ÖKT 37 (1969), S. 97.
18. StA, HS 81a/0, fol. 100'.
19. R. Milesi, Manierismus in Kärnten. Zur Kunst des späten 16. Jahrhunderts (1973), S. 73 u. Abb. 115.
20. StA, HS 81a/0, fol. 101 bzw. 102.
21. Ebd., HS 17/0, fol. 93; Ebd., HS 293e/0, fol. 128.
22. Ebd., HS 81a/0, fol. 28'.
23. Ebd., fol. 96: diese Zuweisung wurde später durchgestrichen.
24. Ebd., fol. 97'.
25. Ebd., fol. 96'.
26. Schroll, Marchstaller (wie Anm. 1), S. 138.
27. StA, HS 81a/0, fol. 136'.
28. Ebd., fol. 100.
29. Ebd., fol. 98.
30. StA, Uk. 1617 IX 1 (Original); Schroll, Marchstaller (wie Anm. 1), S. 139.
31. Abt Ulrich III. Schrimpf (1401 – 1414); vgl. Schroll, Marchstaller (wie Anm. 1), S. 139.
32. StA, HS 81a/0, fol. 137'.
33. Schroll, Marchstaller (wie Anm. 1), S. 156.
34. Ebd.
35. StA, HS 81a/0, fol. 138: „wegen eines Marblsteines (. . .) in dem er ein schrüfft mahen soll".
36. ÖKT 37 (1969), S. 62ff.
37. StA, HS 1/0: *Nasci Pati Mori / Hoc est / De Fundatione / Rerum statu / Prospero Adverso / Vita et Morte / Fundatorum (et) Benefactoru(m) / Abbatum*

et Monachorum / Monasterij S(ancti) Pauli vallis Lauantinae / Auctore / R(everendissi)mo D(omi)no Hieronymo Abbate / Monasterij eiusdem / Anno D(omi)ni. M.DC.XIX.

38. SS für *S(ANCTAE)* oder *S(ANTISSIMAE)*.
39. Siehe ÖKT 37 (1969), S. 63.
40. In der Literatur ist für Maria Magdalena ein zweites Patrozinium angeführt.
41. A. v. JAKSCH, Geschichte Kärntens bis 1335. II. Bd.: 1246 – 1335 (1929), S. 261; MC 3, S. XXIIff.
42. Vgl. dazu W. FRESACHER, Eine aufschlußreiche Urkunde aus dem Jahre 1319, Car. I 147 (1957), S. 357ff.; E. KLEBEL, Zur Geschichte der Pfarren und Kirchen Kärntens, Car. I 115 (1925), S. 29 u. S. 39; vgl. MC 3, Nr. 172a.
43. Vgl. JAKSCH, Geschichte II (wie Anm. 41), S. 259.
44. MC 3, Nr. 488: (. . .) *constituit in ecclesia beatissimi Pauli apostoli (. . .) super ripam Lauandi fluminis in castro suo construxerat (. . .).*
45. MC 3, Nr. 498: *Regimen quoque plebis a tempore sancti Hardwici ad eandem ecclesiam pertinentis abbati eiusque succesoribus concessit sepulturam loci omnimodis liberam esse decrevit.*
46. EBD.
47. MC 4/1, Nr. 2212 (Friesach 1240 XII 6): (. . .) *in ecclesia sancti Egidii que sita est in ipso monasterio, que parrochialis dicitur* (. . .).
48. STA, HS 1/0 (wie Anm. 37), fol. 57; vgl. dazu UB ST. PAUL, S. 449ff.; J. RAINER, Die Seelsorgestationen der Diözese Gurk, in: Austria sacra. 1. Reihe, II. Bd., 7. Lief. (1962), S. 97ff.
49. SCHROLL, Marchstaller (wie Anm. 1), S. 139.
50. EBD., S. 139.
51. STA, HS 81a/0, fol. 143: 24 XI. 1618.
52. EBD.
53. STA, UK vom 16. IV. 1618; SCHROLL, Marchstaller (wie Anm. 1), S. 140.
54. STA, HS 1/0 (wie Anm. 37), fol. 67'.
55. B. KNAPP, Die Äbte von St. Paul und ihre Siegel, in: ÖKT 37 (1969), S. 491.
56. STA, HS 1/0 (wie Anm. 37), fol. 76'.
57. EBD., fol. 69; UB ST. PAUL, S. 217, Nr. 200; FRESACHER, Regesten (wie Anm. 11), S. 481.
58. STA, HS 81a/0, fol. 1ff.
59. R. STRELLI, Das Stift St. Paul in Kärnten unter Abt Ulrich Pfinzing, Studien und Mitteilungen zur Geschichte des Benediktinerordens und seiner Zweige, Bd. 36, NF 5 (1915), S. 93ff.; SCHROLL, Das Benediktiner-Stift St. Paul, Car. 66 (1876), S. 128ff.
60. STA, HS 1/0 (wie Anm. 37), fol. 82.
61. EBD.: (. . .) *An non recti(us) iste miserabilis Abbas potius p(rae)do mon(aste)rij dicendus quam praesul?*
62. EBD., fol. 81'; vgl. dazu STRELLI, Pfinzing (wie Anm. 59), S. 8.
63. STA, HS 1/0 (wie Anm. 37), fol. 83.
64. Siehe dazu hier, S. 525 ff.
65. ÖKT 37 (1969), S. 122ff., S. 160ff. u. Abb. 211 u. 213ff.; vgl. B. RADER, Geschichte der Äbte von St. Paul. 3. Tl.: Vom 31. bis zum 40. Abt (1500 – 1638), JbSP (1982/83), S. 15ff.; KNAPP, Siegel (wie Anm. 55), S. 492; R. MILESI, Loy Hering und das Grabmal des Abtes Ulrich Pfinzing, Car. I 149 (1959), S. 445ff.; DERS., Romanische und ritterliche Grabplastik Kärntens (1963), S. 16ff.; F. DWORSCHAK, Die Werke des Loy Hering in Österreich, Wiener Jb. für Kunstgeschichte 4 (1926), S. 86ff.; vgl. auch STRELLI, Pfinzing (wie Anm. 59), S. 93ff.
66. Vgl. SCHROLL, Marchstaller (wie Anm. 1), S. 141; ÖKT 37 (1969), S. 122: Ginhart irrt, wenn er als Baudatum dieser Kapelle das Jahr 1621 angibt.
67. STA, HS 81a/0, fol. 184'.
68. SCHROLL, Marchstaller (wie Anm. 1), S. 142.
69. Ein Sohn des 1608 (?) in Klagenfurt verstorbenen Malers Anton Blumental, siehe MILESI, Manierismus (wie Anm. 19), S. 59ff.
70. STA, HS 81a/0, fol. 142.
71. EBD., fol. 139.
72. STA, HS 17/0, fol. 105; vgl. auch SCHROLL, Marchstaller (wie Anm. 1), S. 141ff.
73. J. OBERSTEINER, Die Bischöfe von Gurk 1072 – 1822 (1969), S. 365, Anm. 82.
74. STA, HS 81a/0, fol. 142; ÖKT 37 (1969), S. 121; A. v. JAKSCH, Das Testament des Malers Anton Blumenthal vom Jahre 1603, Car. I 88 (1898), S. 133.
75. ÖKT 37 (1969), S. 128ff.
76. K. TANGL, Reihe der Bischöfe von Lavant (1841), S. 230ff.
77. SCHROLL, Marchstaller (wie Anm. 1).
78. EBD., S. 156.
79. EBD.
80. EBD.
81. EBD., S. 142ff.
82. STA, HS 81a/0, fol. 179: Hier ist die alte Marienkapelle (Rabensteinerkapelle) gemeint.
83. EBD., fol. 182'.
84. STA, HS 81a/0, fol. 183': Hier steht „Pocabello"; wohl der Sohn des 1610 gestorbenen landschaftlichen Baumeisters und Steinbildhauers Martin Pocabello; vgl. dazu R. MILESI, Barock und Klassizismus in der Grabplastik (1965), S. 15ff.
85. STA, HS 16/0, pag. 1031; SCHROLL, Marchstaller (wie Anm. 1), S. 144.
86. H 115 cm; er erhielt für diese Arbeit 100 Gulden; STA, HS 81a/0, fol. 184.
87. Vgl. KLA, Wappenbuch B, fol. 33: In Blau ein silberner Balken, belegt mit einem kurzen naturfarbenen, szepterartigen Stab, unten am Griff von einer Hand mit einem Armstumpf gehalten, oben ein aufgesetzter schwarzer Hut, geziert auf der Krempe mit einer rot-weißen Kordel.
88. ÖKT 37 (1969), S. 146ff.
89. STA, HS 81a/0, fol. 177'.
90. ÖKT 37 (1969), S. 122.
91. Siehe dazu hier, S. 527.
92. Wohl das Wappen Pfinzings; siehe auch die Beschriftung des erhaltenen Grabmals. Siehe hier, S. 526.
93. EBD.
94. EBD., S. 531.
95. EBD., S. 532.
96. EBD., S. 533.
97. EBD., S. 531; vgl. die Wappengleichheit mit den Wappen auf der figuralen Grabplatte des Hans Han von Hanperg.
98. Siehe dazu auch hier, S. 696.
99. ÖKT 37 (1969), S. 121ff. u. S. 154; MILESI, Manierismus (wie Anm. 19), S. 63; M. A. JELONEK, Die Rabensteinerkapelle und ihre Ausmalung, JbSP (1984/85), S. 50 u. S. 52; Die Kunstdenkmäler Österreichs. Kärnten. DEHIO-HANDBUCH (^{2}1981), S. 589.
100. STA, HS 81a/0, fol. 142.
101. EBD., HS 1/0, fol. 27; SCHROLL, Marchstaller (wie Anm. 1), S. 143ff.; DERS., Necrologium des Benedictinerstiftes St. Paul im Lavantthale, AVGT 10 (1866), S. 97. Siehe auch hier, S. 520 f.
102. STA, HS 1/0, fol. 27.
103. EBD., HS 81a/0, fol. 223'.
104. EBD., fol. 228: 25. VIII. 1620.
105. EBD.
106. EBD., fol. 140: „obern poden".
107. EBD., fol. 184'.

108. EBD.: Bei einem Umrechnungsschlüssel von 1 Schuh = 0,318 m ergeben sich folgende Ausmaße: Gesamthöhe 9,85 m, Gesamtbreite 4,13 m, Innenhöhe 5,08 m, Innenbreite 2,86 m; ein Steinquader wird mit etwa 0,63 x 0,47 m angegeben.
109. EBD.
110. EBD., fol. 180.
111. EBD.
112. EBD., fol. 181.
113. Ein senkrecht übermauerter Bogen.
114. STA, HS 81a/0, fol. 180.
115. EBD., fol. 181: Für all diese Arbeiten erhielt der Maurermeister 325 Gulden, wobei festgehalten wurde, daß er 7 bis 8 Wochen an mehreren Stellen zugleich mit 8 Leuten gearbeitet hat (fol. 182).
116. EBD., fol. 219'.
117. EBD., fol. 220.
118. Heute außen an der Südwestecke des Wirtschaftsgebäudes; vgl. ÖKT 37 (1969), S. 181.
119. STA, HS 81a/0, fol. 261.
120. EBD., fol. 221'.
121. EBD.
122. EBD., fol. 226: 20. VIII. 1620.
123. SCHROLL, Marchstaller (wie Anm. 1), S. 158.
124. STA, HS 81a/0, fol. 227: 8. VIII. 1620.
125. SCHROLL, Marchstaller (wie Anm. 1), S. 158.
126. STA, HS 81a/0, fol. 263.
127. MILESI, Manierismus (wie Anm. 19), S. 62; ÖKT 37 (1969), S. 124.
128. STA, HS 81a/0, fol. 142'.
129. EBD., fol. 264': Beide für 10 Gulden, daher waren es wohl relativ kleine Bilder.
130. EBD., fol. 266: „so zu Wolfsberg mit den heiligen drei Hostien beschehen, 2 Ellen lang und eine hoch (. . .)"; vgl. SCHROLL, Marchstaller (wie Anm. 1), S. 159, Anm. 1: Das Mirakel bezog sich auf eine Judenverfolgung in Wolfsberg im Jahre 1338 wegen angeblicher „Durchstechung heiliger Hostien". Das Bild hängt heute in der Pfarrkanzlei des Stiftes.
131. Heute im Klausurgang; das Bild trägt die Inschrift: *S(ANCTVS) WILHELMVS ABBAS HIRSAVGIENSIS MIRACVLIS CLARVS / SVOS DISCIPVLOS MONACHOS IN MON(ASTE)RIO S(ANCTI) PAVLI PRIMO /INSTITVIT anno 1091.* Das Gemälde ist leider sehr stark verrestauriert und in schlechtem Zustand; vgl. SCHROLL, Marchstaller (wie Anm. 1), S. 159.
132. ÖKT 37 (1969), S. 188.
133. Siehe Anm. 37.
134. Y steht für II: *CAL(ENDAS) MAII*, d. i. der 1. Mai 1091.
135. ÖKT 37 (1969), S. 187; G. HEINZ, Gemälde, in: ÖKT 37 (1969), S. 323.
136. Inschrift: *S(ANCTVS) HARTWICVS ARCHIEP(ISCOP)VS SALISBVRGE(N)SIS / AVVS PATRVVS FVNDATORIS CVIVS INSTINCTV FVNDATIO / CEPTA. OBYT ANNO 1033.*
137. Inschrift: *S(ANCTI) THIEMO PRIUS ABBAS S(ANCTI) PAULI POSTEA ARCHIE/P(ISCOP)US SALISBURGENSIS DISCIPULUS S(ANCTI) WILHELMI 1. DECEMBRIS anno 1093. / MON(ASTE)RIVM AC SVMVM TEMPLVM S(ANCTI) PAVLI CONSECRAT: OBIIT MARTYR / anno 1101.* Die Inschrift ist nicht in ursprünglicher Schreibung überliefert.
138. W. FRESACHER, Das Benediktinerstift St. Paul in Kärnten (Geschichtlicher Überblick), in: ÖKT 37 (1969), S. 16.
139. Inschrift: *B(EATVS) DIETRICVS MONACHVS ET EREMITA IN VICINO / MONTE S(ANCTI) IOANNIS, MIRACVLIS CLARVS; SEPELITVR IN SVMMO TEMPLO S(ANCTI) PAVLI.*
140. Inschrift: *RICHARDA comitissa Lauantina, mater Fundatoris,* templum S(ancti) / Pauli fundauit, compostellam peregrinata obyt, sepelitur ad / S(anctum) Paulum.
141. Inschrift: *ENGELBERTVS. Comes spanhaimensis Et Lauantinus funda/tor Anno 1091 cal(endas) may Mon(aste)r(iu)m S(ANCTI) PAVLI. monastic(u)m Ha/bitu(m) suscepit ac anno 1095 mense Aprili obyt. sepelitur in / S(ANCTI) PAVLI.* Rechts oben das Spanheimer Wappen (geschacht); Graf Engelbert ist 1096 gestorben.
142. Inschrift: *HARTWIGA COM(M)ITISSA Carinthiae, Coniunx Fundatoris / quae Mon(as)t(eriu)m fundauit anno 1091. sepulta est in Mon(aste)r(i)o S(ancti) Pauli.* Links vor dem Kopf der Stifterin das Kärntner Wappen, hier in zweifacher Hinsicht falsch beigefügt: Sie war nicht die Schwester der Eppensteiner Liutold und Heinrich, Herzöge von Kärnten, und somit nicht Gräfin von Kärnten, zum anderen entstand das abgebildete Kärntner Wappen erst zur Zeit des Spanheimer Herzogs Bernhard; F. HAUSMANN, Siegfried, Markgraf der „Ungarnmark" und die Anfänge der Spanheimer in Kärnten und im Rheinland, Jb. für Landeskunde von Niederösterreich 43 (1977), S. 150 f. Siehe den Beitrag hier, S. □. Vgl. dazu auch FRESACHER, Geschichte St. Paul (wie Anm. 138), S. 16 u. Anm. 5.
143. Inschrift: *HARTWICVS frater Fundatoris Archiep(iscopu)s Magdeburgen/sis, Mon(aste)ry S(ancti) Pauli maximus benefactor, obyt anno 1101.*
144. STA, HS 81a/0, fol. 70; vgl. auch SCHROLL, Marchstaller (wie Anm. 1), S. 160.
145. STA, HS 81a/0, fol. 269': 2. VI. 1621.
146. ÖKT 37 (1969), S. 97 u. S. 122.
147. SCHROLL, Marchstaller (wie Anm. 1), S. 142.
148. Die Aufzählung der Päpste von Alexander V. (1409 – 1410) bis zu Paul V. (1605 – 1621) bestätigt zumindest, daß die Inschrift in erster Fassung und damit auch das Gemälde spätestens 1621 entstanden sind; siehe ÖKT 37 (1969), S. 122 u. Abb. 163.
149. M. WUTTE, Beiträge zur Kunde Kärntner Künstler. 4. Landschaftliche Stukkateure, Car. I 124 (1934), S. 103ff.
150. Siehe Joh. 19, 27.
151. STA, HS 81a/0, fol. 269': 2. VI. 1621.
152. Dieses Gemälde hat sich sichtlich nicht erhalten.
153. STA, HS 81b/0, fol. 27'.
154. EBD., fol. 27': Eine Verkündigungsdarstellung.
155. MILESI, Manierismus (wie Anm. 19), S. 62f.; ÖKT 37 (1969), S. 152; M. WUTTE, Beiträge zur Kunde Kärntner Künstler. 3. Landschaftliche Maler, Car. I 124 (1934), S. 98ff.
156. Siehe 2 Tim. 4, 7 – 8: *Bonum certamen certavi, cursum consummavi, fidem servavi. In reliquo reposita est mihi corona iustitiae* (. . .).
157. Siehe Joh. 21, 17.
158. Paulusbild von 1625, rechts neben der Schrifttafel steht: *IACOB(VS) LAV(RENZIVS) GLABER(VS) PINXIT.* Petrusbild von 1627, links unten das Künstlermonogramm mit Inschrift: *ILG* [JAKOB LORENZ GLABER] *PINX(IT).*
159. Inschrift: *QVEM TE IPSVM FACIS IOAN(NES) CAP(ITEL) 16.* Am Sockel der Säule das persönliche Wappen Marchstallers, darüber die Inschrift: *H(IERONYMUS) A(BBAS) S(ANCTI) P(AVLI) 1627;* vgl. MILESI, Manierismus (wie Anm. 19), S. 63 u. Abb. 96; HEINZ, Gemälde (wie Anm. 135), S. 296 (Nr. 40).
160. Inschrift: *ECCE MATER TVA IOAN(NES) 19 CAP(ITEL) 1628.* Siehe Joh. 19, 27.
161. Ursprüngliche Inschrift, soweit noch lesbar: *HIERONYMVS ABBAS QVA[DR]AGESIMV[S A(BBAS)]*

/ PROFESSVS MON(ASTE)RY OCHSENHAVSEN (. . . . .] / PRIOR S(ANCTI) LAMBERTI IN STYRIA ET [. . . . .]ATUR 15. MARTY. ANNO 1616 [. . . . . . .]. Die später „veränderte" Inschrift – auch die Inschriften der vermutlich ebenfalls von Marchstaller in Auftrag gegebenen Äbtebilder, von denen die der Äbte Konrad III. (1359 – 1391), Johann III. (1483 – 1488), Siegmund Jöbstl v. Jöbstlberg (1488 – 1498) und Veit Pissinger (1530) erhalten geblieben sind – lautet: *40. HIERONYMUS MARCHSTALLER, / professus Ochsenhusan(us), Prior S(ancti) Lamberti, Abbas ad S(anctum) Paulum, / Archidiaconus inferioris Carinthiae, Religionis in nostra Provincia Refor/mator, Episcopatus Lavantini Administrator, Caesaris Consiliarius; post/quam domi forisq(uae), aucto(.) bonis Mon(aste)rio sui nominis mensura(m) adimplevisset, / et Ecclesiam Beatiss(imae) Virginis in E(xt)remo Styriae prim(us) errexisset, omnia reliquit, ut e/tiam Caeli fieret sivis. A(nno) C(hristi) 1638.* Vgl. HEINZ, Gemälde (wie Anm. 135), S. 321 (Nr. 191); ÖKT 37 (1969), S. 186.

162. Marchstaller, 1576 geboren, stand im 54. Lebensjahr; damit ist dieses Bild nach seinem Geburtstag am 20. IV. 1629 gemalt bzw. beschriftet worden.
163. MILESI, Manierismus (wie Anm. 19), S. 16 u. Abb. 9.
164. EBD., ÖKT 37 (1969), S. 185.
165. MILESI, Manierismus (wie Anm. 19), S. 63.
166. Die Inschrift lautet hier: *HIERONYMVS ABBAS S(ANCTI) PAVLI, S(ACRAE) C(ESAREAE) M(AIESTATIS) / AC ILLUST(RISSIMI) ET BCMI (?) PRINCIPIS ARCHIEPI(SCOPI) / SALISB(VRGENSIS) CONSILIARI(VS), ET INFERIORI CA/RINTHIAE COMM: (. . .) ARCHIDIAC(ONVS) NEC NON PROCERI / ARCHIDVCAT(VS) CARINTHIAE DEPVTVS ORDINARI(VS) / ANNO CHR(IST)I 1631. AETATIS SVAE 55.*
167. SCHROLL, Marchstaller (wie Anm. 1), S. 159.
168. EBD.
169. EBD., S. 160.
170. STA, HS 81b/0, fol. 70ff.; vgl. SCHROLL, Marchstaller (wie Anm. 1), S. 160.
171. STA, HS 81a/0, fol. 263.
172. EBD., HS 81b/0, fol. 69.
173. SCHROLL, Marchstaller (wie Anm. 1), S. 145.
174. Vgl. K. GINHART, Michael Hönel und seine Beziehung zum Stifte St. Paul i. L., Car. I 149 (1959), S. 152ff.
175. F. G. HANN, Beiträge zur neueren Kunstgeschichte des Gurker Domes, Car. I 86 (1896), S. 162f.
176. SCHROLL, Marchstaller (wie Anm. 1), S. 145ff.
177. EBD., S. 146.
178. STA, HS 81c/0, fol. 98.
179. SCHROLL, Marchstaller (wie Anm. 1), S. 161.
180. EBD.
181. St. Paul Nr. 4, beim Gasthaus E. Poppmeier.
182. SCHROLL, Marchstaller (wie Anm. 1), S. 162.
183. ÖKT 37 (1969), S. 181.
184. MILESI, Manierismus (wie Anm. 19), S. 16.
185. EBD., S. 16; vgl. auch ÖKT 37 (1969), S. 181.
186. Übermeißelt: V über M.
187. Gerechnet vom Zeitpunkt der Portalstiftung 1633 an, ergibt zum Stiftungsjahr von 1091 genau 542 Jahre.
188. SCHROLL, Marchstaller (wie Anm. 1), S. 164ff.
189. Siehe dazu hier, S. 544.
190. UB ST. PAUL, S. 321, Nr. 349; ÖKT 37 (1969), S. 449ff.; J. RAINER, Die Seelsorgestationen der Diözese Gurk, in: Austria sacra. 1. Reihe, II. Bd., 7. Lieferung (1962), S. 97ff.
191. SCHROLL, Marchstaller (wie Anm. 1), S. 145 u. S. 150.
192. STA, HS 81b/0, fol. 75.
193. SCHROLL, Marchstaller (wie Anm. 1), S. 150; vgl. dazu FRESACHER, Regesten. Zur Baugeschichte der alten Pfarrkirche St. Erhard, in: ÖKT 37 (1969), S. 488.
194. ÖKT 37 (1969), S. 450ff.
195. SCHROLL, Marchstaller (wie Anm. 1), S. 155.
196. EBD., S. 161.
197. EBD., S. 151.
198. STA, HS 16/0 *ARCHIVVM / MONASTERII / SANCTI PAVLI / CARINTHIAE / PARS QVARTA / AB / ANNO M.D.C.XXV. / VSQUE AD ANNV(M) M.DC.XXX / Ịußu (et) imperio / Reverendißimi Nobilis (et) Am/plißimi D(omi)ni D(omi)ni / Philippi Abbatis / Collectum / <a.D. Alberto S.P. Monacho / Anno 1671>*, pag. 552.
199. SCHROLL, Marchstaller (wie Anm. 1), S. 153; DEHIO-Kärnten (wie Anm. 99), S. 64.
200. SCHROLL, Marchstaller (wie Anm. 1), S. 111; DERS., Das Benediktiner-Stift St. Paul, Car. 66 (1876), S. 173; W. FRESACHER, Der Besitz des Klosters St. Paul in Kärnten, Car. I 149 (1959), S. 356. Zur Familie des ständischen Bauzahlmeisters Marx Schickh, dessen Sohn Seifried Schickh das Haus dem Stift verkauft hatte, vgl. W. DEUER, Das Ständische Bauzahlamt in Kärnten und seine Rechtsnachfolger, Car. I 178 (1988), S. 165ff.
201. SCHROLL, Marchstaller (wie Anm. 1), S. 152ff.
202. EBD., S. 160.
203. SCHROLL, Marchstaller (wie Anm. 1), S. 153ff. u. S. 293.
204. MILESI, Manierismus (wie Anm. 19), S. 63 u. Abb. 99; DEHIO-Kärnten (wie Anm. 99), S. 276.
205. STA, HS 16/0, Pars IV., pag. 439; SCHROLL, Marchstaller (wie Anm. 1), S. 154.
206. EBD., S. 298ff.

Die beiden Querhausaltäre und die Kanzel in der Stiftskirche

BARBARA KIENZL

Die Stiftskirche von St. Paul beherbergt neben den bedeutenden gotischen Fresken auch eine bemerkenswerte, qualitativ hochstehende barocke Ausstattung, die hauptsächlich auf die Regierungszeit des Abtes Anselm I. Passauko zurückgeht, der 1748 zum 46. Abt von St. Paul gewählt wurde und 1778 verstarb.[1]

Die, wenn nicht von einem Meister, so doch aus derselben Werkstatt stammenden beiden Querhaus- und vier Seitenschiffaltäre wurden bereits von Karl Ginhart eingehend beschrieben. Ginhart versuchte auch der bis heute ungeklärten Meisterfrage nachzugehen, kam aber zu keiner plausiblen Lösung, sondern stellte nur mehr oder minder allgemeine stilkritische Betrachtungen an.[2]

Auf Grund neuer Ergebnisse der Kärntner Barockforschung kann der Kreis der in Frage kommenden Meister eingeengt und die Bedeutung der Altarplastik für die Kärntner Kunstlandschaft des 18. Jahrhunderts dargestellt werden.

Sowohl die beiden Querhausaltäre als auch die vier Seitenschiffaltäre waren bis zur „Gesamtrenovierung" der Stiftskirche in den dreißiger Jahren anders postiert. So befanden sich die beiden Querhausaltäre, die seit 1936 in den nord- und südwestlichen Ecken des Querhauses stehen, bis dahin vor den Seitenapsiden, die dadurch unsichtbar waren.

Die vier Seitenschiffaltäre standen an den Westseiten der Pfeiler des Mittelschiffes und wurden 1935 an ihren heutigen Plätzen – an den Seitenschiffwänden – aufgestellt.[3]

DIE QUERHAUSALTÄRE

Die beiden gleichartigen, auch ikonographisch sehr interessanten Querhausaltäre, der Marienaltar im Süden und der Stifter- oder Dreifaltigkeitsaltar im Norden, zeigen eine leicht konkav geschwungene Altararchitektur, die durch kannelierte Pilaster und Säulen mit korinthisierenden Kapitellen gegliedert ist. Der Marienaltar mit der unter einem Baldachin, vor einem Wolken- und Strahlenkranz in der Mittelnische sitzenden Muttergottes besitzt mit den flankierenden Statuen der Heiligen Joachim und Josef Beispiele qualitätsvollster Barockplastik. Bekrönt wird der Altar von einem ebenfalls figuralplastisch gestalteten Aufsatz mit der Darstellung der Erzengel Raphael und Tobias in der Mitte und den seitlich auf Voluten sitzenden hl. Ildefons und dem hl. Thomas von Aquin.

Mehrere Putten, Rocailleornament, Wolkenmotive und Kartuschen runden das Bild des Altars ab. Formal im großen und ganzen gleichartig gestaltet, stellt ikonographisch gesehen der sog. Stifter- oder Dreifaltigkeitsaltar in Kärnten eine Besonderheit dar.

In der Mittelnische ist die vierköpfige Stiftergruppe um eine Weltkugel postiert. Im Vordergrund weisen die beiden Grafen Siegfried und Engel-

Abb. 151: Stiftskirche; südliches Querhaus: Marienaltar, 3. Viertel des 18. Jahrhunderts

Abb. 152: Stiftskirche, südliches Querhaus: Marienaltar, hl. Josef

Abb. 153: Stiftskirche; Marienaltar, hl. Joachim

bert von Spanheim auf einen ausgerollten, von Hadwiga gehaltenen Klosterplan (nach den Vorstellungen des Abtes Marchstaller), hin. Rechts neben Hadwiga steht Siegfrieds Gemahlin Richardis. Die Figuren tragen Gewänder des 18. Jahrhunderts, Graf Engelbert sogar eine Allongeperücke. Flankiert wird diese bemerkenswerte Gruppe von Erzbischof Hartwig von Magdeburg, dem Bruder des Grafen Engelbert, und dem Erzbischof Thiemo von Salzburg. Über der Stifterfamilie im Bereich des Gesimses ist die Heilige Dreifaltigkeit mit der Heiligen-Geist-Taube im Wolken- und Strahlenkranz dargestellt. Über der Taube sind Christus stehend mit dem Kreuz und Gottvater mit der Weltkugel angebracht. Im Altaraufsatz darüber schwebt in einem Wolkenkranz der hl. Georg.

Es ist vor allem der plastische Schmuck dieser beiden Altäre, der, wie bereits Ginhart feststellte, von „hoher künstlerischer Güte“ ist und mit Sicherheit nicht zur Gänze von einem Meister Kärntner Provenienz geschaffen wurde. Die von Ginhart in der Kunsttopographie[4] in diesem Zusammenhang genannten, in der zweiten Hälfte des 18. Jahrhunderts in Kärnten wirkenden Künstler wie Johann Hörmann aus Völkermarkt oder Benedikt Pläß, aber auch Joseph Mayer aus Klagenfurt[5] kommen, wie ein Vergleich mit dem Œuvre der Meister zeigt, nicht in Frage. Ginhart vermutete in der Folge aber zweifellos richtig, wenn er als Autor der Figuren einen steirischen Meister in Betracht zieht. Allerdings legte er sich nicht fest, da, wie er meinte, eine genaue Bestimmung „durch die bewußt gepflegte Gleichförmigkeit der an sich hoch entwickelten südsteirischen und krainischen Plastik des Spätbarocks und Rokokos“ erschwert würde. Obwohl seit

Abb. 154: Stiftskirche, nördliches Querhaus: Stifter- oder Dreifaltigkeitsaltar, 3. Viertel des 18. Jahrhunderts

Abb. 155:
Stiftskirche: Stifteraltar, Stiftergruppe

Abb. 156: Graz, Stadtpfarrkirche „Zum Hl. Blut“: Kapellenaltar, hl. Leopold, Kopf

Ginharts Bearbeitung der St. Pauler Altäre mehr als 20 Jahre vergangen sind, hat sich der damalige Forschungsstand nicht wesentlich verändert. Weiterführende Publikationen über die bedeutendsten Barockplastiker in der Steiermark fehlen noch immer. Trotzdem konnten aufgrund einer neuerlichen Sichtung des vorhandenen Materials die in Frage kommenden Meister auf einen kleineren Kreis beschränkt werden.

In ihrer beschwingten, durch den reichen, großzügigen Faltenwurf des Gewandes und die ausladende Gestik unterstrichenen, fast heiter wirkenden Darstellung sind die Figuren der Querhausaltäre in engstem Zusammenhang mit der steirischen Barockplastik, genauer gesagt mit den Werken des Philipp Jakob Straub, zu sehen. Philipp Jakob, der Bruder des berühmten Johann Baptist Straub, wurde 1706 in Wiesensteig (Baden-Württemberg) geboren und war seit 1733 in Graz ansässig, wo er im selben Jahr die Witwe des Bildhauers Johann Jakob Schoy ehelichte und dessen Werkstatt übernahm. Auch das Werk dieses neben Thaddäus Stammel und Veit Königer bedeutendsten Bildhauers des 18. Jahrhunderts in der Steiermark harrt ebenfalls noch einer umfassenden Bearbeitung, so daß auch heute noch die wenigen gesicherten Werke einer Reihe von mehr oder minder gültigen Zuschreibungen gegenüberstehen.[6]

Es sind vor allem die Figuren der Hll. Josef und Joachim vom Marienaltar, die den unmittelbaren Zusammenhang mit den Werken Philipp Straubs deutlich machen. Ein Vergleich des hl. Joachim mit der Figur des hl. Leopold vom Altar in der Johannes-Nepomuk-Kapelle in der Grazer Stadtpfarrkirche „Zum Hl. Blut“ zeigt überzeugende Parallelen in der Gestaltung. Straubs Figuren zeichnen sich durch schmale, ausdrucksstarke, mit markanten Gesichtszügen – wie stark hervortretenden, kräftigen Nasen und vorquellenden Augen – versehene Gesichter aus. Das Haupt- und Barthaar umspielt das Gesicht in der Regel in großen Locken, die von kurzen, feinen Haarpartien durchsetzt sind. Der 1749/50 geschaffene Altar der Kapelle ist eine der wenigen urkundlich gesicherten Arbeiten Straubs. Er ist allerdings nicht mehr zur Gänze im Original vorhanden, da er 1944 zerstört und 1948 bei der Wiederaufrichtung Teile, vor allem die Engelsfiguren,

Abb. 157: Hartberg, Filialkirche Maria Lebing: Hauptaltar, hl. Johannes Baptist

nachgeschnitzt bzw. ergänzt wurden. Die beiden seitlichen Statuen allerdings, die Hll. Leopold und Ägidius, sind Werke Straubs.[7] Ein weiterer Vergleich bietet sich in den Figuren vom Seitenaltar der Filialkirche Maria Lebing bei Hartberg in der Steiermark an. Die um 1750[8] geschaffenen Plastiken zeichnen sich durch die schon erwähnten Stilmerkmale aus, vor allem Johannes Baptista steht in engstem Zusammenhang mit der Statue des hl. Josef in St. Paul. Diese Figur zeigt aber auch überzeugende stilistische Parallelen zur Figur des hl. Florian vom Sebastiansaltar in der Stiftskirche von Rein in der Steiermark. Die von Schweigert[9] Straub zugeschriebenen Plastiken zeigen den für den Meister charakteristischen Figuralstil, der durch eine beschwingte, leicht gedrehte Körperhaltung, einen oft in den Nacken gelegten Kopf und ausgreifende Gesten der Arme und Hände gekennzeichnet ist. So sind auch die Figuren des nach 1767 geschaffenen Hochaltares in der Pfarrkirche von Mureck sowie jene des 1744–1746 errichteten Hochaltares in der Wallfahrtskirche von St. Erhard in der Breitenau[10] durch ihren Gewandduktus, die Körperhaltung und die immer schlank wirkende Silhouette im Zusammenhang mit den Plastiken auch des Stifter- oder Dreifaltigkeitsaltares in St. Paul zu sehen.

Von besonderer Qualität und als plastische Gruppe in der Kunstlandschaft Kärntens einmalig ist, wie erwähnt, die Stifterdarstellung am Stifter- oder Dreifaltigkeitsaltar. Die theatralisch postierten Figuren mit von individuellen Zügen geprägten Gesichtern und zeitbezogener Bekleidung vermitteln eine starke erzählerische Komponente, die an die Werke eines Thaddäus Stammel (vgl. Hochaltar der Kirche in Graz/St. Martin) erinnert. Philipp Straub gelang es mit den beiden Querhausaltären auch die für die barocken Altarkonzeptionen meist typische Aneinanderreihung von im Ausdruck mehr oder minder ekstatischen Plastiken, die in der Regel in keinerlei Beziehung zueinander stehen, auf einen Mittelpunkt zu konzentrieren und die flankierenden Figuren am Geschehen teilhaben zu lassen. Dieses sicherlich ganz wesentliche Qualitätsmerkmal zeichnet auch den 1768 geschaffenen Rosenkranzaltar in der Dekanatskirche von Birkfeld in der Steiermark aus.[11] Die beiden zu Füßen der Muttergottes knienden Heiligen mit den flankierenden Statuen Joachims und Annas entsprechen in ihrer Konzeption und in ihrer nicht nur thematischen, sondern auch formalen Beziehung zueinander den Altären in St. Paul.

Bezüglich der Datierungsfrage der beiden Querhausaltäre kann festgehalten werden, daß sie, wenn sie, wie anzunehmen ist, zumindest aus der Werkstatt Philipp Jakob Straubs stammen, vor 1774, dem Todesjahr des Meisters, entstanden sein müssen. Außerdem scheint sich eine besonders enge Beziehung zum Rosenkranzaltar von Birkfeld, der in die letzte Schaffensperiode des Meisters fällt, zu ergeben. Nach Woisetschläger[12] lassen die Figuren hier im Gegensatz zu den früheren Werken bereits den herannahenden Klassizismus erkennen, was auch im Hinblick auf die St. Pauler Altäre nachvollzogen werden kann, vor allem bei den Figuren des

Abb. 158: Stiftskirche: Marienaltar, hl. Josef

Abb. 159: St. Paul, Stiftskirche, nördliches Seitenschiff: Benediktusaltar, 3. Viertel des 18. Jahrhunderts, Gemälde von Joseph v. Hempel, Mitte 19. Jahrhundert

Stifter- oder Dreifaltigkeitsaltares, da auch bei ihnen eine gewisse Beruhigung der Formen zu bemerken ist.

Nach Betrachtung der von Philipp Jakob Straub bekannten und gesicherten Werke erhebt sich die Frage nach dem Umfang der Beteiligung des Meisters an den beiden Querhausaltären. Mit Sicherheit stammen die Gesamtkonzeption der Altäre und die Figuren der Hauptgeschosse vom Meister selbst. Etwas schwieriger ist die Frage bei den Aufsatzfiguren zu lösen, da diese im Vergleich zu den Hauptfiguren qualitativ schwächer sind. Es ist wohl anzunehmen, daß Straub auch in den letzten Jahren seines Schaffens Gesellen und Lehrlinge in seiner Werkstatt beschäftigte, die dann für die weniger wichtigen Arbeiten herangezogen wurden. Möglicherweise war es sogar der später in Völkermarkt ansässige Bildhauer Michael Zill, der bei Straub lernte und so auch an den Arbeiten in St. Paul beteiligt war. Daß diese Möglichkeit nicht ganz von der Hand zu weisen ist, sollen die folgenden Beispiele belegen.

Der 1747 geborene Michael Zill ist archivalisch erstmals 1780 als Bildhauer in Völkermarkt nachweisbar, heiratete dort 1795 die Dienstmagd Barbara Wieserin, die ihm bis 1803 fünf Kinder gebar und 1806 dort verstarb.[13] Von Zill sind kaum archivalisch gesicherte Werke bekannt. Das erste Mal wird er 1779 im Zusammenhang mit der Herstellung von Figuren für zwei Seitenaltäre in Tscherberg (Crnece) im heutigen Jugoslawien erwähnt.[14] In den folgenden Jahren ist der Meister in erster Linie durch Reparaturarbeiten in verschiedenen Kirchen faßbar. Die einzigen gesicherten Werke aus dieser Zeit sind die um 1786 entstandenen beiden Engel am Hochaltar der Laurentiuskirche in Klagenfurt.[15] Die etwa fünfzehn bis zwanzig Jahre nach den St. Pauler Altären entstandenen Engel sind die bedeutendsten Beispiele für die Plastik am Übergang vom Barock zum Klassizismus in Kärnten. In seinen anderen, zum Teil ihm zugeschriebenen Werken jedoch erweist sich Zill noch sehr dem ausgehenden Barock der letzten Stilstufe Philipp Jakob Straubs verhaftet. Die mit großer Sicherheit von Zill stammenden, zwischen 1773 und 1777 geschaffenen Hochaltarfiguren der Stadtpfarrkirche von Wolfsberg[16] zeigen recht eindrucksvoll die charakteristischen Merkmale des Figuralstils des Völkermarkter Meisters. Die meist schraubenförmig um die eigene Achse gedrehten Körper mit dem immer wiederkehrenden, leicht tänzelnd wirkenden Standmotiv werden in ihrer Bewegtheit und beschwingten Wirkung durch die meist lebhafte Gestik unterstrichen. Zills Figuralstil scheint in manchen Fällen gleichsam die manieristische Variante der Werke Philipp Jakob Straubs zu sein. Besonders deutlich kommt dies neben der Körperhaltung im Gewandduktus und in der Physiognomie zum Ausdruck. Zills Gesichter wirken markanter, mit oft individuellen

Abb. 160: Stiftskirche, Mittelschiff: Kanzel, 3. Viertel des 18. Jahrhunderts

Zügen und einer Neigung zum Karikaturhaften. Ohne nun in diesem Rahmen auf Detailvergleiche einzugehen, ist die enge Beziehung Zills zum Werk Straubs unschwer nachzuvollziehen, wie zum Beispiel die dem Meister zugeschriebenen Seitenaltar- und Kanzelfiguren in der Filialkirche von Schilterndorf (vgl. St. Erhard in der Breitenau und den Rosenkranzaltar in Birkfeld) oder die gesamte Ausstattung der Pfarrkirche von Schiefling im Lavanttal zeigen.

Zill, der mindestens zwanzig Jahre in Völkermarkt ansässig war, scheint – was derzeit vornehmlich stilkritisch nachweisbar ist – der meistbeschäftigte Bildhauer des ausgehenden 18. Jahrhunderts im Unterkärntner Raum gewesen zu sein. Er hat vor allem im Lavanttal und in der Umgebung von Völkermarkt gearbeitet. Hier haben sich eine Unzahl seiner Werke erhalten. Daß die St. Pauler Werke für Zill vorbildhaft gewesen sind, steht außer Zweifel. Welcher Art seine Beziehung zu Straub war, konnte bis jetzt allerdings noch nicht geklärt werden.

Letztendlich muß noch auf die bis jetzt außer acht gelassenen vier Seitenschiffaltäre und besonders auf die Kanzel hingewiesen werden. Trotz guter künstlerischer Qualität scheint die von Ginhart vorgenommene Zuschreibung an den Meister der Querhausaltäre doch recht problematisch. Es sind zwar unübersehbare Parallelen im Gewandduktus und der Körperhaltung, vor allem bei den Figuren des Benediktusaltares festzustellen, im gesamten entsprechen sie aber nicht der hohen Qualität der Querhausaltäre. Vor allem die Kanzel, eines der bedeutendsten Zeugnisse dieser Gattung in Kärnten, steht nicht nur formal, sondern auch stilistisch in engem Zusammenhang mit der 1769 entstandenen Kanzel in der Völkermarkter Stadtpfarrkirche, die mit großer Wahrscheinlichkeit ein Werk Michael Zills ist.[17] Vielleicht war Zill noch als Mitglied in der Werkstatt Straubs an den Arbeiten für die Seitenaltäre und die Kanzel beteiligt. Mit Sicherheit kann jedoch ohne die umfassende Bearbeitung der steirischen Barockplastik dieser Zeit nur die starke Vorbildwirkung des Œuvres von Philipp Jakob Straub für den Völkermarkter Bildhauer festgestellt werden. Daraus ergibt sich schließlich, daß die Altar- und Kanzelplastiken von St. Paul nicht nur zu den qualitätsvollsten Zeugnissen der Barockplastik in Kärnten zählen, sondern durch Michael Zill auch einen wichtigen und starken Einfluß auf die Kunstlandschaft des ausgehenden 18. Jahrhunderts in Kärnten ausgeübt haben.

Die Kanzel

Wie bereits erwähnt, ist die Kanzel in der Stiftskirche von St. Paul eines der bedeutendsten Zeugnisse des barocken Kanzelbaues in Kärnten.[18] Die vermutlich in den siebziger Jahren des 18. Jahrhunderts entstandene Kanzel ist aus stilistischen Gründen dem Völkermarkter Bildhauer Michael Zill, der wohl auch an den Arbeiten für die Querhausaltäre beteiligt war, zuzuschreiben. Gleichsam als Vorläufer der St. Pauler Kanzel ist jene in der Stadtpfarrkirche von Völkermarkt zu betrachten. Sie zeigt auch schon die für das St. Pauler Werk charakteristischen Merkmale. Für die Figuren sind eine äußerst lebhafte, raumgreifende Gestik, markante Gesichtszüge mit etwas hervortretenden Backenknochen und schlitzförmigen Augen, eine meist reich gelockte Haartracht und ein in kleine Falten gelegtes, sich einerseits an den Körper anschmiegendes, andererseits oft heftig ausflatterndes Gewand bezeichnend. Auch der kreisförmige Grundriß entspricht jenem in St. Paul, doch sind dort statt der Rahmenformen zwischen den sitzenden Korbfiguren rechteckige Reliefs angebracht. Auch die Schalldachform mit den konkaven Verkröpfungen des Gesimses und den flammenartigen Gebilden am unteren Rand sowie die das Schalldach bekrönende Szene der Blen-

Abb. 161: Stiftskirche, Mittelschiff: Kanzel, Schnitzrelief, Sturz des Saulus, Stiegenwange der Kanzel

dung des hl. Paulus entsprechen in der Grundkonzeption der Ausführung in Völkermarkt; die Schalldachgruppe ist in St. Paul jedoch figurenreicher gestaltet.

Die St. Pauler Kanzel, das Werk eines der bedeutendsten Kärntner Bildhauer des 18. Jahrhunderts, ist auch in ikonographischer Hinsicht eine Besonderheit. Das Kanzelprogramm, das ganz dem hl. Paulus gewidmet ist, nimmt auf seinen Tod und die wichtigsten Stationen in seinem Leben Bezug. Die das Schalldach bekrönende Szene, die Bekehrung des Saulus, geht auf die Erzählung des Johannes in der Apostelgeschichte zurück, wo es heißt: „(. . .) als er auf dem Wege war und sich Damaskus näherte, geschah es, da umstrahlte ihn plötzlich ein Licht vom Himmel; er stürzte zu Boden und hörte eine Stimme (. . .). Saulus erhob sich von der Erde, doch als er seine Augen öffnete, sah er nichts."

Abb. 162: Stiftskirche, Mittelschiff: Kanzel, Brüstungsrelief

Paulus ist dieser Beschreibung entsprechend mit zum Himmel gerichtetem Antlitz und dem flammenden Gottesauge über ihm dargestellt. Die flankierenden Putten tragen seine Attribute Schwert und Buch.

Die Betonung dieser Szene liegt hier nur auf der Blendung, während die Darstellung an der Brüstung des Stiegenaufganges, die die gleiche Bibelstelle zum Thema hat, auch den Sturz vom Pferd wiedergibt. Die weiteren Reliefdarstellungen am Korb zeigen Szenen aus dem Leben des Heiligen – die Predigt auf dem Areopag vor dem Altar des *Ignoto Deo*, Paulus vor Agrippa, sein Schiffbruch und die Landung in Malta auf der Reise von Cäsarea nach Rom. Sein Martyrium, die Enthauptung im Jahre 67, ist Thema des Reliefs an der Kanzelrückwand.

Zwischen den Reliefs sitzen am Korb die Propheten Moses, David, Jesaia und Jonas. Die auch als Vorläufer der Evangelisten bezeichneten Propheten unterstreichen hier im Zusammenhang mit dem großen Prediger Paulus den Verkündigungsgedanken. Die Kanzel in der

Stiftskirche von St. Paul stellt zusammen mit den Querhausaltären sowohl in kunsthistorischer als auch in ikonographischer Hinsicht einen der bedeutendsten Beiträge Kärntens zur Kunst des 18. Jahrhunderts in Österreich dar.

ANMERKUNGEN

1. Siehe B. SCHROLL, Das Benediktiner-Stift St. Paul, Car. 66 (1876), S. 223ff.
2. ÖKT 37 (1969), S. 133ff.
Die Hauptgemälde der Altäre schuf in den fünfziger Jahren des 19. Jahrhunderts der Wiener Spätnarzarener Joseph von Hempel, vgl. EBD., S. 135, S. 138.
3. Siehe dazu hier S. 590 ff.
4. ÖKT 37 (1969), S. 135.
5. Siehe dazu B. KIENZL, Zur Ausstattungsgeschichte der Kirchen von Kirchbach und Tainach, Car. I 174 (1984), S. 119ff.; DIES., Benedict Pläß – ein Kärntner Bildhauer des 18. Jahrhunderts, Car. I 173 (1983), S. 309ff.
6. Vgl. dazu E. ANDORFER, Straub, Philipp Jakob, in: U. THIEME, F. BECKER, Allgemeines Lexikon der bildenden Künstler, Sp. 167ff.; H. SCHWEIGERT, Zur Frage der ehemaligen barocken Innenausstattung der Stadtpfarrkirche in Graz. Der plastische Schmuck der Kanzel und des Chorgestühls – ein Werk Philipp Jakob Straubs, Historisches Jb. der Stadt Graz 5/6 (1973), S. 89ff. Ein Œuvreverzeichnis von Ph. J. Straub ist durch H. Schweigert in Vorbereitung.
7. Siehe H. SCHWEIGERT, Die Kunstdenkmäler Österreichs, Graz (Dehio-Handbuch, Kunstdenkmäler Österreichs, 1979), S. 45; R. KOHLBACH, Steirische Bildhauer. Vom Römerstein zum Rokoko (1954), S. 204ff., Abb. 153.
8. K. WOISETSCHLÄGER, P. KRENN, Die Kunstdenkmäler Österreichs, Steiermark (Dehio-Handbuch, Die Kunstdenkmäler Österreichs, 1982), S. 165; KOHLBACH, Bildhauer (wie Anm. 7), S. 205ff., Abb. 154.
9. H. SCHWEIGERT, Plastik und Gemälde in Stift Rein und seinen Pfarren, in: Stift Rein 1129–1979. 850 Jahre Kultur und Glaube. FS zum Jubiläum (1979), S. 457; DERS., Zum Frühwerk Philipp Jakob Straubs. Sein Anteil an der barocken Innenausstattung der Bürgerspitalskirche in Graz, Jb. des Kunsthistorischen Institutes der Universität Graz 11 (1976), S. 85–103.
10. Siehe DEHIO-Handbuch, Steiermark (wie Anm. 8), S. 307, S. 422.
11. EBD., S. 45; K. WOISETSCHLÄGER, P. KRENN, Alte Steirische Herrlichkeiten. 800 Jahre Kunst in der Steiermark (1968), S. 82.
12. K. WOISETSCHLÄGER, Steirische Plastik des 18. Jahrhunderts, Alte und moderne Kunst 3 (1958), Nr. 5, S. 29.
13. Siehe dazu B. KIENZL, Die barocken Kanzeln in Kärnten (Das Kärntner Landesarchiv 13, 1986), S. 142; ARCHIV DER DIÖZESE GURK, Trauungsbuch, Völkermarkt, HS 42; Geburtsbuch Völkermarkt, HS 39; Sterberegister, Völkermarkt, HS 45; KLA, Josephinischer Kataster CCXII/593, Flurbuch.
14. KLA, Milde Stiftungen I, Fasz. 5/67.
15. ARCHIV DER DIÖZESE GURK, Tainach, Karton 171.
16. Von 1777 existiert eine Kostenaufstellung für den Hochaltar, in der ein Tischler aus Moosburg, ein Bildhauer aus Klagenfurt und einer aus Völkermarkt genannt werden. Aus der Kenntnis der Meistersituation in dieser Zeit in den beiden Städten kommt als Meister der beiden Figuren nur Michael Zill in Frage. Vgl. KLA, Milde Stiftungen I, Fasz. 76/1188.
17. Siehe KIENZL, Barocke Kanzeln (wie Anm. 13), S. 97ff.
18. KIENZL, Barocke Kanzeln (wie Anm. 13), S. 97ff., S. 211f.; ÖKT 37 (1969), S. 144f.

Zur Bau- und Restauriergeschichte der Filialkirche St. Erhard

ULRICH HARB

Die ehemalige Pfarrkirche St. Erhard wurde in der Kunsttopographie St. Paul durch Karl Ginhart ausführlich mit hervorragenden Planunterlagen, archivalisch belegbaren geschichtlichen Daten sowie einer exakten Beschreibung und kunsthistorischen Analyse des Baues und seiner Ausstattung vorgestellt.[1] Ein neuerliches Eingehen auf diesen Bau wäre unnötig, wenn nicht die Innenrestaurierung der Jahre 1975/76 und die Außenrestaurierung von 1985/86 einige zu nennende Ergänzungen, Veränderungen und Präzisierungen ermöglichen würden.

Den Angaben von Ginhart folgend, bewahrt der urkundlich 1405 erwähnte, einschiffige gotische Kirchenbau noch die Anlage der Zeit um 1400, wurde 1432 und 1446 geplündert, um 1490 an der Chorauβenseite und 1527 im Inneren mit Fresken versehen, 1623/24 unter Abt Marchstaller eingewölbt und renoviert, um 1690 durch zwei Kapellenanbauten mit „meisterhaften Stukkaturen" von Johann Peter Wittini erweitert, 1711 mit dem nördlichen Kapellenaltar und um 1730 mit zwei Seitenaltären und einer Kanzel der gleichen Werkstätte ausgestattet, 1864 außen und innen renoviert und erhielt schließlich einen 1913 gestifteten, gotisierenden Hochaltar sowie 1942 ein dilettantisches Gemälde für den südlichen Kapellenaltar. Diese Beschreibung aus der Kunsttopographie entspricht dem Zustand der Kirche vor der Innenrestaurierung der Kirche 1975/76.

Nachdem die Erhardikirche während der Aufhebung des Stiftes von 1940 bis 1945 die gesperrte große Stiftskirche als Pfarrkirche ersetzen mußte, wurden seit den vierziger Jahren wiederholt Ansätze gemacht, Restaurierungsarbeiten einzuleiten[2]. Erst 1975 wurde – neben besorgniserregenden Dachschäden war auch das sogenannte Denkmalschutzjahr ein Anlaß dafür – mit der Dachinstandsetzung und der Innenrestaurierung begonnen, wobei die endgültige Freilegung der Chorfresken ein besonderer Wunsch war.

Für die Trockenlegung der Mauern wurden der morsche Putz der unteren Bereiche und für ein neues Natursteinpflaster der Boden des Kirchenschiffes entfernt. Diese Maßnahmen ermöglichten Beobachtungen der unteren Mauerzonen und damit einige Ergänzungen zu den vorhandenen Beschreibungen des gotischen Baues[3]:

Der gotische Bau besteht aus vermörteltem Bruchsteinmauerwerk, nur einige wenige Bauteile, wie Bögen und Wandvorlagen, wurden z. T. mit Ziegeln gemauert. Den äußeren Strebepfeilern entsprechen im Inneren oberhalb des Fußbodens schon in der Barockzeit abgeschlagene Runddienste, die z. T. aus Marmor, z. T. aus Formziegeln, von denen eine große Anzahl im Boden zu finden war, errichtet wurden.[4] Die gotische Gewölbeformation entspricht nicht der unter Abt Marchstaller errichteten barocken. (Der Gewölbebereich der Mauern wurde nicht untersucht, im

Grundriß der ehemaligen Pfarrkirche St. Erhard

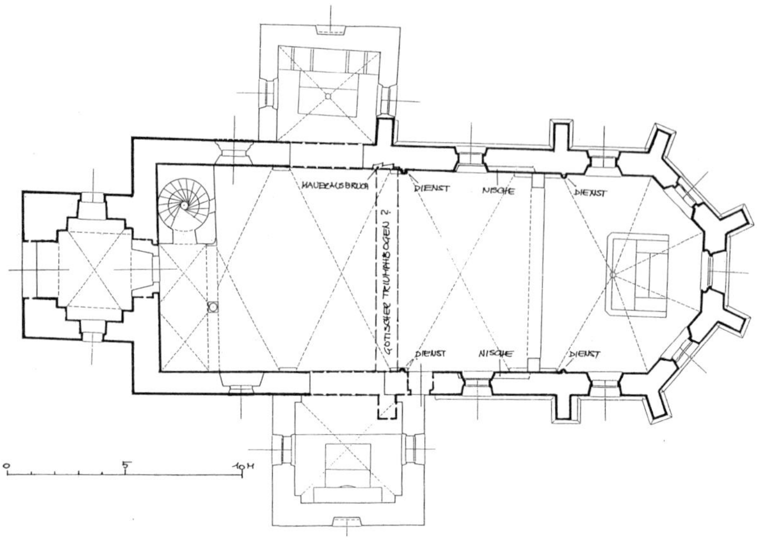

Dachraum konnte nichts dazu festgestellt werden.) Das Nordportal wurde erst nachträglich ausgebrochen und dürfte dem frühbarocken Umbau von 1623/24 zuzuschreiben sein.[5]

Ginhart vermutete etwas östlich vom barocken einen gotischen Triumphbogen. An dieser Stelle gab es jedoch keinerlei Hinweise auf ein abgebrochenes Mauerwerk. Westlich des barocken Triumphbogens befanden sich beiderseits der Kirche zwei (heute wieder vermauerte) gotische, flache, rundbogenüberwölbte Nischen mit Ziegelbögen. Nach dem Mauerbefund konnte sich ein gotischer Triumphbogen nur in einem Bereich, der in seiner Lage östlich an die Torlaibung der Nordkapelle anschloß, befunden haben. An dieser Stelle war die gotische Innenwandoberfläche an beiden Seiten der Kirche in einer Breite von 1,5 m völlig zerstört und mit vermörteltem Ziegelbruch nur schlecht geflickt. Ein Triumphbogen an dieser Stelle würde das Kirchenschiff (ohne Chorbereich) in zwei etwa gleich große Bereiche geteilt haben, deren westlicher über das Turmerdgeschoß und deren östlicher über das nach dem Kapellenanbau vermauerte Südportal zu erreichen gewesen wären.[6] Von diesem Südportal konnte die innere, von einem Segmentbogen überwölbte Laibung freigelegt werden; eine nahezu identische Form und Größe zeigte auch das zum Turmerdgeschoß, der heutigen Sakristei, führende Westportal, das erst nachträglich, nach dem Einbau der Empore, durch eine barocke Portalkonstruktion verkleinert wurde. An der nördlichen Chorseite wurden eine Sakramentsnische mit dreipaßförmiger Bekrönung und in der südöstlichen Chorschräge eine rundbogenüberwölbte Lavabonische (?), die erst nachträglich in das gotische Mauerwerk eingefügt wurde, freigelegt.

Im Zuge der Innenrestaurierung wurden die im Jahr 1935 durch erste Sondagen Franz Wallisers entdeckten Chorfresken freigelegt und restauriert.

Weiters wurden folgende Maßnahmen während der Innenrestaurierung durchgeführt:

die Entfernung der in einer zweiten Barockphase erfolgten Vermauerung der nördlichen Bogenstellung unter der Empore,

die Stuckrestaurierung in den Kapellen,

die Innenfärbelung mit der, die reiche Freskenausstattung berücksichtigenden Aufgabe der Farbigkeit von 1864,

Abb. 163: Erhardikirche, Innenraum von Südwesten, nach der Freskenfreilegung 1975/1976

die Restaurierung der Altäre mit einer Freilegung der Marmorierungen des 18. Jahrhunderts an den Seitenaltären, der trotz etwas unterschiedlicher Rahmengrößen erfolgte Austausch der Altarbilder in den beiden Kapellen,

die Entfernung der Kanzel[7],

die Erneuerung des Kirchengestühls,

die Erneuerung des Fußbodens im Kirchenschiff sowie

Abb. 164: Erhardikirche, Kanzel (vor der Entfernung 1975)

Abb. 165: Erhardikirche, Diamantquaderdekor in Kratzputztechnik am Kirchenschiff

Abb. 166. Erhardikirche, Nordkapelle, barockes Blindfenster

Abb. 167: Erhardikirche von Südosten, nach der Außenrestaurierung 1986

die Errichtung eines Windfanges und eines Volksaltares.

Von der kurz erwogenen „Regotisierung" der Fenster, die innen barock, außen z. T. neugotisch umgestaltet waren, wurde abgesehen.[8] Die Restaurierungsarbeiten in der Kirche wurden von der Restaurierfirma Lukas Arnold ausgeführt. Die Kirche wurde am 31. Oktober 1976 wieder ihrer Bestimmung übergeben.

Das äußere Erscheinungsbild der Kirche entsprach vor der für 1985 und 1986 geplanten Außenrestaurierung noch ganz der Beschreibung in der Kunsttopographie als eine (vermutlich) 1864 zuletzt gekalkte, damals an den Fenstern und am Nordportal gotisierend umgestaltete Kirche, unter deren abwitternden Kalkschichten die älteren Dekorsysteme zutage traten: ein Kratzputzdekor des 16. Jahrhunderts an Turm, Schiff und Chor und ein gemalter Pilasterdekor an den Kapellenfassaden aus der Zeit um 1700.

Im Einvernehmen mit der Stiftsverwaltung wurde vom Landeskonservatorat Kärnten als Restaurierungsziel das Erhalten bzw. Restaurieren und Rekonstruieren der verschiedenen Dekorsysteme festgelegt.[9] Nachdem bei den Restaurierungsarbeiten an den neugotisch umgestalteten Fenstern der Seitenkapellen die barocken Blindfenster mit gemaltem Butzenscheibendekor freigelegt wurden, wurde entschieden, bei den Kapellen das barocke Erscheinungsbild wiederherzustellen: das neugotische Maßwerk wurde entfernt, die vermauerten Rundfenster wieder geöffnet (und bis heute nicht verglast) und der eindeutig belegbare Fassadendekor mit Kalkfarben erneuert.

Als durch die Außenrestaurierung von 1985/86 verursachte Ergänzungen zur Kunsttopographie sind schließlich zu nennen:

Abb. 168: Erhardikirche, Nordkapelle mit rekonstruiertem Barockdekor

der Einbau des vorher teilweise vermauerten, gotischen Tympanonreliefs des Südportales im Bogenfeld des neugotischen Nordportales, wo es deutlich als translozierte Spolie und nicht als Bestandteil der neugotischen Portalkonstruktion zu erkennen ist,

die Restaurierung und Rekonstruktion des Kratzputzdekors aus dem 16. Jahrhundert mit Diamantquaderungen an Turm und Kirchenschiff, einem Laufenden-Hund-Fries am (zu grob neu verputzten) Turm und einem Bogenfries am Kirchenschiff und Chor

sowie die Restaurierung und Rekonstruktion des barocken Pilasterdekors aus der Zeit um 1700 an den Seitenkapellen.

Die Restaurierungsarbeiten wurden durch die Restaurierfirma Walter Campidell ausgeführt. Die Kirche wurde am 28. September 1986 neu geweiht.

Anmerkungen

1. ÖKT 37 (1969), S. 449 – 457.
2. So fand am 13. Oktober 1941 eine (vom damals zuständigen Fürstbischöflichen Gurker Ordinariat) anberaumte Verhandlung (im damaligen Spanheim) über eine Gesamtrestaurierung statt.
3. Die Bauaufnahme und Fotounterlagen dazu befinden sich im Landeskonservatorat für Kärnten.
4. Einer dieser Formziegel (26/13, 5/7 cm) mit halbkreisförmig ausgearbeitetem Teil (des Dienstes) befindet sich in der Materialsammlung der Werkstätten des Bundesdenkmalamtes in Wien.
5. Vgl. dazu die Abbildung im Urbar der Herrschaft Kollnitz von 1653, ÖKT 37 (1969).
6. Es wäre auch eine Hallenkirche ohne triumphbogenartige Zäsur vorstellbar, da der nördliche Strebepfeiler (in der Kapellenmauer) jedoch dem Maueausbruch im Inneren – und nicht dem Dienst (!) – entspricht, ist ein Triumphbogen eher wahrscheinlich.
7. Zur Kanzel siehe B. Kienzl, Die barocken Kanzeln in Kärnten (1986), S. 374f.
8. Für das „Wiederherstellen von fünf gotischen Maßwerkfenstern" lag bereits der Kostenvoranschlag eines Klagenfurter Bildhauers vor.
9. Schreiben des Landeskonservators von Kärnten an das Stift St. Paul im Lavanttal vom 8. August 1985.

Abb. 169: Stiftskirche, Mittelschiff vor 1935, mit Pfeilaltären, Ziboriumsaltar und Chor mit romanisierender Bemalung

Die Restauriergeschichte der Stiftskirche St. Paul im 20. Jahrhundert

ULRICH HARB

Der Bau, die Umbauten und die Ausstattung der Stiftskirche St. Paul von der Romanik über die Gotik bis zur Barockzeit haben in der kunstgeschichtlichen Forschung einen ihrer Bedeutung entsprechenden Platz gefunden, so daß die Kirche als Kärntens bestuntersuchtes und -dokumentiertes Baudenkmal gelten kann. Mit der Kunsttopographie St. Paul liegt eine hervorragende wissenschaftliche Analyse vor, die jedoch, was die Veränderungen, Restaurierungen und Renovierungen des späten 19. und des 20. Jahrhunderts anlangt, etwas knapp und zum Teil überraschend unkritisch ausgefallen ist.[1] Anhand von Unterlagen des Bundesdenkmalamtes Wien, des Landeskonservatorates Kärnten und des Stiftsarchives stellen sich die aus heutiger „denkmalpflegerischer" Sicht oft sehr eingreifenden Veränderungen der Stiftskirche dieses Jahrhunderts als sehr bewegte Restauriergeschichte dar.

1882 wurde der barocke Hauptaltar der Kirche entfernt und in der Erhardikirche aufgestellt. Der Chor der Stiftskirche wurde in der damals üblichen Art durch die Anbringung ornamentaler Schablonenmalereien und die Errichtung eines neuen, im Vergleich zur Größe des Vorgängeraltares etwas monströsen Ziboriumaltares romanisiert. Die Schablonenmalereien, die sich auf kein Vorbild in der Stiftskirche selbst stützten, und der Altar wurden nach Plänen von August Ortwein, einem Schüler von Siccardsburg, van der Nüll und Friedrich Schmidt, und Robert Mikovics ausgeführt.[2] Bei der Vorbereitung des Maluntergrundes für die Malereien stieß man bereits auf die romanischen Apsisfresken, die jedoch überstrichen wurden.

1908 wurde durch den Generalkonservator der k.k. Zentralkommission für Kunst- und historische Denkmale ein Restaurierungsprogramm für die Stiftskirche empfohlen. Dieses sah u. a. die „Freilegung der Hausteinteile von der Tünche" und eine „nach echten Vorbildern herzustellende ornamentale Ausmalung des spätgotischen Gewölbeeinbaues" vor, „durch welche die von einem trefflichen Meister der Pacher-Schule herrührenden Gemälde in den Vierpaßmedaillons (. . .) mehr zur Geltung kommen würden". Auch die Entfernung des neuromanischen Ziboriumaltares, der mit den Malereien im Chor „den einheitlichen Eindruck des Innenraumes in der unangenehmsten Weise zerreißt", wurde vorgeschlagen.[3] Die Akzeptanz der gerade 25jährigen Romanisierung des Chores währte nicht lange.

1928, das neue Denkmalschutzgesetz war seit 1923 in Kraft, wurde der Stiftsvorstehung vom Bundesdenkmalamt unter Mitarbeit von Karl Ginhart, dem nachmaligen Autor der 41 (!) Jahre später erschienenen Kunsttopographie St. Paul, ein detailliertes Restaurierungsprogramm übermittelt.[4] In diesem wurde neben der „Behebung von Bauschäden" und der „Freilegung sämtlicher Steinteile (. . .) des romanischen Be-

Abb. 170: Stiftskirche, nördliches Querhaus vor 1930

standes" ein genauer, jeder Befunderhebung entbehrender, von der Farbe des Materials der Gewölberippen – Terrakotta – ausgehender Vorschlag für die Innenfärbelung gemacht: „Wandflächen in einem reinen Goldockerton, Gewölbe in einem zarten Elfenbeinton, die Rippen der Gewölbe (. . .) kräftig im Tone gebrannter Ziegel". Die schon lange geplante Rückführung des alten Hochaltares in die Stiftskirche wurde besonders begrüßt.

1930, nach dem Verkauf der Gutenbergbibel und damit schlagartigen Verbesserung der finanziellen Situation des Stiftes, konnte die Restaurierung der Kirche erstmals ernsthaft in Erwägung gezogen werden. Dem Restaurierungsprogramm von 1928 entsprechende Kostenvoranschläge verschiedener Professionisten wurden 1931 vorgelegt, wobei u. a. auch das „Abbeizen des Ölanstriches an der Wand"[5] – vermutlich von 1882 – angeboten wurde.

Der sehr kunstsinnige neue Prälat Dr. Richard Strelli erteilte dem Benediktinerpater und Professor des Stiftsgymnasiums Switbert Lobisser den Auftrag für ein monumentales Fresko „Die Kreuzträger" an der Nordwand des Querhauses.[6] Für dieses wurden 1931 als erster Schritt ein barockes Kenotaph, die Stiftertumba – „wertlos und morsch"[7] –, entfernt und dabei auf deren Boden das gotische Stifterrelief gefunden sowie die barocken Fenster vom Winterchor zum Querhaus vermauert. Bei der Vorbereitung des Untergrundes für das Fresko deckte Lobisser erste Teile des Stifterfreskos von 1493 auf und ersuchte um die ehestmögliche Untersuchung des spätgotischen Freskos, um seine „Komposition danach richten bzw. umkrempeln" zu können.[8] Die Freilegung und Restaurierung erfolgte durch den Kunsthistoriker und Restaurator Dr. Franz Walliser noch 1931, und auch Lobisser konnte sein Fresko im selben Jahr in nur „21 Halbtagen"[9] vollenden. Walliser konnte schließlich auch die 1882 überstrichenen Apsisfresken „wiederentdecken".

Nachdem 1936 die 800-Jahr-Feier der Markterhebung von St. Paul bevorstand – derartige Jubiläen, besonders Zentenarfeiern sind wiederholt Anlässe für große Restaurierungen –, wurde 1935 mit den Arbeiten im Chor und im Querhaus begonnen. Diese Innenrestaurierung stand unter der Leitung des Wiener Dombaumeisters und Professors an der Technischen Hochschule Wien, Dr. Karl Holey, der einen Mitarbeiter als Bauleiter ständig am Ort hatte.[10]

1935 und 1936 wurden als Bau- und Restaurierungsmaßnahmen u. a. der teilweise fast 10 cm dicke Verputz (der Barockzeit?) von den Stützen und Bögen des Innenraumes abgeschlagen, die seit dem 18. Jahrhundert vermauerten Fenster der Apsiden wieder geöffnet, ein neuer Abgang zur Krypta geschaffen und die alte Stiftergruft erweitert, um darin die Gebeine der Habsburger beisetzen zu können, anstelle des Kunststeinpflasters im Chor (vermutlich von 1882) ein einheitlicher Plattenbelag mit altem Material aus der Rabensteinerka-

Abb. 171: Stiftskirche, nördliches Querhaus nach 1936

Abb. 172: Stiftskirche, Mittelschiffgewölbe vor 1935 (mit geschlämmten und getünchten gotischen Netzrippen)

pelle verlegt, die dringend notwendige Sicherung der Gewölberippen durchgeführt und deren gotische Schlämme und späteren Anstriche entfernt sowie die Bauplastik freigelegt und zum Teil mit Kunststein ergänzt. Gleichzeitig wurden von Walliser alle Wandoberflächen nach Fresken untersucht, diese zum Teil freigelegt, konserviert und kaum retuschiert, um den ursprünglichen Bestand nicht zu verfälschen: eine schwierige Aufgabe für den Restaurator, da „verschiedene Herren des Konvikts ständig Ergänzungen forderten".[11]

Um die ursprüngliche Wirkung des romanischen Innenraumes möglichst wiederherzustellen, blieb von der Ausstattung der Kirche nur wenig an seinem angestammten Platz: der neuromanische Baldachinaltar wurde entfernt und durch den alten barocken Hochaltar ersetzt, die Habsburgertumba im südlichen Querhaus, eine Stuckarbeit von Pietro Rudolfi aus Udine von 1818, wurde abgetragen, und auch alle (!) anderen Altäre wurden, nach der Restaurierung durch Markus Antonitsch, an anderer Stelle in der Kirche wiederaufgestellt.

Die beiden Altäre vor den Apsiden des Querhauses wanderten in dessen Südwest- und Nordwestecken, wo das in der Zwischenzeit um eine Schutzmantelmadonna vergrößerte Wandgemälde Lobissers z. T. verdeckt wurde. Die vier Pfeileraltäre wurden schließlich an den Wänden der Seitenschiffe aufgestellt. Bis auf die um 1420 bemalte, gemauerte gotische Altarmensa des Katharinenaltares wurden alle anderen Mensen, von denen auch einige zu dem durch eine Visitation im Jahr 1616 überlieferten Bestand von 15 vermutlich gotischen Altären gehört haben mögen, abgetragen.[12] Wegen der Versetzung der Pfeileraltäre an die Außenwände mußten die dort befindlichen Grabsteine ebenfalls versetzt werden. Nur der Grabstein des Abtes Jakob Pachler wurde wegen seines abgeschlagenen Gesichtes an seinem alten Platz im südlichen Querhaus belassen, wo er durch den Marienaltar vollständig verdeckt ist. Um die Raumwirkung zu verbessern, wurden schließlich auch acht Bilder von Kirchenlehrern und die beiden Martyrienbilder von Lorenz Glaber in das Stiftsgebäude gebracht.[13]

Die Innenfärbelung wurde etwas abweichend vom Restaurierungsprogramm des Jahres 1928 ausgeführt. Die Wände wurden in einem graublauen Ton, die Gewölbe in hellem Ocker und die Steinteile in Angleichung an den freigelegten Steinton in dunkel gestupftem („geschwammeltem") Ocker gefärbelt. Die Rippen wurden freigelegt und blieben dunkel-ziegelrot. Parallel dazu wurden außerhalb des eigentlichen Kirchenraumes die Kapelle der Schmerzhaften Muttergottes durch die Entfernung einer später eingefügten Zwischenwand wieder auf ihr ursprüngliches – barockes – Ausmaß gebracht und die Rabensteinerkapelle nach einer nicht zu Ende geführten Freskenfreilegung und der Verlegung eines neuen Bodens für die Aufbewahrung von Paramenten hergerichtet.

Die im Oktober 1936 abgeschlossene Innenrestaurierung wurde in umfangreichen Zeitungsartikeln und wissenschaftlichen Aufsätzen ausführlich behandelt und dabei besonders von Ginhart und Holey geradezu hymnisch beschrieben.[14] Holey nannte als Ziel seiner Arbeit „die Wiederherstellung der ursprünglichen Raumwirkung des romanischen Domes", der sich alle übrigen Maßnahmen unterordnen mußten. Die Erreichung dieses Ziels wurde ihm von Ginhart, „beglückt von dem wunderbaren Wohlklang des Raumes"[15], „als die bedeutendste Tat der Denkmalpflege (. . .), die seit vielen Jahren bei uns in Österreich geleistet wurde", bestätigt, die restaurierte Kirche als der „glanzvollste romanische Stiftskirchenbau, den wir haben" benannt und Holey als „schöpferischer Architekt und als praktischer Denkmalpfleger" gerühmt.[16]

Aus heutiger Sicht stellt sich die damals so bewunderte Restaurierung von 1935/36 als Beispiel gestalterischer Denkmalpflege dar, bei der das heutigen denkmalpflegerischen Grundsätzen entsprechende Respektieren der Geschichtlichkeit eines gewachsenen Zustandes dem Ziel der Wiederherstellung der romanischen Raumwirkung untergeordnet war.[17] Der ursprüngliche romanische Raum war längst durch die gotische Einwölbung, die barocken Emporeneinbauten, die reiche, spätbarocke Ausstattung, aber auch durch die Veränderungen aus der Mitte des 19. Jahrhunderts und die Chorumgestaltung von 1882 nicht wiederherstellbar. Den Denkmalpflegern stellte sich bei der Restaurierung die Frage nach der Wiederherstellung eines historisch relevanten, nachromanischen Erscheinungsbildes, das z. B. sehr gut eines der Barockzeit hätte sein können, offensichtlich nicht.

Die Innenfärbelung wurde ohne Berücksichtigung historischer Farbwerte durchgeführt. Soweit heute, nach der großflächigen Erneuerung der Innenputze und der Freilegung der Steinteile, noch feststellbar, waren etwa die gotischen Gewölberippen des 15. Jahrhunderts zuerst ocker geschlämmt – eine im Vergleich zum dunklen Ziegelrot sehr unterschiedliche Rahmung der so bedeutenden Pacher-Fresken (!) – und seit der Barockzeit uni im Farbton der Gewölbe, u. a. in hellem Grün und hellem Grau, gestrichen. Die gestalterischen Maßnahmen der Restaurierung 1935/36 waren insgesamt so eingreifend, daß damit ein neues, historisch relevantes Erscheinungsbild geschaffen wurde, das in Zukunft zu respektieren sein würde.

Nach der Aufhebung des Stiftes und der Sperrung der Stiftskirche im Jahr 1940 konnte der gesamte Kunstbesitz des Stiftes wegen des beispielhaften Einsatzes der zuständigen Kärntner Stellen, insbesondere des damaligen Museumsdirektors und Gaukonservators Doz. Dr. Walter Frodl, geschlossen erhalten bleiben.

Nach dem Krieg wurden erst 1953 neuerlich Restaurierungsarbeiten an der Stiftskirche durchgeführt. Damals

Abb. 173: Stiftskirche, Rabensteinerkapelle nach der Neugestaltung 1986

konnte der Bildhauer-Restaurator Julius Tutschka, der schon die Bildhauerarbeiten 1935/36 gemacht hatte, bei der Restaurierung des Tympanonreliefs über dem Westportal durch vorsichtige Abnahme der Übertünchungen die ursprüngliche farbige Fassung des Steines freilegen.

1955 wurde durch den Landeskonservator starker Holzwurmbefall an der Einrichtung der Stiftskirche festgestellt, der in den nächsten beiden Jahren durch stiftseigene Kräfte gestoppt werden konnte.

1959 mußten Dachreparaturen im Bereich der Türme durchgeführt werden. Die Ziegeldächer der Stiftsanlage wurden durch Umdeckungen und Ergänzungen mit altem, von der Stiftsverwaltung im Lavanttal gesammeltem Material erhalten, wodurch sie ein, dem hohen Alter der Anlage entsprechendes, von patinierten Ziegeln bestimmtes Erscheinungsbild bieten.

1966 wurde das von Holey 1936 entworfene, in seiner Gestaltung den damals erneuerten Apsidenfenstern angeglichene Kommuniongitter wegen der Liturgiereform wieder entfernt. Unter Abt Paulus Schneider, einem ehemaligen Sängerknaben, wurde 1966 auch eine neue Orgel der Oberösterreichischen Orgelbauanstalt aufgestellt, nachdem die unter Verwendung einer Orgel des 17. Jahrhunderts in der Mitte des 19. Jahrhunderts errichtete alte Orgel, die schon 1899 neugotisch verändert und 1935/36 wieder umgebaut wurde, dem Stift und dessen musikinteressiertem Abt nicht mehr genügte.[18]

1973 begannen große Teile des Putzes vom Südturm abzufallen, so daß der Bereich um den Turm abgesperrt werden mußte. 1974 wurden die Turmfassaden restauriert, die unterschiedliche Mauerwerkstechniken – Quadermauerwerk in den beiden unteren romanischen und verputztes Hau- und Bruchsteinmauerwerk in den drei oberen, nach dem Brand von 1337 errichteten gotischen Geschossen – aufwiesen.[19] Über Wunsch der Stiftsvorstehung wurde der wellige, (vermutlich) gotische Putz gänzlich entfernt und das Mauerwerk nur verfugt und steinsichtig belassen, um den oberen Fassadenteil dem unteren romanischen Bereich anzugleichen. Im selben Jahr wurden auch Sicherungsarbeiten im nordöstlichen Bereich der Außenfassaden, vom nördlichen Querhaus bis zur Südostecke des Altarhauses, durchgeführt.

1980 wurde die Kapelle der Schmerzhaften Muttergottes durch die Stiftsverwaltung als beheizbare Winterkapelle adaptiert. Dafür wurden der Stuck restauriert, die unbemalten Kartuschen des 1936 wieder zur Kapelle gekommenen Raumteiles durch einen Gymnasialprofessor bemalt und insgesamt eine für einen barocken Sakralraum zu wohnliche Atmosphäre durch die übrige neue Ausstattung, mit Heizkörper, Spannteppich und Wandappliken, erzeugt. Drei z. T. erst 1936 in der Kapelle untergebrachte Grabsteine wurden im nördlichen Seitenschiff aufgestellt.

Nach der Instandsetzung der Fassaden der Rabensteinerkapelle im Jahr 1980 wurde 1983 mit genauen Untersuchungen aller Wandflächen im Inneren begonnen, da eine Verwendung als Chorgebetskapelle geplant war. Die gesamte Ausstattung der Kapelle, mit der Adaption des Zuganges von der Sakristei, einem Stiegenabgang, Chorgestühl, Altar, Tabernakel u. a. wurde nach Entwürfen der Architekten Franz Freytag und Josef Klingbacher ausgeführt, die Gestaltung der Fensterverglasungen erfolgte durch Guenther Kraus[20]. Als wichtigste restauratorische Maßnahmen in der Kapelle sind die Freilegung und Sicherung der Wand- und Gewölbefresken durch Heinz Leitner (Wand), Walter Campidell und Karma Hoke (Gewölbe) sowie die Freilegung und Ergänzung der frühgotischen Innenputze zu nennen.[21] Das tief verschüttete gotische Fußbodenniveau wurde wiederhergestellt, wodurch die Basen der gotischen Wanddienste nach langer Zeit wieder zum Vorschein kamen. Die erfreuliche neue Nutzung des durch seine

Raumwirkung und freskale Ausstattung so ausgezeichneten Kapellenraumes fand wegen der zeitgemäßen Ausstattung und Gestaltung unterschiedliche Aufnahme; vom Standpunkt der Denkmalpflege schien diese durchaus möglich zu sein, da (bis auf die 1983 noch vorhandenen barocken Fensterkonstruktionen) auf keine ältere Ausstattung zurückgegriffen werden konnte. Die Kapelle wurde 1986 eingeweiht.

Wegen des nahenden Jubiläums „900 Jahre Benediktinerstift St. Paul" im Jahr 1991 und des bis dahin geplanten Abschlusses der Gesamtrestaurierung der Stiftskirche wurde 1988 etwa gleichzeitig mit einer Dachinstandsetzung und der Restaurierung der Südfassade begonnen. Das südliche Kirchendach und die Turmdächer wurden wie zuletzt 1959 mit alten Ziegeln neu eingedeckt, wobei vom Deckungsmaterial des Kirchenschiffes nur etwa 10% der alten Ziegel ausgetauscht und ergänzt werden mußten. Vor der Restaurierung der Südfassade – vom Südturm bis zur Südwestecke des Altarhauses – wurde versucht, eine genaue Befunderhebung durchzuführen, um baugeschichtliche Aufschlüsse gewinnen und das Restaurierungsprogramm festlegen zu können.

Die baugeschichtlichen Analysen und Beschreibungen der Kunsttopographie konnten dabei grundsätzlich bestätigt und nur einige Ergänzungen dazu gemacht werden:

In der Romanik war das erhöhte romanische Mittelschiff im Gegensatz zum Werksteinmauerwerk der anderen Bauteile aus verputztem Bruchsteinmauerwerk mit einem Rundbogenfries aus Tuffstein. Die romanischen Fenster hatten in der Fassade nahezu die gleiche Breite wie die heutigen Fenster, wegen der flacheren Laibung aber eine geringere Architekturlichte. An der Ostwand des Querhauses konnten Spuren eines roten (romanischen?) linearen Dekors auf weißem Grund im Bereich des Rundbogenfrieses festgestellt werden.[22] Die Einrüstung des Querhauses ermöglichte eine im Vergleich zur Kunsttopographie genauere Dokumentation der romanischen Bauplastik.[23] In der Gotik erfolgte die Erhöhung des Querhausgiebels durch Mischmauerwerk aus Steinen und flachen Ziegelplatten (Dachziegeln?). Der wellige, einlagige, in gebrochenem Weiß gestrichene, gotische Putz des Querhausgiebels war in der Substanz so schlecht, daß er erneuert werden mußte. Im 17. Jahrhundert wurden die Mittelschiffassade überschlämmt, hellocker gefärbelt, die Rundbogenfenster rechteckig umgestaltet und mit Architekturmalerei umrahmt.

Abb. 174: Stiftskirche, Südfassade des Altarhauses, romanische Bauplastik

Im 19. Jahrhundert wurden die Mittelschiffassade aufgespitzt, die unteren Teile des romanischen Rundbogenfrieses abgeschlagen, die barockisierten Fenster wieder rundbogig abgeschlossen, ein neuer Rundbogenfries angebracht und der gesamte Fassadenteil mit einer dicken, durch Ziegel verstärkten Putzschichte versehen, deren Oberfläche eine, das romanische Werksteinmauerwerk imitierende, zarte Nutung

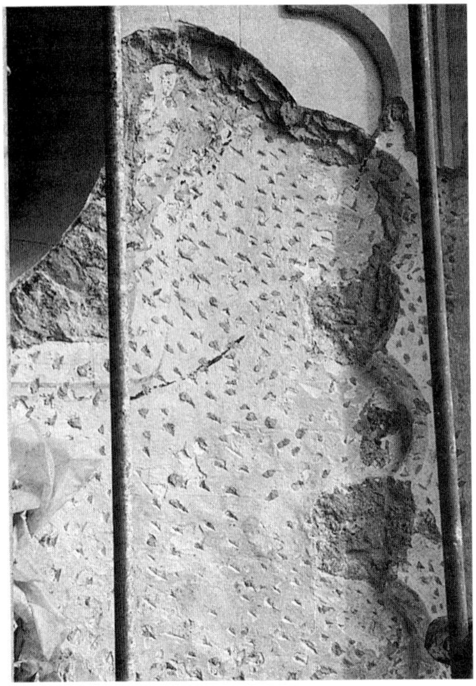

Abb. 175: Stiftskirche, Südfassade des Mittelschiffes, Detail mit romanischem Rundbogenfries

Abb. 176: Stiftskirche, Mittelschiffgewölbe, Vierpaßfresko des hl. Wolfgang, nach der Reinigung und Festigung 1989

erhielt. Einschließlich der Werksteinfassaden wurde die gesamte Kirche in einem hellen bräunlichen Ockerton gestrichen.

Das überkommene Erscheinungsbild stellte sich 1988 mit den steinsichtigen Altar-, Querhaus- und Steinschiffassaden, darauf kaum Spuren älterer Färbelungen, und einer stark abgewitterten sandfarbenen Mittelschiffassade dar. Der 1974 restaurierte Nordostteil und die Turmfassaden blieben bzw. wurden damals steinsichtig, so daß diese Steinsichtigkeit und -farbigkeit belassen bzw. als Restaurierungsziel angestrebt wurde. Nach einer Reinigung der Werksteinfassaden wurden die Steine, deren Oberflächen z. T. schon stark verwittert waren, gefestigt, Sprünge und Löcher mit Kunstharz geschlossen, Abplatzungen und Anböschungen, soweit technisch notwendig, mit Kunststein ergänzt und die Fugen mit Kalkmörtel verfugt, um ein weiteres Eindringen von Wasser möglichst zu verhindern. Am Mittelschiff blieb die Putzschichte des 19. Jahrhunderts erhalten, wurde ausgebessert und im Farbton des überkommenen Erscheinungsbildes, der Sand = Steinfarbe, mit Kalkfarbe gestrichen.

Im September 1989 wurde mit der Einrüstung für die Innenrestaurierung begonnen, die auf Wunsch der Stiftsverwaltung noch vor dem nächsten Weihnachtsfest abgeschlossen werden sollte. Da die Restaurierung von 1935/36 einen neuen, zu respektierenden Zustand schuf, war kaum mit Änderungen innerhalb des Kirchenraumes zu rechnen. Da den damaligen Berichten zufolge auch genaue Untersuchungen der Wände – etwa nach Fresken – durchgeführt wurden, schienen neuerliche baugeschichtliche Untersuchungen, die meist mit Zerstörungen – z. B. der Putzhaut – verbunden sind, nicht notwendig zu sein. So wurden nur an den Oberflächen und dort, wo mürber und durch Feuchtigkeit zerstörter Putz, d. h. fast nur im unteren Bereich der Außenwände, abgeschlagen wurde, genaue Beobachtungen und Befunderhebungen durchgeführt. Diese Befunderhebungen bestätigten wiederum die baugeschichtliche Analyse der Kunsttopographie und brachten nur einige Präzisierungen und Ergänzungen:

Auf den Rippen des nördlichen Querhauses konnten Steinmetzzeichen festgestellt werden, die aber nicht mit den z. T. identischen Steinmetzzeichen der gleichzeitig errichteten Rabensteinerkapelle und der Turmobergeschosse übereinstimmen. Auch die Terrakottarippen des Kirchenschiffgewölbes weisen drei verschiedene, im gesamten Gewölbebereich etwa gleich verteilte Steinmetzzeichen auf.[24]

Diese Beobachtung – Steinmetzzeichen auf Terrakotta – konnte in Kärnten erstmals gemacht werden.

An den Gewölben des Kirchenschiffes sind die Rippen in Terrakotta, die bemalten Schlußsteine aber in Stein ausgeführt. An den Oberseiten dieser Schlußsteine konnten noch Spuren gotischer Ocker-Schlämme festgestellt werden.

Die Farbabfolgen von der Gotik bis zur Barockzeit lassen sich auch heute noch in einem, vom südlichen Seitenschiff abgetrennten Raumteil südlich der Orgelempore, dem Raum für das Orgelgebläse, der als kaum zugänglich der Restaurierung von 1935/36 entging, gut feststellen, wie auch die romanischen Wandflächen des Mittelschiffes und deren Farbabfolgen bis zur Einwölbung um 1470 – immer gebrochenes Weiß – im Dachraum überprüft werden können.

An den Gewölbekappen des Kirchenschiffes ließ sich eine, der Stiftskirche von Millstatt etwa gleichende Farbabfolge von gebrochenem Weiß der Gotik über helles Grau und helles Graugrün der Barockzeit bis zu einem hellen bräunlichen Ockerton der Mitte des 19. Jahrhunderts (wie an den Fassaden) feststellen.

Bei den Vorarbeiten für die Innenfärbelung kamen die bereits 1935/36 überstrichenen, aus der Mitte des 19. Jahrhunderts stammenden figuralen Fresken an den Schwibbögen des Mittelschiffes kurzfristig zutage, um schließlich neuerlich überstrichen zu werden.

Als denkmalpflegerisch wichtigste Maßnahme wurden die in den mehr als 50 Jahren bereits wieder stark verschmutzten Fresken gereinigt und nach detaillierten Dokumentationen nur Fehlstellen, die bereits den störend hellen Freskomörtel zeigten, durch Retuschen geschlossen.

Die damit wiedererlangte strahlende Farbigkeit der Pacher-Fresken im Gewölbe war Anlaß, die Färbelung der gesamten Wand- und Gewölbeflächen auf diese abzustimmen. Diese Färbelung wurde nach der Reinigung aller Wandflächen in Angleichung an die gotische Farbigkeit der Gewölbekappen mit Kalkfarben in gebrochenem Weiß durchgeführt und die nicht begründbare Farbigkeit von 1935/36 damit zum Großteil aufgegeben.

Die ocker Schlämme der Steinteile (von 1935/36) wurde ebenfalls gereinigt und mit einer dünnen, dem vorhandenen Farbton entsprechenden Kalklasur versehen. Die ziegelroten Rippen (von 1935/36) blieben.

Mit der Reinigung der gesamten Ausstattung konnte die Innenrestaurierung trotz des knapp gesetzten Termines noch rechtzeitig zu einem vorläufigen Abschluß gebracht werden.

Die Arbeiten an der Südfassade 1988 und im Kircheninneren wurden von Arbeitskräften des Stiftes und von der Restaurierfirma Walter Campidell ausgeführt.

Für 1990 sind als denkmalpflegerische Maßnahmen, die noch vor dem großen Jubiläum an und in der Stiftskirche durchgeführt werden sollen, die Sicherung und Restaurierung der 1989 in der nördlichen Vorhalle freigelegten Wandinschriften und des Stifterfreskos, die Restaurierung des Südportales und des Kirchensockels sowie einige Korrekturen im Inneren vorgesehen.

ANMERKUNGEN

1. ÖKT 37 (1969) passim und S. 99.
2. Zu A. Ortwein siehe: U. THIEME, F. BECKER, Allgemeines Lexikon der bildenden Künstler, Bd. 26 (o. J.), S. 68., zu R. Mikovics ebd.: Bd. 24 (o. J.), S. 553.
3. Tätigkeitsbericht des Generalkonservators, Mitteilungen der k.k. Zentralkommission für Kunst- und historische Denkmale (1908), S. 182.
4. Schreiben des Präsidenten des Bundesdenkmalamtes an die Stiftsvorstehung vom 17. Dezember 1928.
5. Kostenvoranschlag des Malers und Anstreichers Anton Zmolnig aus St. Paul vom 25. März 1931. Im Bundesdenkmalamt Wien sind verschiedene Kostenvoranschläge des Jahres 1931 vorhanden, dabei auch einer von Jakob Campidell, dessen Enkel Walter schließlich die Restaurierungen der Jahre 1988 bis 1990 durchführte.
6. Siehe dazu hier, S. 400.
7. Schreiben von Switbert Lobisser an das Bundesdenkmalamt in Wien vom Juli 1931.
8. Wie Anm. 7.
9. H. MAURER, Entdeckung prachtvoller Fresken in St. Paul im Lavanttale, Reichspost, Wien, 22. September 1931, S. 7.
10. Holey arbeitete 1930 in Kärnten u. a. an den Entwürfen für das Chorgestühl und den Bischofsthron im Dom von Klagenfurt, der Planung der Christkönigskirche und am Umbau des Turmes der Pfarrkirche von Bad St. Leonhard im Lavanttal.
11. Bericht des Landeskonservators von Kärnten an die Zentralstelle für Denkmalschutz im Bundesministerium für Unterricht vom 3. Dezember 1936.
12. Vgl. dazu Aufnahmen der freistehenden Mensen des Jahres 1935 im Stiftsarchiv und im Landeskonservatorat für Kärnten.
13. K. KADA, Die Innenrestaurierung der Basilika von St. Paul in Kärnten, Christliche Kunstblätter (1938), S. 1ff., beschreibt die Veränderungen der Stiftskirche anläßlich der Restaurierung 1935/36 am detailliertesten.
14. O. DEMUS, Kurzbericht: St. Paul im Lavanttal, Deutsche Kunst und Denkmalpflege 10 (1936), S. 309ff.; K. HOLEY, Die Wiederherstellung der Abteikirche zu St. Paul im Lavanttale, Kärntner Tagblatt, Klagenfurt, vom 25. Oktober 1936.
15. K. GINHART, Die Restaurierung der Stiftskirche von St. Paul im Lavanttal, Deutsche Kunst- und Denkmalpflege 14 (1941), S. 1ff.
16. K. GINHART, Die Wiederherstellung des romanischen Münsters zu St. Paul i. L., Reichspost, Wien, 7. November 1936, S. 7.
17. Siehe dazu M. DVOŘÁK, Katechismus der Denkmalpflege (1918) passim. – „Charta von Venedig 1964", Internationale Charta über die Konservierung und Restaurierung von Denkmälern und Ensembles (Denkmalbereiche), zuletzt: Österreichische ZS für Kunst und Denkmalpflege (= ÖZKD) 43 (1989), S. 75f.
18. Siehe dazu den Bericht über die Orgeleinweihung, Volkszeitung, Klagenfurt, vom 2. Oktober 1966.
19. Vgl. dazu ÖKT 37 (1969), Abb. 19.
20. Siehe dazu auch hier, S. 396.
21. Siehe dazu auch hier, S. 695 f.
22. Ein ähnlicher Dekor ist u. a. an der südlichen Mittelschiffassade des Doms von Gurk und am Chor der spätgotischen Pfarrkirche von Hochfeistritz festzustellen.
23. Siehe Kurzberichte zur Denkmalpflege, St. Paul im Lavanttal, ÖZKD 43 (1989), S. 83ff., mit mehreren Abbildungen.
24. Von diesen drei Steinmetzzeichen könnte eines identisch mit einem in der um 1479 eingewölbten Stadtpfarrkirche von Völkermarkt sein, die beiden anderen Zeichen waren bisher in Kärnten an anderen Objekten nicht zu finden. Eine Dokumentation aller Steinmetzzeichen der Stiftskirche befindet sich im Landeskonservatorat für Kärnten.

Bibliothek und Archiv

St. Paul und die deutsche Literatur des Mittelalters

ALOIS BRANDSTETTER

Es gibt verschiedene deutsche Literaturdenkmäler, die man mit dem vor 900 Jahren gegründeten Kloster St. Paul in Verbindung bringt, sei es, daß sie hier entstanden oder hierhin gekommen sind und hier gelesen oder in der Schule oder in der Verkündigung, der Predigt, als der zeitspezifischen „Erwachsenenbildung", benützt wurden. Manche der Texte, ob hier entstanden oder einmal hierhin gekommen, sind im Laufe der Zeit auch wieder verschwunden, viele sicher „auf Nimmerwiedersehen", andere sind später in anderen Bibliotheken, wie etwa das Fragment des „Lanzelet" von Ulrich von Zatzikhoven in der Klagenfurter Studienbibliothek (jetzt Universitätsbibliothek) oder der älteste deutsche „Physiologus" in der Österreichischen Nationalbibliothek, wieder aufgetaucht. Wenn die Handschriften und alten Bücher nicht immer „beisammen geblieben" sind, so liegt es nicht nur an der Religionspolitik Josephs II., es sind manche Verluste (oder Verkäufe in Notsituationen) auch hausgemacht. So ging manches unwiederbringlich verloren, anderes gottlob „wiederbringlich" – im Sinne der Leihgaben aus Anlaß einer Landesausstellung.

Ich möchte mich im folgenden in der gebotenen Kürze mit zwei deutschen Literaturdenkmälern befassen, von denen das eine entweder schon in der Gründungszeit oder auch erst später nach St. Paul gekommen ist, das andere in St. Paul von einem prominenten Mitglied des Konvents hier geschrieben wurde. Das eine ist der erwähnte, für die ältere deutsche Literatur so wichtige „Physiologus", das andere die Sprichwörtersammlung des Johannes Hechtl. Wenn auch die beiden Texte nicht vergleichbar sind und der erste auch gar nicht hier geschrieben wurde, so gehören sie von ihrem Inhalt und ihrer Funktion her hierhin, das heißt in ein Kloster, dessen Bibliothek natürlich geistlich ausgerichtet war und zu sein hatte, worauf man achtete. Wenn wir heute mit St. Paul auch viele „weltliche" Werke oder Textzeugen etwa zur Artusepik verbinden, wie etwa das erwähnte „Lanzelet"-Fragment des Ulrich von Zatzikhoven in der Pergamenthandschrift 47 der Universitätsbibliothek Klagenfurt in Textualis aus dem 14. Jahrhundert, das Hermann Menhardt aus einer Pergamenthandschrift aus ursprünglich St. Pauler Besitz herausgelöst hat[1], oder „Iwein"- oder „Tristrant"-Fragmente[2], so ist die Beziehung dieser säkularisierten, wenn auch nicht unbedingt als „unchristlich" empfundenen Literatur zum Stift deutlich komplizierter und problematischer. Wie die „Verarbeitung" und Verwendung der alten Pergamente als Streifen oder Schnipsel für Falzen in Kodices, Inkunabeln oder alten Büchern zeigt, haben die Stifte diese Bücher, Liebesgeschichten im weitesten Sinne, eher „unterdrückt" oder ausgesondert und „unlesbar" gemacht. Die Kostbarkeit des Pergaments hat ihre direkte Vernichtung verhindert. So hat man „das beste" aus ihnen gemacht, nämlich sie wiederverwertet und als Einbandmaterial benützt. Denn wenn die mittelalterliche Kunst entsprechend dem klassischen Kunstprogramm *delectare, movere* und *prodesse* sollte, „unterhalten“, „rühren“ und „nützen“, so war diese Art der Unterhaltung, man denke an den Tristrant-Roman, nicht leicht mit den asketischen Maximen etwa des Noviziats, wo der junge Mensch in Keuschheit, Armut und Gehorsam eingeübt werden sollte, in Einklang zu bringen. Es ist eine im einzelnen nicht immer oder nur sehr selten beantwortete Frage, wie die jeweiligen Handschriften in die Klöster gelangt sind, die nicht auch in den Skriptorien geschrieben wurden oder geschrieben hätten werden können. Sicher hat sich manches in der „Mitgift“ jener jungen, aus adeligen Häusern stammenden Aspiranten befunden, von der Benedikt im Kap. 59 der Regel schreibt:

„(. . .) *Si* (. . .) *aliquid offerre volunt in elemosinam monasterio pro mercede sua, faciant ex rebus quas dare volunt monasterio donationem, reservato sibi, si ita voluerint, usum fructum.*“ („Wollen sie dem Kloster als Entschädigung ein Almosen zukommen lassen, dann sollen sie über ihre Schenkung dem Kloster eine Urkunde ausstellen, wobei sie sich, wenn sie so wollen, die Nutznießung vorbehalten können.“)[3]

Der *Codex Vindobonensis* 223 ist eine Handschrift des 11. Jahrhunderts in karolingischer Buchschrift, er umfaßt 65 Blätter von nachweislich vier verschiedenen Händen. Der den Germanisten vor allem interessierende Text, der erste deutsche „Physiologus“ in Prosa[4], hat für die sonst lateinische Texte enthaltende HS ursprünglich nur geringere Bedeutung besessen. Darauf deuten verschiedene Indizien. Nikolaus Henkel spricht in seinen „Studien zum Physiologus im Mittelalter“ von einem „Lückenbüßer“ – eine Rolle, die deutsche Werke in dieser Zeit kodikologisch öfter spielen – und stellt fest, er sei „nicht für eine intensive und systematische Benutzung abgeschrieben“. „Man wird daher für

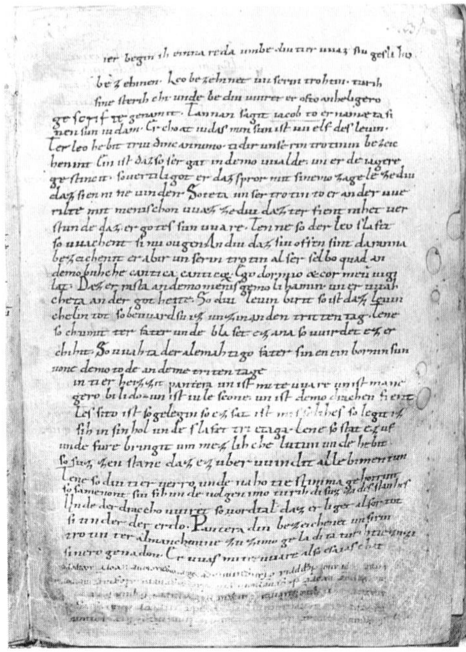

Abb. 177: Altdeutscher Physiologus, ÖNB, Cod. 223, fol. 31r

ihn, wenn überhaupt, dann nur eine sehr beschränkte Wirkung anzunehmen haben.“[5] Dem „Physiologus“ von der Rückseite des Blattes 31 bis zur Rückseite des Blattes 33 gehen ein lateinischer Kommentar zu Horaz, Alkuins *Disputatio de dialectica,* der Anfang des *Heptameron de Primordio Mundi* des Eugenius von Toledo voran. Nach dem „Physiologus“ folgen ein nur noch schwer lesbarer Kommentar des Servius zu Vergils Aeneis und Bukolika sowie verschiedene theologische Texte. Durchwegs von der dritten Hand stammt der „Physiologus“, wobei aber die Vorlage, aus der er gearbeitet ist, nicht einheitlich gewesen sein kann, da sich Unterschiede zwischen einem mundartlich alemannischen ersten Teil, die Kapitel über den Löwen, den Panther, das Einhorn, die Schlange, Sirenen und Kentauren, die Hyäne, den Esel und den Elefanten und einem rheinfränkischen zweiten Teil, die Kapitel über die Autula, den Sägefisch, die Viper und die Eidechse erkennen lassen. Der Kärntner Altgermanist Hermann Menhardt hat in einem Aufsatz „Wanderungen des älteren Physiologus"[6] den Weg der HS nach St. Paul, wo sie nachweislich 1470 bei einer Katalogisierung des Buchbestandes mit einem Signaturschildchen versehen wurde, bevor sie in den Besitz des Wiener Humanisten und Arztes Wolfgang Lazius (1514–1565) und schließlich nach einer Signatur auf der Vorderseite von Blatt 65 um 1576 in den Bestand der Wiener Hofbibliothek kam, zu rekonstruieren versucht. Gestützt auf wenige und wie Henkel meint, nicht stichhaltige Hinweise, nahm er an, daß die HS gleichsam als Morgengabe oder Einstandsgeschenk von Hirsau, wo er die Entstehung lokalisiert, nach St. Paul gekommen sei: „Die Mönche von St. Paul hatten die schon im 11. Jahrhundert so wie heute zusammengesetzte HS 223 höchst wahrscheinlich seit der Gründung des Stiftes im Jahre 1091 besessen und eben aus Anlaß der Gründung aus dem Mutterkloster mitbekommen".[7]

Hermann Menhardt hält im wesentlichen an dem so vermuteten Weg der HS auch später in seinem „Verzeichnis der Altdeutschen Literarischen Handschriften der Österreichischen Nationalbibliothek" fest: „Danach kam die HS wohl bei der Gründung von St. Paul 1091 aus Hirsau im Schwarzwald. Vgl. 1ʳoben: *Istum librum lego fratribus in mutam.* Sie wurde 1549 durch Lazius nach Wien gebracht."[8] Zu der lateinischen Anmerkung *Istum librum lego fratribus in mutam* meinte Menhardt: „Es könnte darin die Widmung eines Bruders beim Abschied von Hirsau erblickt werden."[9] Henkel stellt freilich mit guten Gründen auch die von Menhardt behauptete Zusammengehörigkeit der ganzen HS von Haus aus in Frage.

Auch wenn man gegenüber einer eindeutigen Zuordnung nach Hirsau und St. Paul skeptisch geworden ist, tut dies der Bedeutung des Denkmals an sich keinen Abbruch. Es beginnt mit dem ältesten deutschen „Physiologus" die Geschichte dieses Werkes in deutscher Sprache als Übersetzung und Fortführung einer lateinischen Tradition, die ihrerseits wieder im Griechischen fußt. Ohne daß hier auf diese Vorgeschichte und die genaue Filiation eingegangen und die Frage der lateinischen Vorlage erörtert werden kann, muß doch auf die Herkunft der im „Physiologus" theologisch, nämlich symbolisch und tropologisch ausgedeuteten Naturgeschichte aus der Antike, im besonderen auf die *Historia animalium* und *De partibus animalium* des Aristoteles, die *Naturalis Historia* des Plinius und die *Quaestiones convivales* und *De sollertia animalium* des Plutarch hingewiesen werden, wobei die kühnsten und wirklichkeitsfremdesten Angaben über das Leben der Tiere nicht auch die ältesten sein müssen. Wie „abenteuerlich" die Vorstellungen nicht nur über das Tierreich, wie wenig am Augenschein orientiert auch die Behauptungen über fremde Völker waren, kann auch noch in den Werken des heiligen Augustinus nachgeprüft werden. Eine realistische Ethnographie hat es im frühen Mittelalter so wenig gegeben wie eine systematische Zoologie.

Welcher Art nun das Interesse an den Tieren im „Physiologus" ist, wie alles analog und im Sinne der Exegese, der Auslegung nicht nur der Schriften, sondern auch der Welt allegorisch und moralisch verstanden wurde, dafür kann gleich das erste Kapitel des „Physiologus" als Beispiel dienen:

De leone

Hier beginne ich eine Rede über die Tiere, was sie im geistlichen Sinne bedeuten. Der Löwe bedeutet (bezeichnet) unseren Herrn wegen seiner Stärke, und deshalb wird er auch oft in der heiligen Schrift erwähnt. Deswegen sagt Jakob, als er seinem Sohn Juda einen Namen gab: Judas, mein Sohn, ist der Junge eines Löwen. Der Löwe hat drei Eigenschaften, die dir auf den Herrn hinweisen. Erstens, wenn er in den Wald geht und die Jäger wittert, so verwischt er seine Spur mit dem Schwanz, damit sie ihn nicht finden. So hat es auch unser Herr gemacht, als er bei den Menschen auf der Erde war, damit der Feind nicht erkannte, daß er Gottes Sohn war. Des weiteren, wenn der Löwe schläft, so wachen seine Augen. Darin aber, daß er die Augen offen hält, weist er wieder auf den Herrn hin, wie er ja selbst im Hohelied sagt: *Ego dormio et cor meum vigilat* (Ich schlafe, aber mein Herz wacht). Daß er ruhte in seiner Menschengestalt und zugleich wachte in seiner Gottheit. Wenn die Löwin gebirt, so ist das Löwenjunge vorerst tot, und in diesem Zustand bewahrt es die Mutter bis an den dritten Tag. Dann kommt der Vater und bläst es an, so wird es lebendig. Geradeso erweckte der allmächtige Vater seinen eingeborenen Sohn vom Tode am dritten Tag.

Ein Leitwort solcher Hermeneutik ist *bezeichnen* (gesliho bezehinen, „geistlich meinen"), es übersetzt das lateinische *significare*. Der Physiolog, das heißt der Naturkundler und Naturdeuter, bei dem an Aristoteles zu denken ist, erfährt die Welt als transparent auf Gott hin als *signum (aliquid pro aliquo)*. Zu denken ist auch an die Redefigur der *Significatio*, die darin besteht, daß von einem Gegenstand oder Lebewesen die herausragende, markanteste, die sozusagen konstitutiv bestimmende Eigenschaft (*natura, qualitas*) nominiert wird. In diesem rhetorischen Sinn ist der Esel der Dumme schlechthin, die Schlange falsch usw. Man vermutet, daß die Künstlichkeit und Gesuchtheit einerseits, andererseits aber auch die naheliegende Trivialität vieler Gleichsetzungen dem in Altertum und frühen Mittelalter so beliebten „Physiologus" keine Beliebtheit über das hohe Mittelalter hinaus bescherte. Man wird freilich auch in Rechnung stellen müssen, daß mit dem Einsetzen einer genaueren Naturbeobachtung im Humanismus, da man also begann, nicht mehr nur bei den Autoritäten nachzuschlagen, sondern im „Buch der Natur" selbst zu lesen, den phantastischen Angaben des Physiologen das *fundamentum in re* genommen war, und die Wahrheit der christlichen Botschaft anders verkündet und argumentiert werden mußte. Für die Zeit der Gründung des Klosters St. Paul aber darf man gerade im süddeutschen Raum mit einem gesteigerten Interesse an dieser Art Literatur rechnen, wofür auch die Millstätter Handschrift, der bedeutendste Handschriftenschatz des Klagenfurter Landesarchivs mit seiner Reimbearbeitung, dem „Millstätter Physiologus" oder „Reimphysiologus", nach dem „Jüngeren Physiologus", einem Prosa-Physiologus, der in der „Wiener Handschrift" zwischen „Altdeutscher Genesis" und „Altdeutschem Exodus" überliefert ist, als überzeugender Beleg dienen kann. Wenn es auch wieder dahingestellt bleiben muß, ob Helmut de Boor recht hat, wenn er den „Physiologus" gerade im Rahmen der „Clunyacensischen Literatur" und unter dem Gesichtspunkt der Hirsauer Reform geistes- und religionsgeschichtlich so wichtig nimmt. Henkel führt diese „Übertreibung" auf Menhardts Vermutungen zurück: „Aus Menhardts keineswegs als gesichert anzusehender Lokalisierung der HS in Hirsau hat dann H. de Boor weitreichende Schlüsse gezogen: ‚Die Übersetzung des Physiologus erwächst (. . .) aus der Hirsauer Reform, deren Streben, die Einordnung der Welt unter Gott als Grundlage allen Denkens zu machen, hier exempelhaft Bestätigung fand.' "[10] Gisela Vollmann-Profe schließlich weist in ihrer neuen Literaturgeschichte darauf hin, daß die wenigen anspruchsvolleren Allegoresen des „Physiologus" ikonographisch überlebt haben: „in der bildenden Kunst, zu Plastiken oder Teppichbildern geronnen, oder als poetische Motive in der Literatur, und dies in mehr oder weniger enger Verbindung mit ihrem geistlich-theologischen Ursprung."[11] Dabei muß ich an eine Gebetsformel denken, die sich mir von meiner Schulzeit, Ende der vierziger Jahre im „Kollegium Petrinum" in Linz, eingeprägt hat, weil ich sie eindrucksvoll und zugleich schwer verständlich empfand: „O süßer Pelikan, du höchstes Gut, wasch meine Seele rein mit deinem teuren Blut!", nach dem Kapitel 20 der *Dicta Chrysostomi*, dem lateinischen *Physiologus, De Pelicano* (das im ältesten *Physiologus* nicht mehr aufscheint, da er ja mit Kapitel 12 abbricht): *Tercia autem die mater eorum percutiens costam suam aperit latus suum et infundit sanguinem super corpora mortuorum, sicque cruore ipsius sanantur resuscitati pulli* (Am dritten Tag aber öffnet die Mutter ihre Seite, indem sie mit einer Rippe durchsticht, und gießt ihr Blut über die Körper der Toten, so werden die Tierjungen durch ihr Blut wieder heil und lebendig).

Eine andere, für die deutsche Literaturgeschichte nicht unbedeutende Arbeit aus St. Paul ist eine lateinisch-deutsche Spruchsammlung vom Jahr 1468. Aufgeschrieben ist diese Sprichwörtersammlung in der Handschrift 12840 der Österreichischen Nationalbibliothek in Wien. Wieder hat Hermann Menhardt editorisch und kodikologisch das Grundlegende geleistet. Er veröffentlichte 1930 in der „Carinthia" in Klagenfurt mit seinem Aufsatz „Eine lateinisch-deutsche Spruchsammlung aus St. Paul vom Jahre 1468" nicht nur den Text der eigentlichen Spruchsammlung, sondern auch eine genaue Beschreibung der Handschrift, auf die sich alle späteren Arbeiten über das Werk stützen.[12] Helmut Maurer und Engelbert Zimmermann referierten am 29. Jänner 1980 anläßlich der Abtweihe von P. Bruno Rader zum 56. Abt der Benediktinerabtei St. Paul in der Klagenfurter „Kleinen Zeitung" den verkürzten Menhardt-Beitrag der „Carinthia" mit einer für das allgemeine Publikum sicher hilfreichen, wenn auch im einzelnen nicht immer ganz schlüssigen philologischen Kommentierung der lateinischen Hexameter und der deutschen Übersetzungen bzw. Nachdichtungen oder Umsetzungen. Der Beitrag von Maurer und Zimmermann erschien dann wiederabgedruckt im Jahresbericht des Stiftsgymnasiums St. Paul über das Jahr 1979/80. Weit hinter der Information Menhardts bleibt auch Erich Nussbaumer in seiner Literatur- und Geistesgeschichte Kärntens „Geistiges Kärnten", wenn er der Spruchsammlung nicht ganz eine Seite widmet, im übrigen das nicht gerade günstige Urteil Menhardts über das Werk übernimmt: „Der Dichter ist ein Reimeschmied ohne Sinn für Rhythmus und Verskunst." Auch Menhardt hat von einem „Reimeschmied" gesprochen und festgestellt: „Seine Dichtung ist ganz kunstlos, ohne Rhythmus, der Reim dürfte ihm als alleiniges Kunstmittel der deutschen Sprache erschienen sein, und selbst dieses gebraucht er fehlerhaft."[13] Unerfindlich freilich bleibt, wie bei Nussbaumer aus den von Menhardt publizierten 57 Sprichwörtern durch einen Ziffernsprung und das Anhängen einer Null 750 (!) Sprichwörter werden konnten.

Hier soll nun Menhardt nicht ein weiteres Mal ausgeschrieben werden. Trotzdem müssen die wichtigsten Daten über die Handschrift angeführt, bevor einige textbezügliche Anmerkungen zu den Sprichwörtern selbst gemacht werden. Nach Menhardt befand sich die HS noch Ende des 16. Jahrhunderts in St. Paul, was eine zeitgeschichtliche lateinische Eintragung (*Memorabilia quaedam anni 1584*, „Einige bemerkenswerte Ereignisse des Jahres 1584") auf der Rückseite des Blattes 28 beweist, deren Schlußvers wie ein Seufzer klingt: *Singula viventes nos uno vidimus anno:* „Unterschiedlichstes haben wir Zeitgenossen in diesem einen Jahr erlebt." Die Hexameter, 18 an der Zahl, memorieren Kärntner Landes- und Kirchengeschichte und auch Weltgeschichte, wenn vom türkischen Tyrannen die Rede ist, der in „asiatische Königreiche" einfiel. Die HS hat 83 Blätter und bringt von 79v bis 83r die Sprichwörtersammlung. Davor stehen lateinische Hexameter über Raubtiere, Vögel, Fische, Bäume usw., 2. Auszüge aus Konrad Megenbergs „Buch der Natur", 3. der *Cornutus* (eine Sammlung seltener lateinischer Vokabeln in Hexametern für den Gram-

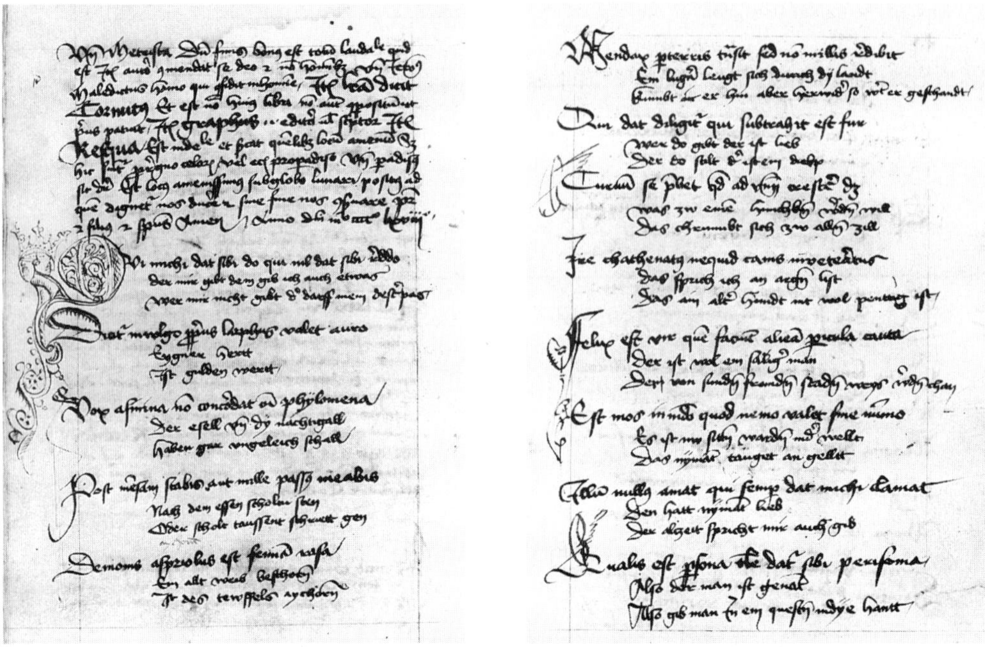

Abb. 178: Lateinisch-deutsche Spruchsammlung aus St. Paul, 1486; ÖNB Cod. 12840, fol. 79v u. 80r

matik- und Moralunterricht), 4. der *Novus Cornutus* des Otto von Lüneburg und 5. eine Sammlung lateinischer Sentenzen und Notizen, Übungen für Grammatikliebhaber und ein kurzes lateinisch-deutsches Glossar.

Auf der Rückseite des 83. Blattes der HS steht: *Finitum est hoc opus per Johannem presbyterum et monachum ordinis sancti Benedicti abbatis in valle Laventis ad Sanctum Paulum sub anno domini millesimo quadringentesimo sexagesimo octavo, tunc temporis cantorem praefati monasterii* (Dieses Werk wurde fertiggestellt durch den Geistlichen und Mönch des Ordens des heiligen Benedikt Johannes der Abtei St. Paul im Lavanttal 1468, in jener Zeit Cantor des genannten Klosters). Diesem Mönch, in dem H. Menhardt, geführt vom „Nekrolog des Benediktinerstiftes St. Paul i. L." von Beda Schroll, Johann III. Hechtl von Landau, Pfarrer zu St. Lorenzen in der Wüste, später der 28. Abt (1483–1488), erkannt hat, ist der Hauptteil der HS, vor allem die hier interessierende Sprichwörtersammlung zu verdanken, wobei Menhardt über die eigentliche Verfasserschaft Johann Hechtls wie folgt urteilt: „Daß Johann Hechtl den Traktat von den Sprichwörtern nicht nur geschrieben, sondern auch selbst verfaßt hat, ist möglich, läßt sich aber nicht beweisen. Übrigens würde sich eine Verfasserschaft darauf beschränken, daß er die Sprichwörter gesammelt und höchstens zum Teil ins Deutsche übertragen hätte. Dafür, daß er bloß Überarbeiter war, spricht, daß die verdeutschten Strophen aus Johann von Garlandia und Otto von Lüneburg sich an niederdeutsche Übertragungen ziemlich eng anschließen und mehrere Sprüche aus Freidanks Bescheidenheit und dem deutschen Cato entlehnt sind."[14]

Sprüche, Sprichwörter und sprichwörtliche Redensarten spielten im Leben der Menschen und ganz besonders in den Schulen schon immer eine große Rolle. Seit dem 16. Jahrhundert werden sie systematisch und im Sinne der Wissenschaft der Zeit auch gesammelt. Erwähnt sei etwa Sebastian Franck mit seiner Sammlung „Sprichwörter, Schöne Weise, Herrliche Clugreden, unnd Hoffsprüch", 1541, aus dem 19. Jahrhundert, der Zeit des eigentlichen Beginns der germanistischen Wissenschaft, Karl Simrock mit „Die deutschen Sprichwörter", 1846 mit 12.396 Sprichwörtern, womit er unter den Sprichwörtersammlern noch „nicht den Vogel abschießt", um es sprichwörtlich zu sagen. Dagegen, auch neben Sebastian Franck nimmt sich Johann Hechtl natürlich bescheiden aus. Hechtls Corpus an Sentenzen macht aber ganz den Eindruck einer Sammlung, also eines Art Florilegiums, wobei sein Interesse darin bestand, von lateinischen und lateinisch gereimten Hexametern oder hexametrierten Versen auszugehen und sie in deutsche Reimpaare zu übertragen. Neben dieser formalen Restriktion herrscht inhaltlich weitgehende Freiheit. Tugenden, vor allem Ausdauer (53, 55) und Geduld (38, 39), Klugheit (56), Schweigsamkeit (14, 26, 43), dann Gesundheit (28, 46), Sparsamkeit (11, 48) sind die wiederkehrenden Themen. Der Schwerpunkt liegt aber sicher auf den Tiersprichwörtern (3, 5, 15, 16, 17, 19, 29, 34, 35, 44, 47) mit Esel, Nachtigall, Eichhörnchen, Rind, Maus, Wolf, Ochs, Krähe, also symbolträchtigen Tieren („Verhaltensforschung"). Es wird an der Auswahl der Sprichwörter deutlich, daß sie wohl für die Schule oder von einem Schulmann zusammengestellt wurden. So darf *Qui parcit virgae natum non diligit* (Wer das chindt lieb habn will / Der spar im der gertten nicht zu einem zill) oder das *Plenus venter, non studet libenter* in der Form: *Dum plenus est venter caput laetum est mihi semper* (Wenn der pauch ist vol / so ist mir das haubt froleich all mal), 49, nicht fehlen. Benediktinisch im Sinne des Kapitels 6 der Regel (*De taciturnitate*) ist vielleicht die Betonung der Schweigsamkeit. In gewisser Weise fügt sich auch das frauenfeindliche Sprichwort 41 ins Bild, so wird Zöglingen oder Novizen die Askese schmackhaft gemacht. Sind viele der Weisheitssprüche direkt oder inhaltlich salomonisch, also biblisch, so sind sie in der Überzahl doch auf das praktische Leben und die allgemeine Ethik gerichtet, nicht spirituell im engen kirchlichen Sinn.

Ein merkwürdiger Fremdling und eine Art Verlegenheit ist der Spruch 36 *Visitatio Mariae sit impetratio veniae* (Dye haymsuechung der Junkfraw Marie / Schol sein ein erwerffung der gnade) zwischen 35 (Wenn man den wolf nentt / So chumbt er offt zw gerentt) und 37 (Es ist nw aus der zeytt / Das man spechk kauff dy kolern preytt)! Dieses 36. „Sprichwort" wirkt auch formal erratisch, da es sich kaum als Hexameter lesen läßt, es fehlt ihm auch jeder „gnomische" Charakter, und es läßt sich auch schwerlich, rhetorisch gesehen, dem sogenannten *genus obiectivum*, der objektbezogenen Sprechweise, der die Sentenzen sonst untergeordnet sind, zurechnen, liest es sich doch etwa wie ein gebetsartiger frommer Wunsch, wenn es heißt, daß von der Feier des Festes der Heimsuchung Mariens viel Gnade ausgehen möge. Vielleicht enthält es aber auch einen indirekten und versteckten Hinweis auf den Zeitpunkt der Abfassung oder der „Verlautbarung" im Schulbetrieb. Wie plump und umständlich Johann Hechtl gedichtet hat, zeigt sich etwa auch am Spruch 38, wo er den lateinischen Hexameter *Roma die sola non fuerat aedificata* auf die deutsche Formel bringt: „Fur war ich das sag / Rom ist nicht gepautt worden in ain tag", und so zu einer, im konzisen lateinischen Text nicht vorhandenen Beteuerung seine Zuflucht nimmt.

Vielleicht ist es nicht ganz müßig, zum Schluß die Sprichwörtersammlung des Johann Hechtl neben den ältesten deutschen Physiologus zu stellen, wenn sie von der Zeit und ihrer literarischen Bedeutung her auch nicht vergleichbar sind. Das Jahr 1470, in dem der älteste „Physiologus" nachweislich in St. Paul katalogisiert und damit „in die Hand genommen" wurde, und die Abtszeit Hechtls (vor allem aber die Zeitangabe 1468 in HS 12840) sind eine zu auffällige Koinzidenz als daß man sie ganz übersehen könnte.

So erscheinen die Tiersprichwörter, geronnene mittelalterliche Verhaltensforschung mit ethischen Konsequenzen für das Verhalten der Menschen, so wenig sie ästhetisch auch befriedigen, doch auch im Sinne der neuen Zeit und des heraufkommenden Humanismus als eine Antwort auf die geistliche Totalallegorese des frühen Mittelalters. Nicht mehr, was die Tiere gesliho bezehinen steht hier zur Diskussion, Hechtl beginnt vielmehr eine rede umbe diu tier, was sie nicht im Geistlichen, sondern im Natürlichen, sozusagen im Hausverstand bedeuten.

Anmerkungen

1. H. Menhardt, Das neue Klagenfurter Lanzelet-Bruchstück G^k, ZS für deutsches Altertum 59 (1929), S. 257–267. Peter Pascher macht mich darauf aufmerksam, daß die Zuordnung der Trägerhandschrift ins Benediktinerkloster St. Paul, von der Menhardt aufgrund eines Besitzeintrags ausgeht, insofern Schwierigkeiten macht, als in dem im Kodex vorhandenen Kalendarium alle für die Abtei zu erwartenden Hoch- und Hausfeste nicht rubriziert, also hervorgehoben und ausgezeichnet sind, während andere, eher auf ein Benediktinerinnenkloster hinweisende Feste rot markiert sind. Eine genauere Überprüfung steht noch aus.
2. Zu den Funden in neuerer Zeit siehe „Handschriftenfragmente von 500–1500", Katalog der Ausstellung, hrsg. von H. Gröchenig, G. Hödl und E. Pascher (Armarium 1, 1977) No 33 (Hartmann von Aue: Iwein), No 35 (Ulrich von Zatzikhoven: Lanzelet), No 36 (Ulrich von Türheim: Kliges). Zum neugefundenen Tristrant-Fragment nach Eilhart von Oberge siehe H. Gröchenig und P. H. Pascher, Eilhart von Oberge, Tristrant. Neufund eines Pergamentfragmentes einer Handschrift des 13. Jahrhunderts aus dem Benediktinerstift St. Paul im Lavanttal/Kärnten, Buchkunde, ZS für Buchkunde, Philologie und historische Hilfswissenschaften 1 (1984), H. 1–4, S. 11–30, außerdem: A. Brandstetter, Über den Stellenwert des neugefundenen St. Pauler Fragments in der Überlieferung von Eilharts „Tristrant", in: FS für Ingo Reiffenstein zum 60. Geburtstag, hrsg. von P. K. Stein, A. Weiss und G. Hayer (1988), S. 339–352.
3. Die Benediktus-Regel, Lateinisch-Deutsch, hrsg. von B. Steidle (²1975), Kapitel 59, S. 165.
4. Denkmäler deutscher Poesie und Prosa aus dem 8.–12. Jahrhundert, hrsg. von K. Müllenhoff und W. Scherer, 2 Bde. (Unveränderter Nd. 1964), No LXXXII: Physiologus. Die philologischen und textkritischen Anmerkungen in Bd. 2, S. 366–369. Der altdeutsche Physiologus, die Millstätter Reimfassung und die Wiener Prosa (nebst dem lateinischen Text und dem altdeutschen Physiologus, hrsg. von F. Maurer, in: Altdeutsche Textbibliothek 67 (1967).
5. N. Henkel, Studien zum Physiologus im Mittelalter (1976), S. 65.
6. H. Menhardt, Wanderungen des älteren Physiologus, ZS für deutsches Altertum 74 (1937), S. 27 ff.
7. Ebd., S. 37.
8. H. Menhardt, Verzeichnis der Altdeutschen Literarischen Handschriften der Österreichischen Nationalbibliothek (Deutsche Akademie der Wissenschaften zu Berlin, Veröffentlichungen des Instituts für deutsche Sprache und Literatur 13, 1960), HS No 223, S. 36.
9. Ebd.
10. H. De Boor, Geschichte der deutschen Literatur, Bd. 1 (1966), S. 129: der Physiologus „gehört somit in das Gebiet der reformerischen Popularisierung". Zur Kritik De Boors siehe Henkel, Studien (wie Anm. 5), S. 65.
11. G. Vollmann-Profe, Geschichte der deutschen Literatur von den Anfängen bis zum Beginn der Neuzeit, hrsg. von J. Heinzle, Bd. 1, 2, Wiederbeginn im hohen Mittelalter (1986), S. 78.
12. H. Menhardt, Eine lateinisch-deutsche Spruchsammlung aus St. Paul vom Jahre 1468, Car. I 120 (1930), S. 10–19. Von den späteren Arbeiten: H. Maurer, E. Zimmermann, Eine lateinisch-deutsche Spruchsammlung aus St. Paul vom Jahre 1468, JbSP (1979/80), S. 32–37.
13. Menhardt, Spruchsammlung (wie Anm. 12), S. 15.
14. Ebd., S. 12.

Deutsche Denkmäler der heutigen Stiftsbibliothek St. Paul

HANS GRÖCHENIG

Die heutige Bibliothek des Benediktinerstiftes St. Paul mit ihrem Bestand von ungefähr 3300 Handschriften (einschließlich der Archivhandschriften), 830 Inkunabeln und acht Blockdruckfragmenten hat kaum mehr etwas mit der Bibliothek des 1787 aufgelösten St. Pauler Stiftes gemein: Ihr heutiger Besitzstand setzt sich nämlich vorwiegend aus zwei Provenienzgruppen zusammen, der Bibliothek des 1806 aufgehobenen Stiftes St. Blasien im Schwarzwald und der des Kanonikerstiftes Spital am Pyhrn.

Die St. Blasier Mönche besiedelten nach einem kurzen Zwischenaufenthalt in Spital am Pyhrn 1809 das Stift St. Paul wieder und brachten dabei ihre wie auch die Spitaler Bibliothek nach St. Paul mit. Von den „Alt-St. Pauler" Bibliotheksbeständen sind heute lediglich die nach der Aufhebung am Ort verbliebenen Archivhandschriften vorhanden, welche aus Gründen der Verwaltung der Besitzungen auch nach der Auflösung noch weiter hier benötigt wurden.

Die mittelalterlichen deutschen Textzeugen entstammen bis auf wenige Ausnahmen den beiden erstgenannten Provenienzgruppen.[1] Eine Einteilung in zwei Gruppen bietet sich an:

1. Texte, die längst bekannt und in der Fachliteratur auch mehr oder weniger ausreichend beschrieben sind.
2. Textfragmente, die erst in jüngerer Zeit im Zuge von Katalogisierungsarbeiten gefunden und veröffentlicht wurden.

Beide Gruppen sollen in einem kurzen Überblick dargestellt werden.

Bei der ersten Gruppe handelt es sich durchwegs um Texte, die man in einer Klosterbibliothek erwarten wird, Texte, die man unter dem Begriff „religiös-theologische Literatur" zusammenfassen könnte. Bezüglich deren zeitlicher Einordnung ergibt sich eine breite Streuung: Von der Zeit um 800 bis ins 16. Jahrhundert spannt sich der Bogen.

Die den Beginn der deutschen Schriftlichkeit markierende Glossenliteratur ist gleich in mehreren Textzeugen, welche alle der St. Blasier Provenienzgruppe angehören, belegt:

Die HS 82/1 (*Expositio quorundam vocabulorum bibliae seu glossarium*) datiert aus dem 10. Jahrhundert und ist damit unter den zu nennenden Glossenhandschriften die jüngste. Wie sie nach St. Blasien gekommen ist, kann man nicht sagen, ein Besitzvermerk am Textanfang sagt uns, daß sie sich auch in der Bibliothek von St. Ulrich und Afra in Augsburg befunden hat. Die als Mustersammlung von Formularen in der Art eines Schulheftes angelegte HS 903/0 enthält am unteren Rand der zweiten Lage lateinisch-althochdeutsche Glossen aus Gregors *Cura pastoralis*. Dieser Textzeuge entstammt dem ausgehenden 9. Jahrhundert. Ob dieser Text wie die beiden noch zu nennenden aus dem Kloster Reichenau stammt, ist nicht mehr eindeutig feststellbar, da bei einer Neubindung im 19. Jahrhundert allfällige Hinweise darauf verlorengegangen sind.

Ins 9. Jahrhundert datieren die von der Reichenau stammenden, Genesisglossen enthaltende Fragmente von drei Blättern einer Glossenhandschrift (37/6). Es handelt sich dabei um ein Palimpsest, wobei die Rasur des darunterliegenden Textes aus dem 6. Jahrhundert so gründlich ausgefallen ist, daß selbst unter der Quarzlampe kaum etwas zu erkennen ist. Das ehrwürdigste und wohl auch bekannteste Beispiel althochdeutscher Glossenliteratur sind die sogenannten „St. Pauler Lukasglossen" (1/8). Es handelt sich dabei um ein Doppelblatt einer Bibelhandschrift, welches die Stelle Lukas 1,64 – 2,51 in der Fassung der *Vetus Latina* enthält. Dieser aus dem 6./7. Jahrhundert stammende Text wurde um 800 im Kloster Reichenau mit althochdeutschen Interlinearglossen versehen. Das Blatt wurde im 14. Jahrhundert dem Ambrosiuskodex 1/1 (2. Hälfte des 5. Jahrhunderts!) beigebunden, im Zuge einer Neukatalogisierung wurde das Blatt wieder ausgelöst und in der Fragmentenreihe unter der Sign. 1/8 aufgestellt.[2]

Notker der Deutsche, der das Ende der althochdeutschen Sprach- und Literaturperiode markiert, ist durch ein Fragment von drei Blättern vertreten, welches Teile aus dessen Psalmenübersetzung enthält (Sign. 905/3).[3] Die Schrift des Textzeugen erlaubt jedoch keine zu frühe Datierung, unser Textzeuge gehört demnach ins 12. Jahrhundert. Über die Vorgeschichte dieses Textes ist leider nichts bekannt, so daß eine Zuordnung zur St. Blasier Provenienzgruppe nicht sicher zu treffen ist.

Weder der St. Blasier noch der Spitaler Provenienzgruppe gehören die drei folgenden Textfragmente an, die bisweilen unter dem Begriff „Maria Saaler Bruchstücke" zusammengefaßt werden und die für die St. Pauler Bibliothek die frühmittelhochdeutsche religiöse Dichtung belegen. Das heute unter der Signatur 25/8 verwahrte Pergamentdoppelblatt enthält Teile aus Priester Adelbrechts *Johannes Baptista* und einem „St. Veit"[4]. Auf dem Pergamentblatt 26/8 findet sich das Fragment „Von der babylonischen Gefangenschaft". Sprachlich weist 25/8 ins Bairische, die Heimat des Dichters von 26/8 wird nach Meinung Wesles[5] im Moselfränkischen zu suchen sein. Die Fragmente entstammen der heute in St. Paul verwahrten HS 371/4, welche Anfang des 19. Jahrhunderts von Maria Saal nach St. Paul gelangt ist.

Die Bruchstücke wurden bereits 1825 vom damaligen Maria Saaler Pfarrer Urban Zarnigg entdeckt und 1839 erstmals veröffentlicht. Die Frage nach der Herkunft der Trägerhandschrift ist nicht sicher zu beantworten wie auch die Frage danach, wo die Fragmente in die Handschrift eingebunden wurden. Menhardt nimmt aufgrund verschiedener Indizien an, daß dies in einem niederbayrischen Zisterzienserkloster geschehen sein muß.[6]

Aus der ersten Hälfte des 13. Jahrhunderts datiert die HS 109/3, welche die Sammlung der sogenannten „St. Pauler Predigten" enthält. Die Handschrift stammt aus Spital. Whisnant nimmt an, daß der Text um 1230 von einem Schreiber aus dem oberbayrisch/österreichischen Gebiet unter Verwendung einer mitteldeutschen bzw. oberfränkischen Vorlage für das 1190 vom Bamberger Bischof Otto II. begründete Hospital am Pyhrn geschrieben wurde.[7]

Das „St. Pauler Evangelienreimwerk" (53/1) entstammt wieder dem St. Blasier Bestand.[8] Es handelt sich dabei um eine in Paarreimen verfaßte mitteldeutsche Übersetzung der vier Evangelien. Die Handschrift ist nicht vollständig, da am Textanfang drei Lagen fehlen, so daß der Text mit Mt. 17,4 beginnt.

Der Typus der deutschen Reimbibel ist in St. Paul noch durch zwei weitere Fragmente vertreten: Teile aus dem 16. Kapitel des *Liber Numeri* aus dem Alten Testament enthält das Pergamentdoppelblatt 2/5 aus der Zeit um 1400. Ein aus derselben Handschrift stammendes weiteres Doppelblatt, welches sich heute in der Nationalbibliothek in Wien befindet, wurde 1895 von E. Schröder veröffentlicht.[10] Teile aus der Geschichte von Joachim und Anna finden sich im zweiten Reimbibelfragment 20/8 (ex 37/6).[11] Das Doppelblatt stammt aus dem 15. Jahrhundert. Ob es sich dabei um einen Teil aus der Weltchronik des Heinrich von München handelt, müßten weitere Untersuchungen ergeben.

Noch nicht näher untersucht ist die sehr schön ausgestattete Gebetshandschrift 51/1. Sie wird unter dem Titel „Niederdeutsches Gebetsbuch" geführt, gehört zur St. Blasier Provenienzgruppe und stammt aus dem 15. Jahrhundert. Eine erste Durchsicht der Handschrift hat ergeben, daß diese zumindestens Teile aus Geert Grootes Getijdenboek[12] enthält. Eine genaue Beschreibung und Untersuchung darüber, wie der Text nach St. Blasien gelangt ist, wird vorbereitet. Ein weiteres deutsches Gebetbuch St. Blasier Provenienz ist die HS 2/2, die vermutlich im Freiburger Klarissenkloster Anfang des 16. Jahrhunderts entstanden ist, ein Text, der schon durch seine Kleinheit von 9,5 x 7 cm auffällt.[13]

Die schon als Trägerhandschrift der „Maria Saaler Bruchstücke" genannte HS 371/4 überliefert einen Teil aus dem Marienleben des Heinrich von St. Gallen sowie eine Predigt, die Berthold von Regensburg zugeschrieben wird, deren Echtheit aber bis heute nicht bewiesen ist.[14]

Spitaler Provenienz ist ein wichtiger Textzeuge für die Überlieferung von zwei Hauptwerken des Wiener Predigers und Übersetzers Thomas Peuntner: 256/4 enthält sowohl Peuntners 1428 entstandenes „Büchlein von der Liebhabung Gottes" wie auch dessen „Christenlehre".

Da die Handschrift auf Bl. 11r den Vermerk *Pro hospitali in Kulmbach* trägt, vermutet Schnell, daß sie mit dem aus Kulmbach stammenden späteren Spitaler Kanoniker Hermann Peer nach Spital gelangt sein könnte. Nach Schnells Meinung hätte Peer die Handschrift aus Dankbarkeit dafür, daß ihm die Studien in Wien ermöglicht wurden, dem Hospital in Kulmbach gewidmet.[15]

Wenn diese Ansicht Schnells stimmt, dann haben wir mit dem Kodex 210/4 vielleicht ein weiteres Widmungsexemplar Peers vor uns, denn auch in dieser Handschrift findet sich der oben genannte Eintrag.

Diese aus dem 15. Jahrhundert stammende Handschrift bietet mit der deutschen Übersetzung von Sir John Mandevilles Reisebeschreibung in der Fassung Michael Velsers den wohl am häufigsten überlieferten deutschen Text mittelalterlicher Reiseliteratur.[16]

Zwei weitere von Spital nach St. Paul gelangte Denkmäler, die wie Mandevilles Text ebenfalls nicht mehr der Gruppe der „religiösen Literatur" zuzuordnen sind, beschließen die Texte aus Gruppe 1. Kodex 158/4 enthält sowohl die lateinische wie auch die deutsche Fassung von Sigismund Meisterlins Augsburger Chronik. Das Kolophon des deutschen Textes informiert uns darüber, daß der Text schon ein Jahr nach seinem Entstehen (1456) im April des Jahres 1457 vom Schreiber Johannes Layder fertiggestellt wurde.[17]

Kodex 261/4 schlußendlich enthält auf Bl. 166 recto und verso einen der wichtigsten Textzeugen für die Anfänge deutscher Dramatik, das St. Pauler Neidhartspiel.[18]

In der zweiten Gruppe sind nur mehr Textfragmente zu nennen. Das hängt damit zusammen, daß diese Fragmente gleichsam als Makulatur in den Einbänden diverser Handschriften und Inkunabeln aufgefunden wurden.

Die ursprünglich wohl vorhandenen vollständigen Handschriften dieser Texte wurden offensichtlich so gering geschätzt, daß sie nur mehr in diversen klösterlichen Buchbindewerkstätten beim Binden von Büchern Verwendung fanden. Heute stellen diese wenigen wiedergefundenen Fragmente einmalige Kleinodien dar, zumal durch sie St. Paul auch Aufbewahrungsort wichtiger Textzeugen vor allem höfischer deutscher Literatur des Mittelalters wird. So wird gerade durch sie die Bibliothek des Stiftes St. Paul für den Germanisten noch interessanter, als sie dies ohnehin schon war. Die Textfragmente wurden im Zuge der Arbeiten am St. Pauler Inkunabelkatalog und der damit verbundenen Durchsicht aller mittelalterlichen Einbände der St. Pauler Bibliothek entdeckt, ausgelöst und in der Fragmentenreihe aufgestellt.

Wenden wir uns zuerst den Textzeugen höfischer Epik zu. Das Fragment aus dem Tristrantroman Eilharts von Oberge (9/8) stellt eine kleine überlieferungsgeschichtliche Kostbarkeit dar.[19] Es handelt sich dabei um ein nahezu vollständiges Pergamentdoppelblatt, welches aus sechs Pergamentstreifen zusammengesetzt ist. Letztere befanden sich im Rücken der Inkunabel 1.2.2/1 (*Bertachinus, Repertorium juris utriusque*; Nürnberg: Anton Koberger, 1483), nur an den Rändern der Buchdeckel ragten diese Streifen etwas hervor. Die Inkunabel wurde in der Spitaler Buchbindewerkstätte gebunden, das Fragment ist demnach dort in den Buchrücken gelangt. Das zweispaltig beschriebene Pergamentdoppelblatt überliefert die Verse 1029–1146 bzw. 1615–1730 aus Eilharts Tristrant. Aufgrund der Textlücke zwischen Blatt eins und zwei kann man erkennen, daß es sich um das dritte Doppelblatt einer Lage handelt.

Das vorliegende Fragment stammt, wie eine Untersuchung der Schrift erweist, aus der Zeit um 1300. Für die ohnehin nur spärliche Überlieferung des Tristrant ist dieses Fragment insofern von großer Bedeutung, als es sich dabei um den ältesten Textzeugen für die sogenannte jüngere Fassung handelt (alle bisher bekannten Textzeugen datieren aus dem 15. Jahrhundert). Darüber hinaus zeigt das Fragment auch interessante Verbindungen zur älteren Fassung, welche durch Textzeugen aus dem 12. Jahrhundert fragmentarisch belegt ist. Alois Brandstetter hat erst kürzlich auf die verbindende Rolle des Fragmentes zwischen der älteren und jüngeren Fassung hingewiesen.[20]

Zu den gut überlieferten Werken mittelalterlicher deutscher Epik zählt Hartmann von Aues Iwein. Ein umfangreiches Textfragment daraus befindet sich ebenfalls in St. Paul (7/8).[21]

Es handelt sich dabei um zwei nicht ganz vollständige Pergamentdoppelblätter, die aus 14 schmalen Pergamentstreifen und zwei breiteren Streifen zusammengesetzt werden konnten. Die schmalen Streifen dienten als Fälze, die breiteren Streifen waren auf dem Vorder- bzw. Rückendeckel der Handschrift 22/4 (Nicolas de Gorham: *Super evangelium Lucae;* geschrieben von Johannes Altweckh de Monaco, 15. Jahrhundert) aufgeklebt. Die beiden Doppelblätter enthalten – mit Unterbrechungen, bedingt durch die Unvollständigkeit der Blätter – die Verse 4097–4300 bzw. 4526–4725 aus Hartmanns Iwein. Der Text ist einspaltig geschrieben, die Verse sind nicht abgesetzt.

Aufgrund des fehlenden Textteils zwischen Blatt zwei und drei wird erkennbar, daß es sich um die beiden äußeren Blätter eines Quaternios handelt. Die Schrift des Fragmentes erlaubt eine Datierung um 1250, womit dieses Fragment, welches innerhalb der Iweinüberlieferung die Sigle U erhielt, zu den älteren Textzeugen dieses Werkes zählt.

Aus der Mitte des 14. Jahrhunderts stammt das Fragment aus dem Willehalm des Wolfram von Eschenbach (11/8).[22] Das Fragment diente als Pergamenteinband eines Buches und wurde eher zufällig vom ehemaligen Bibliothekar des Stiftes Peter Pascher entdeckt.[23] Auf dem großformatigen Blatt sind in zwei Spalten die Verse 415,26–421,25 des Willehalm eingetragen. Das Fragment ist in der Willehalmausgabe Werner Schröders als Nr. 79 berücksichtigt.[24]

Wegen der schlechten Überlieferungslage des Gesamtwerkes ist das Fragment aus dem Kligesroman des Ulrich von Türheim (27/8) von besonderer Bedeutung und großem Interesse. Über die Existenz eines deutschen Kligesromanes wußte man bis 1888 nur aus

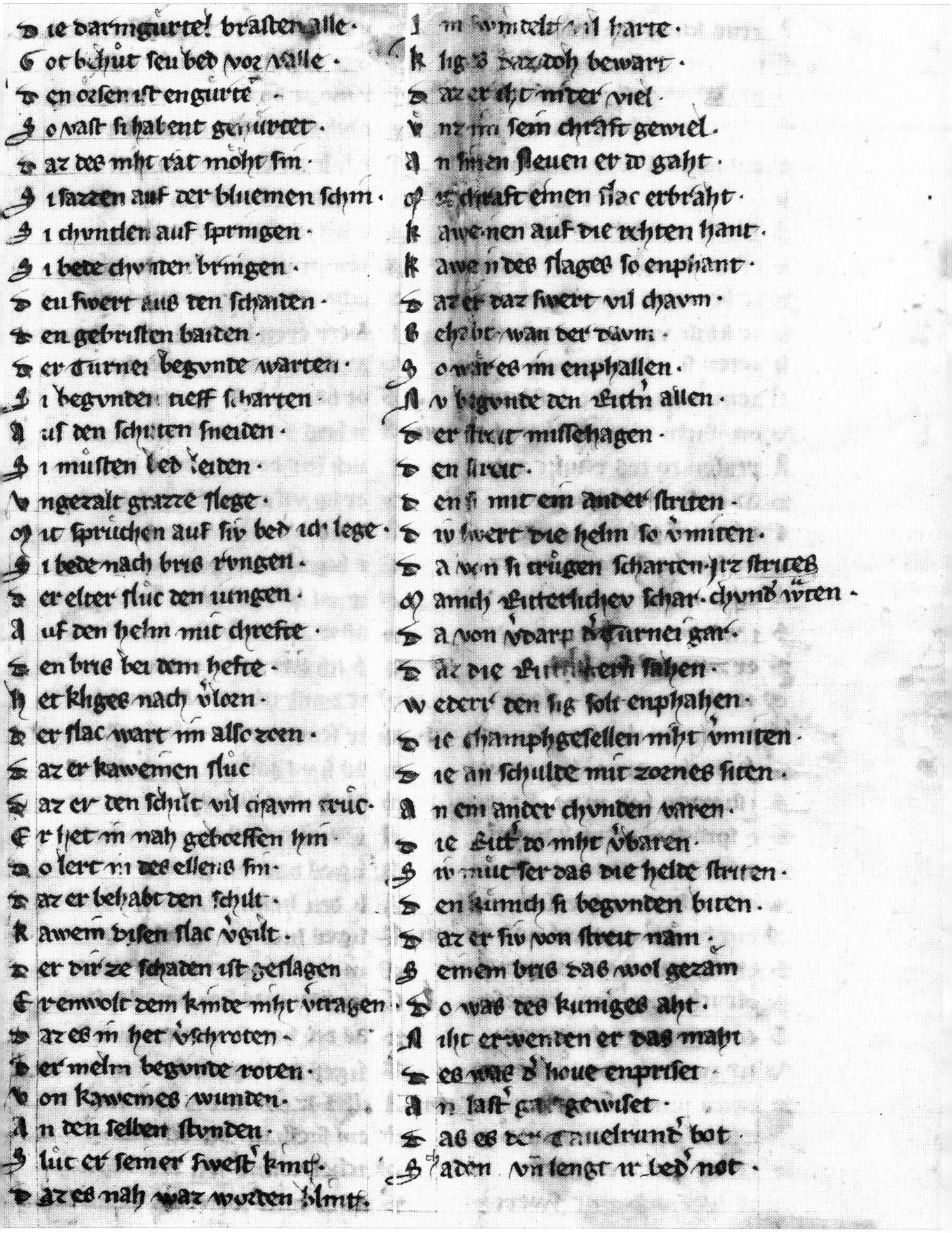

Die darmgurte! brasten alle.
Got behůt sei bed vor valle.
Den oesen ist en gurte
So vast si habent gegurtet.
Daz des niht rat moht sin.
Si sazzen auf der bluemen schin.
Si chunden auf springen.
Si bede chunder bringen.
Deu swert aus den schaiden.
Den gebristen baiden.
Der turnei begunde warten.
Si begunden tieff scharten
Auf den schilten sneiden.
Si musten bed leiden.
Ungezalt grazze slege.
Mit spruchen auf siv bed ich lege.
Si bede nach bris ringen.
Der elter sluc den iungen.
Auf den helm mit chrefte.
Den bris bei dem hefte.
Het Klyges nach vloren.
Der slac wart im alsoe zorn.
Daz er Kawemen sluc
Daz er den schilt vil chawm truc.
Er het in nah gebeeffen hin
So lert in des ellens sin.
Daz er behabt den schilt.
Kawein disen slac vgilt.
Der dir ze schaden ist geslagen
Erne wolt dem kinde niht vragen
Daz es in het vschroten.
Der melm begunde roten.
Von Kawemes wunden.
An den selben stunden
Sluc er seiner swest kint.
Daz es nah wär worden blint.

Im wundet vil harte.
Klig vz daz doh bewart.
Daz er iht nider viel.
Vnz im sein chraft gewiel.
An sinen sleuen er do gaht.
Mit chraft einen slac erbraht.
Kawenen auf die rehten hant.
Kawein des slages so enphant.
Daz er daz swert vil chaum.
Behabt wan der daum.
So waer es im enphallen.
Nu begunde den Ritern allen.
Der streit missehagen.
Den streit.
Den si mit ein ander striten.
Zwi swert die helm so vmiten.
Dannen si trugen scharten. irz strites
Manich Riterlichev schar chund viten
Da von warf der turnei gar.
Daz die Ritterern sahen.
Wederr den sig solt enphahen.
Die champhgesellen niht vmiten
Die an schulde mit zoenes siten.
An ein ander chunden varen.
Die Riter do niht vbaren.
Zw mut ser das die helde striten.
Den kunich si begunden biten.
Daz er siv von streit nam.
Seinem bris das wol gezam
So was des kuniges aht.
Niht erwenden er das maht
Des was der hove enpriset
An last gar gewiset.
Das es der Tavelrund bot
Schaden vnd lengt ir bed not.

Abb. 179: Kligesroman des Ulrich von Türheim, um 1320; Fragment, STA, Cod 27/8

Hinweisen im Alexander und im Willehalm von Orlens des Rudolf von Ems. Erst 1888 tauchten in Zürich Bruchstücke einer deutschen Kligesbearbeitung auf, 1966 veröffentlichte A. Vizkelety Fragmente aus der Erzdiözesanbibliothek Kalocsa (Ungarn), welche derselben Handschrift, aus der auch das Züricher Fragment enstammt, angehören. Dieser Handschrift gehört auch das St. Pauler Fragment an. Letzteres wurde in der Inkunabel 4.1.11 (Cato: *Documenta moralis Catonis,* Ulm: Johann Zainer, um 1476/78) entdeckt, die der Spitaler Provenienzgruppe angehört. Es handelt sich dabei um zwei Pergamentstreifen, die ein vollständiges Blatt ergeben. Da das Züricher und auch das Kalocsaer Fragment nur aus Blatteilen besteht, sind erst mit Hilfe des St. Pauler Fragmentes genaue Angaben zur Größe der ursprünglichen Kligeshandschrift möglich. Der Text ist zweispaltig geschrieben, inhaltlich geht es hier um den Kampf zwischen Gawan und Kliges, was etwa den Versen 4940–5000 der französischen Vorlage Chrestiens entspricht. Die Schrift des Fragmentes läßt eine Datierung um 1320 zu.

Neben diesen epischen Textzeugen besitzt St. Paul aber auch zwei interessante Textzeugen mittelalterlicher deutscher Lyrik.

Das St. Pauler Neidhartfragment (10/8) besteht aus vier Pergamentstreifen[26], wobei zwei Streifen ein fast vollständiges Blatt ergeben, die beiden anderen Streifen sind Teile von zwei weiteren Blättern. Die Blattgröße der ursprünglichen Handschrift betrug lediglich 90 x 80 mm. Die Fragmente entstammen der Inkunabel 50.1.2 (Ferrerius, Vincentius: *Sermones de tempore. Pars hiemalis,* Nürnberg: Anton Koberger, 1492). Mit diesen Pergamentstreifen wurden die Löcher im Holzdeckel, in denen die Bünde eingezogen sind, abgedeckt. Die Inkunabel, die einen Augsburger Blindrolleneinband besitzt, befand sich nach einem Besitzeintrag im Kapuzinerkloster Wolfsberg, von wo sie nach St. Paul gelangt ist. Auf diesen Pergamentstreifen sind in einer Schrift aus dem Beginn des 14. Jahrhunderts Teile aus Neidharts Sommerlied 13 sowie der Winterlieder 9, 13 und 16 eingetragen sowie Teile des bisher nur in der dem 15. Jahrhundert entstammenden Handschrift c überlieferten Liedes c 58, welches bisher als unecht galt. Da das Lied c 58 nun plötzlich in einer Pergamenthandschrift des beginnenden 14. Jahrhunderts belegt erscheint, müßte die Echtheitsfrage für diese Strophen neu überdacht werden. Aber auch der bisher nur in c 96,7 belegte abweichende Aufgesang für Strophe Winterlied 9,7 sowie die bisher nur in c überlieferte Strophe c 62,3 zu Sommerlied 13 findet sich in unserem Fragment, was ebenfalls eine Neubewertung zumindest dieser Strophen(teile) in Hinblick auf die Echtheitsfrage erforderlich macht.

Das zweite Fragment mittelhochdeutscher Lyrik enthält Teile aus dem Kreuzleich Frauenlobs (24/8).[27] Es handelt sich dabei um 20 Pergamentfälze, die ein nahezu vollständiges Pergamentdoppelblatt ergeben. Die Fälze entstammen der Spitaler Papierhandschrift 125/4 (Soccus des Konrad von Brundelsheim. Die Handschrift wurde vom Schreiber Ulrich Danubsar am 16. 11. 1393 in Linz vollendet). Zusätzlich zum Text wird auch die Melodie in Form der Hufnagelnotation überliefert. Das Textfragment gehört der Mitte des 14. Jahrhunderts an.

In der Handschrift 125/4 fanden sich neben den Pergamentfälzen, die das Frauenlobfragment ergaben, zwei weitere Pergamentstreifen, die einen der ältesten, wenn nicht den ältesten Textzeugen deutscher Reiseliteratur enthalten. Es handelt sich dabei um die deutsche Übersetzung des Chinareiseberichtes des Odorico de Pordenone (36/8).[28] Der Franziskaner Odorico de Pordenone verstarb im Jänner 1331 in Udine, nachdem er 1330 von seiner Chinareise zurückgekehrt war und seinen Bericht seinem Mitbruder Wilhelm von Solagna diktiert hatte. Die deutsche Übersetzung besorgte 1359 der aus Tegernsee

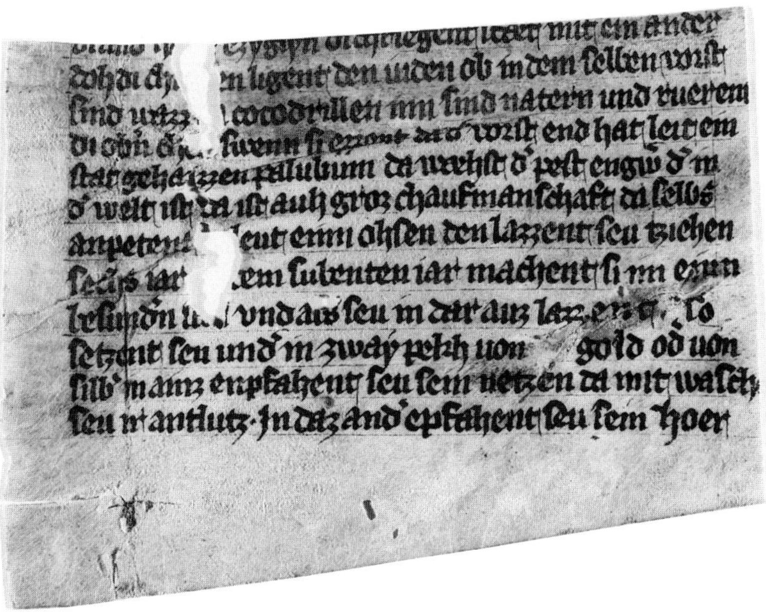

Abb. 180: Deutsche Übersetzung des Chinareiseberichtes des Odorico de Pordenone (1260/70–1331), Mitte 14. Jahrhundert; Fragment, STA, Cod 36/8

stammende Weltgeistliche Konrad Steckel. Von der Übersetzung Steckels existieren vier vollständige Handschriften, die alle dem 15. Jahrhundert angehören. Das St. Pauler Fragment datiert aus der Mitte des 14. Jahrhunderts, es fällt also in die Zeit, in der Steckel seine Übersetzung abschloß. Es ist nicht eindeutig zu klären, ob es sich beim vorliegenden Fragment um die Übersetzung Steckels oder um einen weiteren Übersetzungsversuch dieses Reiseberichtes handelt.

Zum Abschluß des Überblicks über die deutschen Denkmäler in der Stiftsbibliothek St. Paul sei noch auf zwei weitere, erst kürzlich vom Verfasser aufgefundene Textfragmente deutscher Literatur (Mönch von Salzburg, Bruder Philipps Marienleben) hingewiesen.

Diese Funde, deren Veröffentlichung bevorsteht, lassen die Hoffnung auf weitere derartige Textfunde nicht ganz unbegründet erscheinen.

Der Überblick zeigt sehr deutlich, welchen wichtigen Stellenwert die Bibliothek St. Paul in der Überlieferung der deutschen Literatur des Mittelalters heute besitzt. Dabei muß aber immer bedacht werden, daß diese bedeutende Rolle den beiden Provenienzgruppen der heutigen Bibliothek St. Blasien und Spital am Pyhrn verdankt wird, was für den Verlust der bis zur Auflösung 1787 vorhandenen Alt-St. Pauler Bibliothek entschädigt.

Anmerkungen

1. Eine dieser Ausnahmen ist ein „Longinussegen", welcher sich im Alt-St. Pauler Urbar 285/0 auf Bl. 24v befindet. Er stammt aus der Zeit um 1400. Dazu vgl. W. Fresacher, Ein „Longinussegen" aus Kärnten, Car. I 144 (1954), S. 778 f.
2. Dazu vgl. E. Steinmeyer, E. Sievers, Die althochdeutschen Glossen, Bd. 1 (Nd., 1968); weiters vgl. Armarium 1 (1977), Nr. 4 (= 1/8), 11 (= 903/0), 12 (= 37/6).
3. Vgl. Armarium 1 (1977), Nr. 19.
4. Dazu vgl. F. Maurer, Die religiösen Dichtungen des 11. und 12. Jahrhunderts. 3 Bde. (1964–1970), Bd. 1, S. 418–425, zur „Babylonischen Gefangenschaft", Bd. 2, S. 328–341, zu Adelbrechts Johannes Baptista, Bd. 3, S. 615–619, zu St. Veit.
5. K. Wesle, Zur „Babylonischen Gefangenschaft", Anzeiger für deutsches Altertum 43 (1924), S. 124.
6. Vgl. H. Menhardt, Zur Herkunft der Maria Saaler Bruchstücke, Beiträge zur Geschichte der deutschen Sprache und Literatur 82 (1960), S. 77–94.

7. N. WHISNANT, St. Pauler Predigten, in: Verfasserlexikon, Bd. 7, 2 (²1988), Sp. 366–369.
8. Vgl. H. REINITZER, St. Pauler Evangelienreimwerk, ebd., Sp. 364–366.
9. Dazu vgl. ARMARIUM 1, Nr. 39.
10. E. SCHRÖDER, Aus einer unbekannten Reimbibel, ZS für deutsches Altertum 39 (1895), S. 251–256.
11. Vgl. ARMARIUM 1, Nr. 38.
12. Zu Geert Groote vgl. C. DE BRUIN, Geert Groote, in: Verfasserlexikon, Bd. 3 (²1981), Sp. 263–272.
13. Vgl. Das tausendjährige St. Blasien: 200-Jahr-Domjubiläum; Ausstellung im Kolleg St. Blasien, Bd. 1 (1983), S. 160 f.
14. Dazu vgl. H. HILG, Das Marienleben des Heinrich von St. Gallen (1981), S. 14; D. RICHTER, Die deutsche Überlieferung der Predigten Bertholds von Regensburg (1969), S. 190 f.
15. B. SCHNELL, Thomas Peuntner, Büchlein von der Liebhabung Gottes (1984), S. 98 ff.
16. Eine genaue Beschreibung der Handschrift bietet E. J. MORRALL (Hrsg.), Sir John Mandevilles Reisebeschreibung (1974), S. CIX f.
17. Zu Sigismund Meisterlin siehe K. COLBERG, Meisterlin, Sigismund OSB, in: Verfasserlexikon, Bd. 6 (²1987), Sp. 356–366. Die St. Pauler Handschrift wurde von Colberg allerdings übersehen.
18. Dazu vgl. J. MARGETTS (Hrsg.), Neidhartspiele (1982), bes. S. 11–15, S. 276–283.
19. Vgl. H. GRÖCHENIG, P. PASCHER, Eilhart von Oberge: Tristrant, Buchkunde 1 (1984), S. 11–31.
20. A. BRANDSTETTER, Über den Stellenwert des neugefundenen St. Pauler Fragments in der Überlieferung von Eilharts Tristrant, in: FS für Ingo Reiffenstein (1988), S. 339–352.
21. Vgl. E. PASCHER, H. GRÖCHENIG, „Er sprach so erkennet och mich ich binz iban der arme." Ein neues Iweinfragment aus der Stiftsbibliothek St. Paul in Kärnten, in: FS für Adalbert Schmidt (1976), S. 87–105.
22. Vgl. P. PASCHER, H. GRÖCHENIG, Ein neues Neidhart- und Willehalm-Fragment aus St. Paul im Lavanttal/Kärnten, in: Litterae Ignotae (1977), S. 1–9.
23. P. PASCHER hat nicht nur das Willehalm-Fragment, sondern auch alle anderen Fragmente unserer Gruppe 2 aufgefunden.
24. Wolfram von Eschenbach: Willehalm. Nach der gesamten Überlieferung kritisch neu hrsg. von W. SCHRÖDER (1978).
25. Vgl. H. GRÖCHENIG, P. PASCHER, Ulrich von Türheim: Cliges. Ausgabe der bisher bekannten Fragmente vermehrt um den Neufund aus St. Paul im Lavanttal (Armarium 2, 1984).
26. Vgl. P. PASCHER, H. GRÖCHENIG, Neidhart-Fragment (wie Anm. 2).
27. Vgl. H. GRÖCHENIG, P. PASCHER, K. STACKMANN, K. BERTAU, Ch. MÄRZ, Ein neues Fragment aus Frauenlobs Kreuzleich, ZS für deutsches Altertum 113 (1984), S. 246–286.
28. Vgl. H. GRÖCHENIG, Ein Fragment einer deutschen Übersetzung des Chinareiseberichtes von Odorico de Pordenone.
Ein Handschriftenneufund aus dem Benediktinerstift St. Paul/Kärnten, in: FS für Ingo Reiffenstein (1988), S. 565–572; vgl. weiters H. GRÖCHENIG, Untersuchungen zu Konrad Steckels deutscher Übertragung des Chinareiseberichtes des Odorico de Pordenone (Habil. Schrift Klagenfurt, 1987).

Die mittelalterliche Bibliothek des Stiftes Spital am Pyhrn

KURT HOLTER

Die Bibliothek von Spital am Pyhrn war und ist eine der interessantesten Büchersammlungen der Stifte in Oberösterreich, auch wenn sie sich seit fast zweihundert Jahren nicht mehr im Lande befindet.* Von den kulturhistorisch so wichtigen Bibliotheken der ehemaligen geistlichen Gemeinschaften des Landes hat sie den Vorzug, daß sie im wesentlichen geschlossen erhalten geblieben ist. Sie befindet sich heute in der Stiftsbibliothek der Benediktiner in St. Paul im Lavanttal, nur ein Teil ist an die Kapuziner in Klagenfurt gelangt. Der Bestand in St. Paul im Lavanttal zählt heute etwa 130 Pergament- und gegen 400 Papierhandschriften sowie etwa 500 Inkunabeln, die man zu den mittelalterlichen Beständen rechnen kann.

Das Stift der weltlichen Kanoniker in Spital am Pyhrn, das 1419 die Nachfolge des am Fuße des Pyhrnpasses gelegenen Hospitals angetreten hatte, erfreute sich eines langsamen, wenn auch wechselvollen Aufstieges und war der Auflösung durch die Maßnahmen Kaiser Josephs II. entgangen. Obwohl es sich am Anfang des 19. Jahrhunderts in einer etwas krisenhaften Situation befand, war man sehr erstaunt, als am 11. August 1807 eine Aufhebungskommission in Spital eintraf, um das Stift und seinen Besitz den Benediktinern von St. Blasien im Schwarzwald zu übergeben. Dieses alte und traditionsreiche Stift war am 26. Februar 1806 im Zuge der Napoleonischen Maßnahmen aufgehoben worden. Als sich die Mönche nach Wien um Hilfe und Aufnahme wandten, wurde ihnen am 11. August 1806 das Stift Spital am Pyhrn als „Ersatz“ angeboten, mit der Verpflichtung, auch in Klagenfurt zu unterrichten, wo ihnen das aufgelassene Kapuzinerkloster überlassen wurde.

Ohne daß die Verhandlungen völlig abgeschlossen gewesen wären, konnten die St. Blasier im August 1807 in Spital einziehen, wobei sie den Rest der ihnen verbliebenen Bücher und Kostbarkeiten mitbrachten. Der Bestand der Bibliothek enthielt sehr wertvolle, bis in das 6. Jahrhundert zurückreichende Bestände, darunter u. a. auch eine Gutenbergbibel. Die Bibliothek von Spital wurde damit zu einer herausragenden Sammlung, die sich in Oberösterreich mit den ebenfalls erhalten gebliebenen Bücherbeständen von Kremsmünster und St. Florian durchaus messen konnte, ja sie teilweise sogar übertraf.

Aber es gefiel den Blasier Mönchen nicht in dem „engen Alpental“, und die Verhandlungen über ihre Unterbringung gingen weiter. Am 5. Jänner 1809 wies Kaiser Franz I. ihnen das Kloster St. Paul im Lavanttal zu, mit der Erlaubnis, zu ihren mitgebrachten Schätzen und Büchern auch die Sammlungen von Spital mitzunehmen. Am 15. April 1809 hielt der Fürstabt feierlichen Einzug in St. Paul, und bald folgten ihm die übrigen 35 Mönche. Diese brachten in einem gewaltigen Transport ihre eigenen Schätze und die von Spital am Pyhrn mit. Seither stehen die Büchergestelle in der an der Nordseite der Kirche befindlichen Bibliothek leer. Ihr ehemaliger Inhalt aber wird in Kärnten aufbewahrt und je nach den Zeitverhältnissen gepflegt und ausgewertet.

Die mittelalterliche Bibliothek von Spital hat im Rahmen der geringen Reste der ehemaligen Benediktinerabtei St. Paul und der St. Blasier Bestände schon mehrfach wissenschaftsgeschichtliches und kunsthistorisches Interesse gefunden. Nach einer Beschreibung der wichtigsten künstlerisch wertvollsten Manuskripte im Rahmen des Beschreibenden Verzeichnisses der illuminierten Handschriften von Österreich durch R. Eisler (1907) ist durch den Verfasser im Jahre 1969 im 37. Band der Österreichischen Kunsttopographie eine neue Übersicht geboten worden. Daselbst ist auch die reiche frühere Literatur verzeichnet.[1]

Zwei Jahre später erschien der fünfte Band der Edition der Mittelalterlichen Bibliothekskataloge Österreichs, Oberösterreich, der von Herbert Paulhart bearbeitet wurde[2] und das umfangreiche einschlägige Material für Spital am Pyhrn in zuverlässiger Weise vorlegt. Die Entstehung der Spitaler Bibliothek ist zu einem großen Teil aus persönlichen Schenkungen zusammengewachsen. Dafür lieferte die im Jahre 1888 erfolgte Ausgabe des Necrologiums des ehemaligen Kollegiatstiftes Spital am Pyhrn von Beda Schroll eine wertvolle Unterlage. Sie ist jetzt ergänzt und vervollständigt worden durch das neulich erschienene Buch von Hans Krawarik, „Die weltlichen Chorherren von Spital am Pyhrn (1418 – 1807)"[3]. Auf die biographischen Darstellungen ist im folgenden mit dem Hinweis (Kr. und der entsprechenden Nummer) verwiesen. Wer sich für die Personengeschichte des Stiftes Spital am Pyhrn interessiert, wird unter allen Umständen auf diese Publikation zurückgreifen müssen.

Viele wertvolle Angaben zur Spitaler Bibliotheksgeschichte wird man im 142. Band der Kärntner Zeitschrift „Carinthia I" finden[4], wo Adolf Trende ein fast unübersehbares Material zusammengetragen hat, das freilich mit vielen Daten zur Bibliotheksgeschichte von St. Paul und von St. Blasien vermischt ist.

Die Geschichte des „Stiftes" Spital teilt sich in zwei Epochen. Die erste, die des ursprünglich bambergischen Hospitals, darzustellen ist nicht unsere Sache. Nur wenig sind die Denkmäler im ehemaligen Bücherbestand. Und außerdem war es wohl kaum Aufgabe eines Pilger- und Wandererspitals, in größerem Maße für geistige oder geistliche Kost zu sorgen. Immerhin gibt es im Spitaler Bestand einige wenige Kodizes, die altersmäßig vor die Errichtung des Kollegiatstiftes zurückgehen. Sofern sie oberösterreichischer Provenienz sind, kann eine Erwerbung vor dem Datum von 1418 nicht ausgeschlossen werden. Es sind vor allem einige ältere oberösterreichische Kodizes, die zum Teil für eine frühe Erwerbung und entsprechend lang dauernde Aufbewahrung in Frage kommen. An erster Stelle steht ein Lektionar, Kodex 53/3, das noch dem 11. oder dem frühen 12. Jahrhundert angehört und das damit älter sein dürfte als die Geschichte des Hospitals. Die Handschrift enthält eine große Initialengruppe in vergoldeter Ausführung und fünf einfache Spaltleisteninitialen.[5] Es wäre durchaus möglich, den Kodex in die Schreibschule von Kremsmünster oder die von St. Florian einzureihen. Eine Entscheidung setzt eine liturgische Untersuchung voraus. Wenn die Eintragung auf der ersten Seite *Ad Romanos. 1.* dem Kremsmünsterer Mönch Berthold (*Bernardus Noricus*)[6] zugeschrieben werden könnte, was durchaus möglich erscheint, dann wäre ein deutlicher Hinweis auf die Kremsmünsterer Herkunft gegeben, freilich der Übergang nach Spital nicht vor dem 14. Jahrhundert anzusetzen. Jedenfalls bedarf die Handschrift einer eingehenden Untersuchung.

Eine andere, ebenfalls liturgische Handschrift ist für das frühe 14. Jahrhundert in Spital gesichert. Es handelt sich um ein Missale und Graduale, Kodex 49/3, das in seinem engen Zusammenhang mit Spital bisher noch nicht ganz richtig gedeutet worden ist. Während man früher den Kalender irrtümlich nach Norddeutschland lokalisiert hatte, hat Gerhard Schmidt 1979 den österreichischen Zusammenhang richtig erkannt.[7] Es muß aber ergänzt werden, daß der *Henricus Hospitalarius* im Kalender, als dessen Todestag der 20. März angegeben ist, der zweite Spitalmeister von Spital war.[8] Er starb, wie der Nekrolog zeigt, im Jahre 1320. Das gibt einen deutlichen Hinweis auf die Verwendung der Handschrift in Spital. Das künstlerisch wertvolle Kanonblatt ist etwa 30 oder 40 Jahre früher entstanden. Auch könnte eine liturgische Untersuchung des Textes weitere Hinweise liefern.

Vier weitere Schriftzeugnisse der gleichen Zeit stammen aus dem Alpenvorland. Nur zum Teil wissen wir, daß sie erst relativ spät nach Spital gekommen sind. Die Handschrift 62/3 ist ein Missale und in seinem Textzusammenhang noch nicht untersucht. Sicher aber ist, daß es der Schreibschule des Stiftes Garsten entstammt und zu einer sehr kennzeichnenden Garstener Gruppe von Handschriften gehört. Wir haben schon in der ÖKT 37 darauf hingewiesen und die Handschrift in ihrem Zusammenhang in der Garstener Landesausstellung „Kirche in Oberösterreich", 1985, vorgelegt. Leider fehlt das Kanonblatt. Etwas jünger und vielleicht schon mit der Bibliothek des Kollegiatstiftes in Zusammenhang stehend ist eine 1417 datierte Handschrift von Sermonen des Bernhard von Clairvaux (Kodex 146/4), deren Einband mit Verwendung von Fragmenten eines Responsoriums aus Heiligenkreuz aus dem frühen 14. Jahrhundert angefertigt worden ist. Wir finden entsprechende Formen in Handschriften aus diesem niederösterreichischen Zisterzienserstift, für die G. Schmidt, 1962, ein Beispiel vorgeführt hat.[10] Ein drittes Beispiel gehört der Schreibschule von St. Florian an. Es handelt sich um die Handschrift 48b/3, eine Summe des Huguicius, dessen Schrift und Fleuronnée-Initialen unzweifelhaft in St. Florian entstanden sind. Hier ist der historische Zusammenhang dadurch geklärt, daß die Handschrift nach dem Spitaler Besitzvermerk eine Eintragung enthält: *Hunc librum donavit pro libraria huius domus honorabilis vir dominus Valentinus Liebenknecht, huius collegii Canonicus anno 1491 Remigii.* Den Kanoniker Liebenknecht kennen wir aus Krawariks Kanonikerreihe, Nr. 121 (S. 151), und davon, daß St. Florian eine Inkunabel besitzt, Ink. X/347 A, ein in Treviso 1477 gedrucktes Buch, das in einen Augsburger Einband gebunden ist, und das durch Liebenknecht nach Spital kam.

Eine weitere Beziehung zu St. Florian ist in den Einzelheiten nicht geklärt. Ein Kodex des *Honorius Augustodunensis, Sermones de Sanctis* und *Speculum ecclesiae,* Kodex 45/3 (ÖKT 37, Abb. 542)[11], eine Handschrift, die noch dem 13. Jahrhundert angehört, wurde von einem Zeichner ausgestattet, dem auch Federzeichnungen des Florianer Kodex CSF. III/209 zu verdanken sind.[12] Da das St. Florianer Missale ein Kanonblatt mit zeitnahen Knitterfalten besitzt (ÖKT 48, Abb. 105), wie die soeben genannte ehemalige Spitaler Handschrift St. Paul 49/3, erhebt sich die Frage nach näheren Zusammenhängen der genannten Handschriften. Vielleicht ist Kodex 45/3 ebenfalls eine St. Florianer Handschrift. Es ist noch nicht geklärt, ob eine Sermones-Handschrift des 13. Jahrhunderts, Kodex 70/3 (ehem. 27. 1.29), mit einer mystischen Marienzeichnung, die vermutlich in den weiteren Salzburger Kunstkreis gehört, ähnlicher Herkunft ist. In der ÖKT 37, 1969, S. 402, figuriert sie irrtümlich unter der Nummer 52/3 (27.3.29), einer Handschrift eines *Speculum B.M.V.,* von 1407, welche unverziert ist und einem Bamberger Kanoniker ihre Entstehung verdankt, wie Paulhart nachgewiesen hat.[13] Eine kommentierte Abschrift des Hohenliedes, ebenfalls mit Zeichnungen geschmückt (Kodex 22/3), kam 1491 durch den Stiftskaplan Johannes Briesler an die Stiftsbibliothek.

Zum hochmittelalterlichen Skriptorium von Lambach besteht durch die St. Pauler (ehem. Spitaler) Inkunabel 5.4.17[14] ein Bezug. Sie ist in einen Lambacher Blindstempeleinband gebunden, zu dessen Herstellung eine Lambacher liturgische Handschrift mit Initialenschmuck verwendet wurde (jetzt Fragment 54/8). Vorbesitzer war ein aus Schwanenstadt stammender Geistlicher namens Thomas Frey, den Krawarik (S. 70, Nr. 32) als Spitaler Kanoniker nachgewiesen hat.[15]

Wir sind mit den zuletzt genannten älteren Handschriften schon in die Epoche des Kollegiatstiftes gelangt, in welcher der Aufbau der Bibliothek mit großem Schwung erfolgt ist. Auch bei dieser Entwicklung können wir zwei Epochen unterscheiden. Die erste ist fast ausschließlich von oberfränkischen Persönlichkeiten und Bücherbesitzern bestimmt, in der zweiten kommt die Tatsache zum Tragen, daß nunmehr die Kanoniker aus Österreich stammten bzw. zumeist in Wien studiert hatten. Bei Krawarik kommt dies ebenso zur Darstellung wie in dem Büchermaterial, mit dem wir uns im folgenden zu beschäftigen haben.

Der eigentliche Beginn der Errichtung einer Bibliothek in dem weit abgelegenen Kanonikerstift begann mit seiner Umgründung aus dem bisherigen Hospital. Die personelle Zusammensetzung erfolgte zunächst aus dem Umkreis von Bamberg. Hans Krawarik hat dies in seinem Personenkatalog der Kanoniker überzeugend nachgewiesen. Über jeden der im folgenden genannten Namen bzw. über die Persönlichkeit findet man dort die in jahrelanger mühevoller Arbeit aufgesammelten Daten und Lebensläufe. Gleich anfangs (S. 34) gibt es auch eine aufschlußreiche Statistik darüber. Die Weltoffenheit dieses Personenkreises zeigt sich auch daran, daß nun Bücher aus den verschiedensten Ländern Europas in der Gebirgsgegend eine neue Heimat fanden. Das zeigt gleich die erste Schenkung des Kanonikers Johannes Nassach (Kr. 163), der 1419 starb, und der sein Stift vielleicht gar nicht gesehen hat. Er schenkte dem Stift eine Pergamentbibel (vielleicht die HS 107/3) und den interessanten Gratianband (Kodex 3/3), eine bolognesische Rechtshandschrift des 14. Jahrhunderts, deren Besonderheit darin besteht, daß die erste Miniatur zum Teil nur vorgezeichnet, aber nicht ausgeführt wurde.[16] Die Miniaturen dürften aus der Umgebung des sogenannten „Meisters von 1328" stammen.[17] Auffallend sind die Hilflosigkeit bei der Darstellung der Füße am jeweiligen unteren Bildrand und die wenig qualitätsvolle Schrift und Ausstattung mit fleuronnierten Initialen. Der etwas kleinformatigere *Arbor consanguinitatis*, das Handschriftenfragment Kodex 14/3, ist gleicher Entstehung und vielleicht auch ähnlicher Herkunft.

Für die kleinformatige französische Bibelhandschrift (Kodex 107/3), deren Abbildung bei Krawarik (S. 291) irrtümlich mit der Standortnummer Kodex 1a–c/3 bezeichnet worden ist, bietet sich allerdings auch ein anderer Schenker der gleichen Zeit an, der ehemalige Bamberger Bischof (1421–1431), der sich in Spital zur Ruhe setzen wollte, aber schon bald daselbst verstarb († 25. 2. 1440). Friedrich von Aufsess (Kr.-Nr. 7) gehörte dem Stift schon seit 1418 an, und er hat hierher eine umfangreiche Bücherschenkung gestiftet. Der Rechtsakt von 1437 wurde in einer ausführlichen Urkunde niedergelegt, deren Text bei Paulhart veröffentlicht ist, wo auch die heute noch feststellbaren Bände angemerkt sind. Wir nennen daraus nur die wichtigsten und am reichsten ausgestatteten Bände:

1. Eine dreibändige Bibel, Kodex 1/3a–c, 1428 von dem Nürnberger Schreiber Konrad Ebersbeck geschrieben, dem auch das großformatige Pantheon
2. Kodex 58/3 zu verdanken ist, ein Text, der in kleinerem Format
3. Kodex 97/3 von Aufsess ein weiteres

Mal eingebracht wurde. Leider ist die großformatige Bibelhandschrift ihrer Miniaturen beraubt worden, so daß nur wenige Ranken von ihrer ehemaligen Pracht zeugen.

4. Eine kleinformatige Bibelhandschrift in einem Bande, wie dies bei Johann von Nassach schon vermerkt wurde (Kodex 107/3, Krawarik, Abb. S. 291 unten). Wir wissen allerdings nicht, wer von den beiden tatsächlich der Schenker war. Die Bibel stammt aus dem Pariser sogenannten „Du Prat Atelier" und ist in der Mitte des 13. Jahrhunderts entstanden.[18]
5. Eine qualitätsvolle Handschrift ist ein Petrus Lombardus, *Sententiae*, in Frankreich im 13. Jahrhundert geschrieben und mit vier gemalten und mehreren fleuronnierten Initialen versehen. In St. Paul ist die Handschrift irrtümlich unter die Kodizes von St. Blasien eingereiht worden (Kodex 43/1), weshalb auch Paulhart irrtümlich den Kodex 44/3 mit dem gleichen Text in die Aufsess-Schenkung einbezogen hat, der zu den Elsendorfer Handschriften zählt.[19]
6. Eine gut ausgeführte, wohl am Oberrhein entstandene Handschrift des *Malogranatum* des Gallus (Kodex 15/3) zeigt bemerkenswerte Grotesken in Fleuronnée.[20]
7. Die Handschrift Kodex 52/3 enthält u. a. ein *Speculum B.M.V.,* sie wurde 1407 für einen Bamberger Kanoniker namens Hermann von Hennenberg angefertigt. Paulhart hat sie der Aufsess-Schenkung zugeordnet. Eine künstlerische Ausstattung hat sie nicht aufzuweisen.
8. Eine Duranti-Handschrift, Kodex 13/3[21], ist in der Aufsess-Liste enthalten. Die Initialen sind mit denen der Aufsess-Bibel sehr verwandt. Sie dürften Nürnberger Entstehung sein. Eine als Vorsatz verwendete Würzburger Urkunde könnte auch einen Provenienzhinweis geben.
9. Die Sermones-Handschrift von Bernhard von Clairvaux (Kodex 16/3) ist 1417 datiert und dürfte hierher gehören. Es ist zu bemerken, daß sie erst später, gegen Ende des 15. Jahrhunderts, in Spital mit Initialen versehen wurde.[22]
10. Als letztes Beispiel dieser eindrucksvollen Serie nennen wir eine Handschrift der 99 Briefe des Hieronymus, die zweifellos böhmischen Ursprungs ist.[23] Vielleicht ist sie als Fluchtgut in den Hussitenwirren in die westliche Nachbarschaft Böhmens geflüchtet worden.
Dasselbe mag für den Kodex 39/3 Albertus Magnus, *De laudibus B. M.V.,* zutreffen. Sie ist mit 15. 9. 1424 datiert. Vielleicht stammt die Sammelhandschrift Kodex 220/4, die 1429 von einem Stephanus de Iglavia geschrieben wurde, aus dem gleichen Zusammenhang. In der Aufsess-Liste ist sie nicht identifizierbar.
Das größte Problem dieser Gruppe bietet die zehnbändige, gut ausgestattete Serie der Kommentare des Nikolaus von Lyra, Kodex 21 – 30/3[24], welche von 1412 bis 1414 datiert ist. Der Initialenschmuck, je Band ein bis zwei Initialen, stammt aus der Umgebung der Prager Wenzelswerkstatt, und zwar von dem Meister der Wiener Paulusbriefe (Österr. Nationalbibliothek, Cvp. 2789). Der Miniator wird von Josef Krasa in seiner Darstellung dieses Kunstkreises „Die Handschriften König Wenzels IV."[25] als für den Umkreis des Prager Domkapitels und da für das ländliche Umfeld arbeitender Miniator gekennzeichnet, von dem in der Literatur[26] bisher 21 Werke bekannt waren, die sich u. a. in Herzogenburg und Wien, in München, Brünn, Prag und Zagreb usw. befinden. Die Spitaler Gruppe vermehrt sein Œuvre um die Hälfte. In der Qualität seiner Miniaturen fällt er gegen die eigentliche Hofwerkstatt erheblich ab. Der Auftraggeber

der Spitaler bzw. St. Pauler Handschriften ist nicht bekannt. Im Verzeichnis der von Bischof Aufsess geschenkten Handschriften kommen sie nicht vor. Der Hinweis von Paulhart auf einen Teilband einer ähnlichen Serie, Kodex 20/3, bzw. auf eine Papierhandschrift scheint nicht plausibel.[27] Unmittelbar dazugehörig und von gleicher Hand ausgestattet ist die sachlich verwandte Pergament-Handschrift 41/3 mit Texten von Guilelmus Britto, deren Text und Initialen der Lyra-Serie völlig entsprechen. Auch hier liegt über die Herkunft keine Angabe vor.

Andererseits gingen damals fast gleichzeitig mehrere beträchtliche Bücherschenkungen an das Stift Spital über. Wir nennen einige Namen: Thomas Helfuss (Kr.-Nr. 72) dürfte ca. 1400 in Hausenthal in Franken geboren und seit 1432 in Spital gewesen sein. Bei seinem Tode vermachte er dem Stift ein Meßbuch[28] und ca. 15 weitere Bände, deren Inhalt jedoch nicht aufgeschlüsselt wurde. Auch zwei gleichnamige, aus Franken stammende Kanoniker namens Heinrich Lang, der eine von Sesslach († 1457: Kr.-Nr. 112), der andere von Bamberg († 1463, Kr.-Nr. 111) waren großzügige Bücherschenker. Der erste[29] gab 30 Bände, meist aus dem kanonischen Recht, und weitere ungebundene Sexternen. Der zweite bereicherte die Bibliothek um 24 meist philosophische und theologische Bücher, unter denen die Serie der Lyra-Bände gut enthalten gewesen sein könnte. Leider fehlt ein genauerer Hinweis.

Eine weitere größere Schenkung des Pfarrvikars von Windischgarsten, Andreas Institoris „de Winnczlaw", † 1455 (nicht bei Kr.)[30], umfaßte ein *Volumen sermonum* und weitere 12 größere und kleinere Bände. Bei ihm könnte die böhmische Herkunft für den ehemaligen Besitz der Lyra-Handschriften sprechen, nicht aber die Charakterisierung der Bände. Ebenso ungeklärt bleibt die Zusammensetzung der Bücher in Pergament und Papier, die der Kanoniker Jacobus Vectoris de Russbach[31] (Kr.-Nr. 246) schenkte: *quam plura uolumina forte octo exceptis aliis libellis in pergameno et papiro et tractatibus non ligatis.* Auch hier wird man den Lyra ebensowenig unterbringen können wie in den anderen einzelnen Bücherschenkungen dieser Zeit. Zu nennen sind die Kanoniker Johann Renck von Holfeld († 1436, Kr.-Nr. 175), Johannes Reychel († 1452, Kr.-Nr. 173), Heinrich von Koburg († 1455, Kr.-Nr. 105), die alle aus Franken kamen, und zwei Bayern: Michael Altkind aus Passau (res. 1454, † 1474, Kr.-Nr. 3) und Albert Elsendorffer († 1429, Kr.-Nr. 23). Der letztere ist in der Literatur schon mehrfach behandelt worden. Er stammte aus Kelheim bei Regensburg und war nach vielfältiger geistlicher Tätigkeit, die ihn auch nach Wels geführt hatte, wo sein Name zuerst aus der Vergessenheit gerissen wurde, Kanoniker in Spital geworden. Er ist mehrfach als Bücherschreiber und -besitzer nachweisbar. So gehörte u. a. die fälschlich dem Legat des Friedrich von Aufsess zugewiesene Lombardus-Handschrift, Kodex 44/3, zu seinem Besitz. Er hat darin, wie auch sonst, öfter persönliche Erlebnisse und Ereignisse eingetragen, wobei er aus Diskretion die Eigennamen meist in griechischen Lettern schrieb. Das von ihm angelegte Kopialbuch des Hospitals und sein Nekrolog sind wichtige Geschichtsquellen. In künstlerischer Hinsicht sind seine Bücher von geringerer Bedeutung.

Mit Michael Altkind (Kr.-Nr. 3, um 1437, resigniert 1454) beginnt eine neue Entwicklung. Er stammte aus einem Passauer Bürgergeschlecht und studierte in Wien. Schon bald nach seinem Eintritt in Spital war er mit der Neugründung des Kollegiatstiftes in Mattighofen befaßt, und er wurde unmittelbar darauf auch Kanoniker des neuen Stiftes in Wiener Neustadt.

Im Jahre 1446 wurde er zum Dechanten in Spital gewählt, resignierte aber 1454 und zog bald darauf ganz nach Wiener Neustadt, wo er 1474 als Propst des dortigen Kanonikerstiftes und als Bischof von Petena verstarb. Wieweit er auf die Spitaler Bibliothek Einfluß genommen hat, weiß man im einzelnen nicht. Als Spender einer Sermones-Handschrift von etwa 1473, also kurz vor seinem Tod, ist er als ihr Förderer verewigt. Die Handschrift ist in einen der noch zu erwähnenden Lederzeichnungsbände eingebunden (Kodex 19/3).

Noch zu seiner Zeit erfolgten Schenkungen durch den Vikar Lukas von Windischgarsten und Johannes Reychel, beide von 1452. Wenzel Khranekker aus Wels, Altarista am Allerheiligenaltar zu St. Stephan in Wien, spendete im gleichen Jahr die Handschrift 64/4, auffallend durch ihren Wiener Blindstempelband, und das Jahr darauf den Kodex 74/4. Vor seinem Tod (1460) machte er ein Legat in Gestalt eines Matutinale. Seither sind die Verbindungen zum Wiener Buchwesen nicht mehr abgerissen. Die Bibliothek erhielt fast jedes Jahr Zuwächse.

Auch der nächste Dechant, Heinrich von Koburg (Kr.-Nr. 105, 1429–1455), ist als Gönner der Bibliothek ausgewiesen. Er stiftete mehrere Bücher „in den Bücherkasten". Soll man diesen Wortlaut als Hinweis auf den noch nicht überwältigenden Umfang der Sammlung verstehen?

Sein Nachfolger als Dechant, Martin Ulrici aus Linz (Kr.-Nr. 241, 1455–1467, Dechant seit 1456) – er resignierte 1462 und dürfte 1467 gestorben sein –, ist mit bestimmten Büchern in Verbindung zu bringen. Er hat die Bände Kodex 95/4 und 170/4 z. T. in Linz selbst geschrieben. Mit ziemlicher Sicherheit kann angenommen werden, daß die Eigenentwicklung der Spitaler Einbandherstellung in seine Zeit fällt. Weitere Einzellegate sind bei Paulhart verzeichnet.

Auch der Zustrom von Persönlichkeiten aus dem Westen war noch nicht unterbrochen. Von besonderer Bedeutung waren die beiden nächsten Dechante, Urban von Weichs (Weix) (Kr.-Nr. 254, 1465?–1496) aus Bayern und Andreas Sackauer (Kr.-Nr. 188) aus Hirsau, sein Nachfolger als Dekan, der von 1496 bis 1513 regierte. Diese beiden Dekane bzw. ihre Zeit können als die wichtigste Blütezeit der spätmittelalterlichen Bibliothek gelten. Beide haben persönliche Schenkungen gemacht und sind auch sonst in der Geschichte der Bibliothek tief verwurzelt.

In der Handschrift Kodex 59/3 findet sich die interessante Notiz, daß das Stift sich im Jahre 1484 infolge des raschen Bücherzuwachses an die Wiener Universität wandte mit der Bitte, bei einer Neuordnung behilflich zu sein. Dem wurde durch eine Abordnung entsprochen. Die mittelalterliche Organisation mit der Bezeichnung der einzelnen Bände mit einem Buchstaben (für den Schrank bzw. das Regal) und einer Zahl für die Aufstellung darin ist bis 1807, zum Einzug der St. Blasier, noch vorhanden gewesen. Ohne auf weitere Einzelheiten einzugehen, darf doch vermerkt werden, daß gelegentlich der Neuaufstellung in St. Paul außer der schon erwähnten Handschrift 43/1 zwei weitere Spitaler Handschriften zu den Blasiern eingereiht wurden: Kodex 68/1, Paulus Burgensis, *Additiones*, geschrieben von Johann Ringkhaymer de Ratisbona, 1461, und in einen Spitaler Lederzeichnungsband gebunden[32], und Kodex 36/2, Augustinus, *Sermones*, mit Passauer Initialen und einem spät anzusetzenden Spitaler Blindstempeleinband mit Brokatmusterdekor[33]. Sie gehört zu einer Gruppe mit gleichartigem Dekor geschmückter Inkunabeln, von denen eine, Ink. 4.3.6, das Wappen des Passauer Fürstbischofs Wiguleus Fröschl von Marzoll (1500–1514) enthält.[34] Ehe wir uns weiter mit diesen beiden Dechanten beschäftigen, muß ein Hinweis auf eine Besonderheit der Spitaler Bibliothek gegeben werden. Es ist nicht sosehr die erhebliche Anzahl der im 15. Jahrhundert durch oder für Kanoniker hergestellten Papierhandschriften als vielmehr die Sorgfalt und Vorliebe, die die dafür hergestellten verzierten Einbände aufweisen.

Abb. 181: Ink. 3/5/11, Homiliarium, 1482 (Einband der „Kleineren" Gruppe von Spital/Pyhrn), Rückdeckel

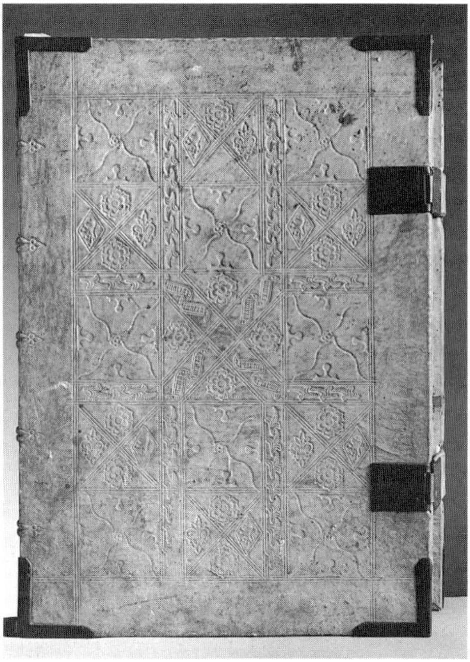

Abb. 182: Ink. 1/2/1, Salomon, Glossar, o. D. (Einband der Hauptgruppe von Spital/Pyhrn) Vorderdeckel

Abb. 183: Ink. 1/1/5, Bd. 1: Deutsche Bibel, Nürnberg 1483 (Einband der Hauptgruppe von Spital/Pyhrn), Rückdeckel

Abb. 184: Ink. 5/2/2, Balbas, Katholiken (Einband der Hauptgruppe von Spital/Pyhrn), Vorderdeckel

Eine Eigenentwicklung innerhalb der Buchbinderkunst der Mitte des 15. Jahrhunderts im österreichischen Donau- und Alpenbereich zeigen die Lederschnitteinbände. Sie erfreuen sich derzeit bei den Sammlern einer auffallenden Beliebtheit. Mittelpunkte in Oberösterreich waren damals Lambach und Kremsmünster, die mit mehr als einem Dutzend solcher Einbände im Vordergrund stehen. Es gibt darüber eine umfangreiche Monographie von Friedrich-Adolf Schmidt-Künsemüller, ein Corpuswerk (1980).[35] Kremsmünster und Lambach scheinen darin mit mehr als einem Dutzend von Beispielen auf. Die Lambacher sind freilich heutzutage über die ganze Welt verstreut. In der Spitaler Sammlung von St. Paul sind mehr als ein Dutzend vorhanden, und fünf der Kremsmünsterer Einbände kommen aus den Sammlungen der Spitaler Kanoniker (CC. 11, 94, 157, 256, 258). Eine Erklärung für diese Vorliebe mag auch die Nachbarschaft von Admont geben, das heute noch mit 21 solcher Einbände eine Spitzenstellung einnimmt.

Neben verschiedenen Einzelstücken sind unter den ehemaligen Spitaler Einbänden alle wichtigen Meister vertreten: der Meister der Kremsmünsterer Tiergrotesken, der Meister der Blattornamente (dessen Œuvre vielleicht mehrere Hände umfaßt) und vor allem der nach Holzschnitten arbeitende Salzburger Meister der Heiligenfiguren. Eine Durchsicht des genannten Corpuswerkes zeigt die maßgebliche Stellung der Spitaler Bibliothek auf diesem Sachgebiet.[36]

Spital hat daneben eine weitere Besonderheit aufzuweisen: die Lederzeichnungseinbände, welche Blatt- und Blütenformen mit elegant gebogenen Zieraten vereinen. Die in ihrer Art einmalige Gruppe – sie ist bei Schmidt-Künsemüller mit acht Beispielen zu finden – ist in den Jahren 1461 bis 1473 geschrieben worden und ausschließlich Spitaler Provenienz. Sechs Beispiele befinden sich in den Spitaler Beständen, eines in Kremsmünster (CC. 213) und stammt von einem Bruder oder Verwandten eines Kanonikers, Petrus Groß. Der achte wird in Graz aufbewahrt (Univ.-Bibl., Kodex 743). Er ist in Windischgarsten geschrieben worden. Wahrscheinlich war die Werkstatt oder der Meister ebenda tätig. Etwa gleichzeitig, vielleicht etwas früher, dürfte daselbst ein wandernder Buchbinder am Werke gewesen sein, der seine Einbände zwar mit nur wenigen Blindstempeln verzierte, aber dabei doch recht geschmackvoll zu Werke ging. In Spital entstanden 12 solcher Einbände, von denen Kodex 132/4 in der ÖKT 37 abgebildet ist. Eine Liste (S. 352) verzeichnet die Standortsignaturen.[37] Von dem gleichen Buchbinder sind in St. Florian drei Einbände aus dem Altbestand nachzuweisen. In meiner Darstellung der Einbände von St. Florian[38] ist ein Beispiel gezeigt. Es ist nicht sicher, ob diese Einbände in Spital zu den Zeiten des Dechanten Urban von Weix oder nicht schon unter seinem Vorgänger entstanden sind.

Urban von Weix (Kr.-Nr. 254, 1465? – 1496) wurde 1467 einstimmig zum Dechanten gewählt. Für die Bibliotheksgeschichte ist diese Zeit die Epoche des lebhaftesten Wachstums, das gleiche gilt für die Einbandgeschichte des Stiftes. Außer den schon genannten „Vorläufern" der anscheinend ausschließlich für das Stift und seine Kanoniker tätigen zwei großen Werkstätten, von denen sogleich die Rede sein wird, kam immer wieder Zuwachs aus anderen Zentren des Buchgewerbes, insbesondere aus Wien. In der Zusammenfassung dieser Materie „Verzierte Wiener Bucheinbände der Spätgotik usw."[39] können neun Werkstätten genannt werden, A. 4, A. 9, B. 5, C. 3, C. 6, E. 7, F. 1, F. 9 und H. 1, von deren Einbänden Beispiele in der Spitaler Bibliothek festgestellt worden sind. Vielleicht ist die Stempelgruppe „Gruppe" H. 1 aus dem Wiener Bereich auszuscheiden und vielmehr Salzburg zuzuordnen[40]. Da die Ausstattung der St. Pauler Inkunabel 4.3.6 wie gesagt durch ihren Dekor zur Passauer Gruppe um den Fürstbischof Wiguleus Hund gehören dürfte, mag es sein, daß dieser alleinstehende Einband der Passauer Entwicklung zuzuordnen ist.

Maßgeblich für die Spitaler Bibliothek waren zwei Werkstätten, die ausschließlich für den Stiftsbereich tätig waren. Wir verdanken ihnen rund einhundertfünfzig Einbände, die in St. Paul verwahrt werden, weitere rund zwanzig sind nach ihrer Provenienz in den gleichen Zusammenhang zu stellen. Der Bestand ist deshalb nicht ganz leicht zu charakterisieren, weil die Spitaler Inkunabeln in St. Paul vermischt mit den Drucken anderer Provenienz aufgestellt sind. Allerdings sind die Bände aus St. Blasien mit einigen interessanten süddeutschen Einbänden nicht sehr zahlreich, andererseits finden sich aber auch verschiedenartige Kärntner Provenienzen, die auszugliedern sind. Schließlich ist in Spital der Bestand an alten Büchern noch im 17. und 18. Jahrhundert vergrößert worden. Wir werden darauf noch zurückkommen.

Zur Ergänzung ist zu bemerken, daß es in Kärnten einen weiteren Spitaler Teilbestand gibt. Das Kapuzinerkloster in Klagenfurt bewahrt eine Gruppe von etwa 40 Inkunabelbänden, die aus Spital am Pyhrn stammen. Sie sind dorthin auf dem Umweg über das Kapuzinerkloster in Irdning gelangt.[41] In ihrer Struktur entsprechen sie völlig den St. Pauler Beständen. Bei der Katalogisierung des Gesamtbestandes sollte man auf diesen verhältnismäßig unbekannten Teilbestand nicht vergessen.

Wir kommen damit auf den Dechanten Urban von Weix zurück. Seine Regierungszeit ist nicht nur als Blütezeit des Stiftes, sondern auch dadurch zu charakterisieren, daß damals die Zulieferung von gedruckten Büchern, den schon mehrmals genannten Inkunabeln, in unser Land erfolgte. Der älteste Nachweis dafür findet sich in einer in Linz aufbewahrten Inkunabel des Spitaler Kanonikers Michael Wochner von 1468, in Spital sind einzelne Sensenschmidt-Drucke von 1470 im Jahre 1472 in Spital erworben worden. Die Drucke liegen in der Stiftsbibliothek Kremsmünster, Ink. 2° 182/2–5[42].

Die besondere Beziehung des Dechanten Urban zur Bibliothek zeigt sich an den Geschenken, die er erhielt, z. B. die Ink. 3.2.5 von dem Kremsmünsterer Kleriker Wolfgang Heyfelder, oder darin, daß er bei seinem Tode sowohl jedem seiner Mitbrüder ein Buch vermachte als auch den Rest seiner Bibliothek dem Stifte zukommen ließ. Zu seiner Zeit haben außerdem, wie schon erwähnt, zwei bedeutende Buchbinderwerkstätten für das Stift gearbeitet.

Die ältere Buchbinderwerkstatt hat uns über 50 Einbände hinterlassen. Ihre Stempel sind teilweise eher grob zu bezeichnen, sie wurden aber geschmackvoll aufgesetzt.[43] Nicht wenige der Einbände lassen sich datieren. Erstens gibt es Vermerke über das Jahr ihrer Rubrizierung, die zweifellos im Stift erfolgte, z. B. bei Ink. 3.4.14 und 3.5.15 mit 1488. Weiters wurden gelegentlich veraltet gewordene gedruckte Kalender als Bindehilfsmaterial verwendet, so Ink. 3.7.5 von 1484, 3.3.15, 3.3.16, 3.4.14 von 1487.[44] Etliche enthalten als Hinterklebung überflüssig gewordene Korrespondenz des Dechanten Urban von Weix, wobei die Datierung der Drucke auf die letzten Jahre des Dechanten hinweist; vielleicht sind die Einbände erst knapp vor seinem Tode angefertigt worden: Ink. 3.4.8 (1494), 3.4.12, 3.5.7, 3.7.12, 3.10.21, 4.5.7 und 4.5.8 (1496). Man erkennt an den Druckjahren die rasche Folge der Erwerbung. Es ist zu vermuten, daß die Einbände dieser Gruppe alle innerhalb eines Dezenniums entstanden sind.

Die zweite Werkstatt dürfte neben der anderen gearbeitet haben. Die Zahl der erhaltenen Einbände ist doppelt so groß wie bei der ersten. Die Bindung an den Dechanten Urban ist nicht so eng. Es fehlen persönliche Dokumente des Dechanten, einzelne Blätter weisen auf eine Korrespondenz mit Steyr hin, doch sind die Belege nicht so dicht, daß man deswegen an den Sitz der Werkstatt in Steyr denken müßte. Die Gruppe umfaßt in Spital sechs Handschriften- und 93 Inkunabelbände.[45] Dazu kommen die entsprechenden Einbände bei den Kapuzinern in Klagenfurt. Eine bedeutende Gruppe solcher Einbände findet sich weiter in Kremsmünster. Sie ist erstmals im Inkunabelkatalog von 1947 hervorgehoben worden, ohne daß damals die Zusammenhänge zum Stift Spital schon bekannt gewesen wären.[46] Dieser Zusammenhang führt über den Pfarrer der Kremsmünsterer Pfarre Thalheim bei Wels, Georg Groß von Trockau, zu dessen Verwandten, dem Pfarrer der Kremsmünsterer Pfarre Kematen, Petrus Groß von Trockau, der Spitaler Kanoniker war (Kr.-Nr. 52, 1463–1492). Er hat zweifellos seine Bücher in der Spitaler Werkstatt binden lassen. Die Kremsmünsterer Gruppe umfaßt zwei Handschriften und neun Inkunabeln aus Druckjahren von 1472 bis 1488. Sie sind alle sicherlich noch zu Lebzeiten des Petrus Groß eingebunden worden. Gertraut Laurin hat in weiteren steirischen Bibliotheken einzelne Bände dieser Werkstatt beobachtet, wie beispielsweise die Admonter Handschrift 286.

Auffallend sind die Verwendung von Steyrer Archivalien, z. B. in Ink. 3.1.4 und 5.2.4, sowie das Vorhandensein von hebräischen Handschriftenfragmenten in den Inkunabeln 3.5.6, 4.1.7, 4.1.10 und 4.2.4. Archivalische Fragmente finden sich in den Inkunabeln 3.4.16 (1483), 4.4.10 (1481), 4.5.11 (rubr. 1487) gebunden, unter Verwendung eines Kalenders von 1487, 3.5.17 (1489). In der Ink. 3.4.14 ist eine Windischgarstener Urkunde enthalten.

Mit diesen Einbänden hat es noch eine weitere Bewandtnis. Sie geben uns über weitere Facetten des geistigen Lebens der Spitaler Kanoniker eine gewisse Auskunft. Man hat in allen klösterlichen Buchbindereien dieser Zeit stets Fragmente von überflüssig gewordenen Schriften oder Drucken zu Bindehilfszwecken verwendet und dadurch besondere Raritäten der Nachwelt überliefert. Das gilt auch für Spital am Pyhrn, wo auf diese Weise einige literarische deutschsprachige Textbruchstücke erhalten geblieben sind. Hans Gröchenig und Peter Hans Pascher haben z. B. in der Zeitschrift „Buchkunde", 1. Jg. 1984, Heft 1–4, S. 11–31, ein Fragment aus Eilhart von Oberges *Tristrant* veröffentlicht, und in der Handschrift 22/4 kamen Bruchstücke vom *Iwein* des Hartmann von der Aue zum Vorschein, die im „Armarium",1,1977, unter Nr. 33 publiziert worden sind. In derselben in Klagenfurt vorgeführten Ausstellung sind unter Nr. 38, 39 und 40 spätmittelalterliche deutsche Texte vorgelegt worden. An älteren lateinischen Texten, aus Bamberger Beständen und zum Teil durch Friedrich von Aufsess mitgebracht, sind daselbst ein Orosius-Fragment aus dem 9. Jahrhundert (Nr. 5) und ein Pseudo-Haimo von Halberstadt aus dem 10./11. Jahrhundert, von mittelitalienischer Provenienz (Nr. 6), veröffentlicht worden.

Von Friedrich von Aufsess stammt auch ein Ovid-Fragment, daselbst Nr. 29 und ein Horaz – aus dem 10. Jahrhundert – aus Kodex 60/4, Nr. 27. Für ein Vergil-Fragment aus der Inkunabel 4.6.17 (Nr. 28), die ebenso wie die Inkunabel 3.9.18, in der sich ein Missale-Fragment des 13. Jahrhunderts fand, ist der sogleich anzuführende Dechant Andreas Sackauer als Vorbesitzer zu nennen. Da in dem Katalog von 1977 wenig Wert auf die genaue Angabe der Provenienzen gelegt wurde, ist es möglich, daß noch weitere dort genannte Fragmente aus der Spitaler Bibliothek stammen. Das gleiche gilt für „Armarium", Bd. 3 und Bd. 4 (1978 und 1979). Dieser Mangel an Präzision wirkt sich besonders bei den Einblattdrucken und Praktiken aus, die in den Bänden 7 und 11 des „Armarium" katalogisiert wurden. Im „Armarium" 7 findet man (S. 40) die Charakterisierung „St. Paul, fast durchwegs aus Spital am Pyhrn", was für die Herkunft recht unbefriedigend ist. In beiden Bänden lassen sich diese Neufunde aus Spital auf jeweils mehr als ein Dutzend beziffern. Als letztes Beispiel dieser Kostbarkeiten sei ein Holztafeldruck genannt, „Das Mannsbild auf der Säule", anscheinend ein Unikum.[47] Das Blatt ist mit 1468 datiert. Es befindet oder befand sich in der Inkunabel 1.1.6 aus Spital am Pyhrn bzw. aus der Schenkung des Kanonikers Andreas Paumgartner (Kr. 9, 1476–1518) aus Kirchdorf an der Krems.

Mit diesen Angaben ist die Blütezeit des Buchwesens am Ende des 15. Jahrhunderts erkennbar geworden. Wir wissen freilich nicht, wie viele von den Einbänden der zweiten größeren Gruppe noch in die Epoche des nächsten Dechanten, des Andreas Sackauer, hinüberreichen, der die Nachfolge von Urban von Weix 1496 angetreten hat. Mit großer Wahrscheinlichkeit verteilt sich eine weitere bedeutende Gruppe von ehemals Spitaler Bänden auf beide Perioden. In den letzten Jahrzehnten des 15. Jahrhunderts wurde es bei dem süddeutschen Buchhandel, der in Augsburg und Nürnberg seine Zentren hatte, üblich, die Bücher nicht mehr unverziert und ungebunden auszuliefern, sondern man sorgte am Sitz der Lieferanten für eine vollständige Ausstattung. Dieser Vorgang ist in allen österreichischen Klöstern und auch in Spital am Pyhrn zu beobachten. Es sind rund 50 Einbände, die sich in St. Paul und in Klagenfurt befinden, welche fertig ausgestattet in Spital erworben worden sind. Auch dafür liegt eine Liste in der ÖKT 37 (S. 354) vor.

Trotz dieser sehr beachtlichen Vielfalt sind nicht alle Einbände verziert, sondern teilweise in einfacher Art gehalten worden. Eine letzte interessante Gruppe, die der Zeit des Jahrhundertwechsels angehören dürfte, bieten schließlich die Hüllen- und die Ketten- und Langsticheinbände. Die letzteren weisen auf in Archiven übliche Gewohnheiten. Sie sind unter den Spitaler Beständen nicht selten. Einzelne Beispiele sind in der Kunsttopographie dokumentiert (Abb. 703 und 704). Auch Herbert Paulhart hat ihnen eine Studie gewidmet.[48]

In die Zeit des Dechanten Urban von Weix fallen weitere Erwerbungen von einzelnen Kanonikern. Michael Wochner (Kr.-Nr. 261, 1460 – 1480) stammte zwar aus Franken, er kam aber über Wien, wo er einige Handschriften erwarb, die er nach Spital am Pyhrn mitbrachte. Er schenkte den Großteil an seinen ebenfalls schon genannten Mitkanoniker Albert Groß von Trockau, der sie an seinen Verwandten, den Pfarrer von Thalheim, weitergab, so daß sie schließlich nach Kremsmünster kamen. Geringeren Umfang hatten die Schenkungen des Kanonikers Andreas Baumgartner (Kr.-Nr. 18, 1476? – 1518), z. B. Ink. 1.1.5, von der außerdem die Inkunabel 4.2.10 von 1491 zu nennen ist, und des Hermann Peer (Kr.-Nr. 144, 1455? – 1496), von welchem die Inkunabel 5.3.13 nach Spital kam. Seine übrigen Bücher wurden mehrheitlich seinen Verwandten nach Kulmbach in Franken vererbt. Da er Hausbesitz in Steyr hatte, mag die Steyrer Korrespondenz in den Einbänden der Hauptgruppe der Spitaler Einbände damit in Verbindung stehen.

Aus der Zeit des Dechanten Urban in die seines Nachfolgers reichen die Lebensdaten weiterer bemerkenswerter Persönlichkeiten. Valentin Liebenknecht aus Bruck an der Mur (Kr.-Nr. 121, 1485 – 1514) hatte in Wien studiert, war einige Jahre Pfarrer in Adriach südlich seiner Geburtsstadt und kam dann nach Spital am Pyhrn. Im Jahre 1491 übergab er seine Bücher der Bibliothek. Sie wurden meist in den siebziger Jahren gedruckt und zeigen Originaleinbände fremder Herkunft. Nur Ink. 3.4.3 gehört zur ersten Spitaler Einbandgruppe, die Drucke sind 1486 bzw. 1478 datiert, ein Exlibris von Jobst Wisinger weist auf einen fremden Vorbesitzer. Die Ink. 3.5.4 nennt ebenfalls einen fremden Vorbesitzer, Wolf Zehentner, ihr Blindstempelband ist nicht lokalisierbar. Ink. 3.8.1 von 1475 ist in einen Augsburger Einband des Buchbinders Ambrosius Keller gebunden, Druckmakulatur stammt aus der Augs-

Abb. 185: Cod. 2/3, Epistolae Pauli mit Postilla des Petrus Lombardus (Einband der Hauptgruppe von Spital/Pyhrn), Rückdeckel

burger Druckerei des Anton Sorg. Ink. 4.2.9, in Ulm gedruckt, ist in einen Ulmer Einband gebunden. Ink. 4.4.6 von 1473 zeigt einen fremden Originaleinband.

Im Jahre 1497 hat Liebenknecht den fast gleichaltrigen, aus Hirsau in Schwaben stammenden Kanoniker Andreas Sackauer (Kr.-Nr. 188, 1482–1513) einstimmig mit den anderen Kanonikern zum Dechanten gewählt. Er hatte in Wien studiert und wurde mehrfach graduiert. Seine in Wien gebundenen Bücher, Ink. 1.2.9, 3.9.18, 4.6.6, 4.6.17 (1482), 4.7.5 und 5.2.10, zeigen zierliche Stempel. In unserer Liste der damaligen Wiener Buchbinder figuriert der Meister als Sackauer-Meister.[49]

In der Regierungszeit Sackauers setzt sich die Blütezeit der Bibliothek ohne Zäsur ungebrochen fort. Es ist nicht feststellbar, ob er und sein Vorgänger an dieser Entwicklung in verschiedenem Maße teilhatten. Sackauer dürfte aus seiner Wiener Tätigkeit Verbindung zu dem Passauer Domprediger und Offizial in Wien, Paulus Wann, gehabt haben. Die Spitaler Bibliothek besaß etliche seiner Werke, z. B. Kodex 194/4 mit einem bemerkenswerten, vermutlich Passauer Einband, z. T. in Autographen, und steht in dieser Hinsicht in Wettbewerb mit der Stiftsbibliothek von Lambach. Ein zugehöriger Band liegt bei den Kapuzinern in Klagenfurt (z. B. Ink. Z. 26). Auch die vorgenannte Gruppe von Inkunabeln aus der Umgebung des Passauer Bischofs Wiguleus Hund könnte durch ihn nach Spital gekommen sein.

Der Brand, der während Sackauers Regierungszeit 1502 das Stift verheerte, hat der Bibliothek anscheinend keinen Schaden zugefügt. Schon vorher kam die hervorragende, aus dem Ducento stammende paduanische Miniaturhandschrift der Paulusbriefe (Kodex 2/3), die Sackauer 1492 in Wien gekauft hatte, nach Spital.[50]

Wir kommen damit zur malerischen Buchkunst, welche in der Epoche Weix–Sackauer in Spital ebenfalls nicht vernachlässigt worden ist. Sie ist in gleicher Weise für Handschriften und Inkunabeln angewendet worden. Man hat sie bisher nur wenig gewürdigt. Das mag darauf zurückzuführen sein, daß die liturgischen Handschriften, wie etwa die ältere Garstener Handschrift 62/3, aber auch die Missalien 7/3 von 1427 und 6/3, nach 1476 ihres Hauptschmuckes – ihrer Kanonblätter – beraubt worden sind und damit den wichtigsten Träger der künstlerischen Gestaltung verloren haben.[51] Der rein ornamentalen Ausschmückung mit floralen, aber nicht figuralen Initialen hat man bisher nicht viel Aufmerksamkeit geschenkt. Es darf dabei aber nicht vergessen werden, daß diese Art des Buchschmuckes in den benachbarten Skriptorien von Kremsmünster und Lambach deutlich im Vordergrund steht. Es ist zu beachten, daß Spital anscheinend kein Skriptorium im Sinne einer mönchisch organisierten Schreibstube besaß, auch wenn nicht wenige der Kanoniker durch Bücherschreiben und -sammeln mit dem Buchwesen eng vertraut gewesen sind. Dies erklärt auch einerseits das Vorhandensein zahlreicher, wenig aufwendiger Papierhandschriften aus dieser Epoche, deren Ausstattung vielfach die Gestaltung des Einbandes bevorzugte. Andererseits sieht man aus der Vielfalt und der daraus folgenden nicht überwältigenden Qualität der Produkte, daß man in dieser Hinsicht nur in beschränktem Maße über entsprechende Hilfskräfte verfügte. In der ÖKT 37[52] sind Beispiele dieser „Entwicklung" vorgeführt. Sie erscheint freilich mehr als eine zeitliche Reihe denn als Ausformung einer echten Folge. Vielleicht kommen gelegentlich Auswirkungen von Erfahrungen aus der Studienzeit zum Vorschein.

Eine neue, vielleicht auch dichtere Entwicklung entfaltet sich an den Inkunabelbänden. Wir haben zwei Gruppen zu unterscheiden: die Drucke, die fertig, mit Einband und Initialen (oft auf Goldgrund), von den großen Werkstätten in Augsburg und Nürnberg angeliefert wurden (siehe oben, S. 628). Die zweite

Gruppe läßt sich aus Inkunabeln und in geringerem Maße auch aus Handschriften zusammenstellen, die unverziert angeliefert oder sonstwie erworben wurden. Wie die vielen Spitaler Einbände zeigen, war dies die Überzahl, ohne daß dies bei der buchkünstlerischen Ausstattung seine Parallele gefunden hätte. Wie man sich infolgedessen in Spital behalf, zeigen die Abbildungen der ÖKT 649 – 669. Sie führen uns alle in die Zeit um 1500. Ob es möglich wäre, hier einzelne Hände zu scheiden, scheint fraglich. Vielleicht erübrigt sich eine solche Arbeit angesichts des ausschließlich ornamentalen Charakters dieser Zierate.

Ein Nachfolger Sackauers war Valentin Steinrieser aus Vordernberg in der Steiermark (Kr.-Nr. 222, 1503 – 1531). Er war neun Jahre Dechant. Seine Zeit bedeutete den Übergang zur Reformation und damit das Ende der mittelalterlichen Verhältnisse. Immerhin hat er einige Inkunabeln seiner Stiftsbibliothek übergeben: Ink. 3.8.9, 4.4.5 (1 – 5), 4.6.9. Das Sammeln der alten Bücher wurde zunächst noch fortgesetzt. Der Kanoniker Johann Lebansorg (Kr.-Nr. 114, 1531 – 1550) hat sich in den Inkunabeln 4.4.11, 4.5.2 und 4.5.10 mit seinem gemalten Exlibris „I leb an (ohne) sorg" und dem Datum 1480 verewigt. Das Datum muß sein Geburtsjahr betreffen, denn das Druckjahr von Ink. 4.5.10 ist erst 1486 und der Rubrizierungsvermerk ist 1515 datiert. Auch Klagenfurt, Kapuziner-Ink. 7 und 27, zeigen dieses Exlibris. In der Folge scheint die kontinuierliche Entwicklung der Bibliothek für einige Zeit unterbrochen. Die Bücher, die man erwarb, waren sicherlich in zunehmendem Ausmaße durch die reformatorischen und teilweise recht weltlichen Interessen bestimmt.

Dennoch wäre es irrig anzunehmen, daß die Folgezeit das alte Erbe vernachlässigt und nicht vermehrt hätte. Auch die Zeit der Pröpste, seitdem Johann Jakob Gienger, seit 1570 Dechant und seit 1604 Propst, mit diesem Titel ausgezeichnet worden war, hatte für die alten Bestände eine gewisse Bedeutung. Sie blieb zwar in ihrer alten Ordnung, doch dann und wann stieß noch ein altes Buch zu den von alters her gekommenen Büchern und Folianten.

Es sind wiederum vor allem die Namen der Stiftsvorstände, nunmehr der Pröpste, die als Donatoren von Inkunabeln zu nennen sind. Schon Johann Jakob Gienger von Grünbühel (Kr.-Nr. 48, 1570 – 1609), der Träger der Gegenreformation im Garstener Tal, gab 80 Bücher zur Bibliothek, darunter die Inkunabeln 3.6.9 und 5.2.13, von denen die erste eigenhändige Notiz des Propstes und die zweite sein in Kupfer gestochenes Wappenexlibris enthält. Sein Stammbuch von 1582–1606 liegt in St. Florian (HS III/224). Es ist ein wichtiges Dokument der Gegenreformation.[53] Sein Nachfolger, Christoph Milleder von Tiefenthal (Kr.-Nr. 132, 1609 – 1622), ein Bürgersohn aus Budweis, der auch in Prag tätig war, kann als Bibliophile gelten. Er brachte eine Anzahl von Plantindrucken und die Inkunabeln 4.6.5, 4.8.20 und 5.4.3 in die Stiftsbibliothek. Ink. 4.8.20 ist ein Origenes, ein römischer Druck von 1481, in einen vermutlich italienischen Einband gebunden, die letztere ein Horaz, in dessen Einband vier Buchhändleranzeigen eingeklebt waren.[54] Der dritte der Pröpste, Andreas Prudentius (Kr.-Nr. 163, 1622 – 1638), stammte aus Schlesien. Er hat seinen Namen Weiyse oder Weiß latinisiert und kann als Humanist gelten. Von 1610 – 1623 war er Pfarrer in Wels, von wo er sich unter lebhaften Konflikten löste. Von ihm ist außer Ink. 4.6.10 die Ink. 3.3.9 bemerkenswert. Dieser Vicentiner Druck von 1472 zeigt eine vorzügliche Ausstattung eines böhmischen Miniators[55] und einen böhmischen Einband, der aus einer Werkstatt gefertigt wurde, welche E. Kyriss in seinem Tafelwerk mit der Nummer 187 bezeichnet hat. Auch der fünfte Propst, Damian von Inama (Kr.-Nr. 87, 1642 – 1655), war Bücherliebhaber. Von ihm ist ein aufgedrucktes Supralibros auf einigen Spitaler Bänden erhalten.

Er war vorher Dechant von Enns und hat als solcher (zuletzt von Kriemhild Pangerl) ausführliche Würdigungen erfahren. Er kann als Repräsentant des Frühbarock gelten. Heinrich Otto Gassner (Kr.-Nr. 42, 1635 – 1684) war Dechant unter vier Pröpsten. Seine Handbibliothek kam an das Stift. Eine besonders umfangreiche Bibliothek hat der Kanoniker Sigismund Fuxgruber aus Frohnleiten gesammelt (Kr.-Nr. 38, 1693 – 1708), der in Windischgarsten teils als Kaplan, teils als Leutpriester tätig war. Er hat seine 342 Bücher recht vielseitigen Inhalts in einer erhaltenen Bücherliste verzeichnet. Einen ebenfalls umfangreichen Bücherbesitz testierte laut Trende Johann Conrad Wagner, von dem bei Krawarik keine Daten zu finden sind. Schließlich ist eine umfangreiche Schenkung des vorletzten Propstes, Josef Xaver Grundtner (Kr.-Nr. 54, 1754 – 1801), zu nennen. Unter seiner Regierung überstand zwar das Stift den Josephinismus, geriet aber trotzdem in große Schwierigkeiten. In die Stiftsbibliothek kamen 145 Werke, darunter die Inkunabel 3.10.23 mit dem Kupferstich-Exlibris des Propstes.[56]

Zum Abschluß noch ein Wort zum Inhalt dieser Stiftsbibliothek. Aus den vorausgehenden Ausführungen ergibt sich wohl von selbst der Schluß, daß bei ihrer Entstehung mehr der Zufall als eine zielbewußte Organisierung maßgeblich war. Wie schon eingangs gesagt, spiegelt sie die Vielfalt der Persönlichkeiten aus vier Jahrhunderten wider. Für eine präzise Auswertung der vorzugsweise gesammelten Fachgebiete wäre vor allem ein genauer Katalog notwendig. Einige allgemeine Charakterisierungen scheinen dennoch möglich. Der Bestand an Liturgica ist gering, soweit sie nicht vielleicht als überholt unter die Handschriften eingereiht wurden. Sie vertreten damit vor allem die vorausgehende Stufe des Hospitals. Auffallend sind auch einige Juridica, meist älteren Datums, die über Bamberg gekommen sind und für die Spätzeit der Rezeption des römischen Rechts Zeugnis ablegen. Das Hauptgewicht der theologischen Literatur dürfte bei Summenwerken, Enzyklopädien, Kommentaren und exegetischer Literatur liegen. Freilich fehlen auch die Kirchenväter nicht, deren frühe Drucke in den meisten Stiftsbibliotheken des Landes eingestellt worden sind. In den siebziger Jahren des 15. Jahrhunderts, die recht reich vertreten sind, waren diese Texte noch ansehnliche Folianten. Sermones- und einige Andachtsliteratur kann bei der vielfachen seelsorgerischen Tätigkeit der Kanoniker erwartet werden. Ebenso ist es nicht erstaunlich, wenn man Zeugen des Humanismus unter diesen frühen Büchern findet, da doch Spital und seine Kanoniker zu den ersten Stützen dieser geistigen Richtung im Lande zählten. Hier treffen Handschriften und Frühdrucke aufeinander. Man sieht daraus, wie zäsurlos diese beiden Hauptformen des spätmittelalterlichen Buchwesens auch hier aufeinanderstießen und wie die eine die andere ablöste.

Anhang

Stempeltabellen der wichtigsten für Spital am Pyhrn tätigen Buchbinder-Werkstätten

Wie im Text ausgeführt ist (vgl. besonders Anmerkung 38 usw.), beschäftigte Spital am Pyhrn im späten 15. Jahrhundert zwei Buchbinder-Werkstätten, von denen eine größere Anzahl von Einbänden erhalten geblieben ist. Meist sind es Inkunabeln aus dem letzten Drittel des 15. Jahrhunderts.

Die kleinere Gruppe, ca. 50 Bände, scheint in besonderer Beziehung zum Dechant Urban von Weichs (Weix) gestanden zu sein. Die Werkstatt wird durch die Stempel Nr. 15–36, 39 und 45 repräsentiert. Bei den Stempeln Nr. 37, 38, 40–44 ist die Zugehörigkeit fraglich, auch wenn sie sicher für Spital verwendet worden sind. Vgl. dazu Abb. 1.

Die Hauptgruppe, deren Hilfsmaterial vielfache Beziehungen zum Stift erkennen läßt, ist heute durch mehr als 100 Einbände nachzuweisen. Der Großteil der dabei verwendeten Stempel ist durch die Abreibungen Nr. 46–83, 85, 87 und 89 wiedergegeben. Bei den restlichen Stempeln scheint die Bindung an die Werkstatt zweifelhaft zu sein. Die Arbeiten dieser Werkstatt zeichnen sich durch vorzügliche Qualität aus. Auch die Stempel sind von professionellen Stempelschneidern angefertigt worden (vgl. dazu Abb. 2–5).

Die Abreibungen sind von Herrn Dr. Peter Pascher angefertigt worden, der sie zum Zwecke einer Vorpublikation zur Verfügung gestellt hat, die dem von ihm verfaßten Inkunabelkatalog vorausgeht. Es sei ihm an dieser Stelle herzlich gedankt. Die Blindstempel sind alle in Originalgröße wiedergegeben.

Anmerkungen

* Ein Beitrag gleichen Inhalts erschien in der FS für Spital am Pyhrn „Dorf im Gebirge", hrsg. von H. KRAWARIK (1990), S. 147–164, mit Abb. S. 17, S. 21–32. Für die Genehmigung der hier verwendeten Vorlagen ist dem Bundesdenkmalamt Wien, Herrn WOR Dr. Eckart Vancsa zu danken.

1. R. EISLER, Die illuminierten Handschriften in Kärnten. Beschreibendes Verzeichnis der illuminierten Handschriften in Österreich (1907), S. 12–17, S. 67–134; K. HOLTER, Die Bibliothek, Handschriften und Inkunabeln, in: ÖKT 37 (1969), S. 340–441.
2. H. PAULHART, Mittelalterliche Bibliothekskataloge Österreichs, Bd. V: Oberösterreich (1971), S. 102–113.
3. H. KRAWARIK, Die weltlichen Chorherren von Spital am Pyhrn (1418–1807) (1988).
4. A. TRENDE, Die Stiftsbibliothek in St. Paul, Car. I 142 (1952), S. 609–668.
5. ÖKT 37 (1969), Abb. 523 u. 524.
6. W. NEUMÜLLER, Bernardus Noricus von Kremsmünster, in: 90. Jahrbuch des Obergymnasiums der Benediktiner zu Kremsmünster (1947).
7. G. SCHMIDT, Frühe Habsburger in Österreich, Katalog (1979), Nr. 190.
8. B. SCHROLL, Necrologium des ehemaligen Kollegiatstiftes Spital am Pyhrn, OÖ., AÖG 72 (1888), S. 15.
9. K. HOLTER, Das mittelalterliche Buchwesen im Stift Garsten, in: Kirche in Oberösterreich, 200 Jahre Bistum Linz, Ausstellungskatalog Garsten (1985), S. 377, Kat.-Nr. 04.28; ÖKT 37 (1969), Abb. 563 u. 564.
10. G. SCHMIDT, Die Malerschule von St. Florian (1961), Abb. 97.
11. ÖKT 37 (1969), Abb. 542.
12. K. HOLTER, Bibliothek und Archiv: Handschriften und Inkunabeln, in: ÖKT 48, St. Florian (1988), Abb. 98–100, Abb. 105.
13. H. PAULHART, Bibliothekskataloge (wie Anm. 2), S. 103.
14. ÖKT 37 (1969), Abb. 528.
15. Vgl. K. HOLTER, Das mittelalterliche Buchwesen des Benediktinerstiftes Lambach, 900 Jahre Klosterkirche Lambach, OÖ. Landesausstellung 1989 (1989), S. 53ff. u. S. 58.
16. ÖKT 37 (1969), Abb. 578, 581 u. 582.
17. A. CONTI, La miniatura Bolognese. Scuole e botteghe 1270–1340 (1981), S. 81ff.
18. R. BRANNER, Manuscript Painting in Paris during the Reign of St. Louis (1977), S. 215ff.; vgl. G. SCHMIDT, Materialien zur französischen Hochgotik II, Wiener Jb. für Kunstgeschichte 37 (1984), S. 143f.
19. PAULHART, Bibliothekskataloge (wie Anm. 2), S. 109, A. 20.
20. ÖKT 37 (1969), Abb. 558.
21. EBD., Abb. 598.
22. EBD., Abb. 601.
23. EBD., Abb. 596.
24. EBD., Abb. 587, 589, 592–594.
25. J. KRASA, Die Handschriften König Wenzels IV. (1971), S. 206.
26. EBD., S. 276, Anm. 342.
27. PAULHART, Bibliothekskataloge (wie Anm. 2), Anm. 39: Cod. 30/3.
28. Das Missale könnte als Kodex 7/3 fragmentarisch erhalten sein.
29. SCHROLL, Necrologium (wie Anm. 8), S. 152, Nr. 39.
30. EBD., S. 158, Nr. 120; PAULHART, Bibliothekskataloge (wie Anm. 2), S. 104ff.
31. SCHROLL, Necrologium (wie Anm. 8), S. 157, Nr. 99.
32. ÖKT 37 (1969), Abb. 661, 692.
33. EBD., Abb. 646.
34. EBD., Abb. 652–654; vgl. K. HOLTER, Zwei spätgotische Dominikaner-Gradualien in Wien, in: Von österreichischer Kunst, Franz Fuhrmann gewidmet (1982), S. 44.
35. F. W. SCHMIDT-KÜNSEMÜLLER, Corpus der gotischen Lederschnitteinbände aus dem deutschen Sprachgebiet (1980).
36. Vgl. KRAWARIK, Dorf (wie Anm. *), Abb. 25–27.
37. ÖKT 37 (1969), Abb. 681.
38. K. HOLTER, Verzierte mittelalterliche Bucheinbände des Stiftes St. Florian, Mitteilungen des oberösterreichischen Landesarchivs 10 (1971), S. 190, Abb. 5.
39. K. HOLTER, Verzierte Wiener Bucheinbände der Spätgotik und Frührenaissance. Werkstätten und Stempeltabellen, Beiheft zu Codices Manuscripti (1977).
40. P. WIND, Die verzierten Einbände der Handschriften der Erzabtei St. Peter zu Salzburg bis 1600) (Österreichische Akademie der Wissenschaften,

Phil.-Hist. Klasse, Denkschriften, 159, 1982), S. 120f.: Salzburg IV.
41. Ein Zusammenhang mag mit der Zuweisung dieses Konvents an die St. Blasier im Jahre 1806 bestehen.
42. K. HOLTER, Die Wiegendrucke des Stiftes Kremsmünster (1947), S. 110, Nr. 321 usw.
43. ÖKT 37 (1969), Abb. 694, 695. Vgl. das Verzeichnis daselbst, S. 356, Anm. 3, das um die in der Kapuzinerbibliothek von Klagenfurt aufbewahrten Beispiele zu vermehren ist, vgl. auch KRAWARIK, Dorf (wie Anm. *), Abb. 29, 30.
44. Sie sind jetzt abgelöst und in einer Sondersammlung aufbewahrt, vgl. ARMARIUM 7 (1981), 11 (1980).
45. EBD., S. 356, Anm. 4, Abb. 696–701. Siehe auch KRAWARIK, Dorf (wie Anm. *), Abb. 28, 31, 32.
46. HOLTER, Kremsmünster (wie Anm. 42), S. 15, Abb. 4.
47. K. HOLTER, Das Mannsbild auf der Säule, ein unbekannter Holztafeldruck aus Spital am Pyhrn, Beiträge zur Inkunabelkunde, 3. Folge, H. 6 (1975), S. 109f.
48. H. PAULHART, Kettenstich- und Langsticheinbände aus Spital am Pyhrn, Gutenberg-Jb. (1968), S. 299ff.
49. HOLTER, Bucheinbände (wie Anm. 38), S. 23.
50. ÖKT 37 (1969), Abb. 570–572.
51. Das Missale 6/3 dürfte zum Umkreis des Kremsmünsterer Missales CC. 368 gehören, d. h. oberösterreichischer Herkunft sein, siehe ÖKT 48/2 (1977), S. 188f., Abb. 344.
52. ÖKT 37 (1969), Abb. 628–638, 642–644.
53. Vgl. K. HOLTER, Die barocke Stiftsbibliothek, in: Kirche in Oberösterreich, 200 Jahre Bistum Linz, Ausstellungskatalog Garsten (1985), S. 384, Nr. 4.44 mit Abb.; DERS., Bibliothek und Archiv: Handschriften und Inkunabeln, in: ÖKT 48, St. Florian (1988), S. 45, Abb. 361.
54. Sie sind von P. H. PASCHER in Armarium 7 (1981), S. 62–66, veröffentlicht worden.
55. ÖKT 37 (1969), Abb. 489, 595, 597.
56. EBD., Abb. 709.

Stempeltabelle 1:
Blindstempel einer für Spital/Pyhrn tätigen Buchbinderwerkstatt (Werkstatt I)

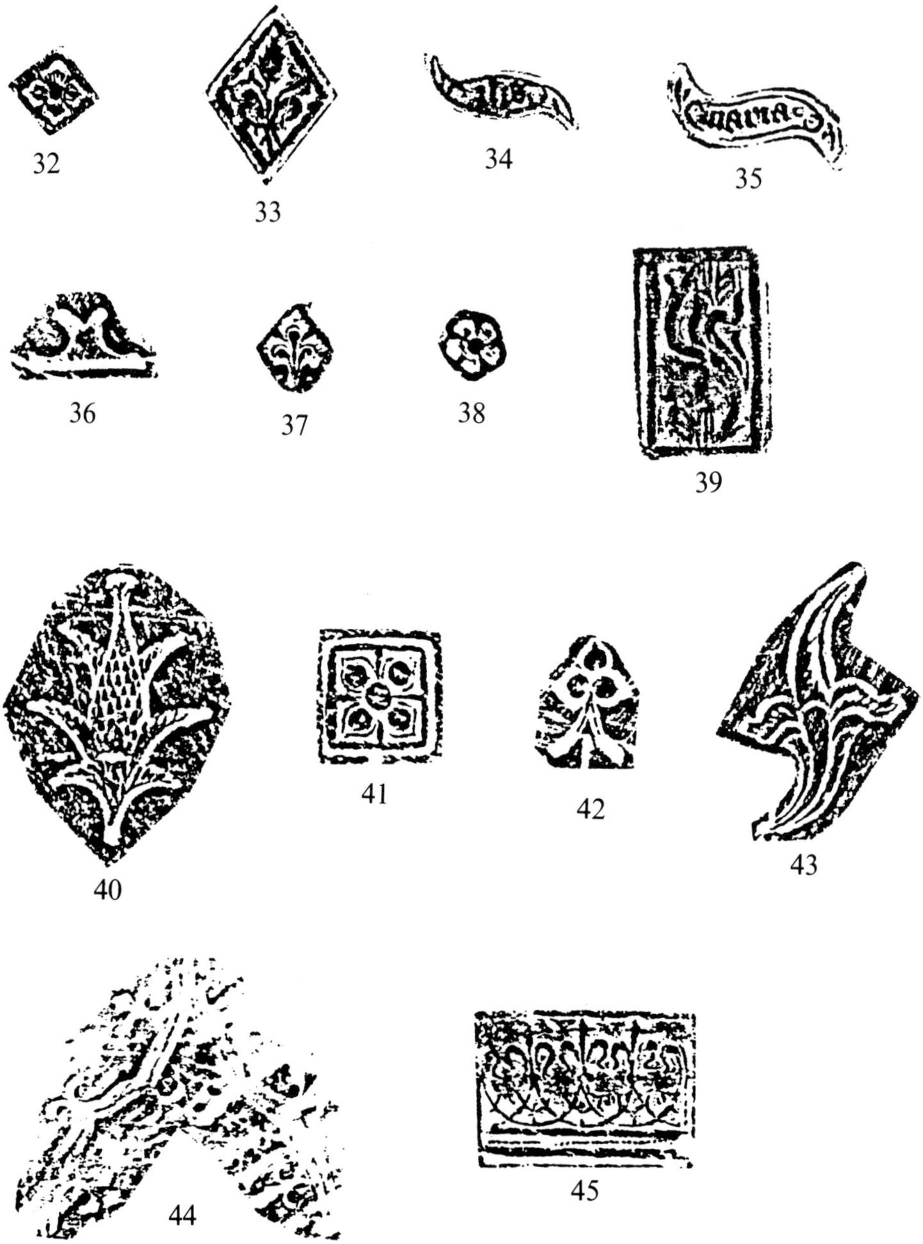

Stempeltabelle 2:
Nr. 32–36, 39, 45: Blindstempel einer für Spital/Pyhrn tätigen Buchbinderwerkstatt (Werkstatt I)

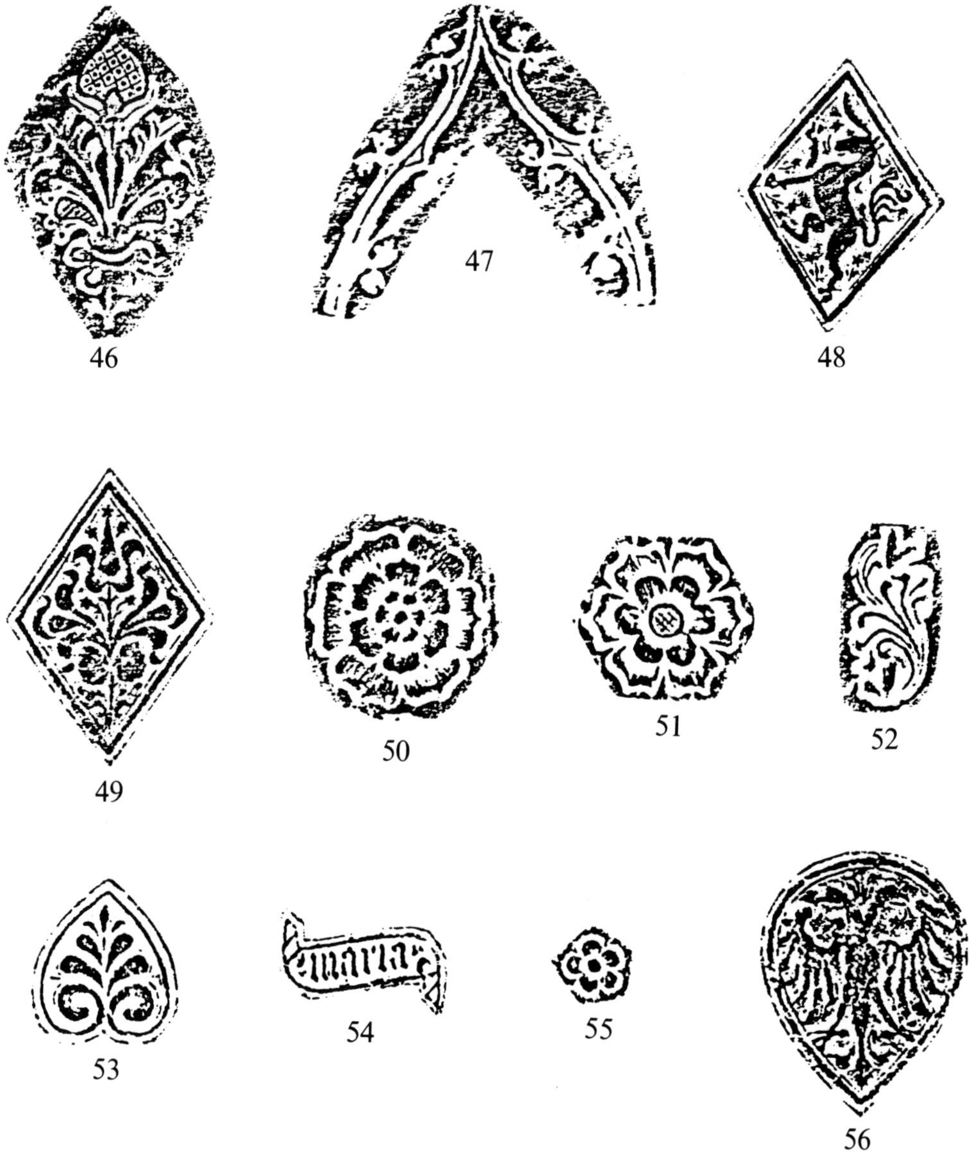

Stempeltabelle 3:
Blindstempel einer für Spital/Pyhrn tätigen Buchbinderwerkstatt (Werkstatt II)

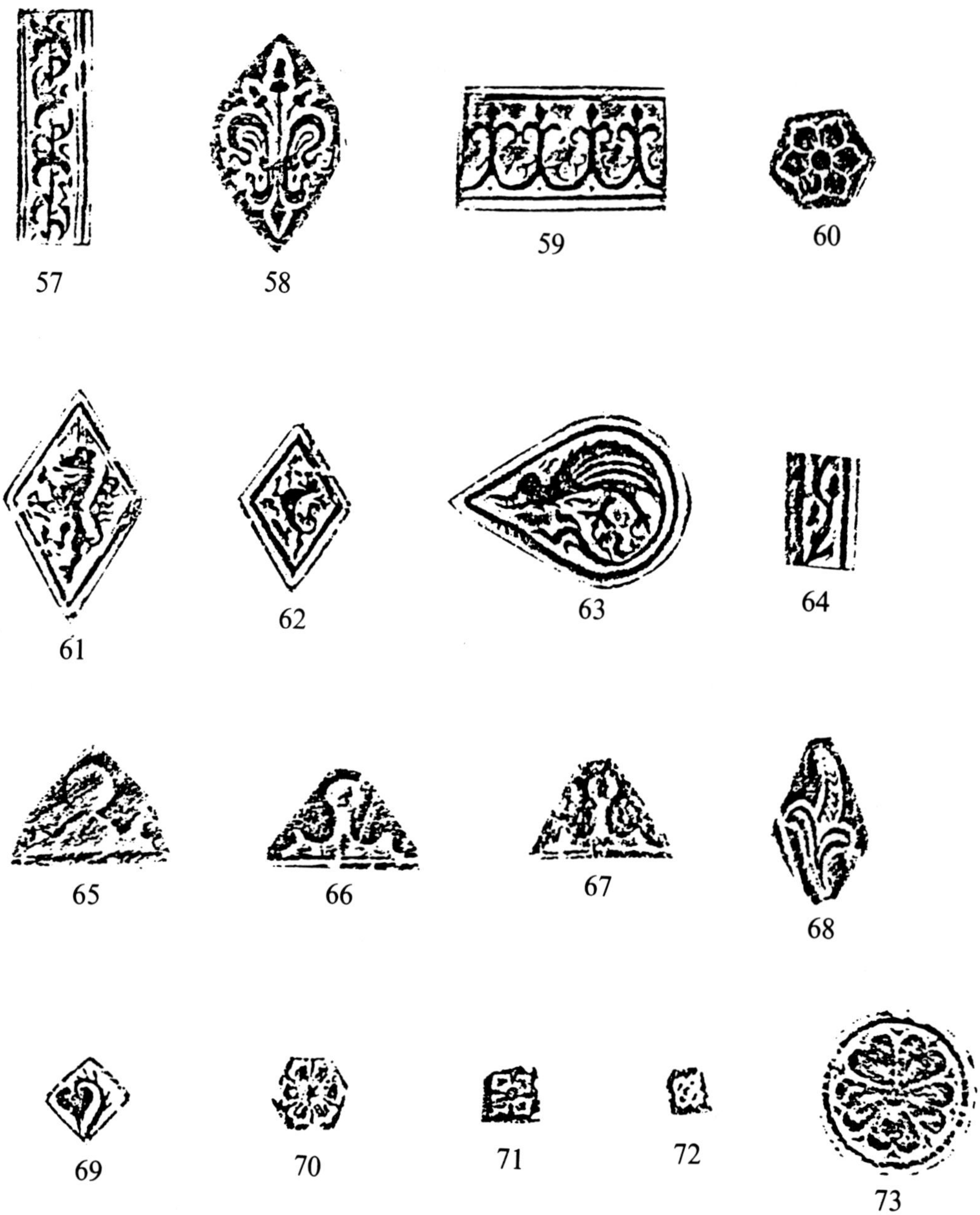

Stempeltabelle 4:
Blindstempel der für Spital/Pyhrn tätigen Buchbinderwerkstatt (Werkstatt II)

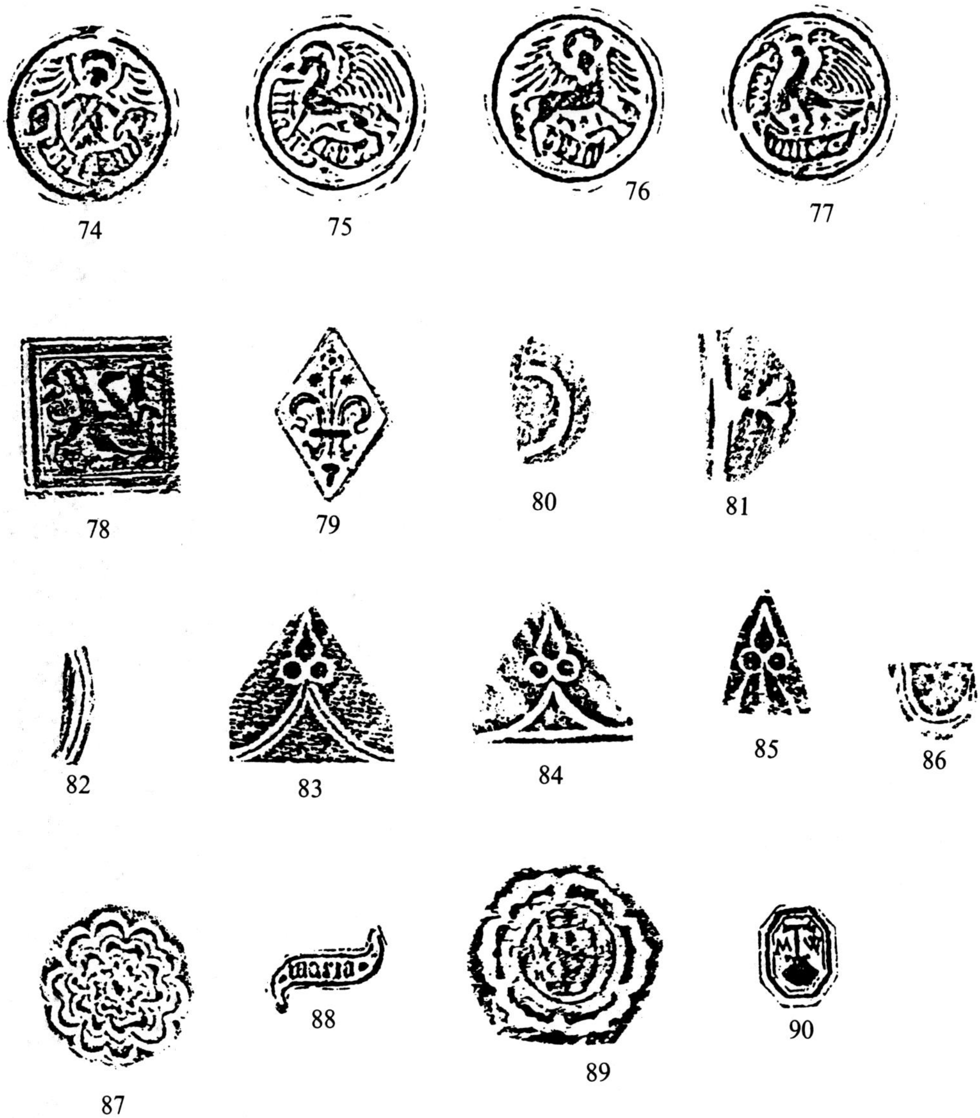

Stempeltabelle 5:
Mit Ausnahme von Nr. 84, 86 und 90 Blindstempel der für Spital/Pyhrn tätigen Buchbinderwerkstatt (Werkstatt II)

Das St. Blasianische Geistliche Hofarchiv in St. Paul

KONRAD KRIMM

Bei der Säkularisation teilten die neuen Herren nicht nur die geistlichen Territorien, sondern auch deren Archive. Das schien einfach, nach dem nüchternen juristischen Rezept: Jeder Rechtsnachfolger erhält die Akten, die *Specialia*, die die ihm zugefallenen Orte betreffen. Der unteilbare Rest, die *Generalia*, sollten an den Haupterben fallen. Die Wirklichkeit sah anders aus. Archive lassen sich nicht in rationalistische Systeme pressen. Sie sind Frucht einer jahrhundertealten Verwaltung und bilden alle deren Schicksale, Verschiebungen und Verästelungen getreulich ab. Vor allem aber lebt Verwaltung vom Austausch zwischen oben und unten, zwischen zentraler Kanzlei und Außenämtern. Erst das ungestörte Gesamtcorpus eines Archivs kann wirklich Auskunft geben. Jede Teilung läßt Fragmente entstehen; deren Sinnzusammenhang geht verloren. Archivgeschichte des 19. Jahrhunderts spiegelt so das Unvermögen der Zeit, mit den gewachsenen Strukturen des Alten Reiches zurechtzukommen.

Auch das st. blasianische Archiv wurde auf diese Weise zum Treibgut einer fürstlichen, rationalistischen Revolution. Den Hauptanteil erhielt das neugeschaffene Großherzogtum Baden; im Generallandesarchiv in Karlsruhe werden heute ca. 5600 Urkunden sowie Akten, Amtsbücher und einige Handschriften verwahrt. 118 Handschriften kamen über die Universitätsbibliothek in Freiburg an die Badische Landesbibliothek in Karlsruhe. Archivalien des Priorats Mengen und der Schaffneien Nellingen und Rottweil finden sich im Staatsarchiv Ludwigsburg. Mit dem Schweizer Klosterbesitz fielen die dortigen Ämterregistraturen an die Kantone: Schriftgut des Basler Amts gelangte in das Staatsarchiv in Basel, das der Propsteien Klingnau und Wislikofen in das Staatsarchiv in Aarau. Archivalien des Amtes Stampfenbach schließlich, des sogenannten Zürichamtes, liegen heute im Bestand „Hochstift Konstanz" des Staatsarchivs Zürich.

Da diese st. blasianischen Ämter ja auch an das Hauptarchiv in St. Blasien abgeliefert hatten, also zum Zeitpunkt der Säkularisation keineswegs fest abgegrenzte eigene Archive besaßen, gingen die neuen Besitzer später an den Austausch von Einzelstücken, bis diese „Extraditionen" zwischen den Staatsarchiven schließlich als sinnloses Herumflicken an einem im Grund nicht mehr zu heilenden Schaden wieder eingestellt wurde.

Bis hierher unterscheidet sich die st. blasianische Säkularisationsgeschichte in ihrem Ablauf nicht von der anderer geistlicher Archive beim Zusammenbruch des Alten Reiches. Aber so wie sich der Konvent in St. Blasien als einziger im Großherzogtum zur Auswanderung entschloß, bildet auch der st. blasianische Archivbestand in St. Paul die große Ausnahme von der Regel. Die Flüchtung von Urkunden, Akten und Bänden aus dem Schwarzwald nach Österreich gelang heimlich und so perfekt, daß sich viele Fragen dazu bis heute nicht beantworten lassen. In den Vorarbeiten zum st. blasianischen Urkundenbuch von Hugo Ott, in meinem Bericht über die Verfilmung des st. blasianischen Archivs in St. Paul und v. a. in den Beiträgen zur 1000-Jahr-Feier von St. Blasien von Johann Wilhelm Braun und Gerhard Stamm wurden die Spuren der Flucht nachgezeichnet, so daß hier nicht weiter darauf einzugehen ist.[1] Noch dringlicher als die Frage nach Zeit, Weg und Stationen des Archivtransports stellte sich freilich die Frage nach den Motiven der St. Blasier. Wie kam es zu der Auswahl eines allem Anschein nach so heterogenen Bestandes, eines wahren Sammelsuriums verschiedenster Archivalien? Durfte man den st. blasianischen Archivaren, Gelehrten von Rang, unterstellen, sie hätten – abgesehen von den erkennbar wertvollen Handschriften – wahllos und unbesehen aus dem Gesamtbestand mitgenommen, was ihnen in der Eile in die Hände geriet? Die Annahme verbot sich von selbst. In St. Blasien hatte man Erfahrung mit der Flucht von Archivgut; schon früher war bei Kriegen am Oberrhein die Schweizer Propstei Klingnau Bergungsort für Archiv und Kirchenschatz gewesen. Wohl gab es bei der Auswahl offenkundige Mißgriffe: Die Handschrift 214/2 in St. Paul z. B., die als Repertorium zu Archivalien über Besitz in der Schweiz bezeichnet ist, erschließt in Wirklichkeit als ausführliches Ortsregister das nach Sachrubriken gegliederte eigentliche Bestandsinventar 68/402 im Generallandesarchiv; der Bestand selbst kam ebenfalls nicht nach Kärnten. In diesem Fall wurden also wohl aus Versehen zwei zusammengehörende Bände getrennt – aber solche Einzelfälle entbinden nicht von der Pflicht, für die st. blasianischen Archivalien in St. Paul in ihrer Gesamtheit nach dem richtigen „Schlüssel" zu suchen.

Sinnvolle Gruppen lassen sich ja auch durchaus erkennen und sind von Gerhard Stamm bei seiner Beschreibung des Handschriftenbestandes genannt worden.[2] Dies gilt vor allem für die Materialien zur *Germania Sacra*, die sich auf Urkunden, Akten und Handschriften in St. Paul gleichmäßig verteilen. Die Säkularisation hatte mitten in die Arbeiten der st. blasianischen Historiker zum Hochstift Konstanz getroffen – so ist es verständlich, daß sie z. B. die umfangreichen Abschriften Konstanzer Urkunden zur Weiterführung ihrer Publikation mitgenommen hatten.

Für dic *Germania Sacra* waren wohl auch die meisten früh- und hochmittelalterlichen Originalurkunden aufgehobener Klöster gesammelt worden.[3] Aus Kloster Lorch ist so die Stiftungsurkunde Herzog Friedrichs von Schwaben von 1102 in St. Paul erhalten, und für die anderen Klöster, seien es nun Alpirsbach, Bebenhausen oder Blaubeuren, Hirsau oder Maulbronn usf., gehören die St. Pauler Urkunden zur ältesten Überlieferungsschicht. Auch die beiden allerältesten Urkunden in St. Paul, ein (im 10. Jahrhundert gefälschtes) Diplom Ludwigs des Frommen von 836 und ein Diplom Ottos I. von 972, beide für Bischöfe von Chur, zählen wohl zu diesem Sammelgut für die *Germania Sacra*. Wenn aber die Klosterarchivare diese fremde Überlieferung für so wertvoll hielten, warum ließen sie dann die ältesten Sanblasiana zurück? Die ganze stolze Reihe der kaiserlichen und päpstlichen Privilegien für St. Blasien gelangte in das Generallandesarchiv, angefangen mit den Diplomen von Otto II. aus dem Jahr 983 und von Calixt II. aus dem Jahr 1120. Dagegen kam eine andere Urkundenserie, die erst im 14. Jahrhundert einsetzt, geschlossen nach St. Paul: die Notariatsinstrumente über die Wahl der Äbte durch den Konvent. Auch Verträge zwischen Abt und Konvent erscheinen bei den St. Pauler Urkunden häufig, desgleichen Konventsstatuten. Unter den insgesamt 234 engeren „st. blasianischen" Pergamenturkunden in St. Paul finden sich aber wiederum keineswegs nur *Spiritualia*, sondern auch

Besitzbestätigungen, Güterkäufe, Prozesse usf., wie sie im Karlsruher Archivteil zu Tausenden vorkommen. Die Auswahlkriterien der Klosterarchivare waren aus heutiger Sicht also nur teilweise nachzuvollziehen, am ehesten dort, wo es sich (außerhalb der liturgischen, theologischen oder historischen Schriften) um Rechte und Ordnungen des Konvents handelte. Die einzige Erklärung, die sich darüber hinaus anbot, schien zunächst fast unzulässig einfach: Wie, wenn die Mönche gar keine Auswahl getroffen hätten? Hatte es vielleicht in St. Blasien einen Archivbestand gegeben, der als Ganzes leicht aus dem Gesamtarchiv zu lösen war? Ein solcher Bestand mochte sich seit alters aus vielen Quellen gespeist haben, so daß die Herkunft jeder einzelnen Urkunde nicht mehr erkennbar war. Aber vielleicht hatte man darauf auch nicht geachtet, sondern diesen Bestand an sich für so wichtig gehalten, daß man ihn nicht zurücklassen wollte. Gab es ein solches Archivcorpus, dann mußte es auch ein Findmittel dazu geben – und dann mußte dies ebenfalls mitgenommen worden sein.

Dieses Findmittel existiert tatsächlich. Die bisher unbeachtete Handschrift 213/2 in St. Paul trägt den Titel „Lagerbuch über das geistliche Hofarchiv von St. Blasien". Der Band gehört in die Reihe der st. blasianischen Archivinventare, die nach 1764, nach der Wahl Martin Gerberts zum Abt, als „Lagerbücher" des Archivs entstanden und mehrheitlich ins Generallandesarchiv gelangt sind; damit sie nicht mit den Lagerbüchern im Sinn von Urbaren verwechselt würden, hat man in Karlsruhe dann die Aufschrift z. T. in „Repertorium" verändert.[4] Der Bestand dieses Hofarchivs war mit der Inventarisierung jedoch nicht abgeschlossen worden; Nachträge finden sich bis 1802. Als Findbuch diente der Band für die Kästen 235 bis 245 im st. blasianischen Archiv, also für elf (transportable!) Schränke, wie sie im 18. Jahrhundert überall in Gebrauch waren. Die Signaturen bezeichneten – ebenfalls allgemein üblich – zugleich die Locatur, erst die Kastennummer, dann eine der vier Laden und schließlich die fortlaufende Ordnungszahl der Faszikel. Stichproben haben gezeigt, daß diese Archivschränke wohl insgesamt zur Flucht bestimmt wurden und einen beträchtlichen Teil des heutigen st. blasianischen Archivs in St. Paul zum Inhalt hatten.

Der Stellenwert dieses „Geistlichen Hofarchivs" innerhalb des Gesamtarchivs läßt sich am ehesten ermessen, wenn man sich die Systematik des Lagerbuches ansieht. Die Archivalien waren in St. Blasien nach Sachrubriken, nach „Materien" geordnet. Ihnen vorangestellt sind im Lagerbuch eine Abtsliste und eine Liste derjenigen st. blasianischen Mönche, die Bischöfe oder Äbte anderer Klöster (*abbates postulati*) geworden waren – weniger Zeittafeln also als vielmehr „Ruhmesblätter" der Konventsgeschichte. Die Rubriken gliedern sich nach einem logischen Gefälle:

Ursprung und Wachstum des Gotteshauses (Annalen, Geschichtswerke über das Kloster, Nekrologien)

Electiones abbatum

Abbates postulati (vor allem Reverse für das Mutterkloster)

Huldigungen

Statuta Monastica

Besonderes S. Blasisches Geistliches Weesen (Novizen, Profeß u. a.)

Verordnungen und Verträge mit dem Convent (z. B. die *Unio bonorum* von 1594, Ausstattung des Konvents mit Gefällen)

Besondere Stifft (= Stiftungen) *und Verordnungen der Herren Äbten* (Testamente, Anniversarien u. ä.)

Confoederationes Monastica (Bruderschaften)

Privilegia Pontificia Cardinalium et Legatorum (nur Abschriften!)

Privilegia Episcopalia (nur Abschriften!)

Iura Abbatialia (vor allem Deduktionen)

Titel und Würden der Herren Äbten

(vor allem Auseinandersetzung mit Österreich)

Titulaturstreit (desgleichen)

Pfründner (kaiserliche Präsentationen)

Lebensbeschrieb der Herren Äbten (z. B. Diarien)

Kaiserliche, königliche, erzherzogliche Leichen (Translation aus Königsfelden)

und weitere Rubriken, die meist das Verhältnis zum Bischof von Konstanz und zu Österreich berühren.

Die Identifizierung der einzelnen Archivalien im heutigen Bestand in St. Paul fällt beim derzeitigen Erschließungsstand nicht immer leicht. Denn in St. Paul erlebte das Geistliche Hofarchiv nun einen zweiten, ganz anderen Eingriff. Der st. blasianische Bestand hatte in seinen Rubriken alles vereinigt, was der Sache nach zusammengehörte, Urkunden, Akten und Bände. In St. Paul verfuhr eine spätere Generation von Archivaren (wohl Beda Schroll und nach ihm Anselm Achatz) mit dieser Systematik ebenso rücksichtslos und formalistisch, wie es im 19. Jahrhundert fast alle Archivare machten: Mit großem Fleiß ordnete man um nach Quellengattungen und äußeren Merkmalen. Die Pergamenturkunden, denen das neue historische Interesse des 19. Jahrhunderts ja vor allem galt, wurden aus ihrem Sachzusammenhang gelöst und chronologisch ineinandergeschoben. Aus konservatorischen Gründen hatte das seinen Sinn, so wie es ebenfalls von Vorteil war, Bände aufzustellen und lose Blätter zusammenzubinden. Aber nun gab es mit einem Mal nicht nur zwei Sorten von Handschriftenbänden, aus Pergament und aus Papier, sondern auch zwei Sorten von Akten, gebundene und ungebundene. Die gebundenen Akten stellte man zwischen die eigentlichen „Handschriften", die liturgischen, theologischen und historischen Werke, die ungebundenen bildeten einen eigenen Bestand ohne sachliche Gliederung. Verloren ging mit dieser Methode nichts, aber es bedurfte von nun an einer sehr viel detaillierteren Kenntnis des ganzen Archivs, um Zusammengehöriges wiederzuentdecken. Das galt vor allem für die Sammelbände, in denen Akten aus verschiedenen Rubriken zusammengefaßt wurden (z. B. HS 138/2 III, die aus der alten Rubrik „Huldigung" herausgelöst wurde, oder HS 210/2 I, ein st. blasianisches Nekrolog, das ursprünglich in der Eingangsrubrik „Ursprung und Wachstum des Gotteshauses" in der Reihe der anderen st. blasianischen Nekrologien gestanden hatte, nun aber mit Nekrologien anderer Klöster und diversen Geschichtswerken zusammengebunden wurde). Es wird einer intensiven künftigen Erschließung bedürfen, um hier mit den Möglichkeiten der Querverweise und der Sachindizes die alte systematische Ordnung wieder durchscheinen zu lassen.

Kehren wir aber zurück zu dem „Geistlichen Hofarchiv" in St. Blasien. Daß es sich um einen zentralen Bestand innerhalb des Gesamtarchivs gehandelt haben muß, beweist die Liste der „Materien" – so wie es ebenso eindeutig scheint, daß es nicht der einzige Bestand war, den die St. Blasier zur Flucht bestimmten. Es muß wohl auch noch andere solcher „Schlüssel" zu den Archivalien in St. Paul geben, und sie werden mit der Zeit gefunden werden; dann werden sich auch die Bandserien der Amtsbücher und Urkundenabschriften oder auch die jüngeren Akten zur Klosterökonomie, zu den Eisenhütten und Bergwerken leichter erklären lassen. Ungeklärt ist aber auch noch der Begriff des „Geistlichen Hofes" selbst – hier war zugegebenermaßen die Untersuchungszeit zu knapp. Ist der Geistliche Hof als Institution zu denken, als eine Art innerer Konvent, der den Abt in seiner Leitung beriet? Oder meint der Geistliche Hof den Teil der Klosterverwaltung, der in erster Linie die Angelegenheiten des Konvents und der geistlichen Ordnung betraf? Schon Hugo Ott hat darauf aufmerksam gemacht, daß bis zur *Unio bonorum* von 1594 neben dem Archiv des Abtes ein Konventsarchiv bestanden haben muß, da sich der Prior zur Ablieferung aller Dokumente verpflichtete. Trotz des Verzichts auf ein eigenes Archiv habe dieses aber weiterbestanden und sei erst unter Abt Blasius II. (1720 – 1727) vollständig übernommen worden.[5] Es spricht vieles dafür – etwa die geschlossene Überlieferung zu den Abtswahlen und den Konventsstatuten – daß es sich beim Geistlichen Hofarchiv im Kern um dieses alte Konventsarchiv handelt. Es wäre dann als Provenienzbestand belassen, für wichtige Fragen der geistlichen Verwaltung aber bis zur Säkularisation weitergeführt worden.[6]

Das mag für die st. blasianische Archivgeschichte ein Baustein mehr sein; er ist auf seine Tragfähigkeit erst noch zu prüfen. Wir sollten das Ergebnis aber auch dafür verwenden, das Selbstverständnis der st. blasianischen Klostergemeinschaft am Zeitpunkt ihrer größten Gefährdung besser zu verstehen. Daß die weltliche Herrschaft auf dem Schwarzwald unwiderruflich zu Ende ging, war denen, die trotzdem beisammenbleiben wollten, wohl bewußt. Wenn sie in dieser Situation das Archiv des Geistlichen Hofes – und damit vielleicht auch das alte Konventsarchiv – in eine neue Heimat mitnehmen wollten, dann taten sie dies einmal mehr im Bewußtsein einer unzerstörbaren geistlichen Tradition und Gemeinschaft. Vor diesem Hintergrund kann Archivgeschichte auch Beitrag zur Geistesgeschichte sein.

Anmerkungen

1. Vgl. H. Ott, Vorläufige Bemerkungen zur Geschichte des st. blasianischen Registratur- bzw. Archivwesens, Schau-ins-Land 90 (1972), S. 23 – 36; K. Krimm, Zur Geschichte des st. blasianischen Archivs im 19. Jahrhundert. Eine Bestandsaufnahme anläßlich der Archivalienverfilmung in St. Paul, ZS für die Geschichte des Oberrheins 130 (1982), S. 341 – 345; J. W. Braun, Das Archiv des Klosters, in: Das tausendjährige St. Blasien, Bd. 2 (1983), S. 201 – 212; G. Stamm, Zur Geschichte der Bibliothek, ebd., S. 171 – 200.
2. Vgl. Stamm, Bibliothek (wie Anm. 1), S. 186.
3. Urkunden St. Blasien Nr. 235 – 394, z. T. auch Nr. 426ff.
4. Vgl. Generallandesarchiv 68/397 – 399.
5. Ott, Bemerkungen (wie Anm. 1), S. 29f.
6. Vielleicht läßt sich in diesem Kontext auch die noch undefinierbare Gruppe der Urkunden erklären, bei denen kein direkter Bezug auf St. Blasien, die *Germania Sacra* oder die inkorporierten Wilhelmitenklöster erkennbar ist:
Die Nummern 458 – 579, bezeichnet nur mit dem Rang der Aussteller oder Empfänger („Fürstliche und Gräfliche" bzw. „Adelige und Bürgerliche"), könnten Vorurkunden zu Rechtstiteln des Konvents oder einzelner Konventualen sein.

Das Archiv des Benediktinerstiftes St. Paul im Lavanttal

FRIEDRICH WILHELM LEITNER

Das Alt-St. Pauler Archiv bis zur Aufhebung 1787

Das Hofdekret vom 7. Oktober 1782 verfügte die erste josephinische Aufhebung des Stiftes St. Paul, die aber noch im darauffolgenden Jahr aufgrund intensiver Interventionen des Abtes Anselm II. von Edling (1778–1787) und des Konventes wieder ausgesetzt wurde. Versuche einer Rettung des schwer verschuldeten Klosters scheiterten, und so erfolgte am 10. April 1787 die zweite und vollständige Aufhebung unter Kaiser Joseph II.[1]

Nach einem Inventarbericht vom 26. März 1778[2] befand sich der Alt-St. Pauler Archivbestand vor der Aufhebung in einem geordneten Zustand, war auf drei Räumlichkeiten verteilt und in einem umfassenden „Registerium" aufgelistet. Die nach dem ersten Aufhebungsbescheid von Franz David Marx im Auftrag der böhmisch-österreichischen Hofkanzlei bzw. des Klagenfurter Kreishauptmannes durchgeführten Ordnungs- und Inventarisierungsarbeiten wurden 1783 wieder unterbrochen. Auch in den folgenden Jahren bis 1787, in denen das Archiv der Aufsicht eines Oberpflegers unterstand, entstand kein neues Verzeichnis. Aus dem Jahre 1789 hat sich ein handschriftliches Urkundenverzeichnis der in der „Staatsherrschaft St. Paul" noch vorhandenen Originalurkunden[3] erhalten. Die Überführung des gesamten St. Pauler Archives nach Graz oder Wien konnte verhindert werden. Einzelne Archivbestände, vor allem wichtige Urkunden, gelangten noch im ausgehenden 18. Jahrhundert nach Wien und kamen 1811 über die Hofbibliothek in das Haus-, Hof- und Staatsarchiv[4].

Im Stiftsarchiv St. Paul[5] sind heute insgesamt 1648 Urkunden vorhanden, die in den Zeitraum von der Stiftung des Klosters im Jahre 1091 bis zur josephinischen Aufhebung 1787 fallen. Ein Blick auf den Bestand der St. Pauler Urkunden bis 1300 zeigt, daß zahlreiche Originalurkunden in andere Archive gekommen sind. Der St. Pauler Archivkatalog listet bis 1300 insgesamt 57 Urkunden auf. Demgegenüber verzeichnen die einschlägigen Bände der *Monumenta historica ducatus Carinthiae*[6] für diesen Zeitabschnitt 122 Originalurkunden, zusammen mit den kopialen Überlieferungen werden hier 257 archivalische Belege angeführt. Eine Konkordanz der in St. Paul erhaltenen Urkunden mit dem edierten Material zeigt, daß einige Originalurkunden St. Pauler Provenienz, etwa im 6. Band der *Monumenta historica ducatus Carinthiae*[7], nicht berücksichtigt wurden.

Eine erste wissenschaftliche Bearbeitung fanden die St. Pauler Urkunden durch P. Beda Schroll OSB[8], der 1876 sowohl einen *Codex traditionum* wie auch die Urkunden bis 1499 vorwiegend in Regestenform herausgegeben hat. Von den 32 Urkunden, die sich von der

Spanheimerstiftung bis zum Regierungsantritt Herzog Bernhards erhalten haben[9], sind 27 im Original, fünf als kopiale Überlieferungen vorhanden. Davon besitzt das Stift heute noch 14 Stück, 17 Urkunden kamen an das Haus-, Hof- und Staatsarchiv in Wien, je eine Urkunde gleichen Inhalts befindet sich in St. Paul und in Wien. Interessant ist die Zuordnung: Nur elf Urkunden wurden im Stift geschrieben, wobei es sich um fünf Herzogs- und sechs Privaturkunden handelt. August von Jaksch[10] nahm eine Einteilung nach Provenienzen vor: Zehn Papsturkunden, eine Kaiserurkunde, je drei Urkunden des Erzbischofs von Salzburg und des Patriarchen von Aquileia, zwei des Bamberger Bistums, eine des Markgrafen von Steiermark und eine des Grafen Bernhard von Spanheim. Die beiden im St. Pauler Stiftsarchiv verwahrten Traditionsbücher[11] wurden – entsprechend dem damaligen Forschungsstand – von Jaksch in die Kärntner Urkundenedition[12] eingearbeitet. Von 1202 bis zum Jahre 1300 verzeichnen die Bände der *Monumenta historica ducatus Carinthiae*[13] insgesamt 95 Originalurkunden, von denen 64 Stück im Haus-, Hof- und Staatsarchiv verwahrt sind, 29 im Stiftsarchiv St. Paul, je eine Urkunde im Kärntner und im steirischen Landesarchiv.

Inhaltlich bezieht sich das Alt-St. Pauler Urkundenmaterial[14] von 1099 bis 1784 auf das Kloster, die Äbte und Konventualen, den Markt St. Paul, die Herrschaften Rabenstein, Kollnitz, Unterdrauburg, Möchling, Leonstein-Pörtschach, die Pfarre Klein St. Paul im Görtschitztal (unter der Hornburg), die Städte Völkermarkt, Klagenfurt und St. Veit, ferner Lavamünd und Bleiburg, nicht zuletzt auch auf die steirischen Besitzungen.

Wichtig für die Beurteilung des in St. Paul entstandenen Urkundenbestandes ist auch der Nachweis einer eigenen St. Pauler Klosterschule mit namentlich bekannten Urkundenschreibern ab dem 11. Jahrhundert. Hiezu hat Franz Pagitz eine grundlegende Arbeit vorgelegt.[15]

Neben der Urkundensammlung verfügt das Stiftsarchiv St. Paul auch über einen beachtlichen Bestand an Aktenmaterial. In 533 Faszikeln werden Dokumente zu den verschiedensten Themen zusammengefaßt: die Äbte von Johann Parenpichler (1500–1515) bis in die jüngste Gegenwart; Kapitulare und Stiftsangehörige; Kirchliches (Vogtei, Visitationsberichte, Filialkirchen, Pfarren und Filialkirchen in der Steiermark u. a.); Herrschaften (St. Paul, Möchling, Kollnitz, Rabenstein, Loschental, Lavamünd, Unterdrauburg, Eberndorf, Leonstein, Faal, Lembach); steirische Besitzungen; Wirtschaftsangelegenheiten (Zehent, Jagd, Fischerei, Wald, Maut, Wein, Bergbau u. a.); Markt St. Paul; Untertanen, Lehen, Verwaltung, Steuer- und Geldangelegenheiten; Gerichtsbarkeit; Land und Landesfürst; Aufhebung und Wiederbesiedelung; Bausachen, Archiv, Kunst und Schule; fremde Besitzungen und Familien.

Auch der Alt-St. Pauler Handschriftenbestand als wichtiger und interessanter Archivkörper war von den josephinischen Eingriffen betroffen. Ähnlich wie beim Urkundenbestand erfolgten erste Inventarisierungsarbeiten von seiten der Aufhebungskommission 1782[16] in Form einer qualifizierenden Auflistung, um eine Ausgliederung besonders interessanter Stücke durch die Wiener Hofkanzlei vorzubereiten. Als dann 1787 der Aufhebungsbescheid wirksam wurde, kamen die im Kloster noch verbliebenen Handschriften – und auch Bücher[17] – an die spätere „Studienbibliothek“[18] in Klagenfurt. Zu diesem Zeitpunkt waren bereits zahlreiche Handschriften auf unbekannten Wegen aus St. Paul weggekommen. Wie Hermann Menhardt[19] nachweisen konnte, hatte die Hofkommission 1789 auf die Ablieferung von St. Pauler Handschriften verzichtet, dennoch waren zahlreiche Handschriften[20] – zumeist „unter der Hand“ – an die Hofbibliothek[21] gekommen. Aber nicht nur bis Wien gelangten in den Jahren vor 1797 Alt-St. Pauler Handschriften. Eine Handschrift aus dem Jahre 1136 befindet sich heute in der Württembergischen Landesbibliothek in Stuttgart[22] und dürfte vor 1788 dorthin gekommen sein. Mit St. Paul steht aber auch der heute in der Handschriftensammlung des Britischen Museums in London befindliche „Codex Additional Manuscript 18380“[23] in Verbindung.

Der Hauptbestand der Alt-St. Pauler Handschriften hat sich aber in Kärnten erhalten. Simon Laschitzer[24] konnte über den Umfang der nach Klagenfurt abgegebenen Handschriften und Bücher keine genauen Angaben machen und auch nicht eruieren, wann und wie dieser Bestand an die k. k. Studienbibliothek in Klagenfurt kam. Robert Eisler[25] hatte mit der Aufnahme des „Titelblattes eines Spanheimer-Evangeliars“[26] nur eine einzige Alt-St. Pauler Handschrift als erhalten angesehen und in sein Verzeichnis der illuminierten Handschriften aufgenommen. Hier gebührt Hermann Menhardt[27] das große Verdienst, daß er den weiteren Weg der Alt-St. Pauler Handschriften festgestellt und diesen Bestand wissenschaftlich aufgearbeitet hat. Nach einem kurz nach der Aufhebung angefertigten Katalog[28] sind 1789 271 Nummern mit 310 Bänden von St. Paul an die Lyzealbibliothek, später k. k. Studienbibliothek[29], in Klagenfurt abgegeben worden. Leider hatte der damalige Bibliotheksleiter Gottfried Freiherr von Metzburg[30] die Berechtigung, Duplikate zu verkaufen oder überhaupt „einzustampfen“, wodurch dieser St. Pauler Handschriftenbestand schon kurz nach seiner Verlagerung mehr oder weniger mutwillig auf etwa ein Viertel dezimiert worden war. Nach Hermann Menhardt sind nur 71 Handschriften[31] in Klagenfurt überliefert. Der Verlust bei den Pergamenthandschriften erweist sich als besonders beachtlich: Von den im „Aufhebungskatalog“ von 1789 vermerkten 47 Nummern haben sich nur sechs Stück[32] in der „Studienbibliothek“ erhalten. Dazu kommen hier noch 60 Papierhandschriften[33], durchwegs aus dem 15. Jahrhundert. Im Kärntner Landesarchiv sind eine Pergament- und zwei Papierhandschriften aus Alt-St. Paul verwahrt[34], im Archiv der Diözese Gurk zwei Papierhandschriften[35].

Der 1789 verzeichnete Handschriftenbestand des Benediktinerstiftes St. Paul vermittelt keinen Einblick in den tatsächlichen Umfang dieser Archivgruppe im 18. Jahrhundert. Die früheren Auflistungen lassen vermuten, daß bis 1782 ein wesentlich umfangreicheres Handschriftenmaterial im Kloster vorhanden war. Allein für die Zeit des ausgehenden 15. Jahrhunderts werden über 250 Handschriften veranschlagt.[36] Nach 1684 hat der St. Pauler Abt Albert Reichart, der auch den Bibliotheksneubau um diese Zeit durchführen ließ, ein Handschriften- bzw. Bibliotheksverzeichnis mit 208 Nummern angelegt[37], welches sichtlich nicht alle Bereiche erfaßt hat, berücksichtigt man alleine den Neuzugang an Handschriften zur Zeit des so reformfreudigen Abtes Hieronymus Marchstaller (1616–1638). Dieser ließ die erste neuzeitliche Sammlung und Ordnung des St. Pauler Archivbestandes durchführen. Unter seiner Anleitung wurden alle Urkunden und Akten zusammengetragen und in einem eigenen Archivraum in Kästen und Kisten eingelagert. Bereichert wurde das Archiv durch einen Zufallsfund[38]: Bei den Bauarbeiten an der Orgelempore im Jahre 1617 fand man in einem vermauerten Turmgeschoß drei Kisten mit zahlreichen sehr alten Urkunden und wertvollem Aktenmaterial, die vermutlich um 1400 dort versteckt worden waren. Aus einem ganz besonderen Interesse an den St. Pauler Geschichtsquellen bearbeitete Abt Marchstaller in der Folge das Archiv und verfaßte mehrere einschlägige Verzeichnisse. So entstand 1618 das Archivverzeichnis *Archivum Mon(aste)ry S. Pauli (. . .)*[39]. Dieses wurde dann durch ein Kopialbuch mit dem Titel *Archivum Mon(aste)rii S. Pauli in Carinthia*[40] ergänzt. Von den beiden ersten Bänden dieser Urkundenaufzeichnungen hat sich einer in Wien in der Nationalbibliothek erhalten: *Archivum Monasterii s(ancti) Pauli in Carinthia. Pars secunda ab anno 1500 usque ad 1600. Collectum opera R(everendissimi) D(omini) Hieronymi Abbatis Eiusdem Monasterii anno 1625*[41]. Nicht aufzufinden war bislang der erste Band, die folgenden Bände sind im Stiftsarchiv in St. Paul vorhanden. Der dritte Band enthält Abschriften von Urkunden und Akten der Jahre 1600 bis 1625; der vierte Band behandelt den Zeitraum von 1625 bis 1630[42] und wurde, wie schon erwähnt, von den Marchstaller nachfolgenden Äbten Paulus Memminger (1638–1660), Philipp Rottenhäusler (1660–1677) und Albert Reichart (1677–1727) weitergeführt. Zu beachten ist u. a. auch noch eine weitere Handschrift in der Nationalbibliothek, die im Zusammenhang mit dem Stifterfresko steht, welches dem Villacher Maler Thomas Artula zugeschrieben wird und unter Abt Jöbstl von Jöbstlberg 1493 angebrachte „Stifterinschrift"[43] wurde.

Mit der Wiederbesiedelung des Stiftes St. Paul im Jahre 1809 durch Benediktinermönche aus dem aufgehobenen Kloster St. Blasien im Schwarzwald wurde auch das Archiv durch zwei neue Bestände, dem aus St. Blasien und dem des Chorherrenstiftes Spital am Pyhrn, wieder aufgefüllt und bereichert. Bereichert durch Urkunden und Handschriften von größter wissenschaftlicher Bedeutung und teilweise einer künstlerisch hochwertigen Gestaltung, wie sie St. Paul zuvor wohl nicht gekannt hatte. Das Stiftsarchiv gehört seitdem zu den bedeutendsten Archiven Österreichs. Sein Bestand an einzigartigen Miniaturhandschriften aus vierzehn Jahrhunderten (5. bis 18. Jahrhundert)[44] reiht St. Paul gleich nach der Österreichischen Nationalbibliothek in Wien an vorderster Stelle ein.

Das Archiv des Chorherrenstiftes Spital am Pyhrn

Das im Jahre 1807 aufgelassene Chorherrenstift Spital am Pyhrn[45] diente den Benediktinermönchen aus dem Schwarzwaldkloster St. Blasien, die schon ein Jahr zuvor aus ihrem säkularisierten Kloster hatten weichen müssen, als Zwischenstation bis zur Zuteilung des abgekommenen Benediktinerstiftes St. Paul in Kärnten als neue Wirkungsstätte. Dieser kurze Aufenthalt der St. Blasier Mönche in dem 1190 vom Bamberger Bischof Otto II. als Hospiz eingerichteten Kollegiatstift hatte für St. Paul insofern Auswirkungen, als die weiterziehenden Mönche neben zahlreichen Kunstschätzen auch wertvolle Archivbestände von Spital am Pyhrn nach Kärnten transferierten. Franz Xaver Fritz vermerkte in seiner Geschichte dieses Kollegiatstiftes diesen Verlust mit Worten des Bedauerns, wenn er feststellte, daß die abziehenden Blasier Mönche „die herrliche Bibliothek, das Mineralien- und Naturalien-Cabinet und die übrigen Einrichtungen des Stiftes"[46] zur Gänze ausgeräumt haben und am 1. Mai 1809 in ihre neue Heimat brachten, wo sich diese Kunstschätze noch heute befinden.

In der heute in St. Paul vorhandenen Handschriftensammlung liegt der aus Spital am Pyhrn stammende Anteil zahlenmäßig weit vor dem eigentlichen Alt-St. Pauler Restbestand. So werden hier 51 Pergamenthandschriften[47] aufbewahrt, die aus dem Kloster Spital am Pyhrn stammen. Der Großteil dieser Handschriften geht in das 15. Jahrhundert zurück und hängt vermutlich mit der 1418 erfolgten Umwandlung des Hospitals in ein Kanonikerstift zusammen[48]. Nicht weniger als 29 Handschriften sind in das 15. Jahrhundert zu datieren, eine stammt aus dem 11., sieben aus dem 13. und zehn aus dem 14. Jahrhundert. Je eine ist mit 13./14., 14./15. bzw. 15./16. Jahrhundert angegeben, eine weitere um 1500 eingeordnet. Ähnlich verhält es sich bei den 33 Papierhandschriften, die nach St. Paul gekommen sind. Auch hier liegt das Schwergewicht mit 26 Nummern im 15. Jahrhundert, fünf gehören in das 14. Jahrhundert, je eine wird mit 14./15. Jahrhundert bzw. um 1500 angegeben.

Die starke Zunahme des Handschriftenbestandes im 15. Jahrhundert führt Kurt Holter[49] auf den Bamberger Bischof Friedrich von Aufsess zurück, der seinen Lebensabend ganz in Spital am Pyhrn verbracht und das Stift mit einem reichen Bücherlegat[50] beschenkt hatte. Bei den älteren Handschriften lassen sich Verbindungen zu anderen oberösterreichischen Klöstern wie Kremsmünster, Garsten und Lambach[51] herstellen, aber auch zum steirischen Stift Admont[52]. Beda Schroll konnte bei der Bearbeitung der Pergamenthandschrift 43/3[53] auch eine quellenmäßige Bestätigung des Bibliothekszuwachses ab dem 15. Jahrhundert durch Legate erbringen. Ein Regestenbuch der Spitaler Urkunden von 1190 bis 1417 entstand aus der Bearbeitung der Sammelhandschrift Cod. 142/4[54].

Dieser „Kreis der Donatoren"[55] entsprach den jeweiligen zwölf Kanonikern des Stiftes, wobei sich zwischen deren Herkunft und Bildungsweg und dem jeweiligen Bibliothekszuwachs inhaltlich in manchen Fällen eine Verbindung nachzeichnen läßt. Angesprochen sind hier wiederum in erster Linie die oberösterreichischen und teils auch die steirischen Klöster, aber auch als nächstgelegene Ausbildungsstätte die Universität Wien, zu der ein enger Kontakt bestand.[56]

Die Zusammensetzung der Kanoniker des Chorherrenstiftes Spital am Pyhrn ging durchwegs über den engen regionalen Rahmen hinaus und skizziert damit auch den Hintergrund für jene interessante Streuung der Handschriften dieses Stiftes. Neben zahlreichen Handschriften österreichischer Provenienz kamen zwei französische Kodices, zwei italienische und – wohl auch über Bamberg[57] – mehrere Handschriften mit böhmischen Einflüssen nach Spital am Pyhrn und dann nach St. Paul.

Nicht unerwähnt sollen auch die vielen Inkunabeln und vor allem die kunsthistorisch wertvollen und für kodikologische Forschungen hochinteressanten Einbände des Spitaler Bestandes bleiben.[58]

Ganz beachtlich war aber auch der Anteil an Büchern, die von Spital am Pyhrn zur Einrichtung einer neuen Stiftsbibliothek[59] nach St. Paul gekommen sind.

Anmerkungen

1. S. Laschitzer, Geschichte der Klosterbibliotheken und Archive Kärntens zur Zeit ihrer Aufhebung unter Kaiser Joseph II., Car. 73 (1883), S. 141 ff.; Ders., Die Verordnungen über die Bibliotheken und Archive der aufgehobenen Klöster in Oesterreich, MIÖG 2 (1881), S. 401 ff.; A. Wolf, Die Aufhebung der Klöster in Innerösterreich (1871), S. 94 ff.
2. Laschitzer, Geschichte der Klosterbibliotheken (wie Anm. 1), S. 141 ff. Vgl. auch KLA, Regierungsakten, Aufhebungsakten der Klöster in Kärnten 1782 bis 1791: Fasz. II/XII/2 (Inventarium des aufgehobenen Benedictiner-Stiftes St. Paul); Fasz. VII/XII/7, Nr. 41 (1783 XI 13, Verzeichnis der Schriften des Stiftsarchives). STA, Akten: Fasz. 455, Nr. 839 (Archivregister und Repertorien).
3. STA, HS 21/0: Verzeichnis über die im Archiv der Staatsherrschaft St. Paul vorfindigen Original-Urkunden. 2 Hefte (1789).
4. Entsprechende „Repertorien" des Abbé F. Sensel, in den Jahren 1780 bis 1790 angelegt, betreffen nicht nur St. Pauler Urkunden, sondern auch die anderer Kärntner Klöster. Vgl. dazu S. Laschitzer, Die Archive und Bibliotheken des Jesuitencollegiums in Klagenfurt und der Stifte Eberndorf und Millstatt, Car. 72 (1882), S. 35 ff. Siehe auch Universitätsbibliothek Klagenfurt, Pap. HS 249: Urkunden-Regesten über St. Paul 1145–1500 aus dem k. k. geh. Archiv, Joanneum in Graz und Archiv zu St. Paul; H. Menhardt, St. Pauler Handschriften in Wien, Car. I 149 (1959), S. 525 ff.
5. STA, Katalog: Verzeichnisse von Urkunden, Handschriften und Akten von St. Paul im Lavanttal, Eberndorf, St. Blasien und Spital am Pyhrn. Maschinenschriftlich St. Paul (ca. 1950).
6. MC 3, 4/1, 4/2, 5, 6.
7. STA, Katalog (wie Anm. 5); UK. Nr. 54 (1292 X 28); vgl. MC 6.
8. UB St. Paul, hrsg. von B. Schroll (FRA 39, 1876).
9. MC 3, S. XXII ff.
10. Ebd.

11. STA, HS 886/0: *Codex traditionum monast(erium) st. Pauli.* UB St. Paul, S. 1 ff.; MC 3, S. XXII ff.; O. REDLICH, Über bairische Traditionsbücher und Traditionen, MIÖG 5 (1884), S. 34 ff.; F. PAGITZ, Die Urkundenschreiber der St. Pauler Klosterschule bis zum Jahre 1335, Car. I 149 (1959), S. 389 ff.
12. MC 3, S. XXXV ff.
13. MC 4/1 – MC 5.
14. STA, Katalog (wie Anm. 5).
15. PAGITZ, Urkundenschreiber (wie Anm. 11), S. 389 ff.
16. LASCHITZER, Geschichte der Klosterbibliotheken (wie Anm. 1), S. 142 ff.
17. Der vom Kloster St. Paul an die Studienbibliothek verlagerte Bibliotheksbestand an Büchern wird mit 9000 Stück angegeben. H. MENHARDT, Handschriftenverzeichnis der Kärntner Bibliotheken, in: Handschriftenverzeichnisse österreichischer Bibliotheken, Kärnten, Bd. I: Klagenfurt, Maria Saal, Friesach (1927), S. XII f.; DERS., Weitere Nachrichten von Kärntner Klosterbibliotheken, Zentralblatt für Bibliothekswesen 44 (1927), S. 593 ff.
18. LASCHITZER, Geschichte der Klosterbibliotheken (wie Anm. 1), S. 143; R. EISLER, Die illuminierten Handschriften in Kärnten. Beschreibendes Verzeichnis der illuminierten Handschriften in Österreich III (1907), S. 1, 9 u. 67 ff.; vgl. auch MENHARDT, Handschriftenverzeichnis (wie Anm. 17), S. XIV.
19. MENHARDT, St. Pauler Handschriften in Wien (wie Anm. 4), S. 525.
20. Nach dem 16. Jahrhundert, also möglicherweise zwischen 1782 und 1787, kam eine „Lateinisch-deutsche Spruchsammlung" aus dem Jahre 1468 von St. Paul in die Nationalbibliothek, wo sie unter Nr. 12840 katalogisiert wurde; vgl. H. MENHARDT, Eine lateinisch-deutsche Spruchsammlung aus St. Paul vom Jahre 1468, Car. I 120 (1930), S. 10 ff.; DERS., St. Pauler Handschriften in Wien (wie Anm. 4), S. 525 f.; DERS., Ein Handschriftenverzeichnis des 13. Jahrhunderts aus Kärnten? Anzeiger der Österr. Akad. d. Wissenschaften, Phil.-hist. Klasse, Jg. 96/1959 (1960), S. 263ff. Siehe dazu auch hier S. 605f.
21. Eine erste „Sichtung" der St. Pauler Handschriften für eine Eingliederung in die Wiener Hofbibliothek war schon im Jahre 1549 im Auftrage Ferdinands I. erfolgt; sein Hofhistoriograph Wolfgang Lazius unternahm damals u. a. auch eine „Erkundungsfahrt" durch die Kärntner Klöster, und sichtlich gelangten in der Folge St. Pauler Handschriften nach Wien. Der Umfang dieser Handschriftenverlagerung ist nicht mehr feststellbar, es lassen sich aber durchaus noch einige als dem ehemaligen St. Pauler Bestand zugehörig ausgrenzen; so die zwei HSS Nr. 233 und Nr. 862 in der Wiener Nationalbibliothek; H. MENHARDT, Die Kärntner Bibliotheksreise des Wolfgang Lazius 1549, AVGT 24/25 (1936), S. 106 ff.; DERS., St. Pauler Handschriften in Wien (wie Anm. 4), S. 524 ff.: vgl. in der NB Wien die HSS 7250, 8395–8404 (8395 = *Archivum Pars II* des Abtes Marchstaller), 8574; auch 5497 u. 5277.
22. Cod. bibl. fol. 20. Vgl. dazu W. IRTENKAUF, Eine St. Pauler Handschrift aus dem Jahre 1136. Eine Studie zur Choral- und Liturgiepflege im 12. Jahrhundert, Car. I 145 (1955), S. 248 ff.; P. A. KELLNER, Über die Heimat des Cod. Bibl. fol. 20 der Stuttgarter Landesbibliothek, Studien und Mitteilungen zur Geschichte des Benediktinerordens und seiner Zweige 57 (1939), S. 233 ff.
23. MENHARDT, St. Pauler Handschriften in Wien (wie Anm. 4), S. 525; E. ZÖLLNER, Die Annalen des Pfarrers Weriand von Saldenhofen, Car. I 147 (1957), S. 296 ff. Diese Handschrift ist italienischen Ursprungs, gelangte Ende des 13. Jahrhunderts an den Pfarrer Weriand von Saldenhofen (ehemalige Südweststeiermark, heute Vuzenica in Slowenien) und war dann wohl bis zur Aufhebung im Stiftsarchiv in St. Paul; erst 1851 erfolgte der Ankauf durch das Britische Museum über Vermittlung eines Berliner Antiquars.
24. LASCHITZER, Geschichte der Klosterbibliotheken (wie Anm. 1), S. 143 ff.
25. EISLER, Handschriften (wie Anm. 18), S. 9 f. u. S. 121 ff.: Nr. 92 – XXIX/2, 5.
26. R. EISLER, Das Titelblatt einer Sponheimer-Handschrift von 1129 im Archiv des Benediktinerstiftes St. Paul i. Lavanttal, Jb. der k. k. Zentralkommission für Kunst- und historische Denkmale (1904), S. 1 ff.
27. MENHARDT, Handschriftenverzeichnis (wie Anm. 17), S. XII f.; DERS., Neue Forschungen über die Herkunft der Handschriften aus alten Bibliotheken Kärntens, Zentralblatt für Bibliothekswesen 41 (1924), S. 225 ff.
28. DERS., Neue Forschungen (wie Anm. 27), S. 225 ff.
29. Heute in die Bibliothek der Universität für Bildungswissenschaften in Klagenfurt integriert.
30. MENHARDT, Nachrichten von Kärntner Klosterbibliotheken (wie Anm. 17), S. 593 ff.
31. MENHARDT, Handschriftenverzeichnis (wie Anm. 17), S. XII.; DERS., Nachrichten von Kärntner Klosterbibliotheken (wie Anm. 17), S. 594.
32. Vgl. MENHARDT, Handschriftenverzeichnis (wie Anm. 17), S. XII: Hier spricht er von 6 Perg.-HSS, im Katalog werden 7 Nummern (Nr. 5, 8, 9, 25, 31, 37 u. 44) aufgelistet.
33. Universitätsbibliothek Klagenfurt HS Pap. Nr. 4, 14, 15, 19, 21–28, 31, 33, 37, 38, 43–47, 49, 51, 52, 55, 56, 60, 62, 63, 65–67, 70, 71, 79, 83, 86–90, 96, 103, 104, 113, 117, 125, 126, 133–137, 146, 148, 150, 151, 165, 167, 176.
34. KLA, HS GV 6/3 (Perg.); 5/17 u. 6/3 (Pap.). Die HS 7/64 (Pap., 17. Jahrhundert) wurde erst 1924 im Tauschwege erworben; vier weitere stammen aus dem 19. Jahrhundert (7/28, 9/6, 9/16 u. 9/32).
35. Archiv der Diözese Gurk bzw. Bischöfliche Bibliothek in Klagenfurt, Pap. HS XXIX e 6 (?) u. XXX d 20; schon Menhardt hat die Zuweisung zu St. Paul als nicht eindeutig gesichert angegeben.
36. MENHARDT, Handschriftenverzeichnis (wie Anm. 17), S. XII.
37. STA, HS 16/0: *ARCHIVVM MONASTERII SANCTI PAVLI CARINTHIAE, PARS QVINTA* (. . .); um 1700. Vgl. auch EISLER, Handschriften (wie Anm. 18), S. 9.
38. B. SCHROLL, Hieronymus Marchstaller, Abt des Benedictiner-Stiftes St. Paul im Lavantthale, päpstlicher Protonotar, kaiserlicher und erzbischöflich-salzburgischer Rath, Erzpriester des Metropoliten in Salzburg für Unterkärnten, und des Patriarchen von Aquileja für Möchling im Jaunthale und St. Lorenzen in der Wüste in Untersteiermark. 1616–1638 (1891), S. 104 u. S. 138.
39. STA, HS 17/0: *Archivu(m) Mon(aste)ry S(ancti) Pauli / Vallis Lavantinae / Registratu(m) / Per / R(everen)diss(imum) D(ominum) D(ominum) Hieronymu(m) Abbatem / S(ancti) Pauli / Anno 1618.*
40. STA, HS 16/0: *ARCHIVUM / MONASTERY S(ANCTI) PAULI / IN CARINTHIA PARS TERTIA / AB ANNO / 1600 VSQVE AD 1625 / COLLECTVM / OPERA / REV(ERENDISSIMI) D(OMINI) HIERONYMI / ABBATIS / EIVSDEM MONASTERY / ANNO 1625.*
41. NB Wien, HS cod. 8395; siehe hier auch HS 8574. Vgl. MENHARDT, St. Pauler Handschriften in Wien (wie Anm. 4), S. 213 ff.
42. Vgl. SCHROLL, Marchstaller (wie Anm. 38), S. VII.
43. NB Wien, HS 5497. MENHARDT, St. Pauler Hand-

schriften in Wien (wie Anm. 4), S. 530 ff.

44. K. HOLTER, Die Bibliothek. Handschriften und Inkunabeln. Die Kunstdenkmäler des Benediktinerstiftes St. Paul im Lavanttal und seiner Filialkirchen, in: ÖKT 37 (1969), S. 340 ff.; W. MÜNZER, Die Kunstsammlungen des Benediktinerstiftes St. Paul, JbSP (1979/80), S. 28; DERS., Miniaturen von Handschriften aus dem Archiv des Stiftes St. Paul i. Lav., JbSP (1982/83), S. 39 ff.
45. F. X. PRITZ, Geschichte des einstigen Collegiatstiftes weltlicher Chorherren zu Spital am Pyhrn im Lande ob der Enns, AKÖG 10 (1853), S. 241 u. S. 296 ff.; R. HITTMAIR, Der josefinische Klostersturm im Lande ob der Enns (1907), S. 494 ff.; P. GRADAUER, Spital am Pyhrn in Oberösterreich, Hospital und Kollegiatstift (1957); H. KRAWARIK, Die weltlichen Chorherren von Spital am Pyhrn (1418–1807). Biographische Darstellungen (1988).
46. PRITZ, Geschichte des Collegiatstiftes (wie Anm. 45), S. 295.
47. HOLTER, Die Bibliothek (wie Anm. 44), S. 390 ff.
48. EBD., S. 348; PRITZ, Geschichte des Collegiatstiftes (wie Anm. 45), S. 266 ff.; B. SCHROLL, Urkunden-Regesten zur Geschichte des Hospitals am Pyrn in Oberoesterreich 1190–1417, AÖG 72 (1888), S. 201ff.
49. HOLTER, Die Bibliothek (wie Anm. 44), S. 348.
50. STA, Spital a. P.; etwa die HS 1a–c/3 (*Biblia, Pars I–III,* oberdt., 3. Jahrzehnt d. 15. Jahrhunderts) oder HS 107/3 (*Biblia,* lat., Frankreich, 14. Jahrhundert).
51. STA, Spital a. P.; HS 62/3 (Missale, 14. u. 15. Jahrhundert).
52. STA, Spital a. P.; HS 49/3 (Missale und Graduale, Ende 13. Jahrhundert). Vgl. HOLTER, Die Bibliothek (wie Anm. 44), S. 402 u. Abb. 483.
53. STA, Spital a. P.; HS 43/3 (Necrolog v. Spital a. P., 15. Jahrhundert). Vgl. dazu B. SCHROLL, Necrologium des ehemaligen Collegiatstiftes Spital am Pyrn in Oberoesterreich, AÖG 72 (1888), S. 89 ff.
54. STA, Spital a. P.; Pap. HS 142/4 (Sammelhandschrift, vor und um 1434).
    Vgl. SCHROLL, Urkunden-Regesten (wie Anm. 48), S. 203 ff.
55. HOLTER, Die Bibliothek (wie Anm. 44), S. 349.
56. EISLER, Handschriften (wie Anm. 18), S. 16.
57. HOLTER, Die Bibliothek (wie Anm. 44), S. 350 ff.
58. EBD., S. 352 ff.
59. Vgl. dazu auch A. TRENDE, Die Stiftsbibliothek in St. Paul, Car. I 142 (1952), S. 610 ff.

Schatzhaus Kärntens

Kirchenschatz und Kunstgewerbe

BARBARA WILD

Die Geschichte des Schatzes des Benediktinerklosters St. Paul im Lavanttal ist auch die des Benediktinerklosters St. Blasien im Schwarzwald. Die Aufhebung beider Klöster im 18. beziehungsweise zu Beginn des 19. Jahrhunderts und das schließlich doch mögliche Fortbestehen der St. Blasier Ordensgemeinschaft in St. Paul haben beide Schicksale untrennbar miteinander verknüpft.[1]

Fast alle der Sammlungsstücke in der Schatzkammer in St. Paul waren ursprünglich für St. Blasien bestimmt. Viele davon waren Stiftungen und Geschenke frommer Wohltäter, die die Abtei im Schwarzwald durch ihre großzügigen Zuwendungen auszeichnen wollten. Diese Beweise der Verbundenheit, kostbare Goldschmiedearbeiten, Kirchengewänder und andere kunsthandwerkliche Objekte wurden von den Ordensbrüdern 1806 beim endgültigen Exodus aus St. Blasien als wertvolles Erbe ihres Klosters mitgenommen und fanden drei Jahre später in St. Paul eine neue Heimat.

Das wertvollste Kleinod des geretteten Schatzes ist zweifellos das romanische Adelheid-Kreuz.[2] Dieses Meisterwerk der mittelalterlichen Goldschmiedekunst ist eng mit der frühesten Geschichte St. Blasiens verbunden. Der darin eingelassene Kreuzpartikel war ein Geschenk der ungarischen Königin Adelheid (gest. 1090), den sie dem Abt von St. Blasien zusammen mit einer Geldstiftung für eine kostbare Goldfassung übergab. Da ihr Vater, Herzog Rudolf von Rheinfelden, 1077 zwar zum Gegenkönig von Heinrich IV. gewählt wurde, jedoch nicht über die Reichsinsignien verfügte, scheint es, als hätte sich seine Familie eigene Kronjuwelen – in Form und gedanklichem Hintergrund dem Reichsschatz verwandt – anfertigen lassen. Als deren Aufbewahrungsort wurde St. Blasien, die Grablege ihres Geschlechts, gewählt. Durch den raschen Verlust der Bedeutung der Familie der Königin Adelheid verlor auch das Kreuz seine politische Brisanz. Erst in der Mitte des 12. Jahrhunderts stieg der Wert der Kreuzreliquie wieder, die von da an als eines der kostbarsten Besitztümer von St. Blasien verehrt wurde.

Die Überzeugung, mit dem Besitz von Reliquien bedeutender Heiliger und Märtyrer auch den göttlichen Segen zu sichern, nahm im ausgehenden Mittelalter immer stärker zu. Die „Heiltümer" genannten Reliquien wurden als der eigentliche Schatz eines Gotteshauses angesehen und waren gewissermaßen das mystische Zentrum der mittelalterlichen Schatzkammer.

Die historischen Bestände von St. Blasien, die wir dank eines 1720 von Pater Philipp Glücker verfaßten Schatzverzeichnisses erfreulich gut nachvollziehen können, geben einen guten Eindruck von der Bedeutung der Reliquiensammlung. Stolz berichten die Quellen von der Erwerbung neuer Teile heiliger Häupter, von Armen, Beinen oder ganzen Leichnamen, zum Beispiel „unschuldiger Kindlen". Die verehrten

Abb. 186: Beweinung Christi unter dem Kreuz, Alabaster, Oberrhein, 1760

Knochenfragmente wurden in kostbare Fassungen gebettet, die nicht selten die äußere Gestalt jenes Körperteils, von dem die Reliquie stammte, aufwiesen.[3]

Im erwähnten Inventar von 1720 wird von einem besonders prächtig geschmückten Reliquienbehälter erzählt, den der Verfasser noch mit eigenen Augen bewundern konnte, der jedoch schon 1714 „zu anderem Gebrauch" eingeschmolzen wurde. Er stammte aus dem 13. Jahrhundert und zeigte den damals regierenden Abt Arnold II. (1247–1276) im Kreise von Heiligen, die den Klosterpatron St. Blasius flankierten.

Eines der schönsten und kostbarsten Stücke in der Schatzkammer von St. Paul ist ebenfalls unter Abt Arnold entstanden. Es ist dies die Vorderseite einer gotischen Buchkassette, die reich mit architektonischen Motiven gegliedert ist. Unter den Arkadenbögen wird unter anderem auch der Abt, der sich als Erneuerer und Förderer von St. Blasien große Verdienste erworben hatte, an der Seite der Gottesmutter, nahezu gleichrangig mit dem hl. Reginbertus, dargestellt.[4]

Die Hirnschale des Klosterpatrons, des hl. Blasius, die nach dem Partikel des hl. Kreuzes der Königin Adelheid als wertvollster Heilsgarant von St. Blasien galt und schon seit den Anfängen des Klosters in dessen Besitz war, erhielt im 14. Jahrhundert eine Fassung in Form eines Brustbildes, das den heiligen Bischof im Ornat mit Mitra darstellte.

In die Zeit der Entstehung dieses Blasius-Reliquiars fällt auch die Verleihung des Rechts zur Verwendung der pontifikalen Insignien, allen voran der Mitra, des Rings und des Stabes. Es ist möglich, daß diese neue Würde auch der Anlaß für die Änderung der Fassung des hl. Blasius in ein Brustbild im Ornat war, nachdem die Reliquie bis dahin in einem sargförmigen Behälter aufbewahrt worden war. (Das gotische Bürstenreliquiar wurde um 1700 eingeschmolzen und gegen ein barockes, fast lebensgroßes Silberstandbild des hl. Blasius ausgetauscht, das ebenfalls nicht mehr erhalten ist.)

In den Archiven verwahrte Bestellungen von Paramenten und Kirchengewändern aus dem 15. Jahrhundert weisen darauf hin, daß das erwähnte Privileg zum Tragen der pontifikalen Würdezeichen, das Papst Gregor XI. dem Sanblasianer Abt Heinrich IV. 1373 verlieh, und das 1413 auf alle seine Nachfolger in diesem Amt erweitert wurde, einen steigenden Aufwand an Repräsentation zur Folge gehabt hatte. Leider ist fast nichts des reichen Bestandes aus dieser Zeit auf uns gekommen.[5]

Der Grund dafür liegt wahrscheinlich im Bauernkrieg, der 1525 im Schwarzwald wütete und auch St. Blasien nicht verschonte. Feuer, Plünderungen und Verwüstungen haben den Klosterschatz damals offenbar so stark dezimiert, daß das Schatzkammer-Inventar von 1720 nur mehr von zwei mittelalterlichen Pre-

Abb. 187: Votivtafel, Stiftung Herzog Karls von Lothringen, Silberrelief, Elias Jäger, 1678, Ausschnitt

ziosen (einem alten Abtstab und der gotischen Buchkassette) zu berichten weiß.

War der Übergang vom Mittelalter zur Neuzeit von den Bauernkriegen und deren vernichtenden Folgen überschattet, so bedeutete das Ende des 16. und das 17. Jahrhundert eine Phase des Aufbaues. Ganz im Sinn der Gegenreformation wurde das Kloster damals reich ausgestattet, um auf Erden einen Eindruck der himmlischen Pracht und Herrlichkeit zu vermitteln.

Ein Relikt der barocken Kirchenausstattung ist das großartige Silberrelief mit der Darstellung der Opferung Isaaks, das ursprünglich in der Mitte der vergoldeten Hauptaltarverkleidung eingelassen war. Es wurde am Ende des 17. Jahrhunderts in Augsburg von Elias Jäger geschaffen. Derselbe meisterhafte Goldschmied schuf auch den außergewöhnlich kunstvollen Kelch von Papst Innozenz XI., so genannt, weil sich an der Innenseite der Kelchbasis ein Reliefmedaillon dieses Papstes befindet.

Eines der Hauptwerke von Elias Jäger ist die silberne Votivtafel des Herzogs Karl V. von Lothringen, des Großvaters von Kaiser Franz I. Stephan. Der Anlaß für die Stiftung der Tafel war die glückliche Überquerung des Schwarzwaldes, zu der der Herzog und sein Heer im Krieg gegen die Franzosen gezwungen waren, und die auf dem monumentalen Relief detailreich geschildert ist. Ursprünglich für die Marienwallfahrtskirche Todtmoos bestimmt, kam die Tafel jedoch bald aus Sicherheitsgründen in die Schatzkammer von St. Blasien, wo sie bis zur Auflösung des Klosters blieb. Sofort nach der Übersiedlung nach St. Paul sollte sie als Kriegskontribution nach Wien gebracht und eingeschmolzen werden. Kaiser Franz I. (II.) maß ihr jedoch genügend künstlerische und familienhistorische Bedeutung zu, daß er sie in die kaiserliche Sammlung bringen ließ. Heute ist die Votivtafel im Besitz des Kunsthistorischen Museums in Wien.[6]

Die Ausbauten und Verschönerungen des Klosters in gegenreformatorischer Zeit betrafen ganz besonders auch die Paramentensammlung und die Schatzkammer. Hier befanden sich schließlich alle jene kostbaren und reichgeschmückten Utensilien zur Meßfeier, die in der neuen, glanzvollen Barock-Liturgie eine ganz besonders tragende Rolle spielten.

Leider kennen wir den Schatzbestand des späten 16. Jahrhunderts nur mehr aus einer recht ausführlichen Beschreibung des Paters Johannes Rösch, der die zahlreichen Aufbauarbeiten, die Abt Conrad II. Thoma (1571–1596) nach den Verheerungen der Bauernkriege leistete, in einer Biographie verherrlichte. In der Aufzählung seiner Erwerbungen sind neben herrlichen alten Stickereien auch viele Gold- und Silberschmiedearbeiten erwähnt, die der Abt in Basel, Augsburg und Konstanz für St. Blasien anfertigen ließ. Es ist bedauerlich, daß sich kein einziges Stück dieser von Pater Rösch vermerkten Kostbarkeiten erhalten hat.[7]

Der Hauptanteil des Klosterschatzes, der nun in St. Paul als Erbe aus St. Blasien aufbewahrt wird, stammt aus dem späten 17. und dem 18. Jahrhundert. Er setzt sich vorwiegend aus liturgischen Gegenständen wie Monstranzen und Kelchen zusammen. Damit bietet er jedoch ein höchst unvollständiges Bild, das keineswegs der Vielfalt der barocken *Vasa Sacra* entspricht, wie sie von der eindrucksvoll inszenierten Meßfeier der damaligen Epoche gefordert wurde.

Die Monstranz, der Kelch und das Ziborium, die Gefäße also, die zur Aufbewahrung des Leibes und Blutes Christi dienen, sind und waren immer die wesentlichen Elemente der Altarausstattung. Sie wurden jedoch unter anderem ergänzt durch Weihrauchkessel, Kanontafeln, Meßgarnituren, Ewiges-Licht-Lampen, Kerzenleuchter und Standkreuze. Viele dieser silbernen und vergoldeten Gegenstände, die zwar dem glanzvollen Eindruck dienten, aber nicht unmittelbar mit dem Allerheiligsten in Verbindung standen, mußten in Notzeiten als erstes geopfert werden. Der Großteil davon wurde wahrscheinlich 1792 bei der Säkularisierung von St. Blasien zerschlagen und zum Metallwert verschleudert.

Der Herstellungsort fast aller in St. Paul erhaltenen *Vasa Sacra* ist Augsburg. Dies läßt sich durch die geographische Situation ebenso erklären, wie durch die Vormachtstellung, die Augsburg während der ganzen Barockzeit hindurch als bedeutendster Produzent von Goldschmiedearbeiten in Deutschland innehatte. Die Objekte, die dort entstanden, zeichnen sich durch ihre einfache, elegante Form und ein reiches, bisweilen üppiges Ornament aus, das in der Kombination von Treibarbeit, Silberfiligran, Edelsteinbesatz und Emailmalerei für weite Teile der mitteleuropäischen Golderzeugung beispielgebend war.

Gerade in der Entwicklung der typischen Barockmonstranz leistete Augsburg einen unverwechselbaren Beitrag, in dem es die wohl in Italien erfundene Strahlenmonstranz mit einem großen Repertoire an Motiven, Figuren und Sinnbildern bereicherte und somit ein ikonologisches Programm schuf, das in Verbindung mit der Hostie in der Mitte verschiedene Auslegungen der christlichen Erlösungs- und Auferstehungslehre ermöglichte. Die prächtige, im symbolischen Schmuck aber sparsame Monstranz von St. Paul weist mit ihren Rosen, Trauben und Ähren auf das eucharistische Geheimnis der Verwandlung von Wein und Brot in den Leib und das Blut Christi hin.

Kelche waren nicht nur wichtige liturgische Bestandteile, sondern auch beliebte Geschenke an die Mönche, die sie gewissermaßen als persönliches Eigentum behalten durften. Fast jeder Pater konnte daher bei der Meßfeier seinen eigenen Kelch, den er meist zur Priesterweihe von seinen Eltern oder Verwandten bekommen hatte, verwenden. Bei der Säkularisierung wurden noch 23 Kelche in St. Blasien verzeichnet, die teilweise nach St. Paul übersiedelten. Sieben sehr schöne Beispiele davon – mit einer Ausnahme sind sie alle Stiftungen – wurden für die Ausstellung ausgewählt (siehe hier die Abbildungen im Katalogband).

Wichtiges Erbgut aus dem Schwarzwald sind auch die kostbaren Meßgewänder, vor allem die romanische Glockenkasel und das gotische Pluviale, beides Hauptwerke der mittelalterlichen Stickereikunst. Glücklicherweise sind auch einige Beispiele der barocken Ausstattung an Meßgewändern erhalten geblieben, obwohl ein großer Brand, der St. Blasien 1768 heimsuchte und weite Teile der Kirche und der Klostergebäude einäscherte, auch einen Großteil der Paramente vernichtete. Während die Schatzkammerstücke in Sicherheit gebracht wurden, waren die Meßornate in der Sakristei geblieben und wurden dort vielfach ein Opfer der Flammen.

Unter den heute noch bestehenden Meßkleidern befinden sich auch einige Geschenke der Kaiserin Maria Theresia; die kunstvollen Stickereien werden meist von dem legendenhaften Zusatz begleitet, daß die Kaiserin selbst daran gestickt hatte.

Der engen Verbindung der Habsburger zu St. Blasien, das zum Herrschaftsbereich dieser Dynastie gehörte und einen wichtigen Posten in der von der Haupt- und Residenzstadt Wien weit entfernten Grenzregion innehatte, gebührte ein eigenes Kapitel. Gerade im 18. Jahrhundert scheint sich die Beziehung zum Kaiserhaus besonders gefestigt zu haben, was sich nicht zuletzt in der Tatsache manifestierte, daß Kaiserin Maria Theresia die Äbte von St. Blasien 1746 in den Rang von Reichsfürsten erhob.

Das gute Verhältnis offenbart sich aber auch in den zahlreichen Geschenken, die Maria Theresia und ihr Vater, Kaiser Karl VI., den Sanblasianer Äbten widmeten. Eines der schönsten ist der Kelch aus purem Gold, den Kaiser Karl VI. 1720 für Abt Augustin Fink (1695–1720) in Augsburg anfertigen ließ. Er trägt das kaiserliche Wappen und eine Widmungsinschrift, die jedoch nichts über den eigentlichen Anlaß der Schenkung verrät. Auch die mit großen Edelsteinen reich geschmückten Brustkreuze waren kostbare Aufmerksamkeiten, mit denen die Herrscher in Wien den Sanblasianer Äbten ihre Verbundenheit zeigten.

Das silberne Büstenreliquiar des hl. Leopold war ebenfalls ein Geschenk der Kaiserin Maria Theresia an das Kloster, das sie eigens für St. Blasien von Joseph Moser, einem ihrer besten Wiener Goldschmiede, anfertigen ließ.[8]

Abt Martin II. Gerbert hatte 1770 die sterblichen Überreste der ältesten Habsburger aus der Schweiz in seine Abtei überführen und in einer neuen Gruft bestatten lassen. Im Zusammenhang damit erbat er von der kaiserlichen Gönnerin eine Reliquie für den dem hl. Markgrafen Leopold III. geweihten Gruftaltar. Ein Jahr danach traf das Geschenk der Kaiserin im Schwarzwald ein. Das auf Grund der kaiserlichen Widmung und der Verbindung mit dem Heimatkloster besonders wertvolle Reliquiar wurde von den Sanblasianer Ordensbrüdern nach Spital am Pyhrn und später nach St. Paul im Lavanttal mitgenommen, zusammen mit den Gebeinen der Habsburger.

Der in der Ausstellung gezeigte Trauerornat wurde von Maria Theresia wahrscheinlich ebenfalls aus Dank für die Überführung der Habsburger-Ahnen nach St. Blasien gestiftet. Er fand dort schon 1780 anläßlich der Totenmesse für die eben verstorbene Kaiserin feierliche Verwendung.

Ein weiteres Geschenk der Kaiserin ist leider nicht erhalten, nämlich das Reliquiar des hl. Pirmin, das Abt Martin II. Gerbert 1777 von Maria Theresia bekommen hatte. Das sargförmige Silbergefäß für den Armknochen des Heiligen ist nur mehr durch einen Kupferstich bekannt, den der Tiroler Maler

*Abb. 188:
Fürstabt Martin Gerbert liest die hl. Messe, Alabasterrelief, Joseph Hörr, 1777*

Franz Altmutter vermutlich nach seiner Entwurfzeichnung anfertigte.[9]

1777 machte Kaiser Joseph II. auf seiner Rückreise von Frankreich in St. Blasien Station. Ein Alabasterrelief des Bildhauers Josef Hörr erinnert an die Meßfeier, die Fürstabt Martin II. Gerbert in dem nach dem Brand wieder neu aufgebauten Dom für den Kaiser und sein Gefolge zelebrierte. Dieses Kunstwerk, das einerseits ein zeitgenössisches Ereignis illustriert und andererseits der Frömmigkeit des österreichischen Kaiserhauses, speziell des in Religionsfragen so umstrittenen Kaisers, ein Denkmal setzen will, wurde anscheinend im Auftrag von Fürstabt Martin Gerbert geschaffen und war wohl als privates Erinnerungsstück des Abtes gedacht. Da sich im barocken Klosterschatz nicht nur liturgisches Gerät befand, sondern auch Objekte, die nicht direkt mit dem Gottesdienst in Verbindung standen, diente die Sammlung meist auch dem Studium, der Erbauung und der Kunstleidenschaft der Äbte. Das Kompendium aus Kostbarkeiten verschiedenster Art, zum Beispiel von Kleinplastiken und Bildwerken aus Bronze, Holz, Marmor, Elfenbein, Silber, Gold, Bergkristall und Bernstein, ergänzt durch Münzen, Plaketten, Gläser, merkwürdigen Naturalia und Memorabilia, bot gleichzeitig auch Gelegenheit, den Reichtum und die Kunstsinnigkeit des Klosters unter Beweis zu stellen. Der gebildete Sammler des 18. Jahrhunderts dokumentierte seine Kennerschaft unter anderem dadurch, daß er Werke der Antike, oder zumindest dem Vorbild der Antike nachempfundene Werke in seiner Sammlung vorweisen konnte. Die ausgestellten Bronzen des Pan, des Herkules und des Hermes sind barocke Nachbildungen antiker Skulpturen und scheinen diesem Bedürfnis zu entsprechen.

Viele der Kleinplastiken, die christliche Themen darstellen, waren dennoch nie zur Andacht bestimmt. Vielmehr waren sie schon von Anfang an als Liebhaberstücke konzipiert, an deren virtuoser Verarbeitung und ausdrucksvoller Gestaltung sich der Kunstkenner erfreuen konnte. In diesem Sinn ist zum Beispiel der herrliche hl. Sebastian aus Buchsbaumholz von Christoph Daniel Schenck zu verstehen. Dasselbe gilt auch für die beeindruckende Beweinungsgruppe aus Alabaster eines unbekannten Künstlers aus der Mitte des 18. Jahrhunderts oder für die ergreifende Ton-Pieta, die dem Freiburger Bildhauer F. A. X. Hauser zugeschrieben wird.

Abb. 189:
Hermes, Bronzestatuette, um 1670

Abb. 190: Hl. Hieronymus im Gehäus, Silberrelief, vergoldet, Kärnten (?), 1601

Am Ende der Exkursion durch die ehemalige Schatzkammer von St. Blasien kehren wir in jene von St. Paul zurück und freuen uns darüber, daß hier ein so reicher Bestand an wertvollen Schätzen aus der Vergangenheit St. Blasiens trotz aller Verluste und Zerstörungen überlebt hat.

Wieviel ärmer ist hingegen der Rest, der noch direkt aus dem alten Kloster von St. Paul auf uns gekommen ist. Vermutlich stammt das 1601 datierte, silberne Relief des hl. Hieronymus in seiner Gelehrtenklause noch aus dem ursprünglichen Besitz. Die darin eingravierte Widmungsinschrift nennt als Stifter einen Georg Stadion, der im ausgehenden 16. Jahrhundert stellvertretender Landesherr von Kärnten war. Aus diesem Zusammenhang leitet sich die Vermutung ab, daß dieses Relief schon immer zu St. Paul im Lavanttal gehörte.

Ein weiteres „Kärntner" Stück ist der große Zinnhumpen, der 1653 wahrscheinlich anläßlich der Aufnahme eines Nagelschmiedgesellen in die Zunft von Wolfsberg gestiftet wurde und später aus unbekanntem Grund ins Kloster St. Paul kam. 1806 übersiedelten die Mönche von St. Blasien nach Österreich. Zuerst wurde ihnen das ebenfalls verlassene Klostergebäude von Spital am Pyhrn zugewiesen, wo sie jedoch nur ungefähr zwei Jahre blieben. Am 15. April 1809 zog Fürstabt Berthold III. Rottler feierlich in St. Paul ein. Abt Rottler ist es zu danken, daß viele unersetzliche Kleinodien, wie zum Beispiel das Adelheid-Kreuz, noch heute zum Besitz der ehemaligen Sanblasianer gehören. Verständlicherweise konzentrierten sich seine Bemühungen hauptsächlich auf die Rückforderung der wertvollsten Besitztümer von St. Blasien und weniger auf die Anschaffung von neuen Stücken. Versuche, den ursprünglichen Bestand von St. Paul zurückzubekommen, mußten wohl sinnlos gewesen sein, da zu diesem Zeitpunkt vermutlich schon das ganze Kirchensilber verkauft und eingeschmolzen war.

Tatsächlich wissen wir vom ursprünglichen Klosterschatz von Alt-St. Paul so gut wie nichts. Sicher war er nicht annähernd so umfangreich und bedeutend wie der von St. Blasien. Zu groß waren wohl immer wieder die wirtschaftlichen Schwierigkeiten des wiederholt in hoheitsrechtliche Zwistigkeiten involvierten und von einigen Türkeneinfällen bedrohten Klosters an der Lavant. Dennoch gab es auch Phasen der Erholung und der wirtschaftlichen Blüte, wie zum Beispiel unter der Führung des Abtes Hieronymus Marchstaller, der den Bestand an Kunstwerken wesentlich vergrößern konnte.[10]

Bei der Aufhebung des Klosters 1787 wurde schließlich der ganze in den 700 Jahren des Bestehens gesammelte Schatz von St. Paul konfisziert und wahrscheinlich um den Metallwert verschleudert. Er gehört damit zu den großen Verlusten, die die rigorosen Maßnahmen der Aufklärung unter Joseph II. den Klöstern zufügten.

Das Schicksal fügte es so, daß St. Blasien im Jahre 1809 die Aufgabe, das Kloster von St. Paul in seiner historischen und kunsthistorischen Entwicklung zu repräsentieren, teilweise übernahm. Damit wurde auch die Kontinuität der Geschichte des Kirchenschatzes wieder aufgenommen, die trotz aller Brüche und Verluste vom Mittelalter über die Barockzeit bis in unsere Gegenwart bewahrt blieb.

Anmerkungen

1. Geschichte und Bestand von St. Paul ausführlich bearbeitet im Band 37 der ÖKT.
2. Siehe dazu hier, S. 665ff.
3. Dieses Schatzverzeichnis wird im Beitrag „Der Kirchenschatz" von J. M. Fritz im Ausstellungskatalog „Das tausendjährige St. Blasien – 200jähriges Domjubiläum" (1983), Bd. II, S. 231–269, ausführlich kommentiert und stellenweise zitiert.
4. D. Lüdke, Zur Buchkassette (wie Anm. 3), S. 270f.
5. Die gotischen Monstranzen und der gotische Kelch, die sich heute in St. Paul befinden, stammen aus dem Bestand des Klosters Spital am Pyhrn, beziehungsweise sind vermutlich erst im 19. Jahrhundert erworben worden.
6. D. Lüdke, Zur Votivtafel (wie Anm. 3), S. 272–274.
7. Eine genauere Beschreibung des Schatzes von Abt Caspar II. Thoma mit zahlreichen Zitaten aus Pater Röschs Biographie findet sich im Katalog der St. Blasien-Ausstellung (wie Anm. 3), S. 243–245.
8. Das Reliquiar des hl. Leopold fügt sich in eine Reihe von Büstenreliquiaren der Lieblingsheiligen des Hauses Habsburg, die in der Geistlichen Schatzkammer in Wien ausgestellt sind.
9. Beschreibung des Reliquiars und Abbildung des Kupferstiches im Katalog der St. Blasien-Ausstellung (wie Anm. 3), Bd. I, Kat.-Nr. 187, S. 234–235.
10. Siehe dazu hier, S. 553ff.

Das Adelheid-Kreuz aus St. Blasien*

HERMANN FILLITZ

Das große Reliquienkreuz des Stiftes St. Blasien verdient sicherlich innerhalb der hochmittelalterlichen Goldschmiedearbeiten besondere Beachtung: einmal, weil es sich, soweit bekannt, um das am kostbarsten ausgestattete Werk der Schatzkammer des alten Stiftes handelt, darüber hinaus, weil es das größte süddeutsche Reliquienkreuz des Hochmittelalters ist.

Über die Geschichte des Kreuzes liegen so viele Nachrichten vor, daß sich sein Schicksal anscheinend lückenlos verfolgen läßt. Sie seien hier zusammenfassend wiedergegeben. Über die Details informiert am besten der Aufsatz von Wolfgang Schütz OSB über „Die große Kreuzpartikel von St. Blasien/St. Paul und ihre drei Fassungen[1]." Die Entstehung des mächtigen Kreuzes hatte die Schenkung einer außergewöhnlich großen Kreuzpartikel zur Voraussetzung. Diese Kreuzreliquie übergab die ungarische Königin Adelheid, Gemahlin König Ladislaus' I., dem Stift St. Blasien im Schwarzwald. Angeblich hatte sie die Partikel von ihrem Schwager Ceysa erhalten. Adelheid war die Tochter Rudolfs von Rheinfelden, des Gegenkönigs von Heinrich IV. Das Kloster konnte sich auch sonst reicher Wohltaten der herzoglichen Familie rühmen. Hier fanden auch die Gemahlin König Rudolfs, seine Söhne und schließlich im Jahre 1090 Adelheid, die ungarische Königin, ihre bleibende Ruhestätte. So ist es durchaus verständlich, daß Adelheid dem Kloster das wertvolle Geschenk machte, das, wie die Klostergeschichte berichtet, alle Wohltaten ihrer Familie dem Kloster gegenüber übertroffen habe. Schließlich war eine Reliquie von der Bedeutung einer großen Kreuzpartikel auch materiell eine nicht zu übersehende Einnahmequelle. Adelheid schenkte mit der Reliquie dem Kloster noch 70 Goldstücke, um eine entsprechend kostbare Fassung zu garantieren. Empfänger des Geschenkes war Abt Giselbert (1068–1086). Offenbar erlebte er selbst nicht mehr die Fertigstellung des Reliquienkreuzes; jedenfalls war auf dem Fuß des Kreuzes, der im 19. Jahrhundert verlorenging, dessen Inschrift textlich aber überliefert ist, sein Nachfolger Abt Uto (1086–1108) als derjenige genannt, unter dem das Kreuz geschaffen wurde.

Die Rückseite freilich ist wesentlich jüngeren Datums. Dort ist Abt Gunther (1141–1170) als zweiter und endgültiger Auftraggeber des Kreuzes genannt *(DOMNVS GVNTHERVS ABAS PATRAVIT HANC CRVCEM)*. Gunther ist kniend, das Kreuz mit beiden Händen haltend, dargestellt. Die Figur, vor der er kniet, fehlt heute. Sie ist wohl am ehesten als Madonna zu ergänzen. Es liegt also der sonderbare Fall vor, daß für ein Kreuz zwei Äbte als jene genannt sind, denen seine Entstehung zu verdanken sei. Die Erklärung, die in den Quellen des Benediktinerstiftes St. Paul dafür gegeben wird, geht dahin, daß bald nach dem Tod der Stifterin Zweifel an der Echtheit der Kreuzpartikel wegen

Abb. 191: Reliquienkreuz,
sogenanntes Adelheid-Kreuz, süddeutsch, Vorderseite, spätes 11. Jahrhundert

Abb. 192: Adelheid-Kreuz, Rückseite, vor 1170

Abb. 193: Adelheid-Kreuz, Rückseite, Detail, Abt Gunther

ihrer außerordentlichen Größe aufgetaucht seien. Daher habe sie nicht jene Wertschätzung erfahren, die einen Abschluß der Arbeiten ermöglicht hätte. Erst ein Gottesurteil, das Abt Gunther herausforderte, lieferte den Beweis der Echtheit der Reliquie und ermöglichte die Fertigstellung des Kreuzes, dessen Rückseite noch fehlte, wie heute allgemein angenommen wird. Soweit in Kürze die Nachrichten der Klosterquellen.

Das weitere Schicksal des Kreuzreliquiars wurde wesentlich durch den Entschluß des Abtes Romanus Vogler (1672–1695) bestimmt, eine eindrucksvollere Kopie des Kreuzes anfertigen zu lassen, die mit einer Fülle kostbarer Steine besetzt war. Durch die Volutenansätze an den Kreuzenden und durch den Strahlenkranz am Schnittpunkt der Kreuzbalken wurde die Monumentalität des Kreuzes noch gesteigert. In das Zentrum des Kreuzes wurde die Reliquie in ihrer mittelalterlichen Fassung eingefügt. Abt Romanus hat die feierliche Einsetzung der Partikel in das kostbare Barockreliquiar nicht erlebt. Die damaligen Kriegsjahre zwangen dazu, die geplante Feier zur Fertigstellung des Reliquiars immer wieder zu verschieben. Wahrscheinlich war es mit der damit verbundenen Unsicherheit auch nicht angezeigt, die mit Edelsteinen überreich geschmückte Goldschmiedearbeit allzu publik zu machen. So konnte erst unter dem Nachfolger Abt Romans, Augustin Fink, am Kirchweihfest 1696 die Kreuzpartikel der Königin Adelheid in das neue Reliquienkreuz eingesetzt werden. Heute erinnert nur noch ein Kupferstich an das nicht mehr erhaltene barocke Reliquienkreuz.

Daß aber das mittelalterliche Reliquienkreuz nach wie vor geachtet wurde, zeigt sich darin, daß auch dieses als Kreuzreliquiar weiterverwendet werden sollte. Zwei kleine Kreuzsplitter wurden kreuzförmig in ein Holzstück eingepaßt, das der Form der großen Kreuzpartikel nachgebildet war, und dieses Holzstück in eine Fassung eingefügt, die offenbar der damaligen der originalen Kreuzpartikel entsprach. Diese Reliquie und ihre Holzrahmung befinden sich heute noch im Adelheid-Kreuz.

Beide Kreuze wurden von den Mönchen, die St. Blasien im Zuge der Säkularisation verlassen mußten, in ihre neue Heimat mitgenommen. Dort erwartete sie freilich auch noch eine schwere Zeit. 1810 mußten nach kaiserlicher Verfügung die entbehrlichen Goldschmiedearbeiten der Kirchen und Klöster der österreichischen Monarchie abgeliefert werden, um damit die von Napoleon auferlegten Kriegskontributionen bezahlen zu können. Bei dieser Gelegenheit dürfte auch das barocke Reliquienkreuz vernichtet worden sein. Was mit seinem Steinbesatz geschah, wissen wir nicht. Für die Kreuzpartikel wurde ein neues Ostensorium angefertigt, der Not der Zeit und dem Zeitgeschmack entsprechend sehr viel einfacher als seine Vorgänger. Abt Berthold III. Rottler

Abb. 194: Barocke Fassung des Adelheid-Kreuzes, 1688; Kupferstich von 1734

Abb. 195:
Reliquienkreuz aus Todtmoos, um 1744

übergab dem Kaiser im Februar 1810 persönlich einige Kostbarkeiten der Schatzkammer seines Stiftes, darunter auch die „silberne Einfassung eines Kreuzpartikels", immerhin im Wert von 945 Gulden, und das silberne Altarantependium, das heute im Kunsthistorischen Museum, Sammlung für Plastik und Kunstgewerbe, in Wien verwahrt wird. Rottler ließ noch im gleichen Jahr das genannte Ostensorium anfertigen, das heute noch im Stift in Gebrauch ist. Es scheint nicht ausgeschlossen, daß der Mittelteil mit dem kostbaren Verschluß der Reliquie vom barocken Kreuz dafür übernommen wurde.

Leider ist der Holzkern des Adelheid-Kreuzes – das Material wird als Rüster oder Ulme bestimmt – im Laufe der Zeit stark geschrumpft, was mit für die nicht sehr gute Erhaltung des Kreuzes, vor allem für die schweren Schäden der Metallfassung, verantwortlich ist. Insbesondere auf der Rückseite sind viele Bruchstellen sichtbar: das Metall wurde durch das schrumpfende Holz hochgedrückt und ist dabei entlang der Gravierung der Umrißzeichnungen vielfach durchgerissen, so daß zahlreiche Teile der Rückseite verlorengingen. Ähnliche Schäden gab es auch auf der Vorderseite, doch haben sie sich hier nicht so gravierend ausgewirkt, da die kleineren Platten durch die Filigranornamentik zusätzlichen Halt hatten. In den Jahren 1958 bis 1960 wurde das Reliquienkreuz von Prof. Otto Nedbal von der Hochschule für Angewandte Kunst in Wien durchgreifend restauriert. Der Holzkern mußte ersetzt werden – der originale wird heute gesondert im Stift St. Paul im Lavanttal aufbewahrt –, die beschädigten Platten wurden mit einem neuen Träger unterzogen, Steinfassungen gefestigt und ergänzt. Eine genaue Dokumentation der damaligen Arbeiten liegt vor. Auch die Fassung der Kreuzpartikel mußte zu einem wesentlichen Teil erneuert werden. Es ist das die Fassung, die 1688 bis 1690 als Ersatz für die in die Barockkopie des Kreuzes übernommene wohl aus einfacherem Material für die neue Kreuzreliquie geschaffen wurde.

Das Adelheid-Kreuz gehört dem Typus der Krückenkreuze an, von denen aus der Zeit vom 10. bis 12. Jahrhundert eine größere Zahl erhalten ist. Unter ihnen ist es mit einer Höhe von 82,5 und einer Breite von 65,2 cm weitaus das größte. Nur das Reichskreuz aus dem Schatz der Reichskleinodien in der Wiener Schatzkammer kommt ihm mit 77 cm Höhe nahe und übertrifft es mit einer Breite von 70 cm. Aus dem Holzkern sind sowohl in den Balkenenden wie auch in den Kreuzarmen rechteckige Fächer ausgenommen, die der Aufnahme von zahlreichen Reliquien dienen; sie sind in der langen Inschriftleiste der Rückseite verzeichnet. Auf der Rücksei-

Abb. 196: Dritte Fassung der Reliquie, 1810

Abb. 197: Reichskreuz, um 1024/25; Wien, Kunsthistorisches Museum, Weltliche Schatzkammer

te des Kreuzes sind aus der Verkleidung ornamental geformte Fenster ausgesägt, durch die die Seidenstoffe leuchten, in welche die kleinen Reliquienpäckchen eingeschlagen sind. Auf der Vorderseite des Kreuzes ist über dem Vierungsquadrat die Kreuzpartikel montiert, deren Fassung etwas in den unteren Schaftteil ragt. Die Fassung ist aus vergoldetem Kupfer so gestaltet, daß die Reliquie und das Holzstück, in das sie eingelassen ist, unter der Verglasung nahezu unüberschnitten zu sehen sind. Diese und die Sichtbarmachung der Relique beruht aller Wahrscheinlichkeit nach auf frühen Veränderungen gegenüber dem ursprünglichen Zustand des Reliquienkreuzes. Zunächst war die originale Kreuzfassung so konstruiert, daß sie aus dem großen Kreuz gelöst als eigenes Reliquienkreuz liturgisch verwendet werden konnte, so etwa auch als Prozessionskreuz, wie das auch, soweit wir wissen, mit anderen Reliquienkreuzen

Abb. 198: Adelheid-Kreuz, Vorderseite, Mittelteil mit Kreuzreliquie

geschah[2]. Zur Befestigung der Kreuzfassung dienten am Reliquienkreuz von St. Blasien Riegel, deren Schlitze noch am Mittelstamm der Kreuzarme zu sehen sind. Wie immer man sich die ursprüngliche Fassung der Kreuzpartikel auch vorstellen mag, sicherlich sah sie zunächst nicht so aus wie die heutige, d. h. vor allem, es war nicht die ganze Kreuzpartikel sichtbar. Das entspräche nicht dem 11. und 12. Jahrhundert. Die kompositionelle Verbindung mit den Mittelstegen der Kreuzarme läßt aber auch darauf schließen, daß die vergoldeten Silberplatten dieser Stege in der Fassung der Kreuzreliquie optisch eine Fortsetzung fanden. Weiter: Die vier großen Edelsteine in den Pyramidenfassungen auf dem Mittelquadrat lassen erwarten, daß am Schnittpunkt der Kreuzbalken ein vergleichbar großer, wahrscheinlich noch größerer Stein saß. Bei allen Reliquienkreuzen des ausgehenden 11. und des 12. Jahrhunderts ist dort ein großer Bergkristallcabochon angebracht, durch den die Kreuzpartikel zu sehen ist[3]. Etwas Gleichartiges hat man sich auch bei dem Adelheid-Kreuz vorzustellen. Die vier Bergkristallcabochons in den großen Abschußfeldern des Kreuzes fänden auch damit eine kompositionelle Ergänzung. Freilich dürfte diese Verkleidung der kostbaren Kreuzpartikel nicht allzulange bestanden haben. Mit dem 13. Jahrhundert setzt allgemein die Forderung ein, die verehrten Reliquien möglichst ganz sichtbar zu machen. Es ist die Zeit der Entstehung der vielen Ostensorien; es ist auch mehrfach zu beobachten, wie ältere Reliquiare so verändert wurden, daß in sie entsprechende Fenster eingesetzt wurden, um die Reliquie sehen zu können. Vermutlich ist damals auch die Staurothek Kaiser Heinrichs II. in der Münchner Schatzkammer, aus dem Bamberger Schatz stammend, so verändert worden, daß in die Oberseite des Reliquiars ein großes rechteckiges Fenster geschnitten und mit einer Bergkristallplatte verkleidet wurde, die die ganze Kreuzpartikel sichtbar macht[4]. Es gibt sogar zwei Hinweise, daß im 13. Jahrhundert etwas mit dem Adelheid-Kreuz geschah: Die Beschriftungen der kleinen Reliquienpäckchen stammen aus der 2. Hälfte des 13. Jahrhunderts, und in einem der Reliquienfächer wurde bei der erwähnten Restaurierung ein Basler Brakteat derselben Zeit gefunden. Möglicherweise hängt diese Öffnung des Reliquienkreuzes mit der Veränderung der Fassung der Kreuzpartikel zusammen, die damals jene Form erhalten haben könnte, die von der Abbildung der barocken Kopie des Adelheid-Kreuzes und von der sehr einfachen Fassung der Ersatz-Partikel im Adelheid-Kreuz selbst bekannt ist. Natürlich muß man sich diese Fassung sorgfältiger ausgeführt vorstellen, als die wesentlich jüngeren Ersatzfassungen es sind.

Die Form des Adelheid-Kreuzes wird durch zwei Faktoren entscheidend bestimmt: durch die quadratischen Abschlüsse der Kreuzarme und das quadratische Mittelfeld sowie durch die Dreiteilung der Gliederung der Kreuzarme, die durch den höher gestuften Mittelsteg entsteht. Diese Dreiteilung ist mehrfach auf mittelalterlichen Goldkreuzen zu finden, so auf dem sogenannten Ardennenkreuz im Germanischen Nationalmuseum Nürnberg und am schönsten am Cruz de la Victoria im Schatz der Kathedrale von Oviedo, das im Jahre 908 von König Alfonso III. gestiftet wurde. Das bedeutet aber, daß das Adelheid-Kreuz zumindest teilweise eine Tradition aufweist, die jedenfalls in das erste christliche Jahrtausend zurückreicht, möglicherweise sogar bewußt Formen, deren Wurzeln bis zur monumentalen *Crux gemmata* zurückreichen, die Kaiser Theodosius d. Gr. nach Jerusalem gestiftet hatte.

Das zweite Element, die Grundform des Kreuzes mit den fünf Quadraten an den Balkenschlüssen und im Schnittpunkt der Kreuzbalken, verbindet das Adelheid-Kreuz mit dem Reichskreuz, dem es in seinen Dimensionen auch am nächsten kommt. Diese Verbindung ist sicherlich kein Zufall, um so weniger, als kein drittes Kreuz von so großer Ähnlichkeit bekannt ist. Man muß sich daher fragen, ob hier nicht eine bewußte Angleichung an das politisch so bedeutsame Reichskreuz gesucht wurde. Schon durch die Schenkung der außerordentlich großen Kreuzpartikel an das Kloster St. Blasien wird der Vergleich zur Kreuzpartikel im Reichsschatz nahegelegt. Immerhin ist die Kreuzpartikel der Königin Adelheid mehr als 19 cm hoch und läßt sich damit durchaus der Partikel im Reichsschatz, die über 20 cm mißt, zur Seite stellen. Wenn die Chronik des Klosters St. Blasien betont, daß die Kreuzpartikel der Königin Adelheid jenes Stück vom Kreuz Christi sei, durch das der Nagel die Hand des Herrn an das Kreuz fixierte (*eam partem ligni esse, per quam clavus dominicae manus sanguine imbutae penetravit*), so hat das wieder eine Parallele in der Reliquie des Reichsschatzes, bei der das Loch im Holz durch einen Nagel der Kreuzigung erklärt wurde.

Alle diese Punkte zusammen können kaum anders gedeutet werden als dahin, daß der Stiftung der Königin Adelheid hohe politische Bedeutung zukam. Zeitlich fällt sie in die Zeit der höchsten politischen Bedeutung ihrer Familie. Durch die Vermählung Adelheids und durch den Tod des Abtes Giselbert, der die Reliquie und dazu 70 Goldstücke zur Schmückung des Reliquiars erhielt, ergibt sich die zeitliche Einengung der Schenkung auf die Jahre 1077 bis 1086. Im Jahre 1077 wurde Rudolf von Rheinfelden von der kirchlichen Partei zum Gegenkönig Heinrichs IV. gewählt. Drei Jahre später, 1080, fiel er in der Schlacht an der Elster gegen Heinrich. Im Dom von Merseburg wurde ihm ein Grabdenkmal errichtet, wie es für keinen Fürsten zuvor bekannt ist, das erste figurale Grabmal des Mittelalters mit einer Inschrift, die seine Fähigkeiten im Dienste der Kirche rühmt. In diesen Zusammenhang gehört das Adelheid-Kreuz. Das Kloster, das in „Schwaben" gelegen, vom Hause Rudolfs besonders gefördert wurde, sollte eine Kreuzpartikel und ein Gemmenkreuz vom Range des Reichskreuzes haben. Man darf nicht vergessen, daß Rudolf nicht die Reichskleinodien besaß, und daß darüber hinaus die Kreuzpartikel als Teil des Kreuzes Christi mittelalterlicher Vorstellung folgend siegbringende Wirkung hatte. Die Inschrift auf dem Reichskreuz weist das deutlich nach.

Vielleicht bietet sich vor diesem Hintergrund auch eine Erklärung dafür an, daß das Reliquienkreuz bzw. die Kreuzpartikel bald, jedenfalls nach dem Tode der Königin Adelheid, an Achtung verlor, und man, wenn man den chronikalischen Nachrichten des Klosters Glauben schenkt, Zweifel an der Echtheit der Reliquie erhob, eben wegen ihrer besonderen Größe. Lag der Grund im Sturz des Geschlechtes und im Verlust seiner hohen politischen Stellung? Wie auch immer, es ist erst der Aktivität des Abtes Gunther zu verdanken, wenn die Reliquie Mitte des 12. Jahrhunderts erneut zu Ehren kam und im Zusammenhang damit das Kreuz vollendet wurde; zumindest die Rückseite ist das Werk Abt Gunthers. Natürlich liegt die Frage nahe, ob diese erneute Wertschätzung des Kreuzreliquiars im Zusammenhang

Abb. 199: Adelheid-Kreuz, Rückseite, mittleres Quadrat, Christus in der Mandorla

mit der hohen Bedeutung St. Blasiens als Zentrum der klösterlichen Reformbewegung zu sehen ist.

Mit der Vollendung des Kreuzes durch Abt Gunther verbinden sich mehrere kunsthistorische Fragen. Man kann zunächst von den Gravierungen der Rückseite ausgehen. Sie bieten keine Probleme. Ihre Datierung ist durch die Namensnennung des Abtes für die Zeit zwischen 1141 und 1170 gesichert. An ihrer schwäbischen Heimat kann angesichts der Vergleichbarkeit mit anderen Kreuzen in Schwaben nicht gezweifelt werden. Vor allem die Rückseite des Kreuzes in Tunau und näher noch die des Kreuzes in Gornhofen sichern die Lokalisierung der Gravierungen[5]. Diese, so wird man wohl annehmen dürfen, wurden in St. Blasien selbst ausgeführt. Die Darstellungen zeigen im mittleren Quadrat Christus in der Mandorla, in den Feldern der Balkenenden die vier Evangelistensymbole. Im oberen Schaftteil sind zwei Engel mit Rauchfässern in den Händen Christus zugeordnet. Auf den Feldern des Querbalkens sind vier männliche Heilige dargestellt, von denen der (vom Betrachter aus gesehen) links von Christus den hl. Petrus darstellt. Auf dem unteren Schaftteil befand sich unmittelbar unter der Mandorla eine thronende Figur zwischen zwei Ampeln. Ihr zugewandt ist der kniende Abt Gunther mit dem Reliquienkreuz in den Händen. Neben und unter ihm sind frontal stehend drei Heilige dargestellt, deren einer ein Bischof oder Abt ist, die beiden anderen sind als Diakone gekleidet. Der eine, dessen Kopf erhalten ist, ist durch die große Tonsur wohl als Mönch charakterisiert. Wie schon erwähnt, würde als die verlorene thronende Figur am ehesten Maria zu erwarten sein. Als ein charakteristisches süddeutsches Element ist auch das über eine Model geschlagene Flechtbandornament der Verkleidung der Seitenflächen des Kreuzes anzusehen. Es ist hier in verschiedenartigen Materialien oft bis ins 13. Jahrhundert zu finden. Schwierigkeiten bereitet dagegen die Vorderseite des Kreuzes mit ihrem Filigranschmuck und Steinbesatz. Gehört sie zu den Arbeiten des Abtes Gunther, d. h. ist demnach das Reliquienkreuz in seiner Goldschmiedearbeit einheitlich, oder ist die Vorderseite in die Zeit um 1100, also in die Regierung des Abtes Uto zu datieren, der auf dem Kreuzfuß genannt war: *Uto Abbas fecit hanc crucem*? Freilich fügt Martin Gerbert, der diese Nachricht überliefert, hinzu, daß der Abt Gunther diesen Kreuzfuß für das von ihm geschaffene oder fertiggestellte Reliquienkreuz benützt habe (*servaverat porro Guntherus pedem crucis, quam superiore seculo Utto abbas pro conditorio eiusdem sacrae particulae fieri curaverat*). Das Fehlen jeder figürlichen Darstellung macht die Entscheidung hinsichtlich der Datierung der Vorderseite des Reliquienkreuzes um 1100 oder um die Mitte des 12. Jahrhunderts sehr schwierig[6]. Es gibt nicht genügend gesicherte Werke, um einen zwingenden Vergleich durchführen zu können, und überdies muß auch mit regionalen Verschiebungen hinsichtlich des Stilphänomens gerechnet werden. In Schwaben fehlen entsprechende Vergleichsobjekte in der fragli chen Zeit mit Ausnahme des Tafelreli-

Abb. 200: Adelheid-Kreuz, Rückseite, Balkenenden mit Evangelistensymbolen (Johannesadler, Markuslöwe, Lukasstier, Matthäusengel)

quiars im Münsterpfarramt von Zwiefalten, dessen Filigran in etwa mit dem des Reliquienkreuzes aus St. Blasien verglichen werden kann. Die Datierung der Zwiefaltener Staurothek schwankt zwischen 1102 und 1138[7]. Freilich fehlt dort die für das Reliquienkreuz kennzeichnende Teilung der Fläche in gleichartige Felder, die jeweils denselben Schmuck, nämlich diagonal angeordnete Edelsteine und den mittleren Stein kreuzförmig umgebende vier Perlen aufweisen.

Hermann Schnitzler hat die These aufgestellt, daß für das 12. Jahrhundert ein charakteristisches Moment die streng achsenbezogene Orientierung der Edelsteine in den Schlüssen der Kreuzbalken sei, wie sie etwa die aus dem Kreis des Rogerus von Helmarshausen stammenden Arbeiten zeigen[8]. Das würde auf eine Datierung des Adelheid-Kreuzes in die Zeit des Abtes Uto schließen lassen. Die orthogonale Anordnung der großen Cabochons teilt dieses u. a. mit dem Fritzlaer Heinrichskreuz, das wiederum Schnitzler um 1100 datiert[9].

Diesen Überlegungen gegenüber stehen zunächst einige allgemeinere Feststellungen. Zunächst: Wenn bereits ein kostbarer Sockel zu dem Kreuz existierte, das einen Abt, Uto, als Auftraggeber und Vollender nennt, müßte man annehmen, daß damals das ganze Kreuz fertig war. Es ist insbesondere schwer begreifbar, daß die wesentlich kompliziertere und kostbarere Vorderseite vollendet war, ebenso der Fuß des Kreuzes, dagegen die Verkleidung der Rückseite, die immer nur mit Gravierungen geschmückt war, unvollendet blieb. Darüber hinaus wäre es dann schwer vorstellbar, daß sich Abt Gunther als Vollender des Kreuzes nennt und mit dem Kreuz in der Haltung des Stifters darstellen ließ – bei aller Berücksichtigung der auch im Mittelalter vorkommenden Überbetonung der eigenen Leistung in der Bilddarstellung des Stifters. Die Frage nach Vergleichsstücken aus der Regierungszeit des Abtes Gunther führt vor allem zu den Deckeln der beiden Handschriften cod. 140 und 141 des Trierer Domschatzes[10]. Beim ersteren sind die Rahmungen der mittleren Bildfelder, deren Darstellungen um 1160/70 bzw. auch in das ausgehende 12. Jahrhundert datiert werden, aus gleichartigen Platten mit Filigran und Edelsteinbesatz, die zwischen die Bildfelder gesetzt werden, aufgebaut. Alle diese Bildfelder sind nicht auf die Mitte hin orientiert, sondern orthogonal gesetzt. Das aber würde bedeuten, daß die Argumente, die man für eine Frühdatierung anführen kann, zumindest nicht ausschließlich zu verstehen sind. Genau noch in der Zeit des Abtes Gunther lassen sich Goldschmiedearbeiten finden, deren Eigenheiten mit denen des großen Reliquienkreuzes zu vergleichen sind. Die Gegensätzlichkeit der königlichen Stiftung zwischen 1077 und 1086 und die Fertigstellung des Kreuzes in der Zeit zwischen 1141 und 1170 bleibt aber, wie immer man die Geschichte des Kreuzes sehen will, bestehen. Vielleicht führen Beobachtungen weiter, daß nämlich beim Steinbesatz des Reliquienkreuzes doch Unterschiede zu sehen sind. Bei den vier Steinen in Pyramidenfassungen des mittleren Quadrates, also in den Ecken der kreuzförmigen Partikel, fallen die sich von allen übrigen unterscheidenden Fassungen auf: Hier handelt es sich um Breitfassungen, d. h. daß die Steine in Fassungen sitzen, die ihrerseits in breiten Miniaturarchitekturen montiert sind. Die Hochwände der Fassungen zeigen Filigranarkaden, die auf die geschlossene Wandung aufgelötet sind. Gegenüber den schlanken, steil aufgerichteten Arkaden, die man im 11. Jahrhundert gewöhnt ist, sind diese breitgedrückt. Überall werden auf dem Kreuz blanke Flächen vermieden; dichte Filigranornamente füllen die Zwischenräume zwischen Steinen und Perlen; demgegenüber nicht die glatten glänzenden Flächen der Pyramidendächer. Schließlich werden am Kreuz allgemein Schlingenfassungen für die Steine verwendet bzw. bei den großen Bergkristallen der Balkenschlüsse palmettenartige

Abb. 201: Holzfutteral für das Adelheid-Kreuz, lederüberzogen, mit Goldpressendruck

Fassungen, die locker gereiht wie bei einem Kronreif auf den Fassungsring aufgesetzt sind. Die mittleren Steine in den Pyramidenfassungen sitzen dagegen in gelappten Fassungsringen. Gerade aber Details wie die Fassungen sind Eigenheiten einer Werkstätte, die sich immer fast mechanisch wiederholen und nur geringe Variationen zulassen, wofür mit Ausnahme dieser vier Steine und der sie umgebenden kleineren gerade auch das Adelheid-Kreuz ein gutes Beispiel bietet. Die Filigranpalmetten sind zum Teil von den Pyramidenfassungen überdeckt bzw. sind sie fragmentiert, was doch auch auf eine spätere Anbringung der Steinfassungen schließen läßt. Man muß sich daher fragen, ob die Vorderseite wirklich so einheitlich ist, wie man bisher allgemein angenommen hat. Eher scheint es jetzt, als wären hier doch zwei Werkstätten zu scheiden. Daß dabei die vier Steine, die der Kreuzpartikel und ihrer Fassung am nächsten stehen, offensichtlich sich von allen übrigen unterscheiden, kann wohl nur so interpretiert werden, daß eben hier zu einem älteren Bestand Ergänzungen vorgenommen wurden – auch ihre Fassungen gehören einem jüngeren Typus an als die übrigen. Man beachte die melonenartigen Gebilde, die in den Quadraten der Balkenenden die Bergkristalle wie große Perlen umstehen und im Unterschied dazu die kleineren vierpaßförmigen in den Feldern des mittleren Quadrates, ebenso die variierenden Fassungen der kleineren Steine. Man kann daraus folgern, daß, im Zusammenhang mit der nachlassenden Aktualität des großen Reliquienkreuzes und vor allem der Kreuzpartikel nach dem Tode der Königin Adelheid und wohl allgemein der geänderten politischen Situation, wie man die Kreuzpartikel aus dem Kreuz nahm, daß man damit zusammenhängend das Zentrum des kostbaren Kreuzes verändern wollte oder verändert hat. Erst die Wiederherstellung der Originalität der Kreuzpartikel durch Abt Gunther mit dem von ihm durchgeführten Gottesbeweis setzte diese in ihre alte Stellung und damit wohl auch an ihren originalen Platz im Kreuz ein. Damit zusammenhängend waren daher auch die Eckfelder entsprechend wiederherzustellen. Man hat sie recht geschickt dem älteren Bestand anzupassen verstanden. Die sich anbietende Lösung des Problems würde daher das gesamte Kreuz und den größten Teil des Besatzes der Vorderseite als eine Arbeit unmittelbar im Zusammenhang mit der Stiftung der Königin Adelheid postulieren, das heißt auch, in das späte 11. Jahrhundert datieren, und die Fertigstellung wohl am ehe sten in die ersten Regierungsjahre des Abtes Uto, also um 1090, ansetzen. Der Zusammenbruch der politischen Bedeutung des Herzogshauses und die – vielleicht damit zusammenhängenden – auftauchenden Zweifel an der Echtheit der außerordentlich großen Kreuzpartikel könnten zu Überlegungen geführt haben, die kostbare und in ihrer Art zweifellos sehr bewunderswerte Goldschmiedearbeit zu erhalten, ihr aber ein neues Zentrum zu geben gegenüber der bisherigen „Fälschung". Hier mußte also die Restaurierung der Vorderseite durch den Abt Gunther einsetzen, und hier sind auch Unterschiede in den Details der Goldschmiedearbeit deutlich zu erkennen. Daher konnte sich dieser Abt mit Recht in der Haltung eines Stifters mit dem Kreuz auf der Rückseite des Reliquienkreuzes darstellen lassen. Der Ausdruck *patravit*, also exakt im Sinne von vollbringen, abschließen, gegenüber dem sonst allgemein üblichen *fecit* bekäme damit auch einen richtigen Sinn.

Das große Reliquienkreuz aus St. Blasien stellt sich so, zunächst als eine einheitliche Goldschmiedearbeit erscheinend, als ein komplexes historisches Gebilde dar, das sehr viele verschiedenartige Facetten im Laufe der Jahrhunderte erhalten hat. Kaum eine zweite mittelalterliche Goldschmiedearbeit hat derart viele Veränderungen und Ergänzungen im Laufe einer langen Geschichte erfahren, während der sie immer besonders beachtet geblieben ist, wenngleich von verschiedenen Gesichtspunkten her.

Anmerkungen

* Abdruck des Beitrages aus: Das tausendjährige St. Blasien, 200-Jahr-Domjubiläum, Ausstellungskatalog, Bd. 2 (1983), mit Genehmigung des Autors.

1. W. Schütz, Die große Kreuzpartikel von St. Blasien/St. Paul und ihre drei Fassungen, Car. I 149 (1959), S. 611–632.
2. Vgl. dafür A. Frolow, Les Reliquaires de la vraie Croix (1965), S. 197 ff., Fig. 70 ff.
3. Ebd.
4. E. Meyer, Reliquie und Reliquiar im Mittelalter, in: FS für Karl Georg Heise (1950), S. 58; H. Fillitz, Das Kreuzreliquiar Kaiser Heinrichs II. in der Schatzkammer der Münchner Residenz, in: Münchner Jb. der bildenden Kunst, 3. F. IX/X (1958/59), S. 15 ff. Suebia Sacra, Ausstellungskatalog (1973), S. 118 ff., Kat.Nr. 82, 85.

5. Die früher mehrfach zu lesende Ansicht (R. Ernst und K. Ginhart in älteren Publikationen), das Kreuz stamme aus dem späten 10. oder dem frühen 11. Jahrhundert, ist mittlerweile aufgegeben. Sie hängt damit zusammen, daß die Stiftung irrtümlich mit der 979 verstorbenen ungarischen Königin Adelheid identifiziert wurde.

6. Ausstellungskatalog Suebia Sacra (wie Anm. 4), S. 138 f., Kat.Nr. 120.

7. H. Schnitzler, Das sogenannte große Bernhardkreuz. Karolingische und ottonische Kunst (1957), S. 382 ff.

8. Für Abb. vgl. L. Pralle und L. Vogel, Dom und Domschatz in Fritzlar (1973), S. 46 ff.

9. H. Schnitzler, Das sogenannte Bernhardkreuz (wie Anm. 7), S. 390 ff.

10. F. Steenbock, Der kirchliche Prachteinband im frühen Mittelalter (1965), S. 197 ff., Nr. 98, 99; Abb. 138, 139.

Die gestickten mittelalterlichen Gewänder aus St. Blasien

DORA HEINZ

Arbeiten des Kunsthandwerks stehen in einem Spannungsfeld zwischen einer auf einen bestimmten Gebrauch gerichteten Zweckbestimmung und der Freiheit künstlerischer Erfindung und Gestaltung, zumeist auch in der Auseinandersetzung zwischen Entwerfer und ausführendem Handwerker, wenn diese nicht ein und dieselbe Person sind. So sind Schöpfungen des Kunsthandwerks einerseits „für einen bestimmten Gebrauch geschaffen worden und nicht, um als Kunstwerke gesehen zu werden"[1], andererseits sind in den verschiedenen Gegenständen und mit den Materialien, die hier Verwendung fanden, Werke von höchstem künstlerischem Rang entstanden[2], die an Qualität und Aussagekraft den „freien Künsten" der Malerei und Plastik in nichts nachstehen, mit denen sie vor allem im frühen und hohen Mittelalter eine intensive und fruchtbare Wechselwirkung verband.[3]

Betrachtet man unter diesen Gesichtspunkten liturgische Gewänder des Mittelalters, so fallen zunächst durch den Verwendungszweck bedingte enge Grenzen der äußeren Formgebung ins Auge. Seit in der Zeit um 1000 die Kasel zum speziellen Meßgewand wurde, besaß sie einen ganz einfachen halbkreisförmigen Schnitt eines allseits geschlossenen Gewandes, das nur eine Öffnung zum Durchstecken des Kopfes aufwies. Diese Form war dem ebenfalls halbkreisförmigen Pluviale zunächst verwandt, das jedoch vorne offen und mit einer Schließe oder Spange zusammengehalten, den Charakter eines weiten Mantels oder Umhanges wahrte. Das Pluviale – in späterer Zeit auch Vesper- oder Rauchmantel genannt – hat diese Gestalt durch alle Jahrhunderte beibehalten, nur wurde die ursprüngliche Kapuze mit der Zeit ihrer Funktion beraubt und zu einem am Rücken befestigten schildförmigen Besatz, der *Cappa,* umgewandelt. Die Veränderung der Kasel, die letztlich zu der allgemein bekannten Form des nur mehr an den Schultern zusammenhängenden, seitlich offenen Meßgewandes führte, begann erst in gotischer Zeit. Sie war zunächst durch liturgische Erfordernisse bedingt, durch die Elevation, das Hochheben von Hostie und Kelch nach der Wandlung, um die verwandelten Gaben den Gläubigen zu zeigen und diesen dadurch ein intensiveres Miterleben des *Mysteriums fidei* zu ermöglichen. Da der Priester – mit dem Rücken zum Volk stehend – Hostie und Kelch über seinen Kopf heben, das heißt, die Arme weit nach oben strecken mußte, erwies sich die alte, rundum fast bis auf den Boden reichende Form der sogenannten Glockenkasel als hinderlich und ungeeignet. Es begann die seitliche Verkürzung des Gewandes, um den Armen mehr Bewegungsfreiheit zu geben. Bis zum Ende der Romanik aber stand die allseits geschlossene und gleichlange, kegelförmige Kasel in Gebrauch.

Die großen ungeteilten Flächen dieser Gewänder boten der künstlerischen Gestaltung die vielfältigsten Möglichkeiten, und diese wurden auch in reichem Maße genützt. Kostbarkeit des Materiales und Perfektion der textilen Techniken kennzeichnen die frühesten im deutschen Sprachraum erhaltenen Gewänder aus der Zeit um und nach 1000.[4] Seidenstoffe aus den berühmten Werkstätten in Byzanz und feinste figurale und ornamentale Goldstickereien bestimmen den unvergleichlichen Eindruck dieser exquisiten Werke. Die Kostbarkeit der Ausführung, die manche dieser liturgischen Gewänder als direkte Parallelen zu Herrschergewändern erscheinen läßt, ist charakteristisch für die Zielsetzung, die am Anfang der Entwicklung der abendländischen Paramentenkunst steht und dieser stets eigen geblieben ist: Die Kleidung sollte der Feierlichkeit des Gottesdienstes entsprechen, durch Gestaltung und Ausführung die Priester sichtbar von den Laien abheben und zugleich die Rangordnung innerhalb der kirchlichen Hierarchie zum Ausdruck bringen.

Von wesentlich anderem Charakter sind die deutschen kirchlichen Stickereien des 12. und 13. Jahrhunderts: bescheidener im Material und vielfältiger in den Techniken sind sie nicht Zeugnisse internationaler Verbindungen und Auseinandersetzungen, sondern der einheimischen Kunst in den verschiedenen deutschen Landschaften. Zweifellos ist in diesen Jahrhunderten zur Ausstattung der vielen neuen Kirchen, die in dieser Zeit allerorts entstanden, auch eine große Zahl liturgischer Gewänder unterschiedlicher Qualität und Ausführung entstanden. Was heute davon erhalten ist, macht nur einen verschwindenden Bruchteil des damals Geschaffenen aus. Aus dem gesamten süddeutschen und österreichischen Raum sind nur zwei Ensembles von gestickten Gewändern auf uns gekommen: der Ornat aus dem ehemaligen Kanonissenstift Göß bei Leoben in der Steiermark[5] und drei Stücke – ein Pluviale und zwei Kaseln – aus St. Blasien im Schwarzwald, von denen heute zwei in St. Paul im Lavanttal und eines im Österreichischen Museum für Angewandte Kunst in Wien sind.[6]

Die Stücke aus Göß sind einmalig durch die Tatsache, daß hier alle fünf großen Teile eines Festornates – Antependium, Pluviale, Kasel, Dalmatika und Tunicella – erhalten sind, die drei Gewänder aus St. Blasien blieben dafür im Gegensatz zum Gösser Ornat fast unverändert; während dieser im späten 18. Jahrhundert einer tiefgreifenden Umgestaltung unterworfen wurde, wobei vor allem die Kasel ihre ursprüngliche Form einbüßte und auf die barocke Gestalt zugeschnitten wurde, haben die St. Blasier Gewänder nur geringfügige Verluste erfahren, im gesamten aber die originale, hochmittelalterliche Formgebung bewahrt.[7]

Der Lauf der Geschichte hat es gefügt, daß sich heute alle diese Werke in österreichischem Kunstbesitz befinden – ein einmaliger, aber heute zumeist nicht entsprechend gewürdigter Schatz. Der Gösser Ornat verblieb bis ins 20. Jahrhundert am Ort seiner Entstehung und gelangte 1908 durch Kauf an das Österreichische Museum für Angewandte Kunst in Wien, die Gewänder aus St. Blasien erlebten eine ereignisreichere Geschichte. St. Blasien bewahrte sie bis zur Säkularisation im Jahr 1806. Die Mönche des alten Benediktinerklosters wandten sich damals nach Österreich und nahmen den Großteil des Kirchenschatzes – darunter die drei gestickten Gewänder – mit. In Spital am Pyhrn fanden sie zunächst eine neue Heimat, doch bald danach stellte ihnen Kaiser Franz I. (II.) das ebenfalls aufgehobene Benediktinerstift St. Paul im Lavanttal zur Verfügung, wo sie sich auf Dauer niederließen. In der wirtschaftlichen Krisenzeit nach dem Ersten Weltkrieg sah sich auch dieses Kloster – wie so viele andere – gezwungen, wertvolle Kunstschätze zu veräußern. 1925 wurde die Kasel mit der Nikolauslegende an das Kunsthistorische Museum in Wien verkauft und 1940 im Zuge eines Sammlungstausches an das Österreichische Museum für Angewandte Kunst übergeben.[8]

Die drei Gewänder aus St. Blasien bilden zwar keinen zusammengehörenden Ornat, doch verbindet sie nicht nur die Herkunft, sondern auch ihre Entstehung und ursprüngliche Bestimmung engstens miteinander und mit diesem Kloster. Gemeinsam ist ihnen die Ausführung in Seidenstickerei, die die gesamte Fläche des Leinengrundes bedeckt, wie ein reiches, mehrteiliges Bildprogramm, das in der Abfolge der einzelnen Felder abzulesen ist. Diese Art der Dekoration bildet einen deutlichen und sehr bedeutungsvollen Gegensatz zu den Hauptwerken der Gewänder aus der ersten Hälfte des 11. Jahrhunderts mit ihren Goldstickereien auf kostbaren Seiden. Die Mitsprache und Bedeutung des Grundstoffes für die Gesamtwirkung ist völlig verschwunden, das einfache Leinen des Grundgewebes ist nur Träger der Stickerei ohne jede eigene Wirkung, die allein von der Stickerei mit ihrer Vielfarbigkeit bestimmt wird; Gold wird gar nicht oder nur sparsam an besonders markanten Stellen verwendet. Noch wesentlicher ist die andersartige künstlerische Orientierung in den Entwürfen: die Bindung an Anregungen aus der östlichen Weberei, wie sie in den älteren Stickereien durch verschlungene Kreismedaillons oder die mehrfache Wiederholung desselben Motivs zu erkennen ist, ist nun einer Angleichung an die Malerei gewichen. Thematisch wie auch in der Formgebung der Bildfolgen paßt sich die Stickerei den Gestaltungsprinzipien der gleichzeitigen Wand- und Buchmalerei an. Die liturgischen Gewänder nehmen damit Anteil am Programm und der Ausstattung des Kircheninneren. An die Stelle eines strahlenden Gesamteindrucks tritt als wichtiges Element der Stickerei die Ablesbarkeit zusammenhängender Bildfolgen. Der Zug zu Erbauung und Belehrung des Betrachters verbindet die Stickerei vor allem mit der reichen Illustration von Handschriften, die zur Schaffung der Bilderbibeln, der *biblia pauperum*, geführt hat. Darüber hinaus aber hängen sie in ihrem künstlerischen Entstehungsprozeß unmittelbar mit der Malerei zusammen. Dieser entspricht die Aufteilung der Bildfolgen in regelmäßige Quadrate oder dem Quadrat angenäherte Rechtecke, wie sie vor allem der Buchmalerei eigen ist, und die einheitlichen, aber in den Feldern wechselnden Hintergründe und die betonte Rahmung durch breite Bänder. In diesen bewahren allerdings die Stickereien einen von der Buchmalerei unabhängigen Zusammenhang mit der Textilkunst. Die in unendlicher Vielfalt variierten Formen von Mäandern, Kreuzen und anderen, rechtwinkeligen Verflechtungen weisen nicht nur auf älteste Formen der Textildekoration mit ihrer – technisch bedingten – Verkreuzung zweier, im rechten Winkel zueinander stehender Fadensysteme hin, sondern im besonderen auf die Formgebung der Bortenweberei, die in verschiedenen Arten, vor allem der Brettchenweberei, nördlich der Alpen eine Tradition besaß, die zeitlich weit über die frühesten Zeugnisse kunstvoll gestalteter Musterweberei hinaufreicht.[9]

Will man sich den Entstehungsprozeß einer derartigen Stickerei vergegenwärtigen, so könnte man folgende Arbeitsgänge unterscheiden: am Anfang stand die Formung des Schnittes des auszuführenden Gewandes aus dem Leinenstoff, die in unterschiedlicher Weise erfolgen konnte.[10] Sodann erfolgte die Vorzeichnung der einzelnen Felder bzw. Figurenkompositionen, denen ein entsprechendes ikonographisches Programm zugrunde lag, das die inhaltliche Aussage des Werkes festlegte. Diese wurde sicher von einem in diesem Metier geschulten Maler – da es sich um relativ kleine Bildfelder handelt, am besten von einem in der Buchmalerei tätigen Künstler – ausgeführt. Für die Arbeit an der Stickerei kann man dagegen mit Sicherheit annehmen, daß es sich um mehrere Arbeitskräfte – eventuell eine Werkstatt – gehandelt hat, sonst hätte die Ausführung allzuviel Zeit in

Abb. 202: Pluviale, Mitte 13. Jahrhundert, St. Paul, Vorder- und Rückseite

Anspruch genommen. Diesen stand eine Anzahl technischer Möglichkeiten zur Verfügung, die vorgegebene Zeichnung möglichst getreu umzusetzen. Obwohl wir über die Details dieses Arbeitsvorganges nicht unterrichtet sind, ist anzunehmen, daß die Wahl der Sticharten, d. h. der Sticktechnik, den Ausführenden überlassen blieb, und daß es eine gewisse Arbeitsaufteilung gab, da die einheitlich auszuführenden Hintergründe einfacher, schematischer zu arbeiten waren als die Figuren und vor allem die Details, z. B. die Gesichter.[11]

Die hohe und gleichmäßige Qualität der Stickarbeit wie auch der Umfang der Gewänder schließen eine Laienarbeit aus und weisen unzweifelhaft auf die Ausführung durch geschulte Kräfte hin. Auf die Herkunft des Pluviales in St. Paul und der Kasel mit der Nikolauslegende aus ein und derselben Werkstatt hat bereits Fillitz[12] hingewiesen, darüber hinaus hat Grönwoldt[13] die Vermutung geäußert, daß sich in St. Blasien oder dessen unmittelbarem Umkreis eine leistungsfähige und durch längere Zeit bestehende Werkstatt befand, der alle drei Gewänder entstammen. Der zeitliche Abstand, der die St. Pauler Kasel von den beiden anderen Stücken trennt, würde allerdings einen langen Bestand dieses Stickateliers voraussetzen. Die Frage, wie eine derartige Werkstatt beschaffen gewesen wäre, kann nur sehr hypothetisch beantwortet werden, da für diese Zeit mehrere Möglichkeiten ins Auge gefaßt werden müssen. So hat Heinemeyer[14] darauf hingewiesen, daß Stickereien keineswegs nur in Frauenklöstern, sondern auch von Mönchen ausgeführt wurden, wofür es archivalische Belege bereits seit dem 11. Jahrhundert gibt. Ginhart[15] und vor ihm schon andere haben an ein Frauenkloster im südwestdeutschen Raum als Ort der Entstehung gedacht, Heinemeyer, Fillitz und Grönwoldt[16] eine Ausführung im Kloster St. Blasien selbst befürwortet, wobei natürlich die Frage nach den speziell ausführenden Kräften – Mönche, Nonnen oder Laien – offenbleiben muß.

Sicher erscheint, daß die beiden späteren Stücke – das Pluviale in St. Paul und die Kasel mit der Nikolauslegende – für das Kloster St. Blasien bestimmt bzw. in dessen Auftrag gearbeitet wurden.[17] Mit großer Wahrscheinlichkeit ist dies auch für die ältere Kasel anzunehmen.[18] Wie schon mehrfach dargelegt[19], sind für die Bildfolgen, insbesondere für die ausführlichen Heiligenlegenden, literarische Vorlagen als Anregung anzunehmen. Auf den beiden späteren Werken sind die Bilder übersichtlich angeordnet und leicht ablesbar sowie einer klaren und straffen Ordnung eingefügt: jedesmal ist die Mitte der Rückenpartie deutlich als Achse betont – auf dem Pluviale durch ein breites ornamentales Band, das die beiden Heiligenlegenden – Blasius und Vincenz – voneinander trennt, auf der Nikolauskasel durch einen breiten Streifen, der zehn Felder mit christologischen Szenen sowie neun mit den Evangelisten, den großen Propheten und dem *Agnus Dei* bringt. Weit weniger klar ist die Bilderfolge gegliedert, die die ältere Kasel in St. Paul bringt; auch hier stehen christologische Bilder im Zentrum, die in der Gegenüberstellung der Kreuzigung mit dem thronenden Christus, umgeben von den Evangelistensymbolen, ihren Höhepunkt finden (beim Tragen vorne, obere Mitte). Diesen acht Szenen sind eine Reihe weiterer Bildfelder zugeordnet, die zwar an ein typologisches Programm denken lassen, dieses aber nicht genau und konsequent durchführen. Ebenso uneinheitlich ist die Anordnung der anderen Bildfelder mit einzelnen Heiligen, die in Gruppen zu zweien und dreien angeordnet sind; auf der einen Seite zwei, auf der anderen dagegen acht – dazu noch die 35 Medaillons der Randbordüre, die ebenfalls eine weder nach Gruppen noch nach Symmetrie angeordnete Reihenfolge besitzen. Vor allem an Hand der christologischen bzw. alttestamentarischen Szenen hat Heinemeyer auf die Wandlungsfähigkeit typologischer Zusammenhänge gerade im 12. und 13. Jahrhundert hingewiesen[20], Fillitz dagegen an die Teilwiedergabe eines größeren Programmes gedacht, das einen inhaltlich strafferen theologischen Aufbau besaß und erst bei der Auswahl für das Gewand etwas verwirrt wurde.[21]

Diesen Unterschieden im ikonographischen Aufbau entsprechen die stilistischen in der formalen Gestaltung. Außer Zweifel steht daher seit jeher, daß die Kasel in St. Paul das älteste der drei Gewänder ist, die beiden anderen jünger und miteinander eng verwandt sind. Der älteren Kasel ist eine durch Strenge und Einfachheit der Konturen bestimmte Formgebung eigen, die vor allem bei den vielen frontal dargestellten Heiligen, die nur mit sparsamen Gesten die geschlossene Umrißzeichnung durchbrechen, klar hervortritt. Die farbige Flächenwirkung wird vornehmlich durch Linienzeichnung gegliedert, Handlungs- und Bewegungsabläufe werden in abstrahierter Form mehr angedeutet als dargestellt.

Diesem hieratisch anmutenden Zeichenstil stehen in den beiden anderen Gewändern viel bewegtere, lebhaft agierende Figuren gegenüber, die deutlich von einer anderen Figurenauffassung sprechen. In einer dem früheren Werk unbekannten Weise beherrschen nun Aktion und Bewegung die Kompositionen.[22] Zweifellos bestimmt nun die Figuren eine Auffassung, die weniger auf statische Repräsentation als auf expressive Bewegung und spezielle Interpretation der Hauptfiguren ausgerichtet ist.

Die Definition der stilistischen Eigenheiten führt unmittelbar zur Problematik der Datierung der Gewänder. Dies ist die am meisten diskutierte Frage, da sich hier Unterschiede in der zeitlichen Einordnung von fast einem Jahrhundert ergeben. Ginhart, der die Gewänder mehrfach behandelt hat[23], hat zuletzt seine eigenen älteren Bestimmungen korrigiert und ist zu sehr frühen Datierungen der beiden in St. Paul bewahrten Gewänder gelangt – für die Kasel in das zweite Viertel des 12., für das Pluviale in das zweite Viertel des 13. Jahrhunderts, Datierungen, denen allerdings allerorts die Zustimmung versagt wurde. Von ganz anderen Gesichtspunkten ging Heinemeyer bei ihren Bestimmungen aus.[24] An Hand der Vergleiche mit Handschriften, vor allem dem Psalterium in Freiburg (Univ.-Bibl. HS 24), hat sie die ältere Kasel in den Anfang des 13. Jahrhunderts, die beiden anderen Gewänder auf ungefähr 40 Jahre später datiert und damit den zeitlichen Abstand der drei Stücke wesentlich ver-

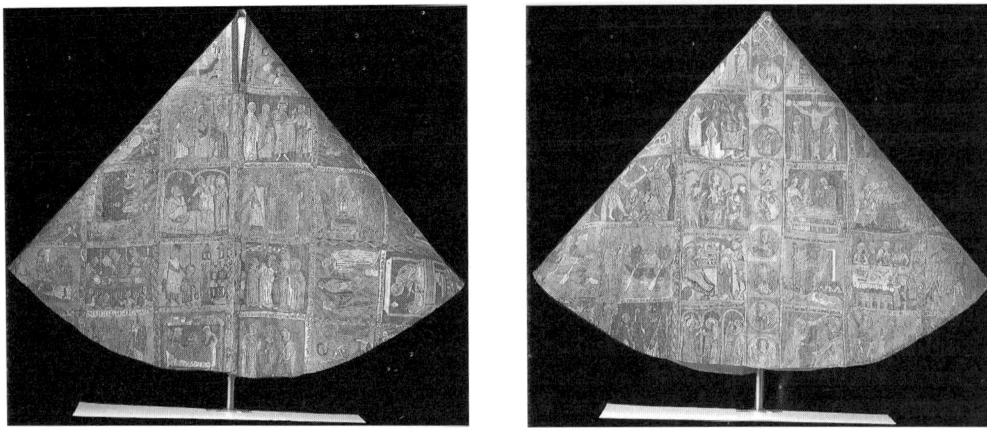

Abb. 203: Glockenkasel, Mitte 13. Jahrhundert, Wien, Museum für Angewandte Kunst, Vorder- und Rückseite

ringert, was die Annahme einer für alle drei Werke zuständigen Werkstatt erleichtern würde.

In Erwägung aller bislang vorgebrachten Argumente erscheint eine Datierung der Kasel in St. Paul in das ausgehende 12. Jahrhundert, der beiden anderen Stücke nach der Mitte des 13. Jahrhunderts am besten zu entsprechen. Für diese beiden ist die Frage nach dem „zackbrüchigen Stil" und seiner Relevanz in den Stickereien von ausschlaggebender Bedeutung, da dieser als erste Epoche der beginnenden Gotik und nicht mehr als Spätphase des romanischen Stiles zu interpretieren ist. Die speziellen Kennzeichen des zackbrüchigen Stiles sind in diesen Stickereien erkennbar, doch nicht in der ausgeprägten Form, wie sie die Malerei dieser Stilstufe kennt, sondern in einer wesentlich stärker der romanischen Tradition verhafteten Ausdrucksweise. Es erscheint daher gerechtfertigt, auch hier statt der von Ginhart gegebenen frühen Datierung – 1225/1230 – einen zeitlich späteren Ansatz anzunehmen, wie ihn übereinstimmend bereits Metz, sodann Heinemeyer, Müller-Christensen, Fillitz und Grönwoldt vertreten haben.[25]

Aller Wahrscheinlichkeit nach sind alle drei Stücke – die beiden späteren sicher – für St. Blasien und auch im unmittelbaren Bereich dieses Klosters gefertigt worden, wobei zwischen der älteren Kasel und den beiden anderen stilistisch und zeitlich eng zusammengehörenden Werken ein Zeitabstand von ungefähr zwei Generationen anzunehmen ist. Nach dem heutigen, sehr sporadischen Bestand zu urteilen, stünde damit die St. Pauler Kasel allein als Werk des späten 12. Jahrhunderts am Anfang der Entwicklung[26] der durch gestickte Bildfolgen in einzelnen Feldern gestalteten süddeutschen Stickereien, die beiden anderen Gewänder kämen zeitlich dem auf 1239–1269 bzw. danach datierbaren Ornat aus Göß nahe, obwohl sie mit diesem weder künstlerisch noch technisch eng verbunden sind.[27] In ihrer besonderen Eigenart und hohen Qualität bilden diese Gewänder einen glanzvollen Auftakt einer in der Spätromanik beginnenden neuen Epoche der deutschen Stickereikunst.

ANMERKUNGEN

1. S. MÜLLER-CHRISTENSEN, Zur Erhaltung alter Textilien, in: Sakrale GEWÄNDER des Mittelalters, Ausstellung im Bayerischen Nationalmuseum München (1955), S. 12.
2. B. KURTH, Die europäische Bildstickerei im Mittelalter, Ciba-Rundschau 48 (1941), S. 1750 ff., hier S. 1771. Die Scheidung zwischen Kunsthandwerk und freien Künsten ist folgendermaßen umrissen: „Die Grenzscheide, die die Kunst vom Kunstgewerbe trennt, ist äußerst schmal, Zierkunst und Zweckkunst sind nur durch die Art ihrer Verwendung, nicht aber durch den Grad ihrer Vollendung voneinander geschieden."
3. H. FILLITZ, Kunstgewerbe, in: Romanische Kunst in Österreich, Ausstellungskatalog Krems (1964), S. 165 ff.
4. Sakrale GEWÄNDER (wie Anm. 1); M. SCHUETTE, S. MÜLLER-CHRISTENSEN, Das Stickereiwerk (1963).
5. M. DREGER, Der Gösser Ornat, Kunst und Kunsthandwerk 11 (1908), S. 613 ff.
6. Die Gewänder aus St. Blasien haben begreiflicherweise oftmals Erwähnungen und kurze Behandlungen in Sammelwerken und Ausstellungskatalogen gefunden (vgl. z. B. GROSSE KUNST aus Österreichs Klöstern, Mittelalter, 1950, Nrn. 278, 279; H. FILLITZ, El Arte Romanico, Ausstellungskatalog Barcelona, 1961, Nr. 1114; DERS. in: Österreichischer Beitrag zur Europarat-Ausstellung „Romanische Kunst in Barcelona", 1961, Nr. 9; NEEDLEWORK as Art, 1978, S. 186 f.) Im folgenden werden dagegen nur die ausführlicheren bzw. weiterführenden Behandlungen genannt. E. HEINEMEYER, Süddeutsche Stickereien des 13. und 14. Jahrhunderts (Diss. München, 1958); ÖKT 37 (1969), S. 251 ff., bei Ginhart ist die ältere Literatur ausführlich zitiert, von der neueren allerdings nur Fillitz (wie Anm. 3). Die Behandlungen der Gewänder sowohl durch Heinemeyer, wie auch im Stickereiwerk sind weder zitiert noch sonst berücksichtigt.
7. Sowohl die Kasel mit der Nikolauslegende wie das Pluviale in St. Paul sind am unteren Rand beschnitten, das letztere jetzt mit einer Fransenborte besetzt. Die Kasel mit der Nikolauslegende wurde vorne aufgetrennt und erscheint nun als halbkreisförmiges Stück, nicht mehr als kegelförmiges Gewand.
8. Österreichisches Museum für Angewandte Kunst, Inv.-Nr. T.9125.
9. SCHUETTE, MÜLLER-CHRISTENSEN, Stickereiwerk (wie Anm. 4), S. 18.
10. Die Kasel in St. Paul ist aus einem Stück geschnitten, was voraussetzt, daß es sich um ein Leinen von mehr als 160 cm Gewebebreite gehandelt hat, das Pluviale dagegen aus fünf Bahnen zusammengesetzt, HEINEMEYER, Stickereien (wie Anm. 6), S. 107, S. 113. Die Kasel mit der Nikolauslegende in Wien wurde dagegen aus ungleich großen Teilen, die zum Teil vorher, zum Teil erst danach bestickt wurden, zusammengefügt.
11. Die Angabe, die Gesichter und Hände seien aufgemalt und nicht gestickt – FILLITZ, Romanische Kunst (wie Anm. 6), Kat.-Nrn. 176, 177 – beruht auf einem Irrtum bzw. einer ungenauen Beobachtung. Auch diese Teile waren ursprünglich völlig in farbiger Seide bestickt.
12. EBD.
13. R. GRÖNWOLDT, Kaisergewänder und Paramente, in: Die Zeit der Staufer, Geschichte, Kunst, Kultur (1977), S. 607 ff., hier S. 636 zu Kat.-Nr. 801.
14. HEINEMEYER, Stickereien (wie Anm. 6), S. 5.
15. ÖKT 37 (1969), S. 257, S. 265.
16. HEINEMEYER, Stickereien (wie Anm. 6), S. 36; FILLITZ, Romanische Kunst (wie Anm. 6), S. 202; GRÖNWOLDT, Paramente (wie Anm. 13), S. 636.
17. Dies wird durch die Stifterbilder bewiesen: die Cappa des Pluviales zeigt den Abt des Klosters, der dem hl. Blasius das Gewand weiht, die Kasel im Österreichischen Museum zeigt nicht nur ein Feld mit der Inschrift *S. Nicolae ora pro nobis,* sondern im nächsten Bild (links unten) den Abt vor dem hl. Nikolaus mit der Beischrift *TE M(IH)I PAT(R)ONV(M) FACIAT P(RAE)SENS ROGO DONVM* (das gegenwärtige Geschenk mache Dich, so bitte ich, zu meinem Schutzherrn).
18. Auch für die Kasel in St. Paul kann eine unmittelbare Bestimmung für dieses Kloster angenommen werden, da die Heiligen Blasius und Nikolaus an einem bevorzugten Platz – im Feld unter dem thronenden Christus – dargestellt sind.
19. G. HEIDER, Liturgische Gewänder aus dem Stifte St. Blasien im Schwarzwalde im Stift St. Paul in Kärnten, Jb. der K.K.Central-Commission 4 (1860), S. 115 ff. Diese Publikation ist vor allem dadurch bedeutsam, daß hier alle, damals noch – heute stellenweise kaum mehr – lesbaren Inschriften abgedruckt sind. Diese wurden von allen späteren Autoren übernommen, aber immer wieder auf den speziellen ikonographischen Zusammenhang mit St. Blasien hingewiesen, HEINEMEYER, Stickereien (wie Anm. 6), S. 38 ff.; FILLITZ hat die Beschreibung von Heinemeyer als spezielle „Benediktinerkunst" auf den Einfluß der Hirsauer Reform präzisiert und auf die Verwandtschaft der Kasel in St. Paul mit dem berühmten Kreuz aus St. Blasien hingewiesen, Romanische Kunst (wie Anm. 6), S. 202; GRÖNWOLDT, Paramente (wie Anm. 13), S. 636, hat neuerdings Hss. wie die Weltchronik des Rudolf von Ems als unmittelbare Vergleichsbeispiele genannt.
20. HEINEMEYER, Stickereien (wie Anm. 6), S. 32 ff.
21. FILLITZ, Romanische Kunst (wie Anm. 6), S. 202.
22. In der Definition des Stiles dieser Stickereien als „Augenblick größter Erstarrung, wie sie dem dritten Viertel des 13. Jahrhunderts" eigen sei, kann ich HEINEMEYER, Stickereien (wie Anm. 6), S. 39, nicht folgen. Siehe dagegen bereits P. METZ, Das Kunstgewerbe von der Karolingerzeit bis zum Beginn der Gotik, in: H. Th. BOSSERT, Geschichte des Kunstgewerbes, Bd. 5 (1932), S. 349 f., der bereits von „gotischen Zügen" in den beiden späteren Gewändern gesprochen hat und den Katalog L'EUROPE GOTIQUE XIIe–XIVe siècle (1968), wo die Nikolauskasel unter die Werke der frühen Gotik eingeordnet ist.
23. K. GINHART, Die Kunstdenkmäler Kärntens 8 (1933), S. 1016 f., zuletzt in ÖKT 37 (1969), S. 257 u. S. 265.
24. Diese wichtige Arbeit wurde allerdings von Ginhart ebenso wie das Stickereiwerk nicht berücksichtigt.
25. HEINEMEYER, Stickereien (wie Anm. 6), S. 36; FILLITZ, Romanische Kunst (wie Anm. 6), Kat.-Nrn. 106–109 u. 120–122; GRÖNWOLDT, Paramente (wie Anm. 13), S. 634 ff.
26. Bereits METZ, Kunstgewerbe (wie Anm. 22) hat die Kasel in St. Paul nach 1200, das Pluviale und die Kasel mit der Nikolauslegende nach der Mitte des 13. Jahrhunderts eingeordnet und auf die Bedeutung der älteren Kasel als dem frühesten Beispiel dieses gesamten Typus hingewiesen.
27. Die abschätzige Einordnung des Gösser Ornates als einem der Volkskunst nahestehenden Werk, GRÖNWOLDT, Paramente (wie Anm. 13), S. 637, erscheint mir allerdings übertrieben.

Mittelalterliche Wand- und Tafelmalerei

JANEZ HÖFLER

Die Tatsache, daß Abt Ulrich I. (1192–1222) dem Maler Heinrich aus Gurk eine Hube in Sirnitz (bei Feldkirchen) zu Lehen gegeben hatte, die dieser dann dem Stift abkaufte und 1218 der Gurker Kirche schenkte, spricht dafür, daß der Abt einige Jahre vor 1218 die neu erbaute Stiftskirche mit Fresken schmücken ließ.[1] Von dieser malerischen Ausstattung der Kirche, die von denselben Meisterhänden wie die erste Ausmalung der Gurker Westempore (um 1218) herrühren dürfte, ist leider keine Spur mehr erhalten. Möglicherweise knüpfen zeitlich die kleinen Reste im Scheitel der beiden Triumphbogenleibungen der Seitenapsiden daran: je zwei halbfigurige Heilige (zwei Bischöfe sowie ein Märtyrer mit Palmenzweig und eine weibliche Heilige) im rundbögig geschlossenen Nischenrahmen, die sich durch Strenge der Form und malerische Behandlung der Fläche deutlich von den Fresken in der Hauptapsis abheben. K. Ginhart hat Zusammenhänge mit der Bemalung des Chorturmjoches der alten Pfarrkirche von Stift Griffen (wohl um 1235/36) erkannt und die erwähnten Reste in St. Paul in die Zeit um 1240 datiert. Es handelt sich um eine stärker byzantisierende Arbeit, deren Stil uns über Griffen hin schon in den Fresken der Marienkirche am Brixener Domkreuzgang (um 1220) begegnet, so daß sie eventuell auch etwas älter sein kann.[2]

So stammen die frühesten bedeutenden Wandgemälde der St. Pauler Stiftskirche erst aus der Zeit ihrer Weihe von 1264, als die Hauptapsis offensichtlich ihre 1931 freigelegten Fresken erhielt. Die Bemalung der Halbkuppel ist völlig vernichtet, die Wand trägt einige gesondert gerahmte und sich z. T. überdeckende Bilder mit rötlichen Linien auf blaugrauem Grund. Oben links und rechts vom Fenster sind die Kreuzigung des hl. Petrus bzw. die Enthauptung des hl. Paulus dargestellt, unten in der Mitte befindet sich ein stark verblaßtes Fresko mit (nach Ginhart) thronender Muttergottes und vier stehenden männlichen Heiligen.[3] Links davon thront eine gekrönte weibliche Gestalt vor einer sechsteiligen Arkadenarchitektur, ein der Inschrift beraubtes Spruchband haltend, wohl Personifikation der Kirche – *Ecclesia*; an der entsprechenden Stelle rechts unter dem Paulusbild befindet sich nur eine breite Palmettenbordüre.

Die Bemalung der Hauptapsis, wie sie heute zu sehen ist, läßt kein für die Romanik charakteristisches Bildprogramm erkennen. Die Martyrien der Apostelfürsten beziehen sich auf das Patrozinium des Hauptaltars. Die Heiligen des zentralen Bildes können nicht mehr identifiziert werden. Die modellierende Oberfläche der Malerei ist verlorengegangen, so daß sie hauptsächlich durch ihre Zeichnung anspricht. Ist das Petrusmartyrium einfach, sogar phantasielos wiedergegeben, so überrascht jenes des Paulus durch anspruchsvolle Kompositionen, deren Gerüst durch Diagonalen gespannt wird. In ihren

Abb. 204: Stiftskirche, Bemalung der Hauptapsis, um 1264

schlanken, überproportionalen Akteuren lebt noch ein Stück spätromanischer Stilisierung weiter, doch sind in den besser erhaltenen Kopftypen, jenen des Königs und des Henkers im Paulusbild, und in der hie und da von den alten Formeln befreiten Draperieführung schon Zeichen der Gotik zu spüren: wohl noch kein Zackenstil der Gurker Westempore, aber auch nicht ohne jeglichen Einfluß seitens dieses bedeutenden Maldenkmals des frühgotischen Zeichenstils entstanden.

Mit diesen Fresken zu verbinden wären die Reste am (ehemals) vorletzten Pfeiler der nördlichen Arkadenwand beim Haupteingang, wohl ein Votiv- bzw. Altarfresko mit stehenden Heiligen in einer frühgotischen Architektur.[4] Auch dieses vereinzelte Bild bezeugt, daß die Stiftskirche damals nicht einheitlich und nach einem Gesamtprogramm ausgemalt wurde.

Die Wölbung der Stiftskirche bis 1375 und 1468 brachte Bedürfnisse nach weiterer malerischer Ausstattung. Wie Hieronymus Marchstaller in seiner Schrift *De Fundatione* berichtet, wurden unter Abt Ulrich IV. (1414–1432) die älteren Kreuzrippengewölbe des Altarraumes und im Langhaus nächst der Vierung *decentissime* geschmückt. Während der Restaurierungsarbeiten 1935/36 tauchte die Bemalung der Rippen und ihrer Begleitbahnen mit unterschiedlichem Blattwerk und geometrischen Ornamenten sowie der Gewölbefelderzwickel um die Schlußsteine auf: jene des Altarraumes sind von fein stilisierten Disteln erfüllt, wohingegen jene im Langhaus die vier Evangelistensymbole auf Wolkenstreifen tragen. Größere Bedeutung kommt der Verzierung der Langhausgewölbe von 1468 zu. Die technischen Umstände lassen vermuten, daß diese Malereien zeitlich unmittelbar der Verfertigung der Gewölbe folgten. Es handelt sich um figürliche – hauptsächlich Heilige in Halbfigur – sowie heraldisch-ornamentale Motive in 23 Vierpässen der Gewölbekappen und an 28 Schlußsteinen, im Haupt- sowie in den beiden

Abb. 205: Stiftskirche, Bemalung der Hauptapsis, um 1264

Seitenschiffen. Offensichtlich wurden sie nie übertüncht, jedoch erst 1929 in die Fachliteratur eingeführt.

Eine derartige Ausschmückung von Gewölben mit vertieften und bemalten Vierpässen oder ähnlichen gotischen Medaillonformen ist südtirolischen Ursprungs und wird im Pustertal, in Osttirol und im westlichen Kärnten durch zahlreiche, allerdings etwas jüngere Beispiele belegt. Sie kann vielleicht mit Recht als eine Erfindung Michael Pachers gelten; selbst die Vierpässe am Gewölbe der alten Sakristei von Neustift bei Brixen, mit schreibenden Kirchenvätern, dürften ein wenig später als diese in St. Paul entstanden sein. Es überrascht jedenfalls, daß Pacher schon um 1468, als er außerhalb seiner engeren Heimat noch nicht den entsprechenden Ruhm genoß, nach St. Paul berufen worden ist; möglicherweise spielte Abt Johannes II. Ecklinger (1455–1483) eine Rolle dabei. Da diese Malerei aber nur sehr eingeschränkt als seine persönliche Arbeit angesehen werden kann, liegt es nahe, anzunehmen, daß er wegen eines anderen und bedeutenderen Unternehmens, möglicherweise sogar eines größeren Flügelaltars, nach St. Paul kam. Solch eine Annahme kann jedoch weder durch historische noch durch materielle Beweise erhärtet werden.

Die Vierpässe des St. Pauler Langhauses sind tatsächlich sofort als eine Arbeit der Pacher'schen Werkstätte erkannt worden, nur hinsichtlich der Frage nach dem Anteil des Hauptmeisters und dessen Schüler Friedrich Pacher gingen die Meinungen auseinander. Man wird wohl anerkennen müssen, daß die etwas groteske Charakterisierung der Mehrzahl der Köpfe deutlich auf die Hand des Friedrich weist. Um 1468 befand sich dieser aber noch am Anfang seines künstlerischen Werdegangs, so daß man Michael nicht nur die Entwürfe zuschreiben, sondern auch persönliche Aufsicht und vielleicht sogar Beteiligung an einigen Partien voraussetzen darf. Dennoch fällt es meiner Meinung nach schwer, den Anteil des

Abb. 206: Nördliches Querhaus der Stiftskirche mit Stifterfresko (1492/93) und Stiftergrab

Michael präzise festzustellen. Im allgemeinen bewegen sich die Typen innerhalb der Skala Pacher'scher Werke aus den sechziger Jahren, vor allem des zwischen München, Alte Pinakothek, und Wien (Museum mittelalterlicher österreichischer Kunst) aufgeteilten Laurentius-Altars. Es wäre demnach nicht richtig, den eventuellen Anteil Michael Pachers in St. Paul im Licht seiner reifen Werke zu beurteilen.[5]

Die rege Bau- und künstlerische Tätigkeit des Abtes Sigismund Jöbstl von Jöbstlberg (1488–1498), von der im Klosterbereich leider nicht viel überkommen ist, schlug sich sicherlich auch in neuen Malereien in der Stiftskirche nieder. Ihm gebührt das Verdienst, den damals führenden Kärntner Maler, Thomas Artula von Villach, für das Kloster zu gewinnen. Anläßlich der Vierhundertjahrfeier der Klostergründung (in Wirklichkeit zwei Jahre darauf), 1493, ließ er Thomas ein monumentales Gedächtniswandbild über die Grabstätte der Stifter in der nordöstlichen Ecke des nördlichen Querhauses malen, womit er sich auch selbst verewigen wollte. Mit Ausnahme des oberen Streifens an der Nordwand und der begleitenden Inschrift, deren Kenntnis wir der erwähnten Stiftschronik Hieronymus Marchstallers verdanken, ist das Fresko, wenn auch stellenweise abgerieben, gänzlich erhalten. Freigelegt wurde es im Jahre 1931 und 1937 von Otto Demus ins Œuvre des Meisters von Gerlamoos bzw. Thomas von Villach eingereiht.[6]

Wie das zweite erhaltene Werk des Thomas für Sigismund Jöbstl, die Beweinung-Christi-Tafel aus Abtei, gehört das Stifterfresko von St. Paul zu den späteren reifen Schöpfungen des Villachers. Das Gemälde besteht aus zwei in Form einer kielbogigen Architektur konzipierten Teilen. Der größere Teil an der Nordwand stellt das kniende Stifterpaar, Engelbert von Spanheim und seine Gemahlin Hadwiga, von den stehenden hll. Katharina bzw. Benedikt den Apostelfürsten an der Ostwand empfohlen, dar; in der linken Hälfte dieses Bildes sind vier Wappen (Spanheim, Kärnten, Benedictus-Orden und das Wappen des Malers) angebracht, und ganz in der unteren linken Ecke ist der kniende Stifter des Freskos, Abt Jöbstl, mit seinem Wappen zu sehen. An der angrenzenden Ostwand setzt das Gemälde mit den stehenden hll. Paulus und Petrus fort, darüber das Tuch der Veronika. In der rechten Bordüre des Petrus-und-Paulus-Bildes entdeckt man einen kleinen lächelnden männlichen Kopf im viereckigen Rahmen, wohl ein Selbstbildnis des Malers.

Abb. 207: Stifterfresko, Detail: die Stifter Engelbert und Hadwiga von Spanheim

Das St. Pauler Stifterfresko des Thomas Artula nimmt eine logische Position in seiner künstlerischen Entwicklung ein. Das gilt sowohl für den Bildraum mit seiner irrationalen Wirkung und die psychisch-realistische Wiedergabe der menschlichen Figur als auch für seinen Weg ins Heraldisch-Dekorative. Die vordere Arkadenarchitektur in zarten gotischen Gliedern wurde wohl durch

Abb. 208: Stifterfresko, Detail Ostwand: Hll. Petrus und Paulus

Abb. 209: Stifterfresko, Detail: Selbstbildnis des Thomas von Villach

die Rahmen mittelitalienischer Polyptycha des späten 14. Jahrhunderts beeinflußt.

Während der Barockisierung der Stiftskirche im 17. und 18. Jahrhundert verschwand auch die mittelalterliche Ausstattung ihrer Altäre, die allmählich von verschiedenen Äbten, zuletzt von Sigismund Jöbstl und Johann Parenpichler (1500–1515), errichtet worden waren. Damit gingen auch die vielen mittelalterlichen Bilder, die einmal auf den Retabeln dieser Altäre zu sehen waren, verloren. Aus einem solchen Altarretabel, wohl Flügelaltar, stammt auch das kleine Tafelgemälde mit den hll. Andreas und Dorothea, das heute als Stütze einer sekundär zusammengesetzten Bildergruppe eines Seitenaltars im Schiff dient. Die Gestalten, sich leicht überschneidend, stehen vor einem Goldgrund. Ihre flüssigen Linien und ihr milder Ausdruck lassen sie als eine Kärntner Arbeit aus der Mitte des 15. Jahrhunderts erkennen. Das Bild wurde früher meistens mit Thomas von Villach in Zusammenhang gebracht; in Wahrheit ist es eine Arbeit eines wahrscheinlich in Völkermarkt ansässigen Malers, der u. a. auch die einstige südliche Außenwand der Kirche in St. Stephan bei Niedertrixen bemalt hat. Es wird um 1445 datiert.[7] – Die oberen Bilder des erwähnten Seitenaltares stellen ein Triptychon dar, mit einem Gnadenstuhl in der Mitte und je zwei Heiligen an den Flügeln (hll. Erhard und Barbara links, hll. Johannes d. T. und Katharina rechts). Ursprünglich dürfte es sich aber um zwei Diptychen, und zwar mit einem weiteren, die Marienkrönung darstellenden Flügel in der Kunstsammlung des Stiftes, gehandelt haben. Auch diese vier Bilder stammen aus der Hand eines Völkermarkter – allerdings etwas jüngeren – Meisters (um 1460), der sich hier am moderneren Knitterstil salzburgischen Ursprungs nicht sehr erfolgreich versuchte.[8]

Derselbe Abt Sigismund Jöbstl, der sich um das Stifterfresko in der Stiftskirche verdient machte, ließ Thomas Artula auch ein Tafelbild malen, das dem Inhalt gemäß als sein Epitaphgemälde verstanden werden muß. Es handelt sich um die Beweinung Christi, die sich bis 1940 in der Leonhardskirche zu Abtei befand und heute im Kärntner Landesmuseum in Klagenfurt aufbewahrt wird; die Bestellung durch den Abt belegt seine in der unteren linken Ecke des Bildes kniend dargestellte und durch sein Wappen ergänzte Figur. Es versteht sich, daß das Bild einmal in der Stiftskirche, vielleicht in der Nähe seines Grabes vor dem ehemaligen Sebastiansaltar, hing.[9] Die Beweinung Christi, die Sigismund Jöbstl in Auftrag gab, ist eine der fesselndsten Schöpfungen Kärntner gotischer Tafelmalerei.

In den neunziger Jahren des 15. Jahrhunderts entstanden, als die Tafelmalerei in Kärnten schon lange im Zeichen des zeitgenössischen spätgotischen Stils stand, kombiniert sie ein niederländisches Grundmuster (Rogier van der Weyden) mit Motiven, die vom italienischen Trecento herrühren. Einmalig bleiben die rationell ungreifbaren räumlichen sowie psychischen Beziehungen zwischen den dargestellten Protagonisten.

Abb. 210: Thomas von Villach: Beweinung Christi, nach 1490, Tempera auf Holz, Landesmuseum Klagenfurt

Der zweite Sakralraum im Komplex des Stiftes mit mittelalterlichen Wandmalereien ist die an die Sakristei der Stiftskirche angeschlossene Marien- bzw. Rabensteinerkapelle. Nach Ginhart stammt der heutige Bau, ursprünglich als Begräbnisstätte der Rabensteiner gedacht, erst aus der Zeit um 1380–1390[10], in Wirklichkeit aber ist er, wie dies anhand der ältesten Freskoschicht erschlossen werden kann, wenigstens ein halbes Jahrhundert älter.[11] Zwei Bilder unter den Fenstern der beiden Chorschrägen und einige andere Fragmente zeigen, daß die Kapelle bald nach ihrer Errichtung ausgemalt worden war. Die beiden besser erhaltenen Bilder stellen, im Einklang mit dem Patrozinium, den Marientod und ihre Krönung durch Christus (nordöstliche bzw. südöstliche Chorschräge) dar. Während der Marientod die traditionellen byzantinischen Züge (Christus in der Mandorla nimmt die in Form eines Kleinkindes wiedergegebene Seele Mariens auf) mit westlichen (die hochgestellten Apostel in liturgischer Handlung) kom-

Abb. 211: Rabensteinerkapelle, Fresko-Detail: Weltgericht, Mitte des 16. Jahrhunderts

biniert, überrascht die Krönung durch eine recht ungewöhnliche Ikonographie: Christus steht neben der (sitzenden?) Maria und berührt mit seiner Rechten ihr Kinn, mit seiner erhobenen Linken aber weist er auf die Krone hin, die ihr von einem fliegenden Engel bereitgehalten wird.[12] Die Bilder zeichnen sich durch einen für das frühe 14. Jahrhundert charakteristischen gotischen Zeichenstil aus und sind nicht um 1380–1390, wie K. Ginhart noch meinte, sondern eher um 1330–1340 entstanden. Allem Anschein nach müssen sie mit einem von Bischof Konrad von Gurk im Jahre 1343 erteilten Ablaß für die Kapelle in Zusammenhang gebracht werden.

Wie komplett die Rabensteinerkapelle damals ausgemalt wurde, läßt sich nicht mehr mit Sicherheit sagen. Die späteren Epochen scheuten allerdings nicht davor zurück, ganze Wandpartien mit neuen Gemälden zu überdecken. Am Ende der Südwand im Westen wurde ein Votivbild eines Ehepaares der Stifterfamilie freigelegt: In vornehmer Tracht des abgerückten 15. Jahrhunderts kniend und betend dargestellt wird es durch die Hll. Oswald (?) bzw. Ursula (beschädigt) Maria mit dem Jesuskind empfohlen, die im linken Drittel des Bildes thront, umgeben von zwei Engeln, die ihren Mantel wie Schutzmantelmadonnen leicht ausbreiten. Die großzügig wiedergegebene Kleidung Mariens mit weichen Knitterungen erlauben, dieses von einem guten und fortschrittlichen einheimischen Maler geschaffene Bild in die fünfziger oder sechziger Jahre des 15. Jahrhunderts zu datieren.[13] Im reifen 16. Jahrhundert folgten noch zwei große Wandbilder im Mittelfeld der Süd- und Nordwand. Jenes an der Südwand verbildlicht die letzten Stationen der Mariengeschichte: ihren Tod, Leichenzug, Aufnahme ihrer Seele durch Christus und Krönung. In der unteren rechten Ecke des renaissancehaften architektonischen Rahmens steht die Jahreszahl 1540; die kniende Figur eines Benediktinerabtes daneben verrät, daß es wohl auf Bestellung des Abtes Matthias Furtner (1530–1550) gemalt wurde. Diesem Bild gegenüber wurde ein großartiges Weltgerichtsfresko angebracht, das anhand früher zu sehender Fragmente von Ginhart ins frühe 17. Jahrhundert datiert und entweder Anton Blumental oder

Lorenz Glaber zugeschrieben worden ist. Es handelt sich jedoch wiederum um ein Werk des mittleren 16. Jahrhunderts. Den kniend und betend dargestellten Personen in den unteren Ecken des Bildes und ihren Wappen nach wurde es dem Andenken einer auf Rabenstein sitzenden Familie gewidmet.[14]

Ungeachtet einiger altertümlicher formaler Züge aber bewegen sich diese beiden Wandgemälde schon innerhalb der durch die großen deutschen Maler-„Schulen" des frühen 16. Jahrhunderts geprägten Renaissance und überschreiten somit den Zeitrahmen des Mittelalters.

Anmerkungen

1. UB St. Paul, Nr. 42. Unter den Zeugen dieser in Völkermarkt ausgestellten Urkunde treten noch weitere Maler (Dietricus und sein Sohn Hainricus, Rudgerus) auf. Die unentbehrliche Basis für den vorliegenden Beitrag stellt noch immer der entsprechende Band der ÖKT dar, Bd. 37 (1969), S. 100–119, mit Quellen und älterer Literatur. Zu Romanik siehe außerdem W. Frodl, Die romanische Wandmalerei in Kärnten (1942), S. 45 ff.
2. Zu Griffen: E. Bacher, Österreichische ZS für Kunst- u. Denkmalpflege 23 (1969), S. 131–133; zu Brixener Marienkirche: O. Demus, Romanische Wandmalerei (1968), S. 133; N. Rasmo, Affreschi medioevali atesini (1972), S. 64 ff.
3. ÖKT 37 (1969), a. a. O. Von der Muttergottes blieb keine Spur mehr. Die äußere Figur links stellt einen Bischof ohne Mitra, jene rechts einen jungen Heiligen dar, wohingegen es sich bei den die Muttergottes flankierenden Gestalten m. E. eher um zwei Engel gehandelt haben muß.
4. Beschreibung: Ebd., S. 101 f.
5. Zur Attributierungsfrage: Ebd., S. 109 f., N. Rasmo, Michael Pacher (1969), S. 263, dazu S. 58 und passim.
6. J. Höfler, Die gotische Malerei Villachs, Neues aus Alt-Villach 18/19 (1981/82), S. 171 ff. und passim bzw. S. 39 f. (mit älterer Literatur).
7. Ebd., 18 (1981), S. 104 ff. 19 (1982) S. 41; J. Höfler, Die Tafelmalerei der Gotik in Kärnten (1987), S. 44 f. (mit älterer Literatur).
8. Ebd., S. 46 f. (mit älterer Literatur).
9. Höfler, Die gotische Malerei (wie Anm. 6) 18 (1981), S. 174 ff., 19 (1982), S. 45 f.; Ders., Die Tafelmalerei (wie Anm. 7), S. 68 f.
10. ÖKT 37 (1969), S. 95 f. und 104 f.
11. Das Gros der heutigen Wandgemälde in der Kapelle kam erst während der letzten Restaurierungen 1983/84 ans Licht und wurde bisher noch nicht wissenschaftlich ausgewertet. Siehe E. Reichmann-Endres, Denkmalpflege in Kärnten (1984), S. 109. Beschreibung: M. A. Jelonek, Die Rabensteinerkapelle und ihre Ausmalung, JbSP (1984/85), S. 47–52.
12. An dieser Stelle sei nur darauf hingewiesen, daß der thematisch-symbolische Inhalt dieses einmaligen Bildes noch aus der Brautsymbolik des Hohenliedes Salomonis schöpft, die bekanntlich die Grundlage für die bildliche Entwicklung der Marienkrönung im Spätmittelalter darstellte. Vgl. G. Schiller, Ikonographie der christlichen Kunst 4/2 (1980), S. 114 ff.
13. Wen diese zwei weltlichen Personen darstellen, kann im Moment noch nicht festgestellt werden. Eventuelle Wappen fehlen. Nach Schroll (UB St. Paul) sind zu dieser Zeit Georg Göss zu Rabenstein (1426–1459 erwähnt) und seine Frau Dorothea von Herberstein (1464 als Witwe, als sie in ihrem Namen und im Namen ihres verstorbenen Ehemannes eine Messe in der Kapelle stiftete) nachzuweisen. Ihre Vornamen aber entsprechen nicht den beiden hier dargestellten Schutzheiligen. Es bleibt auch offen, ob es sich um ein zu dieser Zeit geschaffenes Votivbild früherer Rabensteiner handeln kann, etwa des Burghard von Weißbriach und seiner Frau Ursula. Die 1350 bezeichnete Gruftplatte der Rudolf und Burghard von Rabenstein sowie ihrer Frauen, die einmal in dieser Kapelle und dann in der barocken Kapelle der schmerzhaften Muttergottes untergebracht war, befindet sich heute in der Stiftskirche. Über die Besitzer der Burg Rabenstein siehe H. Wiessner, Zur Geschichte der Burgen Rabenstein und Loschental, Car. I, 149 (1959), S. 715–731.
14. Leider konnten die Wappen, die über die dargestellte Familie und somit die Entstehungszeit des Gemäldes Auskunft geben würden, im Moment nicht identifiziert werden. Es steht nur fest, daß es sich nicht um die seit 1514 auf der Burg Rabenstein ansässigen Dietrichsteiner handelt. Das kombinierte Wappen an der männlichen Seite schließt das Wappen von Han von Hanperg (Hahn auf Dreiberg) ein; der 1517 verstorbene und in der Kapelle beigesetzte Hans Han von Hanperg – sein vorzüglicher, 1518 bezeichneter figuraler Grabstein jetzt außen an der Chorschlußwand – war nach Ulrich von Weißbriach (1488) Pfleger der Burg. (Wertvolle Informationen über dieses Wappen und seinen eventuellen Träger verdanke ich Herrn Dr. Wilhelm Deuer vom Kärntner Landesarchiv, Klagenfurt.)

Die Sammlungen

Die Gemäldesammlung im Stift St. Paul

GÜNTHER HEINZ

Die Gemäldesammlung im Stift St. Paul hat verschiedenen Ursprung. Nur wenige Stücke sind aus dem alten Bestand des Stiftes erhalten geblieben, der überwiegend größere Teil – auch seiner Bedeutung nach – stammt aus St. Blasien und wurde von diesem Konvent nach St. Paul überführt. Ebenso ist das Hauptstück der Sammlung, die sechzehn Bilder des Kremser Schmidt durch die Mönche von St. Blasien aus Spital am Pyhrn nach St. Paul gebracht worden. Die Gemäldesammlung ist bereits mehrmals Gegenstand kunsthistorischer Betrachtung gewesen.[1] Die Sammlung enthält nur wenige Stücke von spätgotischer (altdeutscher) Tafelmalerei. Einige davon sind in und für St. Paul entstanden (siehe hier den Beitrag S. 689ff).

Im Unterschied zu den Werken, die für St. Paul gearbeitet wurden, stammen die weiteren spätgotischen Tafelbilder – alle in kleinem Format – aus St. Blasien. Die beiden 31,5 x 24,5 cm großen Täfelchen mit der Beweinung Christi und der Geschichte des reichen Prassers und des armen Lazarus dürften wohl von einem südwestdeutschen Maler zu Ende des 15. Jahrhunderts gemalt worden sein. Der Künstler hat wohl in einigen Motiven niederländische Anregungen variiert und wohl auch Anregungen von Werken der Druckgraphik empfangen. Doch spricht die Art der malerischen Gestaltung nicht dafür, darin das Werk eines nordniederländischen Malers zu sehen.[2]

Die Anbetung des Kindes von 1511 dürfte die Arbeit eines augsburgischen Malers sein. Ähnlichkeiten in der Gestaltungsweise finden sich z. B. in den ebenfalls als Grisaille gearbeiteten Außenflügeln des Rehlingen-Altares, womit angenommen werden darf, daß es sich um eine Arbeit der Apt-Werkstatt handeln könnte. Der Maler hat in der Gestalt der Maria die Anregung von der Maria der Geburt Christi von Ulrich Apt d. Ä. variiert, ebenso die Haltung

Abb. 212: Weibliches Bildnis, 1568, nordniederländisch, Öl auf Holz

*Abb. 213:
Pieter Aertsen
(um 1508/09 bis 1575):
die Evangelisten
Matthäus und Markus,
Öl auf Holz*

der Hirten im Hintergrund, so daß auch hier der Zusammenhang mit der Kunst der Apt-Werkstatt deutlich zu spüren ist. Das Renaissancekapitell zeigt den in Augsburg üblichen Anschluß an die Formen der italienischen Renaissance, während die Gestaltung der Figuren der spätgotischen Tradition treubleibt.

Ebenso spärlich ist die Malerei des 16. Jahrhunderts vertreten. Zwei Bildnisse aus den sechziger Jahren dürften von einem nordniederländischen Maler stammen.

Sie sind 1568 entstanden und zeigen eine nicht unbeträchtliche Malkultur. Bedeutender sind hingegen die beiden Evangelistenbilder von Pieter Aertsen. Die Bilder stehen dem Evangelistenbild des Meisters der Wiener Galerie nahe und dürften demnach in den sechziger Jahren entstanden sein.[3]

Die deutsche Malerei ist mit der Berufung Abrahams von Hans Bock vertreten. Das Bild ist signiert und 1608 datiert und wahrscheinlich für den Abt Martin I. von St. Blasien gemalt worden. Bock hat sich in der Komposition eng an das Vorbild von Francesco Bassano angeschlossen. In der malerischen Gestaltung ist jedoch nichts von der venezianischen Malkultur zu sehen, so daß man geneigt ist, nur eine Anregung durch Nachstiche anzunehmen, ein in der süddeutschen Malerei dieser Zeit übrigens häufig zu beobachtendes Phänomen.

Für die deutsche Malerei des 17. Jahrhunderts ist es charakteristisch, daß sie sich nach den Nachbarländern wandte, um Anregungen zur Bildgestaltung zu erhalten. So zeigt auch der Bestand an Bildern dieses Jahrhunderts einerseits die Wendung zum italienischen, andererseits zum niederländischen Vorbild. Als Beispiel mögen die Bilder von Christoph Krafft dienen, der für Abt Franz I. Chullot von St. Blasien um 1650 tätig war. Seine Malerei zeichnet sich durch einen sehr festen Strich, eine klare Hell-Dunkel-Wirkung aus und ist durch ein etwas bleiernes Kolorit charakterisiert. In der Figurenbildung dürfte er Anregungen von der Graphik der spätniederländischen Romanisten empfangen haben. Einzelne Motive sind nach Bilderfindungen des Peter Paul Rubens nachgestaltet. Auch in diesem Fall dürfte die Anregung durch Stiche erfolgt sein, da in der koloristischen Behandlung nicht der geringste Einfluß der Malerei des Rubens zu sehen ist. Trotz dieser Anregungen vom Meister des Hochbarock bleibt die Bildgestaltung im Werk des Christoph Krafft im

Grunde der Stufe des späten Romanismus des 16. Jahrhunderts verpflichtet.

Der Venezianismus bedeutet für die süddeutsche bzw. die österreichische Malerei des 17. Jahrhunderts die eigentlich fortschrittliche Gestaltungsweise und somit den Ersatz für den Frühbarock, dessen Errungenschaften in der Regel nicht übernommen wurden. Abt Hieronymus Marchstaller beschäftigte den in Klagenfurt tätigen Maler Jacob Laurenz Glaber, der in seinen Hauptstücken ein charakteristischer Vertreter dieser Richtung ist. Die beiden Martyrienbilder, die zurzeit an den Wänden des Orgelchores hängen, sind 1625 bzw. 1627 datiert und mit der Signatur für Glaber gesichert. Die vielfigurigen Bilder zeigen deutlich die Anregungen von Bildgedanken Veroneses. Auch kann man annehmen, daß der Maler die venezianischen Vorbilder selbst gekannt und nicht nur nach Stichen gearbeitet hat. Doch ist der Venezianismus hier nicht von so durchgreifender Wirkung wie etwa bei Rottenhammer. Charakteristisch bleibt die Absicht einer beschreibenden Genauigkeit in der Gestaltung aller Motive, wodurch die Wiedergabe des Themas einen illustrativen Charakter erhält. Diese Auffassung des Bildthemas ist überhaupt der provinziellen Malerei eigen, und so ist es nicht verwunderlich, daß auch Glaber in seinen weniger anspruchsvollen Bildern, von denen fünf Gemälde mit einzelnen Gestalten in ganzer Figur sich in der Sakristei und im Konventgang erhalten haben, auch die traditionellen Formen in dieser schlichten Sachlichkeit gestaltet hat. In diesen Bildern ist vom Venezianismus kaum etwas zu spüren, vielmehr hat er Anregungen älterer Bildgedanken, wie z. B. im Bild mit Christus an der Geißelsäule wohl einen Typus der Skulptur, in diesem Sinn interpretiert. Glaber kann als einer der begabtesten Vertreter des Venezianismus in der provinziellen Malerei des 17. Jahrhunderts bezeichnet werden.

Die Gemäldesammlung von St. Paul besitzt auch ein Beispiel großer Kunst des Hochbarock, eine Skizze der Anbetung der Hirten, die mit einem der größten Meister der Epoche in engem Zusammenhang steht. Otto Benesch hat das Werk als eigenhändige Arbeit von Peter Paul Rubens publiziert.[4] Das Bild ist eine Skizze für das große Gemälde, das sich in der Kathedrale von Soissons befindet, und das als Arbeit aus der Werkstatt des Peter Paul Rubens gilt. Die Skizze ist zweifellos von hoher Qualität in der malerischen Gestaltung wie auch von überzeugender Sicherheit der Zeichnung der bewegten Motive. Die spitz zulaufende Führung des Pinselstriches ist allerdings für die Malweise von Rubens etwas fremdartig, so daß doch Zweifel – trotz der Meinung von Benesch – an der vollständigen Eigenhändigkeit des Werkes bestehen.

Noch ein weiteres flämisches Werk verdient Beachtung. Die Anbetung des Kindes von Gerard Hoet. Das Bild dürfte wohl Ende des 17. Jahrhunderts gemalt worden sein, denn es vereinigt die beiden für den Maler entscheidenden

Abb. 214: Gerard Hoet (1648 bis 1733): Anbetung des Kindes, Öl auf Kupfer

Anregungsquellen. Die Schulung in Utrecht ist in der malerischen Gestaltung des Hintergrundes deutlich zu spüren, wo Anregungen durch die Malerei Poelenburghs bestimmend erscheinen. In den Figuren selbst aber ist die Auseinandersetzung mit dem klassischen Formenideal zu sehen, offensichtlich ein Ergebnis des Aufenthaltes des Malers in Paris 1672. Die Komposition ist von statischer Ruhe und die Interpretation des Inhaltes von kontemplativem Ernst bestimmt. Namentlich die Gestalt Mariae zeigt in ihrer klaren Formung und idealen Bildung die Anregung von ideal-klassischer Malerei französischer Prägung.

Das Hauptgewicht der Gemäldesammlung in St. Paul liegt in den Werken des 18. Jahrhunderts, also des Spätbarock. Dabei steht ein südwestdeutsches Ensemble einem österreichischen gegenüber. Beide Bestände sind dem Kunstverständnis der Mönche von St. Blasien zu verdanken, denn auch die wichtigsten der österreichischen Bilder, diejenigen von Martin Johann Schmidt, sind vom Konvent von St. Blasien mitgebracht worden. (Der Konvent war kurze Zeit in dem aufgehobenen Stift in Spital am Pyhrn untergebracht, und von dort hat man die Bilder, die nicht in der Kirche selbst aufgestellt waren, nach St. Paul überführt.) Die südwestdeutsche spätbarocke Malerei ist durch Ölskizzen vertreten, die wohl größtenteils für Altarbilder gedient haben. An erster Stelle sind die neun Ölskizzen Franz Joseph Spieglers zu nennen. Seine Gestaltungsweise bezeugt die Anregungen von italienischer Malerei, was allerdings nicht ein Beleg für eine Italienreise sein muß. Vieles kann durch Stichreproduktionen angeregt sein, abgesehen davon, daß Spiegler auch im süddeutschen Raum bzw. in Wien, wo er studiert haben soll, zahlreiche italienische Bilder gesehen haben wird. So ist der hl. Hieronymus von einer Graphik Riberas angeregt, und das Martyrium des hl. Laurentius folgt in der Komposition fast wörtlich Daniel Seiters Lateralbild in Sta. Maria del Popolo in Rom. Oberitalienische Anregungen zeigen die Skizzen für ein Altarbild der Verehrung der Hl. Familie mit Maria, Anna, Joseph und Joachim sowie die mit der Vision des hl. Antonius. Die monochrome Skizze mit der Schlüsselübergabe an Petrus scheint von den Kompositionen Sebastiano Riccis angeregt zu sein, während die beiden Kopfstudien die Malerei von Pellegrini als Vorbild haben. Ebenso ist die Freiheit der malerischen Gestaltung in der Altarbildskizze mit der Madonna mit den Hll. Aloisius von Gonzaga und Stanislaus Kostka nicht ohne oberitalienische Anregung entstanden zu denken. Mit dem Bozzetto für das Altarbild „Die Taufe des Königs Dagobert" für Merdingen zeigt Spiegler das Konzept einer dekorativen Gestaltung. Die Komposition wird in der Höhenerstreckung weit auseinandergezogen, der untere Vordergrund mit Repoussoirfiguren gefüllt, während der obere Teil die Herabkunft des Hl. Geistes zum Inhalt hat. Die Verteilung der Motive ermöglicht dem Maler, im Altarbild eine Entsprechung für die Komposition der Deckenfresken zu erzielen, durchaus begreiflich, da die Freskenmalerei eigentlich das Hauptfeld der Tätigkeit Spieglers war, womit er auch die größte künstlerische Bedeutung erreicht hat. Spieglers Ölskizzen zeichnen sich durch einen freien Pinselstrich aus, das Kolorit ist in warmen Tönen gehalten, wobei die Schatten in bräunlichen Tönen eher aufgehellt als schwer wirken.

Die Skizzen des Johann Christian Wenzinger für die Stiftskirche von St. Gallen (1757 – 1761) zeigen die Glorie von zwei Benediktinerheiligen, des hl. Notker und des hl. Eusebius in dynamisch bewegter Haltung. Wenzinger war 1731 in Italien und hat daher seine Gestaltungsweise unter dem Vorbild des italienischen Spätbarock entwickelt; es ist anzunehmen, daß er vor allem von der Bolognesischen Malerei Anregungen erhalten hat.[5]

Das Ensemble wird noch durch einige Bilder des bayrischen Spätbarock ergänzt. Zwei Gegenstücke, ein hl. Hieronymus und eine hl. Maria Magdalena von Johann Zick, sind 1754 datiert. Die malerische Gestaltung, die Einbindung der Komposition in ein warmes, bräunliches Hell-Dunkel verrät die Auseinandersetzung mit dem niederländischen Vorbild, vor allem die Kenntnis der Rembrandt'schen Graphik. Die Haltung der Figuren selbst zeigt hingegen die Anregung durch italienische Vorbilder. Zick, der nie in Italien war, dürfte diese Anregungen durch Reproduktionsstiche empfangen haben bzw. wurde ihm die Kunst des italienischen Spätbarock durch Bergmüller vermittelt, von dem er auch sonst stark beeinflußt wurde.[6] Christian Wink ist mit zwei Gegenstücken vertreten, die 1763 entstanden sind, das Gastmahl des Pharisäers und das letzte Abendmahl, zwei kleinformatige Stücke, die trotz ihres freien und skizzenhaften Vortrages als selbständige Devotionsbilder konzipiert wurden. Die relative Klarheit der Raumdisposition läßt bereits den Spätstil Winks vorausahnen, die malerische Gestaltung der einzelnen Motive steht aber noch ganz im Zeichen der *franchezza*, der freigeführten Pinselführung. In dieser Hinsicht könnte Wink wohl Anregungen von Augsburgischen Meistern, etwa von Baumgartner, weitergeführt haben. Schließlich sind noch zwei Altarbildbozzetti zu erwähnen – „Predigt des hl. Benedikt" und „Benedikt und Scholastika" –, die aus der Mitte des 18. Jahrhunderts stammen dürften. Die Ähnlichkeit in der Komposition mit den thematisch entsprechenden Seitenaltarbildern in Ottobeuren von Magges spricht dafür, daß es sich um die Entwürfe für diese handeln könnte. Magges war Schüler der Wiener Akademie, was in der ersten Gestaltungsweise auch hier durchaus spürbar ist.

Die Malerei des österreichischen Spätbarock wird durch einige Werke provinzieller Kunstübung und – diese weit überragend – von der Serie von sechzehn Bildern von Johann Martin Schmidt vertreten. Unter den vorher genannten verdient nur das Ecce-Homo-Bild Erwähnung, das in der Komposition wie auch der Detailgestaltung dem Bild Rottmayrs zu diesem Thema entspricht.[7] Es ist wohl in der Werkstatt dieses Künstlers gemalt worden. Auch dürfte es nicht allzulange nach dem Original, das aus den neunziger Jahren des 17. Jahrhunderts stammt – also um 1700 – geschaffen worden sein. Es ist wohl anzunehmen, daß dieses Bild aus dem ursprünglichen Besitz von St. Paul stammt oder aus Spital am Pyhrn und von da nach St. Paul übertragen wurde, gleichzeitig mit den Bildern von Schmidt.

Die Serie der Bilder für Spital am Pyhrn ist von Schmidt vor 1778 gemalt worden.[8] Sie gehören somit in die Zeit eines besonders reichen Schaffens des Malers und sind zweifellos zu seinen besten Arbeiten zu zählen. Es handelt sich um zwölf großformatige und vier Halbfigurenbilder, von denen die großformatigen, 228 cm hohen Stücke offenbar die Ausstattung des Refektoriums bildeten. Die Halbfiguren dürften in anderen Räumen des Augustiner-Kollegiatsstiftes untergebracht gewesen sein. Dem Charakter als Refektoriumsbilder ist die Thematik durch einzelne Begebenheiten der Heilsgeschichte entsprochen, die die Aufnahme der körperlichen Nahrung zugleich als Hinweis auf die geistige Nahrung verstanden wissen will. Die Thematik hat daher einen durchaus transzendenten Charakter, und Schmidt hat in seiner Malerei diesem Gedanken Rechnung getragen. Die Gemälde haben als biblische Bilder einen durchaus narrativen Charakter, wobei die Bilderzählung durch genaue Beobachtung charakterisiert ist. Schmidt hat die Präsenzwirkung der Szenen überdies durch stillebenhafte Details, die als Zeugen der Wirklichkeit mit malerischer Virtuosität gestaltet sind, besonders verstärkt. Denselben Dienst leisten die Details der Bäume und Gewächse, die in einigen Bildern erscheinen (z. B. Abraham und die Engel, Rebecca und Eliezer, Hagar, Elias). In

Abb. 215: Johann Martin Schmidt (1718–1801): Das letzte Abendmahl, 1766, Öl (Farbe) auf Leinwand

der Interpretation hat Schmidt das dramatische Moment der Erzählung zurückgenommen. Das extrovertierte Pathos wird in ein ausdrucksvolles Sentiment umgewandelt, welches das Gemüt des Betrachters zu kontemplativer Besinnung anregt. Es ist dies ein Zeichen für die Erneuerung der Religiosität im 18. Jahrhundert, die sich von der strengen gegenreformatorischen Darstellungsweise abgewendet hat. Doch bleibt weiterhin die Forderung der Darstellung des Transzendenten aufrecht. Schmidt erreicht die Loslösung von der Wiedergabe des Irdisch-körperlichen in seiner differenzierten Hell-Dunkel-Struktur, die es ihm erlaubt, in den wiedergegebenen Gestalten einen hohen Grad von Spiritualisierung zu erzielen. So erscheint der Körper des Auferstandenen in dem Bild „Christus ißt die Fische" als eine spiritualisierte Erscheinung eines menschlichen Körpers fast visionären Charakters.

Die Mitteilung der Heilswahrheiten wird in Schmidts Interpretationen des biblischen Geschehens ganz besonders herausgearbeitet, einige Bilder erhalten dadurch fast einen doktrinären Charakter im Sinne der gegenreformatorischen Theoretiker. So z. B. wird die Begründung der Kirche in dem Bild der Schlüsselübergabe eigens durch das visionäre Motiv eines prunkvollen Kirchengebäudes dargestellt. Am besten ist diese dogmatische Durchdringung der persönlichen Interpretation durch den Maler in dem großen Bild des Abendmahles zu sehen, das zweifellos das Hauptbild der Refektoriumsausstattung gewesen ist. Schmidt folgt in der Schilderung der bewegten Szene dem Bericht des Johannesevangeliums und vergißt auch nicht die zwei Schwerter, von denen die Rede ist. Doch weisen einige Motive über die schlichte Erzählung hinaus: Christus ist von drei Engeln umgeben, und die Heilige Schrift steht aufgeschlagen auf einem erhöhten Absatz. Zweifellos nicht zufällig wird gezeigt, wie ein Apostel Wein in einen Meßkelch eingießt. Die Glaubenslehre von der Eucharistie wird auf diese Weise unmißverständlich dem Betrachter dargeboten. Die Prinzipien, denen Schmidt im Konzipieren seines Werkes folgt, entsprechen immer noch den rhetorischen Forderungen, die Paleotti an die kirchliche Bildkunst gestellt hat: in der brillanten malerischen Gestaltung empfindet der Betrachter die *delectatio*, die ihn zur weiteren Stufe der Belehrung führt, wodurch die Überzeugung von den Heilswahrheiten erreicht wird. Der Maler des 18. Jahrhunderts hat allerdings das strenge Schema der Gegenreformation in der Wirkung auf das Gemüt des Betrachters umgewandelt. Das biblische Historienbild erscheint auf diese Weise ein gedanklich komplexes Werk, in dem die Summe der seit der Gegenreformation vorgetragenen Gedankengänge sichtbar wird.[9]

Die übrigen Werke des 18. Jahrhunderts erregen geringeres Interesse. Wie in allen Stiftsgalerien finden sich auch hier die kleinen Tierstücke mit toten Vögeln, von denen einige der Malerei Hamiltons nahestehen. Die kleinen Landschaftsbilder erscheinen fast

Abb. 216: Fridolin Dorner (1775 bis 1852): Bildnis des Galerieinspektors Johann Jakob Dorner, Öl auf Holz

durchwegs von holländischen Meistern des 17. Jahrhunderts angeregt. So zeigt die Landschaft mit Kirche von Christian Georg Schütz den Einfluß der holländischen Italianisanten. Eine Ausnahme bilden die Landschaftsskizzen von Caspar Wolf, die im Konzept italienischen Vorbildern folgen. Die phantasievollen Bilder zeichnen sich durch einen sehr freien Strich aus. Dem Hollandismus gehört auch das Bildnis des Galerieinspektors Johann Jakob Dorner, das von dessen Bruder Fridolin Dorner den Werken Netschers nachgebildet wurde. Es ist auffallend, daß kein bedeutendes Werk der klassizistischen Malerei angetroffen wird, obwohl Fürstabt Martin Gerbert dieser Kunstrichtung sehr wohlwollend gegenüberstand. Sein Porträt folgt ganz dem traditionellen Typus, wenngleich die Reduktion des Aufwandes und der Verzicht auf dekorative Wirkung den Eindruck bestimmen. Das kleine Kreuzigungsbild von Herrenlein von 1780 zeigt die Wendung zur neoklassischen Idealität. Schließlich ist das Gruppenporträt des historischen Aktes der Übergabe von St. Paul an Abt Rottler von Johann Baptist Hoechle ein Beispiel, wie sich der althergebrachte Typus des Staatsporträts, das von Meytens geprägt worden war, in klassizistischer Weise verändert hat. Gering ist schließlich die Zahl der Bilder des 19. Jahrhunderts. Darunter verdient nur die Landschaftsdarstellung Markus Pernharts Erwähnung.

Die Gemäldesammlung des Stiftes St. Paul bietet eine Entwicklungsgeschichte malerischen Ausdrucks vom 15. bis 19. Jahrhundert und ist zugleich ein Spiegel des Geschmackswandels der Auftraggeber und Käufer. Die Sammlung ist geprägt von der Spannung zwischen den Werken der hohen Kunst, die internationalen Rang haben, und denen der provinziellen Maler in guten Beispielen. In dieser Hinsicht reiht sie sich den anderen bedeutenden Stiftsgalerien in würdiger Weise an.

Anmerkungen

1. In ihrer Gesamtheit ist die Stiftsgalerie von O. Benesch, Eine österreichische Stiftsgalerie, Belvedere (1929), S. 31–34, und in Band 37 der ÖKT (1969), S. 287–323, behandelt worden.
2. Benesch, Eine österreichische Stiftsgalerie (wie Anm. 1).
3. D. Kreidl, Die religiöse Malerei Pieter Aertsens als Grundlage seiner künstlerischen Entwicklung, Jb. der kunsthistorischen Sammlungen in Wien 68 (1972), S. 99f.
4. O. Benesch, Beiträge zum Werk Rubens, Alte und Neue Kunst 3 (1954), S. 8–19. Wieder gedruckt in: O. Benesch, Collected Writings (1971).
5. E. L. Noack-Heuck, Zwei neuentdeckte Ölskizzen Christian Wenzingers, Schau-ins-Land 72 (1954), S. 123f.; H. Gombert, Johann Christian Wenzinger (1957).
6. A. Feulner, Die Zick (1920); E. M. Marquart, Johann und Januarius Zick (1982).
7. E. Hubala, Johann Michael Rottmayr (1981), S. 185.
8. R. Feuchtmüller, Der Kremser Schmidt (1989), hier die weitere Literatur.
9. R. Petsche, Altarbilder in Österreich zwischen 1760 und 1800 im Spiegel der kirchlichen Reformen (Diss. Wien, 1984).

Die Graphische Sammlung

MANFRED A. JELONEK

GESCHICHTLICHE NOTIZEN

Die Graphische Sammlung des Benediktinerstiftes St. Paul besitzt rund 12.000 graphische Blätter: Handzeichnungen und überwiegend Druckgraphiken in verschiedenen Techniken, wie Holzschnitt, Kupferstich, Radierung, Schabkunst und Lithographie.[1]

Leider konnte der Wissensstand über die Entstehungsgeschichte dieser bedeutenden Kollektion und über die zu deren Bestand fortlaufende intensive Sammeltätigkeit nicht wesentlich erweitert werden;[2] denn es haben sich diesbezügliche Akten, Chronikbeiträge oder andere schriftliche Zeugnisse mit detaillierten Nachrichten entweder nicht erhalten, oder die zuständigen Archivare fanden diesen Tätigkeitsbereich für nicht berichtswürdig genug, weil sie, wie es gelegentlich heißt, nur historisch, nicht aber kunsthistorisch interessiert waren.[3] Deshalb wird mit ausreichender Sicherheit nicht mehr zu ermitteln sein, wer für den Ursprung der Graphischen Sammlung verantwortlich war, welche Persönlichkeiten sie erweiterten und für den jeweiligen Fortgang sorgten.

Sicher ist, daß der größte Teil des Sammlungsbestandes aus dem Kloster St. Blasien stammt, den die sanblasianischen Mönche mitbrachten, als sie 1809 das aufgelassene Stift St. Paul wiederbesiedelten.

1768 verwüstete eine verheerende Brandkatastrophe den Klosterkomplex St. Blasien. Fürstabt Martin II. Gerbert (1764–1793) beschreibt in einigen Briefstellen den empfindlichen Verlust, den das Kloster dadurch erlitten hatte: „Es hat dem gütigen Gott gefallen, mich auch alles desjenigen zu berauben, was mich auf dieser Welt vergnüget und beschäftigte." „Ich hatte eine herrliche Sammlung von derer Art (gemeint sind Kupferstiche) (. . .) um denen niemal abgängigen Gästen einen angenehmen und nutzlichen Unterhalt zu machen (. . .) von denen Kupferen (. . .) ist alles daraufgegangen."[4] An anderer Stelle teilt er mit, daß er „zu weichen gezwungen ware ohne ein einziges buch auß meiner haus bibliothec (. . .) zu retten, auch fast gar alle meine schriften und collectaneen so besonders auff meinen Reißen in franckhreich, tentschland und welschland gemacht hate, mieste dem brand überlaßen nebst (. . .) einer ohnersetzlichen samblung von den vornembsten kupferstichen, Scizen, modellen (. . .)."[5]

Zwei weitere Augenzeugen berichten, daß das Münzkabinett, der Kirchenschatz, das Archiv sowie die Einrichtungen der Apotheke, der Druckerei und des Refektoriums gerettet werden konnten, während die Bibliothek zu 90% zerstört wurde.[6]

Ein Kunstkenner bezifferte 1792 diese „Kupferstichsammlung (. . .) auf 32.000 Stück".[7] Eine beachtliche Anzahl, die der autorisierte Sammler P. Mauritius

Ribbele vermutlich wohl nicht gänzlich in der relativ kurzen Zeitspanne zwischen dem Brand und dem Bericht zusammengetragen haben kann. Wahrscheinlich vermehrte er engagiert den durch das Unglück dezimierten, trotzdem aber noch stattlichen Grundbestand; denn in der Bibliothek könnte sich vielleicht nur der vom Fürstabt beklagte Verlust des „ohnersetzlichen" Teiles mit den „vornembsten kupferstichen" befunden haben. Deshalb blieben die in anderen Räumen, beispielsweise im Archiv oder in der Schatzkammer aufbewahrten graphischen Arbeiten erhalten.

Fürstabt Martin II. Gerbert beauftragte einen kunstsinnigen Mann, den Archivar Mauritius Ribbele, der dann später sein Nachfolger wurde, mit der Betreuung der Sammlung und deren Erweiterung.[8] Dieser „geschmackvolle Kenner" (Hirsching), setzte sich als erstes Ziel, den Sammlungsbestand in eine neue, „bessere Ordnung zu bringen". Er verfaßte einen nach „Schulen" gegliederten Sammlungskatalog, namentlich der Niederländischen oder Flämischen, der Italienischen, der Französischen und der Deutschen Schule. Auszugsweise nennt Hirsching die Graphiker der verschiedenen „Schulen". Daraus nur einige Namen: Brueghel, van Heemskerk, van Leyden, Potter, Rembrandt; Amigoni, Buonarota (wohl Michelangelo), Carracci, Caravaggio, Raffael (gemeint ist wohl sein Stecher Raimondi), Reni, Tiepolo, Tizian, da Vinci; Boucher, le Brun, Lorrain, Poussin, Vernet; Aldegrever, Altdorfer, Ammon, Beham, Dürer, Elsheimer, Holbein, Hopfer, Schmuzer, Springinklee, Troger, Umbach.[9]

Hirsching diskutierte den ältesten Holzschnitt dieser Sammlung, einen Hl. Sebastian von 1437, den Ribbele 1779 in einem Band der Klosterbibliothek entdeckte, der nach der Säkularisation verschollen war, 1849 im Wiener Kunsthandel wieder auftauchte und sich jetzt in der Albertina befindet.[10] Seine Datierung war schon zur Entdeckungszeit umstritten. Hirsching bediente sich in seiner Beweisführung für die Richtigkeit des signierten Datums eines Vergleichs mit einem noch älteren Holzschnitt, einem Christophorus von 1423, der sich damals in der Kartause Buxheim befand.[11] Von diesem Holzschnitt verwahrt die Graphische Sammlung eine wortgetreue Kopie, *sign. und dat.: Sculps. sec. orig. Sebast. Roland. Norib. 1775.*

Dafür, daß unter dem Fürstabt Martin II. Gerbert die vorhandene Graphiksammlung erheblich erweitert wurde, ist uns sein Zeitgenosse, der erwähnte Hirsching, der einzige Gewährsmann. Der Abt unternahm nach eigener Aussage vor und nach seinem Amtsantritt Sammlungsreisen in die Länder Italien, Frankreich und Deutschland. Abt Mauritius Ribbele (1793–1801), der unter seinem Vorgänger als Archivar schon die Graphiksammlung systematisiert hatte, hinterließ mit dieser Leistung ein kunsthistorisches Dokument der graphischen Kunst.[12] Als Klostervorstand dürfte er sich für die Fortführung der Sammlung ähnlich aufbauend eingesetzt haben wie sein Amtsvorgänger.

Die napoleonischen Kriegswirren nach der Jahrhundertwende veranlaßten offensichtlich den letzten Abt von St. Blasien, Berthold III. Rottler, die Kunstschätze, aber wahrscheinlich nur einen Teil der Graphiksammlung, sicherheitshalber in die Propstei Klingnau/Schweiz zu bringen. 1807 erfolgte dann die Klosteraufhebung. Der in der Schweiz gelagerte Kunstschatz gelangte nach St. Paul. Möglicherweise erklärt sich so der um rund 20.000 Stück geringere Bestand der Graphischen Sammlung St. Paul gegenüber dem 1792 bezeugten.[13]

Die Beurteilung der Sammeltätigkeit in früheren Jahrhunderten erweist sich als schwieriger. Eine Notiz von Abt Kaspar II. Thoma (1571–1596) eröffnet eine Spur. Da er im Jahre 1579 eine Klosterbibliothek und ein „Musaeum" anlegen ließ, übrigens eine Nachahmung seines Baseler Freundes Basilius

Amerbach[14], ist seine Sammeltätigkeit belegt, die sich mit der humanistischen Praxis adeliger Höfe und bürgerlicher Honoratioren in der Renaissancezeit vergleichen läßt. Nach dem Duden-Lexikon ist das Fremdwort „Museum“ seit dem 16. Jahrhundert als gebräuchlich bezeugt, bedeutete aber zunächst lediglich „Studierzimmer“. Erst im 17. Jahrhundert bezeichnete man mit diesem Begriff im Sinne von Musensitz „Kunstsammlungen“ oder „Altertumssammlungen“, bis sich allmählich einbürgerte, unter Museum den Ort zu verstehen, an dem Kunstsammlungen aufbewahrt werden. Vielleicht verwendeten die Gelehrten in St. Blasien schon an der Schwelle zum 17. Jahrhundert „Musaeum“ in der modernen Bedeutung als Raum für gesammelte Kunst- und historische Objekte.[15] Dann wäre aber die Einrichtung einer solchen Institution die Folge von „Raummangel“ für eine bereits existierende Kunstsammlung gewesen, gleichfalls jedoch auch Ansporn, die Sammlungsaktivitäten noch zu steigern. Eine andere Notiz mit einbeziehend: „So hat Abbt Casparus zue Frankfurt, Straßburg und Augsburg Scripturisten (. . .) Philosophicos etc. so vil möglich erkaufft (. . .)“[16], läßt sich gut für unseren Kontext deuten; denn die genannten Orte waren damals auch Handelsplätze für Graphik, weshalb die Einkaufsreisen dorthin neben dem Zweck, den Literaturbedarf zu decken, auch einen anderen verfolgten, nämlich Graphiken anzukaufen.

Bekannter ist, daß das Kloster vielfach Maler förderte, sei es durch gezielte Ankäufe, gesteigerte Auftragsvergabe, unmittelbare Indienstnahme oder durch die Vergabe von Stipendien, um jungen bildenden Künstlern eine ihren Fähigkeiten adäquate Ausbildung zu ermöglichen. Ein Stipendiat war Johann Amann, Sohn eines St. Blasier Tischlermeisters, den der Fürstabt 1789 nach Wien und 1793 nach Rom schickte, damit er dort sein zeichnerisches Talent verbessern könne. 1812 wurde er zum ersten Hofarchitekten in Wien ernannt.[17] Die Graphische Sammlung besitzt einen Kupferstich nach der Vorlage von Amann, ein Porträt seines Förderers, des Abtes Martin II. Gerbert, 1787 gestochen von Heinrich Pfeninger.

Zusammengefaßt läßt sich festhalten: Abt Kaspar II. begann mit der Anlage einer Graphiksammlung. Wahrscheinlicher ist, daß er einer Tradition folgend einen schon vorhandenen Bestand vergrößerte. In der Folgezeit bis zum Brand 1768 wurde kontinuierlich mehr oder weniger intensiv weiter Graphik gesammelt, ohne daß darüber genauere Aufzeichnungen existieren. Abt Martin II. betrieb nach der Feuersbrunst vorrangig den Neuaufbau der Graphiksammlung, belegt durch eigene Briefstellen, durch Kontakte zum Kunsthandel 1769[18], durch den Kunstschriftsteller Hirsching sowie durch die Aktivitäten seines Archivars Mauritius Ribbele. Seit 1809 wurde in St. Paul die Graphische Sammlung zwar erweitert, doch nach dem Bestand zu urteilen weniger systematisch, sondern eher auf der Grundlage von Nachlässen oder des individuellen Liebhabertums der Verantwortlichen.

Graphik

Sieht man von außereuropäischen Gegebenheiten und europäischen Vorläufern ab, so beginnt sich mit der Papierproduktion vor der Wende zum 15. Jahrhundert der Holzschnitt als selbständige Kunstgattung durchzusetzen. Erhalten haben sich Schnitte aus der Zeit um 1410. Der Bedarf an religiösen Andachtsbildern förderte den Bekanntheitsgrad und die Beliebtheit dieser Technik.

Nur wenig jünger ist der Kupferstich, der um 1420 anzusetzen ist. Ursprung für diese Kunstgattung waren die Ziseliervorlagen für die Goldschmiedekunst; der Bedarf an Spielkarten verbreitete die Kenntnis dieser Technik, die sich mit ihren malerischen Wirkungen als künstlerischer Gegensatz zum Holzschnitt entwickelte.

Die Entwicklung der Radierung als graphische Kunstrichtung beginnt mit dem 16. Jahrhundert. Verwendete man schon vor der Mitte des 15. Jahrhunderts Ätzungen auf Rüstungen und Waffen, so haben in Eisenblech geätzte Motive wohl zuerst Daniel Hopfer, Urs Graf und Albrecht Dürer nach 1500 auf Papier übertragen.

Aloys Senefelder erfand nach 1795 die Lithographie und interessierte ab 1801 in Wien den kaiserlichen Generalstab für die lithographischen Nutzungsmöglichkeiten. Anton André, der 1800 Senefelders Erfindung abkaufte, wandte sich unmittelbar an Künstler, welche sofort diese Technik übernahmen. 1802/03 erschienen bereits die ersten Mappen mit lithographischen Arbeiten.[19]

Im Bereich Druckgraphik unterscheidet man zwischen Originalgraphik und Reproduktionsgraphik. Im strengen Sinn versteht man unter Originalgraphik nur vom Künstler selbst entworfene, eigenhändig ausgeführte und signierte graphische Arbeiten, während Reproduktionsgraphik ein Verfahren bezeichnet, bei dem Vorlagen von anderen Künstlern, z. B. Gemälde, Zeichnungen oder graphische Entwürfe in einer graphischen Technik reproduziert („kopiert") werden.

Reproduktionsgraphik hat mehrere Funktionen. Eine wichtige Funktion vor der Mitte des 19. Jahrhunderts, also vor der Erfindung der Fotografie, beanspruchte ihre Vervielfältigungsmöglichkeit, wobei jedem einzelnen Abzug Originalqualität zuerkannt wurde. Nun hat jede graphische Technik eigenständige Ausdrucksfähigkeiten, und jede ist Medium autonomer Kunstwerke. Besitzt eine Reproduktionsgraphik künstlerische Qualität, qualifizierte handwerkliche Ausführung und stammt die originale Vorlage von einem anerkannten Künstler, so wird die Nachfrage eines bestimmten Publikums verständlich. Denn das singuläre Gemälde oder die Zeichnung im Besitz der Kirche, des Adels oder des Museums ist in der Regel nicht käuflich, aber wohl reproduzierbar. Mit einer guten Reproduktionsgraphik nach einer solchen Vorlage verfügte dann ihr Besitzer zwar nicht über das originale, singuläre Kunstwerk, hatte aber nicht nur ein Duplikat, pejorativ formuliert: bloß eine Kopie davon, sondern eine Reproduktion in einer anderen Technik, die auf ihre Weise Originalität beansprucht.

Eine andere Funktion offenbart sich in der Werbung für den entwerfenden Künstler. Die Vervielfältigungsmöglichkeit der Graphik schuf die Voraussetzung dafür, ein größeres Publikum zu erreichen. Die Auflagenhöhe der Graphik erzielte einen günstigeren Preis für das einzelne graphische Original. Auf dieser Grundlage konnte ein anderes, „finanzschwächeres" Publikum erschlossen werden. Viele Maler beschäftigten für diesen Zweck Stecher oder benutzten deren Werkstätten.

Eine dritte Funktion ist die kunstgeschichtliche Relevanz der Graphik, die zwischen verschiedenen Kunstschulen oder geographisch entfernter sich befindenden Künstlern zu vermitteln vermochte. Graphik wirkte auf diese Weise stilbildend oder stilverändernd, war also für die Kunst entwicklungsgeschichtlich öfter relevant; um nur beispielsweise ein Exempel anzuführen: die japanische Graphik beeinflußte allgemein die europäische Kunst des ausgehenden 19. Jahrhunderts, wesentlicher noch im besonderen die Malerei des Jugendstils.

Eine weitere Funktion ist die wirtschaftliche. Das Werbebedürfnis der Künstler und die Nachfrage beim Publikum nutzten Verleger insofern, als sie bei Graphikern Stichwerke oder Stichwerkfolgen – Reproduktions- und/oder Originalgraphiken – beauftragten und publizierten. Oftmals waren Graphiker und Editor eine Persönlichkeit. Damit schließt sich ein gesellschaftlich arbeitsteiliger Kreis, in dem sich künstlerische Qualität, handwerkliches Können und kaufmännisch-organisatorisches Denken und Handeln ergänzten.

Die Graphische Sammlung besitzt mehrere Blätter von einem wesentlichen Reproduktionsgraphiker, dem Italiener Marc Antonio Raimondi (um 1474–1534). Anhand seiner Persönlichkeit lassen sich mehrere Graphikprobleme darstellen. Begabt mit einer handwerklich exzellenten Stecherqualität überzeugte er derart, daß seine Arbeiten damals vielfach beliebter waren als diejenigen seines deutschen Zeitgenossen Albrecht Dürer (1471–1528).[20] Er beherrschte den Holzschnitt und den Kupferstich, die er meisterhaft auf eine künstlerische Höhe trieb. Er studierte die Arbeitsweisen mehrerer Graphiker, so die des Lucas van Leyden (1494–1533), vorher schon und intensiver die von Albrecht Dürer. Er plagiierte, wie es Giorgio Vasari 1553 berichtete, Dürers Große Holzschnittpassion, kopierte später dessen Marienleben, die Kleine Holzschnittpassion und stach 74 Kupferstiche nach.[21] In diesem letzten Satz kulminiert ein ganzer Themenkomplex. Zunächst einmal Raimondis Lehre, dann die Verbreitung Dürer'scher Kunst in Italien, die nach Vasari mit dem deutschen Meister abgesprochen war. Die Steigerung des Bekanntheitsgrades beinhaltete persönliche Werbung und allgemeine kunstgeschichtliche Wirkung. Vasari berichtet aber noch mehr: Raimondi übertrug nämlich nicht nur Dürers Holzschnitte in die Technik des Kupferstichs, sondern er übernahm auch Dürers Monogramm, unter dessen Namen er seine Imitationen verkaufte. Dürer verklagte deshalb Raimondi bei der Signorie in Venedig, „doch erreichte er nur, daß Marcantonio nicht mehr Namen und Zeichen Albrechts auf seine Arbeiten setzen sollte."[22]

Raimondi spezialisierte sich auf Reproduktionsgraphik, um sich den Erwerb von Ruhm und entsprechenden Geldverdienst zu sichern. Das „Fälschen" von Arbeiten des berühmten Deutschen diente ihm wohl auch dazu, seine Verdienstspanne zu erhöhen. Das Gericht verurteilte damals die Übertragung fremder Werke in eine andere Technik offiziell nicht als Fälschung, sondern nur die Nachahmung fremden Namens als Signatur, was als Betrugsdelikt angesehen und verboten wurde. Noch 1821 galt als „original Kupferstich (. . .) auch derjenige, welcher nach einem Gemälde oder einer Zeichnung gestochen worden ist".[23] Die fotografische Entwicklung veränderte kurz darauf diese Sichtweise drastisch.

Wichtiger ist Raimondis enge Verbindung mit Raffael (1483–1520), von dem er viele Auftragsarbeiten übernahm. Die Vorarbeiten Raffaels (Zeichnungen und Skizzen) gingen dabei meistens verloren, so daß Raimondis Kupferstiche für Teile der Kunst Raffaels Dokumentarcharakter haben, womit noch eine zusätzliche Funktion der Reproduktionsgraphik genannt ist.

Mit Raimondis Kupferstich „Galatea" besitzt die Graphische Sammlung eine qualitätvolle Reproduktionsgraphik nach einem Fresko Raffaels von 1512 in der römischen Villa Farnesina. Die Nymphe Galatea erweckt ihren Geliebten Acis, der von einem eifersüchtigen Riesen erschlagen wurde, wieder zum Leben und verwandelt ihn in einen Fluß. Auf anschauliche Weise illustrierte Raffael diese Szene aus der griechischen Mythologie und personifizierte diese Nymphe zur alles vereinenden Liebe. Raimondi kopierte nicht, er übersetzte das Fresko der Technik des Kupferstichs entsprechend. Die Wolken- und Wellenbildung paßte er diesem Metier an, mit der kleinen Veränderung gegenüber dem Original, der Überschneidung von Pfeil und Bogen zweier Amoretten, visualisierte er räumliche Distanz im graphischen Bereich, die mit malerischen Mitteln im Fresko gestaltet wurde.[24]

Zwei weitere wichtige Reproduktionsgraphiker, deren Arbeiten die Graphische Sammlung enthält, sind Lucas Vorstermann (1581–1675) und Cornelius Galle (1615–1678). Beide reproduzierten Vorlagen von Peter Paul Rubens (1577–1640), allerdings nicht nur von diesem Meister. Mehrere Reprodukti-

Abb. 217: Georg Christoph Kilian: Anton Raphael Mengs, Bleistift-Zeichnung (weiß gehöht auf blauem Papier)

onsgraphiken nach Rubens befinden sich in der Graphischen Sammlung, eine davon, die Amazonenschlacht von 1623, stammt aus der Hand Vorstermanns. Ähnlich verhält es sich mit Arbeiten nach Anton van Dyck (1599–1641), der ein Schüler und Mitarbeiter von Rubens war. Verschiedene Graphiken nach van Dyck, darunter auch solche von Vorstermann, enthält die Sammlung ebenfalls.

Aus Platzgründen können nicht alle Namen berühmter Maler angeführt werden, nach deren Vorlagen reproduziert wurde, und was davon den Sammlungsbestand auffüllt. Namentlich erwähnt seien nur noch Tizian, da Vinci, Dürer, Holbein, Rembrandt, Troger, Maulbertsch und Kremser-Schmidt.

Fehlende archivalische Nachrichten machen es unmöglich anzugeben, welcher Art die Sammelpraxis der sanblasianischen Verantwortlichen gewesen war. Schenkungen, Nachlässe und dergleichen wird es sicherlich gegeben haben, doch ist davon nichts aufgezeichnet. Daß der Kunsthandel eingeschaltet wurde, kann als allgemeine Praxis angesehen werden, gilt aber in verstärktem Maße für die Zeit nach 1768, da der Fürstabt es ja selbst mitteilte. Nach Art und Umfang des Bestandes spricht auch einiges dafür, daß die sammelnden Äbte und Archivare intensiveren persönlichen Kontakt zu einzelnen Graphikern oder Graphikerwerkstätten pflegten. Das könnte der Fall gewesen sein bei Wenzel Hollar (1607–1677), der sich auch als Reproduktionsgraphiker betätigte und dessen Werk mehr als 4000 graphische Arbeiten umfaßt. Die Sammlung enthält von ihm eine Reproduktion nach van Dyck, die das Porträt seines Gönners und Förderers darstellt, den Earl of Arundel, den Hollar auf vielen Reisen begleitete. Andere Arbeiten Hollars sind noch vorhanden: Tierstudien, physiognomische Studien und physiognomische Karikaturen nach Leonardo da Vinci (1452–1520). Möglich, daß eine solch spezielle, fast intime Auswahl aus dem umfangreichen Gesamtwerk Hollars durch Zufall über den Kunsthandel erworben wurde. Oder z. B. die Graphiken des Augsburger Kupferstechers und Künstlerbiographen Georg Christoph Kilian (1709–1781): Eine stattliche Anzahl von Künstler- und Wissenschaftlerporträts wurden gesammelt. Teilweise sind es Nachzeichnungen nach römischen Stichen des 17. Jahrhunderts, teilweise Nachzeichnungen nach zeitgenössischen Stichen, z. B. das Bildnis von J. B. Basedow, das Daniel Chodowiecki (1726–1801) nach der Natur gezeichnet und gestochen hat, von Kilian 1776 nachgezeichnet wurde. Es gibt auch Vorzeichnungen Kilians für Stiche, die entweder ihm selbst oder anderen als Vorlage dienten oder dienen sollten. Möglich, daß auch diese Werkauswahl zufällig über die Vermittlung des Kunsthandels in die Sammlung aufgenommen wurde. Die spezifizierte Ansammlung schließt persönliche Kontaktnahme mit Kilian nicht aus, bleibt aber ohne archivalische Nachricht Vermutung, da der Bestand allein dafür keine Beweismittel abgibt.

Der kurze Auszug sollte hier verdeutlichen, daß nicht allein Liebhabertum der Sammler für diesen Bestand ausschlaggebend war, sondern eine tiefgreifende Kennerschaft der graphischen Kunst das Zustandekommen bestimmte. Für die spätere Sammlerzeit ist es belegt, für die frühere aber anzunehmen, daß es im Sammlerinteresse lag, „die Kunstgeschichte selbst von ihrem Ursprung an zum Gegenstand" der Sammlung zu machen (Ribbele, 1784)[25].

Das oben erwähnte älteste Blatt von 1437 enthält die Sammlung nicht mehr. Die Autoren der frühesten datierten Holzschnitte bleiben anonym; die Blätter thematisieren religiöse Motive: Christi Abschied von seiner Mutter (1482); Madonna mit den Heiligen Conrad und Pelagius (1499). Originalgraphiken enthält der Bestand der Sammlung zahlenmäßig weniger als Reproduktionsgraphiken. Dennoch erscheint auch hierbei eine Beschränkung auf nur wenige Namen als sinnvoll. Die ersten namentlich signierten Kupferstiche, eine Apostelfolge, stammen von Martin Schongauer (1425/30–1491), sind also vor 1491 zu datieren. In diese zeitliche Nähe rücken die beiden Holzschnitte aus der 1511 veröffentlichten Großen Holzschnittpassion von Albrecht Dürer (1471–1528). Diese Folge entstand in zwei Teilen, 1496/1498 und nach 1506.[26] Die zeitliche Differenz von rund zehn Jahren zwischen Beginn und Abschluß der Folge dokumentiert eindringlich Dürers künstlerische Entwicklung, ebenso seinen gesellschaftlich relevanten Wandel in der Wiedergabe seiner Christusbilder. Das frühere Blatt, Christus fällt unter dem Kreuz (auch: Die Kreuztragung) ist mit 1496/1498 zu datieren. Ein Vergleich mit den Kupferstichen Schongauers drängt sich auf, die Dürer kurz vorher eingehend studiert hatte, die ihn auch in Einzelheiten und in der kompositionellen Struktur anregten. Deutlich wird aber ein Kontrast

Abb. 218: Albrecht Dürer: Christus fällt unter dem Kreuz, Holzschnitt (aus der „großen Holzschnittpassion"), 1496/1498

zwischen beiden Ergebnissen, der möglicherweise durch die unterschiedlichen Ausdrucksfähigkeiten beider Techniken bedingt ist. Die sensible, feinnervige Linienführung Schongauers verleiht seinen Figuren eine geschmeidige Eleganz, Dürers derbe, ja harte Linienführung betont das Schmerzhafte, das Leidende. Spontanes, tiefgreifendes Empfinden wird verdichtet zu allgemeiner Anteilnahme für den gequälten Christus. Die Dramatik des Geschehens steigert er insofern, als er den gestürzten Christus zwischen einer vorwärtsdrängenden Schar und einem fest am Boden stehenden Soldaten plaziert, der sich der Menge zuwendet und ihren Bewegungsduktus zum Stillstand bringt. Im späteren Holzschnitt, der 1510 datierten Gefangennahme Christi, kontrastiert die „Passivität" Christi mit der „Aktivität" der ihn umringenden Soldaten. Zieht man zwei weitere Christusdarstellungen aus derselben Folge heran, die Schaustellung Christi (*Ecce homo*), von 1497/1498, und die Auferstehung Christi, von

Abb. 219: Peter Mayer: Fürstabt Meinrad Troger von St. Blasien, Kupferstich

1510, so verdeutlicht sich der Wandel vom spätgotischen Schmerzensmann zur *Pulchritudo Christi*, den Dürer selbst begründet: „Denn in gleicher Weise wie (Griechen und Römer) die schönste Gestalt eines Menschen haben zugemessen ihrem Abgott Apollo, also sollen wir diesselben Maße brauchen zu Christo dem Herrn, der der schönste aller Welt ist.“[27]

Arbeiten von Schülern und Mitarbeitern Dürers, wie der Holzschnitt „Das Frauenbad“ von Hans Sebald Beham (1500–1550), mehrere Holzschnitte aus dem „buch granatapfel“ (1511) von Hans Baldung Grien (1484/85–1545), Werkstattarbeiten wie der Christuskopf und zeitgenössische Dürerkopien verweisen auf die Strahlkraft der Dürer'schen Formensprache, die die Sammler in ihrer Kollektion als „Schule“ zu dokumentieren trachteten.

Eine weitere Schule, die mit dem Dürerkreis konkurrierte, enthält die Graphische Sammlung: die sogenannte Donauschule. Fast alle ihre Mitglieder sind vertreten: Lucas Cranach d. Ä. (1472–1553), Albrecht Altdorfer (um 1480–1538), Augustin Hirschvogel (1503–1533), Wolf Huber (um 1490–1553), Hans Sebald Lautensack (1524–1561/66), Michael Ostendorfer (1490–1559). Mit den Graphiken dieser Künstler repräsentiert die Sammlung das graphische Schaffen zwischen Passau und Wien nicht vollständig, doch informativ, womit dem Dürerkreis eine ebenbürtige Schule entgegengestellt wird.

Mit den Graphikerfamilien Hopfer, Kilian, Umbach und anderen ist der Augsburger Kreis schulmäßig erfaßt. Mit dem westfälischen Meister Heinrich Aldegrever (um 1502 – nach 1555) wurde ein nordischer Vertreter in die Sammlung aufgenommen, dessen Werke Einflüsse des Nürnberger Kreises und des Niederländers van Leyden aufweisen. Ähnliche Zuordnungen ließen sich auch für die vielen anderen deutschen Graphiker treffen, deren Werke die Sammlung noch enthält.

Ebenso zahlreich sind auch die niederländischen Graphiker in der Sammlung vertreten. Pieter Brueghel der Ältere (um 1525 – 1569) sowohl mit eigenen Kupferstichen, z. B. der Flußlandschaft mit dem Sturz des Ikarus von 1553,[28] als auch mit Stichen von anderen nach seinen Vorlagen. Hendrik Goltzius (1558–1617) faßte in eklektizistischer Weise alle stecherischen Prinzipien virtuos zusammen. Er bediente sich der älteren Verfahren eines Dürer oder van Leyden ebenso wie der gleichzeitigen Stecherweise des Italieners Agostino Carracci (1557–1602). Er zählte zu jenen, die um 1600 erste Versuche in der Hell-Dunkel-Technik anstellten.[29] Diese stecherische Möglichkeit übernahm sein Nachfolger Jan Muller (um 1570 – um 1625), entwickelte sie weiter, bis sie Rembrandt in nicht mehr zu überbietende Höhe führte.

Abb. 220: Taufe der hl. Odilia, Aquarell, süddeutsch, um 1750, vermutlich ein Entwurf zu einem Deckengemälde

Ein Dürer ebenbürtiger Graphiker war der Niederländer Lucas van Leyden (1494–1533). In den unterschiedlichen Temperamenten beider Künstler offenbaren sich Gegensätze, die den ganzen Umfang damaliger graphischer Ausdrucksmöglichkeiten erfahrbar machen. In seinem Kupferstich „Der Sündenfall“ belegt van Leyden sein humanistisches Gedankengut, das die Rolle von Mann und Frau auf eine Ebene hebt: beide Geschlechter entscheiden sich, von der verbotenen Frucht zu essen. Die Landschaft in diesem Blatt tendiert weg von bloßer Hintergrundstaffage und hin zu einem autonomen Motiv. Er beherrschte die Technik des Kupferstichs derart, daß er aus dem harten Material in der Schwarzweißwiedergabe tonig-malerische Effekte erzielen konnte. Dieser Stich ist auf 1529 zu datieren.[30] Maerten van Heemskerk (1498–1574) war einer der wichtigsten niederländischen Vertreter des Manierismus. Von 1532 bis 1535 hielt er sich in Rom auf. Seine topographisch peinlichst genauen zeichnerischen Studien des antiken Rom verweisen auf sein archäologisches Interesse und sind für die antike Stadtanlage noch heute wichtige Dokumente. Graphiken mit architektonischen Motiven von ihm enthält die Sammlung nicht, dafür aber drei Originalgraphiken: Studien männlicher Akte. Von seinem Antikenstudium her erklärt sich die figürliche Formauffassung, wobei es ihm um die Verkürzung des menschlichen Körpers ging, vergleichbar mit Mantegnas *Christo in scurto*.[31]

Ein origineller Meister der Radierung, der für viele Nachfolger Vorbildcharakter hatte und in dieser Kunst nie überboten wurde, ist Rembrandt Harmensz van Rijn (1606–1669). Er schuf etwa 300 Platten und entwickelte eigene Methoden der Hell-Dunkel-Technik. In seiner Spätzeit verlegte er sich immer mehr auf die Kaltnadelradierung. Seine Stärke liegt in der sparsamen, aufs Wesentlichste konzentrierten Linienführung, die eine „äußerst mögliche Bildkraft innerer Erkenntnis" zeitlos konkretisierte. Rembrandts Vielfalt entstand aus seinem ständigen Experimentieren mit Ätzung und Kaltnadel, was zu immer weiteren Abwandlungen, zu mehreren Zuständen seiner Platten führte.[32] Die Radierung „Die große Darstellung im Tempel" entstand um 1639. Beim Blatt der Graphischen Sammlung handelt es sich wahrscheinlich um den zweiten Zustandsdruck[33], bei dem der Hell-Dunkel-Kontrast nicht nur formale Aussage bleibt, sondern wesentlich inhaltliche Aussagen akzentuiert.

Von Angelika Kauffmann (1741–1807), einer Schweizer Künstlerin, die vorwiegend in England und Italien graphisch tätig war und mit ihren zeichnerischen Vorlagen zur Entwicklung des Punktierstiches beitrug, zieren mehrere, teils kolorierte Blätter die Graphische Sammlung. Stilistisch lassen sich ihre Arbeiten als klassizistisch-romantisch bewerten. Mit der Radierung „Sitzende Venetianerin, ihr Haar flechtend" von 1765, erweist sie sich von der Linienführung wie von der Pose der Sitzenden her als Exponent des Klassizismus, eines Stils, den sie schon in seiner Anfangsphase bravourös beherrschte.[34]

Zum Abschluß seien noch einige Namen angeführt, die die Graphische Sammlung in gleicher Weise wie die graphische Kunst vorteilhaft bereichern. Matthäus Merian der Ältere, der die Barockzeit veranschaulicht, Jakob Gauermann, ein Vertreter des österreichischen Biedermeier, Wilhelm Leibl, Max Klinger und Max Liebermann, die die graphische Kunst ins 20. Jahrhundert hineinführen. Ungenannt müssen jedoch noch die vielen europäischen Graphiker bleiben, die den kunsthistorischen Wert der Graphischen Sammlung erhöhen, gleichsam aber auch das Bild der gesammelten „Graphikgeschichte" erweitern und abrunden.

Anmerkungen

1. ÖKT 37 (1969), S. 324 ff.: hier sind rund 8000 Blätter angeführt. Der maschinenschriftliche Inventarkatalog der Graphischen Sammlung, den der Autor des ÖKT-Artikels, F. Balke, ebenfalls erstellte, führt jedoch etwas mehr als 11.000 Titel an. Es sind aber noch unkatalogisierte graphische Arbeiten vorhanden, mehrheitlich wohl Duplikate und/oder bei der Inventarisation 1960–1963 ausgeschiedene Werke.
2. Vgl. JbSP (1988/89), S. 39.
3. D. Zinke, Die sanblasianischen Kunstsammlungen, in: Das tausendjährige St. Blasien. Ausstellungskatalog, Bd. 2 (^{2}1984), S. 275.
4. M. Gerbert, Korrespondenz des Fürstabtes Martin II. Gerbert von St. Blasien 1 (1931–1934); Brief Nr. 242 vom 21. 8. 1768, S. 235 und Brief Nr. 292 vom 6. 1. 1769, S. 289, hier zit. nach Zinke, Kunstsammlungen (wie Anm. 3), S. 277.
5. M. Gerbert, Das unglückselige Jahr 1768; veröffentlicht von T. Raschl, Das Brandunglück St. Blasiens im Jahre 1768, in: Die Pyramide, Wochen-

schrift zum Karlsruher Tagblatt 10, Nr. 27, 3. 7. 1921.
6. EBD.: Der erste Zeuge ist anonym, der zweite ist P. Paul Kettenacker, der nach dem Tode des Fürstabtes 1793 dessen Biographie veröffentlichte.
7. F. K. G. HIRSCHING, Nachrichten von sehenswürdigen Gemälde- und Kupferstichsammlungen (. . .) in Teutschland (1792), S. 71.
8. EBD., S. 71.
9. EBD., S. 71 ff.
10. EBD., S. 74 ff.; vgl. ST. BLASIEN (wie Anm. 3), Abb. Kat. Nr. 272, S. 317 ff.
11. HIRSCHING, Nachrichten (wie Anm. 7), S. 77.
12. ZINKE, Kunstsammlungen (wie Anm. 3), S. 278: „Ein früher Typus der verwissenschaftlichten Sammlung."
13. ÖKT 37 (1969), S. 324; nicht überprüfbar ist die von Hirsching berichtete Anzahl der Graphiken, auch nicht ob und was genau in den Wirren der Klosteraufhebung 1807 beschlagnahmt oder sonstwie verlorengegangen ist. Bekannt ist aber, daß in den zwanziger Jahren unseres Jahrhunderts größere Bestände an den Kunsthandel verkauft wurden, unbekannt hingegen, was genau und wie viele Stücke.
14. ZINKE, Kunstsammlungen (wie Anm. 3), S. 276.
15. EBD., S. 276, Anm. 10 und 11; belegt ist, daß man im 18. Jahrhundert in St. Blasien „Museum" im heutigen Sinne verstand, jedoch nicht, was genau im 16./17. Jahrhundert damit gemeint war.
16. G. STAMM, Zur Geschichte der Bibliothek, in: St. Blasien (wie Anm. 3), S. 176.
17. HIRSCHING, Nachrichten (wie Anm. 7), S. 85 f. Vgl. THIEME-BECKER, Allgemeines Lexikon der bildenden Künstler, Bd. 2 (1907 ff.), S. 374 f.
18. ZINKE, Kunstsammlungen (wie Anm. 3), S. 277.
19. Siehe W. KOSCHATZKY, Die Kunst der Graphik. Technik, Geschichte, Meisterwerke (1972), hier: dtv-Ausgabe (1980), S. 67, S. 108, S. 142, S. 185 f.
20. Das große Buch der Graphik. Meisterwerke aus 24 berühmten graphischen Kabinetten, hrsg. von H. BOEKHOFF, F. WINZER (1968), S. 28.
21. EBD., S. 577; KOSCHATZKY, Graphik (wie Anm. 19), S. 31, S. 112; Albrecht Dürer 1471–1528. Das gesamte graphische Druckwerk, Bd. 2 (o. J.), S. 1548, S. 1590.
22. EBD., S. 1132; KOSCHATZKY, Graphik (wie Anm. 19), S. 31.
23. KOSCHATZKY, Graphik (wie Anm. 19), S. 31.
24. Abb. in KLASSIKER der Kunst in Gesamtausgaben; Bd. 1, Raffael (1904), S. 69.
25. ZINKE, Kunstsammlungen (wie Anm. 3), S. 278.
26. DÜRER, Druckgraphik (wie Anm. 21), S. 1522.
27. A. Dürer, Entwurf einer Proportionslehre, hier zit. nach H. LÜDECKE, Albrecht Dürer (1970), S. 23.
28. M. FRIEDLÄNDER, Pieter Bruegel (1921), S. 39; die mythologischen Figürchen sind nach Friedländer vom Verleger Houfnagel nachträglich einradiert worden.
29. Das große Buch der Graphik (wie Anm. 20), S. 32.
30. M. FRIEDLÄNDER, Lucas van Leyden (1924), S. 29.
31. M. A. JELONEK, Höhepunkte der Graphik im 16. Jahrhundert, in: Von Albrecht Dürer bis Lovis Corinth. Graphik vom 15. bis zum 20. Jahrhundert (1988), o. S.
32. KOSCHATZKY, Graphik (wie Anm. 19), S. 23, S. 108, S. 146.
33. W. GIEGLER, Kunst-Geschichten, in: Von Dürer bis Corinth (wie Anm. 31), o. S.
34. KOSCHATZKY, Graphik (wie Anm. 19), S. 153; GIEGLER, Kunst-Geschichten (wie Anm. 33), o. S.; O. FISCHER, Geschichte der deutschen Zeichnung und Graphik (Deutsche Kunstgeschichte 4, 1951), S. 397 f.

Abb. 221: Heinrich Pfenninger (1749–1815), Abt Martin II. Gerbert von St. Blasien, Kupferstich nach Johann Amann (1765–1834), 1787

Das Münzkabinett in St. Paul

WOLFGANG SZAIVERT

Abb. 222: Maximilian I.:
Doppelter Reitertaler 1509 (Hall), Vorder- und Rückseite

Abb. 223: Kaiser Karl V.:
Medaille nach einem Entwurf von Albrecht Dürer (1521 Nürnberg), Vorder- und Rückseite

Abb. 224: Dreifaltigkeitsmedaille von Hans Reinhart dem Älteren (1544 Leipzig), Vorder- und Rückseite

Abb. 225: Kurfürst Friedrich von Sachsen:
Statthaltertaler 1514 (nach einem Entwurf von Lukas Cranach), Vorder- und Rückseite

Abb. 226: Braunschweig:
Ernst August I. (1679–1698), dreifacher Löser, 1685, mit Wappen und Glücksgöttin, Vorder- und Rückseite

Abb. 227: Medaille auf die Siege über die Türken (1689 G. Hautsch in Nürnberg);
Kaiser Leopold im Triumphwagen, Brustbild des Markgrafen Ludwig von Baden, Vorder- und Rückseite

Das Stift St. Paul beherbergt, wie die meisten österreichischen Stifte und Klöster, eine umfangreiche Münzsammlung. Ursprünglich in eigenen Räumen untergebracht, sind diese Sammlungen heute zumeist[1] in die Kunstsammlungen integriert und schließen neben Münzen auch andere Geldzeichen und münzähnliche Objekte des Kunsthandwerks von der Medaille bis zur Plakette ein. Damit dokumentieren sie anhand zeitgenössischer originaler Dokumente die gesamte Geschichte von der Antike bis heute. Kein anderes Genus kann einen derartigen Überblick gewähren.

Jede Sammlung hat nach den Gegebenheiten ihres Zustandekommens unterschiedliche Schwerpunkte. So liegt in Göttweig die vermutlich reichste Sammlung von Brakteaten des berühmten Fälschers Nikolaus Seeländer[2]; Herzogenburg ist besonders reich an deutschen Medaillen der deutschen Renaissance[3]; in St. Paul bilden die Reihen prachtvoller Barockmedaillen das Herzstück der Sammlung. Wissenschaftlich interessant, wenn vielleicht auch nicht ganz so attraktiv sind die Serien mittelalterlicher Kärntner Prägungen.

A. Zur Entstehung

Über die Entstehung des Münzkabinetts ist nur wenig bekannt. Die Ursprünge der Sammlung liegen sicherlich im Kloster St. Blasien im Schwarzwald, aus dem – nach der vollständigen Aufhebung von St. Paul im Jahr 1787[4] – das Kloster St. Paul 1809 wiederbesiedelt wurde. Die Münzsammlung gelangte freilich erst um das Jahr 1840 nach St. Paul, da sie wegen der Franzosenkriege (wohl aus Sicherheitsgründen) von Abt Berthold Rottler in die Schweiz verbracht worden war, wo sie bis zur endgültigen Übersiedlung nach St. Paul auch verblieb. Das heißt, der heutige Bestand entspricht, was auch die Zusammensetzung der Sammlung erkennen läßt, in den Grundzügen der alten St. Blasier Sammlung. Unter den Münzen der Neuzeit sind deutsche Münzen relativ reichhaltig vertreten, während die frühen Habsburger nur in wenigen Stücken belegt sind. Zahlreich wieder sind die Barockmedaillen vor allem der Habsburger, was auf den engen Kontakten zwischen St. Blasien und dem Wiener Hof beruhen wird. Unter den Männern, die sich besonders um die Münzsammlung verdient gemacht haben, sind zu nennen: die Fürstäbte Martin II. Gerbert und Mauritius Ribbele sowie Pater Marquard Herrgott für St. Blasien und der Kustos Pater Rainerus Graf in St. Paul. Ihnen sind im wesentlichen der Aufbau und der heutige Bestand zu verdanken.

Unter ihnen ragt Pater Marquard Herrgott (1694 – 1762) besonders heraus, der sich abseits der zeitgenössischen Sammelleidenschaft bemüht hat, die numismatischen Objekte als zeitgenössische Quellen der Geschichtswissenschaft nutzbar zu machen. Am 9. Oktober 1694 in Freiburg geboren und 1715 in das Kloster St. Blasien aufgenommen, verbrachte er die Jahre bis 1720 zu Studienzwecken in Rom, wurde zum Priester geweiht, verbrachte kurze Zeit an der Seite seines Abtes in Wien und ging dann zu Studienzwecken nach Paris, wo er die Planung und das Entstehen des Monumentalwerks von Montfaucon, „Monuments de la Monarchie francoise", von dem 1729 – 1733 die ersten fünf Bände erschienen sind, miterleben konnte. Von dort übernimmt er die Idee zu dem Monumentalwerk *MONUMENTA AUGUSTAE DOMUS AUSTRIACAE*[5], deren zweiter Band, mit *NUMMOTHECA PRINCIPUM AUSTRIAE* überschrieben, 1752 und 1753[6] erschienen ist. Die Grundzüge seines numismatischen Wissens erhielt er während seiner Wienaufenthalte in den Jahren 1728 bis 1750. Hier lernte er in den Kustoden Joseph de France und Erasmus Froehlich sowie im Nachfolger des berühmten Medaillen-Inspekteurs Carl Heraeus, Giovanni Battista Banaiga, die führenden Männer der damals modernen numismatischen Wissenschaft kennen. Bei seiner Rückkehr[7] nach St. Blasien 1750 führte Herrgott 1100 Münzen und Medaillen mit sich, die sicherlich einen guten Teil der habsburgischen Medaillen der heutigen Sammlung bilden dürften. In seinem Mitarbeiter Pater Rusten Heer (seit 1740 Stiftsbibliothekar, gestorben 1769) hat Herrgott einen willigen und kundigen Mitarbeiter und Nachfolger gefunden, der seine Arbeit fortführte. Erst 1772 konnte Abt Martin Gerbert mit der Herausgabe des vierten Bandes der *Monumenta*[8] Herrgotts Werk abschließen. Das 18. Jahrhundert war somit ein Höhepunkt wissenschaftlicher Tätigkeit an den numismatischen Sammlungen, ein Höhepunkt, der später nicht mehr erreicht werden sollte.

B. Umfang und Aufbewahrung

Da die Sammlung noch nicht zur Gänze nach modernen Gesichtspunkten durchgearbeitet ist, läßt sich ihr Umfang nur in ungefähren Zahlen fassen. Gegenüber der in der bisherigen Literatur[9] genannten Zahl von 10.000 Stück sind tatsächlich mindestens 18.000[10] vorhanden.

Nach der Übersiedlung der Sammlung aus der Schweiz wurde sie in zwei eigens dafür angefertigten Kästen, die heute noch erhalten sind, verwahrt. In der Ordnung folgte man dem damals geltenden Prinzip der hierarchischen Ordnung für die Neuzeit (Kaiser, Könige, geistliche und weltliche Herren; dann folgen die Städte, bedeutende Persönlichkeiten und dann die sogenannten Miscellanea). Die Münzladen wurden der Münzgröße entsprechend mit runden Ausnehmungen versehen, so daß sich die einmal gefundene Ordnung in groben Zügen bis heute erhalten konnte. Diese historisch gewachsene und gewollte Ordnung sollte auch bei einer Neuordnung der Sammlung möglichst erhalten bleiben. Diese beiden Kästen, die die Jahrhunderte überdauert haben, bilden den Hauptstock der Sammlung. Ein dritter Kasten aus unserem Jahrhundert beherbergt dann alle anderen Stücke, so die späteren Zugänge zur Sammlung.

Vermutlich aus dem Jahr 1766, also noch unter Herrgotts Nachfolger (ab 1740 Stiftsbibliothekar) Rusten Heer (1769), stammt ein Verzeichnis[11] der in St. Blasien vorhandenen Goldmünzen. Diese Liste zählt 35[12] antike Goldmünzen auf, die heutige Sammlung enthält hingegen nur noch 32 Goldstücke. So schmerzlich der Verlust auch sein mag, ist er doch nicht so groß, wie bisher angenommen wurde.[13] Zu dem Bestand an Goldmünzen gehören weiters noch 13 keltische Goldmünzen, deren Herkunft ungeklärt ist. Aus dem Jahr 1842 – also bereits nach (oder zeitgleich mit) der Aufstellung der Sammlung in St. Paul – gibt es ein weiteres handschriftliches Verzeichnis[14] von Pater Rainerus Graf mit einem undatierten Supplement und 1891 datierten Nachträgen zum Supplement. Auch in diesen Verzeichnissen findet sich kein Hinweis auf die keltischen Goldmünzen.

C. Zum derzeitigen Stand der Bearbeitung

Leider sind die Sammlungen der österreichischen Stifte und Klöster noch nicht in moderner Weise richtig aufgenommen worden, das heißt in Katalogform veröffentlicht. Zusammenstellungen, wie sie die Kunsttopographie bringt, können dafür kein adäquater Ersatz sein, denn gerade in der Numismatik kommt es nicht nur auf einzelne Spitzenstücke und herausragende Einzelstücke an, sondern auf die Masse des

Materials. Die Forderung, das Material aus Sammlungen, die nur beschränkt öffentlich sind (kein Stift kann einen durchgehenden Besucherdienst für jeden Sammlungsteil organisieren), auch international zugänglich zu machen, kann nur ein nach modernen Kriterien erstellter Katalog mit entsprechend gutem Abbildungsmaterial erfüllen. Dieses Ziel verfolgt die von R. Göbl initiierte Reihe des *Thesaurus Nummorum Romanorum et Byzantinorum*, also des Thesaurus der römischen und byzantinischen Münzen. Im Rahmen von Exkursionen des Wiener Instituts für Numismatik an der Universität Wien werden solche Sammlungen gemeinsam mit Studenten bearbeitet und zur Publikation vorbereitet. Bis jetzt konnten sieben Bände erscheinen, in denen die römischen und byzantinischen Münzen aus den Sammlungen folgender Stifte und Klöster verzeichnet sind: Wilhering und Zwettl, Kremsmünster und St. Paul, Göttweig und Klosterneuburg. Die Münzen von St. Paul sind also im vierten Band der Reihe mit denen aus Kremsmünster zusammengefaßt. Die griechischen Münzen sind zwar bereits aufgenommen worden, der Katalog konnte aber noch nicht fertiggestellt werden. In den letzten Jahren wurde auch begonnen, die mittelalterlichen und neuzeitlichen Münzen der Stiftssammlungen zu bearbeiten.[15]

Liegen also für die antiken Münzen bereits ausreichende Unterlagen vor, so fehlen sie – ausgenommen die Angaben in der Kunsttopographie – für die weit umfangreicheren Teile der mittelalterlichen und neuzeitlichen Sammlung auf weiten Strecken. Die Angaben müssen daher in diesen Bereichen sporadisch und eklektisch sein.

D. Die antiken Münzen

Der antike Teil umfaßt etwa 4500 Stück, von dem die 4266 römischen und byzantinischen Münzen bereits publiziert sind. Heute sind in der Sammlung noch 32 Goldmünzen erhalten geblieben (siehe oben). Dazu kommen noch 13 weitere Goldmünzen, die einen in sich geschlossenen Bestand bilden, für den sich keine Aufzeichnungen nachweisen lassen. Es sind dies zehn westkeltische Goldmünzen und drei boische Goldstücke. Vermutlich handelt es sich hier um einen Fundkomplex, dessen Fundort aber mangels schriftlicher Aufzeichnungen unklar bleiben muß. Nach der Zusammensetzung scheint ein Fundort im Kärntner Raum eher unwahrscheinlich (die Zahl der hier gefundenen keltischen Goldmünzen ist äußerst gering) – wenn auch nicht unmöglich.[16] Drei keltische Großsilberstücke, die den Serien der norischen Kelten mit ihrem Siedlungsgebiet im Kärntner Raum angehören, sind – zwar ebenfalls nicht archivalisch belegt – sicherlich als Fundmünzen aus Kärntner Boden anzusehen. Besonders bemerkenswert sind die neun spätrömischen bzw. bereits völkerwanderungszeitlichen Goldprägungen, die man den Alemannen und Merowingern zuordnen kann. Es handelt sich um sehr seltene Goldmünzen aus dem 6. und 7. Jahrhundert, die in Imitation spätrömischer bzw. byzantinischer Goldmünzen von den germanischen Völkern geprägt worden sind.

Weiters – vor allem für das Zustandekommen der Sammlung – sind die vier Fundmünzen aus Weingärten bei Pörtschach interessant, die nach den schriftlichen Unterlagen im Jahr 1824, also noch vor der endgültigen Übersiedlung der Sammlung aus ihrem Schweizer „Zwischenlager“ nach St. Paul, an das Stift gekommen sind. Es handelt sich um eine republikanische Münze und drei Münzen aus dem ersten Jahrhundert n. Chr.[17]

Die Serie griechischer Münzen enthält nur wenige Besonderheiten. Neben einigen Bronzemünzen aus unteritalischen Städten sind es solche der römischen Kaiserzeit aus der ägyptischen Stadt Alexandria, einer der münzreichsten Städte der Antike überhaupt.

E. Die mittelalterlichen Münzen

Die mittelalterlichen Reihen (ca. 900 Stück), die nach den Aufzeichnungen aus St. Blasien an Brakteaten besonders reich gewesen sein sollen, finden sich nur mehr in Spuren. In der Sammlung haben sich davon ca. 100 Prägungen des deutschen Mittelalters und ebenso viele der Schweizer Gebiete erhalten. Die Schweizer Gepräge gehören zur Gruppe der sogenannten „Bodensee Brakteaten", jenen kleinen, nur einseitig (also mit einem Stempel) geprägten Silbermünzen, die je nach Münzstätte, aus der sie stammen, eine Frontalansicht eines Bischofs (Ulm?), ein Schaf für St. Gallen oder die Linde für Lindau am Bodensee zeigen. Diese Gruppe spricht auch wieder von der Herkunft der Sammlung aus dem süddeutschen Raum. Der wichtigste Teil sind allerdings Kärntner Prägungen, die aus zwei Fundteilen resultieren (siehe unten).

F. Die Münzen der Neuzeit

Mit ca. 14.000 ist die Zahl der neuzeitlichen und modernen Münzen zwar beträchtlich, allerdings muß dabei berücksichtigt werden, daß große Stückzahlen über relativ uninteressantes Material zustande kommen. Mehr als 2000 Stück stammen aus neuester Zeit (nach 1900) und haben nur geringen numismatischen Wert. Es ist dies der Bodensatz, der sich in jeder großen Münzsammlung im Laufe der Jahre ansammelt. Bemerkenswert sind die recht zahlreichen Bleiabschläge von bedeutenden Münzen, die aber nicht als Fälschungen im herkömmlichen Sinn zu betrachten sind. Es handelt sich vielmehr um Studienobjekte, um bewußte Kopien – weil die Originale damals nicht beschaffbar waren. Sie dienen also nicht der Täuschung des Sammlers, sondern vielmehr Studienzwecken. Heute bedienen wir uns anderer Abdruckmassen – letztlich auch, um jede Täuschungsabsicht von vornherein auszuschließen. Die Sammlung enthält aber dennoch eine große Zahl bemerkenswerter und sehr prunkvoller Stücke:

Zu den imposantesten, weil größten Münzen gehören die mehrfachen Taler aus Braunschweig – sogenannte Löser (siehe auch Abb. 226). Mit der Prägung dieser Silbermünzen, im Gewicht von einem bis zu 16 Talern, wurde unter Herzog Julius von Braunschweig (1574–1588) begonnen. Hier sind Stücke vom eineinhalbfachen bis zum sechsfachen Talergewicht (= 168 Gramm) vorhanden. Das Silber für diese reiche Prägung stammt zum Großteil aus den Silberstücken im Harz, worauf sich auch die bildliche Darstellung bezieht, die in einem Querschnitt das Bergwerk mit den Stollen, Arbeitern und Werkzeugen zeigt. Von Prägungen geistlicher Herren sind der zweifache Radiantaler aus Salzburg und der dreifache Wiedertäufertaler aus Münster (1534) zu erwähnen. Aus der Schweiz ist der frühe Zürcher Taler von 1512 erwähnenswert. Von den habsburgischen Prägungen verdient der Doppeltaler Erzherzog Ferdinands III. (in Steiermark und Kärnten), des späteren Kaisers Ferdinand II., auf seine Hochzeit mit Eleonore von Gonzaga (1600, aus Klagenfurt) Beachtung. Ein Prachtstück, wenn auch nicht gerade selten, ist der Doppeltaler aus Hall auf die Hochzeit Erzherzog Leopolds (in Tirol und den Vorlanden) mit Claudia von Medici aus Hall (undatiert, aber aus dem Jahr 1626).

Abb. 228: Erzherzog Leopold: Doppeltaler auf die Vermählung des Erzherzogs Leopold mit Claudia von Medici, o. J. (1626, Hall), Vorder- und Rückseite

Nur angeführt werden soll die größere Menge deutschen Notgeldes (also Geldersatz aus dem ersten Drittel unseres Jahrhunderts), das zwar nicht besonders repräsentativ ist, später vielleicht aber einmal geldgeschichtlich interessant werden könnte.

Abb. 229: Marke des Stiftes St. Paul für ein Seidel Wein, Vorder- und Rückseite

G. Medaillen

Am Beginn der Großsilberprägung nördlich der Alpen stehen Schaugepräge aus der Zeit Kaiser Maximilians I. Nach der ersten Talerprägung unter Sigismund dem Münzreichen in Tirol ist es Maximilian, der die Ausprägung der großen Silberstücke – als Äquivalent zu den Goldmünzen gedacht – forciert, allerdings nicht nur aus handelspolitischen Interessen, sondern auch ganz bewußt aus Gründen politischer Propaganda. Damit bildet er ein Vorbild, dem die deutschen Fürsten nachzustreben trachteten.

Neben dem zweifachen Reitertaler Maximilans aus dem Jahr 1509 (Stempelschneider Ulrich Ursenthaler, siehe Abb. 222) finden sich hier prachtvolle Stücke aus den Händen der berühmtesten deutschen Künstler der Zeit: Adam Kraft schnitt nach einer Vorlage von Lucas Cranach den Stempel für den Statthaltertaler des Kurfürsten Friedrich des Weisen von Sachsen (Abb. 225), und Albrecht Dürer schuf die Vorlage für die Medaille auf Kaiser Karl V. Gleichfalls auf Dürer geht die Medaille der Stadt Nürnberg auf den Einzug des Kaisers in die Stadt 1521 zurück (Abb. 223). In weiterer Folge werden – auch um dem Künstler größere Gestaltungsfreiheit zu geben – Medaillen gegossen. Damit fallen auch Grenzen von Format und Gewicht. Ein schönes Beispiel dafür ist die Portraitmedaille König Ferdinands I. von Hans Reinhart dem Älteren († 1581) aus dem Jahr 1539. Auffallend ist der besonders naturalistisch und gar nicht heraldisch gezeichnete Adler der Rückseite. Nur fünf Jahre später ist die Dreifaltigkeitsmedaille[18] des Kurfürsten Moritz von Sachsen (1541–1553) vom selben Künstler geschaffen worden (Abb. 224). Sie zeigt deutlich die Grenzen der technischen Möglichkeiten in der Medailleurkunst. Einige Details der Darstellung wurden erst nach dem Guß auf das Stück aufgelötet, um das hohe Relief überhaupt zu ermöglichen. Klein in der Dimension, aber historisch interessant ist der Jeton Kaiser Ferdinands III. (1637–1657) auf den Reichstag zu Regensburg 1641. In diesem Jahr haben sich die Kurfürsten (ihre Wappen umgeben den Reichsadler der Rückseite) in Regensburg versammelt, um die katholische Allianz gegen die Protestanten fester aneinanderzubinden. Besonders reich sind die Reihen der Habsburger Medaillen des 18. Jahrhunderts. Die Türkenkriege und der spanische Erbfolgekrieg lassen sich hier fast vollständig dokumentieren. So seien hier die verschiedenen Medaillen auf die Belagerung von Landau im Elsaß erwähnt. Die Festung hat im Verlauf des Krieges mehrmals den Besetzer gewechselt. Da bei der Belagerung in der Festung Münzgeld knapp wurde, griffen die Kommandanten zum Hilfsmittel, aus Silbergeschirr in entsprechenden Stückelungen Notmünzen machen zu lassen.

H. Zu den Funden in der Sammlung

Neben den bereits genannten antiken Fundmünzen und dem möglichen Fund keltischen Goldes ragt ein Fundkomplex aus der Masse der Münzen heraus, nämlich der Fund von Hintergumitsch.

Er wurde im Jahr 1935 nordöstlich von Wolfsberg bei Arbeiten an einem Wasserleitungsgraben geborgen. Der Finder beabsichtigte, die Münzen in Wolfsberg zu verkaufen, wurde aber vom damaligen Konservator für das Fundwesen des Bezirks Wolfsberg, Abt Dr. Richard Strelli, gerade noch daran gehindert. Bereits ein Jahr später konnte die Publikation[19] erscheinen, die erwies, daß sich mit Hilfe dieses Fundes sowohl die Zahl der Münzbilder der Friesacher Pfennige deutlich vermehren als auch die Existenz einer Münzstätte in Völkermarkt nachweisen ließ. Diese Pfennige[20] haben ihren Namen nach der Stadt Friesach, in der im 12. Jahrhundert zunächst nach Kölner Vorbild die Prägung im Auftrag der Salzburger Erzbischöfe begonnen wurde.

Im Laufe der Zeit ist der Feingehalt dieser Silbermünzen nur minimal gesunken, auch wurden sie in umliegenden Prägestätten nachgeahmt, weil man sich von der Vergrößerung des Umlaufgebietes der Prägung zusätzlichen Gewinn versprochen hat. Die Friesacher Pfennige sind eine der wichtigsten Münzsorten des Mittelalters im Kärntner Raum. Sie beherrschten den gesamten Geldverkehr in Kärnten bis nach Ungarn hinein, weil sie ob ihres hohen Feingehalts von allen Händlern und Kaufleuten gerne angenommen wurden. Als diese Tatsache aber andere Münzherren dazu verleitete, ebenfalls in der Art der Friesacher Pfennige zu prägen, schwand das Vertrauen in diese Währung, und sie wurde von dem aus dem Norden nachdrängenden Wiener Pfennig bzw. auch von den vom Westen eindringenden Veroneser und Tiroler Prägungen verdrängt. Das Verbergungsdatum dürfte nach Analyse von Vergleichsfunden und in Verbindung mit den historischen Ereignissen in die Jahre 1320 und 1330 fallen. Ein wichtiger Vergleichsfund zu Hintergumitsch ist der Schatzfund von Prebl, der bedauerlicherweise nur in Teilen geborgen werden konnte. Nach Luschin von Ebengreuth[21] bestand der Fund aus ca. 9000 Münzen, von denen er aber nur 1195 wissenschaftlich erfassen konnte. Mit dem vermuteten Verbergungsdatum um 1280[22] geht er dem Fund von Hintergumitsch nur kurz voran, so daß sich aus dem Vergleich der Inhalte der beiden Funde wichtige Hinweise auf Chronologie und Münzstättenzuweisung ergeben haben.

Von den Friesachern, die in der Sammlung liegen, läßt sich nicht entscheiden, ob sie, wie die Münzsäckchen beschriftet sind, auch tatsächlich aus dem Schatzfund von Prebl stammen. Nach der Aufteilung des Fundes, wie sie Luschin angibt, ist der Fund teilweise in das Joanneum, das Kärntner Landesmuseum und das Wiener Münzkabinett gelangt; weitere Teile fanden ihren Weg in Privatsammlungen, von wo sie durchaus ihren Weg auch in die Münzsammlung des Stiftes gefunden haben könnten. Die wichtigsten Stücke aus dem Schatzfund von Prebl sind unzweifelhaft die Kärntner Brakteaten aus den bambergischen Münzstätten Griffen und Völkermarkt.

I. Sonstiges

In eine Sammlung numismatischer Objekte gehören auch noch münz- und medaillenähnliche Objekte. In St. Paul handelt es sich um einige Brettsteine,

Abb. 230: Brettstein mit Bildnis Kaiser Karls V. (um 1530/1535 von Hans Kels)

also um Spielsteine, die mit Stempeln geprägt worden sind, wie sie auch für die Prägung von Medaillen Verwendung gefunden haben. Ein sehr frühes Exemplar ist der Brettstein mit dem Portrait Kaiser Karls V. von Hans Kels[23] um 1530/1535. Den Schluß des kleinen Rundgangs durch das Münzkabinett soll eine Plakette „Orpheus und Eurydike“ bilden. Peter Vischer der Jüngere (Angehöriger einer berühmten Nürnberger Erzgießerfamilie und Schöpfer einiger der Schwarzen Männer am Maximiliansgrab in der Innsbrucker Hofkirche) schuf dieses Stück um 1510 vermutlich nach dem Dürer-Stich „Adam und Eva“.

Das reichhaltige St. Pauler Münzkabinett ist in seiner Art sicherlich einmalig im Kärntner Raum und bezieht seine Geltung sowohl aus dem Material, das verwahrt wird, als auch von den Persönlichkeiten, die an ihm gewirkt haben.

Abb. 231: Plakette: Orpheus und Eurydike von Peter Vischer (um 1510/1515, Nürnberg)

Anmerkungen

1. In Göttweig ist der Versuch unternommen worden, der Münzsammlung einen eigenen Raum zu widmen und damit wieder dem Begriff „Münzkabinett“ nahezukommen.
2. Nikolaus Seeländer (1716–1744), ein hannoveranischer Kupferstecher, hat nach eigenen Zeichnungen Stempel angefertigt, Münzen geprägt und diese dann auch verkauft. In seinen Schriften erläuterte er dann diese Münzen und gab ihnen damit erst recht den Anschein der Echtheit.
3. Nach Herzogenburg sind zahlreiche Dubletten aus der kaiserlichen Sammlung in Wien verbracht worden.
4. Über den Verbleib der Kunstschätze (die Handschriften und Bücher gingen an die Studienbibliothek nach Klagenfurt) fehlen die Nachrichten.
5. Von diesem barocken Monumentalwerk sind insgesamt vier Bände erschienen. Der zweite Teil ist den Münzen des Hauses Habsburg gewidmet.
6. Vom ersten Band dieses zweiten Teils sind beim verheerenden Brand des Klosters St. Blasien (1768) 368 und vom zweiten Band 430 Exemplare verbrannt.
7. Aus einem Brief an seinen in St. Blasien verbliebenen Mitarbeiter vom 17. August 1748: „Ansonsten habe auch wieder einige hundert alte Römische Medaillen *ex aere majoris moduli* (also größere Stücke) (...), welche ich hoffe gegen Lesung heiliger Messen für unser darobiges Museum beyzuschaffen.“
8. Der Brand von 1768 hatte zahlreiche Vorarbeiten von Herrgott für den vierten Band der *Monumenta* vernichtet.
9. ÖKT 37 (1969), S. 266.
10. In dieser Zahl sind allerdings auch die zahlenmäßig bedeutenden, aber numismatisch eher unbedeutenden Serien der modernen Kleinmünzen des 20. Jahrhunderts enthalten.
11. Im STA, P 29/41b, Seite 257: *Catalogus Nummorum Aureorum, qui in Nummohylacio San Blasiano adservantur.*
12. In der Liste wurde die Nummer 27 zweimal vergeben, die Endzahl von 34 ist daher u. U. auf 35 zu korrigieren.
13. Die Kunsttopographie und Einleitung zu *Thesaurus Nummorum Romanorum et Byzantinorum* IV erwähnen 50 ehemals vorhandene Goldstücke, von denen 31 während des Zweiten Weltkriegs abhanden gekommen sein sollen. Tatsächlich ist die Verlustrate jedenfalls weit geringer.
14. *Catalogus nummorum veterum Gazophylacii Monasterio St. Pauli juxta ordinem chronologicum.*
15. So stehen die Arbeiten an den Sammlungen Kremsmünster und Wilhering vor dem Abschluß.
16. Vgl. dazu: G. Dembski, Die antiken Münzschatzfunde aus Österreich, Numismatische ZS 19 (1977), S. 3–64 (bes. S. 4–10).
17. F. Dick, FMRÖ IV/1. Die Fundmünzen der römischen

Zeit in Österreich. Abteilung II. Kärnten, Bd. 3 (hrsg. von R. Göbl), p. 145.
Die Münzen figurieren unter den Nummern 23, 515, 5235 und 601 in TNRB IV.

18. Vgl. PROPYLÄEN, Kunstgeschichte, Bd. 8, 325c; das dort abgebildete Exemplar stammt aus dem Cleveland Museum in Boston. Das St. Pauler Stück ist eines der besterhaltenen Exemplare.
19. F. DWORSCHAK, T. RASCHL, Der Fund von Hintergumitsch (Verwaltungsbezirk Wolfsberg) und die Münzverträge zwischen Salzburg und Kärnten von 1286 und 1334, AVGT 24/25 (1936), S. 201–224.
20. A. LUSCHIN VON EBENGREUTH, Friesacher Pfennige, Numismatische ZS 15 (1922), S. 89 – 118, und 16 (1923), S. 33 – 144.
21. A. LUSCHIN V. EBENGREUTH, Der Brakteatenfund zu Prebl in Kärnten, Mitteilungen der Numismatischen Gesellschaft in Wien 15 (1920), S. 97ff.
22. Er enthielt zweiseitige Pfennige des Königs Ottokar von Böhmen (um 1278).
23. Hans Kels (1510 – 1566?) ist auch der Verfertiger des berühmten Ambraser Spielbretts für Ferdinand I. aus dem Jahr 1537 – heute im Kunsthistorischen Museum in Wien.

Musik im alten und neuen Stift St. Paul

Musik im alten und neuen Stift St. Paul im Lavanttal

RUDOLF FLOTZINGER

Die größte Schwierigkeit bei der Beschäftigung mit der Musik im alten Stift St. Paul ist die Quellenlage. Die heutigen Bestände der Bibliothek, darunter auch Musikhandschriften, stammen aus St. Blasien und Spital am Pyhrn, können also über die Frühgeschichte des Hauses[1] nichts aussagen. Aus den wenigen Anhaltspunkten im Archiv, anderswo überlieferten Resten und Analogieschlüssen ein einigermaßen brauchbares Bild zu erstellen, ist daher für den Musikhistoriker eine besondere Herausforderung.

Von den Anfängen bis zur Reformationszeit

Man hat davon auszugehen, daß *musica* in einem mittelalterlichen Kloster zweierlei bedeutete: theoretisch-spekulative Beschäftigung im Rahmen des Quadriviums und Gesang als wesentlicher Bestandteil der Liturgie. Diese Scheidung in Theorie und Praxis spiegelt sich auch im Nebeneinander der Bezeichnungen *musicus* (d. i. der gelehrte, „wissende") und *cantor* (d. i. der praktizierende Musiker) wider. Musik zu Tanz und Unterhaltung wird es zwar auch in einem Kloster gelegentlich gegeben haben, war aber naheliegenderweise verpönt. Daher gibt es dafür nur äußerst selten Anhaltspunkte.

Hinweise auf die Unterlagen für die theoretische Beschäftigung mit der *scientia musica* in St. Paul besitzen wir nicht. Sie war wie alles auf den Gottesdienst als Zentrum des Denkens und Handelns gerichtet und daher selbstverständlicher Bestandteil der Ausbildung sowohl für Theologen als auch Laien. Es liegt nahe, daß die Besiedler 1091 aus Hirsau nicht nur die notwendigen liturgischen Geräte und Handschriften mitbrachten, sondern neben den *Consuetudines Hirsaugienses* ihres gelehrten Abtes Wilhelm, die in Kap. 78, 82, 86 und 88 des ersten Buches auf die Musik im Gottesdienst näher eingehen, auch dessen Schrift *Musica*[2]. Auch die Stifterfamilie half nach: Erzbischof Hartwig von Magdeburg (1079–1102) schenkte dem Kloster zwischen 1096 und 1102 kostbare Paramente und *Codices*[3]. Diese wohl nicht zufällig ebenfalls benediktinische Beziehung könnte auch in anderer Hinsicht wesentlich gewesen sein: Wilhelm räumt in den *Consuetudines* der (äußeren) Schule keine besondere Bedeutung ein[4], in St. Paul muß sie aber schon vom frühen 12. Jahrhundert an eine Rolle gespielt haben[5], und die Magdeburger Domschule gehörte damals zu den führenden.

Einblick in die Liturgie der Frühzeit bieten zwei vollständig erhaltene Missalien[6], die, mit linienlosen deutschen Neumen versehen, wahrscheinlich in Kremsmünster[7] für St. Paul[8] geschrieben wurden. Daß die Fragmente eines Antiphonars mit deutschen Neumen auf

Linien (um 1150), die als Einbände der Pfarrmatrikel von St. Marein bei Wolfsberg überlebten[9], etwas mit St. Paul zu tun haben könnten, wäre zumindest möglich. Die Handschrift wurde mit größter Wahrscheinlichkeit importiert, ließe jedoch auf eine sehr fortschrittliche Haltung um diese Zeit schließen. Als Benutzer kommt der für den Gesang und die Ausbildung in diesem zuständige Scholaster in Frage. Antiphonar-Fragmente, die später für eine Reparatur der Stuttgarter Handschrift (f. 82/83) verwendet wurden, beweisen, daß man hier zumindest bereits im 13. Jahrhundert die Vier-Linien-Notation verwendete. Weitere Fragmente, ebenfalls von einem Antiphonar, die als Einband eines unter Abt Hieronymus Marchstaller angelegten Urbars[10] überlebten[11], bestätigen die naheliegende Annahme, daß man spätestens im 15. Jahrhundert auf die sog. Hufnagel-Notation einschwenkte. Wann die verschiedenen Formen der frühen Mehrstimmigkeit[12] auch hier Eingang fanden, ist nicht zu belegen; spätestens ist dies wohl unter dem aus St. Peter in Salzburg[13] hieher postulierten Abt Conrad Neuhofer (1359–1391) anzunehmen, denn dieser mußte beim Wiederaufbau des Stiftes nach dem Brand von 1367 auch für neue Handschriften sorgen. Unter den in Klagenfurt erhaltenen Handschriften aus Alt-St. Paul[14] sind zwei Papiermissalien aus dem 15. Jahrhundert[15], die jedoch nicht mehr notiert sind. Über die Pflege und allenfalls Veränderung des Chorals im Zuge der Klosterreformen um die Mitte des 15. Jahrhunderts kann also nichts ausgesagt werden.[16] Wahrscheinlich besaß die Kirche damals bereits eine Orgel. Eine allfällige musikalische Aufwärtsentwicklung wurde aber spätestens durch die Reformation und durch wirtschaftliche Schwierigkeiten im 16. Jahrhundert behindert. Ein musikalischer Zeuge dieser Zeit könnte das erhaltene Stimmbuch einer Bicinien-Sammlung von 1549 sein.[17] Damit ist auch die Wahrscheinlichkeit, daß die heute im Klagenfurter Landesarchiv liegende Orgeltabulatur von c.1560 mit drei weltlichen und zwölf geistlichen Stücken derselben Komponistengruppe (Josquin, Senfl, Verdelot, la Rue u. a.)[18] ebenfalls aus St. Paul stammt, relativ hoch, zumal auch die Umschläge übereinstimmen. Hinweise auf mehrstimmigen Figuralgesang (z. B. Chorbücher) fehlen jedoch, man hat diese Phase der musikalischen Entwicklung hier vielleicht nicht mehr mitgemacht.[19]

Von der Gegenreformation bis zur ersten Aufhebung

In der europäischen Musikgeschichte markieren die letzten Dezennien des 16. Jahrhunderts einen bedeutsamen Einschnitt. Diese v. a. an den Höfen orientierte Sicht vernachlässigt jedoch meist den kirchlichen Bereich. Das Konzil von Trient (1545–1563) hatte ein neues Selbstbewußtsein der Kirche gebracht, das auch seine musikalischen Folgen zeitigte: den Reformchoral und die sog. konzertante Musik. Die Anpassungen des traditionellen Choralgesangs an die damalige Musikanschauung führten, da sie keinen offiziellen Charakter hatten, zu mehreren gedruckten Choralausgaben; in St. Paul wird man zunächst am ehesten eine venezianische verwendet haben; 1681 aber wurde, offenbar unter Einfluß aus St. Peter/Salzburg, eine aus Kempten stammende eingeführt.[20] Bei einer Visitation 1692 durch Abt Edmund von St. Peter wurde jedoch noch immer eine bessere Pflege des Choralgesanges durch die jüngeren Konventualen moniert.[21] Allerdings war der Choralgesang der Mönche im 17. Jahrhundert nur mehr eine (und von den anderen offenbar überlagerte) musikalische Form in der Liturgie, er wurde zumindest von der Orgel generalbaßmäßig begleitet[22], z. T. sogar durch Orgelspiel ersetzt (sog. Alternatim-Praxis).

Es ist daher bezeichnend, daß gerade aus dieser Zeit mehrmals Orgelreparaturen[23] sowie mehrere Organisten und Schulmeister (die meist auch Musikerfunktionen innehatten) namentlich bekannt geworden sind: Hans Dirringer (1585), Georg Uragg (1598–1624), Matthäus Benckhe (ab 1624) und P. Thaddeus Glantschnigg (1654–1674) bzw. Andreas Schadwiener (1584), Georg Uragg (1585), Bernhard Bencke (1598–1627) und Urban Papellare (ab 1627).[24]

Weitere Möglichkeiten der musikalischen Differenzierung je nach Anlaß, Aufwand[25] und sonstigen Voraussetzungen ergaben sich aus dem Concertoprinzip (Gegenüberstellung mehrerer Chöre oder von Soli und Chor sowie erstmals wesentliche Anteile der mitwirkenden Instrumente[26]). Zu den frühesten österreichischen Komponisten, die dieses in die Kirchenmusik einführten, gehört der Garstener Benediktiner P. Sebastian Ertel (ca. 1550–1618), der enge Beziehungen zu Abt Martin Alopitius von St. Lambrecht unterhielt und sich oft längere Zeit in diesem Stift aufhielt.[27] Hier hatte auch Vinzenz Fux (ca. 1606–1659), ebenfalls ein bedeutender Frühmeister dieses Stils[28], seine erste Ausbildung erhalten. Zweifellos über den aus St. Lambrecht postulierten Abt Vinzenz Lechner (1583–1616) kamen dessen Werke auch nach St. Paul, wo man sie noch Ende des 17. Jahrhunderts verwahrte und wohl auch benutzte. Demselben Abt Vinzenz widmete Albin Fabritius, ein aus Görlitz gebürtiger Musiker, der auf dem Weg nach Italien nach St. Lambrecht kam und hier blieb, seine 1595 in Graz gedruckten *Cantiones sacrae*.[29] Eine für die Musikgeschichte beider Stifte wichtige (wenn nicht gar die bislang gesuchte Schlüssel-)Persönlichkeit ist P. Johann Maurer, Prior von St. Lambrecht, in gleicher Funktion 1611–1616 in St. Paul tätig (gest. 1621), *Concionator egregius, simulque in musica peritissimus, qui multa in musica composuit*.[30] Der damit einsetzende Anschluß an die führende Musikentwicklung wurde unter Abt Hieronymus Marchstaller fortgesetzt: Seit 1616 gibt es Hinweise auf Sängerknaben im Stift, unter ihm wurde die Orgel 1617 in den Raum zwischen den Türmen versetzt, er brachte wohl auch die Musiker P. Thomas Heigl (1596–1665) und P. Paul Menninger (1600–1660)[31] mit. Letzterer wurde 1638 sein Nachfolger; daß unter diesem Abt auch die Musik weiter aufblühte, ist anzunehmen. Dessen Nachfolger, Abt Philipp Rottenhäusler (1661–1677), ließ sofort nach seinem Amtsantritt den Musikchor der Stiftskirche erweitern und 1663 mit einer neuen Orgel versehen.[32]

Einen gewissen Einblick in die Praxis des ganzen Jahrhunderts erlaubt ein um 1700 angelegtes Instrumenten- und Musikalienverzeichnis[33]: Die (naheliegenderweise überwiegende) Kirchenmusik läßt weiterhin Kontakte mit Italien erkennen[34], weiters die Vorbildwirkung des Wiener Kaiserhofes[35], von dessen Umfeld[36] und schließlich die Verbindung mit Nachbarklöstern und -institutionen[37]; an diese schlossen sich ohne Zweifel die „Hauskomponisten" an, die verhältnismäßig stark vertreten sind und wohl besonders auf die lokalen Gegebenheiten Rücksicht nahmen: P. Columban Vischer (ca. 1650–1705)[38] und P. Ämilian (Corusa)[39]. Der als Schreiber erwähnte P. Philipp ist der Kremsmünsterer P. Philipp Lorich, der 1677–1680 als Gast in St. Paul lebte und ein Jahr später in Seitenstetten starb. Er war 1660–1667 *Regens chori* in Kremsmünster gewesen und 1667/68 gemeinsam mit P. Theophil Schrenk, der 1669 ebenfalls in St. Paul hospitierte, in Italien; beider Aufenthalte in St. Paul könnten also auch mit Musik in Zusammenhang gebracht werden.[40] Auffallend prominent ist in dem Verzeichnis die Instrumentalmusik vertreten[41], die Gattungen verweisen auf die verschiedenen Anlässe: Canzonen und Bläserstücke für die Repräsentation des Abtes und als Intraden für das Hochamt, Trio- und Orchestersonaten (vielleicht sogar Concerti grossi) sowohl für den Gottesdienst als auch die Repräsentation, schließlich die Trio- und Solosonaten für kirchliche wie für private Zwecke. Das Fehlen von eigenen Kompositionen in diesen Sparten überrascht nicht.

An geistlichen Chorregenten, welche für die Aufführung dieser Werke zuständig und vielleicht auch kompositorisch tätig waren, sind bekannt: P. Placidus Tanner (ca. 1640–1683), P. Placidus Strasser (1661–1714), P. Rupertus Prunner (1663–1718), P. Wilhelm Glantschnigg (1672–1716), als Lehrer der Musik in der Lateinschule P. Anselm Molitor (1635–1677).[42] Ein wenn auch nur kurzes Schlaglicht erlaubt auch hier das für die Zeit von Juni 1680 bis Dezember 1682 erhaltene Tagebuch des Abtes Albert Reichart (1677–1727)[43]: Anläßlich des Besuchs des Landeshauptmanns mit einer größeren Adelsgesellschaft am 29. Dezember 1680 werden die Gäste zu Mittag „mit einer Lieblichen vnd ihnen gar angenemben music excipirt", ist zum Abendessen „auch Music von Trompeten vnd Hörpauggen, vnd andren Saiten spiell gehalten worden" und am nächsten Tag „abermahlen ein schene Music heren Lassen"; am 21. Februar 1681 „vberlast" ihm der Dompropst von St. Andrä „sein Discantisten der hin khommen ist"; mehrmals sind auswärtige Musiker zu Gast und ebensooft erbitten befreundete Kirchenfürsten für bestimmte Anlässe die Aushilfe mit Musikern. So wird z. B. am 20. Oktober 1680 „der Fr. Gerardus mit dem Registrator[44] nach St.Andre abgeschikht, damit sye bey den Closter frauen gehaltenen Gottes dienst sollen mit den Trompeten musiciren"; am 29. November 1680 „ist des Herrn Probsten zu Thainnach Camerdiener khumen, der verbleibt auf Ein Zeith hie, vnd Lehrnet auf der Orgl schlagen von Herrn P(at)re Columbano vnd soll nach erlehrnter Khunst zu Teinach Cantor vnd Organist werden"; zum 1. Jänner 1681 „khomben die Ney Jahr Geiger von St.Andre vnd werden ihnen 3f Verehrt"; am 27. August 1681 ersucht der Propst von St. Andrä „vmb etliche musicos", worauf am nächsten Tag „P. Benedict, P. Gerardus sambt den Registrator vnd 2 Knaben daß fest S. Augustini mit der Music Celebriern helffen", oder bittet am 19. Juni 1682 der Propst von Drauburg „vmb zwenn Trompeter vnd 1 Discantisten", worauf „P. Gerardus, (der) Registrator (. . .) vnd der Discontist hinab gereist" sind; am 14. Juli und am 4. Oktober 1682 wird der „P. Benedict mit 2 Discantisten" verschickt, am 29. Juli 1682 „P. Benedict vnd P. Columban vnd ein Discantist". Daraus ist zu ersehen, daß wir mit zwei bis drei Sängerknaben, keinen hauptamtlichen Musikern und überhaupt nur mit sehr kleinen Besetzungen rechnen können. Andrerseits ist ein gewisses Augenmerk des Abtes für die Musik darin zu sehen, daß er am 22. Februar 1681 den bereits erwähnten P. Columban nach Graz schickt, um die „Musicalische Compasition weiter zu fassen"; er wohnt als Gast im Admonter Hof, überschickt am 10. April „Etlich Messen herein abgeschribener" und bereits am 8. Mai „Ein companierte Mess", Ende Mai kehrt er wieder ins Stift zurück; sein Grazer „lehrmaister" war Johann Schwab[45], der sich am 13. April „des vberschikht Praesent halber" bedankt.

P. Columban hat, wie das reiche (leider nicht erhaltene[46]) Oeuvre zeigt, die in ihn gesetzten Hoffnungen offenbar erfüllt und die bescheidenen Verhältnisse in St. Paul optimal zu nutzen verstanden. Als einen, wenn nicht *den* Höhepunkt in der Musikgeschichte des Stiftes wird man die Jubiläumsfeierlichkeiten 1691 vermuten dürfen, zumal der Abt 1682 Vorbildliches in Salzburg erlebt und sehr genossen hatte.[47] Am 19. Juni 1682 setzte er mit dem „orglmacher zu clagenfurth wegen eines Neuen Horn (. . .) ein Spannzedl auf"; am 5. Oktober schickte ihm sein Grazer Baumeister[48] „auf Neue Manier gemachte lieder".

Nicht nur die im Barock übliche Unterscheidung zwischen Kirchenmusik auf der einen sowie Kammer- und Repräsentationsmusik auf der anderen Seite[49], die Orientierungspunkte, ja die allmähliche Aneignung des Kompositionshandwerks sind der unscheinbaren Musikalienliste zu entnehmen, sondern auch, wie es offenbar weitergegangen ist: Die meisten der angeführten Komponisten sind vor 1685 gestorben, die jüngsten sind sog. „Klosterkomponisten“. Der jüngste unter diesen, Kolberer, gehört zu jenen v. a. durch das Augsburger Verlagshaus Lotter stark verbreiteten Komponisten, die auf beschränkte Ausführungsmöglichkeiten allzu stark Rücksicht nahmen und dadurch die Kirchenmusik insgesamt in Verruf brachten.[50] Die seit Beginn des 18. Jahrhunderts zunehmenden wirtschaftlichen Schwierigkeiten lassen in St. Paul kaum eine positive Abweichung von dieser Entwicklung erwarten, und es könnte nicht nur eine Frage der Quellen sein, daß ab nun nur mehr wenige Musikernamen[51] und v. a. keine eigenen Komponisten mehr bekannt geworden sind. Der kirchenmusikalische Reformversuch von Maria Theresia 1754 (mit dem Verbot von Trompeten und Pauken) dürfte hier bereits ins Leere gegangen sein. 1762 war am Stift nur mehr ein hauptberuflicher *musicus* angestellt, daneben wird man nach wie vor bei Bediensteten Wert darauf gelegt haben, daß sie auch singen konnten und/oder ein Instrument beherrschten. Wenn die Kirchenmusik nach 1787 offensichtlich vom Schullehrer und Mesner Jakob Walter, der schon vorher die Chorknaben des Stiftes unterrichtet hatte, weitergeführt wurde[52], entsprach dies bereits der üblichen Situation eines Dorfes.

Bei der Auflösung des Stiftes ist nirgends von kirchenmusikalischen Materialien die Rede (sie sind wohl unter den verheizten Dingen[53] zu vermuten), auch von den im Stift zweifellos vorhanden gewesenen Musikinstrumenten hat sich kaum eine Spur erhalten[54]. Bei der Beurteilung dieser Tatsachen ist allerdings auch zu bedenken, daß 1782 von Salzburg aus der sog. deutsche Normalmeßgesang[55] eingeführt und die lateinische Kirchenmusik vorübergehend überhaupt abzuschaffen versucht worden war. In indirekter Weise in dieses eher triste Bild paßt schließlich, daß der letzte Paulaner Abt, Anselm II. von Edling (1778–1787), auch als Dichter, u. a. einer komischen Oper[56], hervorgetreten ist.

Die in St. Paul überlieferte frühe Abschrift eines Divertimentos von Joseph Haydn[57] läßt keinen positiven Schluß zu: Es ist offensichtlich mit dem Kirchenmusikmaterial aus Spital am Pyhrn hierher gelangt[58], das allerdings ebenfalls nur mehr in wenigen Resten erhalten ist[59].

Von der Wiedererrichtung bis heute

Es besteht kein Zweifel, daß mit dem Einzug der Mönche von St. Blasien 1809 ein neuer Abschnitt in der Geschichte des Hauses beginnt. Es wäre aber falsch, die Unterschiede zwischen dem alten und neuen St. Paul nur auf die Tatsache der Unterbrechung anstatt auf deren Ursachen zurückführen zu wollen. Auch im Blick auf die Musik allein würde mit dem frühen 19. Jahrhundert ein neues Kapitel zu eröffnen sein, und zwar weniger wegen der anfangs vielleicht unterschiedlichen Musiktraditionen der Besiedler, sondern weil einerseits gewisse Fäden abgerissen waren, andererseits aber auch neue aufgenommen wurden.

Lateinische Musik zur Messe gab es in der Stiftskirche im 19. Jahrhundert nur vielleicht[60] häufiger und anspruchsvoller, aber im Prinzip doch nur wie an Pfarrkirchen. Der Kirchenchor stand zwar meist unter Leitung von Stiftsgeistlichen[61], wurde aber zunehmend von der Pfarre mitgetragen; zur Rekrutierung von Sängerknaben wurden geeigneten Zöglingen im Konvikt Ermäßigungen gewährt[62]. Schon wegen der bescheidenen Möglichkeiten hat man sich auch hier im letzten Viertel des Jahrhunderts der aus Deutschland kommenden sog.

Cäcilianischen Bewegung (die den vierstimmigen, meist von der Orgel begleiteten Chor forcierte, die österreichische Tradition der Orchestermesse auf die hohen Festtage beschränkte, aber bis heute nicht völlig verdrängen konnte[63]) angeschlossen: Der *Regens chori* der Jahre 1871–1890, P. Severin Christen, führte mit etwa zwölf Knaben und sechs Männern fast ausschließlich Werke aus dem bekannten „Vereinskatalog" auf[64], dessen vorübergehender Nachfolger, der Lehrer Ferdinand Tangl (1879–1922), komponierte selbst in diesem Sinne[65]. An den „violetten Tagen" wurde *choraliter* gesungen, was ebenfalls der allgemeinen Situation entspricht: An keinem österreichischen Kloster waren vom Choral mehr als Intonationsformeln, Rezitationstöne, einzelne Gesänge zur Vesper, in der Karwoche und bei Totenmessen an das 19. Jahrhundert weitergegeben worden.[66] Wenn man Choral sang, dann mit Orgelbegleitung in rhythmisierter Form. In der Choralforschung und -reform um 1900 hat man sich in St. Paul nicht engagiert.[67] Seit der Wiederbesiedlung haben die Mönche bis in die Zeit des Zweiten Vatikanischen Konzils das sogenannte Mauriner-Brevier und Meßbuch benutzt. Heute gibt es Choralgesang nur an höheren Festtagen in der Vesper und Komplet, u. zw. in deutscher Sprache, in lateinischer nur fallweise.[68] Weder bei dem seit 1863 bestehenden Männergesangsverein (seit 1953 als gemischter Chor geführt) noch bei der im frühen 20. Jahrhundert gegründeten Blasmusikkapelle des Marktes haben sich Mönche je engagiert (während diese Vereine nicht nur das Kirchenjahr mitgestalten, sondern auch sonst die Kontakte mit dem Stift pflegten und pflegen).

Eine gewisse Rolle spielten Musik und Theater in den verschiedenen Formen des neuen Gymnasiums: Kern- und Ausgangspunkt blieben[69] Schulfeiern (v. a. die musikalisch-rhetorisch gestaltete sog. Promulgation[70]), Besuche hochgestellter Persönlichkeiten, Jubiläen oder andere besondere Anlässe[71]; als nicht obligates Schulfach wurde „Gesang" 1848 eingeführt. Die Lehrer waren nur z. T. Stiftsgeistliche und hatten anfangs auch keine Fachausbildung genossen[72], erst seit 1945 heißt das (nunmehr obligate) Unterrichtsfach „Musik". Der offizielle Prospekt für das 1889 errichtete Gymnasialkonvikt „Josephinum"[73] betont, daß neben körperlicher Ertüchtigung der Pflege der Musik und Kunst besondere Bedeutung beigemessen werde. Dies dürfte den Tatsachen grundsätzlich entsprochen haben, doch scheint, was die Förderung durch die Patres anlangt, das Theater bevorzugt worden zu sein.[74] Für den Gottesdienst in der Studentenkapelle wurde ein eigenes Gesangbuch gedruckt.[75] Die fallweise gebildeten Kammer-[76] oder Salonmusik-Ensembles[77] sind weitgehend Produkte von Nachahmungsmechanismen der Studenten selbst geblieben: dies läßt sich an der seit 1916 bestehenden Blasmusikkapelle ebenso ersehen[78] wie an den jüngeren Interessen für Jazz und Pop[79]. Die über den eigentlichen Schulunterricht hinausgehende Musikförderung bestand in der Möglichkeit, in Privatunterricht ein Instrument zu erlernen[80] und im Gymnasialchor (traditionelles Prestigeobjekt einer Schule) mitzusingen, seit etwa 1915 gab es oft für mehrere Jahre auch ein eigenes Studentenorchester[81]. Daher muß nach dem Zweiten Weltkrieg von einem Abstieg gesprochen werden: Zwischen 1917 und 1937 hatte es, einem Zug der Zeit folgend und nicht nur wegen der Anlässe, fast alljährlich ein großes Musiker-Gedenkfest gegeben; seit 1949 kam es bestenfalls zu musikalischen Umrahmungen von Schulfeiern[82], in den letzten Jahren (zumal nach Einstellung des Stiftskonviktes 1977) sind Schulchor und -orchester „entschlafen". Dafür ist die Stiftskirche (fallweise unter Zuhilfenahme auswärtiger Unterstützung[83]) eine Zeitlang ein „Zentrum des kirchlichen Chorgesangs" in Kärnten[84] gewesen.

So ließen sich die Höhen und Tiefen

des benediktinischen Mönchtums zu St. Paul auch *in musicis* nachzeichnen. Besondere Anregungen scheinen von hier niemals ausgegangen zu sein, zu gewissen Zeiten war man aber durchaus auf der Höhe der Zeit.[85] Dabei ist allerdings zu berücksichtigen, daß die Voraussetzungen auch nicht immer denjenigen der großen österreichischen Stifte entsprechen. In keinem Fall besteht aber Anlaß zu überheblichen Urteilen über die Vergangenheit, vielmehr zur Bereitschaft, aus solchem Wissen für heute Schlüsse zu ziehen.

Anmerkungen

1. Im folgenden geht es nur um diese.
2. Fiktiver Gesprächspartner des in Dialogform gehaltenen Werks ist sein Lehrer Othlo v. St. Emmeram; vgl. H. Müller, Die Musik Wilhelms von Hirsau (1883).
3. B. Schroll, Necrologium des Benediktinerstiftes St. Paul, AVGT 10 (1866), S. 112. Aus dieser Schenkung dürfte die *Vita S. Gregorii*, Bodleian Library Oxford Can. misc. 575 (um 1090), stammen.
4. A. Kellner, Musikgeschichte des Stiftes Kremsmünster (1956), S. 27.
5. Liste der seit dem 12. Jahrhundert bekannten Magistri und Scholastiker in: St. Paul 1091 – 1809 – 1959. FS zum 150. Jahresgedenktag der Wiederbesiedlung des Stiftes, hrsg. von H. Schuster (1959), S. 55 f., zwei weitere Namen bei H. Federhofer, Alte Musikalien-Inventare der Klöster St. Paul (Kärnten) und Göß (Steiermark), Kirchenmusikalisches Jb. 35 (1951), S. 98.
6. Württemberg. Landesbibliothek Stuttgart, Cod. bibl. fol. 20 (1136) und Bodleian Library Oxford Can. lit. 354 (um 1160). Erstere scheint im 1782 aufgenommenen Bücherverzeichnis, siehe H. Menhardt, Weitere Nachrichten von Kärntner Klosterbibliotheken, Zentralblatt für Bibliothekswesen 44 (1927), S. 597–599, unter Nr. 94 auf, die letztere dürfte sich hinter Nr. 31 oder 35 verbergen. Sie kam mit der Sammlung *Canonici* 1817 nach Oxford, auch bei ersterer dürfte, dem ähnlichen Einband nach zu schließen, dieser Sammler seine Hände im Spiel gehabt haben.
7. Vgl. A. Kellner, Über die Heimat des Cod. Bibl. fol. 20 der Stuttgarter Landesbibliothek, Studien und Mitteilungen zur Geschichte des Benediktinerordens und seiner Zweige 57 (1939), S. 233–240; W. Irtenkauf, Eine St. Pauler Handschrift aus dem Jahre 1136, Car. I 145 (1955), S. 248–274; R. Flotzinger, Mittelalterliche Choralhandschriften österreichischer Provenienz in der Bodleian Library Oxford (für die Sitzungsberichte der Österr. Akademie d. Wissenschaften zum Druck angenommen). Das Kremsmünsterer Skriptorium stand mit St. Emmeram/Regensburg, dem Heimatkloster Wilhelms von Hirsau, in engerer Verbindung. Kellner, Musikgeschichte (wie Anm. 4), S. 20, S. 32, S. 51, für seine Leistungsfähigkeit legen noch erhaltene Kodizes und zahlreiche Fragmente Zeugnis ab.
8. Die ersten Spuren einer eigenen Kanzlei unter Abt Pilgrim (1159–92), vgl. F. Pagitz, Die Urkundenschreiber der St. Pauler Klosterschule bis zum Jahre 1335, Car. I 149 (1959), S. 389–444, sagen nichts über ein etwa schon bestehendes, für die Herstellung derart qualitätsvoller Hss. notwendiges Skriptorium aus. In jedem Fall dürften die HSS. bestätigen, was auch die betreffende Urkunde (Urkundenbuch für die Geschichte des Benedictiner Stiftes Kremsmünster, hrsg. v. T. Hagn, 1852, Nr. 202) andeutet: daß die 1335 zwischen Kremsmünster und St. Paul abgeschlossene Verbrüderung nur die Erneuerung einer älteren war. Die Zugehörigkeit zu verschiedenen, ja rivalisierenden Reformrichtungen erscheint zwar merkwürdig, hat aber in Lambach eine Parallele, vgl. H. Fichtenau, Neues zu den Lambacher Nekrologien, MIÖG 59 (1951), S. 416–420.
9. Heute im Diözesanarchiv Klagenfurt; H. Malloth, Kärntner Tondenkmäler des Hoch- und Spätmittelalters, Car. I 157 (1967), S. 542–569.
10. Sta, HS 292 c/0 vol. 3.
11. Rückseite des Urbars: (R. Clama in fortitudine qui annum) *tias pacem (. . .) adveniet.* V. *Ecce dominator* (Hesbert 6292). R. *Orietur stella.* V. *E*(t adorabunt, H. 7338); Vorderseite: (R. Ecce radix Jesse (. . .) gloriosum. V.) *Et erit iustitia (. . .) salvatorem. Et erit.* R. *Annunciatum est per gabrielem. Et regressus (. . .) vir*(ginis. V.? Hesbert 6103). Die Texte stammen von fer. IV hebd. IV adv., sowohl deren Folge und Varianten als auch die verwendeten Verse zeigen eine gewisse Eigenständigkeit (sie stimmen mit den von Hesbert herangezogenen Handschriften eher überein als mit dem Antiphonar von St. Peter). Gemessen am geschätzten Umfang dürfte es sich um die Innenseiten des 3. Doppelblattes eines Quaternios handeln.
12. Diese war zunächst nur eine improvisierte Ausführungsform des Chorals und wurde erst mit der Zeit zu einer im eigentlichen Wortsinn komponierten Kunst.
13. Hier war Erzbischof Pilgrim von Puchheim (1365–1396), vermutlich mit dem sog. „Mönch von Salzburg" identisch, eine führende Persönlichkeit.
14. Vgl. H. Menhardt, Neue Forschungen über die Herkunft der Handschriften aus alten Bibliotheken Kärntens, Zentralblatt für Bibliothekswesen 41 (1924), S. 225–233.
15. Universitätsbibliothek Klagenfurt sign. Studienbibl. Pap.-HS 23 (1476, Wasserzeichen ähnlich Piccard, Anker IV, 247 kombiniert mit Posthorn) und Kla, sign. Kärntner Geschichtsverein 5/17 (um 1470, Wasserzeichen ähnl. Piccard, Waage V, 391).
16. In anderen Stiften erfuhr die Schreibkunst unmittelbar nach Erfindung des Buchdrucks den letzten großen Aufschwung.
17. Sign. 4.11.20.b Erasmus Totenbucher, *Diphona amoena* [=RISM 1549[16]; vgl. O. Koller, Aus dem Archive des Benedictinerstiftes St. Paul im Lavanttal in Kärnten, Monatshefte für Musikgeschichte 22 (1890), S. 23]. Daß es aus alter Paulaner Überlieferung stammt und anderenfalls nur über St. Lambrecht hierher gekommen sein kann (dann aller-

dings zum nächsten Kapitel zu zählen wäre), beweisen der Einband sowie die Nennung mehrerer Kärntner und weststeirischer Orte in zeitgenössischen Federproben.

18. KLA, Geschichtsverein 4/3 (Wasserzeichen Piccard, Anker VI, 83–87); vgl. H. FEDERHOFER, Eine Kärntner Orgeltabulatur des 16. Jahrhunderts, Car. I 142 (1952), S. 330–337.
19. Ob das St. Pauler Exemplar von Joannellis *Novus Thesaurus musicus* (Venedig 1568) hierher gehören könnte, ist wiederum fraglich, da es keine Umschläge mehr und keinerlei Herkunftsmerkmale und Gebrauchsspuren enthält.
20. *Diarium Monasterij s. Pavli* (. . .) Colligiert Von Alberto Abbten Zu St. Paul. *(Executum) Amanuensi Joanne Baptista Windisch Registratore Mon(aster)ij S. Pauli,* Cod. 1061/0 *olim* 11.2.20, *sub* 18. Dezember 1681: ,,Der pott van Salzburg khumbt nach Hauß bringt mit sich ein neues Misssal von Kembten 6 propria Benedictina, 3. Exemplaria deß Busembaum vnd 30 Breviarj Directoria."
21. B. SCHROLL, Das Benediktinerstift St. Paul, Car. I 66 (1876), S. 184.
22. Auch dies eine Anpassung an die Stilentwicklung in der komponierten Musik.
23. O. EBERSTALLER, Orgeln und Orgelbau in Österreich (1965), S. 16, S. 50, S. 52.
24. FEDERHOFER, Musikalieninventare (wie Anm. 5), S. 98 f.
25. Meist sind die Kompositionen auch daraufhin angelegt: zu den absolut notwendigen Stimmen (d. s. eine Singstimme und ein Generalbaßinstrument) können weitere (*ad libitum*) treten. In diesem Prinzip sind spätere Verflachungstendenzen bereits grundgelegt.
26. Diese hatten in der Kirchenmusik bisher keine oder nur eine untergeordnete (nämlich die Singstimme nur verstärkende oder ersetzende) Rolle gespielt; nun aber wurden sie zunehmend selbständige Bestandteile der Komposition, so daß damit eine völlig neue Entwicklung beginnt.
27. I. SCHUBERT, in: Musik in der Steiermark. Katalog der Landesausstellung (1980), S. 205 f. Zu ergänzen wäre der Hinweis auf den Bruder des Abtes, Conrad Alopitius, Superior von Mariazell, SCHROLL, Necrologium (wie Anm. 3), S. 153.
28. Nur so konnte er später gelegentlich mit Johann Joseph Fux verwechselt werden, siehe R. FLOTZINGER, Fux-Studien, Grazer musikwissenschaftliche Arbeiten 6 (1985), S. 73–109.
29. H. FEDERHOFER, Fabritius, Die Musik in Geschichte und Gegenwart 3 (1954), Sp. 1708–1709. Fabritius käme gegebenenfalls auch als Vermittler der genannten Bicinien-Sammlung und Orgeltabulatur von St. Lambrecht nach St. Paul in Frage.
30. SCHROLL, Necrologium (wie Anm. 3), S. 187; leider ist nichts erhalten.
31. EBD., S. 113, S. 184.
32. SCHROLL, Benediktinerstift (wie Anm. 19), S. 182.
33. In Sammelband 705 olim 16.2.15, Inventaria aller Zelln, / pfarrn, Refectorij, Chori / Scholae & in steyr vund / karndtn. A(nno) 1685 &, enthält auch weitere, aus der Zeit zwischen 1651 und 1702, moderne Bleistift-Foliierung von 9–13, erstmals ausgewertet von FEDERHOFER, Musikalieninventare (wie Anm. 5), S. 100–103.
34. Giovanni Rovetta (ca. 1596–1668, Venedig), Maurizio Cazzati (ca. 1620–1677, Mantua).
35. Ferdinand III. (1608–1657), (Johann) Nidermayr (gest. 1641), Felice Sances (ca. 1600–1679), (Antonio) Bertali (ca. 1605–1669), Johann Heinrich Schmeltzer (ca. 1623–1680).
36. Gioseffo Zamboni (gest. 1662) und Vinzenz Fux als Musiker Erzherzog Leopold Wilhelms; P. Abraham Megerle als ehem. Musiker Erzherzog Leopolds (Innsbruck); Samuel Capricornus (ca. 1629–1665) als Schüler Valentinis; Johann Bapt. Dolar (ca. 1620–1673), in Stein bei Laibach geborener und in Passau und Wien tätiger Jesuit.
37. St. Lambrecht: Vinzenz Fux und Andreas Hofer (1629–1684), Admont: P. Magnus Purgwalder (1615–1699), Andechs: P. Cajetan Kolberer (1658–1732), Dom zu Augsburg: Melchior Gletle (1626–1684) und Thomas Eisenhuet (um 1674).
38. SCHROLL, Necrologium (wie Anm. 3), S. 78, S. 193.
39. 1680 Subprior des Stiftes, um 1685 Vikar in Fresen; nicht bei Schroll, FEDERHOFER, Musikalieninventare (wie Anm. 5), S. 103. Nicht zuzuordnen sind dzt. Beniamin und P. Treindl.
40. Beide waren ,,schwierige Charaktere", A. KELLNER, Profeßbuch des Stiftes Kremsmünster (1968), S. 226 f., S. 230.
41. Erasmus Kindermann (1616–1655, Nürnberg), Johann Heinrich Schmeltzer (ca. 1623–1680, Wien) und Heinrich I. F. Biber (1644–1704, Salzburg).
42. SCHROLL, Necrologium (wie Anm. 3), S. 132, S. 187, S. 124, S. 160 und Liste der *Magistri artium* in: FS St. Paul (wie Anm. 5), S. 55 (zu streichen ist hier P. Rupert Conradi, der nach Ossiach gehört).
43. Wie Anm. 19.
44. Diese beiden waren die Trompeter des Stiftes. Zumindest P. Gerard (nicht bei Schroll) hat aber, da er in seiner Zelle ,,Ein Geigen sambt einer Trompeten" hatte (Inventar fol. 264r), auch Geige gespielt (vgl. auch die zit. Erwähnung von Trompeten- und Saitenspiel; im Inventar f– 265r sind auch Noten erwähnt, die er abgeschrieben hatte und auf das Gebrauchsmaterial schließen lassen: ,,Sonatae musicales D. Piber / Sonatae D. Schmöltzer / Ein buech Musicalische Sachen einzuschreiben / Ein buech mit verstiednen (!) stukhen". Auch daß der Registrator (Windisch, der übrigens seinen Namen selbst nie erwähnt) als der engste Mitarbeiter des Abtes gleichzeitig Musiker war, wirft ein bezeichnendes Licht auf diesen.
45. Er wird bei seinem Tod 1683 als ,,Student vnd Organist" bezeichnet, H. FEDERHOFER, Die Grazer Stadtpfarrmatrikeln als musikgeschichtliche Quelle, ZS des historischen Vereines (1954), S. 163.
46. Da sie neben den beiden Einzelerwähnungen im zit. Register eine eigene Spalte umfassen, könnten alle Messen fol. 11v von ihm stammen. In seiner Zelle befanden sich lt. Inventar fol. 270v *Libri musicales / Cantilenae Italicae et Latinae / Partiturae diversae meae compositonis* (wohl zu den am Chor erwähnten Aufführungsmaterialien gehörig).
47. Am 19. Oktober sah er z. B. ,,ein schöne Comede in Colegio".
48. Dessen Name wird an anderer Stelle genannt: Am 11. Juni 1681 schreibt er ,,dem Dominico Paumeister, vnd bedankhe mich deß Vberschikhten abriß der Seullen der H.H. Dreyfaltigkheit, so zu Gräz ist aufgericht worden" und am 31. Oktober d. J. antwortet ihm ,,der Paumeister Dominico Orsolino mit beyschliessung deß grundt abriß". Damit steht fest, daß er der Schöpfer der Grazer Dreifaltigkeitssäule und der um diese Zeit in St. Paul tätige Baumeister war. Der Stukkateur, den er ,,mit sich herein bringen wolle" (21. Aug. 1682), war wohl einer der beiden Sereni.
49. Vgl. auch die Unterscheidung ,,zu hoff" oder ,,zu Convent" bereits in der zit. Organistenbestallung von 1616, FEDERHOFER, Musikalieninventare (wie Anm. 5), S. 98.

50. Vgl. R. FLOTZINGER, Versuch einer Geschichte der Landmesse, in: Bruckner-Symposium Linz 1985. Bericht (1988), S. 59–72.
51. Die Stiftsmusiker: Joseph Anton Mayr (um 1715), Jakob Herkh (1740), Jakob Raiff (ab 1744), der Organist Jakob Walter (1784–1788); vgl. FEDERHOFER, Musikalieninventare (wie Anm. 5), S. 98. 1704 lebte abermals ein Kremsmünsterer Profeß, der später (1712–1733) im Heimatkloster als Chorregent tätig war, als Gast in St. Paul: P. Georg Reitter (1677–1749); vgl. KELLNER, Profeßbuch (wie Anm. 38), S. 261.
52. W. FRESACHER, Geschichte des Marktes St. Paul, AVGT 57 (1961), S. 65, hier S. 23.
53. SCHUSTER, FS St. Paul (wie Anm. 5), S. 23.
54. In der Kerzenkammer ist „1 kleine zerbrochene Orgl" (wohl ein Portativ) erwähnt, in der Prälatur-Kapelle „1 altes Clavier", das der Abt mitnahm (Inventarium vom 14. Nov. 1782 71,405 Nr. 20/9).
55. Das ist der deutsche Gesang des Kirchenchores, der sich in Kärnten im Gegensatz zu anderen österreichischen Gebieten tatsächlich durchgesetzt hat, der heute übliche Gemeindegesang hat sich sogar erst nach dem 2. Weltkrieg verbreitet; vgl. F. K. PRASSL, Diözese Gurk-Klagenfurt, in: Kirchenchöre Österreichs, hrsg. von J. TRUMMER (1987), S. 30, S. 35.
56. „Die Begebenheit auf der Jagd" 1789 siehe E. SCHENK, Musik in Kärnten (1941), S. 18; das National Trauerspiel für Kärnten „Der Cornet" 1782 und Gedichtserie „Tagsätzung im Olympus" 1784 HS in St. Paul (Ms. 39/0 bzw. 973/0).
57. Cassatio ex C Hob.-Verz. II/17 (vor 1766), hrsg. von H. STEPPAN, Diletto musicale 23 (1960).
58. Die Abschrift stammt nicht vom Esterházyschen Hauskopisten und Freund Haydns, Joseph Elßler; vgl. H. C. ROBBINS LANDON, Haydn. Chronicle and Works: The early years 1732–1765 (1980), S. 522. Dies ist auch ein Beispiel dafür, wie mißverständlich die Angabe der Überlieferung „St. Paul/L." in der musikwissenschaftlichen Literatur ist, und wie wichtig eine exakte Trennung der Bestände nach ihrer Herkunft wäre.
59. Viel ist dem Ende des Zweiten Weltkriegs zum Opfer gefallen; es enthält aus dem 18. Jahrhundert einige der üblichen Lotter-Drucke, aber keine Klassiker (freundliche Mitteilung von Prof. Hubert Steppan).
60. Diese unbestimmte Ausdrucksweise ergibt sich daraus, daß auch dafür kaum Quellen zu finden und daher Rückschlüsse von vergleichbaren Klöstern und aus der jüngeren Vergangenheit notwendig sind. Die Kirchenmusik in St. Paul wird zwar gegen Ende des 19. Jahrhunderts einmal als mustergültig bezeichnet; STRELLI, Musik und Kunst, hrsg. von R. STRELLI, E. OLBERT, Das Benediktinerstift St. Paul in Kärnten 1809–1909 (1910), S. 157–161, doch wird weder im Musikbuch aus Österreich (ersch. 1904–1909) eine entsprechende Rubrik geführt (im Gegensatz zu einigen anderen Stiften) noch in den Zss. „Gregorianische Rundschau" (ersch. 1902–1912) und „Musica divina" (ersch. 1913–1924) einmal darüber berichtet. Auch dem Beobachter „M." in der Gregorianischen Rundschau 4 (1905), S. 109, dünkt „Kärnten in kirchenmusikalischer Hinsicht als ein großes brach liegendes Feld".
61. Dem Verzeichnis der Konventualen seit 1809 in: FS St. Paul (wie Anm. 5), S. 175–186, sind als solche zu entnehmen: P. Matthias Ganther (1756–1818), P. Romuald Huber (1799–1850), P. Severin Christen (1838–1890), P. Othmar Müller (1864–1938), als Organist P. Hartmann Theus (1890–1943); vgl. auch STRELLI, OLBERT, Benediktinerstift (wie Anm. 58), S. 104, S. 122.
62. STRELLI, OLBERT, Benediktinerstift (wie Anm. 58), S. 158.
63. Die Gründung des Gurker Diözesancäcilienvereins (in der gemäßigten österreichischen Richtung) erfolgte im Spätherbst 1876; vgl. PRASSL, Diözese (wie Anm. 53), S. 35.
64. EBD., S. 36.
65. STRELLI, OLBERT, Benediktinerstift (wie Anm. 58), S. 158; J. GURTNER, Die katholische Kirchenmusik Österreichs im Lichte der Zahlen (1936), S. 148.
66. O. URSPRUNG, Die katholische Kirchenmusik. Handbuch der Musikwissenschaft, hrsg. von E. BÜCKEN (1931), S. 186 ff, S. 268 ff.
67. Auch die Forschungen des Fürstabtes Martin Gerbert von St. Blasien (1720–1793), einem der wichtigsten Historiker der *musica sacra*, vgl. C. GROSSMANN, Martin Gerbert als Musikhistoriker, Kirchenmusikalisches Jb. 27 (1932), S. 123–134.
68. *Proprium* bei Festmessen, *Magnificat, Nunc dimittis* und die Marianischen Schlußantiphonen (freundliche Mitteilung des hochwürdigsten Herrn Abtes Bruno Rader vom 9. Oktober 1990).
69. Wie im 16. Jahrhundert von den Jesuiten in das österreichische Schulwesen eingeführt und im Barock vom Kaiserhaus besonders gefördert.
70. Seit 1819, anfangs (und wie in anderen Stiftsgymnasien z. T. noch heute üblich) *sub tubarum et tympanorum sonitu*, STRELLI, OLBERT, Benediktinerstift (wie Anm. 58), S. 69; FS St. Paul (wie Anm. 5), S. 136–145.
71. Vgl. STRELLI, OLBERT, Benediktinerstift (wie Anm. 58), S. 66 ff., S. 122 f.; FS St. Paul (wie Anm. 5), S. 149 ff., und v. a. H. BLUMENTHAL, Das Schulspiel in St. Paul, in: FS St. Paul (wie Anm. 5), S. 122–131.
72. Nach STRELLI, OLBERT, Benediktinerstift (wie Anm. 58), S. 86, S. 91, S. 99, bzw. FS St. Paul (wie Anm. 5), S. 157, S. 163, S. 168, S. 186–188: P. Vinzenz Tschernigg (bis 1863), Pfarr-Hauptlehrer Franz Donik (1863–1868), Hauptschullehrer Franz Fürstbauer (1868–1879), Oberlehrer Ferdinand Tangl (1879–1922), P. Thomas Wurzer aus St. Lambrecht (1920–1923), Weltpriester Dr. Friedrich Waldhart (1924–1930), Gerhold Norbert (1930–1933), Hermann Fixl (1933–1938), Dr. Reinhard Fohringer (1945–1946), Dr. Karl Schmidt (1947–1948), Rudolf Bara (1949–1951), P. Paulus Schneider (1951–1955), Dr. Anton Baumann (1949–1950), Dr. David Pucher (1952–1953), Hubert Steppan (1955–1988).
73. Ein Konvikt (Heim für auswärtige Studierende) hatte das Stift seit 1817 geführt, FS St. Paul (wie Anm. 5), S. 136.
74. Dies bestätigt nicht zuletzt die Liste „großer Zöglinge" auf diesem Gebiet: Bruno Wradatsch, Hans Blumenthal, Paul Hörbiger, Gustav Manker, Hubert Werner Majer, FS St. Paul (wie Anm. 5).
75. Hosianna, Gesänge für das Konvikt des Benediktinerstiftes St. Paul (Leipzig: Röder 1904).
76. Als beispielhafter Beleg kann das aus der Biographie von Hugo Wolf bekannte, der 1871/73 in St. Paul das Gymnasium besuchte, genommen werden.
77. STRELLI, OLBERT, Benediktinerstift (wie Anm. 58), S. 161.
78. Auch wenn gewisse Unterstützungen durch Erwachsene notwendig sind; vgl. FS St. Paul (wie Anm. 5), S. 145; Schul-Chronik, in: STRELLI, OLBERT, Benediktinerstift (wie Anm. 58), S. 160.
79. Vgl. auch F. EICHBERGER, Jugend und Jazz, in: FS St. Paul (wie Anm. 5), S. 92–97.
80. Musiklehrer des Konvikts war z. B. 1916 August

Pukl; seit 1927 steht in der Studentenkapelle eine eigene Orgel zur Verfügung, FS St. Paul (wie Anm. 5), S. 145, S. 157.

81. FS St. Paul (wie Anm. 5), S. 144 ff., S. 149, S. 157 ff., S. 165, S. 170.
82. Vgl. Schul-Chronik, in: FS St. Paul (wie Anm. 5), S. 135–171.
83. Orchester und Solisten, der Chor meist aus Gymnasial- und Kirchenchor gemeinsam rekrutiert; eigene Streicher konnte man in den letzten Dezennien nie, eher noch Bläser stellen (freundliche Mitteilung Prof. Steppan): Auch dies entspricht der Situation des 19. Jahrhunderts.
84. Insbesondere seit Prof. Hubert Steppan auch als „Gebietskantor für das Lavanttal" fungiert, PRASSL, Diözese (wie Anm. 53), S. 41.
85. Oftmals scheinen die musikalischen Höhepunkte nicht mit monastischen zu korrespondieren, eher mit Zeiten, da man über die Verhältnisse lebte (siehe Abt Vinzenz Lechner, Albert Reichart).

Biographisches

Die Äbte des Benediktinerklosters St. Paul im Lavanttal*

JOHANNES GUT – BRUNO RADER

WEZILO, MÖNCH VON HIRSAU,

1091 – um 1115/20

Ende April/Anfang Mai 1091 Besiedelung der Burg Lavant durch Mönche der Reformabtei Hirsau/Schwarzwald. Stiftung des Grafen Engelbert I. und seiner Gemahlin Hadwiga; Haus- und Familienkloster der Grafen von Spanheim, später Herzöge von Kärnten. Ausstattungsgüter in Kärnten, Untersteiermark und Friaul. 1099 päpstlicher Schutz. Schirmvogtei bei den Grafen von Spanheim. Rascher geistiger Aufschwung; St. Pauler Mönche werden als Äbte an andere Klöster berufen. Wegen seiner Strenge wird der Abt von den eigenen Mönchen vertrieben. Ägidiuskirche und Pauluskirche bei Gründung bereits vollendet; 1093 Weihe der Pauluskirche. Anfänge von Kirchenschatz und Bibliothek. Ein Frauenkloster (wohl im Bereich der Erhardikirche) bis in das 13. Jahrhundert nachweisbar.

BRUNO I. GRAF VON SPANHEIM (angeblich),

um 1115/20–1138

Weiterer Ausbau der Mönchsgemeinde. Festigung der wirtschaftlichen Lage des Klosters durch Schenkungen und Gebietstausch.

WERNHER

1138–1150

Blütezeit des Klosters. 1140 Erneuerung des päpstlichen Schutzes. 1145 gelangt die Pfarre St. Martin im Granitztal an das Stift. Weitere Gebietsschenkungen, vor allem im Drautal; 1147 endgültiger Anfall von Völkermarkt. Beginn der jahrhundertelangen Streitigkeiten mit den benachbarten Herren von Rabenstein.

PILGRIM

1150–1192

Geistiger Höhepunkt der Abtei. 1170 Schutzbrief Kaiser Friedrich Barbarossas. 1177 Wiederholung des päpstlichen Schutzes; Verleihung des Rechts der Mitra. Erste Spuren einer Kanzlei. Frühester Nachweis des Schulwesens (zunächst zur Heranbildung von Geistlichen, später auch Unterrichtung weltlicher Kreise). Gebietsverluste durch die Herren von Trixen; Erwerb anderer Güter. Beeinträchtigung von Bergrechten. Um 1160 Beginn des Neubaues der Stiftskirche. 1184 erstmalige Bezeichnung des Ortes zu Füßen des Stiftshügels als Markt (*forum*).

ULRICH I.

1192–1222

Bedeutender Abt mit weitreichenden Beziehungen. Die Blütezeit des Klosters hält an; der Konvent zählt über 50 Mönche. 1195 päpstliche Erlaubnis zum

* Der Umfang der Nachrichten richtet sich nach der Quellenlage; er ist nicht ausschlaggebend für den Grad der Bedeutung des einzelnen Abtes. – Jahreszahlen und Namen der Äbte unterliegen in der Literatur zuweilen deutlichen Schwankungen; es ist versucht worden, nach Möglichkeit eine Klarstellung zu erreichen.

Tragen des Ringes und zur Weihe liturgischer Gewänder. Erfolgreiche Bemühungen zur Wiedererlangung verlorener Güter und Rechte, darunter auch im Bergbau. 1221/22 Verleihung der Blutgerichtsbarkeit für Teile der steirischen Besitzungen. Um 1220 Vollendung des Neubaues der Stiftskirche; Fresken des Meisters Heinrich aus Gurk.

Konrad I. von Trixen
1222–1237

Mißwirtschaft und Verschleuderung von Klostergütern; Mißachtung von Rechten des Konvents. Schädigung des Stifts durch Herzog Bernhard von Kärnten. Der Abt muß resignieren, bleibt aber Mitglied des Konvents. 1226 Schürfrecht des Stifts nach Blei, Silber und Eisen auf eigenem Gebiet. 1227 Erwähnung einer Mühle des Klosters.

Leonhard
1237–1239 (oder 1240)

Versuch einer Rückgewinnung verlorengegangener Klostergüter und Neuordnung der wirtschaftlichen Lage. Erwerb und Sicherung von Rechten und Bergwerksanteilen.

Hartwig
1240–1248

Weitere Bestrebungen zur Wiedererlangung von Klostergütern und Erwerb eigener Vogteirechte. Im Streit mit Herzog Bernhard von Kärnten um 1240 Verlegung des Marktes Völkermarkt an die heutige Stelle. 1240 Bestätigung der alten Ägidiuskirche als Pfarrkirche. 1245 Erwerb des Patronats- und Vogteirechts über die Pfarre St. Georgen unter Stein. Unter Abt Hartwig oder seinen beiden Vorgängern Kapitelle an der Hauptapsis, Bogenfeldreliefs am heutigen Haupt- und Südportal sowie Lettnerstatuen; um 1240 Fresken in den Seitenapsiden der Stiftskirche.

Liuthold Graf von Pfannberg
1248–1258

Fortsetzung der Bestrebungen zur Wiederherstellung der Klosterdisziplin und guter wirtschaftlicher Verhältnisse. Übertragung der Klostervogtei an die Grafen von Pfannberg. 1257 Ernennung

Abb. 232: Leonhard, 1237–1239/40, Siegel von 1239 Februar 10, St. Paul

Abb. 233: Liuthold, Graf von Pfannberg, 1248–1258, Siegel von 1249 Februar 10, St. Paul

des Abtes zum Archidiakon durch den Patriarchen von Aquileia. 1249 erste Nennung eines Spitals bei der Erhardikirche.

Gerhard von Ennstal
1258–1275/78

Ab 1275 auch Bischof von Lavant; bis 1278 zugleich Administrator des Stifts. Weitere Vermehrung und Sicherung des Klosterbesitzes. 1260 Übergang der Klostervogtei von den Pfannbergern auf die Herzöge von Kärnten. Auseinandersetzung mit dem Klostervogt. 1259 Verheerungen durch die Ungarn. Um 1264 Weihe der wiederhergestellten Stiftskirche; um 1260 Westportal, 1260–1264 Fresken an den Hochschiffwänden und in der Hauptapsis. 1276 wird Gerhard von Ennsthal durch Graf Heinrich von Pfannberg gefangengenommen und zur Auslieferung der salzburgischen Feste Stein im Lavanttal gezwungen.

Hermann I.
1278—1283

Wegen fehlender Einigung im Konvent wird der Bischof von Lavant ermächtigt, einen Abt zu ernennen. Kluger Einsatz für die Belange des Stifts. 1278/79 Beendigung des Streites mit den Grafen von Pfannberg. Resigniert 1283.

Abb. 234: Hermann I., 1278–1283, Siegel von 1283 Februar 27, HHSTA

Dietrich Pruchler
Mönch von St. Peter in Salzburg, 1283–1289

Als Propst des salzburgischen Wieting berufen. Energischer Abt; geordnete Verhältnisse. Zahlreiche Erwerbungen, darunter 1286/88 von den benachbarten Herren von Kollnitz. Ältestes erhaltenes Urbar (Einkommensverzeichnis) von 1289.

Konrad II.
1289–1302

Bemühungen um die Hebung der Klosterzucht und Ordnung. Weitere Gebietserwerbungen durch Schenkung; doch befindet sich um 1290 Völkermarkt endgültig in der Hand des Herzogs.

Abb. 235: Konrad II., 1289–1302, Siegel von 1292 Oktober 24, St. Paul

Rudolf
1302–1311

Gebetsverbrüderungen mit anderen Klöstern. Weitere Güterstiftungen an die Abtei.

Weriand
1311–1314

Offenbar als Weltpriester zum Abt gewählt. Seit 1312 Stellvertreter (Vizedom) des Herzogs in Kärnten und Krain. Verleihung von Klostergütern. Erwerb verschiedener Rechte und einer Mühle. Einführung der Gütertrennung zwischen Abt und Konvent. Vermehrung der Bibliothek.

Abb. 236: Weriand, 1311–1314, Siegel von 1312 Februar 9, HHSTA

NICOLAUS
1314–1325

Erfolgreich in den wirtschaftlichen Belangen des Klosters. 1319 Zuweisung eines Sprengels an die Pfarre St. Paul im Bereich der alten Pfarre St. Andrä. Gebetsverbrüderung mit dem Stift Millstatt. Nach längerer Ruhe ab 1315 wiederum Streitigkeiten mit den benachbarten Rabensteinern.

Abb. 237: Nicolaus, 1314–1325, Siegel von 1320 September 8, HHSTA

HEINRICH I. ZOECK
1325–1356

Gerühmt als frommer Mann. Aufschwung der klösterlichen Zucht. Hofkaplan des Herzogs. Geschickte Verhandlungen um klösterliche Rechte. 1340 Einigung mit den Rabensteinern; 1343 erneuter Ausbruch des Streites. Bau der Jakobskapelle an der Südseite der Stiftskirche als Grabkapelle (1618 abgetragen).

Abb. 238: Heinrich I. Zoeck, 1325–1356, Siegel von 1332 Dezember 13, HHSTA

HEINRICH II. HARDER
1356/57

Als mild und gütig bezeichnet. Verschaffte Verwandten Klostergüter bei Lavamünd.

ULRICH II.
1357–1359

Gebetsverbrüderung mit dem Kloster Oberburg in Untersteier.

Abb. 239: Ulrich II., 1357–1359, Siegel von 1361 Dezember 21, HHSTA

Abb. 240: Konrad III. Neuhofer, 1359–1391, Siegel von 1387 April 24, St. Paul

Konrad III. Neuhofer
Mönch von St. Peter in Salzburg, 1359–1391

Vor der Wahl Propst von Wieting. Eine der großen Persönlichkeiten unter den Äbten von St. Paul. Umsichtige wirtschaftliche Verhandlungen. Trotz verschiedener Einigungsversuche weitere Auseinandersetzungen mit den Rabensteinern. Gebetsverbrüderungen mit mehreren Klöstern. Nach verheerendem Brand von 1367 beim Wiederaufbau gotische Veränderungen an der Kirche: Oberer Teil der Türme; steilere Dachform; Kreuzrippengewölbe im östlichen Teil. Stiftergrabmal. Vermehrung des Kirchenschatzes. Um 1370/90 Marienkapelle (heute Rabensteinerkapelle). 1371 St. Margarethen als zu St. Paul gehörig genannt. 1375 Weihe der Kirche auf dem Johannesberg.

Hermann II. von Schwanberg
1391–1399/1401

Wegen weltlicher Lebensführung und schlechter Verwaltung 1399 Absetzung durch den Bischof von Lavant (auf Veranlassung des Erzbischofs von Salzburg). Fügte sich nicht, daher zwei Jahre lang zwei Äbte nebeneinander. 1399 übernimmt Salzburg den Schutz über das Kloster; Versuch des Einflusses auch auf weltliche Angelegenheiten. 1396 Gebetsverbrüderungen mit bayerischen Klöstern.

Kaspar Fürholzer
genannt Smucker von Sonnegg, 1399–1401

Auf Geheiß des Erzbischofs von Salzburg durch den Bischof von Lavant eingesetzt. 1400 Versuch einer Einigung mit den Rabensteinern. Um 1400 Bau der Erhardikirche (tritt an die Stelle der alten Ägidiuskirche als Pfarrkirche).

Ulrich III. Schrimpf
1401–1414

An Stelle seiner beiden gleichzeitig regierenden Vorgänger auf Geheiß Herzog Wilhelms von Österreich gewählt. Wiederherstellung von Ordnung und Disziplin; Erholung der wirtschaftlichen Lage. Vergebliche Versuche zur Beseitigung des salzburgischen Schutzes über das Kloster. Salzburg gewinnt das Bestätigungsrecht für den neugewählten Abt. 1406/08 Streit um den Besitz in Untersteiermark. Besserung des Verhältnisses mit den Rabensteinern.

Ulrich IV. Ecklinger
1414–1432

Schwierigkeiten bei der Hebung der Klosterdisziplin. Heftige Auseinandersetzungen mit benachbarten Herren. 1326 Kauf ansehnlicher Güter in der Nähe des Stiftshügels. 1432 Verkauf der weit entfernten Güter in Krain und Friaul. 1427 Vertrag mit dem im Lavanttal einflußreichen Bistum Bamberg über die Ausübung der Gerichtsbarkeit. Einigung mit den Rabensteinern; diese besitzen mindestens seit 1423 in der Marienkapelle (heute Rabensteinerkapelle) ihr Erbbegräbnis. Malereien im östlichen Teil der Stiftskirche. 1430 Beginn des Umbaues der seit alters zum Kloster gehörenden Pfarrkirche zu Pustritz.

Abb. 241: Ulrich IV. Ecklinger, 1414–1432, Siegel von 1419 Oktober 5, HHSTA

Johann I. Poschenbeuter
1432–1446

Schwere wirtschaftliche Krise des Klosters. Zweimalige kurzzeitige Exkommunikation des Abtes durch den Salzburger Erzbischof im Rahmen von Rechtsstreitigkeiten. Das Stift gerät in den Zwist zwischen Herzog Friedrich und den Grafen von Cilli, die die steirischen Besitzungen in Mitleidenschaft ziehen sowie 1439 und 1442 den Markt St. Paul und die Erhardikirche zerstören; das Kloster wohl nicht eingenommen.

Abb. 242: Johann I. Poschenbeuter, 1432–1446, Siegel von 1443 Dezember 27, St. Paul

Peter Knapp
oder Leschenpfeffer, 1446–1455

Wie sein Vorgänger vom Salzburger Erzbischof eingesetzt. Bemühungen um die Klosterdisziplin. Verkauf von Gütern zur Behebung der verheerenden wirtschaftlichen Lage des Stiftes infolge landesherrlicher Steuerforderungen. 1453 Abtretung des Schlosses Mahrenberg in Untersteiermark an den Kaiser; dafür Verleihung der Blutgerichtsbarkeit in dieser Gegend an den Abt von St. Paul.

Abb. 243: Peter Knapp oder Leschenpfeffer, 1446–1455, Siegel von 1448 Februar 11, HHSTA

Johann II. Ecklinger (oder Esslinger)
1455–1483

Energischer und baufreudiger Abt. Kaiserlicher Rat. Teilnehmer an zahlreichen Landtagen zur Abwendung drohener Gefahren (Türken, Ungarn, Bauernaufstand). Das Kloster steht wegen seiner Disziplin wieder in hohem Ansehen. Einfluß des Papstes auf die Abtwahl. Gebetsverbrüderungen mit zahlreichen Klöstern. Infolge guter Wirtschaft Ermöglichung weiterer Erwerbungen. Befestigung des Stifts mit Mauern und Toren. Daher keine Einnahme des Klosters bei den Türkeneinfällen von 1476; jedoch Zerstörung des Marktes und Verwüstungen auf den Klosterbesitzungen. Zwischen 1480 und 1490 Ungarneinfälle im Lavanttal. Berufung auch weltlicher Lehrer an die Klosterschule.

1464 Vollendung der Sonntagspredigten des Thomas Ebendorfer, um 1468 Entstehung einer interessanten lateinisch-deutschen Spruchsammlung (beides durch den späteren Abt Johann III.). Um 1479 Abfassung eines Pestrezeptes. Um 1468 Veränderungen im Inneren der Stiftskirche: Sternrippen- und Netzgewölbe in Langhaus und Seitenschiffen; Gewölbemalereien der Brüder Michael und Friedrich Pacher aus Bruneck/Tirol.

Abb. 244: Johann II. Ecklinger oder Eßlinger, 1455–1483, Siegel von 1472 April 7, St. Paul

JOHANN III. HECHTL
aus Landau/Pfalz, 1483–1488

Schwere Erschütterung des Klosters im Inneren und Äußeren. Verarmung durch Steuern sowie Türken- und Ungarneinfälle. Abdankung des Abtes auf Verlangen des Erzbischofs von Salzburg. Bindung an die Genehmigung des Landesherrn und des Salzburger Erzbischofs bei Veränderungen im weltlichen Besitz des Klosters. 1485 Inkorporierung der Pfarre St. Georgen unter Stein.

Abb. 245: Sigmund Jöbstl von Jöbstlberg, 1488–1498, Siegel von 1489 Juli 13, St. Paul

SIGMUND JÖBSTL VON JÖBSTLBERG
1488–1498

Kunstsinniger Abt von hohem Ansehen sowie großer Frömmigkeit und Erfahrung. Ernennung zum Vizedom (Vertreter des Herzogs) in Kärnten. Klosterdisziplin und wirtschaftliche Verhältnisse erfahren einen Aufschwung. 1494 Erlaubnis zum Bau einer Mühle an der Lavant. Vergleich mit den Türken. Rege Bautätigkeit und Ausschmückung der Stiftskirche: 1493 Stifterfresko durch Meister Thomas von Villach. Prächtiger vergoldeter Hochaltar; weitere Altäre.

BERNHARD TRETHAN
1498–1500

Verbindet Geschäftstüchtigkeit mit großer Gelehrsamkeit und tiefer Frömmigkeit. Der frühe Tod vereitelt viele Hoffnungen.

Abb. 246: Bernhard Trethan, 1498–1500, Siegel von 1500 Jänner 20, St. Paul

JOHANN IV. PARENPICHLER
1500–1515

Hervorgehoben werden große Frömmigkeit und gute Sitten. Vorteilhafte Wirtschaft. 1506/14 Inkorporierung der Pfarre Klein St. Paul im Görtschitztal. Die Zwistigkeiten mit den Besitzern der Burg Rabenstein hören auch im 16. Jahrhundert nicht auf. Ausstattung der Stiftskirche mit Altären und Skulpturen. Der Abt muß auf Drängen Kaiser Maximilians I. zugunsten seines Nachfolgers resignieren.

Abb. 247: Johann IV. Parenpichler, 1500–1515, Siegel von 1502 März 8, St. Paul

Ulrich v. Pfinzing
aus Nürnberg, 1515–1530

Beginn der unheilvollsten Periode für das Stift St. Paul. Patriziersohn und Günstling Kaiser Maximilians I. Erst 1516 zum Priester geweiht. Ausschweifendes Leben, Verschleuderung von Klostergut. Schwere wirtschaftliche Verluste im Bauernaufstand. Außerordentliche Lasten zur Türkenabwehr. Nie vollendetes Prunkgrabmahl des Bildhauers Loy Hering aus Eichstätt. 1530 zur Abdankung gezwungen.

Abb. 248: Ulrich V. Pfinzing, 1515–1530, Siegel von 1529 September 3, St. Paul

Vitus Pissinger
1530

Drückende Lasten zwingen nach nur sechsmonatiger Amtszeit zur Resignation.

Mathias Furtner
1530–1550

Trotz Sparsamkeit weitere Verschuldung durch kaiserliche Forderungen; Verluste durch neue Türkeneinfälle. Zurückerlangung einiger durch Ulrich Pfinzing verschleuderter Güter. 1550 Resignation.

Abb. 249: Mathias Furtner, 1530–1550, Siegel von 1532 Juli 21, St. Paul

Jakob Pächler
1550–1558

Erneute Verkäufe und Verpfändungen sowie Vermehrung der Schuldenlast durch Darlehen an den Landesherrn, Kriegssteuern und Rüstungen.

Thomas Mur
1558–1576

Unklösterlicher Lebenswandel. Anhänger der Lehre Luthers. 1567 durch den Erzbischof von Salzburg exkommuniziert und abgesetzt, später wieder investiert. 1576 endgültige Absetzung durch Erzherzog Karl. Fortschreitender geistiger und wirtschaftlicher Niedergang. Gleichwohl beruft Klein Maria-Zell/ Niederösterreich 1565 seinen Abt aus St. Paul.

Andreas Schaffer
1576–1583

Vom Konvent ohne Erlaubnis des Salzburger Erzbischofs und des Landesherrn gewählt. Ebenfalls Anhänger der lutherischen Lehre. Ausschweifender Lebenswandel. Vernachlässigung der Verwaltung; Verkauf von Klostergütern. Gefahr einer weltlichen Verwaltung des Stifts. Hat teilweise einen Administrator. Flucht und Gefangennahme. 1583 Absetzung.

Abb. 250: Andreas Schaffer, 1576–1583, Siegel von 1580 Mai 16, St. Paul

Vinzenz Lechner

Mönch von St. Lambrecht, 1583–1616

Genießt dank hervorragender Eigenschaften großes Ansehen beim Landesfürsten und den Landständen. Zunächst Hebung der Klosterdisziplin. Versuch einer Ordnung der Wirtschaft durch Einlösung verpfändeter Güter, Gütertausch und Schuldenzahlung. Jedoch Verschleuderung der bedeutenden Herrschaft Faal in Untersteiermark an seinen Bruder. 1599 Ablehnung der Wahl zum Abt von St. Lambrecht. Gegen Ende seines Lebens erneuter Verfall der Disziplin und Verwaltung.

Johann Pferinger

aus München, 1616

Bestätigung der Wahl durch den Erzbischof von Salzburg verzögert. Zum Rücktritt gezwungen. Regierte nur drei Tage.

Hieronymus Marchstaller

aus Altdorf-Weingarten/Oberschwaben, Mönch von Ochsenhausen, 1616–1638

Als großer Reformabt „zweiter Gründer" des Stiftes St. Paul. Vor seiner Wahl seit 1610 Prior in St. Lambrecht. Bringt vier weitere Mönche aus Ochsenhausen mit; später Zuzug weiterer Mönche und Novizen aus Schwaben. In kurzer Zeit Wiederherstellung einer strengen Klosterdisziplin. Mönche von St. Paul werden Äbte in anderen Klöstern. 1625 Bestätigung der päpstlichen Vorrechte. Beseitigung der Gütertrennung zwischen Abt und Konvent. – Neuordnung der Wirtschaft. Begründer einer relativ geschlossenen Herrschaft des Klosters im unteren Lavanttal. 1628/29 Erwerb von Burg und Herrschaft Rabenstein; zur Finanzierung Verkauf entlegenerer Güter. Bringt die untersteirischen Herrschaften Faal und Unterdrauburg wieder an das Kloster zurück. Neuordnung des Archivs. Zusammenstellung einer Geschichte des Klosters. Feststellung des Besitzstandes durch Anlegung eines umfangreichen

Abb. 251: Vinzenz Lechner, 1583–1616, Siegel von 1590 Jänner 1, St. Paul

Abb. 252: Hieronymus Marchstaller, 1616–1638, Siegel von 1617 März 30, St. Paul

Urbars. 1622 Erlangung eines Jahrmarktes. Regelung der Rechte und Pflichten der Bürger des Marktes. 1636 Zerstörung der Burg Rabenstein durch Brand. – 1616 Mitglied des Großen Ausschusses des Kärntner Landtages. 1618 nach dem Tod des Bischofs von Lavant Administrator und Generalvikar des Bistums. 1625 salzburgischer Archidiakon für das östliche Unterkärnten und päpstlicher Protonotar. 1630 kaiserlicher Rat. – Beginnt 1618 an Stelle der mittelalterlichen Klosteranlage einen regelmäßigen vierflügeligen Neubau mit Ecktürmen, in dessen Mitte die (beibehaltene, jedoch veränderte romanische) Kirche steht; bei seinem Tod weitgehend unvollendet. Verlust der alten Bausubstanz. Errichtung einer Mauer um den Stiftshügel. Wertvolle Kirchenausstattung, darunter 1625–1628 gewaltiger Schnitzaltar von Michael Hönel. Tonnengewölbte Gruft unter dem Mittelschiff. Erweiterung des Kirchenschatzes und der Paramente. Bau einer großen Meierei.

Paul I. Memminger
aus Ochsenhausen/Schwaben, 1638–1660

Angesehene und kunstsinnige Persönlichkeit von hohem Verstand, tiefer Frömmigkeit, großer Bescheidenheit und Gerechtigkeit. 1642 ständischer Abgeordneter. Einhaltung einer strengen Hausordnung. Verfasser religiöser Schriften. Verbesserung der wirtschaftlichen Verhältnisse durch äußerste Sparsamkeit. 1647/48 Abbau von Eisenerz am Lamprechtsberg. Setzt die Erwerbspolitik seines Vorgängers fort. 1651 Kauf der Herrschaft Kollnitz, 1656 des Amtes Goding (bis zur Spitze der Koralpe). Weiterführung der Klosteranlage; Fassung des Hochaltars der Stiftskirche. Bau und Ausstattung von Filial- und Pfarrkirchen.

Philipp Rottenhäusler
aus Ochsenhausen/Schwaben, 1661–1677

Genießt ähnliches Ansehen wie seine beiden Vorgänger, deren strenge Klosterdisziplin und Wirtschaftsführung er übernimmt. 1661 kaiserlicher Rat und erzbischöflich-salzburgischer Rat; 1662 fürstlich-bambergischer Rat; 1663 Assistent des Universitätsvorstandes zu Salzburg; 1669 Verordneter des Landtages. 1673 Gründung einer philosophischen und theologischen Hauslehranstalt. Umfangreicher Gütertausch und -kauf. 1666 Erwerb der Herrschaft Lembach in Untersteiermark. Weitere Abrundung der Klosterherrschaft im unteren Lavanttal durch den Kauf der Herrschaften Loschental und Lavamünd (1667). Fortsetzung der Stiftsgebäude; die Erhöhung des Nordwestturmes um ein Stockwerk dient astronomischen Studien. Innenarbeiten an der Stiftskirche. Sorge für Pfarr- und Filialkirchen. Anwachsen der Schuldenlast auch durch Darlehen an den Kaiser und militärische Belastungen.

Abb. 253: Paul Memminger, 1638–1660, Siegel von 1642 August 5, St. Paul

Abb. 254: Philipp Rottenhäusler, 1661–1677, Siegel von 1662 August 17, St. Paul

Albert Reichart
aus Klagenfurt, 1677–1727

Steht in einer außerordentlich langen Amtszeit bei Papst und Kaiser in hohem Ansehen. Päpstlicher Protonotar; salzburgischer und bambergischer Rat; 1691 ständischer Abgeordneter; zweimalig Assistent der Universität Salzburg. Verfasser des *Breviarium historiae Carinthiae* (1675). Bestrebungen um Aufrechterhaltung der Klosterdisziplin. Das Kloster Emaus in Prag holt seinen Abt aus St. Paul. Vertiefung der Gebetsverbrüderungen mit anderen Klöstern. – Abschluß der großen Gütererwerbungen des 17. Jahrhunderts. Bemühungen um Ausweitung der wirtschaftlichen Betätigung: 1679 Kauf von Bergwerksanteilen in Hüttenberg (zehn Jahre später abgestoßen); 1687 Errichtung einer Glashütte in St. Vinzenz (1878 aufgegeben); 1696/97 Abbau von Eisenerzen; 1696–1700 Versuch einer Blei- und Silbererzförderung am Obir. – Die (unvollendet gebliebenen) Stiftsgebäude erhalten ihre endgültige Gestalt. Ausstattung der Stiftskirche, darunter um 1705 der heutige Hochaltar. Bau und Ausbau von Kirchen (so 1687 Josefsberg vollendet, 1716/18 vergrößert; 1694 Johannesberg). – Er hinterläßt infolge seiner Baulust und Freigebigkeit sowie finanzieller Lasten durch kriegerische Ereignisse und Pestzeiten eine Schuldenlast von 358.000 fl.

Abb. 255: Albert Reichart, 1677–1727, Siegel von 1678 Jänner 24, St. Paul

Johann VI. Rainer von Lindenstuhl
(oder Lindenbichl) 1728–1742,

wegen kaiserlicher Inventur erst eineinhalb Jahre nach dem Tod seines Vorgängers gewählt. Bescheidenheit und Gelehrsamkeit. Schwierigkeiten im Konvent wegen der schlechten materiellen Lage. Einige Ausstattungen in Konvent und Kirche. Trotz sparsamer Wirtschaftsführung wegen Mißernten und Steuerbelastungen keine finanzielle Erholung des Stifts.

Abb. 256: Johann VI. Rainer, 1728–1742, Siegel von 1728 Dezember 10, St. Paul

Benedikt Hasler
1742–1748

Gilt als liebenswürdig und gütig. Ungeachtet der wirtschaftlichen Not vor allem Einrichtung und Stukkierung des

Abb. 257: Benedikt Hasler, 1742–1748, Siegel von 1743 Dezember 2, St. Paul

Sommerrefektoriums, Aufstellung weiterer Altäre und Umbau des Hauses in Klagenfurt. Sinken der Disziplin und Verwaltung während seines dreijährigen Siechtums ab 1745. Anwachsen der Schuldenlast durch Steuern und Notzeiten auf 458.000 fl.

Abb. 258: Anselm I. Passau(c)ko, 1748–1778, Siegel von 1749 August 21, St. Paul

ANSELM I. PASSAU(C)KO
aus Graz, 1748–1778

Strenge Handhabung der Disziplin. Von 1754–1756 als ständischer Verordneter meist in Klagenfurt, wo er in hohem Ansehen steht. 1777 Umwandlung der stiftlichen Lateinschule in ein ordentliches Gymnasium (*Caesareo-Regium Gymnasium ad Sanctum Paulum*). 1766/67 Eröffnung eines Kupferbergwerks am Lamprechtsberg (1791 geschlossen). Reiche Ausstattung der Stiftskirche. Trotz persönlicher Sparsamkeit des Abtes erreicht die Schuldenlast infolge von Unglücksfällen, verfehlter wirtschaftlicher Unternehmungen und Steuerlasten die Höhe von 546.000 fl.

ANSELM II. VON EDLING
1778–1782/87

Letzter Abt des alten Stifts St. Paul. Hohe geistige Begabung. Bekannter Name als Dichter, Theologe und Erzieher. Schriften über Seelsorge und Schulwesen. Gehört zum engen Bekanntenkreis der in Klagenfurt lebenden Erzherzogin Maria-Anna. Entfremdung gegenüber dem Konvent durch lange Abwesenheiten vom Stift. Nach energischen Sparmaßnahmen führt ein Antrag des Abtes auf Einsetzung einer Hofkommission zunächst im Jahre 1782 und dann endgültig 1787 zur Aufhebung des Klosters. 1784 Einstellung der Tätigkeit des Gymnasiums. Der Besitz des Stifts fällt dem Staat anheim; Verschleppung und Verschleuderung des Klostergutes. Der Abt wird Stadtpfarrer und Dechant in Wolfsberg, später Domherr in Leoben.

Abb. 259: Anselm II. von Edling, 1778–1782/87, Siegel von 1779 März 13, St. Paul

BERTHOLD ROTTLER
aus Obereschach/Schwarzwald, 1809–1826

„Dritter Gründer" des Stifts St. Paul. Letzter Fürstabt des vorderösterreichischen Benediktinerklosters St. Blasien/Schwarzwald (1801–1807). Besiedelt nach der Aufhebung seiner Heimatabtei und einer Zwischenstation in Spital am Pyhrn mit einem Teil seines Konventes 1809 von neuem St. Paul, gestützt auf das wissenschaftliche Potential einer geschulten Gelehrtengemeinschaft. Überführung der Gebeine der frühen Habsburger und wertvoller Schätze aus dem Schwarzwald sowie weiterer Kunstgegenstände aus Spital. Lehraufgaben am Lyzeum und Gymnasium in Klagenfurt. 1809 Wiedererrichtung des alten Gymnasiums in St. Paul mit den unteren Klassen; 1817 Eröffnung eines Konvikts. Übernahme verschiedener Pfarren. Harter Kampf um ausreichende Dotationen; Überwindung innerer Schwierigkeiten. Seit 1811 Kärntner

Landstand; 1812 ständischer Ausschußrat. Kaiserlicher Rat.

Meinrad Amann
aus Hofkirch/Württemberg, 1826–1839

Gehört noch den 1809 eingewanderten St. Blasier Mönchen an. Bemühungen um religiöse und wissenschaftliche Vertiefung des Konvents. Bestrebungen um eine solide wirtschaftliche Grundlage des Stifts (1827 Bierbrauerei in Eberndorf, 1838 Runkelrübenzuckerfabrik in Wasserhofen, Steinkohleförderung, Weinbau) nicht immer erfolgreich. 1831 und 1838 ständischer Verordneter.

Ferdinand Steinringer
aus Klagenfurt, 1840–1866

Intensive Förderung der wissenschaftlichen Ausbildung und des gesamten Schulwesens. 1848/49 Auflösung des Lyzeums in Klagenfurt. Dafür Aufstockung des Gymnasiums in St. Paul um zwei weitere Klassen als Untergymnasium; 1846–1848 Bau des Südteils des Ostflügels der Stiftsanlage als Schulhaus. Vorteilhafte Wirtschaftsverwaltung, Hebung der Viehzucht, des Ackerbaues und der Obstkultur. 1860 Einrichtung auch einer Kunstmühle. Bau- und Ausstattungstätigkeit an Stiftskirche und anderen Kirchen, darunter 1850/52 umfangreiche Renovierung der Stiftskirche. Errichtung des großen Meiereigebäudes. Fürstbischöflicher Konsistorialrat. 1860 Verleihung des Ritterkreuzes des Ordens der eisernen Krone.

Augustin Duda
aus Trebitsch/Mähren, 1866–1897

Außerordentliche Sprachenbegabung. Fürstbischöflicher Konsistorialrat. Ritter des Ordens der eisernen Krone. Infolge Lehrermangels 1871 Aufgabe der vollen Lehrtätigkeit am Gymnasium in Klagenfurt gegen die Auflage einer Besoldung der dortigen Lehrkräfte (bis 1896). Dafür Verpflichtung eines Ausbaues der Anstalt in St. Paul zu einem Vollgymnasium bis spätestens 1900; 1874 Erlangung des Öffentlichkeitsrechts. 1889 Bezug des neuen Konvikts *Josefinum* im Markt St. Paul. 1897 Verzicht auf die Klagenfurter Niederlassung. 1878 Schließung der Glashütte in St. Vinzenz. 1880/82 Ausstattung und Renovierung der Stiftskirche.

Gregor Ehrlich
aus Weidenau/Schlesien, 1897–1912

Fürstbischöflicher Konsistorialrat. Komtur des Franz-Joseph-Ordens. Weiterer Ausbau des Erziehungswesens in St. Paul. 1897/99 Bau der Volksschule und des Gymnasialgebäudes im Markt; 1901 erste Reifeprüfung. 1907/09 bauliche Vergrößerung des Konvikts. Vorliebe für wirtschaftliche Tätigkeit, vor allem in der Landwirtschaft. 1907 Errichtung eines eigenen Elektrizitätswerkes an der Lavant. Finanzielle Schwierigkeiten zwingen zum Verkauf von Stiftsbesitz.

Odilo Frankl
aus St. Johann bei Wolfsberg, 1913–1929

Nach halbjähriger Vakanz gewählt. Erlebt die Nöte des Ersten Weltkrieges, die zweimalige vorübergehende Besetzung St. Pauls durch jugoslawische Soldaten 1918/19 und die Volksabstimmung von 1920 über die Zugehörigkeit des Gebietes zu Österreich. Einrichtung einer eigenen Verwaltung in Marburg für die an Jugoslawien gefallenen untersteirischen Güter. Die wirtschaftliche Lage führt zum Verkauf einer romanischen Glockenkasel nach Wien. 1928 Reformierung des Klosters. 1924 Gewölbefresken von Switbert Lobisser im Winterrefektorium. – Fürstbischöflicher Konsistorialrat. Altertumsforscher (insbesondere Frühgeschichte des Lavanttales). Schon vor der Abtwahl Konservator der Zentralkommission für Erforschung und Erhaltung der Kunst- und historischen Denkmale.

Richard Strelli
aus Triest, 1929–1940

Fürstbischöflicher Konsistorialrat. Ebenfalls anerkannter Altertumsforscher und Konservator; Weiterführung der von seinem Vorgänger begonnenen Untersuchungen. Begnadeter Erzieher. 1933/34 Erweiterung des humanistischen Gymnasiums um realgymnasiale Abteilungen. Begründer und Förderer des Volksbildungswesens in St. Paul. 1931/32 Fresken von Switbert Lobisser in der Stiftskirche und im Sommerrefektorium. 1935/36 umfassende Restaurierung der Stiftskirche. In wirtschaftlicher Not 1930 endgültiger Verkauf einer aus St. Blasien stammenden Gutenbergbibel (Verhandlungen schon seit 1924). 1938 Verstaatlichung des Stiftsgymnasiums, 1940 Aufhebung des Stifts durch die nationalsozialistischen Machthaber.

Paulus II. Schneider
aus Bruck an der Leitha, 1947–1979

Nach dem Ende des Zweiten Weltkrieges wird das 1945 wiedererstandene Stift zunächst vom Apostolischen Administrator P. Thiemo Raschl und dem Stiftsdekan P. Erhard Schmid geleitet. Die Besitzungen in der Untersteiermark sind endgültig verloren. Wahl des damals jüngsten Benediktinerabtes der Welt 1947. Ungemein musische Persönlichkeit. Bischöflicher Konsistorialrat. Zahlreiche Ehrungen, darunter Großes Ehrenzeichen für die Verdienste um die Republik Österreich. Zunächst wirtschaftlicher Aufschwung, Anwachsen des Konvikts und Gymnasiums. Restaurierung von Pfarrkirchen und Pfarrhöfen. Baumaßnahmen am Konvikt. Neue Orgel in der Stiftskirche.

1975 erhält das Stift den Nachlaß der Romanschriftstellerin Gerhart Ellert (Pseudonym für Gertrud Schmirger). Bald drückende Nachwuchssorgen. 1977 Schließung des Konvikts (seither Tagesheimschule).

Bruno II. Rader
aus Granitztal, seit 1979

Bedeutende Mitglieder des Benediktinerklosters St. Paul im 19. und 20. Jahrhundert*

JOHANNES GUT – BRUNO RADER

Trudpert Neugart

23. 2. 1742 Villingen/Schwarzwald – 15. 12. 1825 St. Paul

Eine der markantesten Persönlichkeiten der 1807/09 aus St. Blasien nach Kärnten eingewanderten Benediktiner. Führt ab Mitte 1807 zusammen mit seinem Mitbruder Ignatius Kopp die Vorverhandlungen in Wien für die Übersiedelung der St. Blasier nach Österreich und trifft als erster in der Zwischenstation Spital am Pyhrn ein; später zusammen mit Fürstabt Berthold Rottler entscheidend bei den langwierigen Wiener Übergabe- und Dotationsverhandlungen. Wichtiger Historiker der nach kritischen Forschungsmethoden arbeitenden Gelehrtenakademie des Klosters St. Blasien. An seinem neuen Wirkungsort St. Paul steht er ab 1809 zusammen mit seinen beiden Mitbrüdern Ambrosius Eichhorn und Franz Xaver Grüninger am Beginn der modernen Geschichtswissenschaft Kärntens. Professor der Theologie und Kämmerer.

Markus Baader

1. 3. 1752 Löffingen/Schwarzwald – 26. 10. 1822 St. Paul

Dekan in St. Blasien/Schwarzwald, Spital am Pyhrn und St. Paul. Trägt bei der Übersiedelung der St. Blasier nach Kärnten 1807/09 die Hauptlast der Verantwortung für das innere Leben des Konvents, während Fürstabt Berthold Rottler in Wien die schwierigen Dotationsverhandlungen führt; damit entscheidende Stellung beim Neuaufbau des Stiftes St. Paul zu Beginn des 19. Jahrhunderts. Pfarrer in St. Paul.

Ambrosius Eichhorn

26. 9. 1758 Wittlekofen/Schwarzwald – 21. 3. 1820 St. Paul

Führt im Zuge der Übersiedelung eines Teils des Konventes von St. Blasien/ Schwarzwald nach Österreich ab Mitte 1807 die erste Vorhut nach Salzburg und Spital am Pyhrn. Als vielseitiger Historiker bedeutendes Mitglied der an kritischen Forschungsmethoden geschulten Gelehrtengemeinschaft der Abtei St. Blasien. Seit der Einwanderung in St. Paul 1809 wirkt er wie seine Mitbrüder Trudpert Neugart und Franz Xaver Grüninger außerordentlich befruchtend auf die Entwicklung der modernen Geschichtswissenschaft Kärntens. Archivar des Stifts St. Paul. Als Präfekt der Gymnasien in Klagenfurt und St. Paul trägt er zu dem großen Aufschwung die

*) Wegen der Quellenlage muß sich diese Übersicht auf Persönlichkeiten des 19. und 20. Jahrhunderts beschränken. Äbte sind hier nicht aufgeführt; ihnen ist eine eigene Liste vorbehalten. Auch in diesem eingeschränkten Rahmen kann es sich nur um eine beispielhafte Auswahl handeln, die einer besseren Einsicht gegenüber jederzeit offen ist.
Zusammenstellungen der wissenschaftlichen Werke St. Pauler Konventualen zur Geschichte Kärntens finden sich vor allem in: G. Moro (Hrsg.), FG zur 150-Jahr-Feier der Wiederbesiedelung des Benediktinerstiftes St. Paul im Lavanttal durch die Mönche von St. Blasien im Schwarzwald (1959), S. 595–602; G.-J. Ladstätter, Die Geschichte des Benediktinerstiftes St. Paul im Lavanttal in Kärnten von 1809 bis 1848 (Diss. Wien, 1973), S. 206–233.

ser Schulen bei und gewinnt starken Einfluß auf die Weiterbildung der studierenden Jugend. Das Schultheater in Klagenfurt erfährt eine kurze Wiederbelebung und einen letzten Höhepunkt.

Franz Xaver Grüninger

7. 2. 1790 Villingen/Schwarzwald –
5. 3. 1826 Klagenfurt

Gehört bereits einer jüngeren Generation der Schwarzwälder Mönche an, die 1809 St. Paul wiederbesiedeln. Schüler des großen, an kritischen Forschungsmethoden geschulten P. Trudpert Neugart. Trägt wie sein Lehrer und wie sein älterer Mitbruder P. Ambrosius Eichhorn entscheidend zur Entwicklung der modernen Geschichtswissenschaft Kärntens bei. Professor der Grammatik in St. Paul und Klagenfurt sowie der allgemeinen Weltgeschichte in Klagenfurt.

Leopold Scheichenberger

1. 3. 1791 Rastatt/Baden –
15. 11. 1825 Karlsruhe

Klostereintritt Ende 1807 in Spital am Pyhrn. 1813–1822 Professor für Bibelkunde am Lyzeum und für Griechisch am Gymnasium zu Klagenfurt. Kärntner Geschichtsforscher. Bekannt als Prediger und Dichter. 1825 während eines Deutschlandaufenthaltes Übertritt zur lutherischen Kirche; Pastor in Karlsruhe.

Karlmann Flor

16. 11. 1801 St. Paul bei Brixen –
27. 10. 1870 Brixen

Ungewöhnlich vielseitiger Historiker und Philologe. Nach Lehrtätigkeit in den Grammatikalklassen des Klagenfurter Gymnasiums 1835 und erneut 1843 Berufung an das Lyzeum in Augsburg mit den Fächern Philologie, Geschichte und Archäologie, später auch Anthropologie, Ästhetik, Länder- und Völkerkunde. 1840–1843 vorübergehend Bibliothekar und Archivar in St. Paul; 1849–1866 Gymnasialprofessor in Klagenfurt. Umfangreiche wissenschaftliche Forschungen. In der Augsburger Zeit Mitglied und Ausschußmitglied, später Ehrenmitglied des Historischen Vereins für Schwaben, Neuburg und Oberbayern. Ausschußmitglied des Geschichtsvereins für Kärnten. Mitglied der Archäologischen Gesellschaft in Rom (*Academia dei Quiriti*).

Franz Xaver Kienreich

10. 7. 1806 Graz – 3. 1. 1850 Marburg

1833–1849 als Professor der Grammatikalklassen in Klagenfurt. Religiöse und lyrische Dichtungen.

Hermann Venedig

3. 6. 1807 Neumarkt/Krain –
26. 2. 1887 St. Paul

Begnadeter Lehrer und Forscher der klassischen Sprachen, tätig in St. Paul und Klagenfurt.

Rainer Graf

24. 5. 1811 Laibach – 7. 6. 1872 Villach

Anerkannter Historiker, Naturwissenschaftler und Philologe. Ab 1844 Lehrer an den Grammatikalklassen in St. Paul, ab 1847 der Humanitätsklassen in Klagenfurt, von 1850–1872 vorwiegend Geschichte, Deutsch und Italienisch. Beschäftigung mit Numismatik und Botanik (u. a. zusammen mit dem Architekten Leopold v. Huber Errichtung eines Botanischen Gartens in Klagenfurt). Ausschußmitglied des Historischen Vereins und des Naturhistorischen Museums für Kärnten.

Beda Schroll

17. 9. 1823 Iglau – 20. 9. 1891 Eberndorf

Ungemein vielseitiger und fruchtbarer, weit über die Grenzen St. Pauls hinaus wirksamer und bekannter Historiker. Mitglied und Gaukorrespondent, später Ehrenmitglied des Kärntner Geschichtsvereins. Professor in St. Paul und Klagenfurt. Administrator in

Eberndorf. Fürstbischöflich Geistlicher Rat. Ritter des Franz-Joseph-Ordens.

Norbert Lebinger
3. 7. 1833 St. Lambrecht – 6. 7. 1906 Klagenfurt

Bekannter Geschichtsforscher Kärntens. Letzter Schüler des Altmeisters der Kärntner Geschichtsforschung, Gottlieb Freiherr von Ankershofen. Seit 1857 Mitglied, seit 1871 Ausschußmitglied des Geschichtsvereins für Kärnten. 1879 Konservator der k.k. Zentralkommission für das Archivwesen in Kärnten; zahlreiche Bereisungen von Pfarr-, Herrschafts- und Gemeindearchiven. Ritter des Franz-Joseph-Ordens.

Eberhard Katz
2. 11. 1836 St. Paul (Allersdorf) – 1. 2. 1926 St. Paul

Langjähriger Dekan, Archivar, Hofmeister und Rentmeister. Als Gymnasialdirektor von 1885–1901 trägt er wesentlich zum Bau des 1889 bezogenen Konvikts *Josefinum* und des 1899 eröffneten eigenen Gymnasialgebäudes in St. Paul bei. Fürstbischöflicher Konsistorialrat. Ehrenbürger der Marktgemeinde St. Paul. Verleihung des Ritterkreuzes des Franz-Joseph-Ordens.

Siegfried Christian
6. 1. 1870 Eberndorf – 10. 4. 1915 St. Paul

Seit 1907 Stiftsarchivar. Ab 1911 Direktor des Stiftsgymnasiums. Als anerkannter Kunsthistoriker ab 1909 Konservator der k.k. Zentralkommission für Denkmalpflege. Besondere Verdienste um Musik- und Volksgesangpflege in St. Paul.

Hugo Greilach
2. 7. 1874 Klagenfurt – 7. 9. 1956 St. Paul

Ab 1902 Lehrer für Mathematik, Physik, Chemie und Biologie am Stiftsgymnasium St. Paul. Zahlreiche Forschungen und Veröffentlichungen auf seinen Fachgebieten tragen ihm die Bezeichnung „St. Pauler Einstein“ ein. Fürstbischöflicher Geistlicher Rat.

Switbert Lobisser
23. 3. 1878 Tiffen – 1. 10. 1943 Klagenfurt

Berühmter Kärntner Meister des Holzschnittes und Maler. Werke auch im Stift und in der Stiftskirche St. Paul. Von 1908 bis zu seinem Klosteraustritt 1932 Kunsterzieher am Stiftsgymnasium. Zahlreiche Auszeichnungen, wie Goldene Staatsmedaille, Silbernes Ehrenzeichen für Verdienste um die Republik, Kärntner Kreuz für Verdienste.

Hermann Peissl
5. 12. 1879 St. Johann ob Hohenburg – 19. 11. 1972 St. Paul

Bis in das hohe Alter einzigartig aktive Persönlichkeit. Seit 1906 langjähriger Lehrer am Stiftsgymnasium, von 1946 bis 1967 dessen Direktor. 1929–1938 Konviktsdirektor. Für 50jährige erfolgreiche Lehrtätigkeit Verleihung des Großen Ehrenzeichens für Verdienste um die Republik Österreich. Hofrat. Fürstbischöflicher Geistlicher Rat. Ehrenbürger der Marktgemeinde St. Paul.

Hartwig Labi
17. 7. 1883 Wolfsberg – 29. 12. 1965 Wolfsberg

Langjähriger tatkräftiger Hofmeister des Stifts St. Paul und Gymnasiallehrer. Große Verdienste um die Wiedererrichtung des Stifts St. Paul und die Rückführung der Kunstschätze nach dem Zweiten Weltkrieg. 1962 Verleihung des Ehrenkreuzes *pro litteris et artibus*. Bischöflicher Geistlicher Rat.

Thiemo Raschl
29. 9. 1883 Wolfsberg – 29. 11. 1946 Wolfsberg

Ab 1912 Lehrer am Stiftsgymnasium, ab 1929 und wieder ab 1945 dessen Direktor. Ab 1915 Archivar und Bibliothekar des Stifts. Historische Studien über das Stift St. Paul. 1919–1940 Dekan. Als Apostolischer Administrator rettet er das Stift St. Paul über die Zeit der Aufhebung 1940–1945; nach dem Zweiten Weltkrieg als Dekan, Gymnasialdirektor und Administrator maßgeblich am Neuaufbau des klösterlichen Lebens, des Konvikts und der Schule beteiligt. Fürstbischöflicher Geistlicher Rat.

Erhard Schmid

17. 6. 1890 Wolfsberg – 21. 1. 1960 St. Paul

Viele Jahre Lehrer am Stiftsgymnasium. Nach dem Tode des Apostolischen Administrators Thiemo Raschl 1946 Verweser des Stifts St. Paul bis zur Wahl des ersten Nachkriegsabtes Paulus Schneider im Jahre 1947. Seither bis zu seinem Tode Stiftsdekan. Fürstbischöflicher Geistlicher Rat.

Wolfgang Schütz

18. 3. 1891 St. Agatha/Oberösterreich – 15. 7. 1961 Wels

Als Stiftsarchivar und -bibliothekar einer der fruchtbarsten Historiker von St. Paul. Mitglied des Geschichtsvereins für Kärnten, der Vergleichenden Kunstforschung Wien, der Österreichischen Geographischen Gesellschaft Wien, des Historischen Vereins für Steiermark und der Wiener katholischen Akademie. Lange Zeit Lehrer am Stiftsgymnasium. Bischöflicher Geistlicher Rat.

Maurus Wirth

21. 6. 1899 Karlsruhe – 1950 Brasilien

Zunächst Franziskaner; später Eintritt in St. Paul. 1930/31 Lehrer für Deutsch und Geschichte am Stiftsgymnasium, dann Seelsorge. Intensives Studium der Märchenliteratur aller Kulturnationen. Ab 1933 Missionar in Brasilien. Ethnologische und mythologische Forschungen. Nach wissenschaftlicher Tätigkeit 1950 als erster Missionar zu den Pacaas-Novos-Indianern im Inneren Brasiliens und Märtyrertod.

„Memoiren eines Apostaten“ aus St. Paul (1841)

WILHELM BAUM

Franz Ernst Pipitz[1] gehört nicht nur zu den bedeutendsten Publizisten Österreichs in der Zeit des Vormärz, sondern auch zu den wenigen Autoren, deren Werk uns einen Blick in die inneren Verhältnisse des Kärntner Geisteslebens und insbesondere des Stiftes St. Paul und des von diesem Stift geführten Gymnasiums und Lyzeums in Klagenfurt gestattet. Sein historischer Roman „Der Jakobiner in Wien. Oesterreichische Memoiren aus dem letzten Dezennium des achtzehnten Jahrhunderts“ (Zürich–Winterthur 1842; 2. Aufl. 1843, 3. Aufl. 1848) war noch jüngst Gegenstand einer Untersuchung in einem Standardwerk über die österreichische Literatur.[2] Der „noch viel zu wenig gewürdigte Dr. Franz Ernst Pipitz“[3] hinterließ auch staatstheoretische und volkswirtschaftliche Schriften, deren Bedeutung noch nicht umfassend gewürdigt wurde. In diesem Zusammenhang geht es darum, seine Beziehungen zu St. Paul und dem Klagenfurter Gymnasium und Lyzeum näher zu analysieren.

Abb. 260: Franz Ernst Pipitz 1815–1899

F. E. Pipitz wurde am 8. Dezember 1815 in Klagenfurt im Palais Goëss auf dem Alten Platz geboren. Sein Vater Josef war Güterinspektor des Grafen Peter Goëss. Die Entlassung des betagten Vaters zwang den Sohn zum Abbruch seiner Studien in Wien und wurde von ihm zeit seines Lebens als schweres Unrecht empfunden, das seine Sensibilität für soziale Gerechtigkeit schärfte und sein Mißtrauen gegen die Oberschicht weckte, zumal der Vater seine Ansprüche auch gerichtlich nicht durchsetzen konnte. Sein Bruder Dr. Josef Pipitz[4] wurde später Gouverneur der Österr.-Ungar. Bank in Wien. Über seine Jugend ist wenig bekannt. 1824 trat er ins Klagenfurter Gymnasium ein, wo er die erste Grammatikklasse unter dem Vorstand Ferdinand Steinringer besuchte und eine Auszeichnung erhielt.[5] In der zweiten Grammatikklasse (1825/26) erhielt er als einziger eine Auszeichnung.[6]

In jedem Schuljahr wurde vermerkt *primus eminuit* oder *unus eminuit*. Auch in der dritten[7] und vierten Klasse Grammatik wurde er ausgezeichnet; 1828 wird im Jahresbericht die Auszeichnung erwähnt.[8] Auch in der ersten[9] und zweiten Klasse Humanitatis, die er 1830 abschloß, wurde er ausgezeichnet.[10] Hier machte er die ersten Erfahrungen mit den St. Pauler Benediktinern, die das Gymnasium seit 1808 betreuten.[11] Sein späterer Freund Franz von Tschabuschnigg war sein Klassenkamerad am Klagenfurter Gymnasium. In seinen nach seiner Flucht aus dem Kollegium 1842 in Stuttgart erschienenen „Memoiren eines Apostaten" verweist „Reding" – so nennt sich Pipitz in den Memoiren – anläßlich seines Eintritts ins Lyzeum darauf: „Reding überschritt die Schwelle der Räume, die er einst als Studierender mit so verschiedenen Empfindungen betreten hatte."[12] Obwohl er die Namen in den Memoiren mystifizierte, läßt sich meistens angeben, wer sich dahinter verbirgt. Bereits als Schüler verliebte er sich in die Bleiberger Gewerkentochter „Berta" Holenia. 1830 begann er das Jusstudium in Wien. Nach der Entlassung seines Vaters mußte er sich als Hofmeister bei Adeligen seinen Lebensunterhalt verdienen. Als Bibliothekar des Fürsten „Konstantin" Schwarzenberg in Neuwaldegg bei Wien konnte er sich mit der modernen Literatur vertraut machen. Auf die – falsche – Nachricht hin, „Berta" reise mit ihren Eltern nach Italien, um dort zu heiraten, kehrte er nach Klagenfurt zurück. Das „Werther-Fieber" ergriff auch ihn; es ist auffallend, daß er der erste Kärntner war, der die kulturgeschichtliche Bedeutung des Kantianers Franz de Paula von Herbert[13] erkannte und eindrucksvoll seinen und seiner Schwester Selbstmord beschrieb. Gerade diese Schilderung dokumentiert seine Vertrautheit mit der zeitgenössischen Literatur in Deutschland, in der Herbert erwähnt wurde.

In seinen Memoiren erwähnt „Reding", er habe nun die Unmöglichkeit erkannt, „das Leben so fortzusetzen, wie es jetzt vor seinen Blicken lag. Eine völlige Umgestaltung mußte erfolgen (...) Hier kamen ihm die Traditionen seiner früheren Jugend zu Hilfe, und er rief sie gern auf, um den Entschluß, der alle seine übrige Kraft in Anspruch nahm, zu fördern und zu reifen. – Reding hatte einen Teil seiner Studienjahre unter der Leitung von Lehrern verlebt, die dem Orden der Benediktiner angehörten, und erinnerte sich, daß ihm einst nichts beneidenswerter erschien, als die Stellung eines solchen. Selbst später, da sich in ihm die Abneigung gegen den geistlichen Stand schon bestimmt entwickelt hatte, war er geneigt, zugunsten eines Ordens eine Ausnahme zu machen."[14]

Der Eintritt in das Stift St. Paul, der etwa 1835 erfolgt sein muß, war für Pipitz also eine Flucht in die heile Welt des Gelehrten. „Ein mächtiger Reiz lag für Reding in dem Gedanken, daß dieser Stand, sobald man sich einmal in seine Bedingungen gefügt hat, eine völlige Unabhängigkeit gewähre (...) Seine religiösen Ansichten schienen Reding kein Hindernis (...) Er war nicht der Ansicht, daß man zum Lügner werde, wenn man durch Mitmachen von Zeremonien ein Glaubensbekenntnis abzulegen scheine, dem man im Herzen nicht huldigt."[15] Der Prior P. Josef war mit Pipitz' Familie bekannt. Beim Eintritt ins Noviziat erhielt der junge Literat, der Kant, Hegel, Herder, Heine, Börne, Lenau und Nestroy mit Begeisterung las, den Namen Ernst. Sein eigentlicher Taufname war Franz Anton; interessant ist, daß er den Klosternamen auch in seinem späteren Leben als zweiten Namen beibehielt. Liebevoll-ironisch beschreibt Pipitz das Stift mit den Porträts der Äbte und die Bibliothek. Obwohl die inneren Voraussetzungen für ein Klosterleben bei ihm keinesfalls bestanden, war das Noviziatsjahr „durchaus nicht abschreckend"[16] für ihn. Humorvoll beschreibt er seine Einkleidung und sein Leben im Stift. In der Bibliothek fühlte Pipitz sich wohl; er „machte nur auf diejenigen Schriften Jagd, die so aussahen, als seien sie irgend einmal im Index gestanden".[17] Die klösterliche Gemeinschaft erschien ihm als „das demokratische, oder besser, das demagogische Element der Kirche". Die Klöster hätten dem Papste oft genug Schwierigkeiten bereitet; „aus ihrem Schoße gingen manche Ketzereien hervor".[18] „Naturwissenschaftliche Studien sind vorzugsweise dazu geeignet, in klösterlichen Anstalten betrieben zu werden (. . .) Und würde alle Jahrhunderte nur ein Bacon dort gebildet, so wäre es Verdienstes genug. Diese Studien sind überdies, seitdem die Zeiten Galileis vorüber sind, fast allein von der Art, daß man sich ihnen widmen kann, ohne daß konfessionelle Rücksichten Hemmketten anlegen; denn das Concilium von Trient hat wenigstens über Elektrizität und Magnetismus keine dogmatischen Bestimmungen erlassen."[19] Er moniert nur, daß man im Noviziat nicht über Nacht wegbleiben durfte, um etwa auf der Saualpe naturwissenschaftliche Studien zu betreiben.

Die Geschichte von St. Paul und die Wiederbesiedlung von St. Blasien her war Pipitz gut bekannt. Mit dem Abte Meinrad Amann hatte er wenig zu tun, weil dieser „als ständischer Verordneter den größten Teil des Jahres in der Hauptstadt der Provinz zubrachte".[20] Zwischen den älteren aus Schwaben stammenden gebildeten Patres und den jüngeren slowenischen Mitbrüdern kam es oft zu Spannungen, weil diese häufig die Beschäftigung mit Philosophie und Literatur ablehnten und behaupteten, die slawische Sprache sei die Ursprache und Homer und die Genesis seien ursprünglich in Slawisch verfaßt worden. „Ariost sagt, wenn die Zwietracht sonst überall auf der Erde verschwunden sei, müsse man sie in den Klöstern suchen. (. . .) Reding (. . .) haßte die Intoleranz, welche Gott zum launenhaftesten Menschen von der Welt macht, und die Achselträgerei, welche in die Meinungen wie in Maskenkleider schlüpft und sie nur als Leitersprossen benützt, um über die Schultern anderer emporzuklettern oder als Melkkühe."[21]

In der Korrespondenz mit seinen Freunden Adolf und Franz von Tschabuschnigg setzte Pipitz sich mit Kants Religionskritik und ihren Einwänden gegen sein Leben im Kloster auseinander. Der später berühmte Dichter und Justizminister besuchte den Freund in St. Paul und machte ihn auf die Probleme aufmerksam, die bei einem Verbleiben im Kloster auf ihn zukommen würden. Dies hielt ihn jedoch nicht davon ab, nach dem Ende des Noviziatsjahres dann das Theologiestudium am Lyzeum in Klagenfurt zu beginnen.

Als Theologiestudent unterstand Pipitz 1836–1838 noch der Aufsicht des Superiors Johann Baptist Mannhart, der ein strenges Regiment führte. „Die Parteien standen sich im Innern des Kollegiums fast schroffer gegenüber als im Stifte, allein da sich hier im Ganzen eine größere Summe von Bildung konzentriert fand, so wurde ein Zusammenstoß leichter vermieden und es gab immer einige, denen es gelang, die Extreme zu vermitteln und zu versöhnen."[22] Das Studium fiel ihm leicht. „Zum Glück erlaubte es ihm sein Gedächtnis, die Zeitopfer, die er dem mechanischen Einlernen bringen mußte, auf ein Geringes herabzusetzen und so den Schein der Orthodoxie zu retten, ohne ihm zu Gefallen auf literarische Ketzereien Verzicht leisten zu müssen."[23] Das geringe Bildungsinteresse der Priester aus der Unterschicht stieß ihn jedoch mehr und mehr ab. Er fühlte sich als einer der letzten Vertreter des Josephinismus und suchte dessen Errungenschaften zu bewahren. Das Studium der Kirchengeschichte bei P. Ludwig Weber gefiel ihm weniger, eher noch Exegese bei P. Franz Fritz. Als er dann bei der Fronleichnamsprozession in Klagenfurt „Berta" erblickte, kamen ihm Zweifel an seiner Berufung. Er hielt die Geliebte jedoch für unerreichbar und legte daraufhin die Gelübde ab („Warum er es tat, mit dieser Liebe im Herzen, ist mir nie völlig klar geworden."[24]). Bald tauchten die ersten Gerüchte über seine Beziehung auf. Im Sommer 1838 verließ er das Kolleg und floh über Innsbruck nach Zürich. An eine Verwandte schrieb er: „Ich zog das Ordenskleid an, um in ihm ein neues Leben zu beginnen, und legte es ab, als ich einsah, daß es mir nicht möglich sei, es länger zu tragen, ohne einen geistigen Selbstmord zu begehen."[25] Von der Schweiz aus blieb er mit seinen Freunden und auch zwei Mitbrüdern in brieflicher Verbindung. Am 22. 8. berichtete Franz von Tschabuschnigg an seinen Bruder Adolf nach Triest, der „kunstliebende Klosterbruder" habe aus Zürich geschrieben, er widme sich jetzt der Geschichte. Am 16. 11. 1838 berichtete Adolf, mittlerweile Jurist im Staatsdienst in Triest, an seinen Bruder in Klagenfurt: „Pipiz sendete einige recht gute Aufsäze (. . .), einer über Zürich wird ehestens erscheinen. Er wurde als Mitarbeiter am Journale des Lloyd für 5 Dukaten per Bogen geworben. Eine kärntnerische Novelle dürfte wohl die Zensur nicht passieren; er wird einfach mit P. unterzeichnen."[26] Es scheint demnach, daß Tschabuschnigg Pipitz den Weg nach Triest ebnete. Dann berichtete Adolf dem Bruder am 8. 12. 1838, Pipitz' Aufsätze würden erst im Jahre 1839 im „Lloyd" erscheinen. „Er schickte auch einen cärnthnische Novelle, in der eine gewisse Person im Kostüme vergangener Jahrhunderte (. . .) auftritt." Daraufhin teilte Franz seinem Dichterbruder am 17. 12. mit, daß Pipitz ihm öfters schreibe. „Seine literarischen Verbindungen gestalten sich in Deutschland ziemlich vorteilhaft." Der Bruder solle aber über die Beziehungen zu Berta schweigen.

Am 8. 3. 1839 berichtete Franz Tschabuschnigg an den Bruder, Pipitz schreibe ihm öfters. „Er hat nun seine Aufenthaltsbewilligung in Zürich erhalten und wird das Doktorat aus der Philosophie nehmen. Einen großen Theil der Kosten hierzu erhält er von einem hiesigen Bekannten, und zwar von einem Klostergenossen."[27] Kurz vor seinem frühen Tode berichtete Franz seinem älteren Bruder, daß Pipitz zurück nach St. Paul wollte! Er könne ihm eine interessante Geschichte erzählen, „nämlich unser entflohener Klosterbruder kehrt wieder in den Käfig zurück; er schrieb einen reuigen Brief an den neuen Prälaten und wird aufgenommen. Dieser Ausgang ist schmutzig".[28] Aus dem Plan einer Rückkehr nach St. Paul nach dem Tode des Abtes Meinrad Amann wurde jedoch nichts. Nach dem Tode des Freundes Franz von Tschabuschnigg, der im November 1840 starb, lockerten sich auch die Kontakte zwischen seinem Bruder Adolf und Pipitz; Briefe wurden fortan nur noch sporadisch gewechselt. 1839 veröffentlichte Pipitz in Mannheim die „Fragmente aus Österreich", eine Sammlung von Tagebuchaufzeichnungen, Aphorismen und politischen Aufsätzen, die u. a. ein frühes Beispiel der Rezeption von Heine und Börne in Österreich darstellen. Adolf von Tschabuschnigg berichtete ihm von dem für ihn verheerenden Echo des Buches in Kärnten, daß viele, die ihm früher wohlwollend gewesen seien, ihn nun „gestrichen" hätten. Pipitz bemerkte dazu, es habe ihn gedrängt, „endlich einmal dessen los zu werden, was sich seit Jahren in seinem Innern aufgehäuft hatte".[29] In Zürich verlegte Pipitz sich nun auf das Studium der Geschichte und befaßte sich in seinen Arbeiten weiter mit Österreich. Noch 1839 erschien sein Buch „Die Grafen von Kyburg" in Leipzig. 1842 folgte dann der erwähnte Jakobinerroman, der sich zum Teil auf das Buch des Josephiners Franz Xaver Huber von 1800 zu diesem Thema stützt und später von Eduard Rüffer und Eduard Breier als Romanvorlage benutzt wurde. 1843 veröffentlichte Pipitz in Zürich und Winterthur die Streitschrift „Zur Kenntnis der Gesellschaft Jesu. Von einem Katholiken." 1846 erschien in Herisau die Aufsatzsammlung „Bücher und Menschen", in der er u. a. seinen Kärntner Freund Tschabuschnigg gegen die Wiener Kritik verteidigte. In einer Kritik des „Handbuches der Geschichte des Herzogtums Kärnten" von Ankershofen und Hermann hob er die wissenschaftlichen Vorarbeiten der

St. Pauler Benediktiner Trudpert Neugart und Ambros Eichhorn rühmend hervor. 1848 veröffentlichte Pipitz dann in Zürich seine politische Reformschrift „Verfall und Verjüngung. Studien über Österreich in den Jahren 1838–48", in der frühere Ansätze wieder aufgenommen wurden. 1848 habilitierte er sich an der Universität Zürich für Geschichte. In der Schweiz betätigte Pipitz sich auch als Herausgeber: 1842/44 gab er die „Erinnerungen, Reisebilder, Phantasiegemälde und Fastenpredigten" des Publizisten Ernst Münch (1798–1841) heraus und 1844/48 fünf Bände der „Bibliothek ausgewählter Memoiren des 18. und 19. Jahrhunderts". Zum Abschluß seiner Tätigkeit in Zürich veröffentlichte er 1850 in Leipzig sein zweibändiges Hauptwerk „Mirabeau. Eine Lebensgeschichte". Den ersten Band widmete er seinem Bruder Josef und den zweiten seinen Freunden Tschabuschnigg und Karl August Varnhagen von Ense in Berlin. Letzterer hatte 1830 in den von ihm herausgegebenen „Denkwürdigkeiten des Philosophen und Arztes Johann Benjamin Erhard"[30] auch dem Kärntner Franz de Paula von Herbert ein Denkmal gesetzt. Zu einem in Wien veröffentlichten Werk „Album österreichischer Dichter" steuerte Pipitz 1850 eine Lebensskizze Tschabuschniggs bei, die uns gestattet, die Mystifikation in seinen Memoiren aufzulösen.

Pipitz' Lebensverhältnisse in Zürich waren nicht besonders rosig. Ein erschütterndes Dokument, das sein Exildasein beleuchtet, ist ein Brief vom Dezember 1845 an Adolf von Tschabuschnigg, in dem er die Verhältnisse in seiner Heimat mit denen in Zürich vergleicht. Bitter beklagt er die „Mandarinenwirtschaft" in Österreich und das Leben in den Provinzstädten. „Wo in der Welt schätzt man wohl die Menschen nach ihrem inneren Werthe?" Ganz unschuldig aber seien die Menschen in Österreich an ihrem Schicksal nicht. Ein Menschenalter früher seien die Verhältnisse besser gewesen. „Ich denke an die Namen Enzenberg, Ulm, Herbert." Jetzt spiele Ba-

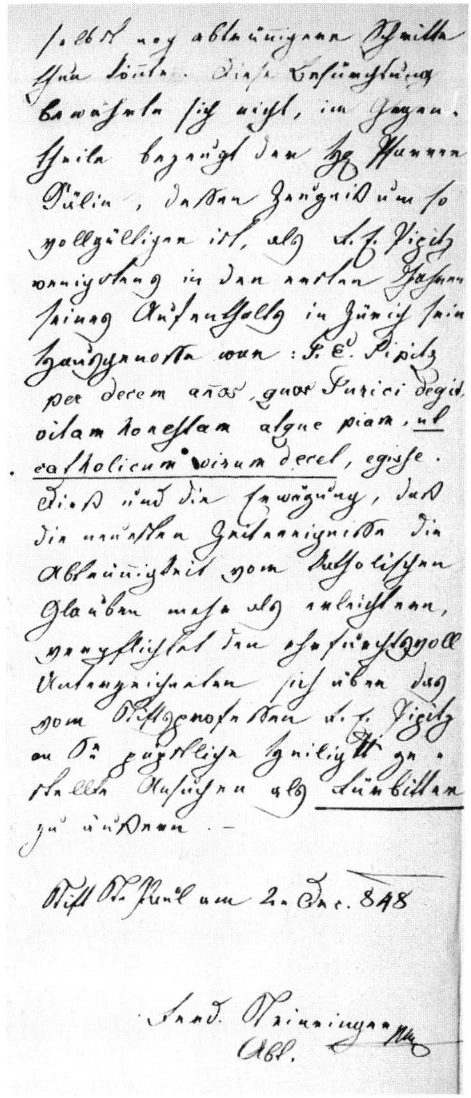
per decem annos, quos Turici degit, vitam honestam atque piam, ut catholicum virum decet, egisse.

Stift St. Paul am 2. Dec. 848

Ferd. Steinringer Abt.

Abb. 261: Bericht Abt Steinringers über Pipitz (2. 12. 1848), KLA, Gub. Laibach F. 811 (Fasz. 41/64)

ron Sterneck eine ähnliche Rolle, in dessen Hause er im Umgang mit seinen „Schülerinnen" sehr schöne und angenehme Stunden verlebt habe. „Die Vergangenheit übt über mich eine Gewalt aus, der ich mich nicht zu entziehen vermag." Dann vergleicht er sein Los mit dem anderer flüchtiger Theologen in Zürich. Im Vergleich mit ihnen habe er „nichts aufzuweisen als einige Bücher und Schreiberei. Ich bin und bleibe ein heimatloser Flüchtling". Das Leben in Zürich sei sehr teuer. Seine Verwandten unterstützten ihn nicht. Sein Bruder Josef habe an ihm mehr verschuldet als er gutmachen könne. Seinen selbstsüchtigen Geschwistern sei er fremd geworden. Sie wollten nicht durch ihn in der „süßen Gewohnheit des Daseins" gestört werden. Um seine Freunde und ihre schönen Worte zu prüfen, habe er sie einmal um ein Darlehen gebeten. Ohne Entschädigung hätten sie seine schon in der Schulzeit angelegte Insektensammlung vereinnahmt. Dann berichtete er, daß er den Dichter Heinrich Hoffmann von Fallersleben kennengelernt habe, mit dem er sich eingehend über Österreich unterhielt. „Eben ist auch Arnold Ruge angekommen." Offensichtlich hatte Pipitz auch zu diesem Linkshegelianer Kontakt, der 1844 in Paris gemeinsam mit seinem Freunde Karl Marx die „Deutsch-Französischen Jahrbücher" herausgab und auch mit Ludwig Feuerbach befreundet war. Zum Schluß erkundigte er sich noch über das Echo von Tschabuschniggs Roman „Der moderne Eulenspiegel".[31] Der Brief dokumentiert, wie Pipitz auch im Exil mit seiner Heimat in kritischer Distanz verbunden blieb.

Es scheint, daß Pipitz ab 1848 seine Rückkehr nach Österreich betrieb. Als geflohener Kleriker, der bereits zwei höhere Weihen erhalten hatte, war ihm dies jedoch nicht möglich. Der in den Memoiren erwähnte Züricher Pfarrer bestätigte ihm, daß er in Zürich über zehn Jahre ein ehrenhaftes katholisches Leben geführt habe (*vitam honestam atque piam ut catholicum virum decet*). Am 2. 11. 1848 überreichte er der österreichischen Gesandtschaft in Zürich ein Ansuchen an Papst Pius IX., er möge Pipitz von den Weihen dispensieren und laisieren, was eine Voraussetzung war, um in Österreich wieder leben zu können. Die österreichische Gesandtschaft leitete das Gesuch an das Gubernium in Laibach weiter, wo es am 24. 11. 1848 behandelt wurde.[32] Die Laibacher Regierung leitete den Akt an Bischof Anton Martin Slomsek weiter, der Pipitz' ehemaligen Klassenvorstand, den nunmehrigen St. Pauler Abt Ferdinand Steinringer, um eine Stellungnahme ersuchte. Am 2. 12. 1848 schickte der Abt dem Bischof seine Stellungnahme. Er betonte, daß er Pipitz nach seiner Wahl zum Abt in einem „väterlich ernsten Schreiben zur Rückkehr ins Stift ermahnt" habe. „Diese Ermahnung blieb ohne Erfolg, und die vom Flüchtigen veröffentlichten Schriften ließen sogar befürchten, daß er zumahl im Drängen der Noth und bei äußeren Verlockungen selbst noch abtrünnigere Schritte thun könnte. Diese Befürchtung bewährte sich nicht." Pfarrer Dülin von Zürich bezeuge nun Pipitz' Lebenswandel seit zehn Jahren. „Dieß und die Erwägung, daß die neuesten Zeitereignisse die Abtrünnigkeit vom katholischen Glauben mehr als erleichtern, verpflichtet den ehrfurchtsvoll Unterzeichneten, sich über das vom Stiftsprofessen F. E. Pipitz an Seine Heiligkeit gestellte Ansuchen als Fürbitter zu äußern."[33] Erstaunlich, daß der Abt so offen war, das Gesuch zu unterstützen! Am 12. 12. 1848 verhandelte die Laibacher Regierung über die Angelegenheit. Sie lehnte das Gesuch ab und stellte es Pipitz anheim, sich neue Schritte zu überlegen. Die Regierung empfahl also dem Lavanter Ordinariat in St. Andrä die Ablehnung und ermächtigte sie schon im voraus dazu. In einem Schreiben an Bischof Slomsek wurde die Empfehlung mit den Gefahren begründet, die der katholischen Kirche aus einem solchen Schritt entstehen könnten.[34] Auf jeden Fall zeigte sich die weltliche Macht hier päpstlicher als der Papst, wobei in Erwägung zu ziehen ist, daß sie die Kirche nur vorschob und als Vorwand benutzte, um einen unbequemen Kritiker loszuwerden.

Nachdem Pipitz mittlerweile aufgrund seiner Schriften zum Dr. h. c. der Universität Königsberg ernannt worden war, berief ihn der österreichische Minister Julius Freiherr von Bruck 1851 nach Triest, wo Pipitz die nächsten 22 Jahre wirken und sich der Entwicklung des österreichischen Seehandels widmen sollte. Der Minister bot ihm die Leitung der „Triester Zeitung" an, deren Herausgeber Pipitz schließlich wurde. Seit 1853 Vizesekretär der Triester Handelskammer, setzte Pipitz sich unermüdlich für den Ausbau des Hafens und den Bau der Karawankenbahn über Görz und das Isonzotal nach Kärnten ein. 1863 reichte er dem österreichischen Parlament eine Denkschrift „Der Freihafen von Triest" ein.

1863 heiratete er Therese Ongaro und nach deren Tode 1870 Emma Tscheck aus Klagenfurt. 1873 trat er in den Ruhestand und übersiedelte nach Graz, wo er seinem Freunde Alfred Klinkowström bei der Herausgabe des fünfbändigen Werkes „Aus Metternichs nachgelassenen Papieren" (Wien 1880/85) und des Buches „Österreichs Teilnahme an den Befreiungskriegen. Ein Beitrag zur Geschichte der Jahre 1813 bis 1815 nach den Aufzeichnungen von Friedrich von Gentz" (Wien 1887) half. Gegen Lebensende griff er ein Hobby aus seiner St. Pauler Noviziatszeit wieder auf: er trug als Entomologe die größte private Käfersammlung Österreichs zusammen. Daß er immer noch mit St. Paul in Verbindung stand, bezeugt ein Brief aus dem Jahre 1875 an Tschabuschnigg, den er anläßlich einer Reise nach Kärnten treffen wollte; es heißt darin, er wolle, der Einladung eines Professors folgend, „einen Abstecher nach St. Paul machen".[35] Demnach bestanden offensichtlich immer noch Kontakte zum Stift. Am 19. März 1899 starb er in Graz.

F. E. Pipitz gehört somit zu den interessantesten Persönlichkeiten, die die Schule des Stiftes St. Paul durchliefen. Seine „Memoiren eines Apostaten" gehören zu den bedeutendsten Zeugnissen der österreichischen Geistesgeschichte des Vormärz.

In Anbetracht des scharfen Antiklerikalismus dieses unkonventionellen Publizisten ehrt es St. Paul, daß ein derart liberaler Geist wie er das Stift trotz aller Kritik letztlich positiv in Erinnerung behielt.

Anmerkungen

1. C. Wurzbach v., Biographisches Lexikon des Kaiserthums Österreich (1856–1891), Bd. 22, S. 320 f.; J. W. Nagl, J. Zeidler, E. Castle, Deutsch-österreichische Literaturgeschichte (1897–1914), Bd. II/1, S. 943; M. Ortner, Dr. Franz Ernst Pipitz, Car. I 100 (1910), S. 59–80; E. Nussbaumer, Geistiges Kärnten (1956), S. 360–363.
2. W. M. Bauer, Österreichische Vormärzprosa und spätaufklärerische Tradition – Beobachtungen zu F. E. Pipitz: Der Jakobiner in Wien, in: Die österreichische Literatur. Ihr Profil im 19. Jahrhundert, hrsg. von H. Zeman (1982), S. 365–379.
3. R. Cefarin, Kärnten und die Freimaurerei (1932, Nd. 1986), S. 151.
4. Wurzbach 22, S. 321.
5. KLA, Regierungsakten Jesuiten, HS 17, fol. 38.
6. Ebd., fol. 73.
7. Ebd., fol. 105.
8. Ebd., fol. 340 u. *Juventus caesareo-regii Gymnasii academici Clagenfurtensis* (1828), S. 6.
9. KLA, Regierungsakten Jesuiten, HS 16, fol. 369.
10. Ebd., fol. 397.
11. Vgl. dazu den Beitrag hier, S. 381ff.
12. F. E. Pipitz, Memoiren eines Apostaten (1842), S. 189.
13. W. Baum (Hrsg.), Weimar – Jena – Klagenfurt. Der Herbert-Kreis und das Geistesleben Kärntens im Zeitalter der Französischen Revolution (1989); Ders., Franz Paul von Herbert und die deutsche Geistesgeschichte, Car. I 180 (1990), S. 435–486.
14. Pipitz (wie Anm. 7), S. 106 f.
15. Ebd., S. 109 f.
16. Ebd., S. 123.
17. Ebd., S. 141.
18. Ebd., S. 125.
19. Ebd., S. 146.
20. Ebd., S. 150.
21. Ebd., S. 157.
22. Ebd., S. 192.
23. Ebd., S. 193.
24. Ebd., S. 214.
25. Ebd., S. 293.
26. KLA, Tschabuschnigg-Nachlaß, Fasz. VII.
27. Ebd. (alle Briefe von 1838 bis 1840).
28. Ebd.
29. Pipitz (wie Anm. 7), S. 319.
30. K. A. Varnhagen v. Ense, Ausgewählte Schriften, Bd. 15 u. 16: 2. Abteilung: Biographische Denkmale, 9. u. 10. Tl.: Denkwürdigkeiten des Philosophen und Arztes J. B. Erhard ([3]1874).
31. KLA, Tschabuschnigg-Nachlaß, Fasz. VII.
32. KLA, Gubernium Laibach 41/64, Fasz. 811 (Herrn Dr. Wilhelm Wadl danke ich dafür, daß er mich freundlicherweise auf den Akt aufmerksam machte).
33. KLA, Gubernium Laibach 41/64, Fasz. 811.
34. Ebd.
35. KLA, Tschabuschnigg-Nachlaß, Fasz. VII.

St. Paul heute

Das Stift St. Paul — heute und morgen

BRUNO RADER

Das Benediktinerstift St. Paul feiert ein Jubiläum. Wieder einmal jubilieren wir: 900 Jahre Stift St. Paul! Ein Jubiläum ist ein Augenblick, in dem ein Erstaunen durch uns geht, ein Erstaunen über die Vergänglichkeit, aber auch über die Erfahrung des Dauerhaften. Ein Blick in die Geschichte unseres Stiftes läßt uns den rastlosen Uhrzeiger der fliehenden Zeit erkennen. Aber bei aller Vergangenheit gibt es das Bleibende. Es gibt die Erfahrung des Wirkens Gottes, das keiner Zeit unterworfen ist, sondern jetzt schon den Hauch der Ewigkeit hat. Unser Jubiläum ist einerseits Anlaß, die Vergangenheit zu betrachten. Einen wesentlichen Beitrag dazu leisten die geschichtliche Aufarbeitung dieser 900 Jahre, die Landesausstellung und manch andere Veranstaltungen. Unser Jubiläum ist aber andererseits auch ein Besinnen, ein Stillewerden, ein Innehalten in der Gegenwart und auch ein Ausblicken in die Zukunft hinein, in den Anfang des 3. Jahrtausends. Es ist die Frage zu stellen: Wer sind wir Benediktiner in St. Paul eigentlich? Wie verstehen wir unser klösterliches Leben? Was wollen wir? Was wollen wir sein? Was ist unser Ordensideal? Was wollte der hl. Benedikt? Was sind die spirituellen Kräfte, aus denen wir leben? Bei der Überlegung des Selbstverständnisses unseres Daseins stehe ich vor der Frage: Soll ich das Ideal schildern oder den Alltag mit den Schwierigkeiten und Konflikten? Ich werde wohl beides tun, nämlich das Ideal aufzeigen, aber im Aufzeigen des Zieles muß auch auf die Wirklichkeit verwiesen werden. Die Orden sind keine menschliche Erfindung, sie gehören zu den „Früchten des Geistes", von denen der Apostel Paulus spricht.[1] Seit den Ursprüngen der Kirche gibt es Christen, die durch die Befolgung der „Evangelischen Räte" Christus in großer Freiheit nachfolgen. Durch das Wirken des Geistes Gottes erwuchs im Verlaufe der Kirchengeschichte eine Vielfalt religiöser Gruppen, die der Kirche in besonderer Weise dienten.

Das Ordensleben ist kein Aussteigen aus der Gesellschaft, sosehr es eine Alternative zum Leben der Christen ist. In einen Orden eintreten ist keine Weltflucht und schon gar nicht eine Weigerung, für die Welt zu arbeiten. Für unser christliches Bewußtsein ist die Welt allerdings nicht das Letzte. Das Endgültige ist das neue Leben bei Gott. In einen Orden eintreten heißt, zuerst von Jesus Christus gerufen sein und sich an den persönlichen Gott binden. Im Dekret über die zeitgemäße Erneuerung des Ordenslebens steht die wesentliche Aussage: „Die letzte Norm des Ordenslebens ist die im Evangelium vorgestellte Nachfolge Christi."[2] Sie soll die Mitte der einzelnen Ordenschristen wie jeder Ordensgemeinschaft sein. Die Nachfolge Christi ist eine persönliche Bindung an Jesus, ein Hören auf seine Worte, ein Nachgehen auf seinem Weg. Jesus zeigt den Weg der Nachfolge: „Ich bin das Licht der Welt, wer mir nachfolgt, der geht nicht im Finstern, sondern wird das Licht des Lebens haben."[3] Mit der Nachfolge Christi ist eng und notwendig die Bekehrung des Lebens verbunden. „Kehrt um und glaubt dem Evangelium", sagt Jesus.[4] Der Theologe Johannes Metz schreibt in seinem Buch „Zeit der Orden"[5] eine sehr harte Sprache über die Nachfolge Christi. Die Krise des kirchlichen Lebens beruht nicht auf Anpassungsschwierigkeiten an das heutige Leben und heutige Lebensgefühle, sondern auf Anpassungsschwierigkeiten an Jesus Christus und seine Botschaft vom Reiche Gottes. Haben die Ordenschristen ihn in unserem Tun und Lassen nicht zu sehr angepaßt an uns selbst? Besteht die Krise kirchlicher Glaubwürdigkeit nicht darin, daß wir in der Tat so wenig Gleichförmigkeit mit Christus zeigen? Der auf den historischen Jesus zurückgehende Aufruf zur unbedingten Nachfolge und die *conversio*, das Loslassen von der Welt, hat in der Regel des hl. Benedikt seinen Niederschlag gefunden: in den Gelübden des Gehorsams, der Beständigkeit des Ortes und der Bekehrung der Sitten, die sich im klösterlichen Lebenswandel ausdrückt. Die Gelübde sind Zeichen für den Geist der Nachfolge Christi. Wie sich die Welt ständig ändert, so wird der Geist der Nachfolge Christi im Laufe der Geschichte sich verschieden konkretisieren. Darum muß jede Generation unserer Abtei stets neu auf den Herzschlag der Zeit horchen, um im Geist Christi auf Forderungen der Zeit Antwort zu geben. Das Leben in einer klösterlichen Gemeinschaft muß aber immer seine Kräfte bei Gott suchen. Der einzelne wie die Gemeinschaft müssen sich in die Begegnung mit Gott hineinleben und hineinbeten. Unsere erste Aufgabe ist es, Liturgie zu feiern. In der Apostelgeschichte wird berichtet: „Tag für Tag verharrten sie einmütig im Tempel, das Brot aber brachen sie in ihren Häusern, nahmen die Speise mit Freude und Herzenseinfalt und lobten Gott."[6] In ihren Versammlungen wußten die ersten Christen um die Präsenz Christi nach dessen eigenen Worten: „Wo zwei oder drei in meinem Namen versammelt sind, bin ich mitten unter ihnen."[7] Allein schon das Zusammensein in seinem Namen schafft Einheit unter ihnen. Liturgie ist in erster Linie nicht das Tun der Gemeinde, sondern das Heilshandeln Gottes an uns, der Dienst Gottes an seiner Gemeinde. Die Feier der hl. Eucharistie und das Chorgebet sind tragende Mitte unseres benediktinischen Lebens. Dem Gottesdienst, sagt der hl. Benedikt, darf nichts vorgezogen werden.[8] Im Verlauf der Jahrhunderte hat die Liturgie verschiedene Formen angenommen. In den vergangenen Jahrhunderten war man von der Kraft des Gebets wohl mehr überzeugt als heute. Aus diesem Glauben heraus waren die Gebetszeiten häufiger und länger als heute. Eine entscheidende Wende hat das II. Vatikanische Konzil gebracht. Die liturgische Bewegung hat sich durchgesetzt und ihre Früchte gebracht. Ein Ziel war auch, daß die Liturgie pastoraler werde. Wenn heute auch einzelne Katholiken der liturgischen Kultsprache nachtrauern, so muß doch die Feier der Liturgie und des Chorgebetes in der Muttersprache als gewaltiger Durchbruch angesehen werden. Nun konnte Liturgie nicht nur nach außen mitvollzogen werden, sondern sie konnte Hilfe werden, zu einer wirklichen Anbetung im Geist und in der Wahrheit, wie es im Johannesevangelium heißt.[9] Die Erschließung der Liturgie und ihre Vertiefung scheint mir eine ganz wesentliche pastorale Aufgabe, auch unserer Klostergemeinschaft, in Zukunft zu sein. Es gibt Zeiten für den Gottesdienst und Zeiten für die verschiedenen Arbeiten. Beides, Arbeit und Gebet, ist Apostolat. Auf diese Einheit, Liturgie und Arbeit, hat schon Karl Rahner in seinem Artikel „Eucharistie und alltägliches Leben" hingewiesen. Er schreibt: „In diesem Sakrament kommt die allgemeine Heilsgeschichte zu ihrem Höhepunkt. So ist der Alltag und die Eucharistie alltägliche Begegnung mit dem verhüllten, verborgenen Herrn, den nur die Augen des Glaubens sehen. Nur wenn die glaubende Erfahrung des Alltags und der Eucharistischen Feier sich gegenseitig begegnen, gegenseitig sich tragen, gegenseitig sich erfüllen, nur dann begegnen wir wirklich Jesus Christus, unserem Herrn, Jesus Christus, der unser Leben ist."[10] Diese Einheit in der eigenen Klostergemeinschaft herstellen ist eine wesentliche Aufgabe klösterlichen Lebens in unserer Zeit. Nur wenn wir diesen geistigen Auftrag erkennen, ihn zu verwirklichen suchen, werden wir diese persönliche Erfahrung an die uns anvertrauten Menschen weitergeben können. So sollten auch die Gemeinden in den uns anvertrauten Pfarren aufgebaut werden. Wir wissen, daß das Gebet in unserer Zeit in eine Krise geraten ist. Umsomehr sollten die Klöster wieder Zentren und Hilfe für das Gebet sein. Das Chorgebet ist ein Fest des Wortes und eine Verkündigung der Herrlichkeit Gottes. Das II. Vatikanische Konzil sagt, daß das Wort Gottes, das in Jesus Christus zu uns gekommen ist, in den Worten des kirchlichen Offiziums uns gereicht wird als eine lebendige und lebendigmachende und erlösende Kraft.[11] Daher sollten die täglichen Gebetszeiten so festgelegt werden, daß, wenn nur irgendwie möglich, alle Mitbrüder des Konvents daran teilnehmen können. Das Chorgebet und die Feier der Eucharistie sind vor allem Zeichen, daß wir eine Gemeinschaft von Brüdern sind. Daher ist die Zeit, die Mühe, die wir für das Lob Gottes verwenden, zugleich ein Teil unserer persönlichen Hingabe, die wir in der Profeß versprochen haben. Der Mittelpunkt des Klosters ist die Kirche, das Gotteshaus, Zeichen des Gebetes und der Gottesbegegnung. Da ein Teil unserer Gemeinschaft in den Pfarreien ist, können das gemeinsame Gebet und die Eucharistie nur in einfacher Form gefeiert werden. Das sagt aber nichts über die Wichtigkeit des Chorgebetes. Eine benediktinische Gemeinschaft lebt nicht von den verschiedenen Arbeiten, in Schule, Wissenschaft und Seelsorge, sondern davon, daß wir zuerst Liturgie feiern, d. h. Gott anbeten, ihn loben und ihm danken. Zum Klosteralltag gehören aber auch das persönliche Gebet, die Betrachtung und die Geistliche Lesung. Ohne persönliches Gebet und Glaubensvertiefung wird unsere Arbeit und damit unser Apostolat an Fruchtbarkeit verlieren. Heute trifft das umsomehr zu, da die Hektik und Arbeitsüberlastung auch vor Klostermauern nicht haltmachen. War früher für das persönliche Gebet, vor allem für die Meditation, eine bestimmte gemeinsame Zeit vorgesehen, so trifft das heute für uns nicht mehr zu. Das persönliche Gebet ist der Selbstdisziplin und der Wertschätzung des einzelnen Mitbruders überlassen. Die Praxis zeigt, daß die Arbeitsüberlastung auf Kosten des persönlichen Gebetes geht. Es wird in Zukunft notwendig sein, daß wir heutige Formen der Meditation finden. Persönliche Gebetserfahrung gehört heute und in nächster Zukunft zu einer wichtigen Eigenschaft unseres klösterlichen Lebens und unseres pastoralen Handelns. Vor allem sollten wir uns den gegenwärtigen spirituellen Bewegungen nicht verschließen, jeder nach seinen Talenten und Gaben des Geistes. Wir müssen immer wieder das Schwerste und Einfachste in unserem Leben tun: beten, weil das Gebet unsere menschliche Heiligung ist. Bei unserem konkreten Apostolat kommt es immer wieder zu Spannungen zwischen Gebet und Arbeit. *Contemplatio* ist immer Suche nach Gott. Allein kann man Gott im Studium finden, aber mit Gott leben kann man kaum allein. Die Einheit von christlicher *contemplatio* und *actio* wird aus der gelebten Einheit von Gottes- und Nächstenliebe geboren. Wir wissen aber, daß wir immer hinter der Forderung, Gott und den Nächsten aus allen Kräften zu lieben, zurückbleiben. Das gilt für den einzelnen wie für die Gemeinschaft. Für jede Generation der Zukunft bleibt daher die Frage: Ist nicht die persönlich gelebte *contemplatio*, d. h. erfülltes Leben in Gottes Nähe, gerade für die Zukunft die tiefste Begründung unseres Weiterbestehens? Wir St. Pauler

Mönche haben zwei geschichtlich gewachsene Aufgaben: die Seelsorge in den inkorporierten Pfarren und die Aushilfe in den Nachbarpfarreien und die Erziehertätigkeit in unserem Stiftsgymnasium. Darin sehen wir auch in der Zukunft die Schwerpunkte unserer Aufgaben. Wir müssen uns mit den Sorgen der Menschen solidarisieren, wir müssen sie nicht nur betreuen, sondern uns wirklich mit ihnen, mit den Nöten der jungen Menschen in der Schule und mit allen Schichten der Bevölkerung in den Pfarreien identifizieren. Die Not der Menschen ist größer, als wir in unserem Kloster annehmen. Aber, ich muß hier auf eine Gefahr hinweisen, die gerade auch für unsere Abtei gilt. Sind wir durch die Pfarren und durch die Schule schon zuviel verplant und personell festgelegt? Es besteht die Gefahr, daß wir dies mit unserem Sinnverlust bezahlen. Die Quittung dafür werden wir von denen erhalten, die nachkommen oder eben nicht nachkommen. Hier gilt es, umzudenken und neue Weg zu betreten. Der Jesuit Roman Bleistein schreibt: „Die eigentlichen Chancen eines konkreten Ordenslebens werden doch oft so eingeebnet, daß sich etwa ein Ordenspriester in seinem Dienst nicht mehr von einem sogenannten Weltgeistlichen unterscheidet. Der Ordenschrist taucht umsomehr in der Gesellschaft unter, als er als einzelner seinen Dienst tut. Im Gegensatz dazu bestünde doch eine der Chancen einer Lebensform im Orden darin, einen Dienst im Team und in Kontinuität zu leisten. Nicht da und dort mit Einsatz des einzelnen, sondern miteinander etwas auf Dauer schaffen, im Dienst am Menschen, das wäre eine Chance.“[12] Ist das nicht auch eine Chance für unsere St. Pauler Abtei? Es ist daher ganz wichtig, daß in unserem Kloster immer eine lebendige Gemeinschaft lebt. Wenn nur mehr die Oberen, einige Offizialen, einige alte Mitbrüder und vielleicht, wenn es gutgeht, Novizen da sind, so ist das für eine wirklich lebendige benediktinische Gemeinschaft zuwenig. Wenn der Großteil der Mitbrüder in der Pfarrei und in der Schule tätig ist, so hat das zur Folge, daß zwischen dem Konvent und denen, die draußen sind, langsam eine Entzweiung stattfindet. Das Problem liegt nicht darin, daß wir Schule und Pfarren haben, die Gefahr besteht darin, daß die Seelsorge und das Schulsystem so strukturiert sind, daß unsere Spiritualität nicht mehr gelebt werden kann. Die Gefahr ist ein Individualismus. Und das führt zur Haltung: Jeder ist sein eigener Weg. So sind wir der Gefahr ausgesetzt, daß jeder sich an das Alleinsein gewöhnt und an das Fürsichsein und allein für sich hinarbeitet. So vollzieht sich lautlos das Auflösen unserer Gemeinschaft. Hier ist ein wesentlicher Punkt, der in der nächsten Zukunft von unserem Konvent gesehen werden muß und einer Bewältigung bedarf. Hier sehe ich für die Zukunft unserer Abtei die Aufgabe, daß wir Prioritäten setzen. Die Priorität ist das benediktinische Gemeinschaftsleben, und die Mitte dieses Gemeinschaftslebens ist die Liturgie. Von hier aus, von diesem Gipfel und von der Quelle geistlichen Lebens, soll unsere Arbeit gesehen werden. Es wird darauf ankommen, daß wir einerseits das schulische Leben in Zusammenarbeit mit den Partnern, mit den Laienpartnern, mit den weltlichen Lehrern, so strukturieren, daß die Mitbrüder, die in der Schule tätig sind, am klösterlichen Leben teilnehmen können, und andererseits, daß die Mitbrüder, die in der Seelsorge, in den inkorporierten Pfarren tätig sind, in der klösterlichen Gemeinschaft leben und von hier aus als Team den dem Kloster inkorporierten Pfarreien zu Diensten sind. Ich gebe zu, die Pfarreien und die Gemeinden sind ja nur besorgt, daß sie vom Stift einen guten Pfarrer erhalten. Am Schicksal des Stiftes nehmen sie meist keinen besonderen Anteil. Sie sehen nicht oder können nicht sehen, daß im Stift eine lebendige Gemeinschaft sein muß, die ausstrahlt, die versucht, Nachfolge Christi zu leben, und die den Geist des hl. Benedikt verwirklichen will. Wir haben das Glück, daß die uns inkorporierten Pfarren, örtlich gesehen, nicht weit vom Kloster sind, so daß hier das Kloster wirklich Mittelpunkt der dem Kloster umliegenden Pfarreien sein kann. Darin sehe ich eine große Chance für die Zukunft.

Was wird uns die Zukunft bringen? Ich weiß es nicht! Die Geschichte des Stiftes jedenfalls hat gezeigt, daß das Leben unserer Gemeinschaft einmal mehr, einmal weniger dem Ideal benediktinischer Lebensweise entsprochen hat. Das Leben, auch das Ordensleben, ist in den meisten seiner Vollzüge wohl ein Kompromiß. Wichtig ist, daß wir Mönche den Geist der Nachfolge Christi in unserem Leben ständig überprüfen. Dies trifft in unserer Zeit besonders zu. Der Säkularismus ist wie ein feiner Staub, der alle Wände durchdringt und auch vor den Klostermauern nicht haltmacht. Wo eine Ordensgemeinschaft nicht in einer ständigen Übung versucht, das Glaubensbewußtsein lebendig und wachzuhalten, droht die Verbürgerlichung des noch so geistlich begonnenen Lebens. Wir haben das Stift restauriert. Die Fassaden erstrahlen in neuem Glanz. Kostbarer Mittelpunkt ist die einmalige, innen und außen restaurierte romanische Klosterkirche. Ich glaube, das alles ist für uns Verpflichtung zur Besinnung, zu einem intensiven spirituellen Leben und zum Dienst an den uns anvertrauten Menschen. Sicher haben wir auch die Aufgabe, Kloster- und Kulturgüter zu erhalten, zu beleben und an die nächste Generation weiterzugeben.

Heute wird der Arbeit auf kulturellem Sektor die soziale Leistung gegenübergestellt. Das ist aus der Zeit zu verstehen. Aber gerade die alten Stifte sollten aufmerksam machen, daß die Sorge um den Menschen auch kulturelle, geistige und religiöse Werte einschließt. Was Ordensleute den Menschen am meisten schulden, ist ein geistlicher Dienst: Erhellung des Lebenssinnes, Glaubensermutigung, Zeugnis für Gottes Dasein und Liebe. Mehr als das Zeugnis des einzelnen ist das Zeugnis der ganzen Ordensgemeinschaft notwendig. Unsere Klostergemeinschaft sollte in Zukunft vor allem bezeugen, wie Kirche aussehen sollte; nämlich eine brüderliche Gemeinschaft, in der einer für den anderen da ist. Unser Ordensleben ist nur dann glaubwürdig, wenn wir da sind für Gott und da sind für die Menschen. Es gilt für die Menschen in unseren Pfarreien und in unserer Schule und für all die Menschen, die uns besuchen, „Kloster und Schatzkammer Kärntens", aber auch für all die Menschen, und für die noch mehr, die bei uns Rat, Hilfe und Beispiel suchen.

ANMERKUNGEN

1. Vgl. Kor. 12, 1 ff.
2. Vgl. das Dekret über die zeitgemäße Erneuerung des Ordenslebens *Perfecte caritatis*, Kap. 2.
3. Vgl. Joh. 8, 12.
4. Vgl. Mk. 1, 15.
5. J. METZ, Zeit der Orden? (⁶1986).
6. Apg. 4, 2.
7. Mt. 18, 20.
8. Regel des hl. Benedikt 43, 3.
9. Joh. 4, 32.
10. K. RAHNER, Schriften zur Theologie, Bd. 7 (1966), S. 204 f.
11. Vgl. die Konstitution über die hl. Liturgie *Sacrosanctum Concilium*, S. 84 f.
12. R. BLEISTEIN, Jugend und Orden, Analyse und Situation. Wege neuer Begegnung (1980), S. 40 f.

Das Klosterleben – ein Traum?

GERFRIED M. SITAR

Gedanken eines jungen Mönches

Die österreichische Schriftstellerin Marie von Ebner-Eschenbach schreibt in einem ihrer Gedichte: „Nenne dich nicht arm, weil deine Träume nicht in Erfüllung gegangen sind; wirklich arm ist nur, der nie geträumt hat."

Der Traum vom Kloster spielt eine wichtige Rolle im Leben jedes Mönches.

Wie manches realentfremdete Idealbild eines Berufes Wunschvorstellungen aufkeimen läßt, so ähnlich ergeht es manchem in bezug auf das Ordensleben. Und dennoch wird daraus ein Lebensbild, das sich aus schemenhaften Umrissen klärt; für viele unverständlich, wen wundert es? Ist es doch heute gar nicht mehr so selbstverständlich, daß sich jemand für einen solchen Weg entscheidet. Gehörte es im Mittelalter durchaus noch zum guten Ton, wenn wenigstens ein Kind der Familie einen geistlichen Beruf ergriff, so ist es heute schon etwas Seltsames, ja beinahe Abenteuerliches, diesen Schritt zu wagen.

Es fällt auf, wenn Ordensleute bei einem Einkaufsbummel durch Städte schlendern und dabei ihren Habit (Ordenskleid) tragen, wie unterschiedlich und mitunter amüsant die Reaktionen der Passanten sind. Zugegeben, ein seltenes Bild auf unseren Straßen – ein Ordensmann in „Uniform" und durchaus eines scheelen Blickes über die Schulter wert. Und doch steckt vermutlich mehr dahinter als bloße Neugier. Hinter dem Unverständnis so mancher verbirgt sich oft die Not des Menschen, der es verlernt hat, Werte, die unserer Konsumgesellschaft fremd sind, zu akzeptieren. Für Mönche, insbesondere die jungen unter ihnen, bedeutet das eine Herausforderung, der Verständnislosigkeit entgegenzutreten und die eigene Sicht klarzulegen.

Unmittelbar nach dem Klostereintritt sieht die Welt noch ganz anders aus. Der jugendliche Überschwang stößt sehr bald an seine Grenzen; Ideale erweisen sich als undurchführbar, Träume entpuppen sich als Schäume.

Und doch bleibt die Faszination des Unfaßbaren – das Geheimnis, das man vielleicht Berufung nennen darf. Dieser Berufung ist es wohl zuzuschreiben, daß auch heute immer wieder junge Menschen glauben, auf diesem Weg ihre Erfüllung zu finden.

Wenn man heute ein Kloster oder gar ein Stift besichtigt, verläßt man es nicht, ohne vieles gesehen zu haben: schöne Kirchen, Kunstgegenstände und wertvolle Bibliotheken. Alles hat etwas Geheimnisvolles an sich. Doch vom Kloster selbst, was hat man davon gesehen? – Nicht viel. Gewiß stellt sich so mancher kunstbegeisterte Besucher die Frage nach dem Hintergrund – nach Leben und Arbeit im Kloster –, nach den Mönchen. Was mag jemanden bewegen, Mönch zu werden? Ist es Weltflucht oder Schwärmerei?

Vom Verliebtsein zur großen Liebe ist es ein weiter Weg, der sich im Kloster ähnlich gestaltet. Der Keim der Berufung braucht viel Zeit, um aufzugehen. Ein oftmaliges Hinterfragen ist notwendig, um Klarheit zu schaffen und das Wagnis auf sich zu nehmen. In der Tat ein Wagnis, denn das bloße Anziehen eines Ordenskleides ist noch kein Garant für ein glückliches und ausgefülltes Ordensleben. Dafür ist weit mehr notwendig, vor allem ein kontinuierliches Auseinandersetzen mit sich selbst und mit den anderen, um gemeinschaftsfähig zu werden und mitzutragen an der klösterlichen Familie – dafür muß man berufen sein.

Berufung, Anruf Gottes, Geschenk der Gnade. Alles kirchlich sehr häufig verwendete Wörter, deren tatsächliche Bedeutung uns Menschen an der Schwelle zum dritten Jahrtausend abhanden gekommen ist. Berufung könnte man mit dem Begriff „Hl. Unruhe" umschreiben, einem innerlichen Fragen nach dem Sinn des Daseins und der daraus folgenden Konsequenz. Das Rufen Gottes ist nicht weniger geworden, auch nicht die Zahl der Gerufenen, kleiner geworden ist lediglich die Schar derer, die sich dem Ruf öffnen, die hören.

Die Welt ist einfach zu laut geworden und übertönt in ihren Sensationen das Suchen nach Stille. Der Mensch ist sensationshungrig! Dort, wo etwas los ist, dort ist er zu Hause. Was ist im Kloster los? Für viele sind Klöster und Mönche unnötig geworden, sie werden als nutzlos und der Gesellschaft in ihrem Produktionsmechanismus entzogen betrachtet.

Filme, deren Handlungen sich mit Klöstern und deren Bewohnern beschäftigen, bestärken dieses Denken, weil sie meist von vornherein dem Negativen Raum schaffen und Vorurteile begünstigen.

Es wird einfach nicht gelingen, mit gängigen und uns vertrauten Maßstäben der „Welt" einer Einrichtung wie jener des Klosters gerecht zu werden. Andere Richtlinien müssen gefunden werden!

Der Weg ins Kloster nimmt, wie erwähnt, in einem gewissen Bewußtwerden der Berufung seinen Ursprung. Meist sind es Menschen, die mit beiden Beinen in der Welt stehen, die am Geschehen voll und ganz teilnehmen. Der Augenblick des ersten Spürens, diese Richtung einzuschlagen, bringt Unsicherheit. Wie reagiert die Umwelt darauf? Wird sie es verstehen oder über den „Unglücklichen" den Stab brechen? Fragen, die für den Betroffenen qualvoll sind – er muß sich durchringen und schließlich entscheiden. Die Entscheidung fordert eine Preisgabe und ist mit Verzicht einerseits und Gewinn andererseits verbunden. Manchem mag es schwerfallen, das gewohnte Umfeld zu verlassen und sich einer neuen Ordnung zu unterziehen, die mit noch unbekannten Eigenschaften ausgestattet ist.

Der Traum nimmt Formen an, er manifestiert sich.

Am Tor zum klösterlichen Leben findet der Mönch die Regel, unter der er sein Ziel erreichen möchte, ein Schriftwerk, das ihm Anleitung sein will und mit dem er sich vorerst ausreichend beschäftigen muß, um zu verstehen, worum es geht. Und worum geht es?

Ein trauriger Mönch ist ein trauriger Mönch! Wer traurig ist, dessen Augen sind verschleiert, der Blick für das Schöne ist verlorengegangen. Der Mönch, der es verlernt hat, Träume zu haben, die voll Optimismus sind, wird es früher oder später auch nicht fertigbringen, von jener Freude Zeugnis zu geben, die ihn einstens bewog, diese Art der Nachfolge zu wählen. Im Kloster braucht es Begeisterte, denn nur wer selbst begeistert ist, kann Begeisterung vermitteln. Motive, die den Gang ins Kloster zusätzlich anregen können, sind Kunst und Wissenschaft, Liturgie und Bildung, wichtige Säulen benediktinischen Mönchtums. Doch über alledem steht, wie es an der Klosterpforte eines Stiftes zu lesen ist: „Wenn du ins Kloster gehen willst, dann kannst du und mußt du einzig und allein Gott suchen!" Die Gottsuche bildet das Fundament der Berufung und des geistlichen Lebens, das für den Mönch unerläßlich ist.

Kann er sich in diesem Streben wiederfinden, wird der Traum vom Kloster Wirklichkeit, auch wenn er nicht liniendeckend das Wunschbild nachzeichnet.

Epilog

Das Klosterleben im Alltag Ideal und Wirklichkeit

BRUNO RADER

Es sei mir gestattet, ganz einfach aus dem Alltagsleben des Klosters zu plaudern. Dabei will ich nicht den Tagesablauf oder die Tagesordnung schildern, sondern anhand der Regel des hl. Benedikt einige wichtige Elemente klösterlichen Lebens aufzeigen und dabei zugleich aufmerksam machen und feststellen, daß es gar nicht so leicht ist, dem voll zu entsprechen, was die Regel uns vorschreibt. Die Wirklichkeit hinkt auch im Kloster täglich dem Ideal nach. Das ist ein Trost vielleicht für den Leser, der nicht als Ordenschrist in einem Kloster lebt, aber auch unter Umständen darunter leidet, wie er als Christ leben sollte und wie er in Wirklichkeit als Christ lebt.

I. Das gemeinsame Gebet

Wenn wir den hl. Benedikt befragen und seine Regel uns zu Gemüte führen, dann wird uns klar, welch hervorragende Bedeutung im Kloster das gemeinsame Gotteslob hat. Wenn wir das Gotteslob feiern, mehrmals am Tag, dann sind wir ganz auf Gott hin ausgerichtete Menschen, die auf Gott hin hören, und indem wir beten und singen, möchten wir ganz Ohr sein für Gottes Wort, oder wir sollten es zumindest sein. Das Chorgebet, die Psalmodie der Regel, ist ein Zeugnis unseres Glaubens, daß Gott da ist. Gott spricht ständig – ich gebe zu, das klingt etwas zu ideal. Wir wissen, daß die Wirklichkeit oft ganz anders aussieht. Welche Menschlichkeiten sich da einschleichen können in unser gemeinsames Beten! Da kommt einer einmal zu spät oder er kommt überhaupt nicht – oder ein Mitbruder hat wichtige Termine und kann eben deshalb nicht dabeisein – er muß „nachbeten", wie wir es nennen – und dieses „Nachbeten" kann er wie ein Nachsitzen empfinden, oder er betet überhaupt nicht und fühlt sich auch nicht wohl dabei, weil er weiß, er hat wichtige Gebetszeiten versäumt oder konnte nicht dabeisein. Und dann kann es auch passieren, daß ein Mönch einmal eine Trockenperiode durchmachen muß, gleichsam in einer Gottesfinsternis lebt. Da kann ihm das gemeinsame Beten auf die Nerven gehen. Oder – auch das kann passieren: Da sitzt einer meiner lieben Mitbrüder neben mir, der nicht unbedingt der sympathischste Mensch ist – und das Beten kann zur Qual werden – oder auch zur Chance.

Ein anderes Beispiel: Da ist ein Mitbruder draußen auf einer Pfarre, weit weg vom Kloster. Er muß für sich alleine die Gebetszeiten einhalten. So wie der Weltpriester sein Brevier betet, muß er das Gotteslob verrichten, sieht es als Offizium, als Pflicht, an. Dann hat er Sehnsucht, in der Reihe der Brüder zu stehen, in der Klosterkirche, und fühlt seine Schwachheit, eben die Schwachheit, so allein dazustehen, und er weiß, wie er den Halt des Bruders links und rechts gerade auch beim Beten bräuchte.

Abb. 262: Chorgebet in der Rabensteinerkapelle

II. Die Geistliche Lesung

Die Regel des hl. Benedikt hat für die Geistliche Lesung ausdrückliche Zeiten in den Tagesablauf eingeplant. Dabei kommt es dem hl. Benedikt gar nicht darauf an, daß wir unbedingt ein geistliches Buch lesen, sondern daß wir einfach diese reine, nicht anders verwendbare Zeit haben. Die Regel schenkt uns diese Zeit – Gott sei Dank! Wir sollten diese Zeiten wahrnehmen, als Geschenk annehmen. Es ist ein Geschenk, wenn ich mich hinsetzen kann, wenn ich einfach schaue, wenn ich einfach da bin, wenn ich betrachte und nachdenke. Das alles ist Geistliche Lesung, und das ist ein Ereignis, ein wichtiges Ereignis des Alltags. Ich meine, das ist ja das große Geschenk der Regel, dieser Raum für die Wahrnehmung der Wahrheit, die Zeit dafür und die Stille. Dieses Ereignis, welches im Chorgebet geschieht, geschieht auch hier in der Einsamkeit, eben in der Stille, in der Geistlichen Lesung. Dieses Ereignis ist Gott selber. Gott ist da und ich bin auf ihn hin da und Gott ist auf mich hin da. Es ist von enormer Wichtigkeit, sich diese Zeit zu nehmen. Die Regel beordert uns gleichsam hinein in diese uns eben angewiesene Geistliche Lesung. An mehreren Stellen spricht sie ausdrücklich davon. So zum Beispiel heißt es wörtlich: „Von der vierten Stunde bis zur Zeit, da die Sext gehalten wird, sind die Mönche frei für die Lesung." (Kap. 48,4) Das heißt, daß sie zwei Stunden am Vormittag für die Geistliche Lesung frei sein sollen. Benedikt sagt auch an einer anderen Stelle: „Wenn einer für sich selber einmal lesen will, lese er, allerdings so, daß er die anderen nicht stört." (Kap. 48,5) Und an einer anderen Stelle heißt es in der Regel, daß man während des Tages in der Fastenzeit vom Morgen an bis zur dritten Stunde des Tages frei sein soll für die Lesung, das heißt, daß der Mönch in der Fastenzeit mindestens drei Stunden pro Tag sich Zeit nimmt und Zeit nehmen soll für die Geistliche Lesung (Kap. 48,14). Nun, wie schaut es aber in der Wirklichkeit aus? Wann nehme ich mir Stunden Zeit für die Geistliche Lesung? Ist es erst der Abend, wenn ich schon müde bin, wo ich mir eine Zeit nehme? Und ich muß mich auch einmal fragen, was ich lese. Ist es die Regel, die ich zur Hand nehme, oder die Bibel, oder ist es nur mehr die Tageszeitung, die ich auch gerne einmal anschauen möchte, bevor ich schlafen gehe, weil ich früher vielleicht noch gar nicht dazugekommen bin? Es ist eine ernste Frage, die der Mönch sich stellen muß, immer wieder stellen muß. Habe ich hier eine gewisse Ordnung oder halte ich die Ordnung ein, die Benedikt mir vorgibt?

III. Die Meditation

Wenn Menschen ins Kloster eintreten und die Regel Benedikts lesen, dann werden sie darin unter Umständen auch ein Kapitel über die Meditation suchen und etwas enttäuscht sein, weil sie dieses Kapitel nicht finden. Man kann heutzutage in den Großstädten alle paar Meter einen Meditationsverkäufer treffen. Und hier in der Klausur, im Kloster, im monastischen Leben, wo der Ruf Gottes gleichsam pausenlos da ist, da redet die Benediktusregel überhaupt nicht von Meditation, sie spricht nur von der „Herzenszerknirschung".

In der Regel des hl. Benedikt finden wir also keine Anleitung für die Meditation. Sie sagt nur im 52. Kapitel wörtlich: „Man solle unter Tränen und in der Lauterkeit des Herzens beten." Das hört sich irgendwie fremd an, klingt wie aus einem zerlesenen, uralten Gebetsbuch – und dennoch glaube ich, ist es primär dieser Satz des hl. Benedikt, der das Wesen benediktinischer Meditation darstellt. Wir könnten das auch „Inneres Gebet" nennen. Ich glaube, es ist wichtig, daß wir diese Zeit haben sollten, an allen Welt-auf und Welt-ab gepriesenen Methoden vorbei, Tag um Tag in diese Zerknirschung des Herzens, eben in die Meditation zu gehen, in dieses sprachlose Reden zu Gott und zu mir selbst. Und wenn ich einmal diesen einen Gott vernommen habe, diesen Gott höre, dann wird dieses Hören zum Element meines klösterlichen Lebens.

Im Vers 9 des 75. Psalmes heißt es: „Hören will ich, was Gott redet." Dieser alte Psalmvers spricht mit einer Feierlichkeit davon, als würde hier gleichsam ein Weltwunder aufgebaut. Meditieren im Sinne Benedikts ist nicht nur unbedingt Denken und Nachdenken. Meditieren im Sinne Benedikts ist einfach ein Dasein, ein vielfältiges, demütiges Dasein, wo ich gleichsam in der Herzmitte meiner Zelle, meiner Klosterzelle, bin und wesentlich zum Hörenden werde. In der Praxis haben wir darunter zu leiden, daß wir diese Zeit nicht finden oder nicht finden wollen, um wirklich meditieren zu können. Ich muß mir die Frage stellen, wann ich meditiere; am Morgen, am Abend, zu Mittag? Es gibt so etwas wie eine „Klosterhektik" und einen klösterlichen Streß, wo dazu noch Radio und Fernsehen mir diese kostbare Zeit stehlen können.

IV. Das Schweigen

Es ist nun einmal eine Tatsache, daß alles um mich herum redet. Die Kreuzgänge des Klosters, der Innenhof, die Fassaden reden. Wenn ich mich aber zum Schweigen entschlossen habe, dann erst wird mir dieses Reden bewußt, die ungeheure Redseligkeit, dieses Dauerreden, dieser Redeschwall um mich herum. Wenn ich zu schweigen beginne, beginne ich erst den Lärm zu hören; wenn ich mich sammle, dann beginnt das Schweigen, das viel mehr ist als Stille, die es auch im Kloster leider so wenig gibt. Schweigen und Hören ist Sache des Jüngers, sagt Benedikt im sechsten Kapitel seiner Regel. Die Benediktusregel läßt das Schweigen durch alle Trakte, durch alle Räume, durch alle Türen und Fenster fließen und doch ist ein Jahrmarkt in mir. Was wird da nicht alles im Verlauf nur eines einzigen Tages umgesetzt! Wie bringt nun die Benediktusregel den Mönch zum Schweigen? Die Regel hat ein klares System. Sie isoliert, isoliert im guten Sinn des Wortes.

Abb. 263: Mittagsmahl im Winterrefektorium

Sie isoliert zunächst Quartier um Quartier, läßt dann ihren Schweigefluß durch alle Bezirke des Klosters ziehen. Kreis um Kreis wird dann still: das Reden des Mundes, der Schwall der Gedanken, die Sicht des Herzens, alles Tun und Dünken, alles Fürchten und Treiben und Gelten-Wollen. Alles versucht die Regel durch die Schweigsamkeit stillzulegen und so zur Ruhe zu bringen. Und ich meine, je reiner dann die Luft von Ich-Lärm in mir und aus mir heraus und um mich herum wird, desto stiller werde ich. Wo dann dieser Ruf Gottes, der immer um mich kreist, wieder da ist, da beginnt das Herz zu horchen und wieder auf Gott zu warten. Benedikt sagt in diesem sechsten Kapitel der Regel vom Schweigen der Mönche: „Selbst vollkommenen Jüngern soll nur selten die Erlaubnis zum Reden gegeben werden und mag es sich noch um so gute und erbauliche Gespräche handeln."

Und da stelle ich mir die Frage: Wie steht es mit meinem Schweigen, mit dem Schweigen im Alltag des klösterlichen Lebens? Ist nicht schon das Aufstehen alles eher als Stille und Schweigen, wenn der Radioapparat den Mönch weckt, wenn Nachrichten und Wetteransagen ihn hindern, sich zu sammeln. Wenn schon so viel Welt hereinbricht in mich, bevor der Tag beginnt! Ich werde das Schweigen wieder lernen müssen – die Stille suchen, in der Zelle, am Gang und im Garten, überall wo ich bin – ich werde in die Wüste gehen müssen, in die Wüste des eigenen Klosters.

V. Gemeinschaft

Die Benediktusregel regelt alles! Man kann kaum eine Lücke im strengen Bau ihrer Ordnung finden, kaum eine Lücke zum Durchschlüpfen im Stundenrhythmus des Tages. Die Regel weiß natürlich, daß man atmen muß und gibt neben der privaten Betrachtung auch der Pause, der Freizeit, der Muße und der Erholung ihren Platz. Die Regel hat eine ganz bestimmte Absicht mit ihrer alles umgreifenden Regelung. Sie objektiviert gleichsam das Klosterleben durch alle Bereiche hindurch: durch die Liturgie, durch die gemeinsame Arbeit, durch das gemeinsame Mahl, durch den gemeinsamen Besitz und die gemeinsame Armut, aber auch durch die Hl. Schrift, durch die Lehre der Väter, durch die Rangordnung der Mönche; durch alles, was man eben „Observanz" nennt. Die Regel will

Abb. 264:
In der Rekreation

damit durch diese Regelung ausdrücken: „Befasse dich nicht mit dir selber, fasse dich auf als einen Teil im Ganzen!“ Aber so einfach ist das nicht. Damit ist Gemeinschaft ja noch nicht gegeben. Gemeinschaft beginnt erst dann, wenn mein Ich im Du des Bruders zum großen Du des Dreifaltigen Gottes hindringt und eindringt. Das ist Gemeinschaft im klösterlichen Leben! Die Benediktusregel ruft im 72. Kapitel, das die Überschrift trägt: „Vom guten Eifer, den die Mönche haben sollen“, laut zu dieser Gemeinschaft auf und zeichnet so ein Diagramm ab, ein Diagramm des Lebens in der Dreifaltigkeit, in Gott selbst. Deshalb muß Gemeinschaft immer wieder von der Regel her überdacht werden. Denn nicht nur zu sich selbst ruft mich Gott, der Rufer, nicht nur zu mir selber ruft er in mich selbst hinein. Er ruft mich in die Gemeinschaft, in die Gemeinschaft derer, die auch gerufen sind. In dem schon zitierten 72. Kapitel ist dieses Programm gemeinsamen Lebens enthalten: „Sie sollen einander in ehrerbietiger Liebe und Achtung übertreffen, sie sollen sich in gegenseitigem Gehorsam überbieten.“ „Keiner soll den eigenen Vorteil suchen, sondern mehr den des anderen“ und „Sie sollen selbstlos die brüderliche Liebe erweisen“. Die Praxis sieht anders aus – das ideale Kloster gibt es nicht. Der klösterliche Alltag hat es in sich. Da kommt es, wie auch in einer Familie oder in anderen Gemeinschaften, zu Reibereien; zu Mißverständnissen zum Beispiel zwischen den alten und den jungen Mönchen. Auch in der klösterlichen Gemeinschaft kann es zu Vereinsamung kommen oder sogar zu Verbitterung. Ich glaube, Voltaire war es, der einmal gesagt hat: „Das Kloster ist wie ein Hotel, wo keiner den anderen kennt, wo man sich noch zu Tisch trifft und zum Gebet; und wenn einer stirbt, wird er nicht beweint.“ Nun, so sarkastisch dürfen wir das nicht sehen, aber das 72. Kapitel ist wie ein Gewissensspiegel für das Leben in der Klostergemeinde.

VI. Die Arbeit

Im Vorwort zur Regel des hl. Benedikt heißt es: „Lauft, solange ihr noch das Licht des Lebens habt, damit nicht die Schatten des Todes über euch kommen!“ „Laufen“ bedeutet in der Regel Benedikts das Gegenteil von einem blinden, faulen Müßiggang. Laufen in der Regel des Benedikt heißt arbeiten. Der

Abb. 265: Bruder Modestus in der Stiftsmühle

Mönch versteht die tägliche Arbeit letztlich nur aus der Sicht des Glaubens. Ich könnte es auch so sagen: Ich glaube, darum arbeite ich; ich arbeite in der Tat, weil ich glaube. Ich glaube, darum sehe ich auch, warum ich arbeite. Natürlich arbeitet der Mönch auch, um seinen Unterhalt zu verdienen und den Unterhalt seiner Gemeinschaft. Aber der Mönch ist zuerst ein Mensch, der glaubt. Und diese Einsicht des Glaubens bestimmt dann auch seine Arbeit. Mönche sind – so will ich es einmal ausdrücken – der Welt entrissen und sind in Gott hineinversetzt. Das ist der Mönch: der Entrissene, der Versetzte. Er ist hineinversetzt in das Eigentliche – in Gott. Und die Regel will auch nichts anderes, als daß der Mönch in diesem Wesentlichen, in Gott, bleibe. Wenn der Mönch das begriffen hat und wenn er bestrebt ist, in diesem Wesentlichen zu bleiben, dann fängt er an, im Augenblick zu leben. Das Jetzt seiner Zeit, das ist wichtig, und darum ist alles gut und schön und richtig, was er tut und arbeitet, auch wenn es mißlingt. Die Arbeit, wie auch das Gebet, ist für den Mönch nur eine Weise, sich versetzen zu lassen ins Eigentliche, ins Jetzt, das ihm gegeben ist. Das ist der eigentliche Grund, warum der Mönch arbeitet. Natürlich hat der Mönch in der Praxis diese Einstellung oft leider nicht. Es fehlt ihm diese Einsicht, er stöhnt unter der Last des Tages, ist abgehetzt und überarbeitet. Da gibt es die einen, die so viel tun und sich ärgern, weil die anderen nicht so viel tun und die auslachen, die sich ärgern. Gerade weil der Mönch heute zuviel arbeitet, z. B. in der Seelsorge, in der Schule, in wirtschaftlichen oder anderen Bereichen des Klosters, ist er in Gefahr, daß er an der Arbeit zugrunde geht. Er kann die Sicht, die aus der Regel kommt, übersehen, die Übersicht verlieren und so auch als Mönch ein Arbeitstier werden.

Er fühlt sich eingezwängt in das Leistungsdenken einer Leistungsgesellschaft. Dann wird ihm die Arbeit nicht mehr zum Segen, sondern zur Qual. „Arbeit ist das halbe Leben und die andere Hälfte auch", sagt Erich Kästner. Dem darf niemand, auch nicht der Mönch, zustimmen. Der Mönch hält sich einfach an die Regel des hl. Benedikt. Der Mönch sollte nie sagen, er habe keine Zeit, denn die Zeit ist er selber. Das aber dispensiert ihn nicht davon, sich immer wieder die Frage zu stellen: „Wie saniere ich mein Zeitbudget?"

VII. Die Armut

Das erste Recht über uns Mönche hat Gott selber. Er hat uns zuerst geliebt, heißt es in der Bibel (1 Joh 4.19). Aus allem Verhängnis meiner selbst an Gütern, Ehre, Macht und Geld, ruft Gott und möchte mich haben. Er möchte über mich entscheiden können, und so werde ich, richtig verstanden, als Mönch Opfer meiner Freiheit, das heißt: Meister, ich

Abb. 266: Meßfeier anläßlich der Glaubensmissionswochen 1990 in St. Paul

Abb. 267: Primiz eines Mitbruders

will dir folgen, wohin immer du gehst! Seitdem ich den Ruf Gottes gehört habe und diesem Ruf auch folge, seitdem die Regel des hl. Benedikt mir als Vormund übergeben wurde, heißt Armut für mich als Mönch: Ausverkauf meines Lebens, Stunde um Stunde, Tag um Tag. Und so werde ich ein armer Mensch. – Die Regel bezahlt nichts. Wir bekommen, wenn wir in eine Klostergemeinschaft eintreten und die Regel annehmen dafür die Armut, die Armut des Herzens, die unbezahlbar ist. Das Ideal einer so verstandenen Armut ist ein wunder Punkt im Leben eines Mönches. Wir finden sehr gute Ausreden, daß wir Benediktiner kein Bettelorden sind. Das ist richtig. Dem hl. Benedikt geht es nicht um die materielle Not seiner Mönche, sondern um diese Einstellung, diese beglückende Armut, die ich kurz angedeutet habe. Und es wird gut sein, auch diesen Aspekt einmal ehrlich zu überdenken, wenn ich als Lehrer oder Seelsorger im Kloster lebe, oder teilweise oder sogar großteils außerhalb des Klosters bin. Wie arm bin ich wirklich vor Gott?

Ideal und Wirklichkeit! Wir Mönche werden immer hinter dem Ideal herhinken. Wir sind Lahme, die zu Gott gehen. Aber solange wir wenigstens noch hinken, sind wir auf dem Weg zu dem, der uns in sein ewiges Reich gerufen hat.

Anhang

Bibliographie[1]

JOHANNES GRABMAYER

***ACTEN** und Correspondenzen zur Geschichte der Gegenreformation in Innerösterreich unter Erzherzog Karl II. (1578–1590), hrsg. von LOSERTH, Johann *(FRA II/50)* Wien 1898.

***AELSCHKER,** Eduard, Das Benediktinerstift St. Paul in Kärnten. Klagenfurt 1880.

–, Geschichte Kärntens von der Urzeit bis zur Gegenwart mit besonderer Rücksicht auf Culturverhältnisse, 2 Bde., Klagenfurt 1885.

–, PALLA, Josef (Hrsg.), Heimatkunde des Herzogthums Kärnten. Klagenfurt 1887.

AICHINGER, Erwin, Als Pflanzengeograph in St. Paul, Car. I 149 (1959), S. 641–651 (FG S. 329–339).

***AKTEN** und Korrespondenzen zur Geschichte der Gegenreformation in Innerösterreich unter Ferdinand II., Bde. 1, 2, hrsg. von LOSERTH, Johann *(FRA II 59/60)*. Wien 1906/07.

ALRAM, Michael (u. a.), Die Münzsammlung der Benediktinerstifte Kremsmünster und St. Paul im Lavanttal *(Thesaurus Nummorum Romanorum et Byzantinorum 4)* Wien 1983.

***ALTHOFF,** Gerd, Adels- und Königsfamilien im Spiegel ihrer Memorialüberlieferung. Studien zum Totengedenken der Billunger und Ottonen *(Münstersche Mittelalter-Schriften 47)* München 1984.

AMNESTY International in St. Paul, JbSP 1983/84, S. 86–88.

***ANDORFER,** E., Straub Philipp Jakob, in: THIEME-BECKER, Allgemeines Lexikon der bildenden Künstler von der Antike bis zur Gegenwart, Bd. 32, Sp. 167 f.

***ANGENENDT,** Arnold, Missa specialis. Zugleich ein Beitrag zur Entstehung der Privatmessen, Frühmittelalterliche Studien 17 (1983), S. 153–221.

–, *Theologie und Liturgie der mittelalterlichen Toten-Memoria, in: Memoria, S. 79–199.

***ANGERER,** Joachim, **TRUMLER,** Gerhard, Klösterreich. Die Stifte und Klöster in Bayern, Österreich und der Schweiz. Wien–München–Zürich–Innsbruck 1978 (2. Aufl. 1980).

***ANKERSHOFEN,** Gottlieb Freiherr v., Trudpert Neugart als Verfasser des Episcopatus Constant. St. Blasien 1803, Car. 45 (1855), S. 131 f.

–, Das Gerbert-Denkmal in Bonndorf, Car. 45 (1855), S. 121 f.

–, Literarische Notiz, Car. 45 (1855), S. 131 f.

–, Wie die Burgerschafft die Jahrmarkhs Freyung von Herrn Prälathen in St. Paul abhollen solle, AVGT 3 (1856), S. 6–9.

–, Ponthaiding, AVGT 3 (1856), S. 9.

–, Beiträge zur Landeschronik, AVGT 3 (1856), S. 20–37.

–, Wie und Was gestalt des Gottshaus St. Paull, Hoff unnd Marckhrichter, daß ybl so bey der Bürgerschafft, unnd im Burckhfridt füry bergehet, zu straffen, Gericht und Gerecht Administrieren sollen, AVGT 4 (1858), S. 75 f.

–, Wie die Malefitz Personen sollen eingezogen Examiniert, torquiert berechtet zum Todt verurtheilt werden, AVGT 4 (1858), S. 77–82.

–, *Kärntens älteste kirchliche Denkmalbauten. Klagenfurt 1859.

–, *Über die Aufgaben des Geschichts-Vereines mit Rücksicht auf den gegenwärtigen Stand der Geschichts-Forschung und die Bedeutung der Baudenkmale als Geschichtsquellen, AVGT 6 (1981), S. 17–28.

–, TANGL, Karl, HERMANN, Heinrich, Handbuch der Geschichte des Herzogthumes Kärnten, 3 Bde., Klagenfurt 1842–1874.

***ANNALES** S. Rudperti Salisburgenses, ed. WATTENBACH, Wilhelm *(MG SS IX)* Hannover 1851, S. 758–810.

–, *necrologici Prumienses (768–1104), ed. WAITZ, Georg *(MG SS XIII)* Hannover 1881, S. 219–223.

–, *Spirenses (919–1272), ed. PERTZ, Georg H. *(MG SS XVII)* Hannover 1861, S. 80–85.

–, *S. Disibodi (891–1200), ed. WAITZ, Georg *(MG SS XVII)* Hannover 1861, S. 4–30.

***ANNALISTA** Saxo (741–1139), ed. WAITZ, Georg *(MG SS VI)* Hannover 1844, S. 542–777.

ANTONITSCH, Evelyne, Die Kärntner Landstände und der dreizehnjährige Türkenkrieg 1593–1606, Car. I 167 (1977), S. 85–116.

***APPELT,** Heinrich, Zur Frage der Entstehung des Kärntner Landeswappens, in: Pirchegger – FS, hrsg. von TREMEL, Ferdinand u. a. *(ZS des historischen Vereines für Steiermark 66)* Graz 1955, S. 50–56.

–, *Das Diplom Friedrich Barbarossas für St. Paul im Lavanttal, Car. I 151 (1961), S. 478–485.

***ARNETH,** Alfred v., Geschichte Maria Theresias, Bd. 9, Wien 1879.

***ARNOLD,** Klaus, Johannes Trithemius *(Quellen und Forschungen zur Geschichte des Bistums und Hochstifts Würzburg 23)* Würzburg 1971.

ARNOLD, Robert F., Das deutsche Drama. 2. Aufl. Hildesheim–New York 1972.

***AUCTARIUM** Garstense (450–1139), ed. WATTENBACH, Wilhelm *(MG SS IX)* Hannover 1851, S. 561–569.

---

1 Die durch einen Stern (*) gekennzeichneten Titel werden in Beiträgen des Kataloges zitiert.
Mein besonderer Dank gilt den Herren Univ.-Prof. DDr. Ulrich FAUST OSB, Dr. Johannes GUT und Dr. Friedrich LEITNER, die mir durch mannigfache Hilfestellungen das Verfassen der Bibliographie sehr erleichterten.

Katholische **AUFKLÄRUNG** und Josephinismus, hrsg. von KOVÁCS, Elisabeth, Wien 1979.
AUSSTELLUNGSKATALOG, I. Allgemeine Kärntner Landesausstellung. Klagenfurt 1885.
–, Kirchliche Kunstgegenstände vom frühen Mittelalter bis zur Gegenwart. Wien 1887.
–, *Gotische Buchmalerei im süddeutschen Raum. Wien 1939.
–, *Große Kunst aus Österreichs Klöstern. Wien 1950.
–, *Sakrale Gewänder des Mittelalters. München 1955.
–, *El Arte Romanico. Barcelona 1961.
–, *Romanische Kunst in Österreich. Krems an der Donau 1964.
–, Karl der Große. Werk und Wirkung. Düsseldorf 1965.
–, Gotik in Österreich. Krems an der Donau 1967.
–, *Maximilian I. Innsbruck 1969.
–, Kunstepochen der Stadt Freiburg. Ausstellungen zur 850-Jahr-Feier. Freiburg/Br. 1970.
–, Spätgotik in Salzburg. Die Malerei 1400–1530. Salzburg 1972.
–, *Suebia Sacra. Augsburg 1973.
–, Die Vorarlberger Barockbaumeister. Einsiedeln 1973.
–, *1000 Jahre Babenberger in Österreich. Lilienfeld 1976.
–, *Handschriftenfragmente von 500–1500 *(Armarium 1)* St. Paul 1977.
–, *Die Zeit der Staufer. Geschichte, Kunst, Kultur, 5 Bde., Stuttgart 1977.
–, Lobisser. Zum hundersten Geburtstag. Klagenfurt 1978.
–, Die Zeit der frühen Habsburger. Dome und Klöster 1279–1379. Wiener Neustadt 1979.
–, *Die Zisterzienser – Ordensleben zwischen Ideal und Wirklichkeit. Aachen 1980.
–, Österreich zur Zeit Kaiser Joseph II. Mitregent Kaiserin Maria Theresias, Kaiser und Landesfürst. Melk 1980.
–, *Musik in der Steiermark, Admont. Graz 1980.
–, Caspar Wolf (1735–1783). Landschaft im Vorfeld der Romantik. Basel 1980.
–, 1500 Jahre St. Benedikt – Patron Europas. Salzburg 1980.
–, Barock in Baden-Württemberg. Vom Ende des Dreißigjährigen Krieges bis zur Französischen Revolution, Bruchsal 1981, Bd. 1. Karlsruhe 1981.
–, *St. Peter in Salzburg. Salzburg 1982.
–, 900 Jahre Stift Göttweig 1083–1983. Ein Donaustift als Repräsentant benediktinischer Kultur. Göttweig 1983.
–, *Das tausendjährige St. Blasien. 200jähriges Domjubiläum, 2 Bde., St. Blasien. Karlsruhe 1983.
–, *Kunstschätze aus China, Meisterwerke aus vier Jahrtausenden in Duplikaten und Originalen. St. Paul 1984.
–, *Kirche in Oberösterreich. 200 Jahre Bistum Linz, Garsten. Linz 1985.
–, Der heilige Leopold. Landesfürst und Staatssymbol. Klosterneuburg 1985.
–, *I. Strobl, erwachsen. Graz 1985.
–, Welt des Barock, St. Florian. 2 Bde. Linz–Wien–Freiburg–Basel 1986.
–, *Die Steiermark. Brücke und Bollwerk, Schloß Herberstein. *(Veröffentlichungen des steiermärkischen Landesarchives 16)* Graz 1986.
–, Gothic and Renaissance Art in Nuremberg 1300–1550, Metropolitan Museum. New York 1986.
–, Die Zähringer. Anstoß und Wirkung. Freiburg/Br. 1986.
–, Nürnberg 1330–1550. Kunst der Gotik und Renaissance. München 1986.
–, *Zeitgenössische Kunst. St. Paul 1987.
–, *Hemma von Gurk. Straßburg 1988.
–, *Von Albrecht Dürer bis Lovis Corinth, Graphik vom 15. bis zum 20. Jahrhundert. St. Paul 1988.
–, Kunst und Mönchtum an der Wiege Österreichs, Seitenstetten. Wien 1988.
–, *900 Jahre Klosterkirche Lambach, Lambach. Linz 1989.
–, *Graphik des deutschen Expressionismus. St. Paul 1989.
–, *Batik. St. Paul 1989.
–, *UNBEDINGT. Spirituelle Tendenzen in der jungen Kunst Österreichs. Salzburg 1990.
***AUSTRIA** Benedictina. Die Männer- und Frauenklöster der Benediktiner in Österreich und Südtirol, hrsg. von der bayrischen Benediktiner-Akademie in Verbindung mit der österreichischen Benediktinerkongregation, bearb. von HERMANN, Friedrich, FAUST, Ulrich (im Druck).
***BACHER,** Ernst, Katalog Neufunde mittelalterlicher Wandmalereien 1959–1969: Kärnten, Österreichische ZS für Kunst und Denkmalpflege 23 (1969), S. 120–155.
***BACHTIN,** Michail, M., Literatur und Karneval. München 1969 (Frankfurt/Main 1990).
***BACKMUND,** Norbert, Geschichte des Prämonstratenserordens, Grafenau 1986.
***BADER,** Joseph, Das ehemalige Kloster Sanct Blasien auf dem Schwarzwalde und seine Gelehrten-academie, Freiburger Diözesenarchiv 8 (1874), S. 103–253.
BADSTÜBER, Hubert, Charaktere aus dem Niebelungenliede und der Kudrun, JbSP 1890, S. 3–21.
***BALKE,** Franz, Die Kunstsammlungen. D: Die graphische Sammlung, in: ÖKT 37 (1969), S. 324–339.
***BANDMANN,** Günther, Zur Bedeutung der romanischen Apsis, Wallraf-Richartz-Jb. 15 (1953), S. 28–46.
–, *Mittelalterliche Architektur als Bedeutungsträger. 6. Aufl. Berlin 1979.
BANGE, Ernst F., Die Bildwerke des deutschen Museums, Bd. 2: Die Bildwerke in Bronze und in anderen Metallen etc. Berlin 1923.
BANK für Kärnten, Wandkalender 1968. Klagenfurt 1967.
–, Wandkalender 1971. Klagenfurt 1970.
–, Wandkalender 1991. Klagenfurt 1990.
***BARAVALLE,** Robert, Burgen und Schlösser der Steiermark. Graz 1961.
***BAROCK**-Illustrierte, red. von LEHR, Rudolf, Linz 1986.
***BAUER,** Leonhard, MATIS, Herbert, Geburt der Neuzeit. München 1988.
BAUER, Siegfried J., Die Erforschung der Ionosphäre, in: FS St. Paul 1959, S. 88–92.
***BAUER,** Werner, M., Österreichische Vormärzprosa und spätaufklärerische Tradition – Beobachtungen zu F. E. Pipitz: Der Jakobiner in Wien, in: Die österreichische Literatur. Ihr Profil im 19. Jahrhundert, hrsg. v. ZEMAN, Herbert, Graz 1982, S. 365–379.
***BAUERREISS,** Romuald, Kirchengeschichte Bayerns, Bd. 5: Das XV. Jahrhundert. St. Ottilien 1974.
***BAUM,** Wilhelm, Deutsche und Slowenen in Krain. Eine historische Betrachtung. Klagenfurt 1981.
–, *Enea Silvio Piccolomini (Pius II.), Cusanus und Tirol, Der Schlern 56 (1982), S. 174–195.
–, *Nikolaus Cusanus in Tirol. Das Wirken des Philoso-

phen und Reformators als Fürstbischof von Brixen *(Schriftenreihe des Südtiroler Kulturinstitutes 10)* Bozen 1983.
–, *Johannes Kecks Traktat über Klosterleben und Eremitentum für den Einsiedler Johannes Frankfurter im Halltal (1447). Ein Beitrag zur Geschichte des Klosters Tegernsee und zur Biographie des Nikolaus von Kues, Studien und Mitteilungen des Benediktinerordens 97 (1986), S. 444–461.
–, *Nikolaus von Kues wird Bischof von Brixen, Der Schlern 60 (1986), S. 379–388.
–, *Die Gründung des Klosters Rosazzo und die Anfänge der Grafen von Görz, in: Symposium zur Geschichte von Millstatt und Kärnten 1986, S. 77–99.
–, *Siegmund der Münzreiche. Zur Geschichte Tirols und der habsburgischen Länder im Spätmittelalter, Schriftenreihe des Südtiroler Kulturinstitutes 14 (1987), S. 129–138.
–, *Albrecht VI. (†1463), Erzherzog von Österreich. Skizze einer Biographie, 1. Tl., Der Sülchgau 31 (1987), S. 23–45.
–, *(Hrsg.), Weimar – Jena – Klagenfurt. Der Herbert-Kreis und das Geistesleben Kärntens im Zeitalter der Französischen Revolution. Klagenfurt 1989.
–, *Franz Paul von Herbert und die deutsche Geistesgeschichte, Car. I 180 (1990), S. 435–486.
–, *RAUTER, Karl, Bernhard von Waging (†1472): Klagelieder über St. Georgenberg. Das Scheitern einer Klosterreform des Nikolaus Cusanus (1453/54), Der Schlern 57 (1983), S. 482–494.
BÄUMER, Angelica, Aus dem Leben Switbert Lobissers, in Switbert Lobisser 1878–1973, Klagenfurt 1978, S. 9–26.
BECK, Heinrich, Menschliche Existenz und religiöser Glaube, JbSP 1986/87, S. 98–101.
***BECK-MANNAGETTA,** Peter, Ein tertiärer Wildbach im Granitztal (Ostkärnten) und die Geschichte seiner Landschaft, Geologie und Bauwesen 20 (1953), S. 139–144.
–, Der Bau der östlichen St. Pauler Berge, Jb. der geologischen Bundesanstalten 98 (1955), S. 67–92.
–, *Der geologische Aufbau Österreichs. Die Koralpe. Wien–New York (1980).
BECKER, Leander P., Zum geologischen und tektonischen Aufbau des Stubalpenzuges (Steiermark) mit einem Vergleich seiner Position zur nordöstlichen Saualpe (Kärnten), Car. II 167 (1977), S. 113–125.
–, SCHUHMACHER, Reinhold, Metamorphose und Tektonik in dem Gebiet zwischen Stub- und Gleinalpe, Steiermark, Mitteilungen der Geologischen Gesellschaft 65 (1972), S. 1–32.
***BEDNAR,** Karl, Zur ältesten Besitzgeschichte des Neumarkgebietes, Jb. für Landeskunde von Niederösterreich 21/2 (1928), S. 49–76.
–, *Das Schenkungsgut der ersten Königsschenkung für den Markgrafen Siegfried vom 7. März 1045, Jb. für Landeskunde von Niederösterreich 22 (1929), S. 402–430.
BEITRÄGE zur Kärntner Paracelsus-Tradition, Car. I 146 (1956), S. 152–189.
BELOT, Berthold, Staatsbürgerliche Erziehung in der Schule, JbSP 1955/56, S. 3–7.
***BENEDIKT,** Anton E. v., Die Burg und die Herren von Dietrichstein, Car. 25 (1835), S. 3–5, S. 15–17, S. 19–21, S. 23–25, S. 36 f., S. 43–45.
BENEDIKTINISCHES Mönchtum in Österreich. Eine FG der österreichischen Benediktinerklöster aus Anlaß des 1400jährigen Todestages des heiligen Benedikt, hrsg. von TAUSCH, Hildebert, Wien 1949.
***BENESCH,** Otto, Eine österreichische Stiftsgalerie, Belvedere 8 (1929), S. 31–34.
–, Bemerkungen zu einigen Bildern des Joanneums, Blätter für Heimatkunde 7 (1929), S. 65–73.
–, *Beiträge zum Werk Rubens, Alte und Neue Kunst 3 (1954), S. 8–19.
–, *Collected Writings. New York–London 1971.
BENNDORF, Wolfgang, Katalog der Inkunabeln der Studienbibliothek Klagenfurt. Klagenfurt o. J.
BERGER, Edith, Die Handschrift K1 des steiermärkischen Landesarchives zu Graz und die „breves notitiae monasterii sancti Pauli" (Diss. Graz, 1935).
BERNHANDSKY, Placidus, Auszug der neuesten Chronik des alten Benediktiner-Klosters St. Peter in Salzburg, 2 Bde., Salzburg 1882.
BERNLEITHNER, Ernst, Kirchenhistorischer Atlas von Österreich. Lieferung 1 *(Veröffentlichungen des kirchenhistorischen Institutes der katholischen theologischen Fakultät der Universität Wien, Sonderband)* Wien 1966.
***BIEDERMANN,** Gottfried, Romanik in Österreich. Würzburg 1990.
***BIEDERMANN,** Johann G., Geschlechtsregister des Hochadeligen Patriciats zu Nürnberg. Nürnberg 1748.
BIRNBACHER, Heinrich, Das Ende der Statthalterschaft Cäsars in Gallien, JbSP 1915/16, S. III–X.
BITTEL, Karl, Paracelsus und seine Vaterstadt Villach, Car. I 143 (1953), S. 549–572.
***BLAUBEUREN,** 700 Jahre Stadt. FS. Blaubeuren 1967.
BISCHOFF, Bernhard, Die süddeutschen Schreibschulen und Bibliotheken in der Karolingerzeit, Tl. 2: Die vorwiegend österreichischen Diözesen. Wiesbaden 1980.
BLAZNIK, Pavle, Die mittelalterlichen Urbare des Benediktinerstiftes St. Paul in Kärnten 1289/90 und 1371/72, hrsg. von W. Fresacher, Zgdovinski Casopis 25 (1971), S. 297–300.
***BLEISTEIN,** Roman, Jugend und Orden, Analyse und Situation. Wege neuer Begegnung. Würzburg 1980.
–, Katholische Schule – Herausforderung und Chance für Schüler, Eltern und Lehrer, JbSP 1985/86, S. 99–103.
*Aloys **BLUMAUER'S** gesammelte Werke, 5 Bde., Stuttgart 1839–41.
***BLUMAUER,** Aloys, Beobachtungen über Österreichs Aufklärung und Litteratur. Wien 1782.
BLUMENTHAL, Hans, Festrede gehalten beim 4. Pfingsttreffen der Alt-St.-Paulaner am Vorabend der 150-Jahr-Feier des Stiftes St. Paul und seines Gymnasiums (16. Mai 1959), JbSP 1958/59, S. 7–10.
–, *Das Schulspiel in St. Paul, in: FS St. Paul 1959, S. 122–131.
BOBER, Harry, The St. Blasien Psalter *(Rare Books Monographs Series 3)* New York 1963.
***BOEKHOFF,** Hermann, WINZER, Fritz (Hrsg.), Das große Buch der Graphik. Meisterwerke aus 24 berühmten graphischen Kabinetten. Braunschweig 1968.
***BODO,** Ilse, Geschichte des Benediktinerstiftes Ossiach in Kärnten in der Zeit von 1028 bis 1783 (Diss. Wien, 1966).
***BORST,** Arno, Mönche am Bodensee 610–1525 *(Bodensee-Bibliothek 5)* Sigmaringen 1978.
***BOSHOF,** Egon, Die Salier. Stuttgart 1987.
***BRANDSTETTER,** Alois, Über den Stellenwert des neugefundenen St. Pauler Fragments in der Überlieferung von Eilharts Tristrant, in: FS für Ingo Reiffen-

stein, hrsg. von STEIN, Peter K. u. a., Göppingen 1988, S. 339–352.

***BRANNER,** Robert, Manuscript Painting in Paris during the Reign of St. Louis. Berkeley–Los Angeles–London 1977.

***BRAUMÜLLER,** Hermann, Der Bauernaufstand von 1525/26 in Kärnten, Car. I 116 (1926), S. 89–110.

–, *Rezension zu Thiemo Raschls „Aufhebung und Neubegründung des Stiftes St. Paul 1782–1809", Car. I 125 (1935), S. 286.

–, *Geschichte von Kärnten *(Kärntner heimatkundliche Schriftenreihe 2)* Klagenfurt 1949.

–, Das Schicksal des Lavanttales seit dem Mittelalter, in: Das Lavanttal. Wirtschaftsperle Kärntens, S. 15–17.

–, *Die kulturelle Sendung des Benediktinerstiftes St. Paul im Lavanttal, Car. I 149 (1959) S. 323–336 (FG S. 11–24).

–, *Ursprung und Werden der Kärntner Bildungsstätten *(Kärntner Museumsschriften 37)* Klagenfurt 1965.

–, Glanz der Ritterzeit: Die Spanheimer, in: Das ist Kärnten, S. 44.

BRAUN, Joseph, Die liturgische Gewandung. Freiburg 1907.

–, *Der christliche Altar in geschichtlicher Entwicklung. München 1924.

***BRAUN,** Johann W., Das Archiv des Klosters, in: Katalog St. Blasien 1983, Bd. 2, S. 201–211.

***BRAUNFELS,** Wolfgang, Abendländische Klosterbaukunst. Köln 1969 (5. Aufl. 1985).

***BREITENSEHER,** Elfriede, Kärntner geistiges Leben im Spiegel der „Carinthia" von 1811–1848 (Diss. Wien, 1949).

BREYER, Hugo, Glockenweihe in St. Paul, Car. 55 (1865), S. 78 f.

BRIDGEMAN, Harriot, DRURY, Elisabeth, Needlework, an illustrated art. New York–London 1978.

BROMMER, Hermann, Bauleute und Künstler am Dombau der Benediktinerabtei St. Blasien, in: Katalog St. Blasien, Bd. 2, 1983, S. 209–231.

***BRUCKMÜLLER,** Ernst, Sozialgeschichte Österreichs. Wien–München 1985.

***BRUNNER,** Otto, Land und Herrschaft. 5. Aufl. Darmstadt 1984.

BUCCELLINUS, Gabriel, Germania topo-chrono-stemmato-graphica sacra et profana (. . .) P. 1–4, Augustae Vindelicorum (P. 3: Francofurti ad M., P. 4: Ulmae) 1655–1678.

***BUCHOWIECKI,** Walther, Die Baukunst, in: Romanische Kunst in Österreich, S. 5–36.

BUDIK, Peter A., Meinrad Aman, Abt des Benedictiner-Stiftes St. Paul in Kärnten (Nekrolog), Car. 30 (1840), S. 9 f.

–, Die Stiftsbibliothek zu St. Paul in Kärnten, Serapeum 12 (1851), S. 104 f.

–, Albert Reichart, Abt des Stiftes St. Paul, Car. 43 (1853), S. 85 f.

***BÜHLER,** Johannes, Klosterleben im deutschen Mittelalter. Leipzig 1921 (Nd. Frankfurt/Main 1989).

***BÜTTNER,** Heinrich, Studien zur Geschichte von Disibodenberg, Studien und Mitteilungen zur Geschichte des Benediktinerordens und seiner Zweige 52 (1934), S. 1–46.

–, *Die Anfänge der Stadt Kreuznach und die Grafen von Sponheim, ZS für Geschichte des Oberrheins NF 61 (1952), S. 433–444.

–, *Abt Trithemius und das Privileg Honorius II. für Sponheim, Zeitschrift für Geschichte des Oberrheins NF 68 (1958), S. 496–501.

–, *Die Beziehungen der hl. Hildegard von Bingen zur Kurie, Erzbischof und Kaiser, in: Universitas. Dienst an Wahrheit und Leben. FS für Bischof Albert Stohr, hrsg. von LENHART, Ludwig, Mainz 1960, 2 Bde., Bd. 2, S. 60–68.

–, *Abt Wilhelm von Hirsau und die Entwicklung der Rechtsstellung der Reformklöster im 11. Jahrhundert, ZS für württembergische Landesgeschichte 25 (1966), S. 321–339.

–, *VOGT, Werner, Das Nahegebiet im Früh- und Hochmittelalter, Mitteilungen zur Landesgeschichte und Volkskunde in den Reg.-Bez. Trier und Koblenz 4 (1959), S. 67 ff.

BULFON, Roman, Die St. Pauler Predigten (Diss. Wien, 1914).

–, Mitteilungen aus dem St. Pauler Stiftsarchiv: a) Ableben und Beisetzung des Bischofs Stobäus von Lavant, b) St. Pauler Marktordnung und Rechtspflege, c) Ein Freimaurer Rituale, JbSP 1923/24, S. 3–31.

***BULST,** Norbert, Cluny, Cluniazenser, in: Lexikon des Mittelalters, Bd. 2, Sp. 2173 f.

***BURGENKUNDE,** Kärntner, 2 Tle., hrsg. von KOHLA, Franz X., u. a. *(Aus Forschung und Kunst 17, 1/2).* Klagenfurt 1973.

BURGSTALLER, Heimo, Heidnisch-mythische Motive in der Kärntner Sage, JbSP 1981/82, S. 6–8.

***BURZ,** Monika, Die katholische Kirche in Kärnten und ihr Verhältnis zum Nationalsozialismus (Diplomarbeit Klagenfurt, 1985).

*El **CAMINO** de Santiago. Guia de Peregrino. 1985.

CAPRA, Fritjof, Wendezeit. Krise und Wandel in Wissenschaft und Gesellschaft, JbSP 1986/87, S. 105–110.

***CASSATIO** ex (Hob. Verz. II/17, vor 1766), hrsg. von STEPPAN, Hubert, Diletto musicale 23 (1960).

CATALOGUS D. D. religiosorum Ordinis S. Benedicti Monasterii S. Pauli in valle Lavantina Carinthiae. Clagenfurti 1830–1842–1843.

CATALOGUS codicum manuscriptorum ex monasteriis S. Blasii in Nigra Silva et Hospitalis ad Pyrhum montem in Austria nunc in monast. S. Pauli in Carinthia. Ann Arbor 1981 (Auth. facs.).

***CEFARIN,** Rudolf, Kärnten und die Freimaurerei. Wien 1932 (Nd. Klagenfurt 1986).

***CHARTA,** Internationale, über die Konservierung und Restaurierung von Denkmälern und Ensembles (Denkmalbereiche), Österreichische ZS für Kunst und Denkmalpflege 43 (1989), S. 75 f.

***CHMEL,** Josef, Regesta chronologico-diplomatica Friderici III. Romanorum Imperatoris. Wien 1840.

–, Urkunden zur Geschichte von Österreich, Steiermark, Kärnten, Krain, Görz, Triest, Istrien, Tirol aus den Jahren 1246–1300 *(FRA II/1)* Wien 1849.

CHRISTIAN, Siegfried, Das Wirken des Malers Martin Knoller für das ehemalige Augustiner-Chorherrenstift Gries bei Bozen, 3 Tle., JbSP 1898/99, S. 3.–22; 1899/1900, S. 3–17; 1900/1901, S. 3.–26.

–, Abt Gregor Ehrlich – Nekrolog, JbSP 1912/13, S. 14–16.

*Die **CHRONIKEN** der deutschen Städte vom 14. bis ins 16. Jahrhundert, Bd. 3, hrsg. von HEGEL, Karl, Leipzig 1864 (Nd. Stuttgart 1961).

***CHRONICON** Gurcense (1072–1183), ed. WATTENBACH, Wilhelm *(MG SS XXIII)* Hannover 1874, S. 8–10.

–, *Sponheimense, Johannes Trithemii abbatis Spon-

heimensis Opera Historica II, ed. FREHER, Marquardus, Frankfurt 1601.
***CIGOI,** Alois, Das soziale Wirken der katholischen Kirche in der Diözese Gurk. Wien 1896.
***CLAR,** Eberhard, Die Stellung der Saualpe im Rahmen der Ostalpen, Clausthaler Geologische Abhandlungen, Sonderband 1 (1975), S. 187–198.
***COLBERG,** Katharina, Meisterlin, Sigismund OSB, in: Verfasserlexikon, Bd. 6, Sp. 356–366.
***CONTI,** Alessandro, La miniatura Bolognese. Scuole e botteghe 1270–1340. Bologna 1981.
CORETH, Anna, Österreichische Geschichtsschreibung in der Barockzeit (1620–1740). Wien 1950.
***CSENDES,** Peter, „Regio finibus Ungarorum gladio ab hostibus adquisita". Überlegungen zur Geschichte der Ungarnmark in Österreich, Jb. für Landeskunde von Niederösterreich NF 42 (1976), S. 38–51.
***DAS ist Kärnten.** Geschichte, Bestand, Entwicklung, red. von POLLEY, Trude, Klgft. 1970 (2. Aufl. 1978).
DAWID, Maria, EGG, Erich, Der österreichische Museumsführer. Innsbruck–Frankfurt 1985.
***DE BOOR,** Helmut, Geschichte der deutschen Literatur, Bd. 1, 7. Aufl. München 1966.
***DE BRUIN,** C., Geert Groote, in: Verfasserlexikon, Bd. 3, Sp. 263–272.
DEDIC, Paul, Der Geheimprotestantismus in Kärnten während der Regierung Karls VI. 1711–1740 *(AVGT 26)* Klagenfurt 1940.
–, *Kärntner Exulanten des 17. Jahrhunderts, 7 Tle., Car. I 136/138 (1948), S. 108–135; 139 (1949), S. 388–417; 140 (1950), S. 768–803; 142 (1952), S. 350–380; 145 (1955), S. 577–589; 147 (1957), S. 628–634; 150 (1960), S. 277–320; 154 (1964), S. 257–307 (Nd. Klagenfurt 1979).
***DEDLER,** Herman, Vom Sinn der Arbeit nach der Regel des heiligen Benedikt, in: Benedictus. Der Vater des Abendlandes 547–1947, hrsg. von BRECHTER, Heinrich S., München 1947, S. 103–118.
***DEHIO–Handbuch.** Die Kunstdenkmäler Österreichs. Kärnten. Wien 1976 (2. Aufl. 1981).
DEISER, Fidelius, Um Brauch und Glauben im Lavanttal, LM 1963, H. 1, S. 3 f.
***DEMBSKI,** Günther, Die antiken Münzschatzfunde aus Österreich, Numismatische ZS 91 (1977), S. 3–64.
***DEMPF,** Alois, Sacrum imperium. Geschichts- und Staatsphilosophie des Mittelalters. 4. Aufl., Darmstadt 1973.
DEMUS, Otto, Neu entdeckte Wandgemälde in der Stiftskirche zu St. Paul im Lavanttale, Die Denkmalpflege 6 (1932), S. 53–58.
–, Neue Forschungen zur Geschichte der ältesten Kärntner Tafelmalerei 1420–1475, Car. I 126 (1936), S. 14–28.
–, *Kurzberichte: St. Paul im Lavanttal, Deutsche Kunst- und Denkmalpflege 10 (1936), S. 75 ff., S. 309 ff.
–, *Der Meister von Gerlamoos, Jb. der kunsthistorischen Sammlungen in Wien NF 11 (1937), S. 49–86; 12 (1938), S. 77–116.
–, *Die Restaurierung der Stiftskirche von St. Paul im Lavanttal, Freie Stimmen vom 28. 10. 1938.
–, Die Tafelbilder des Thomas von Villach. Restaurierungen und Entdeckungen, Österreichische ZS für Kunst- und Denkmalpflege 5 (1951), S. 23–26.
–, Zwei neu entdeckte Wandmalereien des Thomas von Villach, Österreichisches ZS für Kunst- und Denkmalpflege 9 (1955), S. 13–17.
–, Zur künstlerischen Herkunft des Thomas von Villach, Car. I 151 (1961), S. 625–635.
–, Thomas von Villach. Beweinung Christi, Notring-Jb. 1963, S. 170–172.
–, *Romanische Wandmalerei. München 1968.
DENK, Willibald, Zur Geschichte des Blasianerbreviers, Studien und Mitteilungen aus dem Benediktiner- und Zisterzienserorden 35 (1914), S. 245–280.
–, Der Monismus und sein Einfluß auf das moderne Geistesleben, JbSP 1914/15, S. III–XXI.
***DENKMÄLER** deutscher Poesie und Prosa aus dem 8.–12. Jahrhundert, 2 Bde., hrsg. von MÜLLENHOFF, Karl, SCHERER, Wilhelm, 3. Aufl. Zürich 1892 (Nd. 1964).
***DENKMALPFLEGE** in Kärnten, red. von REICHMANN-ENDRES, Elisabeth, Klagenfurt 1984.
DENKSCHRIFT über die Wirtschaftslage Kärntens (Landeshauptmann Hülgerth), Oktober 1936, in: März 1938 in Kärnten. Fallstudien und Dokumente zum Weg in den „Anschluß", hrsg. von RUMPLER, Helmut, Klagenfurt 1989, S. 249–259.
***DEUER,** Wilhelm, Die romanischen Klosterkirchen der Steiermark (Staatsprüfungsarbeit am Institut für österreichische Geschichtsforschung Wien, 1980).
–, *Die Stiftskirche von Millstatt und ihre romanischen Umbauten, Car. I 174 (1984), S. 73–118.
–, *Die teilweise Abtragung der ehemaligen Zisterzienserstiftskirche von Viktring im Jahre 1843 und ihre Motive, Car. I 175 (1985), S. 245–287.
–, *Die romanische Sakralarchitektur Kärntens unter besonderer Berücksichtigung des Gurker Domes, in: Katalog Hemma von Gurk, S. 230–246.
–, *Das Ständische Bauzahlamt in Kärnten und seine Rechtsnachfolger, Car. I 178 (1988), S. 165–182.
DEXLER, Helga, Beiträge zur Geschichte der Bischöfe von Lavant im Mittelalter (Diss. Wien, 1952).
***DICK,** Franziska, Der Schatzfund von Baldersdorf, BH Spittal/Drau *(Die Fundmünzen der römischen Zeit in Österreich II/2).* Klagenfurt 1976.
–, *St. Paul im Lavanttal, in: Die Münzsammlungen der Benediktinerstifte Kremsmünster und St. Paul im Lavanttal, hrsg. von ALRAM, Michael, u. a. *(Thesaurus Nummorum Romanorum et Byzantinorum 11)* Wien 1983, S. 83–208.
***DIMITZ,** August, Geschichte Krains von der ältesten Zeit bis auf das Jahr 1813, 1. Tl., Laibach 1874.
DINKLAGE, Karl, Kärntens gewerbliche Wirtschaft von der Vorzeit bis zur Gegenwart. Klagenfurt 1953.
–, Alte Eisenindustrie im Lavanttal, Blätter für Technikgeschichte 16 (1954), S. 68–100.
–, *Völkermarkt zwischen Abt und Herzog. Ein Beitrag zur Gründungsgeschichte mittelalterlicher Städte, MIÖG 67 (1959), S. 278–305.
–, *Kleine Geschichte von Völkermarkt. Mit einem Anhang Völkermarkt zwischen Abt und Herzog aus den MIÖG. Klagenfurt 1960.
–, *Kärntner Städtegründungen unter Herzog Bernhard (1202–1256), MIÖG 69 (1961), S. 85–96.
DIRECTORIUM Benedictinum monasterii ad S. Paulum in Carinthia. Clagenfurti 1862.
***DOBERER,** Erika, Studien zum Südportal der Kärntner Stiftskirche St. Paul, Wiener Jb. für Kunstgeschichte 23 (1970), S. 232–238.
***DOCUMENTS** et mémoire pour servier à l'histoire du territoire de Belfort, hrsg. von VIELLARD, Leon, Besancon 1984.
***DÖLLING,** Regine, Sponheim *(Rheinische Kunststätten, H. 3)* Offenbach 1973.
***DÖRRER,** Anton, Neidhardspiel-Probleme, Car. I 141 (1951), S. 160–171.

***DOERRIES,** Hermann, Mönchtum und Arbeit, in: Forschungen zur Kirchengeschichte und zur christlichen Kunst. FS für J. Ficker, hrsg. von ELLIGER, Walter, 1931, S. 17–39.

DOLD, Alban, Die altlateinischen Proverbientexte im Codex 25. 2. 36 von St. Paul in Kärnten, Biblica 19 (1938), S. 241–259.

***DOPSCH,** Heinz, Die Grafen von Heunburg, Car. I 160 (1970), S. 311–342.

–, *Die Grafen von Lebenau, Das Salzfaß NF 4/2 (1970), S. 33–59.

–, *Der bayerische Adel und die Besetzung des Erzbistums Salzburg im 10. und 11. Jahrhundert, Mitteilungen der Gesellschaft für Salzburger Landeskunde 110/111 (1970/71), S. 125–151.

–, *Die Stifterfamilie des Klosters Gurk und ihre Verwandtschaft, Car. I 161 (1971), S. 95–123.

–, *Herzog Heinrich „von Eppenstein" und die Dotierung von St. Lamprecht, Blätter für Heimatkunde 46/4 (1972), S. 122–131.

–, *Adel und Kirche als gestaltende Kräfte in der frühen Geschichte des Südostalpenraumes, Car. I 166 (1976), S. 21–49.

–, *Přemysl Ottokar II. und das Erzstift Salzburg, Jb. für Landeskunde von Niederösterreich NF 44/45 (1978/79), S. 470–508.

–, *Die steirischen Otakare. Zu ihrer Herkunft und ihren dynastischen Verbindungen, in: Das Werden der Steiermark: Die Zeit der Traungauer. FS zur 800. Wiederkehr der Erhebung zum Herzogtum, hrsg. von PFERSCHY, Günther, Graz–Wien–Köln 1980, S. 75–139.

DORF im Gebirge. Spital am Pyhrn 1190–1990, hrsg. von KRAWARIK, Hans, Linz 1990.

DRECHSLER, Robert H. (Bearb.), Der Bezirk Wolfsberg, in: Lavanttaler Heimatbuch, S. 93–110.

***DREGER,** Moritz, Die künstlerische Entwicklung der europäischen Weberei und Stickerei. Wien 1904.

–, *Der Gösser Ornat, Kunst und Kunsthandwerk 11 (1908), S. 613–654.

***DROSG,** Stefan, Verfall und Aufhebung des Benediktiner-Stiftes Ossiach in Kärnten (Diss. Graz, 1935).

***DROZD,** Kurt W., Das Klagenfurter Gymnasium nach Auflösung der Gesellschaft Jesu und das Schultheater des P. Ambrosius Eichhorn OSB, Car. I 149 (1959), S. 511–514 (FG S. 199–202).

DRÜCKHER HASSLAW zu WINCKL, F. v., Saltzburgische Chronica, Das ist: Beschreibung deß Lands, Stiftung und denckwürdiger Geschichten, auch aller Bischöff, Ertz-Bischöff und Abbten zu St. Peter (. . .). Salzburg 1666.

***DÜRER,** Albrecht, 1471–1528. Das gesamte graphische Druckwerk, Bd. 2, München (o. J.).

***DUFT,** Johannes, Regula Benedicti und abendländisches Leistungsprinzip, Studien und Mitteilungen zur Geschichte des Benediktinerordens und seiner Zweige 91 (1980), S. 61–79.

***DVŎRÁK,** Max, Katechismus der Denkmalpflege. Wien 1918.

***DWORSCHAK,** Fritz, Die Werke des Loy Hering in Österreich, Wiener Jb. für Kunstgeschichte 4 (1926), S. 86–110.

–, Münzen, Medaillen und Plaketten, in: ÖKT 37 (1969), S. 266–286.

–, *RASCHL, Thiemo, Der Fund von Hintergumitsch (Verwaltungsbezirk Wolfsberg) und die Münzverträge zwischen Salzburg und Kärnten von 1286 und 1334, AVGT 24/25 (1936), S. 201–224.

EBNER, Bernhard, Landeskunde von Kärnten. 2. Aufl. Wien 1918.

***EBNER,** Herwig, Das freie Eigen. Ein Beitrag zur Verfassungsgeschichte des Mittelalters *(Aus Forschung und Kunst 2)* Klagenfurt 1969.

***EBERSTALLER,** Oskar, Orgeln und Orgelbau in Österreich *(Wiener musikwissenschaftliche Beiträge 1)* Graz–Köln 1955.

***EDER,** Karl, Der steirische Landeshauptmann Siegmund von Dietrichstein (1480–1533) *(Forschungen zur geschichtlichen Landeskunde der Steiermark 21)* Graz 1963.

***EDLING,** Anselm, Briefe in Kärnten. Oder Lehrsätze für angehende Seelsorger. Von Anselm Abbt zu St. Paul. Klagenfurt–Laybach 1786.

–, *Der Kornet oder so arg macht's die Eifersucht. Aus einer vaterländischen Sage zu einem Trauerspiel von fünf Aufzügen umgeschaffen von A. F. Klagenfurt 1787.

–, Der Priester, wie man ihn wünschen mag, und – wie er nicht alle Tage zu haben ist. Klagenfurt 1793.

–, *Anselm Edlings Abbten zu St. Paul in Kärnten Ord.S. Bened. Anrede an seine Geistliche am Tag nach der Aufhebung am 5. November, AVGT 5 (1860), S. 21–31.

EGGER, Rudolf, Ausgrabungen in Kärnten 1924–1926, Car. I 117 (1927), S. 1–4.

–, Nachruf auf Abt Richard Strelli, Car. I 131 (1941), S. 250–252.

***EHLEN,** Ferdinand, Die Prämonstratenser-Abtei Knechtsteden. Geschichte und Urkundenbuch. Cöln 1904.

EHWEINER, Hermann, WIEDENBAUER, Matthias, Marktgemeinde St. Paul im Lavanttal, in: FS Markt St. Paul 1984, S. 13–20.

***EICHBERGER,** Friedrich, Jugend und Jazz, in: FS St. Paul 1959, S. 92–97.

EICHHORN, Ambrosius, Libellus precum ad usum juventutis studiosae christianae. Clagenfurti 1811.

–, Ursprung des Benediktinerstiftes St. Paul, Car. 4 (1814), H. 41.

–, Die Glanecker, Car. 6 (1816), H. 19.

–, Beyträge zur älteren Geschichte und Topographie des Herzogthumes Kärnten, 2 Bde., Klagenfurt 1817/19.

–, Korrespondenznachrichten, Car. 8 (1818), H. 3.

***EISLER,** Robert, Das Titelblatt einer Sponheimer Handschrift von 1129 im Stiftsarchiv von St. Paul im Lavanttal. Wien 1904 (Separatdruck aus Jb. der k. k. Zentralkommission NF II 2, S. 1–20).

–, *Die illuminierten Handschriften in Kärnten, in: Beschreibendes Verzeichnis der illuminierten Handschriften in Österreich 3 (1907), S. 12–17, S. 67–134.

EIZENHÖFER, Leo, Zu dem angelsächsischen Sakramentarfragment von St. Paul in Kärnten, Revue Bénedictine 80 (1970), S. 292 f.

ELLERT, Gerhart, Die Falken kehrten wieder, in: FS St. Paul 1959, S. 81–84.

***EPISCOPATUS** Constantiensis Alemannicus sub Metropoli Moguntina (. . .) illustratus, P. 1, Tom. 1. St. Blasien 1803.

***ERLÄUTERUNGEN** zum Historischen Atlas der österreichischen Alpenländer. Bd. I/4: Kärnten. Von JAKSCH, August v., WUTTE, Martin. Klagenfurt 1914.

***ERLÄUTERUNGEN** zum Historischen Atlas der österreichischen Alpenländer. 3 Tle., Abt. 2: Die Kirchen- und Grafschaftskarte. Tl. 8: Kärnten. Klagenfurt 1956–1959.

ERTL, Winfried, Das Lavanttaler Bauernhaus und

seine Einrichtung, JbSP 1988/89, S. 7–20.
EUW, Anton v., Das Sakramentar von St. Paul, in: Die Abtei Reichenau, hrsg. von MAURER, Helmut *(Bodensee-Bibliothek 20)* Sigmaringen 1974, S. 363–387.
***EVANS,** Robert J. W., Das Werden der Habsburgermonarchie 1550–1700. Gesellschaft, Kultur, Institutionen *(Forschungen zur Geschichte des Donauraumes 6)* Wien–Köln–Graz 1986.
FALKE, Jakob v., Geschichte des deutschen Kunstgewerbes *(Geschichte der deutschen Kunst 5)* Berlin 1888.
FALKE, Otto v., Illustrierte Geschichte des Kunstgewerbes. Berlin 1912.
FARITSCH, Norbert, Stolpersteine beim Erlernen einer Fremdsprache, JbSP 1982/83, S. 64–68.
FASCHING, Helmtraud, Aufgaben und Probleme der Germanistik, JbSP 1975/76, S. 5 f.
***FEDERHOFER,** Hellmut, Alte Musikalien-Inventare der Klöster St. Paul (Kärnten) und Göß (Steiermark), Kirchenmusikalisches Jb. 35 (1951), S. 97–112.
–, *Eine Kärntner Orgeltabulatur des 16. Jahrhunderts, Car. I 142 (1952), S. 330–337.
–, *Fabritius, in: Die Musik in Geschichte und Gegenwart 3 (1954), Sp. 1708 f.
–, *Die Grazer Stadtpfarrmatrikeln als musikgeschichtliche Quelle, ZS des historischen Vereines der Steiermark 45 (1954), S. 158–168.
FELC, Franz, Reformation und Gegenreformation im Patriarchat Aquileia (Diss. Wien, 1954).
FELLNER, Ignaz, HALLA, Matthias, Abschied, Ankunft und Willkomm der ehrwürdigen Benediktiner aus dem Reichsstift St. Blasii in (!) Schwarzwald nach Klagenfurt und St. Paul in Kärnten. Klagenfurt 1809.
FELSNER-KORAK, Barbara, Die soziale Herkunft der Burggrafen und Burgpfleger in Kärnten bis 1500, Car. I 175 (1985), S. 183–198.
***FG** zur 150-Jahr-Feier der Wiederbesiedelung des Benediktinerstiftes St. Paul durch die Mönche von St. Blasien im Schwarzwald, geleitet von MORO, Gotbert. Klagenfurt 1959 (Sd. aus Car. I 149, 1959).
–, *Markt St. Paul, St. Paul 1984.
***FS** zum hundertjährigen Geburtstag Gottliebs Freiherrn Ankershofen und zur 50jährigen Jubelfeier des Geschichtsvereines für Kärnten, hrsg. vom Geschichtsverein für Kärnten. Klagenfurt 1896.
–, *des öffentlichen Gymnasiums und Realgymnasiums des Benediktinerstiftes St. Paul im Lavanttal. 1091–1809–1959. St. Paul 1959.
–, 750 Jahre Bistum Lavant. St. Andrä im Lavanttal 1978.
***FEUCHTMÜLLER,** Rupert, Der Kremser-Schmidt. Innsbruck–Wien 1989.
***FEULNER,** Adolf, Christian Wink. München 1912.
–, *Die Zick. München 1920.
***FEYERLICHE** Uebersetzung der Kaiserlich-ko^e^niglich-auch Herzoglich-Oesterreichischen Ho^e^chsten Leichen aus ihren Grabsta^e^dten Basel, und Ko^e^nigsfelden in der Schweiz nach dem Fu^e^rstlichen Stift St. Blasien auf dem Schwarzwald den 14ten Wintermonats 1770 von KREUTTER, Franz, GERBERT, Martin. Gedruckt in St. Blasien.
***FICHTENAU,** Heinrich, Neues zu den Lambacher Nekrologien, MIÖG 59 (1951), S. 416–420.
–, *Das Urkundenwesen in Österreich vom 8. bis zum frühen 13. Jahrhundert, MIÖG Erg.-Bd. 23 (1971), S. 186–197.
–, *Lebensordnungen des 10. Jahrhunderts, 2 Bde. *(Monographien zur Geschichte des Mittelalters 30)* Stuttgart 1984.
***FILLITZ,** Hermann, Das Reliquienkreuz von St. Paul in Kärnten, Alte und moderne Kunst 3 (1958), S. 5–7.
–, *Das Kreuzreliquiar Kaiser Heinrichs II. in der Schatzkammer der Münchner Residenz, Münchner Jb. der bildenden Kunst, 3. F. IX/X (1958/59), S. 15–31.
–, *Die Glockenkasel des Stiftes St. Paul im Lavanttal, Notring-Jb. 1963 (Kunst in Österreich), S. 158–160.
–, *Kunstgewerbe, in: Katalog Krems 1964, S. 165–170.
–, *Das Adelheid-Kreuz aus St. Blasien, in: Katalog St. Blasien 1983, Bd. 2, S. 213–228.
***FINDENIG,** Helmut, Die Benediktinerabtei St. Paul in Kärnten zur Zeit der Reformation (Hausarbeit Graz, 1978).
***FISCHER,** Otto, Geschichte der deutschen Zeichnung und Graphik *(Deutsche Kunstgeschichte 4)* München 1951.
FITL, Robert, Das Triennal-Pfingsttreffen der Alt-St.-Pauler, JbSP 1961/62, S. 6–8.
–, KARISCH, Artur, Die Alt-St.-Pauler, JbSP 1966/67, S. 17 f.
FITZGERALD, Lidwine, Hygini Astronomica (Diss. St. Louis, 1966).
FLÖTTMANN, Thomas, u. a., Deformationsanalyse der unteren Gneisgruppe in der südlichen Koralpe (Ostalpen), Car. II 176 (1986), S. 179–202.
FLOR, Carlmann, Nachruf an Gottlieb Freiherrn von Ankershofen, AVGT 6 (1861), S. 1–16.
***FLOTZINGER,** Rudolf, Fux-Studien, Grazer musikwissenschaftliche Arbeiten 6 (1985), S. 73–109.
–, *Versuch einer Geschichte der Landmesse, in: Bruckner-Symposium Linz 1985 (Bericht Linz 1988), S. 59–72.
–, *Mittelalterliche Choralhandschriften österreichischer Provenienz in der Bodleian Library Oxford (Sitzungsberichte der Österr. Akademie der Wissenschaften, im Druck).
***FRÄSS-EHRFELD,** Claudia, Geschichte Kärntens. Bd. 1: Das Mittelalter. Klagenfurt 1984.
***FRANK,** Barbara, Konversen und Laien in benediktinischen Reformklöstern des 15. Jahrhunderts, in: Ordensstudien, Bd. 1, S. 49–66.
***FRANK,** Karl S., Grundzüge der Geschichte des christlichen Mönchtums *(Wissenschaftliche Buchgesellschaft Darmstadt, Grundzüge 25)* Darmstadt 1979.
***FRANK,** W., u. a., Die Datierung geologischer Ereignisse im Altkristallin der Gleinalpe (Steiermark) mit der Rb/Sr-Methode, Tschermak's mineralogische und petrographische Mitteilungen 23 (1976), S. 191–203.
FRANKL, Karl H., Hemma von Gurk, strahlendes Bild aus Vorzeiten Grau? JbSP 1988/89, S. 21–23.
FRANKL, Viktor E., Hunger nach Brot – und Hunger nach Sinn, JbSP 1986/87, S. 102–104.
FRANKL, Wilhelm M., Logik. Eine wissenschafts-theoretische Untersuchung nach den Forschungsergebnissen Meinongs, JbSP 1905/1906, S. 3–8.
***FRANKNÓI,** Wilhelm, Matthias Corvinus. König von Ungarn 1458–1490. Freiburg/Br. 1891.
***FRANZ,** Günther, Der Deutsche Bauernkrieg. 10. Aufl., Darmstadt 1975.
FRANZ, Leonhard, STRELLI, Richard, Ausgrabung bei St. Paul im Lavanttal, Car. I 119 (1929), S. 14–18.
FRAUWALLNER, Karlheinz, Die literarische Interpretation – Theorien, Methoden, Probleme, JbSP 1975/76, S. 9–12.
–, Moderne methodische Ansätze im englischen Anfangsunterricht, JbSP 1976/77, S. 7 f.
–, Schulwartehepaar Gorenzel 10 Jahre am Stiftsgymnasium, JbSP 1981/82, S. 61.

***FREISITZER,** Rudolf, Die Wirtschaftspolitik und wirtschaftliche Lage im Herzogtum Kärnten in der maria-theresianischen Epoche (Diplomarbeit Klagenfurt, 1985).

–, *Die Grundherrschaft des Gurker Domkapitels als Wirtschaftsfaktor in Kärnten (Diss. Klagenfurt, 1989).

–, Der Benediktinerorden und seine Verbreitung, JbSP 1989/90, S. 17–22.

***FRESACHER,** Walther, Der Bauer in Kärnten, 3 Bde. *(AVGT 31, 39, 43/44)* Klagenfurt 1950/1952/1955.

–, Aus dem Leben der Unterkärntner Bauern, in: Das Lavanttal. Wirtschaftsperle Kärntens, S. 39 f.

–, *Ein „Longinussegen" aus Kärnten, Car. I 144 (1954), S. 778 f.

–, *Die Marktverleihung an St. Paul im Lavanttal, Car. I 146 (1956), S. 119–132.

–, *Bäuerliches Besitzrecht bei der Herrschaft St. Paul im ersten Viertel des 16. Jahrhunderts, Car. I 146 (1956), S. 132–140.

–, *Eine aufschlußreiche Urkunde aus dem Jahre 1319, Car. I 147 (1957), S. 350–381.

–, *Die ältesten Kirchen im Lavanttale, Car. I 149 (1959), S. 788–803 (FG S. 476–491).

–, *Der Besitz des Klosters St. Paul in Kärnten, Car. I 149 (1959), S. 337–378 (FG S. 25–66).

–, *Hof, Burgfried, Hofgericht und Markt St. Paul, Car. I 149 (1959), S. 671–714 (FG S. 359–402).

–, *Geschichte des Marktes St. Paul im Lavanttal *(AVGT 57)* Klagenfurt 1961.

–, Die Pest in Kärnten im 14. Jahrhundert, Car. I 153 (1963), S. 349–378.

–, Zur Bauernehrung in St. Paul, LM 1963, H. 10, S. 15–17.

–, Ein Beitrag zur Geschichte des Bauernstandes. Gedanken zur Bauernehrung des Jahres 1965, LM 1965, H. 8, S. 10 f.

–, Die Blutgerichtsbarkeit des Stiftes St. Paul und der Stadt St. Andrä in Kärnten, Car. I 155 (1965), S. 169–198.

–, Kärnten in der Aufklärungszeit, Tl. 8, LM 1967, H. 12, S. 10 f.

–, *Regesten zur Bau- und Kunstgeschichte des Stiftes, in: ÖKT 37 (1969), S. 480–490.

–, *Das Benediktiner-Kloster St. Paul in Kärnten (Geschichtlicher Überblick), in: ÖKT 37 (1969), S. 15–31.

–, Zwei Äbte in Kärnten, in: LM 1971, H. 10, S. 53–56.

–, *Geschichte der Gemeinde Granitztal in Kärnten. Granitztal 1971.

–, Als es in Kärnten noch Weinbau gab, LM 1976, H. 4, S. 2 f.

–, Zum Weinausschank des Klosters St. Paul in Klagenfurt, LM 1977, H. 4, S. 8–10.

–, *Der Übergang der Herrschaften Finkenstein und Hollenburg an den Weichselstätter Zweig der Herren von Dietrichstein, Car. I 167 (1977), S. 117–149.

***FRIEDLÄNDER,** Max-Julius, Pieter Bruegel. Berlin 1921.

–, *Lucas van Leyden *(Meister der Graphik 13)* Leipzig 1924.

***FRIEDRICH,** Othmar M., Erzlagerstätten, in: Planungsatlas Lavanttal, A, S. 41-45.

FRITSCH, Wolfgang, Erläuterungen zu einer neuen geologischen Übersichtskarte von Kärnten (1:500.000), Car. II 152 (1962), S. 14–20.

***FRITZ,** Anton, EBERNIGG, Max, Sakrale Kunst in Kärnten. Klagenfurt (1967).

FRITZ, Johann M., Goldschmiedekunst der Gotik in Mitteleuropa. München 1982.

–, *Der Kirchenschatz, in: Katalog St. Blasien 1983, Bd. 2, S. 231–269.

FRODL, Walther, Meister Thomas von Villach, Car. I 130 (1940), S. 354–366.

–, *Die romanische Wandmalerei in Kärnten. Klagenfurt 1942.

–, Thomas von Villach: Die Beweinung Christi. 2. Aufl. Klagenfurt 1947.

–, Die Kärntner Denkmal- und Museumspflege in den Jahren 1940 bis 1942, Car. I 132 (1942), S. 262–284.

–, Die gotische Wandmalerei in Kärnten. Klagenfurt 1944.

–, Kärntner Kunststätten. Klagenfurt 1965.

–, Kärnten in alten Ansichten. Graz–Wien 1950.

FRODL-KRAFT, Eva, Das Margaretenfenster in Ardagger, Wiener Jb. für Kunstgeschichte 20 (1954), S. 9–46.

***FROLOW,** Anatole, Les Reliquaires de la vraie Croix. Paris 1965.

FÜRNSCHLIEF, Anton, Der Kärntner Freiheitskampf im Lavanttale 1918/19, JbSP 1919/20, S. III–XXXIII.

***FUMAGALLI,** Vito, Der lebende Stein. Stadt und Natur im Mittelalter. Berlin 1989.

FUNDATIO monasterii S. Pauli in Carinthia a. 1092–1095, ed. HOLDER–EGGER, Oswald *(MG SS XV/2)* Hannover 1888, S. 1057–1060.

FUNDMELDEDIENST, Vorläufige Mitteilungen auf Grund noch nicht überprüfter Einsendungen. Bundesdenkmalamt. Wien 1966.

***GÄNSER,** Gerald, Die rechtliche, wirtschaftliche und soziale Stellung der österreichischen Beamten unter Maximilian I. (Diss. Graz, 1976).

***GAICH-FAUSTER,** Gabriele, Genealogie und Besitzgeschichte der Familie von Praitenfurt, Fohnsdorf-Rabenstein (Diss. Graz, 1976).

GALLENSTEIN, Anton R. v., Necrolog auf Franz Fritz, Car. 39 (1849), S. 313 f.

–, *Schreinwerk in der Pfarrkirche zu Möchling im Jaunthale in Kärnten, Mitteilungen der k. k. Centralkommission zur Erforschung der Denkmale 17 (1872), S. 37–39.

GAMBER, Klaus, Das altkampanische Sakramentar. Neue Fragmente in angelsächsischer Überlieferung, Revúe Bénedictine 79 (1969), S. 332–339.

***GANZER,** Klaus, Monastische Reform und Bildung. Ein Traktat des Hieronymus Aliotti (1412–80) über die Studien der Mönche, in: Reformatio Ecclesiae. Beiträge zu kirchlichen Reformbemühungen von der Alten Kirche bis zur Neuzeit. FG für Erwin Iserloh, hrsg. von BÄUMER, Remigius, Paderborn 1980, S. 181–200.

GASSELSEDER, Elisabeth, Die Kunstsammlungen, in: ÖKT 37 (1969), S. 201–216.

***GENEALOGIA** diplomatica augustae gentis Habsburgicae. Viennae 1737/38.

***GERBERT,** Martin, Korrespondenz des Fürstabtes Martin II. Gerbert von St. Blasien, Bd. 1, Karlsruhe 1931–1934.

–, *Das unglückselige Jahr 1768, veröffentlicht von RASCHL, Thiemo (Das Brandunglück St. Blasiens im Jahr 1768), in: Die Pyramide, Wochenschrift zum Karlsruher Tagblatt 10, Nr. 27, 3. 7. 1921.

–, Briefe und Akten des Fürstabtes Martin II. Gerbert von St. Blasien 1764–1793, 2 Bde., bearb. von MÜLLER, Wolfgang. Karlsruhe 1957/1962.

–, Crypta San Blasiana nova principum Austriacorum translatis eorum cadaveribus ex cathedrali ecclesia Blasileensi et monasterio Koenigsfeldensi in Helve-

des Stader Geschichts- und Heimatvereins 8) Stade 1956.

HUEBER, Josef v., Übersichtliche Darstellung der bis zum Jahre 1848 in Kärnten bestandenen Unterthans-Verhältnisse, AVGT 8 (1863), S. 1–69.

HÜBNER, Karl, Die Archidiakonats-Einteilung in der ehemaligen Diözese Salzburg, Mitteilungen der Gesellschaft für Salzburger Landeskunde 45 (1905), S. 41–78.

HUEMER, Blasius, Die Salzburger Benediktiner-Kongregation 1641 bis 1808 *(Beiträge zur Geschichte des alten Mönchtums und des Benediktinerordens 9)* Münster 1918.

***HUIZINGA,** Johann, Herbst des Mittelalters. München 1931.

***HUTER,** Franz, Der Eintritt Tirols in die „Herrschaft zu Österreich" 1363, Tiroler Heimat 26 (1962), S. 13–36.

HUTTER, Josef, Die Neutralität Österreichs im Unterricht, JbSP 1955/56, S. 7–9.

***INNERKOFLER,** Adolf (Hrsg.), Eine große Tochter Maria Theresias: Erzherzogin Marianna in ihrem Hauptmonument, dem Elisabethinen-Kloster zu Klagenfurt. Innsbruck 1910.

***IRTENKAUF,** Wolfgang, Eine St. Pauler Handschrift aus dem Jahre 1136. Eine Studie zur Choral- und Liturgiepflege im 12. Jahrhundert, Car. I 145 (1955), S. 248–274.

–, Über die Herkunft des sogenannten St.-Blasien-Psalters, Bibliothek und Wissenschaft 1 (1964), S. 23–49.

–, Noch einmal: Über die Herkunft des sogenannten St. Blasien-Psalters, Bibliothek und Wissenschaft 2 (1965), S. 59–84.

–, *Hirsau. Geschichte und Kultur. 3. Aufl. Sigmaringen 1978.

JABORNEGG-ALTENFELS, Markus v., Mittheilungen über die Gründung der Bistümer, Klöster und der ältesten Kirchen in Kärnten, AVGT 7 (1862), S. 33–72.

***JAECKEL,** Peter, Organisation des früh-osmanischen Heeres, besonders der Militärgrenze, in: Katalog Steiermark. Brücke und Bollwerk, S. 145–154.

JÄGER-SUNSTENAU, Hanns, General-Index zu den Siebmacher'schen Wappenbüchern 1605–1961. Graz 1964.

***JAKOBS,** Hermann, Die Hirsauer. Ihre Ausbreitung und Rechtsstellung im Zeitalter des Investiturstreits *(Kölner Historische Abhandlungen 4)* Köln 1961.

–, Der Adel in der Klosterreform von St. Blasien *(Kölner Historische Abhandlungen 16)* Köln 1968.

***JAKSCH,** August v., Ein Schematismus der Erzdiözese Unterkärnten vom Jahre 1519, AVGT 15 (1885), S. 45–64.

–, *Die cultur- und kunsthistorische Abtheilung der kärntnerischen Landesausstellung 1885, Car. I 75 (1885), S. 129–140.

–, *Der Geschichtsverein für Kärnten, in: FS Ankershofen 1896, S. 12–105.

–, *Das Testament des Malers Anton Blumenthal vom Jahre 1603, Car. I 88 (1898), S. 133–138.

–, *Eine Genealogie der kärntnerischen Spanheimer und der ursprüngliche Traditionscodex von St. Paul, MIÖG, Erg.-Bd. 6 (1901), S. 197–208.

–, *P. Norbert Lebinger, Car. I 97 (1907), S. 34–40.

–, *Abhandlung über die Genealogie der Spanheimer, ZS. für die Geschichte des Oberrheins NF 25 (1910), S. 538 ff.

–, *Die Gründung des Klosters Rosazzo in Friaul, Studien und Mitteilungen zur Geschichte des Benediktinerordens und seiner Zweige NF 32 (1911), S. 229–241.

–, *Glashütten in Kärnten, Car. I 113 (1923), S. 1–8.

–, Beda Schrolls hundertster Geburtstag, Car. I 114 (1924), S. 112.

–, *Geschichte Kärntens bis 1335, 2 Bde., Klagenfurt 1928/29.

***JANIK,** M., Der „Kärntner Geschichtsverein" bis zur Abgabe seiner musealen Sammlungen im Jahre 1942 (Diss. Wien, 1965).

***JANISCH,** Josef A., Topographisch-statistisches Lexikon von Steiermark mit historischen Notizen und Anmerkungen, Bd. 1, Graz 1878.

***JANSKY,** Herbert, Das Osmanische Reich in Südosteuropa von 1452 bis 1648, in: Handbuch der europäischen Geschichte, Bd. 3, hrsg. von SCHIEDER, Theodor, Stuttgart 1979 (Nd.).

JEITTELES, Adalbert, Altdeutsche Predigten aus dem Benediktinerstift St. Paul in Kärnten. Innsbruck 1878.

–, Die St. Pauler Predigten und Herr Anton Schönbach. Innsbruck 1881.

JELLINEGG, Bruno, David von Augsburg, 2 Tle., JbSP 1903/04, S. 3–41; 1904/05, S. 1–39.

JELONEK, Manfred, A., Der Maler Johann Martin Schmidt, genannt Kremser-Schmidt, JbSP 1983/84, S. 37–41.

–, *Franz Jänggl – ein unbekannter Wiener Barockbaumeister, Die Brücke 1985, S. 10–14.

–, *Die Rabensteinerkapelle und ihre Ausmalung, JbSP (1984/85), S. 47–52.

–, *Die Rabensteinerkapelle im Benediktinerstift St. Paul im Lavanttal, in: FS anläßlich des 11. Pfingsttreffens am 17. und 18. Mai 1986, Graz 1986, S. 15–20.

–, Aus dem Kunstschatz des Benediktinerstiftes St. Paul im Lavanttal: Die romanische Glockenkasel, JbSP 1987/88, S. 28–30.

–, Graphik des deutschen Expressionismus, JbSP 1988/89, S. 113–116.

–, *Höhepunkte der Graphik im 16. Jahrhundert, in: Von Albrecht Dürer bis Lovis Corinth. Graphik vom 15. bis zum 20. Jahrhundert. St. Paul 1988, o. S.

–, Niederländische Genremalerei, JbSP 1989/90, S. 40–44.

–, *PUCKER, Hartwig, Faltbilder, Wulf Bugattis Entscheidungsprozesse am Bild nach dem Malen, Die Brücke (1989), S. 37–40.

JOHAM, Ludwig, Lovntol, mei Heimattol. Wien 1952.

–, Kirchen, Kapellen, Bildstöcke des Lavanttales. Wolfsberg 1966.

Der **JOSEFIBERG** bei St. Paul, LM 1966, H. 4, S. 10 (aus „Unterkärntner Nachrichten" vom 18. 3. 1966, S. 4).

***JUG,** Stanko, Turški napadi na Kranjsko in Primorsko do prve tretjine 16. stoletja, Glasnik muzejskega društva za Slovenijo 24 (1943), S. 1–61.

JUNG, Armand, Reihenfolge der Pröpste von Wieting. Aus Urkunden und Rechnungen des Stiftes St. Peter in Salzburg, AVGT 9 (1864), S. 83–86.

KADA, Karlmann, Qua arte Horatius carmina primi libri composuerit, JbSP 1913/14, S. III–LI.

–, *Die Innenrestaurierung der Basilika von St. Paul in Kärnten. Linz 1938 (Sd. aus den „Christlichen Kunstblättern").

–, *Theophrastus Paracelsus von Hohenheim und die Lateinschule des Benediktinerstiftes St. Paul, JbSP 1951/52, S. 9–12.

KÄRNTEN. Ein Reisehandbuch, hrsg. von ZOEPFL, Gustav, Klagenfurt 1906.

–, *Heiliges. Die ältesten Kärntner Kirchen. Klagenfurt 1951.

***KAFKA,** Karl, Wehrkirchen Kärntens, 2 Bde., *(Kärntens Burgen und Schlösser 4/1, 2)* Wien 1971/72.

KAHLER, Franz, Zur Geologie des Lavanttales, in: Das Lavanttal. Wirtschaftsperle Kärntens, S. 3 f.

–, *Der Bau der Karawanken und des Klagenfurter Beckens, Car. II, Sonderheft 16 (1953), S. 1–78.

–, *Lagerstätten der Steine und Erden, in: Planungsatlas Lavanttal, A, S. 45–48.

–, *HERZOG, Uwe, Geologische Ergebnisse geophysikalischer Messungen im Kohlentertiär südlich von Wolfsberg im Lavanttal (Kärnten), Car. II 168 (1978), S. 47–54.

KAIMBACHER, Paulus, Die Pfarrkirche zu St. Martin im Granitztal, in: FS St. Paul 1984, S. 88 f.

KAPELLARI, Egon, Fragen zwischen Jugend und Kirche, JbSP 1983/84, S. 79.

–, Predigt zum Jubiläum von Stift und Markt St. Paul im Lavanttal am 24. Juni 1984, in: FS anläßlich des 11. Pfingsttreffens am 17. und 18. Mai 1986, Graz 1986, S. 21–24.

–, Stellungnahme zum Besuch des heiligen Vaters, JbSP 1987/88, S. 9 f.

***KAPSNER,** Oliver, A benedictine bibliographie. An author-subject union list, Bd. I, 2. Aufl. Collegeville/Min. 1962.

KARLINGER, Hans, Die Kunst der Gotik *(Propyläen-Kunstgeschichte 7)* Berlin 1926.

***KARNER,** Stefan, Die Abtrennung der Untersteiermark von Österreich 1918/19. Ökonomische Aspekte und Relevanz für Kärnten und die Steiermark, in: Kärntner Volksabstimmung 1920, ed. RUMPLER, Helmut, Klagenfurt 1981, S. 254–296.

***KARPF,** Kurt, Das Kloster Molzbichl – ein Missionszentrum des 8. Jahrhunderts in Karantanien, Car. I 179 (1989), S. 125–140.

***KASTNER,** Jörg, Historia fundationum monasteriorum. Frühformen monastischer Institutionsgeschichtsschreibung im Mittelalter *(Münchner Beiträge zur Mediävistik und Renaissance-Forschung 18)* München 1974.

***KATALOG** gedruckter deutschsprachiger katholischer Predigtsammlungen, Bd. 2, hrsg. von WELZIG, Werner, Wien 1987.

***KATZ,** Eberhard, Geschichte des Gymnasiums zu St. Paul bis 1885, JbSP 1885/86, S. 5–24.

–, Annalium Laureshamensium editio emendata secundum codicem St. Paulensem XXV c 32, JbSP 1889, S. 3–63.

–, Cyrus, des Perserkönigs Abstammung, Kriege und Tod nach den gewöhnlichsten überlieferten Sagen, JbSP 1895, S. 3–44.

–, Herbarts Regierung, Unterricht und Zucht nach dem Inhalte reproduciert, JbSP 1896, S. 3–25.

–, Der Gang der Erwerbung Kärntens durch die Habsburger und die sagenhaften Heereszüge der Margaretha Maultasche, 2 Tle., JbSP 1897, S. 3–33; 1898, S. 3–30.

KELLER, Franz C., Das Lavanttal. Wolfsberg 1902.

***KELLNER,** Altman, Über die Heimat des Cod. Bibl. fol. 20 der Stuttgarter Landesbibliothek, Studien und Mitteilungen zur Geschichte des Benediktinerordens und seiner Zweige 57 (1939), S. 233–240.

–, *Musikgeschichte des Stifts Kremsmünster. Kassel–Basel 1956.

–, *Profeßbuch des Stiftes Kremsmünster. Klagenfurt 1968.

***KERNBAUER,** Hans, WEBER, Fritz, Österreichs Wirtschaft 1938–1945, in: NS-Herrschaft in Österreich 1938–1945, hrsg. von TÁLOS, Emmerich, NEUGEBAUER, Wolfgang *(Österreichische Texte zur Gesellschaftskritik 36)* Wien 1988, S. 49–67.

***KIENZL,** Barbara, Benedict Pläß – ein Kärntner Bildhauer des 18. Jahrhunderts, Car. I 173 (1983), S. 309–338.

–, *Zur Ausstattungsgeschichte der Kirchen von Kirchbach und Tainach, Car. I 174 (1984), S. 119–139.

–, *Die barocken Kanzeln in Kärnten *(Das Kärntner Landesarchiv 13)* Klagenfurt 1986.

KIESLINGER, Alois, Der Sandstein von Hattendorf bei Wolfsberg, Car. II 142 (1952), S. 305–316.

–, *Die nutzbaren Gesteine Kärntens *(Car. II, Sonderheft 17)* Klagenfurt 1956.

KINDIG, Oskar, Drei interessante alte Grabsteine in Völkermarkt, Car. I 153 (1963), S. 503–512.

KIRCHE für die Welt. FS zum Jubiläum 900 Jahre Diözese Gurk, hrsg. vom Bischöflichen Ordinariat Gurk. Klagenfurt 1972.

*Der **KIRCHENSCHMUCK**. Blätter des christlichen Kunstvereines der Diözese Seckau 30 (1899), S. 41–49.

***KIRCHNER-DOBERER,** Erika, Die deutschen Lettner bis 1300 (Diss. Wien, 1946).

***KISSEL,** H., Die ehemalige Prämonstratenser-Abtei Knechtsteden *(Analecta Praemonstratensia V)* Tongerloo 1929.

***KLAAR,** Karl-Engelhardt, Die Herrschaft der Eppensteiner in Kärnten *(AVGT 61)* Klagenfurt 1966.

***KLÄUI,** Paul, Hochmittelalterliche Adelsherrschaften im Zürichgau, Mitteilungen der Antiquarischen Gesellschaft in Zürich 40 (1960), S. 25–30, S. 49–63.

***KLAUSBERGER,** Josef, Das Kupferbergwerk am Lamprechtsberge (1766–1791) (Diss. Graz, 1931).

–, *Das Rabensteinergrabmal in der Stiftskirche von St. Paul, Car. I 126 (1936), S. 122–125.

–, *St. Pauls Kupferbergwerk am Lamprechtsberg 1766–1791, JbSP 1935/36, S. 3–37.

–, *St. Pauls Blei- und Silberbergbauversuche am Hochobir und bei Klein-St. Paul im Görtschitztal in den Jahren 1696 bis 1700, Montanistische Rundschau 29 (1937), Nr. 87.

–, *Das Eisenbergwerk am Lamprechtsberg (1647–48) und an der Goding (1696–97), Montanistische Rundschau 29 (1937), Nr. 24.

–, *Abt Hieronymus Marchstaller als Klosterreformator. Ein Beitrag zur Erinnerung an den 300jährigen Todestag des größten Prälaten St. Pauls, JbSP 1937/38, S. 3–19.

–, *Das Stift St. Paul als Gewerke zu Hüttenberg 1679–89, Car. I 128 (1938), S. 59–65.

–, *St. Pauls Montanunternehmungen im Wandel der Zeiten, Montanistische Rundschau 30 (1938), Nr. 13.

–, *Das Eisenwerk zu St. Martin in der Wüste in Untersteier, Blätter für Heimatkunde 16 (1938), S. 12–14.

–, *Paul Memminger. Abt des Benediktinerstiftes St. Paul im Lavanttal, erzbischöflich Salzburger und fürstbischöflich Bambergischer Rat, Erzpriester von Möchling und St. Lorenzen, Kärntner landständischer Verordnete des großen Ausschusses etc. etc. 1638 bis 1660. Nach seinem Leben und Wirken dargestellt (Diss. Wien, 1939).

***KLEBEL,** Ernst, Zur Geschichte der Pfarren und Kirchen Kärntens, Car. I 115 (1925), S. 1–47; 116 (1926), S. 1–63; 117 (1927), S. 81–144; 118 (1928), Beiheft, S. 1–44 (Nd. Klagenfurt 1979).

–, *Die Ahnen der Herzoge von Kärnten aus dem Hause der Spanheimer, in: Beiträge zur Geschichte und Kulturgeschichte Kärntens, FG für Dr. Martin Wutte zum 60. Geburtstag *(AVGT 24/25)* Klagenfurt 1936, S. 47–66.

–, *Erzbischof Friedrich I. von Köln, seine Sippe und deren politische Bedeutung, Annalen des Historischen Vereines für den Niederrhein 157 (1955), S. 41–63.

***KLECKER,** Annemarie, Das St. Pauler Neidhardspiel, Notring-Jb. 1958, S. 89–91.

KLEINSCHMIDT, Georg, WURM, Friedrich, Die geologische Neuaufnahme des Saualpenkristallins (Kärnten) X. – Paläozoikum und epizonale Serien zwischen St. Andrä im Lavanttal und Griffen, Car. II 156 (1966), S. 108–140.

KLÖSCH, Franz, Das Lavanttal als Bergbauerngebiet, in: Lavanttaler Heimatbuch, S. 59.

KLÖSTERREISEN. Österreich und Südtirol, hrsg. von ANGERER, Joachim, Wien–München 1984.

KNAPP, Bernhard, Freizeitgestaltung, JbSP 1962/63, S. 33–36.

–, Unsere Taufnamen, JbSP 1966/67, S. 12 f.

–, Jakobus major in Kärnten, JbSP 1967/68, S. 6 f.

–, Finanzgebarung und Investitionsplanung des Stiftsgymnasiums, JbSP 1968/69, S. 15 f.

–, Wiedereröffnung des Hallenbades, JbSP 1968/69, S. 13 f.

–, *Die Äbte von St. Paul und ihre Siegel, in: ÖKT 37 (1969), S. 491–496.

–, Die freie Schule in Gefahr?, JbSP 1969/70, S. 5–7.

–, *Schätze der „Abtei im Paradies", in: Das ist Kärnten, Klagenfurt 1970, S. 76 f.

–, Audiovisuelle Medien (AVM) im Unterricht, JbSP 1972/73, S. 9–12.

–, Das Kind unter dem Druck der Mathematik, JbSP 1973/74, S. 13–15.

–, Vom Wert oder Unwert der alten Sprachen, JbSP 1974/75, S. 5 f.

–, Eröffnung der Doppelturnhalle, JbSP 1974/75, S. 35–38.

KNAPP, Herbert, Kultgeschichte und Kultgeographie der Kirchenheiligen von Kärnten (Diss. Wien, 1963).

KNIES, Carl, Wiener Goldschmiedezeichen aus den Jahren 1781–1850. Wien 1905.

KNOBLOCH, Wolfgang, HÜBNER, Paul, Mühevolle Kleinarbeit. Einfühlsame Vorbereitungen für die St. Blasien-Ausstellung, Konradsblatt 67 (1983), Nr. 18, S. 16 f.

KÖHLER, Hubert, Der Ringstecken – ein altes Hirtengerät, Österreichische ZS für Volkskunde NS 16 (1962), S. 32–34.

***KÖSTLER,** Hans J., WANK, Max, Zur jüngeren Geschichte des ehemaligen Kupferbergbaues Lamprechtsberg im Lavanttal (Kärnten), LM 1989, H. 3, S. 3–8.

***KOHLBACH,** Rochus, Steirische Bildhauer. Vom Römerstein zum Rokoko. Graz 1954.

KOHLA, Franz X., Über befestigte Kirchen in Kärnten, Car. I 131 (1941), S. 164–172.

–, Kärntens Burgen. Klagenfurt 1953.

–, *Der Rainkogel im unteren Lavanttal. Eine Wandernotiz, Car. I 149 (1959), S. 669 f. (FG S. 357 f.).

KOHLHAUSEN, Heinrich, Gotisches Kunstgewerbe, in: Geschichte des Kunstgewerbes aller Zeiten und Völker, Bd. 5, hrsg. von BOSSERT, Helmuth T., Berlin 1932, S. 367–480.

KÖLE, Wolfgang, Fortschritte in der Chirurgie, in: FS St. Paul 1959, S. 110–117.

–, Dankansprache anläßlich der Emeritierung, JbSP 1984/85, S. 7–9.

***KOLLER,** Oswald, Aus dem Archive des Benedictinerstiftes St. Paul im Lavanttal in Kärnten, Monatshefte für Musikgeschichte 22 (1890), S. 22–29.

***KOLLER-NEUMANN,** Ingrid, Eine Statistik zum österreichischen Klosterwesen von 1563, in: Historische Blickpunkte. FS für Johann Rainer, hrsg. von WEISS, Sabine, *(Innsbrucker Beiträge zur Kulturwissenschaft 25)* Innsbruck 1988, S. 331–341.

***KOLLITSCH,** Anton, Schulpredigten aus der Zeit Josephs II., ZS für Geschichte der Erziehung und des Unterrichts 7 (1917), S. 57–61.

KONVIKT „Josephinum" 100 Jahre alt, JbSP 1989/90, S. 48.

KOPEINIG, Peter, Papst Johannes Paul II. in Gurk, JbSP 1987/88, S. 11.

–, Die heilige Hemma als literarische Figur, JbSP 1987/88, S. 17 f.

KOROPEC, J., Sentpavelska posest v vzhodni Sloveniji do zacetka 17. stoletja (Diss. Maribor, 1967).

–, *Slovensko goriska posest sentpavelskega samostana do zacetka 17. stoletja, Zbornik Pedagoske akademije v Mariboru 1970, S. 239–253.

KOS, Milko, Codices aetatis mediae manu scripti qui in Slovenia reperiuntur. Srednejevski rokopisi v Sloveniji. S sodelov Franja Steleta. Labaci 1931.

***KOSCHATZKY,** Walter, Die Kunst der Graphik. Technik, Geschichte, Meisterwerke. Salzburg 1972 (dtv-Ausgabe 1980).

KOSCHIER, Franz, Die Lavanttaler Tracht, Car. I 149 (1959), S. 885–906 (FG S. 573–594).

–, Professor Switbert Lobisser und das Kärntner Volksleben, LM 1980, S. 39–46.

***KOVÁCS,** Elisabeth, Die Apotheose des Hauses Österreich. Repräsentation und politischer Anspruch, in: Katalog Welt des Barock, Bd. 2, S. 53–86.

–, *Die österreichische Kirche im Zeitalter des Barock, in: ebd., S. 123–140.

***KRALLERT,** Wilfried, Die Bedeutung des Klosters Viktring für den Zisterzienserorden während des Mittelalters, Studien und Mitteilungen zur Geschichte des Benediktinerordens 52 (1934), S. 221–235.

–, Kärnten und der Südosten im Mittelalter, AVGT 24/25 (1936), S. 86–96.

KRANZMAYER, Eberhard, Die ältesten deutschen Ansiedlungen in Kärnten, AVGT 24/25 (1936), S. 28–33.

–, *Ortsnamenbuch von Kärnten, 2 Bde. *(AVGT 50/51)* Klagenfurt 1956/58.

***KRASA,** Josef, Die Handschriften König Wenzels IV. Wien 1971.

***KRASSLER,** Josef, Steirischer Wappenschlüssel *(Veröffentlichungen des Steiermärkischen Landesarchives 6)* Graz 1968.

KRASSNIG, Waltraud, Die letzten Zisterzienser des im Jahre 1786 aufgehobenen Stiftes Viktring. Unter besonderer Berücksichtigung ihrer nachmaligen Verwendung in der Seelsorge (Diss. Graz, 1985).

–, *Notizen zur Geschichte des Benediktinerinnenklosters St. Hemma in Gurk, in: Katalog Hemma von Gurk, S. 70 f.

KRAUS, Franz X., Die Schätze St. Blasiens in der Abtei St. Paul in Kärnten, ZS für die Geschichte des Oberrheins NF 4 (1889), S. 46–68.

–, Die christlichen Inschriften der Rheinlande 2 (1892), S. 40–46.

–, Der Kirchenschatz von Sanct Blasien, jetzt zu

St. Paul in Kärnten *(Die Kunstdenkmäler des Großherzogtums Baden, 3. Beigabe)* Freiburg/Br. 1892.

–, Grabinschriften der letzten Häupter des S. Blasianer Convents in St. Paul in Kärnten, ZS der Gesellschaft für Beförderung der Geschichts-, Altertums- und Volkskunde von Freiburg, dem Breisgau und den angrenzenden Landschaften 11 (1894), S. 117 f.

KRAUSE, Adalbert, Das steirische Benediktinerstift Admont in seinen Beziehungen zu Kärnten, Car. I 162 (1972), S. 417–435.

***KRAWARIK,** Hans, Die weltlichen Chorherren von Spital am Pyhrn (1418–1807). Biographische Darstellungen *(Forschungen zur Geschichte Oberösterreichs 15)* Linz 1988.

***KREIDL,** Detlef, Die religiöse Malerei Pieter Aertsens als Grundlage seiner künstlerischen Entwicklung, Jb. der kunsthistorischen Sammlungen in Wien 68 (1972), S. 99 f.

***KREUZER,** Anton, Die Stifte und Klöster Kärntens. Klagenfurt 1971.

KRIEGLER, Wolfgang, Der Basalt von Kollnitz (Geschichtliches und Petrographisches), JbSP 1978/79, S. 11–13.

–, Bedrohte Umwelt (Zoologie), JbSP 1980/81, S. 44–46.

***KRIMM,** Konrad, Zur Geschichte des sanktblasianischen Archivs im 19. Jahrhundert. Eine Bestandsaufnahme anläßlich der Archivalienverfilmung in St. Paul, in: ZS für die Geschichte des Oberrheins 130 (1982), S. 341–345.

KRONEGGER, Fritz, Der Anteil der Lavanttaler an der Befreiung Kärntens 1918–1920, LM 1963, H. 10, S. 9.

KROOS, Renate, Notizen zum „St.-Blasien-Psalter", in: Katalog Zeit der Staufer, Bd. 5, S. 353–387.

KRUMMER-SCHROTH, Ingeborg, Johann Christian Wentzinger. Bildhauer, Maler, Architekt, 1710–1797. Freiburg 1987.

KUCHERNIG, Doris, Lesen und Fernsehen – wie ich dazu stehe, JbSP 1975/76, S. 30.

***KÜHNEL,** Harry, Die gemalten Grabdenkmäler von Herzog Philipp von Kärnten und Heinrich Graf von Salm im Chor der ehemaligen Dominikanerkirche in Krems, Österreichische ZS für Kunst- und Denkmalpflege, XXI/2 (1967), S. 100–105.

***KULL,** Laurentius, Wie kam vor 500 Jahren die Pfarre St. Georgen an das Stift St. Paul?, Pfarrblatt der St. Pauler Stiftspfarren 6 (1985), Nr. 2, S. 1 f.

–, Die Sammlungen des Stiftes St. Paul im Lavanttal *(Österreichs Museen stellen sich vor 22)* Wien 1986, S. 41–50.

–, Die Sammlungen des Stiftes St. Paul im Lavanttal, JbSP 1987/88, S. 21–27.

–, *Die Pfarrkirche Pustritz, JbSP 1987/88, S. 40–42.

–, Die Graphik in der Kunstsammlung des Stiftes St. Paul, JbSP 1988/89, S. 39–41.

–, *Die Pfarrkirche St. Georgen im Lavanttal, JbSP 1988/89, S. 42 f.

–, Die Pfarrkirche St. Martin im Granitztal, JbSP 1989/90, S. 45–47.

KUMMER, Helmut, Schulmathematik heute, JbSP 1973/74, S. 7 f.

***KUNST**, Romanische in Österreich, hrsg. von BALDASS, Peter v., u. a., 3. Aufl. Wien1974.

*Die **KUNSTDENKMÄLER** des Großherzogtums Baden, Bd. 3: Die Kunstdenkmäler des Kreises Waldshut, bearb. von KRAUS, Franz X., Freiburg 1892.

–, des politischen Bezirkes Wolfsberg, in: Die Kunstdenkmäler Kärntens, Bd. 8 (1933) von GINHART, Karl, u. a.

***KUNSTTOPOGRAPHIE,** Österreichische, Bd. 1: Kunsttopographie des Herzogthums Kärnten. Wien 1889.

***KUNSTTOPOGRAPHIE,** Österreichische, Bd. 37, bearb. von GINHART, Karl, Wien 1969.

KUNTNER, Andreas, umwelt – natur, JbSP 1983/84, S. 81.

***KURTH,** Betty, Die europäische Bildstickerei im Mittelalter, Ciba-Rundschau 48 (1941), S. 1750–1755.

KURZBERICHTE zur Denkmalpflege, St. Paul im Lavanttal, Österreichische ZS für Kunst und Denkmalpflege 43 (1989), S. 83.

KURZREITER, Josef, Innere Schulreform aus sozialpädagogischer Sicht, JbSP 1980/81, S. 30 f.

***KUŠEY,** Jakob R., Joseph II. und die äußere Kirchenverfassung Innerösterreichs *(Kirchenrechtliche Abhandlungen 49/50)* Stuttgart 1908.

KYRISS, Ernst, Verzierte gotische Einbände im alten deutschen Sprachgebiet, 4 Bde., Stuttgart 1951–58.

***LADSTÄTTER,** Georg J., Die Geschichte des Benediktinerstiftes St. Paul im Lavanttal in Kärnten von 1809–1848 (Diss. Wien, 1973).

***LAMPRECHT,** Otto, Der älteste Besitz des Stiftes St. Paul im steirischen Draulande, ZS des Historischen Vereines für Steiermark 46 (1955), S. 112–124.

–, *Die Besiedelung des Remschnikberglandes, ZS des Historischen Vereines für Steiermark 47 (1956), S. 20–27.

–, *Der mittelalterliche Besitz des Stiftes St. Paul im Lavanttal auf dem Remschnik, Car. I 147 (1957), S. 334–349.

–, *Wo lag Vollenanger?, Blätter für Heimatkunde 31 (1957), S. 65–70.

–, *Die „Fünfhuben" bei Schmirnberg, Blätter für Heimatkunde 32 (1958), S. 2–7.

–, *Der mittelalterliche Besitzstand des Stiftes St. Paul im Lavanttal an der Pößnitz, Car. I 149 (1959), S. 379–388.

–, *Der Besitz des Stiftes St. Paul in der Mark hinter dem Drauwalde, Car. I 151 (1961), S. 520–533.

–, *Gemeinerschaften auf dem mittelalterlichen Besitz des Stiftes St. Paul im Lavanttal, ZS des Historischen Vereines für Steiermark 53 (1962), S. 29–35.

Das **LANDBUCH** von Österreich und Steier, hrsg. von LAMPEL, Josef *(MG Dt. Chron. III)* Hannover–Leipzig 1900, S. 687–811.

***LANG,** Alois, Das Salzburger Lehen in Steiermark bis 1520, 2 Tle. *(Veröffentlichungen der Historischen Landeskommission Steiermark 30/31)* Graz 1937/39.

***LASCHITZER,** Simon, Die Verordnungen über die Bibliotheken und Archive der aufgehobenen Klöster in Österreich, MIÖG 2 (1881), S. 401–440.

–, *Die Archive und Bibliotheken des Jesuitencollegiums in Klagenfurt und der Stifte Eberndorf und Millstatt, Car. 72 (1882), S. 1–11, 29–43, 77–87, 113–121.

–, *Geschichte der Klosterbibliotheken und Archive Kärntens zur Zeit ihrer Aufhebung unter Kaiser Joseph II., Car. 73 (1883), S. 141–148.

–, Eine Porträt-Darstellung Karls des Großen und seiner Gemahlin im Stifte St. Paul in Kärnten, Car. 80 (1890), S. 148.

LAUBENBERGER, Franz, Grablegen der Habsburger und St. Blasien, Schau-ins-Land 102 (1983), S. 25–38.

LAVANTTALER Heimatbuch, hrsg. von DRECHSLER, Robert H. *(Heimat Österreich 25–29)* Leoben 1954.

Grenzmarkt **LAVAMÜND.** Ein Heimatbuch, hrsg. von DINKLAGE, Karl, Lavamünd 1964.

Das **LAVANTTAL.** Wirtschaftsperle Kärntens. Wolfsberg 1952.

Vom **LAVANTTAL** nach Washington. Die Gutenbergbibel von St. Paul, Kärntner Grenzland-Jb. 1979, S. 86.

***LEBINGER,** Norbert, Mittheilungen aus dem Stiftsarchive von St. Paul, AVGT 4 (1858), S. 6–21.

–, *Die Reformation und Gegenreformation in Klagenfurt, XVII. Programm des k.k. Gymnasiums in Klagenfurt (1867), S. 1–49; XVIII (1868), S. 1–56.

–, Zur Geschichte des Gymnasiums in Klagenfurt *(Jb. des k.k. Gymnasiums in Klagenfurt)* Klagenfurt 1892.

LECHNER, Karl, Die Babenberger, Markgrafen und Herzoge von Österreich 976–1246 *(Veröffentlichungen des Instituts für Österreichische Geschichtsforschung 23)* Graz–Wien 1976.

*Die Salzburger **LEHEN** in Kärnten bis 1520, bearb. von LANG, Alois, METNITZ, Gustav Adolf v. *(FRA II/79)*, Wien 1971.

***LEHMANN,** Johann G., Die Grafschaft und die Grafen von Sponheim der beiden Linien Kreuznach und Starkenburg bis zu ihrem Erlöschen im 15. Jahrhundert, 2 Tle., Kreuznach 1869.

***LEITNER,** Andreas, Abt Johann IV. Parnbichler 1500–1515, JbSP 1966/67, S. 5.

–, *Abt Albert Reichart 1677–1727, JbSP 1967/68, S. 5.

LEITNER, Ernst, Aktivitäten im Geschichtsunterricht, JbSP 1980/81, S. 34–39.

–, Prof. Josef Prietl, Aktion „Nach der Schlußkonferenz", JbSP 1981/82, S. 60.

–, Jugend und politische Bildung, JbSP 1983/84, S. 80.

***LEITNER,** Hermann, Die Fünftagewoche in der Schule, JbSP 1970/71, S. 9 f.

–, St. Paul 1918–1920, in: FS St. Paul 1984, S. 40–44.

***LEITNER,** Friedrich W., Die Kärntner Zeitschrift „Carinthia", Die Brücke 2 (1976), S. 115–119.

–, *Zur Edition der Gurker Geschichtsquellen, in: Katalog Hemma von Gurk 1988, S. 49–52.

–, *Inschriftendenkmäler als historische Quelle für die Landesgeschichtsforschung. Fachtagung für mittelalterliche und neuzeitliche Epigraphik, in: Veröffentlichungen der Kommission für die Herausgabe der Inschriften des deutschen Mittelalters 2, red. von KOCH, Walter *(Österreichische Akademie der Wissenschaften, Phil.-hist. Klasse 1990, im Druck)*.

LEITNER, Rudolf, Das Mathematiklehrbuch. Kritik und Zustimmung, JbSP 1973/74, S. 9 f.

–, Ein Streifzug durch die Mathematik der Antike, JbSP 1974/75, S. 22–24.

LERNBASS, Ignaz, Vom Sinn und Ziel des Schulturnens, JbSP 1960/61, S. 3 f.

–, Die Beurteilung im Gegenstand Leibesübungen, JbSP 1972/73, S. 16.

–, Zur Methodik im Leseunterricht und in der Literaturerziehung der Zehn- bis Vierzehnjährigen, JbSP 1975/76, S. 19–23.

L'ESTOCQ, Hermann, Zur Geschichte der Stadt Völkermarkt, Car. I 120 (1930), S. 119–134.

***LEXER,** Matthias, Mittelhochdeutsches Taschenwörterbuch. 34. Aufl. Stuttgart 1974.

***LEXIKON** des Mittelalters. Zürich–München 1980 ff.

–, *Österreichisches Biographisches, hrsg. von der Österreichischen Akademie der Wissenschaften. Graz–Köln 1957.

–, *für Theologie und Kirche, 11 Bde., Freiburg/ Br. 1957–1967.

***LHOTSKY,** Alphons, Thomas Ebendorfer. Ein österreichischer Geschichtsschreiber, Theologe und Diplomat des 15. Jahrhunderts *(Schriften der MG 15)* Stuttgart 1957.

–, *Geschichte Österreichs seit der Mitte des 13. Jahrhunderts (1281–1358). Wien 1967.

***LIBER** confraternitatum Seccoviensis, ed. HERZBERG-FRÄNKEL, Sigismund *(MG Necr. II)* Berlin 1890–1904, S. 357–402.

***LIEBLANG,** Alice, Die Wirtschaftsverfassung der benediktinischen Mönchsregel im besonderen die Behandlung der Besitz- und Arbeitsverhältnisse, Studien und Mitteilungen des Benediktinerordens und seiner Zweige 50 (1932), S. 109–142.

***LIEBMANN,** Maximilian, Theodor Innitzer und der Anschluß. Österreichs Kirche 1938 *(Grazer Beiträge zur Theologiegeschichte und kirchlichen Zeitgeschichte 3)* Graz–Wien–Köln 1988.

LIND, Karl, Aus dem Schatze des Stifts St. Paul in Kärnten, Mitteilungen der k.k. Central-Commission 10 (1865), S. 106–112.

–, Die österreichische kunsthistorische Abteilung der Wiener Weltausstellung, Mitteilungen der k.k. Central-Commission 18 (1873), S. 152, S. 157, S. 163, S. 177, S. 192, S. 306 f.

–, Einige ältere Elfenbeinarbeiten kirchlicher Bestimmung, Mitteilungen der k.k. Central-Commission NF 8 (1882), S. 127–135.

***LINDNER,** August, Die Aufhebung der Klöster in Deutschtirol 1782–1787. Ein Beitrag zur Geschichte Kaiser Josephs II., ZS des Ferdinandeums für Tirol und Vorarlberg 3. F. 28 (1884), S. 157–234.

LINDNER, Pirmin, Fürstabtei St. Blasien. Ergänzung zur Schrift J. Baders: Das ehemalige Kloster St. Blasien auf dem Schwarzwalde und seine Gelehrten-Akademie, Freiburger Diözesanarchiv 21 (1890), S. 25–48.

–, *Monasticon Metropolis Salisburgenzis (!) antiquae. Verzeichnisse aller Aebte und Pröpste der Klöster der alten Kirchenprovinz Salzburg. Salzburg 1908.

LINORTNER, Egon, Die Wappen Kärntens, Kärntner Tageszeitung, Nr. 69 (1966).

*Deutsch-österreichische **LITERATURGESCHICHTE**, Bd. 2: 1750–1848, hrsg. von NAGL, Johann, ZEIDLER, Jakob, CASTLE, Eduard, Wien 1914.

LOBISSER, Switbert, Verzeichnis seiner Holzschnitte. Eingeleitet von Hermann EGGER. 2. Aufl. Graz 1947.

–, Eine kleine Auswahl wenig bekannter Zeichnungen, Holzschnitte und Aquarelle. Klagenfurt 1955.

–, Switbert, 1878–1943. Klagenfurt 1978.

LOCKER, Emil, Das untere Lavanttal. Siedlung und Wirtschaft und die sie bedingenden physikalisch-geographischen Gegebenheiten (Diss. Graz, 1957).

–, Der Schulversuch Tagesheimschule, JbSP 1980/81, S. 32 f.

LÖFFLER, Klemens, Deutsche Klosterbibliotheken. 2. Aufl. Bonn–Leipzig 1922.

LOESCHE, Georg, Geschichte des Protestantismus im vormaligen und im neuen Österreich. 3. Aufl. Wien–Leipzig 1930.

***LÖW,** Josef, Kleiner Gurker Domführer. Klgft. 1930.

***LOOSHORN,** Johann, Das Bisthum Bamberg von 1556–1622 *(Die Geschichte des Bisthums Bamberg 5)* München 1903.

***LOSERTH,** Johann, Die Reformation und Gegenreformation in den innerösterreichischen Ländern im 16. Jahrhundert. Stuttgart 1898.

–, Aus den Zeiten der Gegenreformation in Kärnten, Car. I 90 (1900), S. 3–23.

–, *Zur Geschichte der Reformation und Gegenreformation in Innerösterreich, Jb. der Gesellschaft für die Geschichte des Protestantismus in Österreich 25 (1904), S. 183–221.

–, *Zur Geschichte der Gegenreformation in den Bambergischen Gebieten von Kärnten, Car. I 97 (1907), S. 131–168.

***LÜDECKE,** Heinz, Albrecht Dürer. Leipzig 1970.

***LÜDKE,** Dietmar, Zur Buchkassette Kat. Nr. 158, in: Katalog St. Blasien, Bd. 2, 1983, S. 270 f.

–, *Votivtafel, in: Katalog St. Blasien 1983, Bd. 2, S. 272–274.

***LUKMAN,** Franz X., Lavant, in: Lexikon für Theologie und Kirche, Bd. 6, 2. Aufl. 1934, S. 424 ff.

***LUSCHIN v. EBENGREUTH,** Arnold, Der Brakteatenfund zu Prebl in Kärnten, Mitteilungen der Numismatischen Gesellschaft in Wien 15 (1920), S. 97–100.

–, *Friesacher Pfennige, Numismatische ZS 15 (1922), S. 89–118; 16 (1923), S. 33–144.

***MAASS,** Ferdinand, Der Josephinismus. Quellen zu seiner Geschichte in Österreich 1760–1790, Bd. 2: Entfaltung und Krise des Josephinismus 1770–1790 *(FRA II/72)* Wien 1953.

***MACHIAVELLI,** Niccolo, Der Fürst. Frankfurt 1990.

MACK, Ernst, Aus der Chronik der Volksschule St. Georgen im Lavanttal, FS St. Paul 1984, S. 83.

***MADER,** Felix, Loy Hering. Ein Beitrag zur Geschichte der deutschen Klassik des 16. Jahrhunderts. München 1905.

***MAIER,** Alois, Kirchengeschichte von Kärnten, 3 Tle., Klagenfurt 1951–1956.

MAIER, Johann, Geschichtliche Entwicklung der Volksschule Granitztal, in: FS Markt St. Paul 1984, S. 86 f.

***MAIER,** Raimund, Die Geschichte der Stadt St. Leonhard im Lavanttal vom Beginn der Neuzeit bis zum Übergang in habsburgischen Besitz 1759 (Diss. Graz, 1959).

MAIERBRUGGER, Mathias, Die Gründung des Stiftes St. Paul in Kärnten, Kärntner Bauernkalender 1972, S. 85–88.

–, Zwei Jubiläen für St. Paul im Lavanttal. 800 Jahre Markt – 175 Jahre Wiederbesiedelung des Stifts, LM 1984, H. 5, S. 10–12.

MALLOTH, Hans, Die ältesten Buchschriften Kärntens und ihre Herkunft, Car. I 155 (1965), S. 294–313.

–, *Kärntner Tondenkmäler des Hoch- und Spätmittelalters, Car. I 157 (1967), S. 542–569.

–, Ruhm und Schicksal kostbarer Kärntner Bücher. Schwor Nixon auf die St. Pauler Bibel?, LM 1969, H. 3, S. 4–6.

*Sir John **MANDEVILLES** Reisebeschreibung, hrsg. von MORRALL, Eric L. *(Deutsche Texte des Mittelalters 66)* Berlin 1974.

MANN, Erwin, Anton Günther und die Benediktiner von St. Paul in Kärnten, in: FS Franz Loidl, hrsg. von seinen Freunden, Mitarbeitern und Schülern *(Veröffentlichungen des Kirchenhistorischen Institutes der Katholisch-Theologischen Fakultät der Universität Wien 13)* Wien 1972, S. 91–103.

***MARIAN,** Geschichte der ganzen österreichischen weltlichen und klösterlichen Klerisey beyderley Geschlechtes. Aus den Sammlungen Joseph Wendt von Wendtenthal, 9 Tle., Wien 1780–1788.

Das **MARIENLEBEN** des Heinrich von St. Gallen, hrsg. von HILG, Hardo, München–Zürich 1981.

***MARQUART,** Eva-Maria, Johann und Januarius Zick. München 1982.

MARTIN, Franz, Die kirchliche Vogtei im Erzstifte Salzburg, Mitteilungen der Gesellschaft für Salzburger Landeskunde 46 (1906), S. 339–436.

–, Das Urkundenwesen der Erzbischöfe von Salzburg von 1106–1246, MIÖG Erg.-Bd. 9 (1915), S. 559–765.

–, *Die Regesten der Erzbischöfe und des Domkapitels von Salzburg (1247–1343), Bd. 1–3, Salzburg 1926–43.

MATT, Richard, Kaiser Franz in St. Paul, in: FS St. Paul 1959, S. 66–68.

***MAURER,** Friedrich, Die religiösen Dichtungen des 11. und 12. Jahrhunderts, 3 Bde., Tübingen 1964–1970.

***MAURER,** Helmut, Entdeckung prachtvoller Fresken in St. Paul im Lavanttale, Reichspost Wien, 22. 9. 1931, S. 7.

MAURER, Helmut K., Rausch der Trauer – Symbole in der Lyrik Rengers, JbSP 1966/67, S. 6–8.

–, Eine Psychologie der Pubertät, JbSP 1967/68, S. 10–12.

–, Volkskunde im Deutschunterricht, JbSP 1975/76, S. 24–29.

–, Paul Hörbiger, der letzte Volksschauspieler, JbSP 1980/81, S. 6.

–, *ZIMMERMANN, Engelbert, Eine lateinisch-deutsche Spruchsammlung aus St. Paul im Jahre 1468, JbSP 1979/80, S. 32–37.

–, 10. Pfingsttreffen der Alt-St. Pauler, JbSP 1980/81, S. 11–14.

–, Bischof Dr. Egon Kapellari besucht unsere Schule, JbSP 1981/82, S. 57–59.

–, Der Witz von der Kanzel, JbSP 1983/84, S. 42–56.

–, Die Ortsnamen des Lavanttales, JbSP 1984/85, S. 63–72.

–, Der Witz vom Katheder, JbSP 1984/85, S. 73–86.

–, Unsere Familiennamen, JbSP 1985/86, S. 116–127.

–, Unsere Vornamen, JbSP 1986/87, S. 117–132.

–, Der Brauch des Schimmelreitens, JbSP 1987/88, S. 30–39.

–, Die Symbolsprache bei Christine Lavant, JbSP 1988/89, S. 28–33.

–, Der Nikolausumzug in Haimburg, JbSP 1989/90, S. 23–30.

–, RADER, Bruno, Tafel der Äbte des Benediktinerstiftes St. Paul, JbSP 1979/80, S. 21 f.

***MAYER,** Franz Martin, Materialien und kritische Bemerkungen zur Geschichte der ersten Bauernunruhen in Steiermark und den angrenzenden Ländern, Beiträge zur Kunde steiermärkischer Geschichtsquellen 13 (1876), S. 1–32.

–, *Über die Abdankung des Erzbischofs Bernhard von Salzburg und den Ausbruch des dritten Krieges zwischen Kaiser Friedrich und König Matthias von Ungarn (1477–1481), AÖG 55 (1877), S. 171–246.

–, Die östlichen Alpenländer im Investiturstreit. Innsbruck 1883.

–, *Der innerösterreichische Bauernkrieg des Jahres 1515, AÖG 65 (1884), S. 57–136.

–, *u. a., Kleinere Mittheilungen zur Geschichte der Bauernunruhen in Steiermark, Beiträge zur Kunde steiermärkischer Geschichtsquellen 14 (1877), S. 117–126.

MAYER, K. W., Statistik und Topographie des Herzogthums Kärnten. Klagenfurt 1796.

–, P. Ambros Eichhorn † 21. März 1820, Car. 10 (1820), Nr. 13.

***MAYER,** Simon M., Nekrologische Notiz, Car. 10 (1820), Nr. 13.

MAZAL, Otto, Himmels- und Weltenbilder. Kleinodien österreichischer Buchmalerei aus der österreichischen Nationalbibliothek. Wien 1973.

***MECENSEFFY,** Grete, Geschichte des Protestantismus in Österreich. Graz–Köln 1956.

***MEGISER,** Hieronymus, Annales Carinthiae (. . .), 2 Bde., Leipzig 1612.

MEHRING, Gebhard, Aus dem Pergamentkopialbuch des Klosters St. Blasien (14. Jahrhundert) in St. Paul, Württembergische Vierteljahreshefte für Landesgeschichte NF 22 (1913), S. 120–124.

***MEILLER,** Andreas v., Auszüge aus bisher ungedruckten Necrologien der Benedictiner-Klöster St. Peter in Salzburg und Admont in Steiermark, dann der Propstei St. Andrä an der Traisen in Österreich unter der Enns, AKÖG 19 (1858), S. 209–410.

–, Regesta archiepiscoporum Salisburgensium inde ab anno 1106 usque ad annum 1246. Regesten zur Geschichte der Salzburger Erzbischöfe Conrad I., Eberhard I., Conrad II., Adalbert, Conrad III. und Eberhard II. Wien 1866.

***MELL,** Anton, Grundriß der Verfassungs- und Verwaltungsgeschichte des Landes Steiermark. Graz 1929.

MELL, Richard, Abhandlungen zur Geschichte der Landstände im Erzbistume Salzburg 1–2, Mitteilungen der Gesellschaft für Salzburger Landeskunde 43 (1903), S. 347–363; 45 (1905), S. 79–104.

***MEMORIA.** Der geschichtliche Zeugniswert des liturgischen Gedenkens im Mittelalter, hrsg. von SCHMID, Karl u. WOLLASCH, Joachim *(Münstersche Mittelalterschriften 48)* München 1984.

***MENHARDT,** Hermann, Neue Forschungen über die Herkunft der Handschriften aus alten Bibliotheken Kärntens, Zentralblatt für Bibliothekswesen 41 (1924), S. 225–244.

–, *Zu Anselm von Edlings Werken, Car. I 114 (1924), S. 32–41.

–, *Weitere Nachrichten von Kärntner Klosterbibliotheken, Zentralblatt für Bibliothekswesen 44 (1927), S. 593–609.

–, *Handschriftenverzeichnis der Kärntner Bibliotheken, in: Handschriftenverzeichnisse österreichischer Bibliotheken, Kärnten, Bd. 1: Klagenfurt, Maria Saal, Friesach. Wien 1927.

–, *Zehn Jahre unschuldig im Kerker der Burg Oberstein, Car. I 118 (1928), S. 62–65.

–, *Das neue Klagenfurter Lanzelet-Bruchstück G^k, ZS für deutsches Altertum 59 (1929), S. 257–267.

–, *Eine lateinisch-deutsche Spruchsammlung aus St. Paul vom Jahre 1468, Car. I 120 (1930), S. 10–19.

–, *Die Kärntner Bibliotheksreise des Wolfgang Lazius 1549, AVGT 24/25 (1936), S. 100–112.

–, *Wanderungen des älteren Physiologus, ZS für deutsches Altertum 74 (1937), S. 27–38.

–, *Der sogenannte Millstätter Blutsegen aus St. Blasien, ZS für deutsches Altertum 84 (1954), S. 197–202.

–, *St. Pauler Handschriften in Wien, Car. I 149 (1959), S. 524–533 (FG S. 212–221).

–, *Ein Handschriftenverzeichnis aus Kärnten des 13. Jahrhunderts?, Anzeiger der Österreichischen Akademie der Wissenschaften, Phil.-hist. Klasse 1959 (1960), S. 263–267.

–, *Zur Herkunft der Maria Saaler Bruchstücke, Beiträge zur Geschichte der deutschen Sprache und Literatur 82 (1960), S. 77–94.

–, *Verzeichnis der Altdeutschen Literarischen Handschriften der Österreichischen Nationalbibliothek *(Deutsche Akademie der Wissenschaften zu Berlin, Veröffentlichungen des Instituts für deutsche Sprache und Literatur 13)* Berlin 1960.

–, *Kärntner Handschriften in Monaco, Car. I 151 (1961), S. 606–615.

METNITZ, Gustav A. v., Zu Dr. Paul Dedic, Kärntner Exulanten des 17. Jh., Car. I 153 (1963), S. 481–502.

–, Adel und Bürgertum in Kärnten, Car. I 158 (1968), S. 605–643.

–, Zu den Fohnsdorf, genannt von Rabenstein, Jb. „Adler" 19 (1960), S. 108 f.

***METZ,** Johann, B., Zeit der Orden? 6. Aufl. Freiburg/ Br. 1986.

***METZ,** Peter, Das Kunstgewerbe von der Karolingerzeit bis zum Beginn der Gotik, in: Geschichte des Kunstgewerbes, Bd. 5, hrsg. von BOSSERT, Helmuth T., Berlin 1932.

METZ, Wilhelm, Zum Gedenken an Professor Dr. Friedrich Eichberger, JbSP 1961/62, S. 9–11.

***MEUTHEN,** Erich, Die Aachener Pröpste bis zum Ende der Stauferzeit *(ZS des Aachener Geschichtsvereins 78)* Aachen 1967.

***MEYER,** Erich, Reliquie und Reliquiar im Mittelalter, in: FS für Karl Georg Heise, hrsg. von MEYER, Erich, Berlin 1950, S. 55–66.

MEZGER, Josephus, Historia Salisburgensis. Hoc est, Vitae episcoporum, et archiepiscoporum Salisburgensium (. . .). Salisburgi 1692.

***MEZLER-ANDELBERG,** Helmut J., Akatholische Kirchen und Kirchentitel aus der Passion Christi. Ein Beitrag zur Patrozinienkunde der Steiermark, in: FS Karl Eder zum 70. Geburtstag, hrsg. von MEZLER-ANDELBERG, Helmut J., Innsbruck 1959, S. 417–439.

–, *Siegmund von Dietrichstein. Ein innerösterreichischer Staatsmann der beginnenden Neuzeit, Österreich in Geschichte und Literatur 7 (1963), S. 303–304.

–, Epochen steirischer Kunstgeschichte, in: Steiermark: Land, Leute, Leistung. 2. Aufl. Graz 1971, S. 425–459.

***MIGNE,** Jaques Paul, Patrologiae completus cursus, Series Latina, 221 vol., Paris 1857 ff.

MILAN, Wolfgang (Bearb.), Museen und Sammlungen in Österreich. Ein Schroll-Handbuch. Wien 1968.

***MILESI,** Richard, Loy Hering und das Grabmal des Abtes Ulrich Pfinzing, Car. I 149 (1959), S. 445–458.

–, *Romanische und ritterliche Grabplastik Kärntens *(Buchreihe des Landesmuseums für Kärnten 14)* Klagenfurt 1963.

–, *Barock und Klassizismus in der Grabplastik Kärntens *(Buchreihe des Landesmuseums für Kärnten 18)* Klagenfurt 1965.

–, Das Werk des Meisters Thomas von Villach, in: Das ist Kärnten, S. 64.

–, *Manierismus in Kärnten. Zur Kunst des späten 16. Jahrhunderts. Klagenfurt 1973.

MILLAR, Eric G., La miniature anglaise du XIVe et XVe siécles. Paris 1928.

***MILLSTÄTTER** Genesis und Physiologus-Handschrift. Vollständige Faksimile-Ausgabe der Sammelhandschrift 6/19 des Geschichtsvereines für Kärnten im Kärntner Landesarchiv Klagenfurt, hrsg. von KRACHER, Alfred, Graz 1967.

***MITSCHA-MÄHRHEIM,** Herbert, Probleme um den Ungarnmarkgrafen Siegfried, die Herren von Weikersdorf und von Liechtenstein, Jb. „Adler" 1 (1947/49), S. 178–183.

MLINARIČ, Jože, Odnosi med sentpavelsko opatijo in gospodi iz Melja, gospodi Mariborskimi, in Mariborskimi mescani v srednjem veku, Kronika 29 (1981), S. 241–250.

***MODRIJAN,** Walter, Urgeschichte aus dem Lavanttal, in: Das Lavanttal. Wirtschaftsperle Kärntens, S. 4–7.

–, *Das Lavanttal in römischer Zeit, in: Das Lavanttal. Wirtschaftsperle Kärntens, S. 8–14.

MOHL, Gerlinde, Die Entwicklung des Pflichtschulwe-

sens im Markte St. Paul im Lavanttal, in: FS St. Paul 1984, S. 70–77.
***MOLISCH,** Paul, Die Geschichte der deutschnationalen Bewegung in Österreich von ihren Anfängen bis zum Zerfall der Monarchie. Jena 1926.
***MOLTKE,** Konrad v., Siegmund von Dietrichstein. Die Anfänge ständischer Institutionen und das Eindringen des Protestantismus in die Steiermark zur Zeit Maximilians I. und Ferdinands I. *(Veröffentlichungen des Max-Planck-Instituts für Geschichte 29)* Göttingen 1970.
MONE, Fridegar, Historia monasterii ord. s. Benedicti ad s. Paulum in valle Lavantina Carinthiae. Scripsit P. Trudpertus Neugart, congregationis s. Blasii olim sodalis demum monasterii ad s. Paulum sacerdos iubilaeus, Clagenfurt 1848–1854, I et II (Heidelberger Jahrbücher der Literatur 48, 1855).
–, *Die historische Literatur über Kärnten, Österreichische Blätter für Literatur und Kunst (Beilage zur Österr.-Kaiserl. Wiener Zeitung 1856), S. 217–220.
***MONUMENTA** Habsburgica, 1. Abt., 3 Bde., hrsg. von CHMEL, Josef, Wien 1854–1858.
–, *historica Ducatus Carinthiae, Bde. 1–4 bearb. von JAKSCH, August v. (1896–1906, Nd. 1976), Bde. 5–11 bearb. von WIESSNER, Hermann (1956–1972).
–, *necrologica monasterii S. Petri Salisburgensis, ed. HERZBERG-FRÄNKEL, Sigismund *(MG Necr. II)* Berlin 1890, S. 3–64.
–, *necrologica monasterii s. Erentrudis Nonnbergensis, ebd., S. 65–76.
–, *necrologica Raitenhaslacensia, ebd., S. 255–283.
–, *augustae Domus Austriacae. Viennae 1750–1760.
MORATH, Rudolf, Joseph Hörr. Bildhauer, 1732–1785, Badische Heimat 32 (1952), S. 106–119.
–, Peter Mayer, 1718–1800. Kupferstecher der Universität Freiburg, Freiburger Universitätsblätter 19 (1980), S. 37–50.
–, Peter Mayer 1718–1800. Der Universität Freiburg im Breisgau Bürger, Kupferstecher und Maler. Freiburg/Br.–München 1983.
–, Einheimische Künstler St. Blasiens, in: FS St. Blasien 1983, S. 175–194.
–, Zum Leben und Werk des Bildhauers Joseph Hörr, in: Katalog St. Blasien, Bd. 2, 1983, S. 283.
–, Joseph Hörr, 1732–1785. St. Blasischer Hofbildhauer und Bildhauer der Universität Freiburg im Breisgau zu seinem 200. Todestag. Freiburg/Br. 1985.
–, Sanktblasische Künstler um Fürstabt Martin Gerbert, Heimat am Hochrhein 13 (1987/88), S. 163–167.
MORO, Gotbert, Der Bevölkerungsstand in Unterkärnten von 1782 bis 1910, Car. I 130 (1940), S. 197–203.
–, *Verzeichnis der Schriften Richard Strellis, Car. I 131 (1941), S. 251 f.
–, *Wappen und Farben Kärntens, Kärntner Kalender 1952 (1952), S. 47 f.
–, *Das Landesmuseum für Kärnten als wissenschaftliches Forschungsinstitut, Veröffentlichungen des Verbandes Österreichischer Geschichtsvereine 9 (1955), S. 66–75.
–, Alte Gegendnamen im Lavanttale, Car. I 146 (1956), S. 118 f.
–, *Die Begründung der modernen Geschichtswissenschaft in Kärnten, Bericht über den vierten österreichischen Historikertag in Klagenfurt *(Veröffentlichungen des Verbandes österreichischer Geschichtsvereine 11)* Wien 1957, S. 21–25.
–, Zur Entstehung und Ausdehnung des bambergischen Besitzes in Kärnten, Car. I 147 (1957), S. 243–260.
–, *Zur Geschichte des Bamberger Besitzes in Kärnten, in: FS Karl Eder, hrsg. von MEZLER-ANDELBERG, Helmut, Innsbruck 1959, S. 289–304.
–, *Zur 150-Jahr-Feier der Wiederbesiedlung des Benediktinerstiftes St. Paul im Lavanttal durch die Mönche von St. Blasien im Schwarzwald, Car. I 149 (1959), S. 315–322 (FG S. 3–10).
–, Verzeichnis der seit der Wiederbesiedlung des Benediktinerstiftes St. Paul im Lavanttal (1809) von Stiftsmitgliedern veröffentlichten Beiträge zur Geschichte Kärntens, Car. I 149 (1959), S. 907–914 (FG S. 595–602).
–, Eine Erinnerung an den „Wiesenauer Kreis", Car. I 149 (1959), S. 777–787 (FG S. 465–475).
–, *150 Jahre Carinthia, Car. I 151 (1961), S. 277 f., S. 901–913.
–, Zur Paracelsus-Tradition in Kärnten, Car. I 155 (1965), S. 3 f., S. 60 f.
–, *Lebinger P. Norbert (Joh. Bapt.) OSB, in: Österreichisches Biographisches Lexikon 1815–1950, hrsg. von der Österreichischen Akademie der Wissenschaften, Bd. 5, Wien 1972, S. 66.
–, *„Carinthia", Österreichs älteste Zeitschrift, in: Das ist Kärnten, S. 84 f.
MOSER, Oskar, Die Hausangaben in den St. Pauler Ehrungsbüchern und die Rauchstubenhäuser Unterkärntens, in: Bericht über den 13. österreichischen Historikertag 1980, S. 226–229.
–, Die Hausangaben in St. Pauler Ehrungsbüchern und die Rauchstubenhäuser Unterkärntens, Car. I 167 (1977), S. 151–240.
***MOSSLER,** Gertrud, Ausgrabungen und Funde. II: Die archäologische Sammlung des Stiftsgymnasiums, in: ÖKT 37 (1969), S. 446–448.
MRAULJAK, J., K zgodovini uprave sentpavelske poeseti na Fale, Casopis za Zgodovino in Narodopisje (= Review for History and Ethnography 31, 1936), S. 126–129.
MRAZEK, Wilhelm, Wiener Porzellan aus der Manufaktur Du Paquiers, 1718–1744. Wien 1952.
–, Das Kunsthandwerk, in: Romanische KUNST in Österreich, S. 89–114.
MÜLLER, Christian A., Eine Kärntner Benediktinerabtei und ihre Beziehungen zu Basel, in: Basler Nachrichten, 16./17. 5. 1959, Nr. 201.
–, Vor 150 Jahren gingen die Benediktiner von St. Blasien ins Asyl, in: Basler Volksblatt, 19. 5. 1959, Nr. 114.
–, Zeichnungen ausgewählt aus seinen Skizzenbüchern. Basel 1984.
***MÜLLER,** Hans, Die Musik Wilhelms von Hirsau. Frankfurt/Main 1883.
***MÜLLER,** Josef, Die Ausbildung zur Seelsorge im „Praktischem Kurs" nach der „Verfassung der theologischen Fakultät" von 1774, in: Für Kirche und Heimat. FS Franz Loidl zum 80. Geburtstag, hrsg. von seinen Freunden und Schülern, Wien–München 1985, S. 220–229.
MÜLLER, Wolfgang, Untersuchungen über die Privaturkunden des Klosters St. Blasien im 13. und 14. Jahrhundert, MIÖG 55 (1944), S. 1–145.
–, Briefe und Akten des Fürstabtes Martin II. Gerbert von St. Blasien (1764–1793), 2 Tle., Karlsruhe 1962.
–, Fürstabt Martin II. Gerbert von St. Blasien und Zürich, Züricher Taschenbuch auf das Jahr 1968, S. 50–62.

–, Geschichtsschreibung und Theologie, in: Katalog St. Blasien, Bd. 2, S. 133–139.

***MÜNICHSDORFER,** Friedrich, Geschichte des Hüttenberger Erzberges. Klagenfurt 1870.

MÜNZER, Wolfgang, Die Spiegelfabrik St. Vinzenz auf der Koralpe, JbSP 1978/79, S. 19 f.

–, *Die Kunstsammlungen des Benediktinerstiftes St. Paul im Lavanttal, JbSP 1979/80, S. 28–30.

–, Die Geschichte des Benediktinerstiftes St. Paul im Lavanttal, JbSP 1979/80, S. 19 f.

–, St. Paul im Lavanttal, in: Katalog 1500 Jahre Benedikt, S. 111 f.

–, Das Münzkabinett des Benediktinerstiftes St. Paul, JbSP 1980/81, S. 22–24.

–, *Die Filialkirche St. Josef auf dem Josefsberg, JbSP 1981/82, S. 41–43.

–, Die Medaillensammlung des Stiftes St. Paul, JbSP 1981/82, S. 43–47.

–, *Die Filialkirche St. Johann, JbSP 1982/83, S. 37 f.

–, *Miniaturen und Handschriften aus dem Archiv des Stiftes St. Paul im Lavanttal, JbSP 1982/83, S. 39–43.

–, *Das Münzkabinett des Benediktinerstiftes St. Paul, in: ALRAM, Michael, u. a., Die Münzsammlungen der Benediktinerstifte Kremsmünster und St. Paul im Lavanttal *(TNRB 11)* Wien 1983, S. 83 f.

–, Das Münzkabinett, in: Katalog St. Blasien, Bd. 2, S. 284 f.

–, St. Paul im Lavanttal, in: Katalog St. Blasien, Bd. 2, S. 307–314.

–, Die Geschichte des Benediktinerstiftes St. Paul, in: FS Markt St. Paul 1984, S. 90–94.

–, 175 Jahre Wiederbesiedlung Stift St. Paul im Lavanttal, in: FS Markt St. Paul 1984, S. 95–99.

–, *Die Filialkirche St. Margarethen, JbSP 1984/85, S. 45 f.

MUNDING, Emmanuel, Abt-Bischof Waldo. Begründer des goldenen Zeitalters der Reichenau *(Texte und Arbeiten hrsg. von der Erzabtei Beuron, 1. Abt., H. 10/11)* Leipzig 1924.

MUTTER, Thomas, Saint Blaise – St. Blasien – St. Paul. Eindrücke und Erfahrungswerte der Städtepartnerschaften, Heimat am Hochrhein 13 (1987), S. 96–101.

***NAUMANN-HUMBECK,** Anneliese, Studien zur Geschichte der Grafen von Sponheim vom 11. bis 13. Jahrhundert (Diss. Köln, 1981) *(Heimatkundliche Schriftenreihe des Landkreises Bad Kreuznach 14).*

NEBDAL, Otto, Das große Reliquienkreuz des Stiftes St. Paul, Notring Jb. 1959, S. 109.

NECKHEIM, Günther, Die Grabmalplastik in Kärnten, Mitteilungen der Gesellschaft für vergleichende Kunstforschung 2 (1949), S. 43–45.

–, Kunstdenkmäler des Lavanttales, Kärntner ZS für Kultur, Reiseverkehr und Wirtschaft 1 (1950), H. 5, S. 8 f.

–, Kunstgeschichtlicher Überblick, in: Das Lavanttal. Wirtschaftsperle Kärntens, S. 17–21.

–, Das Benediktinerstift St. Paul im Lavanttal, LM 1960, H. 4, S. 5.

–, Kunstwerkstätten in Villach, Kurzeitung Villach 1 (1962), H. 19, S. 6.

–, Der Beginn der spätgotischen Grabmalplastik in Kärnten, Car. I 153 (1963), S. 385–409.

***NECROLOGIA** Claustroneoburgensia, ed. FUCHS, Adalbert F. *(MG Necr. V)* Berlin 1913 (Nd. München 1983), S. 5–78.

–, *Mellicensia, ebd., S. 551–561.

–, *Altenburgense, ebd., S. 339–346.

*Fragmentum **NECROLOGII** Lambacense, ed. FASTLINGER, Maximilian *(MG Necr. IV)* Berlin 1920 (Nd. München 1983), S. 406–416.

***NECROLOGIA** Cremifanensia, ebd., S. 197–238.

***NECROLOGIUM** Garstense, ebd., S. 326–364.

–, *monasterii s. Nicolai Pataviensis, ebd., S. 130–169.

–, *monasterii Altahae Inferioris, ebd., S. 27–72.

–, *Undersdorfense, ed. BAUMANN, Franz L. *(MG Necr. III)* Berlin 1905 (Nd. München 1983), S. 172–198.

–, *Milstatense, ed. HERZBERG-FRÄNKEL, Sigismund *(MG Necr. II)* Berlin 1890–1904 (Nd. München 1983), S. 455–466.

–, *Ossiacense, ebd., S. 443–447.

–, *Admuntense, ebd., S. 287–309.

–, *Seonense, ebd., S. 217–235.

–, *Rosacensis monasterii, ed. JOPPI, Vinzenzo, AVGT 19 (1900), S. 3–23.

***NEHRING,** Karl, Matthias Corvinus, Kaiser Friedrich III. und das Reich. Zum hunyadisch-habsburgischen Gegensatz im Donauraum *(Südosteuropäische Arbeiten 72)* München 1975.

*Das St. Pauler **NEIDHARTSPIEL,** hrsg. von SCHOENBACH, Anton E., ZS für deutsches Altertum und deutsche Literatur 40 (1896), S. 368–370.

***NEIDHARTSPIELE**, hrsg. von MARGETTS, John (Wiener Neudrucke 7) Graz 1982.

***NEMETH,** Istvan, Handschriften und Inkunabeln Kärntner Provenienz in der Österreichischen Nationalbibliothek, Car. I 174 (1984), S. 173–192.

NENNING, Günther, Die neuen Werte der Jugend, JbSP 1985/86, S. 104.

***NEUBAUER,** Karl, Das Kloster St. Paul im Lavantthale in den Jahren 1091–1159. Marburg 1882.

–, *Die nachweisbaren Besitzungen des Klosters St. Paul in Kärnten und Steiermark in den Jahren 1091 bis 1269. Marburg 1883.

***NEUGART,** Trudpert, Historia monasterii ord. S. Benedicti ad S. Paulum in valle inferioris Carinthiae Lavantina, 2 Bde., Klagenfurt 1848/54.

–, Das Chorherrenstift Eberndorf, AVGT 1 (1849), S. 97–120.

–, *Libellus majores maternos Rudolfi I.R.R. in Gotfrido Duce Alemaniae proavo Hildegardae conjugis Caroli M. subsistentes extibens. Clagenfurti 1850.

***NEUMANN,** Wilhelm, Die Türkeneinfälle nach Kärnten. Wahrheit und Dichtung in der Kärntner Geschichtsschreibung von Jakob Unrest bis zur Gegenwart, Südost-Forschungen 14 (1955), S. 84–109.

–, *Wirklichkeit und Idee des „windischen" Erzherzogtums Kärnten, Südostdeutsches Archiv 3 (1960), S. 141–168.

–, *Wer war Thomas von Villach, Neues aus Alt-Villach 1 (1964), S. 183–206.

–, *600 Jahre Geschichtsschreibung. Von Johann von Viktring bis Martin Wutte, in: Das ist Kärnten, S. 58 f.

–, *Zum Beginn der Reformation in Kärnten, Reisenauers Ehehandel und seine protestantische Bibliothek, Car. I 172 (1982), S. 39–49.

–, *Die Rechtsstellung der Klostermärkte in Kärnten, in: Symposium zur Geschichte von Millstatt und Kärnten. Millstatt 1982, o. S.

–, *Der bedeutendste Maler der Kärntner Spätgotik – Thomas Artula von Villach. Neue Funde zu seiner Lebensgeschichte, Neues aus Alt-Villach 20 (1983), S. 59–98.

–, *Bausteine zur Geschichte Kärntens *(Das Kärntner Landesarchiv 12)* Klagenfurt 1985.

–, *Die kulturelle Entwicklung Kärntens im 16. und

17. Jahrhundert, in: Bausteine zur Geschichte Kärntens, S. 530–552.
–, *Das Jahr 1335 im Rückblick, Car. I 176 (1986), S. 157–176.

NEUMAYER, Heinrich, Suitbert Lobisser als Meister der Gebrauchsgraphik *(Sonderveröffentlichungen der Österreichischen Exlibris-Gesellschaft 2)* Wien 1949.

***NEUMÜLLER,** Willibrord, Bernardus Noricus von Kremsmünster *(90. Jb. des Obergymnasiums der Benediktiner zu Kremsmünster)* Wels 1947.

NOACK-HEUCK, Lore E., Neues aus Leben und Werk des Freiburger Bildhauers Josef Hörr, Oberrheinische Kunst 6 (1934), S. 256–271.
–, *Zwei neuentdeckte Ölskizzen Christian Wenzingers, Schau-ins-Land 72 (1954), S. 123 f.

NOVOTNY, Fritz, Romanische Bauplastik in Österreich. Wien 1930.

NUNTIUS. Schülerzeitung des Stiftsgymnasiums St. Paul. St. Paul 1979/80–1989.

***NUSSBAUMER,** Erich, Zur Geistesgeschichte von Klagenfurt. Kärntner Dichtungen in Blumauers Manier, Car. I 140 (1950), S. 804–815.
–, *Anselm Edlings Lyrik, Car. I 143 (1953), S. 965–987.
–, *Geistiges Kärnten. Literatur- und Geistesgeschichte des Landes. Klagenfurt 1956.
–, Zur Geistesgeschichte des Lavanttales, in: Planungsatlas Lavanttal, A, S. 259–262.
–, *Josef Friedrich Perkonig. Leben–Werk–Vermächtnis. Klagenfurt 1965.

OBERHAUSER, Hans, Die Freiwillige Feuerwehr St. Paul, in: FS Markt St. Paul 1984, S. 54–59.

***OBERHAUSER,** Rudolf, Der geologische Aufbau Österreichs. Wien–New York 1980.

***OBERHUMMER,** Alois, Gottesburgen im Lande ob der Enns. Bad Ischl 1948.

***OBERNDORFER,** Fritz, Briefe der Erzherzogin Maria Anna (1738–1789) an Anselm von Edling, Abt von St. Paul, Blätter zur Geschichte und Heimatkunde der Alpenländer 1 (1910), Nr. 11, S. 41–43; Nr. 12, S. 47 f.

***OBERSTEINER,** Jakob, Die Bittschrift des Abtes Thomas Mur vom Jahre 1570 an den Landesfürsten, Car. I 149 (1959), S. 459–463 (FG S. 147–151).
–, Der einstige Hochaltar von Michael Hönel in der Spitalskirche von Straßburg im Gurktale, Car. I 158 (1968), S. 602–604.
–, *Die Bischöfe von Gurk (1072–1822) *(Aus Forschung und Kunst 5)* Klagenfurt 1969.
–, Das Werden und Wirken der Klöster, in: Das ist Kärnten, S. 35.
–, *Bistum Gurk, in: Katalog Zeit der frühen Habsburger, S. 175–178.
–, *Die Bischöfe von Gurk (1924–1979) *(Aus Forschung und Kunst 22)* Klagenfurt 1980.
–, *Aus Religionsakten des Jahres 1582, Car. I 172 (1982), S. 7–38.

***OEXLE,** Otto G., Memoria und Memorialüberlieferung im früheren Mittelalter, Frühmittelalterliche Studien 10 (1976), S. 70–95.

OGRIS, Alfred, Ausgewähltes Schrifttum zur mittelalterlichen und neueren Geschichte Kärntens (1959–1971), MIÖG 81 (1973), S. 344–432.
–, *Der Kampf König Ottokars II. von Böhmen um das Herzogtum Kärnten, Jb. für Landeskunde von Niederösterreich NF 44/45 (1978/79), S. 92–116.
–, *Der Kampf König Ottokars II. von Böhmen um das Herzogtum Kärnten und die Anfänge der Landeshauptmannschaft, Car. I 169 (1979), S. 57–110.

***OHLY,** Friedrich, Bemerkungen eines Philologen zur Memoria, in: Memoria, S. 9–68.

OLBERT, Engelbert, Die Wirksamkeit der Benediktiner von St. Paul auf wirtschaftlichem Gebiet, in: Das Benediktinerstift St. Paul in Kärnten 1809–1909, Freiburg 1910, S. 168 ff.
–, Die Entwicklung der Gestalten Dietrichs und Hildebrands und ihres gegenseitigen Verhältnisses in der mittelhochdeutschen Dietrich-Sage, JbSP 1917/18, S. III–XXVIII.

***OLIP,** Vinzenz, Untersuchung des Lamprechtsberger Erzes, JbSP 1978/79, S. 17 f.

***OPSTRAET,** Joannes, Pastor bonus seu idea, officium et praxis pastorum, jussu Reverendissimi ac Celsissimi Domini Domini Leopoldi Ernesti, exemtae ecclesiae Passaviensis episcopi ac S.R.I. principis ex S. R.I. comitibus de et in Firmiam, etc. etc. suae dioecesis clero pro norma agendi, docendique proposita. Editio emendatior. Passavii 1764.

***OPUS** posthumum. In strenam oblatum D.D. sodalibus sub titulo B.M.V. ab angelo salutate in caes. reg. Archiducati Academia Clagenfurti congregatis, 2 Tle., Nürnberg 1793 (Tl. 1 auch Klagenfurt 1782).

ORDENSSTUDIEN, Bd. I: Beiträge zur Geschichte der Konversen im Mittelalter *(Berliner Historische Studien 2)*, hrsg. von ELM, Kaspar, Berlin 1980.

ORDO pro electione abbatis in Monasterio S. Benedicti ad S. Paulum in valle Lavantina dioecesis Gurcensis. Klagenfurt 1866.

***OROŽEN,** Ignaz, Das Bisthum und die Diözese Lavant, 5 Bde., Marburg 1875–1884.

***ORTENBURG-TAMBACH,** Eberhard Graf zu, Geschichte des reichsständischen, herzoglichen und gräflichen Gesamthauses Ortenburg, Bd. 1. Vilshofen 1931.

ORTNER, Josef Peter, Marquard Hergott 1694–1762. Sein Leben und Wirken als Historiker und Diplomat *(Veröffentlichungen der Kommission für Geschichte Österreichs 5)* Wien–Köln–Graz 1972.

ORTNER, Max, Ein mitteldeutsches Evangelienwerk in St. Paul, Car. I 89 (1895), S. 29 f.
–, *Dr. Franz Ernst Pipitz, Car. I 100 (1910), S. 59–80.
–, *100 Jahre Carinthia, Car. I 100 (1910), S. 165–174.
–, Carinthiaca da und dort, Car. I 104 (1914), S. 91.

ORTER, Friedrich, Polens Kirche und das Militärregime, JbSP 1982/83, S. 5 f.

OSCHGER, Bernhard, Volkskundliche Zeugnisse im Raum St. Blasien, in: Katalog St. Blasien, Bd. 2, S. 294–302.

OSPRIAN, Hubert, Die Kirche lebt aus dem Geist. Die katholischen Ordensgemeinschaften Kärntens heute, in: Kirche für die Welt, Klagenfurt 1972, S. 46–48.

OSTRAVSKY, Miroslav, Beiträge zur Kirchengeschichte im Patriarchat Aquileia *(Kärntner Museumsschriften 30)* Klagenfurt 1965.

OTT, Hugo, Studien zur Geschichte des Klosters St. Blasien im hohen und späten Mittelalter *(Veröffentlichungen der Kommission für geschichtliche Landeskunde in Baden-Württemberg Reihe B 27)* Stuttgart 1963.
–, *Vorläufige Bemerkungen zur Geschichte des st. blasianischen Registratur- bzw. Archivwesens, Schau-ins-Land 90 (1972), S. 23–36.
–, St. Blasien in: Germania Benedictina 5 (1975), S. 146–160.

***PACHNECK,** K., Die Kärntner Zeitschrift „Carinthia" und ihre Beiträge in den Jahren 1811–1815 (Diss. Innsbruck, 1931).

***PAGITZ,** Franz, Die Urkundenschreiber der St. Pauler Klosterschule bis zum Jahre 1335, Car. I 149 (1959), S. 389–444 (FG S. 77–132).
–, Neuere Literatur zur Kärntner Geschichte (1945–1958), MIÖG 67 (1959), S. 327–347.
***PAGITZ-ROSCHER,** Magda, Die kanonistische Literatur in der Stiftsbibliothek St. Paul zu Ausgang des 17. Jahrhunderts, Car. I 149 (1959), S. 534–588 (FG S. 222–276).
–, *Das Augustiner-Chorherrenstift St. Andrä im Lavanttal, Car. I 157 (1967), S. 296–319.
–, *Das Kloster der Zisterzienserinnen im Sack zu Friesach, Car. I 160 (1970), S. 719–795.
PARTL, Blanka, Geschichte des Kollegiatskapitels Völkermarkt (Diss. Wien, 1948).
PASCHINGER, Herbert, Hochmittelalterliche Siedlungsverlegung in Kärnten, Schriften des geographischen Institutes der Universität Kiel 23 (1964), S. 179–193.
PASCHER, Erhard (Peter H.), Eine Urkunde Urbans II. für St. Paul 1099 März 26, JbSP 1968/69, S. 9–12.
–, Aus alten Handschriften: Der Fund eines Iweinfragments in der Stiftsbibliothek St. Paul, JbSP 1975/76, S. 7 f.
–, *GRÖCHENIG, Hans, „er sprach so erkennet och mich ich binz iban der arme". Ein neues Iweinfragment aus der Stiftsbibliothek St. Paul in Kärnten, in: FS für Adalbert Schmidt zum 70. Geburtstag *(Stuttgarter Arbeiten zur Germanistik 4)* Stuttgart 1976, S. 87–105.
–, Die Buchanzeige des Anton Sorg aus Augsburg – eine „Bestsellerliste" des 15. Jahrhunderts, JbSP 1977/78, S. 6–9.
–, *Die Wiegendrucke der Universitätsbibliothek und des Kärntner Landesmuseums in Klagenfurt *(Armarium 8)* Klagenfurt 1980.
–, *Die Privilegierung der Reformklöster Hirsau, St. Blasien und St. Paul durch Papst Urban II. (Diss. Salzburg, 1980).
–, *Die Einblattdrucke des 15. Jahrhunderts im Stift St. Paul und in den anderen Kärntner Bibliotheken *(Armarium 7)* Klagenfurt 1981.
–, *GRÖCHENIG, Hans, Ein neues Neidhart- und Willehalmfragment aus St. Paul im Lavanttal/Kärnten, in: Litterae Ignotae, hrsg. von MÜLLER, Udo, Göppingen 1977, S. 1–9.
PASCHINGER, Victor, Die Natur der St. Pauler Landschaft, Car. I 149 (1959), S. 633–640 (FG S. 321–328).
–, Die historischen Landschaften Kärntens, Car. I 151 (1961), S. 309–350.
***PASTOR,** Ludwig v., Geschichte der Päpste, Bd. 1, Freiburg/Br. 1923.
***PAULHART,** Herbert, Kettenstich- und Langsticheinbände aus Spital am Pyhrn, Gutenberg-Jb. 1968, S. 229–302.
–, *Mittelalterliche Bibliothekskataloge Österreichs, Bd. V: Oberösterreich. Wien 1971.
***PAULSEN,** Rudolf, Ausgrabungen und Funde. I: Der römische Gutshof von Allersdorf, in: ÖKT 37 (1969), S. 442–446.
–, Ausgrabungen und Funde. Der römische Gutshof von Allersdorf, in: FS St. Paul 1984, S. 27–30.
PEISSL, Hermann, P. Paul Wicher †. Nekrolog, JbSP 1925/26, S. 17–19.
–, Prof. P. Wilhelm Studniczka. Nekrolog, JbSP 1930/31, S. 5.
–, In memoriam Franz Hoffmann, JbSP 1936/37, S. 45.
–, Geschichte des Stiftsgymnasiums 1938–1945, 1946/47, S. 3–11.
–, Zur Geschichte des Stiftsgymnasiums, JbSP 1947/48, S. 3–11.
–, Abt Dr. Richard Strelli. Zum 10. Anniversarium seines Todes, JbSP 1948/51, S. 3–11.
–, Prof. P. Bruno Wüstner OSB (†), JbSP 1948/51, S. 19 f.
–, P. Thiemo Raschl. Stiftsdekan, Administrator Apostolicus und Gymnasialdirektor. Zum 5. Anniversarium seines Todes am 29. 11. 1951, JbSP 1951/52, S. 3–8.
–, Alt-Professor P. Karlmann Kada (†), JbSP 1951/52, S. 12–14.
–, P. Maurus Wirth OSB. Ein Blutzeuge für Glaube und Wissenschaft, JbSP 1952/53, S. 3–9.
–, In memoriam Landesschulinspektor Hofrat Dr. H. Schwendenwein, JbSP 1953/54, S. 6–8.
–, Bundespräsident Dr. Theodor Körner (†), JbSP 1956/57, S. 3–7.
–, Alt-Professor Studienrat Dr. phil. P. Hugo Greilach, JbSP 1956/57, S. 8 f.
–, Öffentliches Gymnasium des Benediktinerstiftes St. Paul – Rückblick u. Ausblick, JbSP 1958/59, S. 15–36.
–, *Von der Lateinschule zum Gymnasium. Vom Gymnasium zum Realgymnasium in St. Paul, in: FS St. Paul 1959, S. 52–66.
–, Hugo Wolf. Konviktschüler in den Jahren 1871–1873, in: FS St. Paul 1959, S. 87.
–, In memoriam P. Erhard Schmid, JbSP 1959/60, S. 3–6.
–, SCHÜTZ, Wolfgang, Chronik, in: FS St. Paul 1959, S. 136–172.
–, SCHÜTZ, Wolfgang, Katalog, in: FS St. Paul 1959, S. 173–188.
–, Nachruf auf P. Wolfgang Schütz, JbSP 1961/62, S. 3–5.
–, In memoriam Subdekan P. Severin Sulzer, JbSP 1962/63, S. 3 f.
–, Frau Professor Dr. Helga Peters †, JbSP 1962/63, S. 5 f.
–, Alt-Professor Studienrat Stiftshofmeister P. Hartwig Labi mit dem Ehrenkreuze pro litteris et artibus ausgezeichnet, JbSP 1962/63, S. 7 f.
PERINGER, Marcus, Die wichtigsten Momente aus der Geschichte des Stiftes St. Paul in Chronogrammen, Car. 68 (1878), S. 198 f.
***PERKONIG,** Josef Friedrich, Heimat in Not. Erlebnisse und Berichte um das Schicksal eines kärntnerischen Tales. Klagenfurt 1921.
PETERS, Beda, Die neue Kapelle, JbSP 1963/64, S. 36 f.
–, Pfarrkirche St. Georgen unter Stein, in: FS St. Paul 1984, S. 84 f.
PETERS, Rudolf, Auf den Spuren der Römer in England, JbSP 1957/58, S. 3–7.
–, Englische Streiflichter, JbSP 1966/67, S. 9–11.
–, Das Rätsel der Etrusker, JbSP 1968/69, S. 5–8.
–, Die Römer in Kärnten, JbSP 1974/75, S. 9–12.
–, Severin, der Gottesmann aus Noricum, JbSP 1981/82, S. 9–13.
***PETSCHE,** Rotraud, Altarbilder in Österreich zwischen 1760 und 1800 im Spiegel der kirchlichen Reformen (Diss. Wien, 1984).
***PEZ,** Hieronymus, Scriptores Rerum Austriacarum, Bd. 2, Lipsiae 1725.
PFEILSCHIFTER, Georg, Die st. Blasianische Germania Sacra. Ein Beitrag zur Historiographie des 18. Jahrhunderts. Kempten 1921 (Nd. Hildesheim 1973).
*Der altdeutsche **PHYSIOLOGUS,** die Millstätter Reimfassung und die Wiener Prosa (nebst dem lateinischen Text und dem altdeutschen Physiologus) hrsg. von MAURER, Friedrich *(Altdeutsche Textbibliothek 67)* Tübingen 1967.

***PICCOTTINI,** Gernot, Archäologischer Atlas von Kärnten. Klagenfurt 1989.

PICHLER, Heinrich, Mein Wirken bei der UNO, JbSP 1983/84, S. 6.

PICHLER, Wolfram, Die Tierhaltung im Lavanttal, in: Lavanttaler Heimatbuch, S. 62.

***PIPER,** Otto, Österreichs Burgen, Bd. 5, Wien 1907.

***PIPITZ,** Franz E., Memoiren eines Apostaten. Stuttgart 1842.

***PIRCHEGGER,** Hans, Geschichte der Steiermark 1282–1740. Graz–Wien–Leipzig 1931.

–, *Landesfürst und Adel in Steiermark während des Mittelalters, 3 Bde. *(Forschungen zur Verfassungsgeschichte der Steiermark 12, 13, 16)* Graz 1951/1955/1958.

–, *Der Besitz der Kärntner Klöster und Pfarren in der Steiermark, Car. I 151 (1961), S. 514–519.

–, *Die Untersteiermark in der Geschichte ihrer Herrschaften und Gülten, Städte und Märkte *(Buchreihe der Südostdeutschen Historischen Kommission 10)* München 1962.

PISECKER, Alfred, Die Molkereiwirtschaft im Lavanttal, in: Lavanttaler Heimatbuch, S. 60.

PLANUNGSATLAS Lavanttal. 2 Tle., Schriftleitung NEWOLE, Karl E., u. a. Klagenfurt 1958.

PLESCHIUTSCHNIG, Dieter, Der Johannesberg im Lavanttal, LM 1968, H. 9, S. 9 f.

–, Lobisser-Bildstöcke im Unterland, LM 1969, H. 5, S. 4 f.; H. 7, S. 2–4.

***PLÖCHL,** Willibald, M., Geschichte des Kirchenrechts, 2 Bde., 2. Aufl. Wien–München 1962.

PLONER, Johann, St. Paul, OSB-Abtei in Kärnten, in: Lexikon für Theologie und Kirche, Bd. 9, 3. Aufl. 1964, S. 166.

PÖLZ, Ignaz, Der Leistungsgedanke in den Leibesübungen, JbSP 1972/73, S. 13–15.

–, Das Gymnasion: Sport im klassischen Zeitalter der Antike, JbSP 1974/75, S. 31–34.

***PÖTSCH,** Josef, Geschichte des Stiftsgymnasiums St. Paul im Lavanttal, JbSP 1979/80, S. 38–43.

–, Die Stadtwerdung von St. Andrä, JbSP 1988/89, S. 37 f.

***POGATSCHNIGG,** Valentin, Purkhard und Wilhelm von Rabenstein, Car. 49 (1859), S. 148–150.

–, *Nochmals die Rabensteiner, Car. 59 (1869), S. 175.

***POLZER,** Erich, Die Entwicklung der Organisation der historischen Landesforschung in Kärnten seit dem Beginn des 19. Jahrhunderts (Diss. Graz, 1950).

***POPELKA,** Fritz, Die Landesaufnahme Innerösterreichs von Johannes Clobucciarich 1601–1605. Graz 1924.

***POSCH,** Fritz, Der Landesausbau Österreichs im Früh- und Hochmittelalter, in: Siedlungs- und Bevölkerungsgeschichte Österreichs, hrsg. vom Institut für Österreichkunde, Wien 1974, S. 75–95.

***POTOTSCHNIG,** Christoph, Die Filialkirche St. Benedikt und Scholastika auf dem Weinberg, JbSP 1983/84, S. 33 f.

POTOTSCHNIG, Eduard, Berufe der Eltern unserer Schüler. Verteilung und soziale Streuung, JbSP 1968/69, S. 17 f.

–, Schulerfolg und Schulmißerfolg am Stiftsgymnasium St. Paul von 1945–1973, JbSP 1973/74, S. 16–21.

–, *Das Kupferbergwerk des Stiftes St. Paul am Lamprechtsberg, JbSP 1978/79, S. 14–18.

***PRALLE,** Ludwig, VOGEL, Ludwig, Dom und Domschatz in Fritzlar *(Die blauen Bücher)* Königstein im Taunus 1973.

PRASCH, Hartmut, Der Kater Pangur von St. Paul, LM 1966, H. 10, S. 14.

***PRASSL,** Franz Karl, Diözese Gurk-Klagenfurt, in: Kirchenchöre Österreichs, hrsg. von TRUMMER, Johann, Graz 1987, S. 30.

PREISENDANZ, Karl, Zeugnisse zur Bibliotheksgeschichte III. Die Augienses von St. Paul, in: Die Reichenauer Handschriften 3/2, Leipzig–Berlin 1917, S. 110.

PRETTNER, J., Nachruf auf P. Rainer Graf, Car. 62 (1872), S. 181 f.

–, Nachruf auf Prof. Meinrad R. v. Gallenstein, Car. 62 (1872), S. 266–269.

***PRINZ,** Friedrich, Bayern vom Zeitalter der Karolinger bis zum Ende der Welfenherrschaft (788–1180), in: Handbuch der bayerischen Geschichte, Bd. I, hrsg. von SPINDLER, Max, München 1967, S. 270–404.

–, *Askese und Kultur. Vor- und frühbenediktinisches Mönchtum an der Wiege Europas. München 1980.

***PRITZ,** Franz Xaver, Geschichte des einstigen Kollegiatstiftes weltlicher Chorherren zu Spital am Pyhrn im Lande ob der Enns, AKÖG 10 (1853), S. 241–328.

PROBSZT-OHSTORFF, Günther, Das Münzkabinett des Stiftes St. Paul in Kärnten. Zugleich eine Einführung in die Kunst und Kultur der Medaille, Car. I 149 (1959), S. 589–610 (FG S. 277–298).

–, Erzherzogin Maria Anna als Numismatikerin, Car. I 153 (1963), S. 35–47.

–, *Die Kärntner Medaillen, Abzeichen und Ehrenzeichen *(Buchreihe des Landesmuseums für Kärnten 11)* Klagenfurt 1964.

***PROPYLÄEN** Kunstgeschichte, Bd. 8, Berlin 1970.

PUCKER, Hartwig, Neue Museen – Landesausstellung 1991, JbSP 1989/90, S. 5 f.

***PÜHRINGER,** Rudolf, Denkmäler der früh- und hochromanischen Baukunst in Österreich *(Kleine Denkschriften der Akademie der Wissenschaften, Phil.-hist. Klasse, 70/1, 1931)* Wien 1931.

RADER, Bruno, Gott entgegen! Zum sechzigsten Priesterjubiläum von Direktor Hofrat P. Dr. Hermann Peißl OSB, JbSP 1965/66, S. 3–5.

–, St. Paul hat eine neue Orgel, JbSP 1966/67, S. 14–16.

–, Ein Priesterfest in St. Paul, JbSP 1967/68, S. 8 f.

–, Auf der Suche nach einem Bild von Gott, JbSP 1970/71, S. 5–8.

–, In Eintracht und Liebe: Ein Bericht zur Feier des Silbernen Abtjubiläums von Abt Paulus Schneider, JbSP 1971/72, S. 5–10.

–, Nachruf auf den verstorbenen Gymnasialdirektor Hofrat Dr. Hermann Peißl, JbSP 1972/73, S. 5–8.

–, Benediktinische Erziehung, JbSP 1977/78, S. 10 f.

–, Eucharistie-Erziehung in Elternhaus, Pfarrgemeinde und Schule, JbSP 1978/79, S. 21–23.

–, Die erzieherische Tätigkeit der Benediktiner in St. Paul in Geschichte und Gegenwart, JbSP 1979/80, S. 31 f.

–, Eine lateinisch-deutsche Spruchsammlung aus St. Paul vom Jahre 1468, JbSP 1979/80, S. 32–37.

–, Die Benediktiner in Kärnten in Geschichte und Gegenwart, JbSP 1979/80, S. 14-17.

–, Die Benediktiner in Kärnten in Geschichte und Gegenwart, Jb. der Diözese Gurk 3 (1980), S. 16–19.

–, *Die Geschichte der Äbte von St. Paul, JbSP 1980/81, S. 15–21; 1981/82, S. 14–27; 1982/83, S. 14–36; 1983/84, S. 9–13; 1984/85, S. 13–37.

–, Meditationen, JbSP 1980/81, S. 5, S. 28.

–, Rudolf Leitner 5 Jahre Direktor am Stiftsgymnasium St. Paul, JbSP 1980/81, S. 29.

–, Kleine Rezepte für Freude und Humor in Familie und Gemeinschaft, JbSP 1981/82, S. 4.
–, O du fröhliche – Studentenzeit?, JbSP 1983/84, S. 4.
–, Wesen und Aufgaben unserer Schule, JbSP 1984/85, S. 5 f.
–, *175 Jahre Wiederbesiedelung des Stiftes St. Paul, Jb. der Diözese Gurk 7 (1984), S. 16 f.
–, Das ist Pater Odilo!, JbSP 1985/86, S. 1–6.
–, Die Bedeutung der Stifte und Klöster für die Kirche in Kärnten, in: KREUZER, Anton, Stifte und Klöster Kärntens, Klagenfurt 1986, S. 6.
–, Ordensleben zwischen Ideal und Wirklichkeit, Heiligenkreuzer Studien 4 (1986), S. 41–47.
–, Ordensleben zwischen Ideal und Wirklichkeit, in: FS anläßlich des 11. Pfingsttreffens am 17. und 18. Mai 1986, Graz 1986, S. 25–31.
–, Das Stift St. Paul und seine Angebote für junge Menschen, JbSP 1986/87, S. 97.
–, Mensch und Umwelt, JbSP 1987/88, S. 7 f.
***RADICS,** Peter v., Valvasor in Kärnten, in: Das Erz-Herzogthum Kärndten, 2. Aufl. Laibach–Nürnberg 1882.
RAFNER, Otto, Die sogenannte sokratische Methode, JbSP 1894, S. 3–27.
***RAHNER,** Karl, Schriften zur Theologie, Bd. VII, Zürich–Köln 1966.
***RAINER,** Brigitte, Die Adelswappen des östlichen Kärnten im Mittelalter (Diss. Graz, 1971).
***RAINER,** Johann, Die Seelsorgestationen der Diözese Gurk *(Austria sacra, 1. Reihe, 2. Bd., 7. Lieferung)* Wien 1962.
–, *Zur Ausbildung der Kärntner Priester vornehmlich im 16. und 17. Jahrhundert, Car. I 160 (1970), S. 858–875.
–, *(Bearb.), Nuntiatur des Germanico Malaspina, Sendung des Antonio Possevino 1580–1582 *(Publikationen des Österreichischen Kulturinstituts in Rom, II. Abt.: Quellen, II. Reihe: Nuntiaturberichte, Sonderreihe: Grazer Nuntiatur 1)* Rom 1973.
RASCHL, Thiemo, Zur Geschichte der Blasianer Handschriften, Zentralblatt für Bibliothekswesen 1919, S. 243–256.
–, *Aufhebung und Neubegründung des Stiftes St. Paul 1782–1809, 3 Tle., JbSP 1926/27, S. 3–31; 1927/28, S. 3–31; 1928/29, S. 3–23.
–, St. Blasiens Wanderung nach Österreich, Die Pyramide 18 (1929), S. 35.
–, Zum Verkaufe der St. Pauler Gutenberg-Bibel, Gutenberg-Jb. 1931, S. 341–343.
–, St. Paul, OSB-Abtei in Kärnten, in: Lexikon für Theologie und Kirche, Bd. 8, 2. Aufl. 1936, S. 17 f.
–, DWORSCHAK, Fritz, Der Münzfund von Hintergumitsch (Verwaltungsbezirk Wolfsberg) und die Münzverträge zwischen Salzburg und Kärnten von 1286 und 1334, AVGT 24/25 ((1936), S. 202–224.
–, *STRELLI, Richard, Das Benediktinerstift St. Paul in Kärnten *(Österr. Kunstbücher 27)* Wien 1922.
***RASMO,** Nicoló, Michael Pacher. München 1969.
–, *Affreschi medioevali atesini. Mailand 1972.
RAUBER-ZIMMER, Ingeborg U., Wissenschaftler und Gelehrte aus dem Priester- und Ordensstand im 18. und 19. Jahrhundert, LM 1975, H. 10, S. 25 f.
***RAUTENSTRAUCH,** Franz S., Tabellarischer Grundriß der in deutscher Sprache vorzutragenden Pastoraltheologie. Wien 1778.
***RECLAMS** Kunstführer, Bd. 2: Österreich, 5. Aufl. Stuttgart 1981.
–, Archäologieführer. Österreich und Südtirol. Stuttgart 1985.
***REDLICH,** Otto, Über bairische Traditionsbücher und Traditionen, MIÖG 5 (1884), S. 1–82.
***REDLICH,** Virgil, Tegernsee und die deutsche Geistesgeschichte im 15. Jahrhundert *(Schriftenreihe zur bayerischen Landesgeschichte 9)* München 1931.
***REGESTEN,** Mittelrheinische, 4 Bde., Bd. 3, ed. von GOERZ, Adam, Coblenz 1882.
REICHART, Albert, Breviarium historiae Carinthiacae. Clagenfurti 1675.
REICHNER, Herbert, Die Gutenberg-Bibel der Sammlung Vollbehr. Schicksale des kostbarsten Buches. Wien 1927.
***REIFENSCHEID,** Richard, Die Habsburger in Lebensbildern. Von Rudolf I. bis Karl I. 3. Aufl. Graz–Wien–Köln 1987.
***REINITZER,** Heimo, St. Pauler Evangelienreimwerk, in: Verfasserlexikon, Bd. 7/2, 2. Aufl. 1988, Sp. 364–366.
***REISINGER,** Otto, Aus Viktrings Vergangenheit. Klagenfurt 1971.
***RENNER,** Albert, TUNK, Eduard v., Europa im Hoch- und Spätmittelalter. Der Islam (12. bis 15. Jahrhundert) *(Goldmanns illustrierte Weltgeschichte 4)* München 1964.
***REPRÄSENTATION** und Parlamentarismus in Bayern vom 13. bis zum 20. Jahrhundert, hrsg. von BOSL, Karl, München 1974.
***RICHTER,** Dieter, Die deutsche Überlieferung der Predigten Bertholds von Regensburg. München 1969.
RICHTER, Hans, Lavanttaler Trachten, in: Lavanttaler Heimatbuch, S. 29–31.
–, Suitbert Lobisser, in: Lavanttaler Heimatbuch, S. 74 f.
–, Die Benediktiner zu St. Paul, in: St.-Josef-Kalender, Klagenfurt 1962, S. 41–47.
RIEDER, Karl, Die Aufhebung des Klosters St. Blasien. Karlsruhe 1907.
***ROBBINS LANDON,** H. C., Haydn. Chronicle and Works: The early years 1732–1765. London 1980.
***RÖCK,** Josef, 1984 – 800 Jahre Markt St. Paul, 175 Jahre Wiederbesiedlung Stift St. Paul, JbSP 1983/84, S. 62–71.
–, 1984/85 – ein ereignisreiches Jahr für Stift, Gymnasium und Markt St. Paul, JbSP 1984/85, S. 53–62.
–, *100 Jahre Jahresbericht am Stiftsgymnasium St. Paul. Ein Rückblick, 2 Tle., JbSP 1985/86, S. 7–98; 1986/87, S. 5–96.
–, *Das St. Pauler Stiftsgymnasium heute, in: FS anläßlich des 11. Pfingsttreffens am 17. und 18. Mai 1986, S. 33–40.
RÖCK, Michael, Apollo und Christus. Die Hauptvertreter der griechischen Götterwelt und das Christentum, JbSP 1974/75, S. 15–18.
RÖHRIG, Floridus, Alte Stifte in Österreich, Bd. 2: Steiermark, Kärnten, Salzburg, Tirol, Vorarlberg *(Schroll Kulturführer)* Wien–München 1967.
***ROMMEL,** Otto, Die Alt-Wiener Volkskomödie. Geschichte vom barocken Welttheater bis zum Tode Nestroys. Wien 1952.
***ROSCHER,** Magda, Geschichte der Cistercienserabtei Viktring in Kärnten in der Zeit von 1142 bis 1534 (Diss. Wien, 1953).
ROSENBERG, Marc, Der Goldschmiede Merkzeichen, 4 Bde., 3. Aufl. Frankfurt/Main 1922/28.
***ROSENSTRAUCH-KÖNIGSBERG,** Edith, Freimaurerei im josephinischen Wien. Aloys Blumauers Weg vom Jesuiten zum Jakobiner *(Wiener Arbeiten zur deutschen Literatur 6)* Wien–Stuttgart 1975.

***ROTH,** Paul W., Die Adelswappen der westlichen Obersteiermark im Mittelalter (Diss. Graz, 1965).

***RUDAN,** Othmar, Erzherzogin Maria Anna in Klagenfurt 1781–1789. Palais und Kloster vereint, Car. I 170 (1980), S. 185–260.

***RULAND,** Anton, Die Germania Sacra der St. Blasianer, Österreichische Vierteljahresschrift für katholische Theologie 1 (1862), H. 4 (Sd. Wien 1862).

***RUMPLER,** Helmut, Katholische Kirche und Nationalitätenfrage in Kärnten, Südostdeutsches Archiv 30/31 (1987/88), S. 40–77.

–, *(Ed.), März 1939 in Kärnten. Fallstudien und Dokumente zum Weg in den Anschluß. Klagenfurt 1989.

SAKRAUSKY, Oskar, Die theologische Bedeutung der Bibelübersetzung Jurij Dalmatins, Car. I 171 (1981), S. 349–379.

–, Der österreichische Protestantismus, Car. I 171 (1981), S. 11–28.

***SANKT BLASIEN,** FS aus Anlaß des 200jährigen Bestehens der Kloster- und Pfarrkirche, hrsg. von HEIDEGGER, Heinrich, OTT, Hugo, München 1983.

SANKT PAUL 1091–1809–1959. FS zum 150. Jahresgedenktag der Wiederbesiedlung des Stiftes St. Paul durch die Mönche von St. Blasien, verantw. SCHUSTER, Helmut, St. Paul 1959.

SANKT PAUL, Ein Stift gibt Rechenschaft, Jb. der Diözese Gurk 6 (1983), S. 63–65.

Das **SANKT PAULER** Formular, Briefe und Urkunden aus der Zeit König Wenzels II., bearb. von LOSERTH, Johann, Prag 1896.

SAPETSCHNIGG, Josef, Gendarmerieposten St. Paul, in: FS Markt St. Paul 1984, S. 68 f.

SASSMANN, Hanns, Bildung – die gemeinsame Verantwortung der Generationen, JbSP 1983/84, S. 57–61.

SAUER, Roman, Der Jüngling vom Magdalensberg im Lichte neuer Forschungsergebnisse, JbSP 1989/90, S. 31–33.

***SCHEICHENBERGER,** Leopold, Die Fürstengruft im Benediktiner-Stifte St. Paul in Kärnten, Car. 4 (1814), Nr. 47.

–, *Die Gruft der Erlauchten Habsburger zu St. Paul in Kärnten, KZ. 1 (1818), S. 17–48.

***SCHELLHASS,** Karl, Der Dominikaner Felician Ninguarda und die Gegenreformation in Süddeutschland und Österreich 1560–1583, Bd. 1: Felician Ninguarda als apostolischer Kommissar 1560–1578 *(Bibliothek des preußischen historischen Instituts in Rom)* Rom 1930; Bd. 2, Rom 1939.

***SCHENK,** Erich, Musik in Kärnten. *(Schriften zu den Klagenfurter Hochschulwochen)* Wien 1941.

SCHERZER, Grete, Selbstzeugnis einer Pianistin, in: FS St. Paul 1959, S. 121.

***SCHIEDER,** Wolfgang, Brüderlichkeit. Bruderschaft, Brüderschaft, Verbrüderung, Bruderliebe, in: Geschichtliche Grundbegriffe, Bd. 1, Stuttgart 1972, S. 552–581.

***SCHILLER,** Gertrud, Ikonographie der christlichen Kunst, Bd. 4/2, Gütersloh 1980.

***SCHILLIG,** Dietmar, Geomorphologische Untersuchungen in der Saualpe, Tübinger Geographische Studien 21 (1966), S. 1–81.

***SCHLESINGER,** Ruth, Maximilians I. Beziehungen zur Kirche und Religion (Diss. Graz, 1979).

SCHMELLER-KITT, Adelheid, Klöster in Österreich. Frankfurt/Main 1965.

***SCHMID,** Hermann, Die Säkularisation der Klöster in Baden 1802–1811. Überlingen 1980.

–, Die Säkularisation St. Blasiens, in: Katalog St. Blasien, Bd. 2, S. 303–305.

***SCHMID,** Karl, Zur Problematik von Familie, Sippe und Geschlecht, Haus und Dynastie beim mittelalterlichen Adel, ZS für die Geschichte des Oberrheins NF 66 (1957), S. 1–62.

–, *Über die Struktur des Adels im früheren Mittelalter, Jb. für fränkische Landesforschung 19 (1959), S. 1–24.

–, *WOLLASCH, Joachim, Die Gemeinschaft der Lebenden und Verstorbenen in Zeugnissen des Mittelalters, Frühmittelalterliche Studien 1 (1967), S. 365–405.

–, *Societas et Fraternitas. Begründung eines kommentierten Quellenwerkes zur Erforschung der Personen und Personengruppen des Mittelalters, Frühmittelalterliche Studien 9 (1975), S. 1–50.

***SCHMIDT,** Gerhard, Die Malerschule von St. Florian *(Forschungen zur Geschichte Oberösterreichs 7)* Linz 1961.

–, *Materialien zur französischen Hochgotik, 2. Tle.: Bibeln und theologische Handschriften in österreichischen Klosterbibliotheken, Wiener Jb. für Kunstgeschichte 37 (1984), S. 141–154.

SCHMIDT, Leopold, Die Ringlstecken des Lavanttales, Car. I 149 (1959), S. 879–884 (FG S. 567–572).

***SCHMIDT-KÜNSEMÜLLER,** Friedrich A., Corpus der gotischen Lederschnitteinbände aus dem deutschen Sprachgebiet *(Denkmäler der Buchkunst 4)* Stuttgart 1980.

SCHMIEDER, Ludwig, Das Benediktinerkloster St. Blasien, eine baugeschichtliche Studie. Augsburg 1929.

–, *Das ehemalige Benediktinerkloster St. Blasien. 2. Aufl. Karlsruhe 1936.

SCHMITZ, Philibert, Geschichte des Benediktinerordens, 4 Bde., Einsiedeln–Zürich 1947.

–, Histoire de l'ordre de Saint-Benoît, 7 Bde., 2. Aufl. Maredsous 1948–1956.

***SCHMUGGE,** Ludwig, Die Pilger, ZS für Historische Forschung *(Beiheft 1, 1985)*, S. 17–47.

***SCHNEIDER,** Ambros, Cistercienserabtei Himmerod 1138–1938. Himmerod 1938.

***SCHNELL,** Bernhard, Thomas Peunthner: Büchlein von der Liebhabung Gottes *(Münchener Texte und Untersuchungen zur deutschen Literatur des Mittelalters 81)* München–Zürich 1984.

***SCHNITZLER,** Hermann, Das sogenannte große Bernhardkreuz. Karolingische und ottonische Kunst. Wiesbaden 1957.

SCHOBER, Eduard, Das Lavanttal in den Stürmen der Zeit. Klagenfurt 1980.

–, CEDERBORG Jürgen, Das Lavanttal. Kärntens Paradies. Kärnten/Austria. Klagenfurt 1976.

SCHOENBACH, Anton E., Aus der St. Pauler Reimbibel, ZS für deutsches Altertum und deutsche Literatur 45 (1901), S. 248–252.

SCHRIEBL, Adolf, Verhaltens- und hirnphysiologische Manipulationen am Menschen, JbSP 1977/78, S. 19 f.

–, Bedrohte Umwelt (Botanik), JbSP 1981/82, S. 62 f.

–, Möglichkeiten und Ziele der Schülerberatung, JbSP 1987/88, S. 43 f.

SCHRÖCKENEDER, Alois H., Geschichte der geistlichen Stiftung und Herrschaft Spital am Pyhrn (Diss. Wien, 1931).

SCHRÖDER, Albert, Augsburger Goldschmiede, Markendeutungen und Würdigungen, Archiv für die Geschichte des Hochstiftes Augsburg 6 (1926), Lieferung 5.

*SCHRÖDER, Edward, Aus einer unbekannten Reimbibel, ZS für deutsches Altertum 39 (1895), S. 251–256.

SCHROLL, Beda, Die Feststellung der Bauzeit der Kirche zu St. Paul in Kärnten, Mitteilungen der Zentralkommission für Denkmalpflege, 1862, S. 78.

–, Rotulae des Augustiner-Chorherrn-Stiftes zu Eberndorf, AVGT 9 (1864), S. 1–22.

–, *Lehensverzeichnisse des Benediktinerstiftes St. Paul in Kärnten aus dem 15. Jahrhundert, AÖG 34 (1865), S. 285–343.

–, *Necrologium des Benediktinerstiftes St. Paul im Lavantthale, AVGT 10 (1866), S. 33–240.

–, Ferdinand Steinringer, Abt von St. Paul im Lavanttale, Car. 56 (1866), S. 114–123.

–, *Regesten aus Lehens-Urkunden des Benedictiner-Stiftes St. Paul vom XVI. bis XVIII. Jahrhunderte, AVGT 11 (1867), S. 137–168; 12 (1872), S. 71–137; 13 (1876), S. 35–77.

–, *Dr. Carlmann Flor, Car. 60 (1870), S. 332–337.

–, *Die Herzoge von Kärnten aus dem Hause Spanheim, Car. 63 (1873), S. 48f., S. 201–213, S. 257–267, S. 299–315.

–, Das Herzogtum Kärnten in der Zeit von 1269 bis 1335, Car. 64 (1874), S. 8–16, S. 123–133, S. 231–236, S. 282–292; 65 (1875), S. 11–23, S. 61–68.

–, *Das Benediktinerstift St. Paul, Car. 66 (1876), S. 57–73, S. 89–104, S. 121–137, S. 169–184, S. 217–227, S. 265–276.

–, Feier des vierzehnhundertjährigen Benedictiner-Jubiläums im Stifte St. Paul, Car. 70 (1880), S. 253–263.

–, St. Paul in Kärnten, in: Ein Benediktinerbuch, hrsg. von BRUNNER, Sebastian, Würzburg 1881, S. 301–321.

–, *(Bearb.), Eine Reise nach Rom, unternommen im Jahre 1625 von Hieronymus Marchstaller, Abt des Benedictiner-Stiftes St. Paul in Kärnten, Car. 71 (1881), S. 129–144, S. 165–181, S. 197–216, S. 229–253, S. 297–324, S. 329–343.

–, *Necrologium des ehemaligen Augustiner-Chorherrenstiftes St. Maria in Juna oder Eberndorf in Kärnten. Wien 1886.

–, *Necrologium des ehemaligen Kollegiatstiftes Spital am Pyhrn in Oberösterreich, AÖG 72 (1888), S. 89–199.

–, *Reihe der Dompröpste von Gurk, Car. 79 (1889), S. 1–16, S. 33–40.

–, *Hieronymus Marchstaller, Abt des Benedictiner-Stiftes St. Paul im Lavantthale, päpstlicher Protonotar, kaiserlicher und erzbischöflich-salzburgischer Rath, Erzpriester des Metropoliten in Salzburg für Unterkärnten, und des Patriarchen von Aquileia für Möchling im Jaunthale und St. Lorenzen in der Wüste in Untersteiermark. 1616–1638. Nach seinem Leben und Wirken dargestellt. Klagenfurt 1891.

SCHÜLERZEITUNG der „Anstalt" des Stiftsgymnasiums St. Paul 1 (1990).

SCHÜTTE, Gudmund, Der Römersteinbruch am Spitzelofen, JbSP 1922/23, S. 3–13.

***SCHÜTTE,** Marie, MÜLLER-CHRISTENSEN, Sigrid, Das Stickereiwerk. Tübingen 1963.

***SCHÜTZ,** Wolfgang, Die kirchenrechtliche Stellung des Klosters St. Paul nach den Papsturkunden aus der Zeit 1099–1195, JbSP 1953/54, S. 3–6; 1954/55, S. 3–11.

–, Das Benediktinerstift St. Paul im Lavanttal im Wandel der Zeiten, in: Lavanttaler Heimatbuch, S. 47–51.

–, In memoriam abbatis Dr. Richard Strelli, Lavanttaler Heimatbuch, S. 51 f.

–, Die kulturgeschichtliche Mission der Benediktiner zu St. Paul, in: Lavanttaler Heimatbuch, S. 53 f.

–, Das Gymnasium und Konvikt der Benediktiner zu St. Paul, in: Lavanttaler Heimatbuch, S. 54.

–, *Die große Kreuzpartikel von St. Blasien/St. Paul und ihre drei Fassungen, Car. I 149 (1959), S. 611–632 (FG S. 299–320).

–, Aus den Archiven. Spiegelbild eines Jahrtausends, in: FS St. Paul 1959, S. 19–51.

–, St. Paul im Lavanttal, Notring-Jb. 1961, S. 134–137.

SCHUMANN, Fritz, Das untere Lavanttal. Problemraum ehemaliges Bergbaugebiet – Industrie und produzierendes Großgewerbe im unteren Lavanttal, 2 Bde., Wien 1980.

***SCHUSTER,** Heinz, Die Geschichte der Pastoraltheologie, in: Handbuch der Pastoraltheologie. Praktische Theologie der Kirche in ihrer Gegenwart, hrsg. von ARNOLD, Franz X., u. a., 5 Bde., Bd. 1, Freiburg—Basel–Wien 1964, S. 40–92.

SCHUSTER, Helmut, Das große Vermächtnis, in: FS St. Paul 1959, S. 10–18.

–, Abschied der Alt-St.-Paulaner von ihrem verewigten Prof. P. Erhard Schmid, gesprochen bei dessen Begräbnisfeier am 24. Jänner 1960, JbSP 1959/60, S. 6 f.

–, In memoriam P. Hartwig Labi, JbSP 1964/65, S. 9 f.

SCHWARZ, Emil, Die Alt-St.-Pauler Tischrunde, JbSP 1969/70, S. 8–10.

***SCHWARZ,** Karl F., Der Protestantismus im Lavanttal (Diss. Graz, 1961).

***SCHWEIGERT,** Horst, Zur Frage der ehemaligen barocken Innenausstattung der Stadtpfarrkirche in Graz. Der plastische Schmuck der Kanzel und des Chorgestühls – ein Werk Philipp Jakob Straubs, Historisches Jb. der Stadt Graz 5/6 (1973), S. 89–117.

–, *Zum Frühwerk Philipp Jakob Straubs. Sein Anteil an der barocken Innenausstattung der Bürgerspitalskirche in Graz, Jb. des Kunsthistorischen Institutes der Universität Graz 11 (1976), S. 85–103.

–, Die Kunstdenkmäler Österreichs: Graz *(Dehio-Handbuch der Kunstdenkmäler Österreichs)* Wien 1979.

–, *Plastik und Gemälde in Stift Rein und seinen Pfarren, in: Stift Rein 1129–1979. 850 Jahre Kultur und Glaube. FS zum Jubiläum. Rein 1979, S. 452–505.

***SCRIPTORES** Ordinis S. Benedicti qui 1750–1880 fuerunt in Imperio Austriaco-Hungarico. Vindobonae 1881.

***SEEAUER,** Beda, Novissimum chronicon antiqui monasterii ad sanctum Petrum Salisburgi OSB. Aug. Vindel. et Oeniponti (1772).

***SEMMLER,** Josef, Sinsheim, ein Reformkloster der Siegburger Observanz im alten Bistum Speyer, Archiv für mittelrheinische Kirchengeschichte 8 (1956), S. 339–347.

SENG-EBERHARD, Inge, Schan – Fürstin aus dem Lavanttal, in: FS St. Paul 1959, S. 103–106.

SIEBENEICHER, Elsbeth, Anfangsunterricht in Französisch, JbSP 1976/77, S. 9 f.

SIEBENEICHER, Walter, Die Landwirtschaft des Lavanttales im Zahlenvergleich, in: Lavanttaler Heimatbuch, S. 55–57.

***SIEGENFELD,** Alfred R. A. v., Das Landeswappen der Steiermark *(Forschungen zur Verfassungs- und Verwaltungsgeschichte der Steiermark 3)* Graz 1900.

SIGLOCH, Franz, Johan Schlitpacher von Weilheim, der bedeutendste Vertreter der Melker Reformbewegung (Diss. Wien, 1930).

SIMETSBERGER, Blasius, Die Besetzung 1918–1920, in: FS St. Paul 1959, S. 71–76.
SIMONISCHEK, Peter, 35 Stunden aus einem Schauspielerleben, JbSP 1984/85, S. 10–12.
***SINGER,** Stephan, Kultur- und Kirchengeschichte des Jauntales. Dekanat Eberndorf. Kappel 1938.
SKOFF, Franz, Das alte Glasbläserdorf St. Vinzenz, in: Lavanttaler Heimatbuch, S. 111.
–, Unser Lavanttal, in: Lavanttaler Heimatbuch, S. 6 f.
***SONNLEITNER,** Käthe, Schenkungen und Stiftungen zum Kloster St. Paul in Kärnten (bis 1500), MIÖG 86 (1986), S. 341–379.
SPEISER, Konrad, Der Dithyrambendichter Johann Gottlieb Willamov, JbSP 1911/12, S. 3–32.
SPRINGSCHITZ, Leopoldine, Gerhart Ellert, Car. I 150 (1960), S. 20.
***SPUNAR,** P., Bohemika v knihovne benediktinského klástera St. Paul, Listy Filologické 90 (1967), S. 181–184.
***STADTMÜLLER,** Georg, Geschichte der Abtei Niederaltaich 741–1971. Ottobeuern–Augsburg 1971.
STAFSKI, Heinz, Der jüngere Peter Vischer. Nürnberg 1962.
***STAMM,** Gerhard, Zur Geschichte der Bibliothek, in: Katalog St. Blasien, 2. Bd., S. 171–200.
STANGE, Alfred, Deutsche Malerei der Gotik, Bd. 10/11, München–Berlin 1960/61.
***STANZEL,** Franz, Die Gruft-Kapelle im Münster zu St. Paul im Lavanttal, ZS des Deutschen Vereins für Kunstwissenschaft 5 (1938), S. 51–61.
***STEENBOCK,** Frauke, Der kirchliche Prachteinband im frühen Mittelalter. Berlin 1965.
***STEIDLE,** Basilius (Hrsg.), Die Benediktus-Regel, Lateinisch-Deutsch. 2. Aufl. 1975 Beuron (3. Aufl. 1978).
***STEINDL,** Erwin, Lateinische Inschriften von Kärnten. Klagenfurt 1976.
STEINER, Hans, Schicksal Brasilien, in: FS St. Paul 1959, S. 106–109.
***STEINMEYER,** Elias, SIEVERS, Eduard, Die althochdeutschen Glossen, Bd. 1, Dublin–Zürich 1968 (Nd.).
STEINRINGER, Ferdinand, Nekrolog des Abtes vom Benediktinerstifte St. Paul im Lavantthale, Meinrad Aman. Klagenfurt 1840.
–, Rede zur Weihe eines neuen Altarblattes. Klagenfurt 1843.
–, Predigt am Schluß des Jahres 1850, gehalten im Dome zu Klagenfurt. Klagenfurt 1851.
***STELZER,** Winfried, Zum gemalten Epitaph Herzog Philipps von Kärnten in Krems, Unsere Heimat 44 (1973), S. 44–55.
STENZEL, Gerhard, Von Stift zu Stift in Österreich. Wien 1977.
STEPPAN, Hubert, Fund einer Haydn-Kopie im Musikarchiv des Stiftes St. Paul, in: FS St. Paul 1959, S. 68–70.
–, Die Musik der Griechen. Von der Lyra bis zur Orgel, JbSP 1974/75, S. 25–30.
–, Das Musikautograph als Grundlage moderner Quellenforschung, JbSP 1977/78, S. 21 f.
–, Missa: „Speravi in te Domine", JbSP 1983/84, S. 72 f.
–, Sieben Jahre Musikschule St. Paul, in: FS Markt St. Paul 1984, S. 78 f.
–, Deutsche Messe zu Ehren der heiligen Hemma von Gurk, JbSP 1987/88, S. 19 f.
–, Vita Vitalis – Das wahre Leben (Kirchenoper in zwei Teilen), JbSP 1988/89, S. 34–36.
***STERK,** Georg, Der österreichische Bergbau. – BM GHI, Sektion IV, Rohstoffe und Grundstoffe (1986), Sonderheft 2, S. 1–255.
***STIEFEL,** Dieter, Die große Krise in einem kleinen Land *(Studien zur Politik und Verwaltung 26)* Wien–Köln–Graz 1988.
STÖCKLER, Reinhold, Die kulturelle Aufgabe von St. Paul, in: FS Markt St. Paul 1984, S. 79–82.
STRASTIL v. STRASSHEIM, Theodor, Bibliographie der im Herzogtume Kärnten bis 1910 erschienenen Druckschriften. Klagenfurt 1912.
***STRELLI,** Richard, Quaestiones Catullianae, JbSP 1906/07, S. 1–31.
–, Die Wirksamkeit der Benediktiner von St. Paul auf dem Gebiete der Wissenschaft, des Unterrichts und der Erziehung, in: STRELLI, Richard, OLBERT, Engelbert, Das Benediktinerstift St. Paul in Kärnten 1809–1909, Freiburg 1910, S. 4–167.
–, Die Zentenarfeier im Gymnasialkonvikt des Benediktinerstiftes St. Paul in Kärnten 1. und 2. Juli 1911, Studien und Mitteilungen zur Geschichte des Benediktinerordens 32 (1911), S. 741–749.
–, Die Ausgrabungen auf dem Gute „Meier am Hof" bei St. Paul, Kärnten, JbSP 1911, S. 3–29.
–, Leopold Lienhart. Sein Leben und Schaffen. St. Paul 1912.
–, Bemerkungen zu von Wilamowitz-Moellendorfs und Dieterichs Ansichten über das Verhältnis der „Trachiniai" des Sophokles zum „Herakles" des Euripides, JbSP 1912/13, S. 3–13.
–, Direktor Dr. Siegfried Christian †, JbSP 1914/15, S. 23–25.
–, Valentincig Kurt, IV. Klasse (†), JbSP 1914/15, S. 39.
–, *Chronik des Gymnasiums 1914, JbSP 1914/15, S. 32.
–, *Das Stift St. Paul in Kärnten unter Abt Ulrich Pfinzing, Studien und Mitteilungen des Benediktinerordens 36 (1915), S. 93–106.
–, Das k. k. Stiftsgymnasium im Weltkriege, JbSP 1915/16, S. 1–13; 1916/17, S. 6–24; 1917/18, S. 1–13; 1918/19, S. 1–4.
–, Seine K. u. K. Apostolische Majestät Kaiser Franz Joseph I. (†), JbSP 1916/17, S. 3–5.
–, P. Franz Sales Pirč (†), JbSP 1916/17, S. 25 f.
–, Der Glockenabschied von St. Paul. St. Paul 1917.
–, *St. Paul, der ersten Habsburger letzte Ruhestätte. St. Paul–Graz 1918.
–, Regierungsrat P. Aemilian Hribernig (†), JbSP 1919/20, S. 3.
–, P. Rupert Kummerer. Nekrolog, JbSP 1920/21, S. 3 f.
–, P. Maurus Pototschnig (†), JbSP 1921/22, S. 5.
–, Professor P. Engelbert Olbert, Nachruf, JbSP 1922, S. 16.
–, Zur 25. Reifeprüfung, JbSP 1924/25, S. 15–21.
–, Zur Geschichte des Stiftes St. Paul und seiner Anstalten 1900–1925, Studien und Mitteilungen des Benediktinerordens 43 (1925), S. 250–256.
–, Emerit. Direktor P. Eberhard Katz. Nekrolog, JbSP 1925/26, S. 15 f.
–, *Die Ausgrabungen bei St. Paul in Kärnten, Mitteilungen der Anthropologischen Gesellschaft in Wien 58 (1928), S. 168–178.
–, Professor P. Benedikt Schluder, Nekrolog, JbSP 1928/29, S. 30 f.
–, In memoriam abbatis Dr. Odilo Frankl, JbSP 1928/29, S. 24–27.
–, Die archäologische Sammlung des Stiftsgymnasiums St. Paul im Lavanttal (Kärnten), Nachrichtenblatt für deutsche Vorzeit 5 (1929), S. 133.
–, Neue Grabungen auf dem Johannesberg bei St. Paul (Kärnten), Sitzungsberichte der Anthropologischen

Gesellschaft in Wien 1928/29, S. 41–43.
–, Ausgrabungen bei St. Paul im Lavanttal, Car. I 119 (1929), S. 14–18.
–, Ausgrabungen bei Ettendorf im Lavanttale, Car. I 119 (1929), S. 153 f.
–, Ausgrabungen bei Ettendorf im Lavanttale, Sitzungsberichte der Anthropologischen Gesellschaft in Wien 1929/30, S. 24–26.
–, Neue Grabungen im Lavanttal, Car. I 121 (1931), S. 87.
–, Funde im Lavanttal, in: Fundberichte aus Österreich, Bd. 1, (1931–1934), H. 3–5, S. 46 f; H. 6–10, S. 99, S. 101; H. 11–16, S. 165 f.; H. 17–20, S. 220, S. 223, S. 258.
–, Archäologische Forschung im unteren Lavanttal, JbSP 1932/33, S. 3–16.
–, Der Töpferofen von St. Paul, Car. I 123 (1933), S. 14–16.
–, Römerstein in Langegg, Car. I 124 (1934), S. 124.
–, Fundberichte aus Österreich, Bd. 2 (1935–38), H. 1, S. 8, S. 10; H. 2, S. 117, S. 236; H. 3, S. 137 f.; H. 4, S. 232, S. 234.
–, Professor Dr. theol. P. Bonifaz Sentzer, JbSP 1937/38, S. 20–22.
–, Neue Grabungen am Burgstall in St. Margarethen im Lavanttal, Car. I 129 (1939), S. 4.
–, *OLBERT, Engelbert, Das Benediktinerstift St. Paul in Kärnten 1809–1909. FS zur Jahrhundertfeier der Wiederbesiedelung des Stiftes St. Paul durch die Mönche von St. Blasien im Schwarzwald. Freiburg/Br. 1910.
STRÖHL, Hugo G., Die Wappen der Ordensstifte und Abteien in Steiermark, Kärnten und Krain, Kunst und Kunsthandwerk 15 (1912), S. 443 ff.
STRUTZ, Herbert, St. Paul – eine Schatzkammer der Kunst, in: Kärntner Volksblatt 11 (1960), Nr. 25, S. 1 f.
–, Kärnten auf vielen Wegen, Wanderungen, Fahrten, Betrachtungen. Klagenfurt 1962.
***STUDIEN** zum St. Galler Klosterplan *(Mitteilungen zur vaterländischen Geschichte 42)*, hrsg. von DUFT, Johannes, St. Gallen 1962.
STUDNICKA, Egon, Die Bildfolge des Kremser-Schmidt in der Stiftsgalerie St. Paul im Lavanttale, Car. I 145 (1955), S. 713–728.
–, In memoriam Primarius Dr. Gustav Hackl, JbSP 1961/62, S. 12 f.
–, Der 28. Juni 1914, JbSP 1963/64, S. 10–12.
STÜCKLER, Hedwig, Die Speisebücher des Benediktinerstiftes St. Paul im Lavanttal. Eine statistische Analyse klösterlicher Nahrungskultur (Diss. Wien, 1981).
–, Die Speisebücher des Benediktinerstiftes St. Paul im Lavanttal (1888–1905). Eine statistische Analyse klösterlicher Nahrungskultur *(Veröffentlichungen des Instituts für Volkskunde der Universität Wien 10)* Wien 1982.
STUMFOHL, Rotraud, Kärntner Bibliographie. Das Schrifttum über Kärnten aus den Jahren 1971–1975. Klagenfurt 1984.
–, Kärntner Bibliographie: Das Schrifttum aus den Jahren 1976–1980. Klagenfurt 1989.
***STURMBERGER,** Monika, Die Welzer. Genealogie und Besitzgeschichte einer steirischen Adelsfamilie (Diss. Graz, 1979).
SUETTE, Gunther, Die Geologie der Marktgemeinde St. Paul im Lavanttal, in: FS Markt St. Paul 1984, S. 21–26.
***SUTTER,** Konrad, Die Aufhebung der Benediktinerabtei St. Blasien und der Neubeginn in St. Paul/Kärnten, Badische Heimat 57 (1977), S. 401–418.
–, *Die Aufhebung der Abtei St. Blasien und der Neubeginn in St. Paul/Kärnten, in: FS St. Blasien 1983, S. 301–314.
SWOBODA, Erich, Die heiligen Brunnen im Tempel des Latobius im Lavanttale (Kärnten), Car. I 131 (1941), S. 303–317.
***TÄTIGKEITSBERICHT** des Generalkonservators, Mitteilungen der k. k. Zentralkommission für Kunst- und historische Denkmale (1908), S. 182.
TANGL, Karlmann, Die Herren, später Freiherrn von Kollnitz, Car. 23 (1833), S. 155–161.
–, *Reihe der Bischöfe von Lavant. Klagenfurt 1841.
–, *Die Grafen, Markgrafen und Herzoge aus dem Hause der Eppensteiner, AKÖG 12 (1854), S. 91–218.
–, *Die Grafen von Pfannberg, AÖG 17 (1856), S. 213–298.
***TELLENBACH,** Gerd, Libertas, Kirche und Weltordnung im Zeitalter des Investiturstreites *(Forschungen zur Kirchen- und Geistesgeschichte 7)* Stuttgart 1936.
***THEIL,** Bernhard, Vorformen ständischer Mitregierung im Mittelalter. Von der Ständeversammlung zum demokratischen Parlament. Die Geschichte der Volksvertretungen in Baden-Württemberg. Stuttgart 1982.
***THIEDIG,** Friedhelm, Die Entwicklung des postvariszischen Deckengebirges in der Umgebung der Saualpe, Clausthaler Geologische Abhandlungen, Sonderband 1 (1975), S. 175–186.
–, CHAIR, Mehimed, Ausbildung und Verbreitung des Perms in den St. Pauler und Griffner Bergen Ostkärntens (Österreich), Car. II 84 (1974), S. 105–113.
–, KLUSSMANN, Dietmar, Limnisches Oberkarbon in den St. Pauler Bergen Ostkärntens (Österreich), Mitteilungen des Geologischen Paläontologischen Institutes Universität Hamburg 43 (1974), S. 79–84.
–, u. a., Jungpaläozoikum und Trias in den St. Pauler und Griffener Bergen Ostkärntens – Österreich, Verhandlungen der Geologischen Bundesanstalt Wien, 2/3, S. 269–279.
***THIEME,** Ulrich, BECKER, Felix, Allgemeines Lexikon der bildenden Künstler, 37 Bde., Leipzig 1907–1950.
THURN, Valsassina A., Die wirtschaftliche Entwicklung Südost-Kärntens im 19. Jahrhundert (Diss. Graz, 1949).
TINTI, Karlheinz, Ein Prolog, in: FS St. Paul 1959, S. 80.
***TOMEK,** Ernst, Kirchengeschichte Österreichs, 3 Bde., Innsbruck–Wien–München 1937–59.
***TRANS**-juranae intra fines diocesis Constantiensis ceu fundamentum historiae ejusdem diocesis. Tomus I, II, St. Blasien 1792–1795.
TRAUSSNIG, Karl, Die Gottesfrage in der modernen Literatur, JbSP 1975/76, S. 13–17.
–, Der Religionsunterricht im Spannungsfeld zwischen Auftrag und Verwirklichung, JbSP 1977/78, S. 12 f.
–, Die Gestalt des heiligen Benedikt, JbSP 1979/80, S. 44–47.
***TRENDE,** Adolf, Die Stiftsbibliothek in St. Paul, Car. I 142 (1952), S. 609–668.
–, St. Paul in Kärnten, St. Blasien und die Schweiz, ZS für Schweizerische Kunstgeschichte 46 (1952), S. 225–234.
–, *Dr. Karlmann Flor, Car. I 149 (1959), S. 515–523.
***TRITHEMIUS,** Johannes, Chronicon insignis monasterii Hirsaugiensis ordinis sancti Benedicti. Basileae 1559.
TROPPER, Christine, Die Josefinische Kirchenreform

in Kärnten, Jb. der Diözese Gurk 8 (1985), S. 52–55.

–, *St. Georgen am Längsee – geschichtlicher Überblick, Carinthia-Kulturbegleiter 2 (1988), S. 19–31.

TROPPER, Peter, Die Josefinische Kirchenreform in Kärnten, Jb. der Diözese Gurk 8 (1985), S. 52–55.

–, *Pastorale Erneuerungsbestrebungen des süddeutsch-österreichischen Episkopats im 18. Jahrhundert. Hirtenbriefe als Quellen der Kirchenreform, Römische Quartalschrift 83 (1988), S. 296–336.

–, *Staatliche Kirchenpolitik, Geheimprotestantismus und katholische Mission in Kärnten (1752–1780) *(Das Kärntner Landesarchiv 16)* Klagenfurt 1989.

–, *Bemerkungen zum Weg der Katholischen Kirche in Kärnten von März bis September 1938, in: März 1938 in Kärnten. Fallstudien und Dokumente zum Weg in den „Anschluß", ed. RUMPLER, Helmut, Klagenfurt 1989, S. 119–151.

***TRÜMPY,** Rudolf, Plattentektonik und die Entstehung der Alpen, Naturforschende Gesellschaft 129 (1985), S. 1–47.

***TÜRK,** Sigrid, Die Benediktinerabtei St. Paul in Kärnten als Grundherrschaft im 16. Jahrhundert (Diss. Graz, 1950).

***TYROLLER,** Franz, Erzbischof Friedrich I. von Köln und der bayerische Pfalzgraf Engelbert, Annalen des Historischen Vereines für den Niederrhein 160 (1958), S. 71–110.

–, *Genealogie des altbayerischen Adels im Hochmittelalter, in: Genealogische Tafeln zur mitteleuropäischen Geschichte, hrsg. von WEGENER, Wilhelm, Göttingen 1962, S. 47–67.

***ULMAN,** Heinrich, Kaiser Maximilian I., 2 Bde., Stuttgart 1884/91.

UNEGG, Friedrich, Geschichte der Volksschule Pontnig, in: FS Markt St. Paul 1984, S. 87.

***UNREST,** Jakob, Österreichische Chronik, ed. GROSSMANN, Karl *(MG SS NS XI)* Weimar 1957.

–, Chronicon Carinthiacum, ed. HAHN, Simon F., Brunsvigae 1724.

UNTERKREUTER, Felix, Die Bevölkerung des Verwaltungsbezirkes Wolfsberg, in: Lavanttaler Heimatbuch, S. 2–5.

UNTERLUGGAUER, Peter, Nach dem GAU von Tschernobyl: Der Mensch am Scheideweg?, JbSP 1985/86, S. 105–109.

*Die mittelalterlichen **URBARE** des Benediktinerstiftes St. Paul in Kärnten 1289/90 und 1371/72 *(Die mittelalterlichen Stiftsurbare Kärntens 2)*, hrsg. von FRESACHER, Walther, Wien 1968.

***URE,** Josef, Bauernkrieg, Türkennot und ungarische Besitznahme in Kärnten unter Kaiser Friedrich III., 2. Tl., Jahresbericht der k. k. dt. Staatsrealschule Pilsen (1913), S. 10 f.

*Die **URKUNDEN** Heinrichs III., hrsg. von BRESLAU, H., KEHR, P. *(MG DH III)* Berlin 1926–1931 (Nd. München 1980).

–, *Heinrichs IV., Bd. 1, in: Die Urkunden der deutschen Könige und Kaiser, hrsg. vom Reichsinstitut für ältere deutsche Geschichtskunde 6 (1941).

–, *Heinrichs IV., hrsg. von GLAWIK, Alfred, 3 Tle. *(MG DH IV)* Hannover 1977 f.

–, *Konrads III., bearb. von HAUSMANN, Friedrich *(MG DK III)* Wien–Köln–Graz 1969, S. 1–518.

***URKUNDENBUCH,** Würtembergisches, Bd. 1, Stuttgart 1849.

–, *für die Geschichte des Benedictiner Stiftes Kremsmünster 777–1400, bearb. von HAGN, Theoderich, Kremsmünster 1852.

–, *des Landes ob der Enns, Bd. 6, hrsg. vom Verwaltungsausschuß des Museums Francisco-Carolinum zu Linz, Wien 1872.

–, *des Benediktinerstiftes St. Paul in Kärnten, hrsg. von SCHROLL, Beda *(FRA II/39)* Wien 1876.

–, *Salzburger, bearb. von HAUTHALER, Willibald, MARTIN, Franz, 4 Bde., Salzburg 1910–1933.

–, *des Herzogtums Steiermark, Bde. I–III hrsg. von ZAHN, Josef, Graz 1875–1903; Ergänzungsheft zu den Bänden I–III bearb. von PIRCHEGGER, Hans; DUNGERN, Otto *(Veröffentlichungen der Historischen Landeskommission für Steiermark 33)*; Bd. IV hrsg. von der Historischen Landeskommission für Steiermark unter der Leitung von APPELT, Heinrich, bearb. von PFERSCHY, Gerhard, Wien 1960 (3. Lieferung 1967).

–, *Mainzer, Bd. I, bearb. von STIMMING, Manfred, Darmstadt 1932 (Nd. 1972).

***URKUNDEN–REGESTEN** des Augustiner-Chorherrenstiftes Eberndorf im Jaunthale, bearb. von SCHROLL, Beda, Klagenfurt 1870.

–, *zur Geschichte des Hospitals am Pyhrn in Oberösterreich 1190–1417, bearb. von SCHROLL, Beda, AÖG 72 (1888), S. 203–280.

***URKUNDEN-** und Regestenbuch des Herzogtums Krain, Bd. 1, ed. SCHUMI, Franz, Laibach 1882/83.

***URSPRUNG,** Otto, Die katholische Kirchenmusik, hrsg. von BÜCKEN, Ernst *(Handbuch der Musikwissenschaft, 9 Hefte)* Potsdam 1931–1933.

***VALVASOR,** Johann Weichard Freih. v., Topographia Archiducatus Carinthiae. Nürnberg 1688 (Nd. Klagenfurt 1975).

–, Die Ehre des Herzogthums Krain, Bd. 3, Laibach–Nürnberg 1689.

***VARNHAGEN VON ENSE,** Karl A., Ausgewählte Schriften, Bd. 15, 16: 2. Abt.: Biographische Denkmale, 9. u. 10. Tl: Denkwürdigkeiten des Philosophen und Arztes J. B. Erhard. 3. Aufl. Leipzig 1874.

VATOVEC, F., Pravosodstvo na sentpavelskih posestih v „Marki onstran dravskega gozda", Casopis za Zgodovino in Narodopisje 1931, S. 89–96.

VERFASSERLEXIKON. Die deutsche Literatur des Mittelalters, hrsg. von RUH, Kurt, u. a., 2. Aufl. Berlin 1978 ff.

***VERGLEICHUNGEN** über Roggen- und Fleischpreise in Kärnten, Car. 33 (1843), S. 71 f.

VERZEICHNISSE von Urkunden, Handschriften und Akten von St. Paul im Lavanttal, Eberndorf, St. Blasien und Spital am Pyhrn, o. O., um 1950.

***VERZONE,** Paolo, Werdendes Abendland. Baden-Baden 1967.

***VILFAN,** Sergij, Die wirtschaftlichen Auswirkungen der Türkenkriege aus der Sicht der Ranzionierungen, der Steuern und der Preisbewegung, in: Die wirtschaftlichen Auswirkungen der Türkenkriege, ed. von PICKL, Othmar *(Grazer Forschungen zur Wirtschafts- und Sozialgeschichte 1)* Graz 1971, S. 177–199.

***VIOLANTE,** Cinzio, Das cluniazensische Mönchtum in der politischen und kirchlichen Welt des 10. und 11. Jahrhunderts, in: Cluny. Beiträge zu Gestalt und Wirkung der cluniazensischen Reform, hrsg. von RICHTER, Helmut *(Wege der Forschung 241)* Darmstadt 1975, S. 141–225.

***VISCHER,** Georgius M., Topographia Ducatus Stiriae, Bd. 1, Grätz 1681.

***VITA** Wilhelmi abbatis Hirsaugiensis († 1091) auct. Haimone priore ed. WATTENBACH, Wilhelm *(MG SS XII)* Hannover 1856, S. 209–225.

–, *Chunradi I. archiepiscopi († 1147) ed WATTENBACH, Wilhelm *(MG SS XI)* Hannover 1854, S. 62–77.

***VITAE** Ottonis episcopi Babenbergensis († 1139) ed. KOEPKE, Rudolf *(MG SS XII)* Hannover 1856, S. 721 ff.

***VOCELKA,** Karl, Der Josephinismus: Neuere Forschungen und Problemstellungen, Jb. der Gesellschaft für die Geschichte des Protestantismus in Österreich 95 (1979), S. 53–68.

***VOETZ,** Lothar, Die St. Pauler Lukasglossen. Untersuchungen–Editionen–Faksimile. Studien zu den Anfängen althochdeutscher Textglossierung *(Studien zum Althochdeutschen 7)* Göttingen 1985.

***VOGT,** Werner, Untersuchungen zur Geschichte der Stadt Kreuznach und der benachbarten Territorien im frühen und hohen Mittelalter. Düsseldorf 1956 (Diss. Mainz, 1955).

***VOGÜÉ,** Adalbert de, Notre situat wude moines et de moniales au XXe siecle, Collectanea Cisterciensia 33 (1971), S. 171–178.

–, *La Regle de S. Benoit, Bd. 7, Paris 1977.

VOLLMANN-PROFE, Gisela, Geschichte der deutschen Literatur von den Anfängen bis zum Beginn der Neuzeit, hrsg. von HEINZLE, Wolfgang, Bd 1/2: Wiederbeginn im hohen Mittelalter. Königstein/Ts. 1986.

VOMSTEIN, Willi, Trudpert Neugart und die Einführung der biblischen Sprache in das Theologiestudium an der Universität Freiburg im Breisgau. Ein Beitrag zur Geschichte der bibelsprachlichen Studien in der deutschen Katholischen Theologie der Aufklärung *(Beiträge zur Freiburger Wissenschafts- und Universitätsgeschichte 23)* Freiburg 1958.

WACHA, Georg, Die alte Feste Rabenstein, Car. I 145 (1955), S. 345–352.

–, Ein Reliquiar des hl. Leopold in St. Paul im Lavanttal, Car. I 150 (1960), S. 358–362.

***WADL,** Wilhelm, „Volksbefragung", nationalsozialistische Machtergreifung, Anschluß und „Volksabstimmung" in Kärnten, in: Das Jahr 1938 in Kärnten und seine Vorgeschichte. Ereignisse–Dokumente–Bilder, red. von OGRIS, Alfred, WADL, Wilhelm *(Das Kärntner Landesarchiv 15)* Klagenfurt 1988, S. 41–87.

WAGNER, Joseph, Album für Kärnten. Klagenfurt 1845.

–, Das Lavanthal im Herzogthume Kärnten. Klagenfurt 1849.

WALDAU, Georg E., Geschichte der Protestanten in Österreich, Steiermarkt (!), Kärnthen und Krain vom Jahr 1520 biß auf die neuste Zeit, 2 Bde., Anspach 1784.

WALDHART, Fritz (†), Man gab sich, wie man war. Aus den Erinnerungen, in: FS St. Paul 1959, S. 132 f.

WALTEN, Ulrike, 700 Jahre Domus Wichpotonis. St. Paul 1989.

***WALZL,** August, Die Juden in Kärnten und das Dritte Reich. Klagenfurt 1987.

WALZL, Manfred, Seidenproduzierende Schmetterlinge gibt es auch im Lavanttal, JbSP 1983/84, S. 7 f.

WANNER, Richard, Herzog Bernhard von Kärnten – ein bedeutender Kärntner Landesfürst, LM 1954, H. 2, S. 1–3.

WEBER, Clemens, Hemma von Gurk als historische Persönlichkeit, JbSP 1987/88, S. 14–16.

WEBERITSCH, Sebastian, Aus dem Leben des Doktor Sebastian Weberitsch. Klagenfurt 1947.

***WEBERNIG,** Evelyne, Landeshauptmannschaft und Vizedomamt in Kärnten bis zum Beginn der Neuzeit *(Das Kärntner Landesarchiv 10)* Klagenfurt 1983.

***WEGELE,** Franz X. v., Geschichte der Deutschen Historiographie. München 1885.

***WEINFURTER,** Stefan, Salzburger Bistumsreform und Bischofspolitik im 12. Jahrhundert. Der Erzbischof Konrad I. von Salzburg (1106–1147) und die Regularkanoniker. Köln–Wien 1975.

WEINMEISTER, Emil, Zur Modernisierung der Schulmathematik, JbSP 1973/74, S. 5 f.

***WEINZIERL-FISCHER,** Erika, Geschichte des Benediktinerklosters Millstatt in Kärnten *(AVGT 33)* Klagenfurt 1951.

–, *Die Quart in Kärntens Stiftern und Klöstern 1529–1530, MÖSTA 4 (1951), S. 139–166.

–, Die Reisebeschreibungen Kaiser Franz I. über Kärnten, Car. I 147 (1957), S. 651–662.

WEISTÜMER, Österreichische. Gesammelt von der kaiserlichen Akademie der Wissenschaften, 16 Bde., Wien 1870–1978.

***WEISS,** Alois, Kärnthens Adel bis zum Jahre 1300. Wien 1869.

***WEISS,** Gerhard, Beiträge zur Geschichte der Benediktinerabtei St. Georgenberg im späten Mittelalter und zu Beginn der Neuzeit (Diss. Innsbruck, 1969).

WEISS, Ida, Suitbert Lobisser. Der Kärntner Altmeister des Holzschnittes, LM 1970, H. 10, S. 144 f.

WEISSENBACH, Norbert, Gesteinsinhalt und Seriengliederung des Hochkristallins in der Saualpe, Clausthaler Geologische Abhandlungen, Sonderband 1 (1975), S. 61–114.

***WEITTENHILLER,** Moriz M. v., Der Salzburger Adel. Johann Siebmacher's großes Wappenbuch, Bd. 4, 6. Abt., Nürnberg (1883).

***WENZEL,** Leodegar, Logische Operationen in der Mathematik und beim Mathematischen Unterrichte, 2 Tle., JbSP 1891, S. 3–21; 1892, S. 3–22.

–, Ein Beitrag zur Schwingungstheorie elastischer Saiten, JbSP 1893, S. 3–30.

***WERMINGHOFF,** Albert, Die Beschlüsse des Aachener Konzils im Jahre 816, Neues Archiv der Gesellschaft für ältere deutsche Geschichtskunde 27 (1902), S. 605–675.

***WESLE,** Karl, Zur „Babylonischen Gefangenschaft", Anzeiger für deutsches Altertum 43 (1927), S. 124.

***WETTER,** Martha, Geschichte des Benediktinerinnenklosters St. Georgen am Längsee in Kärnten (Diss. Wien, 1954).

***WHISNANT,** Norman E., St. Pauler Predigten, in: Verfasserlexikon, Bd. 7/2, 2. Aufl. Berlin 1988, Sp. 366–369.

WICHNER, Jakob, Geschichte des Benedictiner-Stiftes Admont, 4 Bde., Graz 1874–1880.

***WIDRICH,** Johannes, Seelgerätstiftungen beim Kloster Stift Griffen in Unterkärnten (Diss. Graz, 1963).

WIELTSCH, Dieter, Versuch einer Selbstdarstellung, JbSP 1985/86, S. 110–115.

–, Die heilige Hemma von Gurk in der Kunst, JbSP 1988/89, S. 24–27.

WIESENHOFER, Friedrich, Obstbau im Lavanttal, in: Lavanttaler Heimatbuch, S. 61.

***WIESFLECKER,** Hermann, Kaiser Maximilian I., 5 Bde., Wien 1971–1986.

–, *Kaiser Maximilian I., seine Persönlichkeit und Politik, in: Katalog Maximilian I., S. 1 ff.

WIESSNER, Hermann, Geschichte des Kärntner Bergbaues, 3 Tle. Klagenfurt 1950/51/53 (AVGT 32, 36/37, 41/42).

–, Abriß der historischen Entwicklung des Kärntner Wappens, Kärntner Gemeindeblatt 77 (1956), S. 22 f.

–, *Zur Geschichte der Burgen Rabenstein und Lo-

schental, Car. I 149 (1959), S. 715–731 (FG S. 403–419).
–, Burgen und Schlösser um Wolfsberg, Friesach und St. Veit. Wien 1964.
–, *SEEBACH, Gerhard, Kärntens Burgen und Schlösser, 2 Bde., 2. Aufl. Wien 1977/1980.
***WIND,** Peter, Die verzierten Einbände der Handschriften der Erzabtei St. Peter zu Salzburg bis 1600 *(Österreichische Akademie der Wissenschaften, Phil.-hist. Klasse, Denkschriften 159)* Wien 1982.
–, Die Kärntner Entstehung des Millstätter Sakramentars, Alte und moderne Kunst 30 (1985), S. 25–32.
WINKLER, Günther, Das Recht im Unterricht der Mittelschulen, in: FS St. Paul 1959, S. 117–120.
***WINNER,** Gerhard, Die Klosteraufhebungen in Niederösterreich und Wien *(Forschungen zur Kirchengeschichte Österreichs 3)* Wien–München 1967.
***WINTER,** Eduard, Der Josephinismus. Beiträge zur Geistesgeschichte Österreichs 1740–1848 *(Prager Studien zur Geistesgeschichte und Gesinnungsgeschichte Ostmitteleuropas 1)* Brünn–München– Wien 1943.
WIRTH, Karl, Die Flora des Lavanttales, in: Lavanttaler Heimatbuch, S. 23 f.
WISCHERMANN, Heinfried, Zur Habsburger-Gruft in St. Blasien, Badische Heimat 54 (1974), S. 333–337.
–, Die Habsburger-Gruft, in: FS St. Blasien 1983, S. 286–291.
***WITTE,** Heinrich, Über die älteren Grafen von Spanheim und verwandte Geschlechter, ZS für die Geschichte des Oberrheins NF 11 (1896), S. 161–229.
***WITTMANN,** Friedrich, Zur Geschichte des Schlosses Bayerhofen bei Wolfsberg in Kärnten, Car. I 150 (1960), S. 162–173.
WITTMANN, Herta, Die Geschichte des Lavanttales, unter Verwendung der Aufzeichnungen des Schulrates Fr. Pehr, in: Lavanttaler Heimatbuch, S. 8–17.
–, Kurzer Überblick über die Geschichte des Lavanttales, in: Lavanttaler Wirtschaftsschau. Wolfsberg 1960, S. 57–59.
***WODKA,** Josef, Kirche in Österreich. Wegweiser durch ihre Geschichte. Wien 1959.
–, Lavant, in: Lexikon für Theologie und Kirche, Bd. 6, 3. Aufl. 1961, S. 839 f.
–, St. Andrä im Lavanttal, Lexikon für Theologie und Kirche, Bd. 9, 3. Aufl. 1964, S. 128.
***WÖLGER,** Alfred, Die historische Literatur in und für Kärnten. Ein Versuch, die Entwicklung der Landesgeschichtsschreibung in Kärnten darzustellen (Diss. Wien, 1950).
WOHLGEMUTH, Eva M., Aus Kloster- und Pfarrhausküchen, 2 Tle., JbSP 1981/82, S. 49–56; 1982/83, S. 50–63.
***WOISETSCHLÄGER,** Kurt, Steirische Plastik des 18. Jahrhunderts, Alte und moderne Kunst 3 (1958), Nr. 5, S. 27–32.
–, *KRENN, Peter, Alte Steirische Herrlichkeiten. 800 Jahre Kunst in der Steiermark. Graz 1968.
–, *KRENN, Peter, Die Kunstdenkmäler Österreichs: Steiermark *(Dehio-Handbuch. Die Kunstdenkmäler Österreichs)* Wien 1982.
***WOLF,** Adam, Die Aufhebung der Klöster in Innerösterreich 1782–1790. Ein Beitrag zur Geschichte Kaiser Joseph's II. Wien 1871 (Nd. 1971).
***WOLFRAM** von Eschenbach: Willehalm. Nach der gesamten Überlieferung kritisch neu hrsg. von SCHRÖDER, Werner, Berlin 1978.
***WOLFRAM,** Herwig, Die Geburt Mitteleuropas. Geschichte Österreichs vor seiner Entstehung. Wien 1987.
***WOLFSGRUBER,** Cölestin, Christoph Anton Kardinal Migazzi, Fürsterzbischof von Wien. Eine Monographie und zugleich ein Beitrag zur Geschichte des Josephinismus. 2. Aufl. Saulgau 1897.
***WOLLASCH,** Joachim, Die mittelalterliche Lebensform der Verbrüderung, in: Memoria, S. 215–232.
–, *Neue Methoden der Erforschung des Mönchtums im Mittelalter, HZ 225 (1977), S. 529–571.
***WONISCH,** Othmar, Die Kunstdenkmäler des Stiftes St. Lambrecht *(ÖKT 31)* 1951.
WÜSTNER, Bruno, Anatomische Differenzierungen an der Basis verholzter Seitensprosse einheimischer Laubbäume, JbSP 1920/21, S. III–IX.
***WUNDER,** Gerd, Die Verwandtschaft des Erzbischofs Friedrich I. von Köln, Annalen des Historischen Vereines für den Niederrhein 166 (1964), S. 24 ff.
***WURZBACH,** Constant v., Biographisches Lexikon des Kaiserthums Oesterreich, 60 Bde., Wien 1856–1891.
WURZER, Rudolf, Ein System von Klostergründungen des 10. und 11. Jahrhunderts in Kärnten, Car. I 144 (1954), S. 244–247.
–, Die Stadt- und Marktanlagen, in: Planungsatlas Lavanttal, A, S. 108–128.
WUTTKE, Dieter, Theodoricus Ulsenius als Quelle für das Epigramm auf den Orpheus-Eurydike-Plaketten Peter Vischers des Jüngeren, ZS des deutschen Vereins für Kunstwissenschaft 20 (1966), S. 143–175.
WUTSCHER, Walfried, Der Werdegang der Landwirtschaft im Wandel von 800 Jahren Marktgemeindeamt St. Paul, in: FS Markt St. Paul 1984, S. 62–67.
***WUTTE,** Martin, Die Lage der bambergischen Herrschaften in Kärnten vor ihrem Verkauf im Jahre 1759, Car. I 97 (1907), S. 168–199.
–, Kärntner Gerichtsbeschreibungen *(AVGT 20/21)* Klagenfurt 1912.
–, *Das Archiv des Geschichtsvereines für Kärnten, Car. I 103 (1913), S. 52–81.
–, *Vom alten Landsturm, Car. I 105 (1915), S. 6–39; 106 (1916), S. 19–57.
–, *Der erste Plan zur Gründung eines Museums in Kärnten, Car. I 116 (1926), S. 122–134.
–, *25 Jahre Kärntner Landesarchiv, Car. I 119 (1929), S. 112–134.
–, *Beiträge zur Kunde Kärntner Künstler, 3. Tl.: Landschaftliche Maler, Car. I 124 (1934), S. 98–102; 4. Tl.: Landschaftliche Stukkateure, S. 103–106.
–, *Zur Geschichte Kärntens in den ersten zwei Jahrhunderten habsburgischer Herrschaft, Car. I 125 (1935), S. 11–58.
–, *Die Wappen in den Wappensälen des Landhauses zu Klagenfurt und in den Wappenbüchern des Kärntner Landesarchives, Car. I 127 (1937), S. 109–146.
–, Verzeichnis der 1921–1936 erschienenen Literatur über Kärnten (Auswahl). Sonderabdruck aus „Deutsches Archiv für Landes- und Volksforschung 1", Leipzig o. J.
–, *Der gesamtdeutsche Gedanke in Kärnten *(Sd. aus Car. I 130)* Klagenfurt 1940, S. 3–70.
***ZAHN,** Joseph v., Ortsnamenbuch der Steiermark im Mittelalter. Wien (1893).
–, *SIEGENFELD, Alfred A. Ritter v., Steiermärkisches Wappenbuch von Zacharias Bartsch (1567). Facsimile-Ausgabe, Graz 1893.
***ZAHN,** Peter, Die Inschriften der Friedhöfe St. Joannis, St. Rochus und Wöhrd zu Nürnberg (Die deut-

schen Inschriften 13/3, Münchener Reihe 3) München 1972.

ZAK, Alphons, Österreichisches Klosterbuch. Statistisches Handbuch der Orden und Kongregationen Österreichs. Wien–Leipzig 1911.

ZANKL, Franz, Die Forstwirtschaft im Lavanttal, in: Lavanttaler Heimatbuch, S. 64 f.

***ZAPLETAL,** Joseph, Die Domcapitel der Diöcese Secau in Graz und der Diöcese Leoben in Göß seit 1786. Graz 1887.

***ZEILLINGER,** Kurt, Die Notare der Reichskanzlei in den ersten Jahren Friedrich Barbarossas, DA 22 (1966), S. 472–555.

***ZENEGG-SCHARFENSTEIN,** Emerich, Geschichtliches vom Gutenberg-Haus, Klagenfurter Zeitung, 4. 8. 1910.

ZENTRICH, Alfons, Seinerzeit, in: FS Markt St. Paul 1984, S. 31–39.

***ZIBERMAYR,** Ignaz, Johann Schlitpachers Aufzeichnungen als Visitator der Benediktinerklöster in der Salzburger Kirchenprovinz. Ein Beitrag zur Geschichte der Cusanischen Klosterreformen (1451–1452), MIÖG 30 (1909), S. 258–279.

–, *Die Legation des Kardinals Nikolaus Cusanus und die Ordensreform in der Kirchenprovinz Salzburg *(Reformationsgeschichtliche Studien und Texte 29)* Münster 1914.

–, *Zur Geschichte der Raudnitzer Reform, MIÖG Erg.-Bd. 11 (1929) (Nd. Amsterdam 1979), S. 323–353.

***ZIEGER,** A. K., Die Stiftskirche zu St. Paul im Lavanttale, in: Kärntner Tagblatt, 24. 12. 1935.

***ZIMMERMANN,** Bernd, Landeshauptmann Hans Ungnad von Sonnegg (1493–1564), in: FS Fritz Posch, hrsg. von PFERSCHY, Gerhard *(Veröffentlichungen des Steiermärkischen Landesarchivs 12)* Graz 1981, S. 203–216.

ZIMMERMANN, Engelbert, Sind die alten Sprachen tot?, JbSP 1974/75, S. 7 f.

–, Lernhilfen für den Schüler, JbSP 1976/77, S. 11–14.

–, Lernmotivation. Non vitae sed scholae discimus?, JbSP 1977/78, S. 14–16.

–, Abt Dr. Richard Strelli und die archäologische Forschung im Lavanttal, JbSP 1984/85, S. 39–44.

***ZIMMERMANN,** Gerd, Ordensleben und Lebensstandard. Die Cura Corporis in den Ordensvorschriften des abendländischen Hochmittelalters *(Beiträge zur Geschichte des alten Mönchtums und des Benediktinerordens 32, 1973)* (Habil. Schrift Würzburg 1960).

***ZIMMERMANN,** Walther, Die Kunstdenkmäler des Kreises Kreuznach. Düsseldorf 1935.

***ZINKE,** Detlev, Die sanblasianischen Kunstsammlungen, in: Katalog St. Blasien, Bd. 2, 1983, S. 275–281 (2. Aufl. 1984).

–, *Das Museum der Abtei St. Paul im Lavanttal, Das Münster 37 (1984), S. 10–20.

***ZLABINGER,** Eleonore, Lodovico Antonio Muratori und Österreich *(Veröffentlichungen der Universität Innsbruck 53; Studien zur Rechts-, Wirtschafts- und Kulturgeschichte 6)* Innsbruck 1970.

***ZÖLLNER,** Erich, Die Annalen des Pfarrers Weriand von Saldenhofen, Car. I 147 (1957), S. 296–305.

–, *Geschichte Österreichs. 2. Aufl. Wien 1959.

–, *Bemerkungen zum Problem der Beziehungen zwischen Aufklärung und Josefinismus, in: Österreich und Europa. FG für Hugo Hantsch, hrsg. vom Institut für Österreichische Geschichtsforschung und von der Wiener Katholischen Akademie, Wien 1965, S. 203–219.

ZOPP, Friedrich, Kärntner Bibliographie. Das Schrifttum über Kärnten aus den Jahren 1945–1959. Klagenfurt 1961.

–, Kärntner Bibliographie. Das Schrifttum über Kärnten aus den Jahren 1960–1965. Klagenfurt 1970.

–, Kärntner Bibliographie. Das Schrifttum über Kärnten aus den Jahren 1966–1970. Klagenfurt 1975.

***ZSCHOKKE,** Hermann, Die theologischen Studien und Anstalten der katholischen Kirche in Österreich. Wien 1894.

ZUSCHIN, Hans, Das Phänomen der Renaissance. Des Griechen Wiederkehr, JbSP 1974/75, S. 13 f.

–, Literaturpflege für die Schule oder fürs Leben?, JbSP 1975/76, S. 18.

Zeittafel

1090 Graf Engelbert I. von Spanheim sendet seinen Sohn, Engelbert II., ins Schwarzwaldkloster Hirsau zu Abt Wilhelm, um Benediktinermönche zur Gründung eines Klosters bei seiner Burg im Lavanttal zu erbitten
1091 Graf Engelbert I. schenkt Wezilo, dem ersten Abt des neugegründeten Klosters St. Paul, Güter in Kärnten, der Untersteiermark und Friaul
1093 Erzbischof Thiemo von Salzburg (1090–1101) weiht die neuerrichtete Klosterkirche
1096 Tod des Klosterstifters Engelbert I. von Spanheim
1098 Die Söhne Engelberts I. übergeben das Kloster St. Paul dem Apostolischen Stuhl
1099 Papst Urban II. nimmt das Stift St. Paul in seinen Schutz („Verfassungsurkunde")
1140 Erneuerung des päpstlichen Schutzes (Innozenz II.)
1147 Graf Bernhard I. v. Spanheim († 1147) schenkt dem Kloster St. Paul beide Hälften von Völkermarkt
um 1160 Beginn des Neubaues der Stiftskirche
1170 Abt Pilgrim (1150–1192) erwirkt die kaiserliche Bestätigung der päpstlichen Privilegien
um 1174 Eine Lateinschule ist für St. Paul nachgewiesen
1177 Wiederholung des päpstlichen Schutzes (Alexander III.)
1184 Erstmalige Bezeichnung der Ortschaft unter dem Stift als *forum* (Markt)
1184 Abermalige Bestätigung des päpstlichen Schutzes (Lucius III.)
1195 Papst Coelestin III. verleiht dem jeweiligen Abt des Klosters St. Paul das Recht, neben der Mitra den Ring zu tragen und liturgische Gewänder zu weihen
um 1220 Vollendung der neuen Stiftskirche
1226 Schürfrecht des Stiftes nach Erzen auf eigenem Gebiet
1249 Ein Spital bei der Erhardikirche wird urkundlich erwähnt
1257 Der Patriarch von Aquileia ernennt Abt Liuthold (1248–1258) zum Archidiakon
1260 Die Klostervogtei geht an die Herzöge von Kärnten über
1275 Abt Gerhard (1258–1275/78) wird Bischof von Lavant
1289/90 Im ältesten erhaltenen Urbar des Stiftes St. Paul erste definitive Nennung des Marktes St. Paul
1312 Abt Weriand (1311–1314) wird Vizedom des Herzogs von Kärnten in Kärnten und Krain
1340 Endgültiger Verlust Völkermarkts
1367 Großbrand im Stift St. Paul
1375 Abschluß der Restaurierungsarbeiten (gotisches Kreuzrippengewölbe in der Stiftskirche, usw.)
1370/90 Errichtung der Marienkapelle (heute Rabensteinerkapelle)
um 1400 Bau der Erhardikirche
1401 Nach der Absetzung der beiden Gegenäbte Hermann II. von Schwanberg und Kaspar Fürholzer durch Herzog Wilhelm von Österreich erlangt das Erzbistum Salzburg das Bestätigungsrecht für den neugewählten Abt des Klosters
1439 Das Stift St. Paul wird in den „Gurker Bistumsstreit" zwischen dem Bischof von Gurk und den Grafen von Cilli verwickelt, der Markt St. Paul samt Erhardikirche wird von den Cilliern verbrannt
1442 Abermals plündern Söldner der

Cillier das Lavanttal und zerstören den Markt St. Paul samt Erhardikirche
1476 Einfall der Türken ins Lavanttal, der Markt St. Paul wird zerstört, das von Abt Johann II. (1455–1483) mit Mauern und Toren befestigte Stift erfolglos belagert
1480 Abermals fallen die Türken im Lavanttal ein und verwüsten St. Pauler Besitzungen
1480 Kaiserliche Truppen unter Leonhard von Kollnitz fallen im Zuge des Ungarnkrieges in St. Andrä ein und besetzen die umliegenden Festungen
1481 Ungarische Truppen plündern das Lavanttal, Lavamünd und Unterdrauburg werden besetzt
1488 Die Burg Loschental gerät in ungarischen Besitz
1490 Tod des Matthias Corvinus, Ende der ungarischen Besatzung
1515 Bauern der Grundherrschaft St. Paul beteiligen sich am „Windischen Bauernbund"; Bauernversammlung in Pustritz und Gründung eines Bauernbundes mit Zentrum Maria Rojach; Unterwerfung der aufständischen Bauern und Hinrichtung ihrer Anführer; ähnliches Vorgehen eines steirischen Aufgebotes in Krain
1515 Abt Johann IV. Parenpichler resigniert zugunsten des lebenslustigen Ulrich Pfinzing, eines Günstlings Kaiser Maximilians I.
1522 Treffen der innerösterreichischen Landeshauptleute in St. Paul wegen eines Türkeneinfalls in Krain
1530 Amtsniederlegung des Abtes Ulrich Pfinzing. Wirtschaftlicher Tiefpunkt des Klosters
1576 Der lutherische Abt Thomas Mur (1558–1576) wird ob schlechter Amtsführung vom Salzburger Erzbischof abgesetzt
1583 Der 1576 vom Konvent ohne Erlaubnis des Salzburger Erzbischofs und des Landesherrn gewählte Abt Andreas Schaffer, der ebenfalls Anhänger der Lehre Luthers ist, muß 1583 resignieren
1616 Der Prior des Klosters St. Lambrecht, der Schwabe Hieronymus Marchstaller, „zweiter Gründer" des Stiftes St. Paul, wird Abt
1616–1638 Um- und Neubauten am Stift
1622 Marktrechtsbestätigung für St. Paul durch Kaiser Ferdinand II. (offizielle Kundmachung 1625)
1631 Abt Hieronymus errichtet im Markt St. Paul eine neue Schule
1647/48 Abbau von Eisenerz am Lamprechtsberg durch das Stift St. Paul
1679 Das Stift kauft Bergwerksanteile in Hüttenberg (nach zehn Jahren wieder veräußert)
1687 Errichtung einer Glashütte in St. Vinzenz (1878 geschlossen)
1727 Das Stift wird staatlicher Vormundschaft unterstellt und muß nun jährlich eine Jahresabrechnung vorlegen
1766/67 Eröffnung eines Kupferbergwerkes am Lamprechtsberg (1791 geschlossen)
1777 Ausbau der St. Pauler Schule zu einem humanistischen Gymnasium (Caesaro-Regium-Gymnasium ad Sanctum Paulum)
1782/87 Erste Aufhebung des Stiftes St. Paul unter Kaiser Joseph II.
1783 Der Konvent hat noch 36 Mitglieder, wovon 14 auswärts in der Seelsorge tätig sind
1784 Einstellung der Tätigkeit am Gymnasium
1807 St. Blasier Mönche besiedeln das aufgelassene Chorherrenstift Spital am Pyhrn
1807 Fürstabt Berthold Rottler (1801–1807/26) entsendet von Spital am Pyhrn Mönche als Lehrer an die Höheren Lehranstalten in Klagenfurt
1809 St. Paul wird den St. Blasiern übergeben, das Gymnasium wird im Trakt hinter der Stiftskirche installiert
1817 Ein Konvikt wird eröffnet

1820 Kaiser Franz I. stellt die Dotationsurkunde für das wiederbesiedelte Kloster St. Paul aus mit der ausdrücklichen Forderung, daß sich das Kloster vorrangig dem Bildungswesen zu widmen habe
1839 Die Stiftsmeierei wird durch einen Brand zerstört
1848 Das Untertänigkeitsverhältnis mit allen daraus resultierenden Pflichten und Rechten wird per Gesetz vom 7. September aufgehoben
1848/49 Auflösung des Lyzeums in Klagenfurt
1874 Das Gymnasium St. Paul erhält Öffentlichkeitsrecht
1885/86 Das erste Jahrbuch des Stiftsgymnasiums St. Paul wird herausgegeben
1889 Das Konvikt „Josephinum“ wird erbaut
1897 Eröffnung des neuen Gymnasialgebäudes
1897/98 Schaffung eines achtjährigen Vollgymnasiums in St. Paul
1907 Errichtung eines eigenen Elektrizitätswerkes an der Lavant
1909 Erweiterung des Konviktgebäudes um zwei Flügelbauten
1918 Südslawische (SHS) Truppen besetzen im Dezember St. Paul und beschlagnahmen auch Räumlichkeiten des Stifts
1919 Zweite Besetzung des Stiftes (Juni)
1930 Übergabe der Gutenbergbibel, die aus finanziellen Nöten 1927 in die USA verkauft worden war
1932 Endgültige Niederlegung des Bergbaues durch das Stift
1933/34 Erweiterung des humanistischen Gymnasiums um eine realgymnasiale Abteilung
1934 Die Stiftsmeierei fällt einem NSDAP-Brandanschlag zum Opfer
1934 Im Juli besetzen nationalsozialistische Putschisten das Stift für drei Tage
1935/36 Umfassende Restaurierung der Stiftskirche
1938 Verstaatlichung des Stiftsgymnasiums St. Paul (nun Oberschule für Jungen)
1940–45 Zweite Aufhebung des Stiftes
1945 Am 1. Dezember nehmen die Benediktiner des wiederbesiedelten Stiftes den Schulbetrieb auf
1950 Wiedereröffnung des Konviktes
1976/77 Das Konvikt wird geschlossen
1980/81 Eröffnung der Tagesheimschule am Stiftsgymnasium St. Paul

Abbildungsnachweise

Nachweis und Verzeichnis der Karten, Graphiken, etc.